Philippe Depreux
Prosopographie de l'entourage de Louis le Pieux (781–840)

INSTRUMENTA

Herausgegeben vom Deutschen Historischen Institut Paris

Band 1

PROSOPOGRAPHIE DE L'ENTOURAGE DE LOUIS LE PIEUX (781–840)

par

Philippe Depreux

Jan Thorbecke Verlag Sigmaringen
1997

Philippe Depreux

Prosopographie
de l'entourage de Louis le Pieux
(781–840)

Préface de Peter Johanek

Jan Thorbecke Verlag Sigmaringen
1997

Die Deutsche Bibliothek – CIP-Einheitsaufnahme

Depreux, Philippe:
Prosopographie de l'entourage de Louis le Pieux
(781–840) / Philippe Depreux. – Sigmaringen:
Thorbecke, 1997
    (Instrumenta; Bd. 1)
    ISBN 3-7995-7265-1
NE: Instrumenta

INSTRUMENTA

Herausgeber: Prof. Dr. Werner Paravicini
Redakteur: Dr. Stefan Martens
Deutsches Historisches Institut, Hôtel Duret de Chevry, 8, rue du Parc Royal,
F-75003 Paris

Dieses Buch ist aus säurefreiem Papier hergestellt und entspricht den Frankfurter Forderungen zur Verwendung alterungsbeständiger Papiere für die Buchherstellung.

Institutslogo: Heinrich Paravicini, unter Verwendung eines Motivs am Hôtel Duret de Chevry
Verlagsadresse: Jan Thorbecke Verlag GmbH & Co., Karlstraße 10, D-72488 Sigmaringen

Gesamtherstellung: M. Liehners Hofbuchdruckerei GmbH & Co. Verlagsanstalt, Sigmaringen
Printed in Germany · ISBN 3-7995-7265-1

TABLE DES MATIÈRES

Préface par Peter Johanek VII
Avant-propos IX
Abréviations. X
Introduction. 1
I. Palais ou entourage? 9
    A. Le Palais, une institution aux contours flous 9
    B. Chapelains, notaires et »écoliers« 13
    C. Le Palais de Louis le Pieux 21
    D. La dimension politique du *palatium* 29
II. Louis le Pieux et ses hommes 41
    A. L'entourage du roi d'Aquitaine 42
    B. Quelques remarques sur l'entourage de l'empereur 46
    C. Les proches collaborateurs de l'empereur d'après les mentions
       d'intermédiaires dans les diplômes 52
    D. Délégation de pouvoir et diplomatie pendant le règne impérial. . . . 60
Prosopographie. 65
Annexe 1: La date du procès du comte Adhémar contre l'aprisionnaire Jean
        devant le tribunal du Palais. 401
Annexe 2: À propos de quelques diplômes pour le monastère de
        Saint-Antonin en Rouergue 404
Annexe 3: Exemples de personnes n'ayant pas été retenues dans la
        prosopographie. 406
Sources 423
Bibliographie 443
Index des noms de personnes 489

PRÉFACE

Louis le Pieux, »le fils petit du grand empereur«, comme Albert Hauck tenta de le dépeindre en quelques mots, est longtemps demeuré dans l'ombre de la recherche relative aux temps carolingiens, qui porta de préférence sur l'essor des Carolingiens, sur l'oeuvre de Charlemagne, mais aussi sur l'époque de la décomposition de l'empire des Francs, à la fin du IXe siècle, et sur la recherche des origines de la France et de l'Allemagne. A cela, il y avait des raisons relevant de l'histoire de la recherche – en premier lieu, le fait que l'édition des diplômes de Louis par les Monumenta Germaniae Historica n'a jamais abouti. Mais il y avait également l'ombre que le père jetait sur son fils: elle s'avéra un obstacle à un examen centré sur la personne et le gouvernement de ce dernier, si l'on excepte les questions relatives à la réforme ecclésiastique et monastique.

Durant la dernière décennie, il s'est opéré un tournant. Le colloque organisé par Peter Godman et Roger Collins en 1986, à Oxford, rétablit Louis le Pieux pour ce qu'il était: »Charlemagne's Heir«, l'héritier de Charlemagne. Les actes de ce colloque, publiés en 1990, ont donné un nouveau départ à la recherche; et environ à la même époque, le travail concernant l'édition des diplômes a repris. A présent, avec la publication des études de Philippe Depreux, un nouveau pas, important, est accompli.

Depuis le début des années quatre-vingt-dix, ce jeune chercheur français a, en juste une douzaine d'articles, résolu une série de problèmes propres à l'histoire de Louis le Pieux et posé des questions critiques à l'égard des acquis de la recherche. En quelque sorte, toutes ces études gravitaient autour du »magnum opus« que voici. Dans cet ouvrage, Philippe Depreux a essayé de cerner l'ensemble des personnes qui entouraient l'empereur, qui l'influençaient et avec l'aide desquelles il s'efforçait de régner. Il présente ainsi une enquête sur l'histoire des personnes et un inventaire où, en même temps, il est débattu des anciennes questions de la distinction entre Chapelle et Chancellerie, de la composition de la cour et de l'exercice des fonctions auliques.

Il s'agit d'un livre qui fait preuve d'une profonde érudition dans la meilleure tradition de la recherche française à propos des temps carolingiens. Pour la recherche future, et en particulier pour les travaux ayant trait à l'édition des diplômes de Louis le Pieux, ce sera un outil indispensable et un instrument de travail. Déjà, la matière exposée ici nous autorise à nous demander de nouveau si, en vérité, Louis le Pieux était bien le »jouet d'influences extérieures« tel que l'historiographie ancienne pensait l'appréhender. Des enquêtes de cette sorte peuvent à présent être menées à partir d'une base prosopographique sûre.

VIII

Le fait que cette thèse, pour l'essentiel préparée en Allemagne et soutenue à la Sorbonne, soit publiée par l'Institut Historique Allemand de Paris est un beau signe de l'interdépendance de plus en plus grande de la recherche internationale. Ainsi, ce livre sera d'autant plus facilement accessible aux chercheurs des deux pays qui s'intéressent à l'époque carolingienne.

Münster, avril 1996   Peter Johanek

AVANT-PROPOS

L'essentiel de cet ouvrage fut soutenu en décembre 1994 comme thèse de Doctorat de l'Université de Paris – Sorbonne (Paris IV). Le jury était composé de: MM. O. Guillot (Université de Paris IV), directeur de recherche; H. Atsma (Ecole Pratique des Hautes Etudes, IVe Section); J.-P. Brunterc'h (Archives Nationales); O. Guyotjeannin (Ecole Nationale des Chartes); M. Parisse (Université de Paris I), président. Certaines notices prosopographiques ont été légèrement retouchées; la partie d'analyse consiste pour une part en une refonte de certains chapitres et pour une part en un texte original.

Je pus travailler à la préparation de ma thèse dans d'excellentes conditions grâce à un financement de trois ans que m'accorda le Ministère de la Recherche, par le moyen d'une Allocation de Recherche, et aussi grâce à l'accueil qui me fut réservé à la bibliothèque des Monumenta Germaniae Historica (München), à la destinée desquels présidait alors le Prof. Dr. H. Fuhrmann. Avant et après mon séjour munichois, le Dr. H. Atsma m'ouvrit les portes de la bibliothèque de l'Institut Historique Allemand de Paris. A ces institutions en particulier et à toutes celles auxquelles j'ai eu affaire, à leurs responsables et aux personnes qui m'apportèrent leur aide, je tiens à exprimer ma reconnaissance. Ma gratitude va également au Prof. Dr. W. Paravicini, qui me fait l'honneur de publier mon travail dans la nouvelle série des Instrumenta. Que Mme U. Hugot et le Dr. S. Martens soient aussi remerciés pour leur aide dans la dernière ligne droite...

Enfin, je remercie ces amis qui, en France, en Allemagne ou ailleurs, me firent part de leurs conseils ou m'apportèrent leur patient soutien. En particulier, je tiens à remercier tout spécialement deux personnes pour tout ce que je leur dois: mes parents. C'est à eux et à tous ceux qui m'ont aidé à comprendre cette phrase d'Ernst Toller que je dédie mon travail: » ... und wenn mich einer fragte, wohin ich gehöre, ich würde antworten: Eine jüdische Mutter hat mich geboren, Deutschland hat mich genährt, Europa mich gebildet, meine Heimat ist die Erde, die Welt mein Vaterland« (Eine Jugend in Deutschland, Amsterdam 1936).

Mardi de Pâques 1996   Ph. D.

ABRÉVIATIONS

A.E.	Annales de l'Est
A.f.D.	Archiv für Diplomatik
A.f.U.	Archiv für Urkundenforschung
A.H.C.	Annuarium Historiae Conciliorum
A.K.G.	Archiv für Kulturgeschichte
A.M.	Annales du Midi
B.E.Ch.	Bibliothèque de l'Ecole des Chartes
B.H.L.	Bibliotheca Hagiographica Latina (cf. Bibliographie)
B.I.S.A.M.	Bullettino dell'istituto storico italiano per il medio evo e archivio Muratoriano
B.M.	Regesta imperii (cf. Sources)
B.P.H.	Bulletin Philologique et Historique
B.S.N.A.F.	Bulletin de la Société nationale des Antiquaires de France
C.C.M.	Cahiers de Civilisation Médiévale
C.C.Monast.	Corpus consuetudinum monasticarum (cf. Sources)
Ch.L.A.	Chartae Latinae Antiquiores (cf. Sources)
D.A.	Deutsches Archiv für Geschichte des Mittelalters; Deutsches Archiv für Erforschung des Mittelalters
D.A.C.L.	Dictionnaire d'Archéologie Chrétienne et de Liturgie (cf. Bibliographie)
D.B.I.	Dizionario Biografico degli Italiani (cf. Bibliographie)
E.H.R.	The English Historical Review
E.M.E.	Early Medieval Europe
F.D.G.	Forschungen zur deutschen Geschichte
F.M.St.	Frühmittelalterliche Studien
Francia	Francia. Forschungen zur westeuropäischen Geschichte
H.Jb.	Historisches Jahrbuch
H.Jb.L.	Hessisches Jahrbuch für Landesgeschichte
H.R.G.	Handwörterbuch zur deutschen Rechtsgeschichte (cf. Bibliographie)
H.Z.	Historische Zeitschrift
I.M.U.	Italia medioevale e umanistica
L.M.A.	Lexikon des Mittelalters (cf. Bibliographie)
L.Th.K.	Lexikon für Theologie und Kirche (cf. Bibliographie)
M.A.	Le Moyen Age
M.B.	Monumenta Boica (cf. Sources)
M.G.H.	Monumenta Germaniae Historica
– Capit.	– Capitularia regum Francorum
– Conc.	– Concilia
– Dipl. Karol.	– Diplomata Karolinorum
– Dipl. regum Germ.	– Diplomata regum Germaniae ex stirpe Karolinorum
– Fontes iuris	– Fontes iuris Germanici antiqui in usum scholarum separatim editi
– Formulae	– Formulae Merowingici et Karolini aevi
– Leges nat. Germ.	– Leges nationum Germanicarum
– Necrol.	– Necrologia Germaniae
– Poetae	– Poetae latini medii aevi
– SS.	– Scriptores
– SS. rer. Germ.	– Scriptores rerum Germanicarum in usum scholarum separatim editi
– SS. rer. Lang.	– Scriptores rerum Langobardicarum et Italicarum saec. VI – IX

– SS. rer. Merov.	– Scriptores rerum Merovingicarum
M.I.Ö.G.	Mitteilungen des Instituts für österreichische Geschichtsforschung
N.A.	Neues Archiv der Gesellschaft für ältere Geschichtskunde
P.B.A.	Proceedings of the British Academy
P.L.	Patrologiae cursus completus, Series Latina, éd. J.-P. MIGNE
Q.F.I.A.B.	Quellen und Forschungen aus italienischen Archiven und Bibliotheken
R.B.	Revue Bénédictine
R.B.P.H.	Revue Belge de Philologie et d'Histoire
R.H.	Revue Historique
R.H.E.F.	Revue d'Histoire de l'Eglise de France
R.M.	Revue Mabillon
R.Vbl.	Rheinische Vierteljahrsblätter
S.M.	Studi medievali
T.R.H.S.	Transactions of the Royal Historical Society
W.G.	Die Welt als Geschichte
W.Z.	Westfälische Zeitschrift
Z.A.G.	Zeitschrift des Aachener Geschichtsvereins
Z.B.L.	Zeitschrift für bayerische Landesgeschichte
Z.G.O.	Zeitschrift für die Geschichte des Oberrheins
Z.K.G.	Zeitschrift für Kirchengeschichte
Z.R.G.	Zeitschrift der Savigny-Stiftung für Rechtsgeschichte
Z.S.G.	Zeitschrift für schweizerische Geschichte
Z.V.G.A.	Zeitschrift für vaterländische Geschichte und Altertumskunde

INTRODUCTION

Le règne du belliqueux David fit place à celui du pacifique Salomon. Cette comparaison rapportée à Charlemagne et à son fils, Louis[1], illustre une différence profonde et depuis longtemps constatée entre le gouvernement du grand empereur et celui de son successeur, dont le surnom de »Pieux« souligne qu'il possédait certaines des qualités fondamentales dont le souverain devait faire preuve[2]. Ce n'est cependant que depuis un temps récent que les historiens s'intéressent au règne de Louis le Pieux en tentant de s'affranchir des préjugés négatifs souvent attachés au souvenir d'un prince humilié par ses fils et accusé d'avoir mené l'empire à son éclatement. Mais l'attention érudite s'est pour l'essentiel portée sur l'histoire politique et sur celle des idées politiques ou politico-religieuses. Les conditions concrètes du gouvernement et, plus spécialement, les Hommes qui le servirent sont quelque peu restés dans l'ombre[3]. C'est cette lacune historiographique que je voudrais contribuer à combler par la présente étude[4]. Son principal objet est par conséquent d'ordre prosopographique: il s'agit de

1 Doc. dipl. Lorsch, tome 1, p. 295: ... *regnante iam tunc Ludowico pio ... post bellicosum patrem David Salemone pacifico ...*

2 Cf. SCHIEFFER, Herrscherbeiname.

3 La nouvelle manière d'appréhender le règne de Louis le Pieux fut inaugurée par GANSHOF, Louis the Pious reconsidered, et SCHIEFFER, Krise. Parmi les études particulièrement représentatives de l'habitude qu'ont les historiens d'aborder le règne de Louis le Pieux sous l'angle de l'histoire religieuse, on peut citer celles de NOBLE, Monastic ideal, de MCKEON, Empire, et de LE MAÎTRE, Image. J'ai présenté les dernières tendances de la recherche dans DEPREUX, Louis le Pieux reconsidéré?

4 Etant donné que notre information est à la fois fragmentaire et lacunaire, particulièrement en ce qui concerne les personnes laïques pendant le haut Moyen-Age, il m'a fallu faire flèche de tout bois. Par conséquent, j'ai eu recours à des sources de natures (et parfois d'époques) tellement différentes qu'il serait incongru d'en proposer une présentation. Les principales sources carolingiennes font d'ailleurs l'objet d'une analyse dans LÖWE, Karolinger, et dans la série de la Typologie des sources du Moyen Age Occidental publiée par l'Institut d'Etudes Médiévales de l'Université de Louvain. Lorsqu'une source présentera un caractère douteux en raison de sa teneur ou de sa date, je l'indiquerai au fur et à mesure de mon étude. Deux textes fondamentaux pour l'étude du règne de Louis le Pieux ont tout récemment fait l'objet d'une nouvelle édition: Thegan, Die Taten Kaiser Ludwigs (Gesta Hludowici imperatoris); Astronomus, Das Leben Kaiser Ludwigs (Vita Hludowici imperatoris), éd. et trad. Ernst TREMP, München 1995 (M.G.H. SS. rer. Germ., 64). Pour des raisons de délai, les citations dans le présent ouvrage n'ont pas pu être faites d'après cette édition: j'ai donc eu recours à celle de G. H. Pertz. Le nom des villes étrangères est francisé selon l'usage. Quant aux noms de personnes, j'ai adopté un parti qui tend à faire prévaloir une transformation du nom (le plus souvent d'origine germanique et latinisé) tenant compte des traditions les plus fortes au sein de la production historiographique française (par exemple, je parle de Ricouin, mais j'appelle l'abbé de Saint-Denis Hilduin) ou internationale (je transforme par exemple *Guntbaldus* en Gombaud et *Ragambaldus* en Ragambaud, mais j'enlève simplement sa terminaison latine à Grimald, car c'est sous ce nom que l'abbé de Saint-Gall est connu dans les ouvrages de langue allemande, prépondérants pour l'étude de cet individu). Toute transformation des noms est une trahison de leur caractère. Je me suis par conséquent efforcé de ne

mieux connaître les membres de l'entourage de Louis le Pieux, et notamment d'apprécier leur participation au gouvernement non seulement de l'empereur (813/814–840), mais aussi du roi d'Aquitaine que Louis fut initialement (781–813/814). C'est donc sur l'ensemble des personnes ayant collaboré avec Louis le Pieux tout au long de sa vie[5] que porte la prosopographie qui forme la seconde partie de cet ouvrage. Il convient de dire un mot des principes ayant présidé à l'établissement de la liste de ceux qui y sont présentés. On n'a en effet aucunement affaire à un groupe homogène, que ce soit au regard de l'origine des personnes[6], de leur état[7] ou des fonctions qu'elles exerçaient[8].

En raison de la difficulté que l'historien éprouve à proposer une définition de l'entourage royal ou impérial et du caractère apparemment très fluctuant de cette notion (je m'en explique dans la partie analytique de cet ouvrage), seuls ont été retenus les individus désignés par un titre aulique ou dont on sait qu'ils exerçaient une fonction au Palais, ou bien ceux qui apparaissent dans un contexte tel qu'on peut tenir pour certain qu'il s'agissait de conseillers de l'empereur; ou encore, les personnes investies d'une fonction de *missus*[9] (les légats ont également été retenus). Bref, le principe

pas leur faire trop grande violence et d'associer un souci de cohésion au respect des traditions, en dépit de certains choix inévitablement discutables.

5 La vie et le règne de Louis se confondent presque. En effet, Louis le Pieux, né en 778 (Astronomus, Vita, c. 3, p. 608; à ce propos, cf. JARNUT, Chlodwig), fut sacré roi en 781 (Annales regni Franc., a. 781, p. 56; à ce propos, cf. BRÜHL, Krönungsbrauch, p. 315 sq.). En conséquence, Charlemagne l'envoya en Aquitaine (Astronomus, Vita, c. 4, p. 609), au plus tard vers 784. Cette date pourrait résulter de la datation, au demeurant assez déconcertante, de l'*Expositio in Genesim* de Claude (le futur évêque de Turin), telle qu'un colophon permet de l'établir (Claudius, Epistolae, n° 1, p. 593 – texte cité à la notice n° 65): le scribe Faustin faisait en effet coïncider l'année 811 avec la 848ᵉ de l'ère d'Espagne et avec la vingt-septième année du règne de Louis le Pieux, une manière de calculer qui suppose le début de ce dernier vers 784 si l'on se fonde sur l'indication de l'année de l'Incarnation (les trois datations ne coïncident en effet pas, tant pour ce qui est du système de datation des années de règne de Louis que l'on observe dans ses diplômes que pour la datation d'après l'ère d'Espagne, la 848ᵉ année correspondant à l'an 810 de l'Incarnation). Pour la datation des diplômes de Louis le Pieux qu'il donna en tant que roi d'Aquitaine, cf. B.M. 516(497) à 519(500), les années de règne étaient calculées à partir du sacre de Pâques 781. En raison des incohérences de la datation du texte de Faustin, certains historiens s'en tiennent à la fourchette chronologique de 808–811, cf. SAMARAN, MARICHAL, Catalogue, tome 3, p. 127 (Paris, B.N., lat. 9575). Le gouvernement de Louis le Pieux en Aquitaine a certes été analysé par EITEN, Unterkönigtum, p. 35 sqq., mais les historiens contemporains semblent s'en désintéresser: en témoigne le fait qu'aucune étude ne lui a été consacrée dans les actes du colloque »Charlemagne's Heir« organisé à Oxford en 1986 (à l'exception de quelques allusions dans WERNER, Hludovicus Augustus). Louis fut associé à l'empire en septembre 813, cf. WENDLING, Erhebung. Charlemagne mourut le 28 janvier 814 et Louis lui succéda quelques jours plus tard (probablement le 2 février), cf. DEPREUX, Wann begann?

6 A la différence de STROHEKER, Adel.

7 A la différence de HEINZELMANN, Prosopographie.

8 A la différence de EBLING, Prosopographie.

9 Cela en raison de la délégation spéciale de pouvoirs que cette mission supposait. Néanmoins, il importe de se méfier du terme de *missus*, car il couvrait un large champ sémantique. Seuls retiennent mon attention les *missi* investis d'un pouvoir, non tous ceux qui furent »envoyés« à tel ou tel dessein. Le simple messager n'est, dans le contexte de la présente recherche, pas intéressant. C'est pourquoi Adalhelme et Haymon, qui portèrent respectivement à l'archevêque de Bordeaux, Sichaire, et à l'archevêque de Sens, Magne, les actes du concile réformateur de 816 tenu à Aix-la-Chapelle (Epistolae ad archiepiscopos, p. 339), n'ont pas été retenus dans cette prosopographie. Je signale pour information que le 17 août 818, un certain Heimon est attesté comme abbé du monastère de Manlieu, cf. B.M. 668(654). Il importe par ailleurs d'écarter tous ceux qui, éventuellement, reçurent une charge pouvant

ayant présidé à ma démarche fut le souci de mettre en lumière les situations de proximité vis-à-vis de Louis le Pieux (il est difficile de prouver que telle personne était un familier de l'empereur: la présence au Palais ne suffit bien souvent pas car il faut que l'on ait trace de l'influence exercée) ou de délégation exceptionnelle du pouvoir. La durée dans le temps n'est pas un critère: telle intervention unique peut s'avérer plus intéressante qu'une présence routinière à la cour; elle illustre alors le recours ponctuel à des spécialistes. Mais le Palais n'était pas seulement un lieu de décision, il était également un lieu de formation: j'ai par conséquent recensé les quelques personnes dont on sait qu'elles furent »nourries« à la cour[10].

Pour établir la liste des personnages qui m'intéressaient, eu égard à la difficulté de proposer une définition positive de l'entourage du prince, c'est à des définitions négatives que j'ai eu recours: en effet, c'est en procédant par élimination, en déterminant ce que ces individus n'étaient pas, que je pouvais espérer cerner les caractéristiques de ce groupe – de ces groupes, devrait-on dire, car on observe une grande diversité parmi les cas étudiés[11]. Ainsi, dans cette prosopographie qui compte 280 notices, seules les personnes pour lesquelles on dispose d'indices irréfutables ont été prises en compte[12]. J'ai toutefois assoupli mes critères pour les individus ayant fréquenté Louis pendant son règne en Aquitaine. En effet, il m'a semblé préférable de traquer tous ceux qui, à un titre ou à un autre, avaient été en mesure d'exercer une certaine influence sur le jeune roi, même s'ils ne sont pas explicitement attestés dans un rôle de »conseiller«[13]; bref, j'ai cherché à connaître tous ceux qui étaient suscep-

s'apparenter à celle d'un *missus*, mais pour qui le doute subsiste. C'est pourquoi, sauf exception dûment justifiée, je n'ai retenu que les individus explicitement attestés comme *missi*. Pour un exemple de personnes qui, peut-être, accomplirent une mission proche de celle dont des *missi* pouvaient être chargés, mais qui furent écartées de cette prosopographie, cf. le mandement de Louis le Pieux édité dans Doc. dipl. Saint-Bénigne, n° 34, p. 69.

10 Parmi les individus étudiés dans cet ouvrage, on compte environ vingt-cinq personnes ayant été éduquées à la cour, dont plus de la moitié sous le règne impérial de Louis le Pieux (le numéro précédant le nom des *nutriti* est celui de la notice prosopographique correspondante). Pour le règne de Pépin le Bref: 43. Vitiza, alias Benoît d'Aniane. Pour le règne de Charlemagne: 17. Adhémar, un *connutritus* de Louis le Pieux; 30. Anségise (?); 51. Bernold; 78. Ebbon, le frère de Louis le Pieux – en fait, Ebbon (de même d'ailleurs qu'Adhémar) ne fut pas »nourri« à la cour de Charlemagne, mais à celle du roi d'Aquitaine, cf. Ermoldus, Elegiacum carmen, IV, v. 1908 sq., p. 146: *Nam Hludowicus enim puerum nutrirat eundem,/ Artibus ingenuis fecerat esse catum*; 82. Eginhard; 104. Fridugise; 125. Grimald; 194. Loup Sanche; 215. Raban Maur. En outre, Walcaud possédait la facilité d'élocution des étudiants formés à la cour, comme l'atteste Jonas d'Orléans dans une lettre à l'évêque de Liège: ... *cum adsit vobis palatina scolasticorum facundia* ... (Epistolae variorum 2, n° 30, p. 348). Pour le règne de Louis le Pieux: 26. Aldric (II); 37. l'Astronome (au cas où il ne serait pas 73. Dicuil); 47. Bern; 75. Drogon; 100. Francon; 145. Héribaud; 159. Hincmar; 165. Hugues (II); 221. Rampon; 245. Ruadbern; 261. Théodéric; 272. Warin (I); les fils de l'empereur, du moins explicitement 192. Louis (en effet, Louis le Pieux retint son fils homonyme auprès de lui jusqu'en 825) et 63. Charles (Charles est de nombreuses fois attesté à la cour durant son enfance; ce n'est qu'à la faveur de la crise politique ayant occasionné son éloignement de l'empereur qu'il fut mis en résidence surveillée dans un monastère).

11 Pour une période beaucoup plus tardive, BALDWIN, King's council, p. 10 sq., avait également souligné la diversité des personnes appelées à conseiller le roi.

12 Je me suis d'ailleurs montré d'autant plus sévère que l'individu étudié s'avérait célèbre. Quelques cas assez difficiles, dont le nombre est toutefois peu élevé, ont été exposés en annexe n° 3, en raison de l'intérêt qu'ils présentent.

13 C'est par exemple le cas d'Aton – cf. la notice n° 38.

tibles de lui avoir appris son métier de roi[14]. C'est à ce titre que j'ai également retenu les chefs de guerre ayant pris part aux campagnes du jeune Louis; mais seulement les chefs, point tous ceux qui s'illustrèrent dans les combats. C'est pourquoi l'on doit par exemple laisser de côté le pourfendeur de Sarrasins que fut l'aprisionnaire Jean[15], une personnalité locale[16], qui devint en 814 le vassal de Louis le Pieux[17] après avoir été celui de Charlemagne[18] et sur lequel on possède une documentation assez abondante[19].

En revanche, lorsqu'on aborde le règne proprement impérial de Louis le Pieux, une grande rigueur est de mise: il faut que l'influence auprès de l'empereur soit indéniable ou que l'on puisse trouver mention d'un titre dans les sources. Il n'y a pas lieu de justifier ici le rejet de chacune des personnes écartées, même si certains choix peuvent, de prime abord, sembler surprenants (que l'on pense par exemple à l'archevêque de Lyon, Agobard). Il peut en effet arriver qu'un évêque soit qualifié de »personnage très important sous Charlemagne et Louis le Pieux«[20] alors que cette assertion est en partie fausse. Ainsi en va-t-il de l'évêque d'Amiens, Jessé. En fait, le rang élevé d'un individu ne laisse aucunement préjuger de la confiance dont il jouissait auprès du prince. La marque de confiance seule ne suffit donc pas: il fallait soit qu'elle conduisît l'empereur à conférer une charge aulique à l'individu distingué par lui ou à l'investir d'une mission particulière, soit qu'elle permît à cet individu d'exercer une influence sur le gouvernement[21]. En outre, la présence d'une personne à la cour n'est pas synonyme de sa participation au conseil du prince. L'évêque Félix, généralement identifié comme évêque de Quimper[22], fut à ce propos sujet d'une méprise. Il se trouvait à Thionville, en 834[23], avec l'évêque Hermor[24], lorsque Conwoion vint demander à Louis le Pieux la confirmation de la donation, par Nominoé, de la *plebs* de

14 Il convient toutefois de souligner une chose: outre les individus qui vivaient auprès du roi d'Aquitaine, je ne me suis intéressé ici qu'aux personnes dont Louis avait sollicité le conseil, ce qui explique qu'Alcuin ou Dadon aient été retenus (cf. les notices n° 23 et n° 68), mais pas Angilbert, en dépit de son envoi à Louis du De doctrina christiana de saint Augustin, accompagné d'un poème de dédicace (à ce propos, cf. RABE, Faith, p. 76 sqq.).
15 Dipl. Karol. 1, n° 179, p. 241 sq. Sur ce personnage, cf. SALRACH, Défrichement, p. 143; DUHAMEL-AMADO, Poids de l'aristocratie, p. 94 sq.
16 Il est mentionné en 812 parmi les *Ispani de vestra ministeria* dans le Praeceptum pro Hispanis.
17 B.M. 567(547).
18 Dipl. Karol. 1, n° 179, p. 242.
19 Cf. Actes de Charles le Chauve, tome 1, n° 43, p. 119 sqq., et surtout Enquête de Fontjoncouse.
20 DUCHESNE, Fastes, tome 3, p. 129. C'est ainsi que l'auteur commence sa notice sur Jessé.
21 La promotion de personnages à de hautes charges était certes un gage de confiance de la part de l'empereur. Ce n'est cependant pas une condition suffisante pour que l'on puisse retenir les individus honorés de la sorte. Il peut par exemple s'agir de personnes ayant appartenu au (ou à un) Palais de (ou sous) Charlemagne et auxquelles Louis le Pieux accorda sa confiance, bien qu'elles perdissent leur charge aulique sous son règne: Suppo fut dans ce cas.
22 DUCHESNE, Fastes, tome 2, p. 370 sq. Selon POULIN, Dossier hagiographique, p. 151 et p. 153, cette identification n'est pas assurée.
23 B.M. 930(901)a.
24 Cf. la notice n° 149.

Bains à l'abbaye de Redon. D'aucuns pensent que la requête de Conwoion »fut appuyée par deux évêques sympathisants, déjà présents à la cour«[25], en l'occurrence Hermor et Félix; mais en réalité, seule l'intervention de Hermor est attestée[26].

Certes, Agobard ou Jessé s'opposèrent à Louis le Pieux. Cependant, la fidélité à la cause de l'empereur pendant la crise qui marqua son règne ou, plus simplement, la conformité de l'action pastorale d'un évêque à la ligne définie par Louis ne s'avèrent inversement pas des critères suffisants pour que l'on considère ces évêques comme des membres de l'entourage impérial: dans le premier cas, l'exemple de l'évêque de Coire, Vérendaire, et dans le second, celui de l'évêque de Liège, Walcaud, le prouvent. C'est pourquoi les personnages qui ne s'illustrèrent que par leur fidélité à l'empereur (fidélité proclamée solennellement, fidélité telle que Louis le Pieux jugea utile de la récompenser) n'ont pas été retenus: ils agissaient mûs par le sentiment de devoir que l'empereur était en droit d'attendre de la part de chaque sujet – tel est ce que l'on peut supposer à propos de Pépin, le fils de Bernard d'Italie, ou du comte Eckard. En outre, un contact épistolaire assidu avec l'empereur et les plus illustres membres de la cour, l'exercice d'un commandement militaire important ou, même, des liens de parenté avec Louis le Pieux ne laissent en rien présumer de l'appartenance à l'entourage du souverain.

Bien souvent, c'est l'absence d'information précise sur un individu qui interdit qu'on le prenne en compte. Parfois, on ignore à quel titre une action fut accomplie. D'autres fois, les données chronologiques sont trop lâches. Parfois encore, on ignore si un personnage dont la fonction suppose le service du prince s'y prêta effectivement. Il est d'autre part des personnes qui ont été comptées à tort parmi les membres du Palais de Louis le Pieux; ainsi Gotabert[27], présenté comme *praeceptor palatii* alors que la seule source nous étant parvenue à son sujet n'autorise en rien une telle affirmation[28]. Ici encore, les incertitudes sont imputables au manque de précision de certaines sources – d'où, parfois, la tentation pour l'historien de privilégier l'hypothèse dans l'analyse.

Signalons pour finir deux limites à ce travail. D'une part, étant donné que je désirais porter mon attention essentiellement sur l'action des individus étudiés et sur leur participation au gouvernement, je n'ai pas privilégié l'étude des origines familiales. A l'occasion, j'indique à quelle famille se rattache tel ou tel individu, mais je n'ai pas entrepris de nouvelles enquêtes à ce propos: la présente étude ne s'inscrit ni dans le cadre de la »Stammesforschung«, ni dans celui des recherches sur le contexte social de cette haute époque[29]. L'autre limite à ce travail est d'ordre chronologique. Eu

25 POULIN, Dossier hagiographique, p. 151.

26 Gesta s. Rotonensium, p. 139.

27 FLECKENSTEIN, Hofkapelle 1, p. 74.

28 Walahfridus, Carmina, n° 35, p. 386 sq. Le passage *Noster eris* ne permet pas non plus d'affirmer que Gotabert se rendit réellement au Palais de Louis le Pieux et qu'il y demeura.

29 J'ai bien conscience de la force des liens du sang dans les rapports de pouvoir et il conviendrait de reprendre cette étude dans un cadre chronologique plus large pour apprécier, tout au long de la période carolingienne, la participation au gouvernement des membres de telle ou telle famille. A ce propos, je me permets de signaler que je n'ai pas pu utiliser le livre de Régine LE JAN, Famille et pouvoir dans le monde franc (VIIᵉ-Xᵉ siècle). Essai d'anthropologie sociale, Paris 1995, paru lors de la révision de mon manuscrit; cette thèse d'Etat avait fait l'objet d'une présentation sous le titre de Structures de parenté et pouvoirs dans l'aristocratie, entre Loire et Rhin (VIIᵉ-Xᵉ siècle), dans la Revue du Nord 76 (1994) p. 401–408. L'étude de l'individu en soi et de son action n'est toutefois pas injustifiée, car les in-

égard à la difficulté que présente une enquête prosopographique large[30], l'action des contemporains de Louis le Pieux n'est étudiée que jusqu'en 840, c'est-à-dire jusqu'à la mort de l'empereur. Dans la mesure du possible, il est fait référence à d'autres travaux pour les années ultérieures. Par ailleurs, ce travail a été entrepris dans une perspective qui dépasse le cadre de cette publication et qui a pour objet non seulement l'étude du gouvernement de Louis, mais celle du gouvernement royal durant la période carolingienne. Il s'agit par conséquent ici essentiellement d'un instrument de travail qui, je l'espère, sera utile à d'autres, et non d'une synthèse. Je ne traiterai pas ici du gouvernement de Louis le Pieux, bien que chaque notice ait été écrite dans l'espoir de le mieux comprendre. Néanmoins, il convient de mettre en exergue deux aspects au coeur de mon enquête, deux questions qui en sont la raison d'être et que je présenterai dans la première partie de cet ouvrage.

En premier lieu, il faudra faire le point sur le Palais carolingien et voir ce que l'étude des membres du Palais de Louis le Pieux nous apprend de cet appareil d'Etat. J'emploie intentionnellement ce mot, car l'on sait que le thème de l'idée d'Etat sous les Carolingiens a fait couler beaucoup d'encre[31] et que la question semble à certains égards rester ouverte: d'aucuns refusent en effet aux contemporains de Charlemagne et de Louis le Pieux la capacité d'appréhender une telle notion[32] alors que d'autres vont jusqu'à affirmer que le terme de *regnum* signifiait »Etat«[33]. En fait, il ne semble pas possible de négliger l'importance du concept de *res publica*[34] – notamment sous Louis le Pieux[35], ce qui a d'ailleurs donné l'occasion à un chercheur de consacrer un ouvrage entier à la »l'idée d'Etat« sous cet empereur[36]. Le témoignage de Nithard montre en particulier que l'idée de »bien commun« n'était alors pas ignorée[37]. C'est, à mon sens, l'élément décisif qui doit nous faire reconnaître l'existence de la notion d'Etat aux temps carolingiens: en dépit du caractère a priori dirimant de l'assimilation de la *domus* royale à l'administration du royaume[38] et du risque d'anachronisme qu'une telle qualification recèle[39], il est permis de parler d'Etat à propos du gouvernement carolingien, même si l'on n'a là que l'origine d'un phénomène en devenir[40].

Cela n'excluait cependant pas que le Palais fonctionnât avec une certaine souplesse, ce qui contribue à en rendre l'étude ardue. Les contours assez mouvants des attributions des divers membres du Palais et, dans un sens plus large, de l'entourage du prince sont principalement dus à l'importance accordée aux capacités, aux relations,

térêts particuliers allèrent parfois contre les intérêts du groupe ou du clan familial. La fin du règne de Louis le Pieux et le conflit, latent, qui éclata à la mort de l'empereur le prouvent éloquemment.

30 Que l'on pense par exemple au destin du projet P.R.O.L. exposé dans Francia 1 (1973) p. 25.
31 Le débat est ancien, cf. notamment HALPHEN, Idée d'Etat; MAYER, Staatsauffassung. Exposé des diverses tendances dans KELLER, Staatlichkeit.
32 C'est le cas pour FRIED, Herrschaftsverband.
33 Cf. GOETZ, Regnum.
34 Cf. LIEBESCHÜTZ, Rationalismus, p. 37 sqq.
35 Cf. SASSIER, Concept romain; SASSIER, *Res publica* en France du Nord, p. 80 sq.
36 WEHLEN, Geschichtsschreibung.
37 Cf. DEPREUX, Nithard, p. 153 sqq.
38 A ce propos, cf. OEXLE, Haus, p. 111 sqq.
39 Cf. BOSHOF, Königtum, p. 1: »Der Begriff 'Staat' erscheint uns nicht entbehrlich und legitim verwendbar, wenn mit dem charakterisierenden Zusatz 'mittelalterlich' oder der zeitlichen Präzisierung ... verdeutlicht wird, daß er nicht von den Kategorien des modernen Staates her definiert ist«.
40 Cf. MITTEIS, Staat, p. 2 sq.

à l'aura de telle ou telle personne. C'est ce que j'appelle le primat de la personnalité sur l'office. On ne joue pas tel rôle, on n'a pas tel poids politique parce qu'on porte tel titre ou qu'on exerce tel office, mais simplement parce que l'on *est* un tel ou un tel. La chose est connue depuis longtemps[41], mais il convenait de procéder à sa vérification d'une façon exhaustive, dans la mesure du possible, notamment pour ce qui concerne une haute époque[42]. Le règne de Louis le Pieux peut, quant à l'histoire des idées politiques, passer pour fécond et, à certains égards, original[43]; je pense toutefois, même si d'aucuns lui prêtent une valeur toute particulière en tant qu'époque critique permettant d'apprécier à leur juste valeur les idéaux carolingiens[44], qu'il peut être tenu pour un échantillon assez représentatif en ce qui concerne les conditions pratiques de gouvernement durant le haut Moyen-Age.

Or, l'importance de l'élément personnel dans le choix des individus, dans la confiance que leur accordait l'empereur et dans la manière dont il avait recours à leurs services[45] induit une seconde interrogation, à laquelle je consacrerai le second chapitre de ma partie d'analyse: quels étaient les rapports de Louis le Pieux avec les membres de son entourage? En d'autres termes: comment se servait-il d'eux (et inversement)? Quels étaient les partis en présence et comment l'empereur, dans le cadre de son gouvernement, en tenait-il compte? Par ce biais, nous quitterons alors l'histoire des institutions carolingiennes pour aborder le destin d'Hommes qui, s'ils voulurent édifier sur terre la Cité de Dieu, s'y prirent assurément bien mal.

---

41 Cf. WEST, Justiciarship, p. IX: »It is almost a cliché to say that the man was always more important than the office in the early Middle Ages, and that therefore the importance of an office varied with closeness of its holder's relations with the king and perhaps with his feudal significance«.

42 L'importance de la dimension personnelle dans la nature des liens unissant au roi les membres de son entourage a été récemment soulignée lors du colloque »Deutscher Königshof, Hoftag und Reichstag im späteren Mittelalter (12.-15. Jahrhundert)«, organisé par le »Konstanzer Arbeitskreis für mittelalterliche Geschichte« en octobre 1992.

43 Cf. l'état des recherches présenté dans DEPREUX, Louis le Pieux reconsidéré?

44 Cf. WALLACE-HADRILL, Frankish Church, p. 226: »The reign of Louis the Pious was the testing-time of the Carolingian experiment in Christian *renovatio*«.

45 Comme le notait JOLLIFFE, Angevin Kingship, p. 6, ce qui comptait, c'était moins d'appartenir à l'hôtel du roi que de jouir de sa *familiaritas* et de ce que cela impliquait.

I. PALAIS OU ENTOURAGE?

D'emblée, il convient d'expliquer pourquoi, dans le titre de cet ouvrage, il est fait référence à »l'entourage« de Louis le Pieux, et non à son »Palais«. C'est l'objet de ce premier chapitre.

A. Le Palais, une institution aux contours flous

Le terme de *palatium* a principalement deux sens: »on usait fréquemment du mot *palatium* pour désigner à la fois la résidence du roi in abstracto, et son entourage«[1], »ce que certains historiens dénomment, par un fâcheux à peu près, 'l'administration centrale' de l'Empire carolingien«[2]. L'auteur des Gesta sanctorum Rotonensium illustre fort bien ce double sens lorsqu'il relate comment Conwoion se rendit au Palais de Louis le Pieux, qui séjournait alors au palais de Charmont-en-Beauce[3]: *perrexitque ad palatium Ludouici imperatoris, ... qui tunc consistebat in palatio in Cadrio monte*[4]. Il convient donc de lever l'ambiguïté, bien que certains auteurs étudient parfois en même temps les deux aspects[5]: je ne traiterai pas ici du *palatium* en tant que résidence, un thème qui depuis quelque temps fait l'objet d'un intérêt renouvelé chez les chercheurs[6]. Il va de soi que la distinction du Palais »en tant qu'institution«[7] (c'est-à-dire les Hommes) de l'espace géographique (la résidence, où s'exerçait le pouvoir po-

---

1 Ganshof, Institutions, p. 360.
2 Perroy, Monde carolingien, p. 192.
3 Sur l'identification du palais *in Cadrio monte*, cf. Brunterc'h, Duché du Maine, p. 51 note 119.
4 Gesta s. Rotonensium, lib. I, 8, p. 133.
5 Par exemple, Riché, Représentations.
6 Outre le travail ancien de Diepenbach, Palatium, on peut signaler entre autres: Brühl, Palatium und Civitas.; Gockel, Königshöfe; Joris, Herstal; Barbier, Attigny; Barbier, Système palatial; ainsi que les publications du »Max-Planck-Institut für Geschichte« de Göttingen: Deutsche Königspfalzen. Beiträge zu ihrer historischen und archäologischen Erforschung, 3 tomes, Göttingen 1963–1979; Die deutschen Königspfalzen. Repertorium der Pfalzen, Königshöfe und übrigen Aufenthaltsorte der Könige im deutschen Reich des Mittelalters – en cours de publication. Sur les chapelles palatines, cf. Streich, Burg, p. 20 sqq. Le palais d'Aix-la-Chapelle a bien évidemment fait l'objet de nombreuses recherches, tantôt à caractère spécifiquement archéologique, tantôt d'envergure plus générale (par exemple: Schlesinger, Aachener Pfalz; Falkenstein, Lateran); on en trouvera le bilan dans Falkenstein, Aix-la-Chapelle.
7 Fleckenstein, Struktur, p. 67.

litique[8]) n'est qu'un artifice. De même, l'évincement des questions d'ordre matériel[9] est contraire à la démarche historique; mais il est nécessaire pour permettre, à l'inverse, d'étudier en détail les questions afférentes à l'étude du gouvernement, ou plus exactement: au recours aux Hommes. C'est par conséquent avec pleine conscience du caractère partiel de cette étude que je m'engage sur cette voie.

La conception que les historiens peuvent avoir du Palais a évolué au fil des recherches. E. Perroy s'était élevé avec vigueur contre une conception trop moderne – et donc anachronique: »c'est à peine si, avec les services du chancelier, du chambrier, du comte du Palais, on peut déceler l'existence de quelques bureaux rudimentaires, réduits à une poignée d'employés subalternes«[10]. L. Halphen, plus mesuré et conscient de ce que l'empereur n'avait »pour le seconder dans sa tâche qu'une administration centrale des plus rudimentaires«[11], parlait simplement de »quelques services spécialisés«[12]. C'est actuellement la conception d'une organisation relativement souple qui prévaut, comme l'illustre le jugement de R.-H. Bautier: »on a conçu le Palais comme un ensemble de services, sinon de bureaux, aux attributions fixes et disposant d'un personnel plus ou moins spécialisé. Ces vues de juristes sont loin de répondre à la réalité d'une époque où tout reposait, dans le flou général des institutions, sur le pragmatisme, la fidélité personnelle, la familiarité que des hommes, prêts à être utilisés dans les circonstances les plus diverses, avaient avec le souverain lui-même et les 'grands' de son entourage«[13]. Tout récemment, dans son exposé de l'état de la recherche sur l'époque mérovingienne, R. Kaiser a aussi proposé une définition du Palais relativement large[14].

Or, les divergences d'interprétation portent également (et surtout) sur la qualité des membres du Palais: il en va de la nature publique ou privée de ce que N. Fustel de Coulanges ne parvenait pas à définir mieux que par »un ensemble d'hommes, un per-

---

8 Cf. Ewig, Résidence; Ewig, Descriptio Franciae; Brühl, Remarques.

9 Sur le ravitaillement de la cour, cf. Brühl, Fodrum; sur les questions fiscales, cf. Durliat, Finances publiques. Eu égard à l'orientation actuelle de la recherche, une étude de la fiscalité suppose également un nouvel examen des questions relatives aux domaines. L'unanimité est cependant loin de régner sur ces questions, cf. les études mentionnées dans Depreux, Louis le Pieux reconsidéré?, p. 182 notes 6 et 8 (sur les aspects économiques).

10 Perroy, Monde carolingien, p. 201. L'auteur avait annoncé d'emblée la couleur en abordant la description du Palais: »Il serait extrêmement trompeur de parler d'une 'administration centrale' qui aurait entouré le souverain, l'aurait déchargé d'une partie importante de ses attributions, aurait exercé par délégation des pouvoirs spécialisés, et cela par l'intermédiaire de bureaux où se seraient traitées les affaires courantes et d'où seraient partis les ordres. Pareille administration centrale existait à l'époque de Charlemagne dans l'Empire romain d'Orient et, sous une forme moins savante et moins systématique, mais quand même déjà fort compliquée, chez les califes abbasides de Bagdad. Ce dont on peut être sûr, c'est que rien de semblable n'existait autour du souverain franc. Ce que certains historiens dénomment, par un fâcheux à peu près, 'l'administration centrale' de l'Empire carolingien, c'est le Palais (*palatium*), qu'on peut définir comme l'ensemble de la domesticité privée, des fidèles et des serviteurs qui vivent auprès du souverain et le suivent dans tous ses déplacements« (ibid., p. 191 sq.).

11 Halphen, Charlemagne, p. 141.

12 Ibid., p. 143.

13 Bautier, Chancellerie, p. 9.

14 Kaiser, Römisches Erbe, p. 89. Sur le Palais mérovingien, cf. également Zöllner, Geschichte der Franken, p. 132 sqq. Sur le Palais des rois Wisigoths, cf. King, Law, p. 53 sqq.

sonnel qui entoure le roi, et qui, s'il se déplace, se déplace avec lui«[15]. Contrairement à F.-L. Ganshof, qui se rendait à l'évidence que »les institutions centrales du royaume et l'entourage du roi, c'est tout un«[16], E. Perroy, qui observait la même réalité sous un autre angle, voulait réduire le Palais à »l'ensemble de la domesticité privée« du souverain[17]. N. Fustel de Coulanges avait certes noté »un mélange et une confusion des services domestiques et des fonctions publiques«[18], mais pour lui, l'aspect public l'emportait[19]. Je me range à son avis, en raison d'un troisième sens du terme de *palatium*, cette fois purement politique: il me semble en effet, comme je le montrerai plus loin, que le *palatium* et l'assemblée des *proceres* ne différaient pas en nature[20].

C'est ce que laisse entendre Hincmar dans son traité De ordine palatii, qui avait pour objet de dépeindre les conditions d'exercice d'un *regimen regni* plaisant à Dieu et, ainsi, heureux[21]: pour l'archevêque de Reims, l'exercice du pouvoir s'exerçait par le biais de deux institutions[22], le Palais[23] et les assemblées générales[24]. Après avoir décrit le premier, Hincmar – et avant lui vraisemblablement Adalhard[25] – étudiait la structure des secondes[26]. Certains historiens s'en inspirèrent. Ainsi, contrairement à N. Fustel de Coulanges, qui disposa sa présentation du Palais selon son propre gré[27], G. Waitz (qui ne négligeait toutefois pas les autres sources[28]) se conforma à l'esprit du traité De ordine palatii et il étudia de manière conjointe l'organisation du Palais carolingien et les assemblées générales[29]. Cela est d'autant plus patent qu'il avait traité séparément du Palais et des assemblées dans le tome consacré à l'époque méro-

---

15 Fustel de Coulanges, Transformations, p. 322.
16 Ganshof, Institutions, p. 360.
17 Perroy, Monde carolingien, p. 192. De même pour Fédou, Etat, p. 19, l'Etat était alors »le plus souvent ravalé au rang de *res privata* du chef«.
18 Fustel de Coulanges, Transformations, p. 336.
19 Ibid., p. 335: »Ces titres de services domestiques ... ne doivent pas faire illusion. Les fonctions ne sont domestiques que par un côté. En effet, les documents montrent sans cesse que les hommes appelés bouteillers, échansons, sénéchaux, chambriers, chefs d'écurie, remplissent fréquemment des fonctions de tout autre nature«.
20 Cela est d'ailleurs comme pressenti par Nelson, Kingship, p. 219.
21 Hincmarus, De ordine palatii, l. 20 sq. p. 34.
22 Ibid., l. 222 sq. p. 54: ... *duabus principaliter divisionibus totius regni statum constare anteposito semper et ubique omnipotentis Dei iudicio.*
23 Ibid., l. 225 sq. p. 56: *Primam videlicet divisionem esse dicens, qua assidue et indeficienter regis palatium regebatur et ordinabatur ...*
24 Ibid., l. 226 sqq. p. 56: ... *alteram vero, qua totius regni status secundum suam qualitatem studiosissime providendo servabatur.*
25 Il n'y a plus lieu de douter de l'existence du traité d'Adalhard, dont Hincmar affirme s'être servi (Hincmarus, De ordine palatii, l. 218 sqq. p. 54), comme le faisait Halphen, De ordine palatii. Schmidt, Hinkmars De ordine palatii, avança plusieurs raisons de croire à l'existence de ce traité. Certains furent convaincus par sa démonstration (telle Kasten, Adalhard, p. 73 sq.). Il faut cependant mettre un bémol à certaines affirmations, comme le soulignèrent Löwe, Hinkmar, p. 198 (à propos des questions de style), ainsi que Brühl, Hinkmariana, p. 52, et Metz, Drei Abschnitte, p. 272 sq. (à propos du titre »original« du traité d'Adalhard). Quoi qu'il en soit, il faut admettre que s'il utilisa le traité d'Adalhard, Hincmar le fit de manière »fort libre« (Ganshof, Institutions, p. 360 note 77) et qu'il put avoir également recours à d'autres sources (cf. Löwe, Hinkmar, p. 200).
26 Hincmarus, De ordine palatii, l. 466 sqq. p. 82 sqq.
27 Fustel de Coulanges, Transformations, p. 322 sqq. L'auteur a consacré un chapitre séparé aux assemblées générales (ibid., p. 356 sqq.)
28 Waitz, Verfassungsgeschichte, tome 3, p. 495 sq.
29 Ibid., p. 493 sqq.: »Der Hof und die Reichsversammlung«.

vingienne[30]. H. Brunner reprit l'idée, mais en l'appliquant à l'ensemble de la période franque[31]. Il s'agit plus que d'un artifice de style: le Palais (au sens restreint) n'était, pourrait-on dire, que la quintessence du *populus* auquel le roi (ou l'empereur) avait recours pour expédier les affaires courantes en dehors des assemblées pendant lesquelles les grandes lignes du gouvernement étaient adoptées. Je n'étudierai pas ici la tenue des plaids[32], mais c'est en gardant à l'esprit l'importance de ces réunions et de la prise de conseil[33] que j'étudierai l'entourage de Louis le Pieux.

Il est par ailleurs de tradition de mesurer toute information sur le Palais carolingien à l'aune du traité de Hincmar. Certes, à l'occasion, je serai amené à dire si telle ou telle source infirme ou confirme le témoignage de l'archevêque de Reims sur tel ou tel office. L'essentiel n'est cependant pas là. Dans le présent ouvrage, je n'étudierai pas les attributions des divers officiers[34]: en effet, une étude limitée au seul règne de Louis le Pieux demeurerait sans utilité, en raison du peu d'informations que l'on peut glaner dans une fourchette chronologique limitée. En la matière, il faut travailler sur une période fort large[35]. Qui plus est, l'on n'observe que fort rarement tel ou tel officier dans l'exercice de ses fonctions propres, au point qu'il ne semble pas exister de relation intrinsèque entre l'office et les actions menées par l'officier. Cela n'est peut-être pas vrai pour les fonctionnaires d'un rang inférieur, qui étaient responsables des tâches purement matérielles de la vie à la cour: nous n'avons que très peu de renseignements sur ces individus. En revanche, on est fondé à penser que, si les distinctions entre les diverses fonctions peuvent à l'occasion garder quelque signification chez les titulaires des principaux offices[36], elles s'estompent cependant lorsqu'il s'agit pour eux d'accomplir une tâche plus politique[37]. Comme je l'ai déjà dit, la personnalité primait alors. Il ne s'avère néanmoins pas inintéressant de connaître en détail la composition du Palais d'un prince. Toutefois, avant de découvrir celui de Louis le Pieux, il convient de s'attarder un peu sur deux institutions classiques et es-

---

30 WAITZ, Verfassungsgeschichte, tome 2/2, p. 1 sqq.: »Die Beamten und der Hof«; p. 135 sqq.: »Die Gerichts-, Heer- und Reichsversammlungen«.

31 BRUNNER, Rechtsgeschichte 2, p. 95 sqq.: »Der Hof des Königs und die Reichsverwaltung«.

32 Cf. SEYFARTH, Reichsversammlungen; pour le règne de Louis le Pieux, cf. ROSENTHAL, Public Assembly; sur l'époque suivante (en *Francia orientalis*), cf. WEBER, Reichsversammlungen. J'ai étudié les divers plaids de Louis le Pieux dans DEPREUX, Gouvernement, tome 1, p. 149 sqq. Je publierai ailleurs une étude sur ces assemblées.

33 Ce point a été mis en évidence par HANNIG, Consensus fidelium.

34 A ce propos, cf. SCHUBERT, Reichshofämter; mais surtout WAITZ, Verfassungsgeschichte, tome 3, p. 493 sqq. On peut également, pour comparer avec les attributions aux temps ultérieurs, avoir recours à LUCHAIRE, Institutions, p. 518 sqq.; LOT, FAWTIER, Institutions royales, p. 48 sqq. Cf. également les notes infrapaginales de Hincmarus, De ordine palatii.

35 C'est ce que fit BRÜHL, Fodrum.

36 Cf. par exemple la notice n° 133, où je montre le sénéchal Gunzo à l'ouvrage. Mais un sénéchal pouvait également jouer un rôle politique de premier plan, comme ce fut le cas pour Adalhard (III), évoqué dans la notice n° 10.

37 D'ailleurs, dès la fin de la période carolingienne, on observe avec éclat le caractère essentiellement politique que revêtait l'exercice des principales fonctions domestiques auprès du roi: ainsi, en 936, les ducs assurèrent le service de table pendant le festin donné à l'occasion du couronnement d'Othon Ier (cf. Widukind de Corvey, Sachsengeschichte, II, c. 2, p. 66 sq.: il y est décrit comment les *duces ministrabant*). On sait la fortune que connut cet usage, cf. SCHRAMM, König von Frankreich, p. 165 sqq.

sentielles pour le gouvernement et l'établissement des documents qui nous le font connaître: la Chapelle et la Chancellerie.

B. Chapelains, notaires et »écoliers«

Etant donné que les sources documentent plus largement le fonctionnement des institutions ecclésiastiques que celui des offices laïques au sein du Palais, c'est aux premières que les chercheurs ont plus spécialement prêté leur attention. Je veux parler de la Chapelle et de la Chancellerie. Seul le terme de *capella* est attesté pour l'époque carolingienne. Celui de *cancellaria* – et par conséquent le concept, l'institution qu'il désigne[1] – n'apparut qu'au cours de la seconde moitié du XIIe siècle, comme W. Klewitz l'a montré[2]. Cet auteur s'attaqua également à la description de la »chancellerie« comme d'un bureau[3]. L'état de la recherche sur la »chancellerie« de Louis le Pieux est loin d'être satisfaisant[4] (de même, notre connaissance sur l'état des archives est assez limitée[5]). Cette lacune est d'autant plus regrettable que c'est sous ce même empereur que la »chancellerie« carolingienne est censée avoir atteint son »complet développement«[6]: fonctionnant encore sous Hélisachar selon les usages en cours au temps de Charlemagne, la »chancellerie« connut à partir de Fridugise une évolution qui marqua les traditions ultérieures[7]. Nous en sommes donc réduits à attendre la publicati-

---

1 Sur la chancellerie carolingienne, cf. SICKEL, Acta regum, tome 1, p. 64 sqq.; BRESSLAU, Urkundenlehre, tome 1, p. 374 sqq.; TESSIER, Diplomatique, p. 39 sqq. La dernière mise au point est de BAUTIER, Chancellerie. Pour quelques exemples de chancelleries issues de celle de Louis le Pieux, cf. JUSSELIN, Chancellerie; KEHR, Kanzlei.

2 KLEWITZ, Cancellaria, p. 72 sqq. Désormais, je parlerai donc de la »chancellerie« en employant des guillemets.

3 KLEWITZ, Kanzleischule, p. 226: »Die 'Kanzlei' ist keine Behörde, sondern ein Verband von Personen«.

4 La thèse récente de DICKAU, Kanzlei, n'est pratiquement d'aucune aide. J'ai fait part de mes réserves dans DEPREUX, Kanzlei.

5 Cf. FICHTENAU, Archive, notamment p. 21 sqq. C'est principalement à propos des capitulaires qu'on doit mentionner les archives sous Louis le Pieux (en raison de l'entreprise d'Anségise, cf. la notice n° 30). Il ne semble pas que l'on puisse supposer un service important et bien organisé (cf. BRESSLAU, Urkundenlehre, tome 1, p. 164). En effet, bien que la conservation d'un exemplaire du texte des capitulaires promulgués fût parfois ordonnée (cf. BÜHLER, Wort, p. 288 sq.), ce n'est, selon certains, que de manière limitée que cette mesure fut concrétisée (cf. MORDEK, Kapitularien, p. 37: cet auteur rappelle la difficulté qu'Anségise eut à rassembler le texte des capitulaires – sa Collection ne les content d'ailleurs pas tous; McKITTERICK, Written word, p. 35, évoque cependant l'éventualité, fort plausible, que »his capitulary collection represents a systematic, deliberate and carefully structured selection«). Mais les carences peuvent aussi être imputées à la nature de ces textes (BÜHLER, Wort, p. 292: »Für die Rechtskraft der Kapitularien war die Schriftfassung irrelevant«). L'on avait toutefois recours à l'exemplaire conservé aux archives du Palais en cas d'incertitudes et de points douteux (ibid., p. 290). On a en outre parfois la preuve que l'on était en mesure de produire des documents autrefois versés aux archives du Palais. Ce fut par exemple le cas pour le procès verbal du synode de 829 ayant pour objet la réforme du monastère de Saint-Denis, qui fut produit en 832 pour confondre certains moines contestataires. Cela est relaté dans le diplôme impérial du 26 août 832, B.M. 905(876), éd. Recueil des hist. 6, n° 175, p. 575 sqq. (notamment à la p. 578).

6 TESSIER, Diplomatique, p. 39.

7 SICKEL, Acta regum, tome 1, p. 92. Cf. TESSIER, Diplomatique, p. 51.

on de l'édition critique des diplômes, entreprise par les M.G.H.[8], pour prétendre à une analyse sérieuse[9].

Reprenant une idée avancée déjà par L. Perrichet[10] et s'élevant ainsi contre l'avis d'une autorité comme Th. Sickel[11], H. W. Klewitz refusait de considérer la »chancellerie« comme un organe distinct de la Chapelle[12]. Cet auteur s'appuyait principalement sur le résultat des travaux de M. Tangl[13] et il présenta avec son analyse de la célèbre scène de la visite d'école relatée dans les Gesta Karoli Magni[14] un argument d'importance[15]. »Que les deux organismes de la Chapelle et de la Chancellerie ... soient fondus en un seul organisme«[16] a donné lieu à discussion, voire objections chez les maîtres de la diplomatique française[17]. On préfère s'en tenir au fade énoncé selon lequel, »ayant sous ses ordres et sa direction tout le clergé du palais, l'archichapelain se trouve être le supérieur ecclésiastique du personnel de la chancellerie, personnel clérical recruté dans celui des chapelains«[18]. Récemment, R.-H. Bautier a néanmoins évoqué une séparation des deux services sous Louis le Pieux: »avec l'avènement de Louis le Pieux et le développement des institutions administratives jusque-là embryonnaires et mal différenciées la chancellerie acquiert son autonomie presque complète à l'égard de la chapelle«[19]. Cet historien s'appuie sur le fait que »dans l'ensemble des notes tironiennes conservées au bas des diplômes, celles qui mentionnent une intervention des archichapelains Hilduin, abbé de Saint-Denis, et Drogon 'archevêque' de Metz, sont exceptionnelles«[20]. Pourtant, parmi la cinquantaine de diplômes de Louis le Pieux conservés en originaux sur lesquels on peut trouver des notes tironiennes, on n'en compte pas moins de dix portant mention d'une intervention de Hilduin lorsqu'il était à la tête de la Chapelle – en revanche, il n'est aucune fois question de l'intervention de Hildebaud[21]. Par deux fois on trouve mention du nom

8 Les déboires que connut ce projet ont été exposés par Johanek, Probleme.

9 Cf. Bautier, Chancellerie, p. 6 note 1, qui, en raison de l'état peu satisfaisant des éditions jusqu'à présent disponibles, ne porte guère son attention sur l'époque de Louis le Pieux.

10 Perrichet, Grande Chancellerie, p. 42 sqq.

11 Sickel, Acta regum, tome 1, p. 101.

12 Klewitz, Cancellaria, p. 47 sqq. et p. 57. La »chancellerie« ne serait dès lors »nichts anderes als ein Ressort, ein Aufgabengebiet der Hofkapelle« (Fleckenstein, Hofkapelle 1, p. 75).

13 Tangl, Tironische Noten, plus particulièrement la synthèse p. 162 sqq.

14 Notkerus, Gesta Karoli, lib. I, c. 4, p. 5: *De pauperibus ergo supradictis quendam optimum dictatorem et scriptorem in capellam suam assumpsit.*

15 Klewitz, Cancellaria, p. 57.

16 Léon Levillain, Compte rendu de Kehr, Kanzlei, dans M.A. 45 (1935) p. 38.

17 Outre le compte rendu de L. Levillain mentionné à la note précédente, cf. Georges Tessier, Compte rendu de Fleckenstein, Hofkapelle 1, dans B.E.Ch. 117 (1959) p. 294 sq. Le savant accepta la définition de la »chancellerie« comme »Aufgabengebiet der Kapelle« concernant les règnes de Pépin le Bref à Louis le Pieux, mais pas »en ce qui concerne Charles le Chauve et la chancellerie des Carolingiens français«. Un an plus tard, il formula de nouveau un jugement similaire: Compte rendu de Theodor Schieffer, Die lothringische Kanzlei um 900, D.A. 14 (1958) p. 18–148, dans B.E.Ch. 118 (1960) p. 214.

18 Tessier, Diplomatique, p. 56. Waitz, Verfassungsgeschichte, tome 3, p. 516, avait déjà noté: »Die Kanzlei stand auch in einer gewissen Verbindung mit der Capelle«.

19 Bautier, Chancellerie, p. 12.

20 Ibid., p. 12 note 4.

21 Inventaire de ces mentions dans Jusselin, Mentions tironiennes. L'on ne compte qu'une seule mention de l'(archi)chapelain de Charlemagne, dans un diplôme datant de 807: *Hildebaldus episcopus ita firmavit* (ibid., p. 16).

de Foulques, et quatre interventions de Drogon sont attestées[22]. Je ne pense dès lors pas que l'on puisse véritablement qualifier ces mentions d'exceptionnelles. Par conséquent, il semble qu'en ce qui concerne le règne de Louis le Pieux, les preuves manquent encore pour que l'on puisse conclure à une séparation des deux services[23].

La Chapelle, quant à elle, était formée par l'ensemble des chapelains, dont le nom apparaît pour la première fois sous le majordomat de Charles Martel[24]: il s'agissait des clercs chargés de garder la Chape de saint Martin[25] et d'assurer le service divin[26]. W. Lüders, au début du siècle, avait une conception étroite de ce groupe[27]. Or, dans son ouvrage classique sur la Chapelle palatine carolingienne, J. Fleckenstein adopta au contraire un parti assez souple: il compta parmi les chapelains tous les clercs en fonction au Palais[28]. Il refusa par ailleurs de considérer dans le terme de *capellanus*, dont il observait l'emploi non pas dans les sources rédigées au Palais mais dans celles composées loin de ce dernier[29], un quelconque titre: il s'agissait selon lui de la simple désignation du service auquel était astreint le clerc palatin[30]. La question du statut des chapelains n'est cependant pas sans intérêt. S'appuyant sur la comparaison que Walafrid Strabon établissait entre les *capellani* et les *vassi dominici*[31], J. Fleckenstein, après avoir défini les chapelains comme des »ecclésiastiques liés à un seigneur«[32], développa la thèse selon laquelle les chapelains entraient au service du prince par la *commendatio in obsequium*[33]. En outre, une particularité juridique à signaler ici est la soustraction des chapelains à la juridiction de l'Ordinaire[34]. J. Fleckenstein écarta l'hypothèse d'un statut en lien avec le droit des églises privées (»Eigenkirchenrecht«[35]) et il expliqua cette situation juridique par la protection que le roi étendait sur les membres de sa suite[36]. Je rappelle à ce propos la récente querelle d'érudits

22 Inventaire de ces mentions dans JUSSELIN, Mentions tironiennes.
23 Cf. FLECKENSTEIN, Hofkapelle 1, p. 84. Néanmoins, il faut rappeler une limite importante, dont nous ne pouvons pas nous affranchir: nous ignorons si ces individus agirent alors *ex officio*. Personnellement, je n'en suis pas convaincu.
24 LÜDERS, Capella, p. 17 sqq.; FLECKENSTEIN, Hofkapelle 1, p. 11 sqq.
25 Cf. H. LECLERCQ, Chape de saint Martin, dans: D.A.C.L., tome 3 (1914), col. 381–390; VAN DEN BOSCH, Capa.
26 FLECKENSTEIN, Hofkapelle 1, p. 57.
27 LÜDERS, Capella, p. 23: »Die *capellani* bilden unter der Leitung des obersten *capellanus* ein festgeschlossenes Kollegium, einen von der übrigen Geistlichkeit des Reiches streng abgeschlossenen und ein eigenartiges Sonderleben führenden Pfalzklerus«.
28 FLECKENSTEIN, Hofkapelle 1, p. 56 sqq.
29 Ibid., p. 63.
30 Ibid., p. 64: »Offensichtlich war *capellanus* noch kein fester Titel, auch keine Würde oder Rangbezeichnung wie *diaconus, presbyter, abbas*, sondern eine allgemeine Dienstbezeichnung«.
31 Walahfridus, Libellus de exordiis, c. 32, p. 515 l. 28 sq.: *Cappellani minores ita sunt, sicut hi, quos vassos dominicos Gallica consuetudine nominamus.*
32 FLECKENSTEIN, Hofkapelle 1, p. 25: »Geistliche, die an einen Herrn gebunden sind«.
33 Ibid., p. 31: »... auch die Vasallität (ist) ein wesentliches Element zum Bau der Hofkapelle gewesen ...« Ainsi, l'auteur voyait en la *commendatio* »die Rechtsgrundlage, die den Geistlichen wie den *vassus* an den Herrn band, ihn zu seinem *servitium* verpflichtete und zum *clericus suus* machte: zum Kapellan« (ibid.).
34 LÜDERS, Capella, p. 38: »In rechtlicher Beziehung waren die *capellani* von der bischöflichen Gewalt völlig unabhängig; sie standen lediglich unter dem obersten *capellanus*«.
35 Sur ce droit, cf. HARTMANN, Rechtlicher Zustand.
36 FLECKENSTEIN, Hofkapelle 1, p. 36 sq.: »Die Sonderstellung der Kapelläne ist nämlich als Unabhängigkeit von der Gewalt des Bischofs nur negativ definiert; in Wirklichkeit ist diese Unabhängigkeit

concernant le statut de la basilique Sainte-Marie[37] d'Aix déclenchée par L. Falkenstein[38]. Cet historien a en effet contesté le terme de »chapelle palatine« et a tenté de prouver que »cette église fut toujours au Moyen Age, et jusqu'à la fin de l'Ancien Régime, l'église paroissiale. Elle est qualifiée de *capella* dans les sources, mais au sens d'une église fiscale, c'est-à-dire d'une église destinée à être l'église paroissiale de tous les habitants du domaine royal«[39]. L. Falkenstein a tenté de prouver que la basilique Sainte-Marie d'Aix fut dès l'origine une collégiale (»Stift«). Certes, il est parvenu à faire remonter le premier témoignage d'une dotation de l'église d'Aix au temps de Louis le Pieux[40] (il s'agit de la donation de la *villa* de Traben[41]), mais la stricte distinction que L. Falkenstein veut établir entre »Stift« et »Hofkapelle« au bénéfice exclusif du premier[42] n'est pas convaincante, comme l'a aussitôt fait observer J. Fleckenstein[43].

Ainsi que je l'ai rappelé plus haut, les historiens s'accordent à ne pas considérer la »chancellerie« comme un bureau au sens strict. Il est par conséquent préférable de n'y reconnaître que l'ensemble des notaires. J'ai également choisi d'annoncer ce développement en parlant des »chapelains« et non de la »Chapelle«. En effet, bien que le terme de *capella* soit attesté dans les sources carolingiennes, je doute – à la différence de J. Fleckenstein[44] – que l'on puisse réellement considérer la Chapelle comme une institution au sens strict durant le haut Moyen-Age. Ses traits sont en tout cas bien difficiles à cerner. Quand vient l'heure de proposer une définition de la Chapelle, J. Fleckenstein y procède en lui reconnaissant essentiellement deux fonctions: assurer le culte au palais ainsi que les travaux d'écriture inhérents à l'administration[45]; il s'agissait d'un instrument de gouvernement[46]. Les fonctions cultuelles sont évidentes[47]. Néanmoins, les services annexes que les chapelains pouvaient rendre au souverain, d'autres étaient également en mesure de s'en charger. Contrairement à ce que

---

nur die Auswirkung eines positiven Rechtsverhältnisses, das der Schutz des Königs schuf: er war es, der die Kapelläne der bischöflichen Gewalt entzog«.

37 Sur cette appellation, cf. Einhardus, Vita Karoli, c. 31, p. 88; Annales regni Franc., a. 829, p. 177.

38 FALKENSTEIN, Aachener Marienstift. Résumé de la controverse dans SCHIEFFER, Hofkapelle, p. 16 sqq.

39 FALKENSTEIN, Aix-la-Chapelle, p. 256.

40 FALKENSTEIN, Aachener Marienstift, p. 53 sq.

41 Cf. NOLDEN, Besitzungen, p. 226 sqq.

42 FALKENSTEIN, Aachener Marienstift, p. 132 sqq.

43 FLECKENSTEIN, Aachener Marienstift.

44 Cet auteur voulait retracer la »Geschichte der Hofkapelle« comme une »Geschichte der Institution« (FLECKENSTEIN, Hofkapelle 1, p. VIII).

45 FLECKENSTEIN, Hofkapelle 1, p. 109 sq.: la Chapelle est censée avoir pris corps »durch die Institutionalisierung bestimmter, für die Herrschaft unentbehrlicher Funktionen, vor allem eben des herrscherlichen Gottesdienstes und der schriftlichen Verwaltungstätigkeit«.

46 Ibid., p. 109: »Auf allgemeinste Weise läßt sich zunächst die Hofkapelle von hier aus umschreiben als Herrschaftsinstrument des Königtums, dessen Zweck darauf gerichtet war, der Durchführung der Herrschaft vom Hofe aus zu dienen«.

47 Episcoporum relatio, c. 32, p. 39 (= le douzième point de la Petitio des évêques en 829).

laisse entendre J. Fleckenstein, les chapelains n'agissaient pas *ex officio*[48] lorsqu'ils menaient des missions de nature diplomatique[49], siégeaient dans les tribunaux[50], servaient comme *missi dominici*[51] ou étaient employés dans d'autres fonctions[52]. Force est donc de constater que la définition de cette »institution« n'est pas précise.

C'est pourquoi il semble nécessaire de s'interroger sur le concept même de »Chapelle«: s'agissait-il d'une institution ou de l'ensemble informe de tous les clercs résidant à la cour? D'après Paschase Radbert, le fait que les chapelains ne vivaient pas selon un »ordre ecclésiastique« classique (il s'agissait d'un collège de clercs qui n'étaient ni moines ni chanoines) choquait profondément Wala[53]. Or, le terme de »Chapelle« est absent du De ordine palatii de Hincmar. Il n'y est pas dit que l'archichapelain dirigeait la Chapelle, mais que le clergé (l'ensemble des clercs) du Palais

48 Cf. FLECKENSTEIN, Hofkapelle 1, p. 91 sqq.: »der Funktionsbereich der Kapelläne ging von Anfang an über die gottesdienstliche Bestimmung hinaus« (citation p. 91). L'auteur n'affirme pas explicitement que ces missions ou fonctions étaient exercées *ex officio*, mais on peut le déduire de ce qu'il affirme qu'elles faisaient partie de leurs attributions (»Funktionsbereich«) sans même se demander si d'autres personnes pouvaient en être investies (en particulier des laïcs).

49 FLECKENSTEIN, Hofkapelle 1, p. 60.

50 Ibid., p. 61.

51 Dans les capitulaires, l'envoi de chapelains comme *missi* n'est ordonné qu'une seule fois, en une occasion tout à fait significative. En 787, Pépin d'Italie décida l'envoi de *missi* (un moine et un chapelain) pour enquêter sur l'état des monastères et sur la règle qu'on y observait. Cf. Pippini capitulare Papiense, c. 11 (M.G.H. Capit. 1, n° 94, p. 199). Il s'agissait à la fois d'une enquête sur la vie monastique et de l'établissement d'un inventaire de biens.

52 FLECKENSTEIN, Hofkapelle 1, p. 92, mentionne notamment la surveillance de la frappe monétaire (»Überwachung der Münzprägung«). On ne peut cependant que rester perplexe au regard des sources qu'il cite à l'appui de cette affirmation (note 326). Un examen rapide montrera le peu de crédit que l'on doit prêter à cette affirmation. Tout d'abord, pour prouver la »Münzprägung in der Pfalz«, l'auteur fait mention du Capitulare missorum in Theodonis villa datum secundum, c. 18 (M.G.H. Capit. 1, n° 44, p. 125 – et non 122, comme l'indique J. Fleckenstein). Il y est certes question de la frappe dans le(s) palais, mais aucunement d'un quelconque chapelain. Quant à la Constitutio Carisiacensis de moneta de 861 (M.G.H. Capit. 2, n° 271, p. 301), on ne voit pas non plus ce qu'elle nous apprend quant aux responsabilités supposées d'un membre de la Chapelle concernant la frappe monétaire. Il y est prescrit que le chancelier devait garder par-devers lui un exemplaire écrit de cette décision d'ordre monétaire. C'est également ce souci d'archivage que souligne le Capitulare missorum Silvacense de 853, c. 11 (M.G.H. Capit. 2, n° 260, p. 274), que J. Fleckenstein mentionne aussi: *Capitula autem avi et patris nostri, quae in praescriptis commemoravimus, qui ex missis nostris non habuerint et eis indiguerint, ut commissa per illa corrigere possint, sicut in eisdem capitulis iubetur, de scrinio nostro vel a cancellario nostro accipiant, ut rationabiliter et legaliter cuncta corrigant et disponant.* J. Fleckenstein n'a par conséquent aucunement prouvé que la surveillance de la frappe monétaire dépendait des chapelains, ainsi qu'il l'affirme dans le corps du texte. L'auteur se réfère également à SCHRAMM, Herrschaftszeichen 1, p. 290 (= »Goldmünzen aus der Königszeit Karls des Großen«, p. 288 sqq.), qu'il convient de citer: »Bei den Kaiserdenaren ist durch die Gleichmäßigkeit des Münzbildes und der Umschriften gesichert, daß der Hof die Prägung überwachte; vermutlich war er überhaupt die treibende Kraft«. On n'y trouve aucune allusion aux chapelains.

53 Paschasius, Epitaphium, p. 66: *Praesertim et militiam clericorum in palatio, quos capellanos vulgo vocant, quia nullus est ordo ecclesiasticus, denotabat plurimum, qui non ob aliud serviunt, nisi ob honores ecclesiarum et questus saeculi, ac lucri gratiam sine probatione magisterii, atque ambitiones mundi. Quorum itaque vita neque sub regula est monachorum, neque sub episcopo militat canonice, presertim cum nulla alia tyrocinia sint ecclesiarum, quam sub his duobus ordinibus.* Sur la course aux honneurs, cf. également Lupus, Correspondance, tome 1, n° 16, p. 97.

était soumis à son administration[54]. La présence d'un archidiacre[55], attestée au hasard d'une source[56], rend probable une structure hiérarchique du clergé palatin[57]: néanmoins, on a, au coeur d'un traité sur les institutions carolingiennes, tout au plus la présentation d'un groupe assez informe. La même carence sévit dans les capitulaires. Le plus souvent, la *capella dominica* est un lieu, un édifice[58]. Cette notion spatiale vaut également à la cour: Charlemagne évoquait les clercs qui habitaient dans sa chapelle[59]. Seule une occurrence dans le capitulaire De villis pour le règne de Charlemagne[60] et la manière dont Charles le Chauve désignait, dans un libelle de 859, l'archevêque de Sens, Guénelon[61], souffrent une interprétation institutionnelle – mais ces deux mentions ne prouvent aucunement que la *capella* était l'institution qu'on désigne sous le nom de Chapelle: il se peut, ici également, que le roi n'y vît que le groupe – aux structures relativement lâches – des clercs vivant en son palais. Néanmoins, si on en croit Charles le Chauve, il y avait à Aix une structure assez ferme, à des fins liturgiques[62]. En effet, Charles prétendit fonder le collège devant desservir le palais de Compiègne (il est question d'un *monasterium* dans le diplôme de fondation) sur le modèle de celui de Charlemagne et il prévoyait qu'il n'y aurait pas moins de cent *clerici*[63]. Il faut toutefois reconnaître notre impuissance à démêler l'ensemble des questions relatives au fonctionnement de la Chapelle. Il n'est pas douteux que des clercs furent affectés au service liturgique (si le nombre prévu par Charles le Chauve reflète celui d'Aix, nous accusons de très sérieuses lacunes). Au sens large, la Chapelle pouvait désigner l'ensemble des clercs vivant au Palais, qu'il s'agît de Gérold (III), attesté

---

54 Hincmarus, De ordine palatii, l. 270 sq., p. 62: *Omnem clerum palatii sub cura et dispositione sua regebat.*

55 FLECKENSTEIN, Hofkapelle 1, p. 65, releva ce titre, mais il n'en fit aucune analyse et n'en tira donc aucune conséquence.

56 Cf. la notice n° 114.

57 Sur les attributions de l'archidiacre, cf. LE BRAS, Institutions, vol. 2, p. 391: il est habituellement »le premier ministre et le représentant de l'évêque« (ibid., p. 392), ce qui, à mon sens, tend à confirmer l'analogie entre l'archichapelain et l'Ordinaire.

58 Cette chapelle était desservie par un clerc qu'il fallait rémunérer. Cf. Capitula ab episcopis in placito tractanda, M.G.H. Capit. 2, n° 186, c. 1, p. 6. Sur les églises et le culte dominical, cf. CHÉLINI, Aube du Moyen Age, p. 261 sqq.

59 Synodus Franconofurtensis, c. 38, p. 77: *De presbyteris qui contumaces fuerint contra episcopos suos: nequaquam communicentur cum clericis qui in capella regis habitant, nisi reconciliati fuerint ab episcopo suo, ne forte canonica excommunicatio super eos exinde veniat.*

60 Capitulare de villis, c. 6, p. 83: *Volumus ut iudices nostri decimam ex omni conlaboratu pleniter donent ad ecclesias quae sunt in nostris fiscis, et ad alterius ecclesiam nostra decima data non fiat, nisi ubi antiquitus institutum fuit. Et non alii clerici habeant ipsas ecclesias, nisi nostri aut de familia aut de capella nostra.*

61 Libellus proclamationis adversus Wenilonem (14 juin 859), M.G.H. Capit. 2, n° 300, c. 1, p. 451: ... *Weniloni tunc clerico meo in capella mea mihi servienti...*

62 Cf. Actes de Charles le Chauve, tome 2, n° 425, p. 451: *Proinde quia divae recordationis imperator, avus scilicet noster Karolus, cui divina providentia monarchiam totius hujus imperii conferre dignata est, in palatio Aquensi cappellam in honore beate Dei genetricis et virginis Mariae construxisse ac clericos inibi Domino ob sue anime remedium atque peccaminum absolutionem pariterque ob dignitatem apicis imperialis deservire constituisse* ... Charlemagne est censé avoir agi »par égard à la dignité de la charge impériale« comme le traduit IOGNA-PRAT, Culte, p. 98. Il est à noter qu'ici aussi, le terme *capella* désigne le bâtiment, non le collège des clercs.

63 Actes de Charles le Chauve, tome 2, n° 425, p. 451. A ce propos, cf. WALLACE-HADRILL, Charles the Bald, p. 181 sq.

comme *sacri palatii archidiaconus* et *capellanus* de Louis le Pieux[64], ou du prêtre Clément, que l'on sait avoir exercé les fonctions de *magister palatinus*[65]. Mais rien ne permet d'affirmer que tous les clercs présents au Palais étaient astreints à assurer le culte, dont on ignore tout ou presque[66], c'est-à-dire qu'ils étaient de véritables »chapelains«. D'ailleurs, rares sont ceux dont on peut prouver la participation à la liturgie[67]. La Chapelle était donc un ensemble aux contours mal définis: il faut nous accommoder de ce flou.

Pour en finir avec les questions touchant aux lettrés, étant donné l'importance, à nuancer[68], que d'aucuns accordent à l'usage de l'écrit au haut Moyen-Age[69], il n'est pas inutile de rappeler que les clercs n'avaient pas le monopole de l'écrit: certains laïcs partageaient ce savoir avec eux[70]. Néanmoins, la carence documentaire[71] en ce domaine interdit toute étude détaillée. P. Riché a toutefois pu souligner l'intérêt que prêtaient aux livres les rares laïcs dont on connaît précisément ou dont on peut reconstituer la bibliothèque[72]. Charlemagne éprouvait de la difficulté à tracer l'alphabet[73], mais peut-on faire de son cas le modèle du grand laïc? Ce que l'on sait par exemple de la formation, sous Charles le Chauve, du jeune Géraud, le futur comte d'Aurillac, l'interdit formellement[74]. On connaît le cas de quelques personnes qui reçurent leur formation séculière au Palais et qui, en raison de leurs fonctions ultérieures, devaient pouvoir écrire couramment: il s'agit par exemple de Vitiza, le futur abbé d'Aniane et réformateur que l'on sait[75], ou encore d'Aldric (II), le futur chanoine de Metz promu évêque du Mans[76]. Au programme de l'éducation des *nutriti*

---

64 Cf. la notice n° 114.

65 Cf. la notice n° 66.

66 On trouve quelques indices dans BULLOUGH, CORREA, Texts.

67 Il s'agit de Hucbert, premier chantre, d'Aldric (II), chantre puis confesseur de l'empereur, et de Théoton, maître de choeur. Les clercs explicitement attestés comme »chapelains« sont au nombre de cinq (Isembert, Magne, Otgaire, Ratulf, Teutbert), auxquels il faut ajouter Grimald et Prudence. On doit également prendre en compte ceux qui sont attestés comme »prêtre« ou »diacre du Palais«: Bodon, Sicard (II) et l'archidiacre Gérold (III). En tout, on dépasse donc à peine la douzaine d'individus.

68 Cf. WORMALD, Uses of literacy. L'analyse de R. McKitterick concernant les chartes de Saint-Gall, qui s'avère un élément majeur de son argumentation sur l'importance et le caractère fréquent du recours à l'écrit (McKITTERICK, Written word, p. 77 sqq.), a été réfutée avec vigueur par RICHTER, Laienschriftlichkeit. Il n'y a pas lieu de revenir ici sur la querelle concernant la nature des capitulaires. Cf. notamment DUMAS, Parole; BÜHLER, Wort. Sur les capitulaires dans une approche plus large, cf. GANSHOF, Capitulaires; BÜHLER, Capitularia relecta; MORDEK, Kapitularien; McKITTERICK, Herstellung.

69 Cf. GANSHOF, Usage de l'écrit; McKITTERICK, Written word (en particulier p. 25 sqq.).

70 Les personnes maîtrisant l'écriture et la lecture ne formaient cependant qu'une minorité, cf. GRUNDMANN, Bildungsnorm.

71 Il s'agit notamment de la quasi absence de Vitae de grands laïcs.

72 Cf. RICHÉ, Bibliothèques.

73 Einhardus, Vita Karoli, c. 25, p. 76. Eginhard souligne que ceci était dû au fait que Charlemagne avait appris sur le tard. Il n'en étudia pas moins les arts libéraux, cf. ibid., p. 74.

74 Le jeune Géraud étudia les lettres de manière assez poussée pour connaître le psautier. Ce n'est toutefois qu'à une maladie survenue vraisemblablement à l'adolescence que l'abbé de Cluny imputait la poursuite d'études plus approfondies, Géraud ne pouvant alors s'adonner aux exercices physiques, cf. Odo, Vita Geraldi, lib. I, c. 4, col. 645 AB. Sur ce texte, cf. SCHNEIDER, Aspects de la société.

75 Avant sa conversion, Vitiza exerçait les fonctions d'échanson, cf. la notice n° 43.

76 Aldric demanda à Louis le Pieux la permission de quitter la *militia secularis* (Gesta Aldrici, p. 7), preuve qu'il reçut au Palais une éducation séculière.

du Palais, qui au sortir de cette »école« pouvaient espérer une haute charge laïque ou ecclésiastique, il y avait donc bien évidemment l'apprentissage de l'écriture.

L'enseignement au haut Moyen-Age a fait l'objet de travaux qui renouvelèrent complètement l'état de nos connaissances[77]. Néanmoins, une grave lacune demeure. En effet, l'attention des chercheurs se focalise sur l'éducation monastique[78], et lorsqu'ils en viennent à parler de la formation dans une »école externe«, c'est à propos de futurs clercs séculiers instruits dans un monastère[79]. La formation des laïcs est bien souvent exclue du débat scientifique. Or, d'aucuns pouvaient s'avérer instruits. L'empereur lui-même, par exemple, »était fort savant en grec et en latin, mais il comprenait mieux le grec qu'il ne le parlait, alors qu'il pouvait parler le latin aussi naturellement que sa langue maternelle. Il connaissait parfaitement le sens allégorique, moral et anagogique de toutes les (Saintes) Ecritures. (En revanche), les poèmes païens[80] qu'il avait appris dans sa jeunesse, il les rejeta: il ne voulut plus ni les lire, ni les entendre, ni les réciter[81]«. Cependant, Louis le Pieux, promoteur des lettres[82], ne fut pas éduqué dans un monastère – bien au contraire! Il y aurait par conséquent grand intérêt à entreprendre une enquête de fond sur la formation des laïcs à l'époque carolingienne, car si l'on considère que ces derniers étaient instruits à l'époque mérovingienne, on tend traditionnellement à considérer le VIIIe siècle comme une période de déclin culturel. En témoigne la manière dont G. Tessier expliquait le fait que les services de la »chancellerie« royale, dont le personnel était laïc aux temps mérovingiens[83], furent confiés à des clercs par Pépin le Bref[84]. La formation des laïcs revêtait cependant un caractère indispensable: il en allait tout simplement de la possibilité d'administrer le royaume[85]. Or, cette formation, à l'instar de ce qui se faisait à

77 Cf. RICHÉ, Education; RICHÉ, Ecoles.
78 Cf. DE JONG, Growing up. En dépit de son titre aux horizons assez larges, ILLMER, Formen der Erziehung, ne s'intéresse également qu'au monde ecclésiastique.
79 Cf. HILDEBRANDT, External School.
80 Sur la difficulté qu'ont les historiens à définir de quoi il s'agit, cf. GEUENICH, Volkssprachige Überlieferung, p. 114.
81 Theganus, Vita, c. 19, p. 594: *Lingua graeca et latina valde eruditus, sed graecam melius intellegere poterat quam loqui; latinam vero sicut naturalem aequaliter loqui poterat. Sensum vero in omnibus scripturis spiritalem et moralem, necnon et anagogen optime noverat. Poetica carmina gentilia quae in iuventute didicerat, respuit, nec legere, nec audire, nec docere voluit.* Je comprends le verbe *docere* non dans son sens le plus courant (»enseigner«), mais dans le sens qu'il a dans l'expression *fabulam docere*: »faire représenter une pièce« (cf. GAFFIOT, Dictionnaire, p. 551, art. »docere« 3).
82 Astronomus, Vita, c. 19, p. 616: *Regis autem studio undecumque adductis magistris, tam legendi quam cantandi studium, necnon divinarum et mundanarum intellegentia litterarum, citius quam credi poterat coaluit.*
83 Cf. TESSIER, Diplomatique, p. 3.
84 Ibid., p. 50 note 1: »(Ce changement) a été imposé par l'ignorance croissante des laïques, à commencer par les souverains et leur entourage immédiat. Pour assurer le service des écritures royales, il n'y avait pas d'autre moyen que le recours aux seuls dépositaires de la culture et surtout de la culture latine«.
85 Certes, on a par exemple pu présenter l'hypothèse selon laquelle, dans le royaume de Mercie, des marques auraient été apposées sur les bateaux exempts du paiement de tonlieu, ce qui aurait dispensé les bateliers de produire un acte précieux lors de leurs déplacements et aurait évité que les agents des péages eussent à le lire (cf. KELLY, Trading privileges, p. 24 sq.); mais sur le continent, on produisait un écrit à chaque passage (cf. GANSHOF, Tonlieu, p. 486). D'autre part, on ne peut, par pétition de principe, admettre que l'adresse si fréquente par laquelle l'empereur visait les évêques, les abbés et abbesses, les comtes, les *vicarii* et les *centenarii*, ainsi que le reste de ses fidèles (cf. par exemple For-

l'époque mérovingienne[86], pouvait notamment être dispensée à la cour[87]. Jusqu'à présent, l'attention des chercheurs s'est focalisée sur les lettrés entourant Charlemagne[88], sur »l'Académie palatine« – une expression à juste titre contestée[89]. Il faudrait également s'intéresser à la formation des jeunes gens venus apprendre à la cour leur futur métier d'administrateurs, tenter d'appréhender ce que pouvait être l'apprentissage des futurs agents de l'Etat. Ce terme d'apprentissage me semble approprié, puisque Hincmar décrivait comment les *discipuli* étaient, au Palais, attachés chacun à un maître qui les employait selon les besoins du moment[90].

C. Le Palais de Louis le Pieux

Assurément, la cour grouillait de monde. Il n'y avait pas que les membres du Palais dont nous connaissons le nom. Il y avait aussi la »multitude« des palatins évoquée par Hincmar[1]. Dans cette foule, que l'archevêque de Reims divisait en trois catégories, en trois *ordines*, on comptait ceux qui n'avaient pas d'attributions précises et pouvaient être employés à diverses tâches selon les besoins[2], mais aussi, comme nous l'avons déjà vu, les jeunes gens en formation au Palais et qui pour cela étaient en apprentissage chez l'un ou chez l'autre[3] (ceci est d'ailleurs confirmé par un exemple précis[4]), et, enfin, les vassaux et les serviteurs des palatins[5]. Le nombre des palatins trouvait sa justification dans la variété des tâches à accomplir: outre les offices domestiques, il fallait être en mesure d'accueillir les ambassades[6] ainsi que les pauvres[7] (on sait en effet qu'à Aix-la-Chapelle, des *magistri* étaient chargés de pourvoir aux besoins des mendiants et des nécessiteux[8]). On doit en outre ajouter à cette multitude les propres vassaux du roi, qui servaient au Palais vraisemblablement par roulement[9],

---

mulae imperiales, n° 7, p. 292: *Omnibus episcopis, abbatibus, abbatissis, comitibus, vicariis, centenariis seu reliquis fidelibus nostris*) fût sans rapport avec les réalités de l'époque. Il fallait également que les mandements fussent non seulement lus, mais compris: cela nécessitait une formation.

86 A ce propos, cf. KAISER, Römisches Erbe, p. 90. Pour un exemple précis d'évêque formé à la cour mérovingienne, cf. DURLIAT, Attributions civiles. Pour une approche plus large, cf. HEINZELMANN, Studia sanctorum.

87 Cf. WERNER, Formation, dont l'exposé des connaissances en ce domaine montre l'intérêt prononcé des historiens pour les temps mérovingiens, au détriment des siècles ultérieurs.

88 Cf. FLECKENSTEIN, Hof, p. 41 sqq.

89 Cf. BRUNHÖLZL, Bildungsauftrag, p. 28 sq.

90 Cf. Hincmarus, De ordine palatii, l. 451 sqq., p. 80 sqq.: *Alter ordo per singula ministeria in discipulis congruebat, qui a magistro suo singuli adhaerentes et honorificabant et honorificabantur locisque singuli suis, prout oportunitas occurrebat, ut a domino videndo vel alloquendo consolarentur.*

1 Hincmarus, De ordine palatii, l. 438, p. 80.

2 Ibid., l. 439 sqq., p. 80.

3 Ibid., l. 451 sqq., p. 80 sqq.

4 C'est en effet ce que tend à prouver Frotharius, Epistolae, n° 25, p. 293. A ce propos, cf. la notice n° 250.

5 Hincmarus, De ordine palatii, l. 455 sqq., p. 82.

6 Cf. ibid., l. 414 sqq., p. 78.

7 Ibid., l. 419 sqq., p. 78.

8 Capitulare de disciplina palatii, c. 7, p. 298. Sur la matricule des pauvres, cf. ROUCHE, Matricule.

9 Capitula missorum, c. 4, p. 300: *De vassis nostris, qui ... nobis assidue in palatio nostro serviunt et ideo non possunt assidua custodire placita ...*

de même que les marchands qui approvisionnaient le Palais[10]. Un document nous permet d'appréhender de manière plus concrète la vie à la cour[11] et ses impératifs: le règlement »sur la discipline du Palais«.

Le Capitulare de disciplina palatii Aquisgranensis ne nous est connu que par un seul manuscrit, qui appartenait à Saint-Vincent de Laon[12]. La datation de ce texte n'est pas assurée[13]. Néanmoins, A. Boretius a proposé, avec des arguments sérieux[14], de le dater du règne de Louis le Pieux[15]. Le premier point évoqué dans ce document touche aux problèmes de police en général: »que chaque *ministerialis* palatin, (après avoir) fort diligemment (mené) une *inquisitio*, écarte en premier lieu ses hommes et ensuite leurs compagnes s'il vient à trouver quelque homme suspect[16] ou quelque courtisane se cachant parmi eux ou bien chez les leurs. Et si l'on trouve un homme ou une femme de ce genre, qu'il soit mis sous bonne garde, afin qu'il ne puisse s'enfuir, jusqu'à ce qu'on nous l'annonce. Et si celui qui hébergeait un tel homme ou une telle femme ne veut pas s'amender, qu'il soit placé sous surveillance dans notre palais. Egalement, nous voulons que les *ministeriales* de notre chère épouse et de nos fils fassent de même«[17]. Il s'agit ici d'une confirmation des mesures prises lors de l'avènement de Louis: »l'empereur décida de chasser du Palais toute la troupe des femmes, qui était fort nombreuse, à l'exception d'un très petit nombre qu'il jugea idoines au service du roi«[18]. Par ailleurs, cet extrait du De disciplina palatii prouve que, dès cette haute époque, tant la reine que les fils du roi disposaient d'un hôtel particulier. Ce point est d'autant plus important que l'on ignore pour ainsi dire tout de l'hôtel des princes, si ce n'est éventuellement le nom de leurs précepteurs[19]. En ce qui concerne la reine, Judith en l'occurrence, on sait qu'elle disposait au moins d'un sénéchal et de chapelains[20].

Le chapitre 2 du capitulaire De disciplina palatii est également fort intéressant, qui définit la manière dont la discipline devait être assurée. Certains membres du personnel palatins en avaient plus particulièrement la charge: »que l'*actor* Ratbert[21] procède

10 Cf. par exemple le diplôme pour Abraham, B.M. 807(783), ou le Praeceptum negotiatorum, B.M. 851(825). A ce propos, cf. LAURENT, Marchands; GANSHOF, Praeceptum negotiatorum.
11 Sur cette dernière, cf. RICHÉ, Vie quotidienne, p. 109 sqq.
12 B.N., Paris, ms. lat. 4788. Sur ce manuscrit, cf. BÜHLER, Capitularia relecta, p. 367 sq.
13 Cf. GANSHOF, Capitulaires, p. 40 et note 149.
14 Cf. Capitulare de disciplina palatii, p. 297.
15 Ibid.: »circa 820?«
16 Littéralement: »inconnu«, si l'on veut bien corriger *igrotum* en *ignotum* (cf. Capitulare de disciplina palatii, p. 298 note b).
17 Capitulare de disciplina palatii, c. 1, p. 298: *Unusquisque ministerialis palatinus diligentissima inquisitione discutiat primo homines suos et postea pares suos, si aliquem inter eos vel apud eos igrotum hominem vel meretricem latitantem invenire possit. Et si inventus homo aliquis vel aliqua femina huiusmodi fuerit, custodiatur, ne fugere possit, usque dum nobis adnuntietur. Et ille homo qui talem hominem vel talem feminam secum habuit, si se emendare noluerit, in palatio nostro observetur. Similiter volumus ut faciant ministeriales dilectae coniugis nostrae vel filiorum nostrorum.*
18 Astronomus, Vita, c. 23, p. 619: *His peractis, imperator omnem coetum – qui permaximus erat – femineum palatio excludi iudicavit praeter paucissimas, quas famulatio regali congruas iudicavit.* Les soeurs de Louis durent également quitter la cour (ibid.) – à ce propos, cf. NELSON, Famille de Charlemagne, p. 210 sq.
19 Cf. par exemple la notice n° 81.
20 Cf. les notices n° 28, n° 193 et n° 270.
21 C'est tout ce que l'on sait sur ce personnage, cf. la notice n° 226.

à une *inquisitio* similaire de par son *ministerium*, c'est-à-dire dans les maisons de nos esclaves (*servi*), tant à Aix que dans nos proches domaines attenant à Aix. Quant à Pierre[22] et Gunzo[23], qu'ils agissent de même dans les chambres et les autres résidences de nos *actores*, et qu'Ernaud[24] (se charge) des maisons de tous les marchands, tant chrétiens que juifs, qui font du négoce sur le marché ou ailleurs. Que le *mansionarius* et ses assistants fassent de même dans les habitations des évêques, des abbés et des comtes qui ne sont pas *actores* et chez nos vassaux: (qu'ils le fassent) au moment où ces seigneurs ne se trouvent pas dans leur maison«[25]. On constate ici la rigueur avec laquelle Louis entendait réformer les moeurs de la cour. Pour éviter toute fraude chez les puissants, c'est justement lorsque le maître des lieux était absent que l'on devait procéder à la perquisition. Mais au-delà de son caractère anecdotique, cet article s'avère fort riche quant aux diverses catégories de personnes ayant une *mansio* à Aix-la-Chapelle. Il semble d'ailleurs que nombreux étaient les évêques, abbés, comtes ou vassaux disposant d'une résidence près du palais, ce qui n'est en rien étonnant eu égard aux multiples visites que certains devaient y faire[26]. Ratbert, en fonction de son

22 Cf. la notice n° 213.

23 Cf. la notice n° 133.

24 Cf. la notice n° 91.

25 Capitulare de disciplina palatii, c. 2, p. 298: *Ut Ratbertus actor per suum ministerium, id est per domos servorum nostrorum, tam in Aquis quam in proximis villulis nostris ad Aquis pertinentibus similem inquisitionem faciat. Petrus vero et Gunzo per scruas et alias mansiones actorum nostrorum similiter faciant, et Ernaldus per mansiones omnium negotiatorum, sive in mercato sive aliubi negotientur, tam christianorum quam et Iudaeorum. Mansionarius autem faciat simili modo cum suis iunioribus per mansiones episcoporum et abbatum et comitum qui actores non sunt et vassorum nostrorum, eo tempore quando illi seniores in ipsis mansionibus non sunt.*

26 L'évêque de Toul, Frothaire, est attesté à plusieurs reprises à la cour, cf. la notice n° 106. On a par ailleurs de nombreuses mentions de déplacements jusqu'à la cour impériale, tel celui de cet André, évêque de Vicence, *de Italia pergens ad palatium* qui passa par la Bavière au retour (cf. Doc. dipl. Freising, tome 1, n° 400c, p. 344). Certains étaient convoqués au Palais, tel l'abbé de Fleury (cf. Adrevaldus, Miracula, c. 28, p. 63: *Boso, abbas monasterii sancti confessoris Benedicti, palatium evocatus adierat*); d'autres venaient tenter d'y régler leurs problèmes: ainsi, *contigit, ut quidam diaconus Romanae ecclesiae nomine Deusdona pro suis necessitatibus regis opem inploraturus ad palatium veniret* (Einhardus, Translatio, lib. I, c. 1, p. 240). Pour d'autres enfin, le voyage semblait une entreprise si périlleuse qu'ils prenaient auparavant des dispositions testamentaires *si ego mortuus fuissem in isto itinere ad palatium eundo* (Doc. dipl. Ratisbonne, n° 14, p. 13). Des abbés séjournaient à la cour, tel celui de Charroux en 815 (cf. Claudius, Epistolae, n° 2, p. 593 sq.). Il se peut d'ailleurs que le séjour de l'abbé Juste ait duré plusieurs mois. Il est impossible de savoir si Juste participa au plaid de Paderborn, B.M. 587(567)b, convoqué le 1er juillet 815, mais cela vaut la peine de se poser la question. En effet, Claude lui rappela dans une lettre qu'il lui avait passé commande d'un commentaire des Evangiles. Cette commande, il la lui avait faite »(alors que) tu t'en allais et (que) ta Paternité quittait le Palais dudit prince (c'est-à-dire de Louis le Pieux) pour le port sûr et aimé (que sera) toujours pour toi ton monastère, en la 815e année de l'Incarnation de notre Sauveur, Jésus-Christ, après que le pieux et très doux prince Louis, fils de la sainte Eglise catholique de Dieu, en la seconde année de son règne impérial, eut dirigé l'armée contre les nations barbares, soutenu (qu'il était) par l'aide du ciel« (Claudius, Epistolae, n° 2, p. 593 sq.: *Anno DCCCmo XVmo incarnationis salvatoris Iesu Christi domini nostri, postquam pius ac mitissimus princeps sanctae Dei ecclesiae catholicae filius Hludowicus anno secundo imperii sui caelesti fultus auxilio adversus barbaras nationes movisset exercitum, teque abeunte et discedente tuam paternitatem ex palatio iam dicti principis ad tutum dilectumque tibi semper tui monasterii portum iniunxisti mihi, ut aliquod dignum memoriae opusculum in expositione evangelii ad legendum dirigerem fratribus monasterii vestri*). Or, la présence de Juste est attestée à Aix-la-Chapelle le 12 février 815: sur sa requête, le diplôme B.M. 573(553) fut alors donné en faveur de son monastère. De la lettre de Claude, il appert que Juste était encore au Palais (c'est-à-dire éven-

titre d'*actor*, c'est-à-dire de responsable du fisc d'Aix-la-Chapelle[27], avait autorité sur la circonscription d'Aix: il devait enquêter dans (et en raison de) son *ministerium* (*per suum ministerium*)[28]. Mais Ratbert n'était habilité à perquisitionner que chez les *servi* de l'empereur, c'est-à-dire chez les serviteurs de condition servile, et pas chez les *ministeriales*, autrement dit chez les palatins eux-mêmes. Cette distinction entre la manière dont les *servi* étaient traités et la plus grande confiance accordée aux *ministeriales* permet de cerner la justesse d'une observation de Hincmar, qui offre en retour une appréhension plus claire de ce qui est affirmé au chapitre 1 de ce capitulaire. En effet, l'empereur se réservait la connaissance des délits commis par ses *ministeriales*, ou du moins, il voulait qu'on lui signalât ceux qui refuseraient de renvoyer intrus et femmes légères. De prime abord, on ne comprend pas que la connaissance d'un si mince délit relevât de l'empereur. C'est qu'en fait, les palatins dépendaient directement de lui, de même que les membres du Palais de la reine ou de celui des princes n'avaient respectivement de comptes à rendre qu'à celle-là ou à ceux-ci[29].

Les chapitres suivants du capitulaire De disciplina palatii traitent des divers délits pouvant survenir dans le palais et des sanctions qu'il convenait alors d'appliquer[30]. L'une des craintes de Louis le Pieux est particulièrement significative: »nous voulons et ordonnons qu'aucun de ceux qui nous servent en notre palais n'ose recueillir quelque homme venant à notre palais en raison d'un vol ou de quelque homicide, adultère ou de quelque crime qu'il aurait commis, et voulant s'y cacher«[31]. Cet article nous montre la diversité des causes dont le tribunal du Palais avait connaissance. Or, la variété de ces délits laisse supposer une grande affluence de plaignants et plaideurs à la cour[32] – d'où le chapitre 6 de ce capitulaire. Il y est en effet dit que les comtes du Palais devaient faire preuve de la plus grande diligence dans le traitement des affaires »pour que les plaignants ne demeurent pas en notre palais après avoir reçu (leur) *in-*

---

tuellement à Aix, mais plus vraisemblablement à la cour qu'il aurait alors suivie dans son déplacement en Saxe) à la fin de la campagne militaire de juillet. Juste était peut-être rentré à Charroux entre-temps. Il est cependant également possible qu'il ait demeuré à la cour pendant tout le printemps. Quant aux grands laïcs, ils devaient au moins se rendre au Palais pour faire *commendatio* au (nouveau) souverain et recevoir de lui leurs bénéfices (à ce propos, cf. Einhardus, Epistolae, n° 27, p. 123).

27 Cf. METZ, Karolingisches Reichsgut, p. 144 sqq.

28 Le terme de *ministerium* était également propre à désigner un comté par exemple. Ainsi, dans le diplôme B.M. 648(626), éd. Doc. dipl. Saint-Gall, tome 1, n° 226, p. 217 sq., on peut lire une énumération de manses sis dans le *ministerium* de divers comtes (par exemple: *in ministerio Frumoldi comitis*). Sur le *ministerium* de l'*actor*, cf. toutefois GOCKEL, Königshöfe, p. 208 sqq.

29 Cf. Hincmarus, De ordine palatii, l. 305 sqq., p. 68: *Nam quamvis praefati ministri unusquisque de suo ministerio non sub alio vel per alium, nisi per se ipsum solum regem, vel quantum ad reginam vel gloriosam prolem regis respiciebant ...*

30 Capitulare de disciplina palatii, c. 3, 4 et 5, p. 298.

31 Capitulare de disciplina palatii, c. 3, p. 298: *Volumus atque iubemus, ut nullus de his qui nobis in nostro palatio deserviunt aliquem hominem propter furtum aut aliquod homicidium vel adulterium vel aliud aliquod crimen ab ipso perpetratum et propter hoc ad palatium nostrum venientem atque ibi latitare volentem recipere praesumat ...*

32 D'ailleurs, dans un autre capitulaire, il n'est pas fait de différence entre la présentation des causes devant (le comte présidant) un plaid et devant le comte du Palais, cf. Capitula de iustitiis faciendis, c. 4, p. 295 sq.: *Si homini cuilibet causam suam in placito aut coram comite palatio alius fuerit inpedimento et causam eius iniuste disputando inpedierit, tunc volumus, ut sive comes palatii seu comes ipse in comitatu suo iubeat eum exire foras ...*

diculus«[33] (cet *indiculus* était un ordre écrit donné à la partie adverse de se plier au jugement rendu, sous réserve de la production de preuves contradictoires devant le roi[34]).

Voyons enfin la dernière disposition du capitulaire De disciplina palatii. Elle est d'un intérêt tout particulier puisqu'elle permet de constater avec quelle fermeté l'empereur entendait veiller au respect des mesures énoncées plus haut: »que chaque semaine, le samedi, nos agents et *ministeriales* fassent un rapport sur ce qu'ils ont fait dans le cadre de cette *inquisitio*, et qu'ils aient diligemment enquêté et mené leurs investigations en toute sincérité sur ce qu'ils nous signalent pour que, si tel est notre plaisir, ils soient capables d'affirmer (en mettant leur main) dans notre main qu'ils ne nous ont rien rapporté d'autre que la vérité«[35]. Ce règlement avait pour objet d'assurer l'ordre au sein d'une foule dont nous ne connaissons qu'une infime part: certains des titulaires de charges auliques. C'est eux qu'il convient à présent de passer en revue.

a. La composition du Palais en Aquitaine[36]

Bien que l'on ignore quelle fut exactement la tâche d'Arnaud (I), il n'est pas douteux que ce *baiulus* jouissait d'une certaine primauté au sein des *ministri* auxquels Charlemagne avait confié l'administration du royaume d'Aquitaine pendant la minorité de Louis. Ensuite, le jeune roi eut à ses côtés un *missus* du nom de Magnaire, pour l'aider à gouverner[37].

membres de la Chapelle:

228.	Regimpert, responsable de la Chapelle en 794
65.	Claude, attesté de 811 à 816

membres de la »chancellerie«:

71.	Déodat, attesté en 794
156.	Hildigaire, attesté en 794
127.	Guigon, attesté en 807
122.	Godolelme, attesté en 807
143.	Hélisachar, attesté à partir de 808
22.	Albon, attesté en 808

33 Capitulare de disciplina palatii, c. 6, p. 298: *Ut comites palatini omnem diligentiam adhibeant, ut clamatores postquam indiculum ab eis acceperint in palatio nostro non remaneant.*

34 C'est ce que l'on peut par exemple induire d'un *indiculus* expédié au nom du roi, cf. Marculfus, Formulae, lib. I, n° 29, p. 60 sq. Aux temps carolingiens, on jugea encore nécessaire d'avoir à disposition un modèle d'*indiculum regis ad quemlibet hominem laico pro iustitia aliqua facienda*, cf. Formulae Marculfinae, n° 18, p. 121. Le comte du Palais avait à sa disposition un service d'écritures, cf. BAUTIER, Chancellerie, p. 67 sqq. Le terme d'*indiculus* (ou plus exactement d'*indiculum regale*) pouvait d'ailleurs désigner un jugement, cf. Cartae Senonicae, n° 26, p. 196.

35 Capitulare de disciplina palatii, c. 8, p. 298: *Ut omni hebdomada per diem sabbati agentes vel ministeriales nostri indicent, quid de hac inquisitione factum habeant et hoc quod nobis indicaverint sic diligenter ac veraciter habeant inquisitum et investigatum, ut, si nobis placuerit, in manu nostra valeant adfirmare, quod non aliud nobis nisi veritatem indicassent.*

36 Dans la présentation qui suit, les noms des personnages sont précédés du numéro de la notice qui leur est consacrée dans la prosopographie.

37 Cf. les notices n° 34 et n° 196.

26

officiers du Palais:

    86.   Erlaud, sénéchal

   117.   Géry (I), fauconnier, attesté vers 813

titulaire d'une autre charge:

    78.   Ebbon, bibliothécaire

b. La composition du Palais impérial

membres de la Chapelle:

(archi)chapelains:

   151.   Hildebaud, attesté de 794 à 818

   157.   Hilduin, attesté de 819 à 830

    98.   Foulques (I), attesté de 830 à 833

    75.   Drogon, attesté de 834 ou 835 à 840

chapelains:

    66.   Clément, prêtre, précepteur du Palais, attesté depuis le règne de Charlemagne jusqu'en 826

   116.   Gerward, bibliothécaire, qualifié de *clericus*

   260.   Teutbert, attesté comme *capellanus* vers 819

   163.   Hucbert, *praecentor* avant 823

   197.   Magne, attesté comme *capellanus* de 822/823 à fin 824

   125.   Grimald, attesté vers le milieu des années vingt

   209.   Otgaire, *capellanus* avant 826

   265.   Théoton, maître de choeur, attesté en 826

   250.   Sicard (II), *palatinus presbiter* attesté de 827 à 833/834

    26.   Aldric (II), après avoir exercé plusieurs fonctions au sein du choeur, attesté confesseur de l'empereur en 832

   174.   Isembert, attesté comme *capellanus domni imperatoris* en 827

   114.   Gérold (III), archidiacre, attesté de 829 à 834/838

   214.   Prudence, selon toute vraisemblance membre de la Chapelle dès les années vingt

    54.   Bodon, diacre, attesté de 837 à 838

   227.   Ratulf, prêtre attesté comme *capellanus* en 839

membres de la »chancellerie«:

(archi)chanceliers:

   143.   Hélisachar, attesté de 808 à 819

   104.   Fridugise, attesté de 819 à 832

   265.   Théoton, attesté de 832 à 834

   165.   Hugues (II), attesté de 834 à 840

notaires[38]:

    32.   Archambaud, attesté de 778 jusqu'en 814/815

---

38 Les notaires dont le nom est suivi d'un ou deux astérisque(s) sont formellement attestés comme clercs: * *subdiaconus*; ** *diaconus*.

167.   Ibbon, attesté de 809/810 jusqu'en 815

278.   Withaire (I), attesté en 812 et 813, éventuellement demeuré au service de Louis le Pieux jusqu'en 815

77.   Durand**, attesté de 814 à 832

95.   Faramond, attesté de 814 à 826

35.   Arnaud (II), attesté en 816

180.   Joseph (II), attesté en 816

160.   Hirminmaris**, attesté de 816 à 839

11.   Adalleod, supposé de 817 à 824, au service de Louis le Germanique dès 830

131.   Gundulf, attesté de 820 à 821

195.   Macédon, attesté en 820

251.   Sigisbert, attesté en 821

252.   Siméon**, attesté de 823 à 824

201.   Méginaire**, attesté de 826 à 840, ensuite au service de Charles le Chauve

13.   Adalulf**, attesté en 828

70.   Daniel*, attesté de 836 à 839, ensuite au service de Lothaire

40.   Bartholomé, attesté de 837 (peut-être dès 821) à 839, ensuite au service de Charles le Chauve

121.   Glorius, attesté de 838 à fin 839, ensuite au service de Lothaire

officiers du Palais[39]:

chambriers (*camerarii*):

50.   Bernard (II), attesté de 829 à 830

258.   Tanculf, attesté en 832 (auparavant trésorier)

comtes du Palais (*comites palatii*):

271.   Warengaud, attesté en 814/815

9.   Adalhard (II), attesté de 822 à 824

111.   Gébouin, attesté de 824 au plus tard à 838

53.   Bertry, attesté en 826

7.   Adalgise, attesté en 827

175.   Jaston, attesté en 827

99.   Foulques (II), attesté en 838

220.   Rainier (II), attesté de 838 à 840

246.   Ruadhart, attesté en 838

222.   Rannoux, attesté en 840

sénéchaux (*senescalci*):

4.   Adalbert (II), attesté en 816

133.   Gunzo, attesté de *circa* 820 à 826

10.   Adalhard (III), attesté de 831 à 839

échanson (*buticularius*):

92.   Eudes (I), attesté en 826

connétables (*comites stabuli*):

---

39 J'énumère les officiers du Palais et les membres subalternes dans l'ordre dans lequel ils sont cités dans Hincmarus, De ordine palatii, l. 275 sqq., p. 64.

3.   Adalbert (I), attesté en 820
129.   Guillaume (II), attesté en 833/834
responsable du gîte (*mansionarius*):
    inconnu
veneurs (*venatores principales*[40]):
61.   Burgarit, premier veneur[41] avant 833/834
69.   Dagolf, attesté vers 839
fauconnier (*falconarius*):
    inconnu

membres subalternes[42]:

huissiers (*ostiarii*):
115.   Gérung, huissier en chef[43], attesté de 822 à 826/827
232.   Richard (III), attesté de 831 à 833/834
19.   Agbert, attesté en 839 avec le rang comtal
trésorier (*sacellarius*):
258.   Tanculf, attesté de 821 à 826
responsable des aumônes (*dispensator*):
    inconnu
responsable de la vaisselle (*scapoardus*):
    inconnu

divers[44]:

précepteurs[45]:
66.   Clément, prêtre, attesté jusqu'en 826
276.   Wirnit, attesté comme *magister parvulorum nostrorum*[46] en 827
25.   Aldric (I)
266.   Thomas
sous toute réserve: 73. Dicuil
archiviste[47] (*cartolarius*):
264.   Théothard, attesté avant 820/821
bibliothécaire (*bibliothecarius*):
116.   Gerward, qualifié de *clericus*
responsable des travaux[48]:

---

40 Hincmar affirme qu'ils étaient au nombre de quatre: cf. Hincmarus, De ordine palatii, l. 278, p. 64.
41 Astronomus, Vita, c. 56, p. 642: *praefectus venatoribus regalibus*.
42 Ce sont les *alii ministeriales* mentionnés dans Hincmarus, De ordine palatii, l. 279 sqq., p. 64.
43 Annales regni Franc., a. 822, p. 159: *Ostiariorum magister*.
44 Hincmar fait mention d'assistants pour chacun de ces personnages (Hincmarus, De ordine palatii, l. 281, p. 64: *... vel quorumcunque ex eis iuniores aut decani fuissent ...*), ainsi que de diverses catégories de chasseurs (cf. ibid., l. 282, p. 66): il n'en est pas un du Palais de Louis dont nous connaissions le nom. En revanche, Hincmar n'évoque pas les charges suivantes, dont nous connaissons toutefois les titulaires sous Louis le Pieux.
45 Dümmler, Karolingische Miscellen, p. 116: *Magister palatinus*; Vita Aldrici, c. 4, p. 742: *praeceptor palatinus*; Walahfridus, Carmina, n° 36, p. 387: *praeceptor palatii*.
46 B.M. 841(815), éd. Vet. script. ampl. collectio, col. 24 sq. (à la col. 25).
47 Il se peut que cette fonction se confonde avec celle de trésorier, cf. la notice n° 264.
48 Il a sous ses ordres l'*exactor operum regalium* (Gesta patrum Font., p. 94).

82.   Eginhard, attesté sous Charlemagne et peut-être maintenu en fonction par Louis

exactor operum regalium[49]:

30.   Anségise (?), attesté sous Charlemagne

chargé des affaires juives (*magister Iudeorum*[50]):

94.   Evrard, attesté vers 826/828

responsable (*magister*) des marchands[51]:

91.   Ernaud (?), attesté vers 820

palefrenier (*regiorum equorum custos*[52]):

64.   Chosle, attesté en 818

valet de chambre (*cubicularius*):

76.   Drogus, attesté vers 828

chef des panetiers (*pistorum princeps*[53]):

213.   Pierre, attesté en 826 (peut-être dès *circa* 820)

agents dont on ne peut pas définir exactement le titre:

130.   Gundold, sorte d'infirmier attesté en 820

226.   Ratbert, qualifié d'*actor* vers 820

16.   Adhallvit, chargé de la police en 826

D. La dimension politique du *palatium*

Nous ne connaissons nommément qu'à peine une centaine des membres du Palais de Louis le Pieux. C'est relativement peu si l'on tient compte des renouvellements de personnes imposés non seulement par les aléas politiques, mais tout simplement par la longue durée du règne de Louis (il fut empereur durant un peu plus de vingt-cinq ans, après avoir régné pendant une trentaine d'années en Aquitaine): plus d'un demi-siècle au total, c'est-à-dire l'espace de deux générations au moins. Nous ne connaissons que les principaux palatins, ceux dont on a, par hasard, gardé trace de l'action. Ceux, surtout, dont les contemporains avaient rappelé leur appartenance au Palais, afin de les identifier plus sûrement ou de donner quelque éclat au commerce qu'ils entretenaient avec eux. A l'inverse, il se peut que nombre de palatins croisés dans des sources où ils ne sont pas désignés comme tels nous échappent simplement parce que personne, en l'affaire traitée, n'avait besoin de rappeler leurs activités à la cour. En revanche, les auteurs du haut Moyen-Age étaient un peu plus loquaces à propos du groupe que formaient les *palatini*, les *consiliarii* et autres personnes dans le *comitatus* du roi ou de l'empereur. Notamment, le contexte dans lequel ces membres de l'entourage du prince étaient évoqués en tant que tels permet une approche plus complète de ce que les contemporains, précisément, avaient en tête.

Lorsqu'ils évoquaient le cas de chapelles palatiales aliénées au mépris du droit de l'Eglise, les Pères du concile de Paris réunis en 829 dénonçaient la conséquence de cette pratique: outre l'avilissement de l'*honor ecclesiasticus*, les *proceres* et les servi-

49 Cf. la note précédente.
50 Agobardus, Epistolae, n° 9, p. 199.
51 Le responsable des marchands fut institué par Louis le Pieux, cf. B.M. 851(825) = Formulae imperiales, n° 37, p. 314 sq. (à la p. 315) – texte cité à la notice n° 91.
52 Astronomus, Vita, c. 30, p. 623.
53 Ermoldus, Elegiacum carmen, IV, v. 2340, p. 178.

teurs du Palais n'accompagnaient plus l'empereur au culte[1]. Mais qu'entendaient au juste les évêques par l'expression *vestri proceres et palatini ministri*? S'agissait-il de marquer l'opposition entre les *proceres* – extérieurs au Palais, mais fréquentant la cour – et les serviteurs du Palais, ou bien doit-on y voir l'allusion à l'ensemble des membres du Palais: les *proceres* et les (autres) »serviteurs«[2]? C'est à cette seconde interprétation qu'incite un extrait de la Translation de sainte Bathilde, dans laquelle l'auteur distinguait deux groupes parmi les membres du Palais, les *principes* et les autres: »Or, ces saints miracles sont annoncés à Louis, le sérénissime Auguste, et dans le palais, ils sont[3] révélés tant aux princes qu'à tous ceux qui servent l'empereur. César exulte, les princes se réjouissent, tous éprouvent de la joie et ils célèbrent les louanges en l'honneur d'une telle mère«[4]. Cette difficulté de compréhension montre la nécessité d'une étude lexicologique[5], quand bien même l'ancienneté de termes tels qu'*aulici*, *palatini* ou *ministri*[6] pourrait laisser croire qu'on en connaît précisément le sens.

L'appartenance au Palais marquait avant tout la proximité de l'empereur. C'est pourquoi certains auteurs avaient recours au terme de *comitatus* pour désigner le Palais. Dès le Haut-Empire, ce mot servit à désigner la suite d'un prince[7], l'ensemble de ceux qui l'accompagnaient. Il peut sembler gratuit de citer tel ou tel texte pour illustrer la vigueur d'une tradition supposée. Néanmoins, puisque la Germanie de Tacite était connue des contemporains de Louis le Pieux[8], il ne paraît pas inopportun de citer un extrait de ce texte, qui met en évidence le caractère dynamique d'un groupe de »compagnons«: ... »ce compagnonnage lui-même comporte des degrés, à la discrétion de celui auquel on s'est attaché; il y a aussi une grande émulation et entre les compagnons à qui aura la première place auprès du chef, et entre les chefs à qui aura les compagnons les plus nombreux et les plus ardents«[9]. En dépit de la différence manifeste entre un chef germain et un empereur carolingien, entre un groupe de guerriers et une cour impériale, cette course à la première place, qu'un Nithard ne mentionnait

---

1 Cf. Episcoporum relatio, c. 32, p. 39: *De presbiteris et capellis palatinis contra canonicam auctoritatem et aecclesiasticam honestatem inconsulte habitis vestram monemus sollertiam, ut a vestra potestate inhibeantur; quoniam propter hoc et honor ecclesiasticus vilior efficitur et vestri proceres et palatini ministri in diebus sollemnibus, sicut decet, vobiscum ad missarum celebrationes non procedunt. Nam et obnixe deprecamur, ut...*

2 On observe la même ambiguïté dans Theganus, Vita, c. 17, p. 594: *Postea pontifex honoravit eum (= Louis le Pieux) magnis honoribus et multis, et reginam Irmingardam, et omnes optimates et ministros eius.*

3 Le verbe latin est à l'imparfait.

4 Translatio s. Baltechildis, lect. 7, p. 285: *Nuntiantur autem haec sacra miracula Hludowico serenissimo augusto et in palatio tam principibus quam et omnibus imperatori militantibus divulgabantur. Exultat caesar, iocundantur principes, laetantur omnes et in honore tantae matris laudes attolunt.*

5 Il est hors de question de faire ici mention de toutes les occurrences des termes se rapportant au Palais ou à l'entourage royal et de les étudier en détail. Je limite cette analyse aux principales sources concernant le règne de Louis le Pieux et j'aurai recours à des sources d'autres époques dans le seul souci de préciser l'étude, sans prétendre à l'exhaustivité.

6 Cf. ZÖLLNER, Geschichte der Franken, p. 132 sq.

7 Cf. GAFFIOT, Dictionnaire, p. 348.

8 Cf. Tacite, La Germanie, texte établi et traduit par J. PERRET, Paris 1983 (3e éd.), p. 47 sqq.

9 Ibid., p. 79 (c. 13): *Gradus quin etiam ipse comitatus habet, iudicio eius quem sectantur; magnaque et comitum aemulatio, quibus primus apud principem suum locus, et principum, cui plurimi et acerrimi comites.* Je cite la traduction de J. Perret.

qu'à l'occasion de la crise ayant bouleversé le règne de Louis le Pieux, marqua vrai-semblablement la vie de la cour tout au long de la période qui nous intéresse ici.

L'auteur des Annales royales utilisait le terme de *comitatus* au sens étymologique de *comes* (*cum eo*), c'est-à-dire au sens de ceux qui suivaient l'empereur dans son dé-placement: quittant le palais d'Ingelheim, Louis le Pieux »se rendit avec son *comita-tus*« jusqu'à la *villa* de Salz[10]. Mais ce terme pouvait également être entendu dans un sens statique[11]. En fait, le mot *comitatus* désignait la compagnie du souverain, comme l'atteste Eginhard qui, en raison d'une obligation qu'il tait, s'apprêtait, selon son hâ-bitude, à se rendre en plein hiver auprès de Louis le Pieux, c'est-à-dire à gagner »le *comitatus* du roi«[12]. Mais la proximité du souverain pouvait être soulignée par d'au-tres liens, à commencer par celui de l'amitié – Bégon est par exemple désigné comme »l'ami du roi« (*amicus regis*)[13] – ou par l'appartenance à la *familia* du souverain. L'au-teur de l'appendice à la Vita Hludowici de Thégan, transmis par le ms. 408 de l'Ö-sterreichische Nationalbibliothek relate ainsi l'accueil de Louis le Pieux par Hetti lors de la visite de l'empereur à Saint-Castor en 836: »et le pontife susnommé l'ho-nora de multiples cadeaux ainsi que son épouse, ses enfants et que toute sa *familia*«[14]. Puisque l'auteur mentionnait l'épouse et les enfants de Louis avant les membres de la *familia*, il les en distinguait. On doit donc comprendre le terme de *familia* dans son sens antique: il s'agit ici de l'ensemble des serviteurs[15] et des personnes attachées à la personne de l'empereur – donc peut-être son Palais[16].

En effet, une part importante revient à la notion de service dans la définition des membres du Palais, comme le souligne la fréquence avec laquelle Hincmar désignait ces derniers en tant que *ministri*[17], c'est-à-dire en tant que serviteurs[18] – de la chose publique s'entend[19]. Des *ministri*, on attendait efficacité et probité. Ainsi, en 813, Charlemagne est censé avoir exhorté Louis le Pieux à nommer des *ministri* fidèles

10 Annales regni Franc., a. 826, p. 170: ... *cum suo comitatu profectus est.*
11 Cf. Einhardus, Translatio, I, c. 1, p. 240: ... *nam ibi* (= Aix-la-Chapelle) *eo tempore imperator cum suo comitatu erat.*
12 Einhardus, Translatio, III, c. 19, p. 255: *Cum me quaedam necessitas secundum consuetudinem comi-tatum regis adire compelleret, mense Decembrio ...*
13 Cf. la notice n° 42.
14 Theganus, Vita, appendice, p. 603: ... *et honoravit eum supradictus pontifex cum coniuge et liberis et omni cum familia sua donis innumeris.*
15 De nombreuses chartes d'affranchissement attestent l'utilisation du terme de *familia* aux temps mérovingiens et carolingiens pour désigner l'ensemble des esclaves, cf. par exemple Marculfus, For-mulae, II, n° 32, p. 95; Formulae imperiales, n° 33 et n° 35, p. 311 sqq.
16 Il ne me semble pas possible de trancher la question de savoir s'il s'agit des officiers du Palais ou des serviteurs de basse extraction. L'expression *familia dominica* pouvait en effet désigner les esclaves attachés aux *villae* du fisc, cf. Marculfus, Formulae, II, n° 52, p. 106. Mais on peut mettre en parallèle avec le récit de la visite à Coblence un extrait de la Vita Hludowici de Thégan déjà cité, où il est relaté comment Etienne IV combla de cadeaux non seulement l'empereur et son épouse, mais également tous les *optimates* et les *ministri* de Louis le Pieux. Ces derniers seraient-ils assimilables à la *familia* de l'empereur?
17 Cf. Hincmarus, De ordine palatii, p. 110 (index).
18 Cf. GAFFIOT, Dictionnaire, p. 978.
19 Il convient de rappeler que tous les sujets avaient part au *ministerium* du prince, comme cela est ex-posé dans Admonitio, c. 3, p. 303: *Sed quamquam summa huius ministerii in nostra persona consiste-re videatur, tamen et divina auctoritate et humana ordinatione ita per partes divisum esse cognosci-tur, ut unusquisque vestrum in suo loco et ordine partem nostri ministerii habere cognoscatur ...* A ce propos, cf. GUILLOT, Ordinatio, plus spécialement p. 466 sq.

ayant en horreur les pots-de-vin et à ne donner congé à personne sans de sérieuses raisons[20]. Faut-il reconnaître chez ces *ministri* seulement les membres du Palais au sens étroit du terme? Vraisemblablement pas: Agobard, par exemple, désignait le comte Matfrid d'Orléans comme *minister imperatoris et imperii*[21] – de même, vers la fin du règne de Charles le Chauve, le duc Boson fut réputé *archiminister* du Palais de ce dernier[22]. Mais en certaines occasions, le doute est difficilement possible: les *ministri* étaient les membres du Palais – tel était le cas lorsque l'Astronome soulignait la pression exercée sur Louis le Pieux par Judith et par les »serviteurs du Palais« (les *ministri palatini*), pour que Charles (le Chauve) reçût une partie de l'empire[23]. Ces *ministri* étaient des personnages influents. De même, lorsqu'il envoya son fils en Aquitaine, Charlemagne mit à sa disposition des *ministri* aptes à assumer la tutelle du jeune roi[24]. Il s'agit non pas des comtes et abbés nommés dès 778, dont l'Astronome fait mention après avoir relaté la naissance de Louis[25], mais des membres de son Palais, puisque le premier de ces *ministri* n'était autre que le *bajulus* du roi.

On l'a vu, l'attribution, sur la pression des *ministri palatini*, d'un lot à Charles laisse présumer leur influence, et, semble-t-il, le prestige de leur fonction. D'autres occurrences de ce terme dans l'oeuvre de l'Astronome permettent d'observer certains *ministri palatini* dans l'exercice de leur pouvoir. En effet, alors qu'il se trouvait à l'agonie, Louis le Pieux ordonna à son demi-frère Drogon, l'archichapelain, de rassembler auprès de lui les *ministri camerae suae*, le personnel attaché au service de sa Chambre, c'est-à-dire du Trésor[26]. Ces *ministri* devaient procéder à l'inventaire des biens de l'empereur afin que ce dernier pût déterminer ce qui serait offert en aumône aux églises et aux pauvres, et ce qui reviendrait en héritage à ses fils[27]. Or, en 837, suite à l'apparition de la comète de Halley[28] et à l'examen de conscience, pourrait-on dire, qu'elle suscita chez Louis le Pieux[29], ce dernier avait rassemblé les *ministri aulici* pour leur ordonner de distribuer des aumônes aux pauvres et aux »serviteurs de Dieu« (les moines et les chanoines), et il avait fait dire des messes[30]. Les *ministri* sem-

20 Theganus, Vita, c. 6, p. 592: *Fideles ministros et Deum timentes constitueret, qui munera iniusta odio haberent. Nullum ab honore suo sine causa discretionis eiecisset ...*

21 Agobardus, Epistolae, n° 10, p. 201. Sur l'expression *fidelis noster minister* dans certaines éditions de B.M. 813(789), cf. DEPREUX, Matfrid, p. 341 note 66.

22 Je reviendrai plus bas sur ce point.

23 Astronomus, Vita, c. 59, p. 643 – texte cité à la notice n° 181.

24 Astronomus, Vita, c. 4, p. 609 – texte cité à la notice n° 34.

25 Cf. Astronomus, Vita, c. 3, p. 608 – texte cité à la notice n° 2. Ces nominations eurent lieu en conséquence de la défaite de Roncevaux, qui avait prouvé la précarité des fidélités en Gascogne et, plus largement, en Aquitaine. Cf. GANSHOF, Crise dans le règne de Charlemagne, p. 137 sqq. Sur le guetapens de Roncevaux, cf. BAUTIER, Campagne en Espagne.

26 Il faut comprendre que l'empereur convoqua le chambrier, le *cubicularius* et le trésorier.

27 Astronomus, Vita, c. 63, p. 647 – texte cité à la notice n° 75. L'élément de comparaison est bien évidemment le testament de Charlemagne, qui, avant qu'il ne fût procédé au partage, consistait en un inventaire: *... descriptio atque divisio quae facta est a ... Karolo ..., quam pia et prudenti consideratione facere decrevit et Domino annuente perfecit de thesauris suis atque pecunia quae in illa die in camera ejus inventa est* (Einhardus, Vita Karoli, c. 33, p. 94).

28 Cf. la notice n° 37.

29 Astronomus, Vita, c. 58, p. 643 l. 19 sqq.

30 Astronomus, Vita, c. 58, p. 643: *In cuius crepusculo ministros aulicos vocavit, et elemosinas quam largissime pauperibus ac servis Dei, tam monachis quamque canonicis, porrigi iussit, missarumque sollempnia per quoscumque potuit celebrari fecit ...*

blent bien ne pas avoir compté parmi les derniers des serviteurs, puisqu'ils avaient accès aux finances. Mais par ailleurs, en ordonnant à quiconque le pourrait (*per quoscumque potuit*) de célébrer la messe, Louis s'adressait à ses chapelains – du moins à ceux qui avaient reçu la prêtrise. On voit par là que le terme de *minister aulicus* était fort large: il pouvait s'appliquer à chaque membre du Palais, laïc ou clerc.

Le mot *palatium* pouvait, bien entendu, être employé dans son sens spatial: il était la résidence du prince. Parfois, la dimension humaine point dans les sources, sans que l'on puisse trancher de manière certaine. Ainsi, Wala est réputé avoir été »le plus vénérable de tous ceux qui étaient *in palatio*«[31]. Faut-il comprendre que cette expression signifie »dans le palais« ou plutôt »au Palais«? On préférera la seconde solution car le terme de *palatium* désignait souvent le groupe des palatins. Ainsi en était-il lorsque l'archevêque de Sens, en 842, évoquait le cas de prélats tirés du Palais (*ex palatio*), c'est-à-dire la promotion à l'épiscopat de certains membres du Palais[32]. Sur le substantif de *palatium*, on a forgé l'adjectif *palatinus*. Ce terme est attesté dès l'époque classique[33]. Il signifie »du palais«. Ce sens d'appartenance perdura au Moyen-Age. Ainsi, par exemple, Thietmar de Mersebourg, au début du XIe siècle, désignait systématiquement le comte du Palais (*comes palatii*) sous la forme de *comes palatinus*[34]. Les *palatini milites* mentionnés dans une source de la fin du IXe siècle[35] semblent avoir été les gardes du roi[36], qui formaient la *satellitum et custodum corporis turba* évoquée par Eginhard[37]. Enfin, un membre de la cour dépêché depuis le Palais en tant que *missus* était un *missus palatinus*[38].

L'adjectif *palatinus* s'appliquait à tout ce qui concernait le Palais[39], notamment aux affaires qui s'y déroulaient – et par conséquent, à la vie de la cour. D'où l'expression *res palatinae*. Certains auteurs pouvaient désigner par-là les affaires de l'Etat, comme l'Astronome, qui justifiait sa compétence à décrire le règne de Louis le Pieux parce qu'il y avait été mêlé[40]. D'autres semblaient plutôt entendre par-là les intrigues de cour, tel Eginhard, qui, dans sa lassitude, demandait à un ami de ne plus l'importuner en lui racontant ce qui se tramait à la cour de Louis le Pieux: il n'y trouvait aucun

---

31 Translatio s. Viti, p. 40: *Wala était omnibus qui erant in palatio venerabilior.*
32 Lupus, Correspondance, tome 1, n° 26, p. 126: *Idque vestrae prudentiae dominus noster nobis jussit suggerere non esse novicium aut temerarium, quod ex palatio honorabilioribus maxime ecclesiis procurat antistites.* Cf. également le renvoi par Charlemagne d'un légat: ... *mittens cum eo Zachariam presbiterum de palatio suo* ... (Annales regni Franc., a. 800, p. 110). Zacharie était un prêtre, membre du Palais.
33 Cf. GAFFIOT, Dictionnaire, p. 1104.
34 Cf. Die Chronik des Bischofs Thietmar von Merseburg und ihre Korveier Überarbeitung, M.G.H. SS. rer. Germ., N. S. 9, Berlin 1935, p. 615 (index).
35 Annales Fuldenses, Continuatio Ratisbonensis, a. 894, p. 123.
36 Cf. l'annexe n° 3 G (en note).
37 Einhardus, Vita Karoli, c. 22, p. 68: *Et non solum filios ad balneum, verum optimates et amicos, aliquando etiam satellitum et custodum corporis turbam invitavit, ita ut nonnumquam centum vel eo amplius homines una lavarentur.*
38 Gesta Aldrici, p. 133. A ce propos, l'on sait le débat qu'a suscité la question de l'origine sociale de certains de ces *missi*, cf. HANNIG, Pauperiores vassi.
39 D'aucuns n'hésitent pas à qualifier de toute »palatine« l'éloquence des personnes ayant reçu leur formation au Palais. Cf. Epistolae variorum 2, n° 30 (lettre de Jonas d'Orléans à Walcaud de Liège), p. 348: ... *cum adsit vobis palatina scolasticorum facundia*...
40 Astronomus, Vita, Prologue, p. 607: ... *quia ego rebus interfui palatinis* ...

plaisir[41]. L'adjectif *palatinus* servait également à désigner la qualité du service dû par les membres du Palais: assurer une permanence au Palais se disait assurer la »garde palatine«, les *palatinae excubiae*[42]; une charge à la cour – en l'occurrence celle d'(archi)chancelier – était un *officium palatinum*[43]. Or, l'adjectif *palatinus* fut également employé comme substantif: il désignait alors les hommes du Palais, les »palatins«. Notker le Bègue, par exemple, utilisait à plusieurs reprises cette expression[44]. De même, sur le synonyme de *palatium* qu'est le terme d'*aula*[45], on a forgé l'adjectif *aulicus*, lui aussi parfois employé comme substantif[46].

En certaines occurrences, Notker désignait par le terme de *palatini* la couche inférieure des palatins[47]. Mais ailleurs, ce sont les grands qui étaient ainsi désignés, notamment avec cette glose: *palatini, hoc est invictissimi Karoli proceres*[48]. Cette vision fort large du Palais (les *palatini* étaient les *proceres* du roi, non seulement les *proceres palatii*), qui embrasse par conséquent tous ceux qui avaient vocation à participer au *consilium* du roi[49], on la retrouve notamment dans la Vie de Dagobert III, une œuvre

41 Einhardus, Epistolae, n° 35, p. 127: *Quidem de statu rerum palatinarum nihil mihi scribere peto, quia nihil ex is, quae aguntur, audire delectat.*

42 Cf. Formulae Alsaticae, n° 27 des Formulae Morbacenses, p. 336: *... cum repente, vix tandem a palatinis excubiis, quibus diu inservire coactus fueram, absolutus ...* Il s'agit d'une lettre de Prudence de Troyes. Cf. la notice n° 214.

43 Cf. Epistolae variorum 2, n° 6 (lettre de Hélisachar à l'archevêque de Narbonne, Nibride), p. 307: *Meminisse credimus sanctam paternitatem vestram, quod dudum quando apud Aquasgrani palatium me officium palatinum, vosque propter ecclesiastica dirimenda imperialis iussio obstringeret ...*

44 Outre les références citées aux notes suivantes, cf. Notkerus, Gesta Karoli, I, c. 4, p. 6 et I, c. 25, p. 34.

45 Comme pour le terme de *palatium*, celui d'*aula* a d'abord un sens spatial, puis il désigne l'ensemble de ceux qui vivent en ce lieu. Bien souvent, les deux dimensions du champ sémantique du terme d'*aula* sont difficilement séparables, comme dans cet extrait d'Einhardus, Vita Karoli, Prologue, p. 4, où l'auteur évoque son amitié pour Charlemagne: *... perpetua, postquam in aula ejus conversari coepi, cum ipso ac liberis ejus amicitia.* FALKENSTEIN, Aix-la-Chapelle, p. 241 note 34, observe: »chez les auteurs modernes, on trouve toujours le mot *aula regia* pour le bâtiment de la grande halle (du palais), comme s'il s'agissait d'une dénomination de l'époque carolingienne. En réalité, le mot *aula*, conforme à l'habitude paléo-chrétienne, ne se trouve dans les sources épigraphiques de l'époque carolingienne que pour l'église Notre-Dame«. L'auteur a, avec raison, réfuté une interprétation d'Ermoldus, Elegiacum Carmen, II, v. 702, p. 56, où l'*aula* est manifestement la cour. Il est toutefois une autre occurrence dans ce poème où le terme semble, à mon avis, désigner la salle du trône: Louis, »élevé en l'*aula*« (*celsus in aula*), rendait la justice (Ermoldus, Elegiacum Carmen, Prologue, v. 25, p. 4). Traduire »élevé en sa cour« n'a pas grand sens. C'est pourquoi la traduction d'E. FARAL (ibid., p. 5) peut trouver justification: »du haut de son trône«.

46 C'est notamment le cas dans Einhardus, Translatio, III, c. 1, p. 248; ibid., IV, prologue, p. 256; ibid., IV, c. 7, p. 258. L'adjectif *aulicus* est employé comme substantif dès l'époque classique (cf. GAFFIOT, Dictionnaire, p. 191). Quant à l'évêque Grégoire de Tours, il utilisa même le doublet *aulici palatini*, cf. Historiarum libri, X, c. 29, M.G.H. SS. rer. Mer. 1/1, p. 522.

47 Cf. Notkerus, Gesta Karoli, I, c. 29, p. 40: il est question des *indigentes palatini*; ibid., I, c. 31, p. 42: Notker parle des *exigui palatini*.

48 Ibid., I, c. 18, p. 24. Un peu plus haut dans ce chapitre (p. 22), il est déjà question des *primores palatini*, mais l'adjectif est ici épithète d'un adjectif substantivé, *primores*.

49 A ce propos, cf. HANNIG, Consensus fidelium. Un exemple tiré des Gesta Dagoberti prouve à ce propos combien il semblait nécessaire aux hommes du début du IXe siècle que le roi prît conseil auprès de ses grands. Dans la Chronique de »Frédégaire«, on rapporte comment Dagobert se sépara de son épouse stérile pour en choisir une autre: »et là, abandonnant la reine Gomatrude dans la *villa* de Reuilly, où il l'avait reçue en mariage, il éleva (au statut de) reine Nanthilde, l'une des filles à son service, en l'épousant« (Chronicarum quae dicuntur Fredegarii scholastici liber IV, c. 58, M.G.H. SS.

que l'on date – d'une manière fort large – d'entre le règne de Charles le Chauve et le XIIᵉ siècle[50]. Le roi Dagobert III est censé avoir convoqué une assemblée de tous les Francs à Rouen. Il est dit avoir débattu »avec les (ou ses) *proceres* et ses *optimates*«, mais aussitôt après, on le voit siéger »avec les (ou ses) évêques, les (ou ses) comtes et ses palatins«. Rien dans le texte ne signale l'introduction des palatins dans le conseil[51]: il faut à mon sens en conclure qu'étaient réputés appartenir au Palais tous ceux qui avaient vocation à conseiller le roi, à l'aider. D'où l'idée que le terme de *palatium* pourrait désigner, outre la résidence et l'hôtel du roi, l'ensemble des *optimates* du *regnum*. Comme je l'ai déjà dit, c'est l'impression que peut aussi susciter l'examen du De ordine palatii de Hincmar[52]. Certes, les auteurs que je cite ici écrivaient après le règne de Louis le Pieux. Mais si l'on ne peut pas, à ce qu'il semble, trouver pareille définition contemporaine de cet empereur, l'examen des faits confirme cette analyse en ce sens que la participation au conseil et au gouvernement n'était en rien conditionnée par l'appartenance au *palatium* compris comme l'hôtel du roi (le cas le plus manifeste étant celui du *minister* Matfrid d'Orléans, qu'on aurait grand-peine à pourvoir d'une charge aulique[53]). On peut alors examiner un extrait des Gesta Aldrici, où le substantif *palatinus* apparaît également. Le futur évêque du Mans est réputé avoir été choisi (élu) par l'archevêque de Tours, par le comte du Maine, par »tous les hommes nobles du diocèse« et par tous les palatins (*cuncti palatini*), bref[54]: il fut élu *clero et populo*[55]. Que signifie la référence aux *cuncti palatini*? Doit-on comprendre que les palatins, au sens du personnel de l'hôtel du roi, durent se prononcer sur l'élection d'Aldric? Il est sans doute préférable de reconnaître chez ces »palatins« les conseillers de Louis le Pieux, les *optimates* alors dans son entourage. La preuve décisive est, semble-t-il, fournie par l'Astronome.

En effet, alors qu'il évoquait les dispositions prises par Louis le Pieux à l'agonie, l'Astronome fit mention de l'injonction destinée à Lothaire de respecter la part de Charles »qu'il (c'est-à-dire Louis le Pieux) lui avait donnée avec et devant lui (= Lo-

rer Merov. 2, p. 150: ... *ibique Gomatrudem reginam Romiliaco villa, ubi ipsa matrimonium acceperat, relinquens, Nantechildem unam ex puellis de ministerio matrimonium accipiens, reginam sublimavit*). Or, l'auteur des Gesta Dagoberti, qui s'inspirait de la chronique que l'on vient de citer, tint à préciser que cette répudiation avait eu lieu »sur le conseil des Francs«: *cum consilio Francorum* (Gesta Dagoberti, c. 22, p. 408: ... *ibique Gomatrudem reginam Romiliaco villa, eo quod esset sterilis, cum consilio Francorum relinquens, Nanthildem quandam speciosissimi decoris puellam in matrimonium accipiens, reginam sublimavit*).

50 Cf. SIMSON, Vita Dagoberti III., p. 557.

51 Vita Dagoberti III, c. 8, p. 516: *Idem ergo gloriosissimus rex Dagobertus Kalendis Martii sinodum cum omnibus Francis in civitate Rotomagensi adunare precepit, in qua de utilitatibus ecclesiarum, orphanorum ac viduarum considerans, tractabat cum proceribus et obtimatibus suis, quid illi foret fiendum. Cumque in hac sinodo rex cum pontificibus, comitibus ac palatinis suis resedisset ...*

52 A l'occasion, les éditeurs du De ordine palatii ont d'ailleurs choisi de traduire *palatium* par »Reich«, cf. Hincmarus, De ordine palatii, l. 229, p. 56 et p. 57. Ils se sont justifiés en note 103.

53 Cf. DEPREUX, Matfrid, p. 333 sq.

54 Cet adverbe est de moi, car l'énumération continue dans le texte. Mais je considère que le recours à l'expression *clero et populo* tend moins à ajouter une nouvelle catégorie parmi ceux qui avaient »voix au chapitre« qu'à résumer juridiquement le processus.

55 Gesta Aldrici, p. 9: ... *eligente eum eiusdem provinciae archiepiscopo Landramno, atque comite eiusdem parrochiae Morigone, sive omnibus praefixae parrochiae nobilibus hominibus, atque cunctis palatinis, et clero et populo* ... Cf. les notices n° 185 et n° 238.

thaire), Dieu en étant témoin ainsi que les *proceres* du Palais«[56]. Or, l'Astronome affirmait qu'après que Lothaire eut renoncé à définir avec les siens (*cum suis*) les deux lots et que l'empereur y eut procédé avec son propre entourage (il partagea son empire avec équité, *ut sibi suisque visum est*), Louis convoqua ses fils et »l'ensemble du *populus*« pour que Lothaire choisît sa part[57]. Nithard soulignait également que Lothaire s'était engagé *coram omni populo*[58]. J. Rosenthal mentionne la réunion de Worms dans son tableau des assemblées publiques[59]; E. Seyfarth, dont l'analyse est plus fine, la désignait parmi les assemblées restreintes (»kleinere Versammlungen«)[60] – avec raison. Il nota en effet que l'auteur des Annales de Saint-Bertin ne désignait pas explicitement cette rencontre comme une »Reichsversammlung«, mais il observa qu'en revanche, Nithard la désignait comme un *conventus*[61]. Or, dans aucune source contemporaine il n'est question d'une »assemblée générale«[62]. Au contraire, l'auteur des Annales de Saint-Bertin disait explicitement que les participants avaient été soigneusement triés: Louis le Pieux se rendit à Worms et »là, ayant accueilli certains fidèles auxquels il avait ordonné de se hâter (à venir) spécialement à cette occasion, il ne refusa aucunement de recevoir paternellement son fils Lothaire qui venait d'Italie«[63]. Si l'on veut bien conjuguer les trois informations décisives que fournissent les sources concernant la qualité des participants à la réunion de Worms, en 839, il faut admettre qu'en l'occurrence, ceux qui furent choisis *ad hoc* étaient les *proceres palatii*, c'est-à-dire le *populus*: l'élite de la société, ceux qui détenaient le pouvoir politique. On a par conséquent la preuve que le terme de *palatium*, outre qu'il signifiait »résidence royale« et »hôtel du roi«, pouvait désigner ceux qui avaient part à la vie politique du *regnum* et, à ce titre, avaient vocation à assister le roi ou l'empereur[64].

On trouvera une illustration éclatante de ce dernier point en se tournant vers la fin du règne de Charles le Chauve. On sait en effet que l'un des principaux personnages

---

56 Astronomus, Vita, c. 63, p. 647: ... *et portionem regni totam illi consentiret et tueretur, quam Deo teste et proceribus palatii ille secum et ante se largitus ei fuerat.*

57 Astronomus, Vita, c. 60, p. 644: *Itaque Hlotharius cum suis divisionem regni domno imperatori pro suo libitu committunt, adfirmantes se hanc divisionem nequaquam exsequi posse propter ignorantiam locorum. Igitur imperator aequo, ut sibi suisque visum est, libramine omne suum divisit imperium praeter Baioariam, quam Hludowico reliquit, atque ideo in partem eorum nemini cessit. His peractis et filiis universoque populo evocatis, data sibi optione, Hlotharius a fluvio Mosa australem sibi tenendam delegit partem, occiduam vero Karolo fratri habendam reliquit, et ut haberet coram cuncto populo se velle, verbo signavit.*

58 Cf. Nithardus, Historia, I, c. 7, p. 32: ... *et a Mosa partem australem Lodharius cum suis elegit, quin immo et accepit; occiduam vero ut Karolo conferretur consensit et una cum patre coram omni populo ita se velle annuntiavit.*

59 Cf. ROSENTHAL, Public assembly, p. 28.

60 Cf. SEYFARTH, Reichsversammlungen, p. 129.

61 Ibid., p. 53.

62 A la différence de l'assemblée de septembre 839, qualifiée de *generale placitum* dans Annales Bertiniani, a. 839, p. 32.

63 Annales Bertiniani, a. 839, p. 31: *Ubi susceptis quibusdam quos ad hoc specialiter properare iusserat fidelibus, Hlotharium, filium suum, ab Italia uenientem paterno suscipere affectu minime rennuit.*

64 L'on rejoint ici par un autre biais l'analyse proposée par OEXLE, Haus, p. 111 sqq., qui souligne notamment grâce au De ordine palatii – dont l'objet était de montrer »daß der *status totius regni* auf der Ordnung (*ordo*) und richtigen Leitung, auf der rechten 'Ökonomie' (*dispositio*) des königlichen Hauses (*domus regia, palatium*) beruht« (ibid., p. 114) – le lien profond qui existe entre la notion de »maison« royale et celle de *res publica* (cf. notamment ibid., p. 112).

du monde politique d'alors était Boson, le frère de la seconde épouse de Charles le Chauve[65]. En 872, Boson fut nommé chambrier et responsable des huissiers de Louis le Bègue[66]. Or, dans plusieurs diplômes de Charles le Chauve datant de l'année 877, Boson est réputé *sacri palatii nostri archiminister*[67]. Etant donné la rareté, dans les actes royaux, de la désignation de personnes ne serait-ce que par le terme de *minister*[68], on mesure le poids de cette expression. Boson avait-il pour autant été investi d'une charge aulique au Palais de Charles le Chauve? Pas que nous sachions[69]. Il faut alors se rendre à l'évidence: bien que l'appellation d'*archiminister sacri palatii* pût recouvrir une réalité institutionnelle que nous ignorons et être alors assimilable à un titre aulique[70], le personnage ainsi désigné s'avérait en fait l'un des principaux serviteurs de l'Etat, c'est-à-dire, pour paraphraser un contemporain de Louis le Pieux, l'un des »élus du peuple« que la Providence avait choisis pour les porter au »faîte du royaume«[71].

Les références aux »premiers« personnages du Palais sont fréquentes. Chez l'Astronome et Paschase Radbert, il s'agissait des *proceres palatii*[72]. L'auteur des Gesta de Dagobert parlait des *primores palatii*[73] et celui des Gesta des évêques d'Auxerre évoquait les *palatii principes*[74]. Chez un autre auteur auxerrois, les membres les plus influents du Palais étaient désignés comme les *primates aulici*[75]. Pour d'autres encore, c'étaient les *palatii optimates*[76] ou encore les »palatins puissants«, ces *homines potentes palatini*, parmi lesquels il était utile de connaître quelqu'un, afin, le cas échéant, de

65 Sur ce personnage, cf. NELSON, Charles the Bald. Sur son devenir après la mort de Charles, cf. FRIED, Boso.

66 Cf. Annales Bertiniani, a. 872, p. 185 sq.: *Karolus autem filio suo Hludouuico Bosonem, fratrem uxoris eius, camerarium et ostiariorum magistrum constituens, cui et honores Gerardi comitis Bituricensis dedit.*

67 Cf. Actes de Charles le Chauve, tome 2, n° 419, p. 434 (acte conservé en original); n° 421, p. 438; n° 444, p. 498.

68 Cf. DEPREUX, Matfrid, p. 340 sq., note 65.

69 NELSON, Charles the Bald, p. 265, note 8, observe: »It is possible, but uncertain, that Boso served as chamberlain for Charles's whole kingdom«. J. Nelson, qui d'ailleurs ne fait pas allusion dans son livre à la mention d'*archiminister* du Sacré Palais, n'est pas la première à se poser cette question; on y a pourtant déjà répondu par la négative (cf. Annales Bertiniani, p. 185, note 5).

70 Déjà dans le procès-verbal de l'élection de Charles le Chauve comme roi d'Italie, le seing de Boson est annoncé de la sorte: *Signm Bosonis incliti ducis et sacri palatii archiministri atque imperialis missi* (Karoli II. imperatoris electio, M.G.H. Capit. 2, n° 220, p. 99). La souscription est similaire dans le capitulaire promulgué par Charles à cette occasion, en février 876 à Pavie (cf. ibid., n° 221, p. 104). Etant donné que la première occurrence de cette désignation est contemporaine de la promotion de Boson à la dignité ducale, ce qui lui conférait autorité sur le royaume d'Italie (cf. Annales Bertiniani, a. 876, p. 200: *Et nonis ianuarii Roma exiens, Papiam rediit, ubi et placitum suum habuit et Bosone, uxoris suae fratre, duce ipsius terrae constituto et corona ducali ornato, cum collegis eius, quos idem dux expetiit, in eodem regno relictis ... iter acclerauit*), on peut éventuellement voir en cette appellation, jointe à celle de *missus* explicitant la nature de ses fonctions de *dux*, l'expression du nouveau rang de Boson. Quoi qu'il en soit, il est clair que là encore, on ne peut y reconnaître un office aulique, mais l'expression des larges compétences du »serviteur de l'Etat« qu'était Boson.

71 Cf. Ermoldus, Elegiacum carmen, I, v. 147 sq., p. 16: ... (Louis le Pieux) *agmina nota vocat/ Scilicet electos populi, seu culmina regni,/ Quorum consiliis res peragenda manet.*

72 Astronomus, Vita, c. 21, p. 618; ibid., c. 63, p. 647; Paschasius, Epitaphium, p. 56.

73 Gesta Dagoberti, c. 42, p. 419.

74 Gesta episcoporum Autisiodorensium, c. 33, p. 395.

75 Heiricus, Miracula, c. 2, p. 401.

76 Odilo, Translatio s. Sebastiani, c. 26, p. 385.

recourir à ses bons offices, comme l'atteste le modèle d'une lettre de l'époque méro-vingienne[77] où le palatin à qui elle était destinée est orné d'une des épithètes les plus prestigieuses: celle des comtes[78]. C'est que ces personnages étaient »les premiers des palatins«, les *palatinorum primores* évoqués par un auteur plus récent[79]. De fait, c'étaient les membres du conseil du roi[80]. Les *proceres palatii* – en réalité: certains grands du royaume, comme on l'a vu plus haut – furent les témoins du partage de 839 entre Lothaire et Charles[81]. On peut dire qu'ils en étaient aussi les garants, puisque l'auteur des Gesta de Dagobert présentait les *primores palatii* en quelque sorte com-me ceux dont semblaient dépendre la cohésion du royaume à la mort du roi et l'ob-servation de ses dernières volontés[82]. D'ailleurs, ce fut, entre autres, aux *proceres pa-latini* qu'il incomba d'organiser les funérailles de Charlemagne[83].

Il semble donc logique de citer en dernier lieu le conseiller du roi ou de l'empereur comme figure par excellence du membre du Palais. Ainsi Adalhard (I), l'abbé de Corbie, comptait parmi les plus importants personnages du Palais de Charlemagne: il était du nombre des »premiers du Palais« (*primi palatii*) et des »conseillers du roi« (*consiliarii regis*)[84] – et même le premier d'entre eux[85]. Mais il n'avait pas pour autant d'office aulique. Les membres du Conseil étaient consultés concernant les questions décisives, notamment au cours de la préparation du partage de l'empire[86]. C'est avec eux que Louis, lorsqu'il briguait l'empire, avait arrêté la politique à adopter vis-à-vis de Charlemagne[87]. Les conseillers étaient issus du *populus* réuni en plaid, comme le laisse entendre l'auteur des Annales royales: ayant appris la fuite d'Aizo et la résis-tance qu'il organisait, Louis le Pieux jugea préférable de ne pas prendre de décision

77 Marculfus, Formulae, II, n° 51, p. 105: *Indecolum ad homines potentes palatinus, maxime ad cogni-tos sibi.*

78 Ibid.: *Domino inluster et per cuncta magnificentissimo viro illo ille peccator perennem in Domino mittit salutem.* A ce propos, cf. BRUNNER, Fränkischer Fürstentitel, p. 199. Sur le problème présenté par l'expression *vir inluster* dans les diplômes mérovingiens, cf. WOLFRAM, Intitulatio, p. 116 sqq.

79 Widukind, Sachsengeschichte, p. 110.

80 Odilo, Translatio s. Sebastiani, c. 26, p. 385: *Praecellentissima … Chludowici augusti soror Berta … discernebat causas singulorum, ut ea fratri augusto suique palatii optimatibus congruo tempore referre valeret.*

81 Comme on l'a vu, l'accord avait été conclu *Deo teste et proceribus palatii* (Astronomus, Vita, c. 63, p. 647).

82 Gesta Dagoberti, c. 42, p. 419: *Convocatis deinde primoribus palatii, filiumque et uxorem eis et ipsos eisdem cum fidelitatis sacramento, ut moris est, commendans …*

83 Astronomus, Vita, c. 21, p. 618: *… ab eis qui sepulturam eius curarunt, liberis scilicet et proceribus palatinis …*

84 Cf. Translatio s. Viti, p. 36 – texte cité à la notice n° 8.

85 Cf. Hincmarus, De ordine palatii, l. 218 sqq., p. 54 – texte cité à la notice n° 8.

86 Chronicon Moissiacense, a. 817, p. 312: *… et in ipsa aestate iussit esse ibi conventum populi de omni regno vel imperio suo apud Aquis, sedem regiam, id est episcopos, abbates, sive comites et maiores na-tu Francorum; et manifestavit eis mysterium consilii sui, quod cogitaverat, ut constitueret unum de fi-liis suis imperatorem.* Vers la fin du règne de Louis, c'est vers les conseillers de l'empereur que Judith se tourna pour obtenir une réconciliation avec Lothaire, en vue notamment de garantir les droits de Charles, cf. Astronomus, Vita, c. 54, p. 640: *Augusta Iudith cum consiliariis imperatoris inito con-silio …*

87 Astronomus, Vita, c. 20, p. 617: *Quod Gerricus cum regi, rex vero consiliariis retulisset, quibusdam vel pene omnibus visum est salubre suggestum. Sed rex altiori consilio, ne forte per hoc patrem suscep-tum redderet, agere distulit.*

précipitamment, mais d'attendre la venue de ses conseillers[88], c'est-à-dire la tenue du prochain plaid[89] – ce que d'aucuns considèrent comme une preuve supplémentaire de la mollesse et du caractère indécis de l'empereur[90]! Or, Hincmar, qui distinguait deux sortes d'assemblées, faisait mention des »conseillers principaux« parmi les membres du plaid restreint, où se préparaient les décisions soumises à l'approbation de tous lors des plaids généraux[91]. C'étaient par conséquent des individus étrangers à l'hôtel du roi. Mais les serviteurs du Palais pouvaient également faire office de conseillers[92]. On a, dans les sources narratives, l'illustration de cette double nature du conseiller: il pouvait appartenir au Palais au sens restreint, mais il était essentiellement l'un des *proceres* du royaume, c'est-à-dire l'un des membres de ce *palatium* au sens politique beaucoup plus large que les sources nous font deviner. Ainsi, par exemple, le maire du Palais qu'était Aega[93] est réputé avoir été le conseiller du roi Dagobert[94]. Par ailleurs, vers la fin du règne de Louis le Pieux, Judith voulut mettre à exécution le projet de réconciliation avec Lothaire qu'elle avait arrêté »avec les conseillers auliques et les autres nobles du *regnum Francorum*«, selon l'expression de l'Astronome[95]. Or, de la structure syntaxique de cette remarque, il appert que les *consiliarii aulici* n'étaient pas totalement distincts des *nobiles* du *regnum Francorum*, mais qu'ils en formaient une partie – certainement la plus influente.

Il serait par conséquent convenable de parler du »Palais« pour désigner l'ensemble des *proceres* et de ceux jouissant de la *familiaritas* du roi ou de l'empereur. Néanmoins, pour éviter toute équivoque, il est habituel de désigner ce Palais aux contours institutionnels relativement flous mais à la dimension politique incontestable en parlant de »l'entourage« du prince. Car l'essentiel, outre les fonctions de chacun à la cour, était dans les relations que le prince entretenait avec les membres de son entourage. Qu'en était-il de Louis le Pieux? C'est ce qu'il nous faut à présent tenter d'appréhender.

---

88 Annales regni Franc., a. 826, p. 170 sq.: *Sed imperator licet huius rei nuntium graviter ferret, nihil tamen inconsulte gerendum iudicans consiliariorum suorum adventum statuit operiri.*

89 C'est ce que laisse supposer la chronologie du récit: il est ensuite fait mention de la chasse d'automne, puis du plaid tenu à Ingelheim, B.M. 832(806)c. Les mesures prises par Louis (à savoir l'envoi de *missi*) sont relatées au début de la notice relative à l'année 827 (Annales regni Franc., p. 172).

90 SIMSON, Jahrbücher, tome 1, p. 269, parle de sa »schlaff(e) und unentschlossen(e) Stimmung«.

91 Cf. Hincmarus, De ordine palatii, l. 480 sqq., p. 84: *Aliud placitum cum senioribus tantum et praecipuis consiliariis habebatur ...*

92 Cf. ibid., l. 435 sqq., p. 80: *Et si aliquis ex ministerialibus vel consiliariis decedebat, loco eius congruus et utilis restituebatur.* Cf. également ibid., l. 410 sqq., p. 78.

93 Sur ce personnage, cf. EWIG, Merowinger, p. 133.

94 Cf. Gesta Dagoberti, c. 42, p. 419 et c. 45, p. 422.

95 Astronomus, Vita, c. 59, p. 644: *Interea Iudith augusta, consilii quod pridem cum consiliariis aulicis ceterisque regni Francorum nobilibus inierat nequaquam immemor, persuaserunt imperatori, quatinus ad Hlotharium filium suum missos mitteret ...*

II. LOUIS LE PIEUX ET SES HOMMES

Dans les actes royaux de la fin du VIIIᵉ siècle et de la première moitié du IXᵉ, la référence au consensus des grands s'avère rarissime[1]. Toutefois, dans le premier diplôme impérial de Louis conservé[2], il est affirmé que l'empereur prit sa décision »avec le consensus des évêques« (*placuit nobis una cum consensu episcoporum*). Ce diplôme ne nous est connu que par une copie figurée de la fin du IXᵉ siècle[3]. Th. Sickel pensait, au cas où cette leçon serait originelle, qu'elle était due au contexte particulier dans lequel cet acte aurait été rédigé[4]: il serait en effet »écrit tout à fait dans le style des diplômes de Charlemagne«[5]. On doit cependant souligner que la référence au consensus des évêques et des fidèles n'est pas courante dans les diplômes de Charlemagne. On n'y relève qu'une seule allusion au consensus des serviteurs de Dieu, dans un contexte si différent de celui de B.M. 521(502) qu'il interdit toute comparaison[6]. La seule autre occurrence dans un diplôme carolingien sincère datant d'avant Louis le Pieux se trouve dans un diplôme de Pépin le Bref pour Saint-Denis[7]. Dans ce diplôme, le roi était également réputé agir *cum consilio ponteficum vel seniorum optimatum nostrorum*[8]. Le préambule dans lequel on lit cette formule ou le diplôme dans son ensemble furent les modèles direct[9] ou indirect[10] de plusieurs diplômes pour Saint-Denis. Th. Sickel jugeait par conséquent cette mention »insignifiante«: il s'agissait de formules simplement recopiées[11].

On rencontre des formules similaires dans certains diplômes établis au nom de Louis le Pieux. Dans deux diplômes pour Corvey dont la nature d'original n'est pas contestée[12], il est dit que l'empereur fonda ce monastère avec l'accord de ses fidèles (*cum consensu fidelium nostrorum*). Il est par conséquent possible d'accepter comme

1 A ce propos, cf. HANNIG, Consensus fidelium, p. 92 sq.
2 B.M. 521(502), éd. Doc. dipl. Wurtemberg, n° 71, p. 79 sq. (à la p. 79). Le diplôme B.M. 520(501), daté du 31 mars 814, est un faux.
3 Cf. SICKEL, Acta regum, tome 2, p. 298 (L. 5).
4 SICKEL, Acta regum, tome 1, p. 66.
5 Ibid., p. 160.
6 Cf. Dipl. Karol. 1, n° 206, p. 275 (donné le 7 août 807): il s'agit de la confirmation d'un échange portant sur les biens de Saint-Kilian de Wurzbourg, échange auquel l'évêque Agilward avait procédé avec le comte Audulf, *una cum consensu et voluntate servorum Dei ibidem consistentium*.
7 Dipl. Karol. 1, n° 25, p. 35 (diplôme donné le 23 septembre 768).
8 Ibid., p. 34.
9 Cf. Dipl. Karol. 1, n° 26, p. 35 sqq. (donné le 23 septembre 768).
10 Cf. Dipl. Karol. 1, n° 44, p. 63 sq. (diplôme de Carloman donné en janvier 769); n° 94, p. 135 sq. (diplôme de Charlemagne donné le 14 mars 775); n° 120, p. 167 sq. (donné en octobre 778).
11 Cf. SICKEL, Acta regum, tome 1, p. 66.
12 B.M. 922(893), éd. Doc. dipl. Westphalie, n° 8, p. 8, et B.M. 923(894), éd. ibid., n° 9, p. 9.

sincère le texte d'un acte pour Saint-Martin de Tours où l'empereur est réputé avoir pris sa décision »mû par la suggestion avantageuse de notre chère épouse Judith et incité à la réaliser par l'exhortation et la médiation de nos vénérables«, c'est-à-dire des grands, des conseillers[13]. Cela rappelle également un acte du 17 août 818 pour le monastère de Saint-Antonin en Rouergue, où la demande avait prétendument été présentée par la reine *cum certis fidelibus nostris*[14]. Plus loin dans le diplôme, l'empereur et la reine, sur le conseil des *fideles* dont le nom est donné, sont censés avoir ordonné la protection des biens de ce monastère. Mais on doit écarter ce diplôme[15].

La rareté des formules mentionnant le conseil des membres de l'entourage impérial ne doit toutefois pas masquer l'importance de ce mode de gouvernement. Thégan s'avérait tout particulièrement sensible au choix des conseillers du prince – et à la mauvaise influence des conseillers mal choisis[16]. Pour lui, l'action de Louis le Pieux fut irréprochable, si ce n'est qu'il accordait, plus que de mesure, crédit à ses conseillers[17]. Il convient par conséquent de s'interroger sur l'identité et le rôle de ces derniers.

A. L'entourage du roi d'Aquitaine

Il n'est pas question de reprendre ici l'étude des structures du royaume d'Aquitaine et de son histoire événementielle[1]; la documentation à notre disposition ne permet pas non plus une analyse fine du gouvernement de Louis en Aquitaine et de ses rapports avec son père[2]. Je ne formulerai par conséquent que quelques observations sur l'entourage de Louis: il était beaucoup moins clérical qu'on le prétend. Pour connaître la composition de l'entourage d'un prince à un moment donné, rien n'est plus précieux qu'une liste de témoins ou de souscripteurs. L'on ne conserve qu'un seul diplôme à souscriptions multiples de Louis le Pieux[3]: l'acte délivré le 3 août 794 en faveur de la *cellola* de Nouaillé[4]. Etant donné l'importance de ce document souvent cité[5]

---

13 B.M. 896(867) – texte cité à la notice n° 181.

14 B.M. 669(655), éd. Doc. dipl. Languedoc, n° 48, col. 122.

15 Cf. l'annexe n° 2.

16 Cf. Theganus, Vita, c. 50, p. 601: *Sed summopere praecavendum est, ne amplius fiat, ut servi sint consiliarii sui; quia si possunt, hoc maxime construunt, ut nobiles opprimant, et eos cum vilissima propinquitate eorum exaltare studeant.* Pour Thégan, Ebbon était le symbole de ces mauvais personnages: selon lui, son conseiller fut Satan, cf. ibid., c. 44, p. 590: *Crudelis, quis consiliarius tuus fuit, aut ductor tuus? Nonne ille, qui est rex super omnes filios superbiae? Qui dicebat Deo creatori suo: 'Haec omnia tibi dabo, si procidens adoraberis me'?* L'auteur parle également des »conseillers« de Bernard d'Italie lorsqu'il relate sa révolte, cf. ibid., c. 22, p. 596.

17 Cf. Theganus, Vita, c. 20, p. 595: *Omnia prudenter et caute agens, nihil indiscrete faciens praeter quod consiliariis suis magis credidit quam opus esset.*

1 Cf. à ce propos Auzias, Aquitaine, p. 3 sqq.; Wolff, Aquitaine.

2 Dans les limites du possible, cela a été fait par Eiten, Unterkönigtum, p. 35 sqq.

3 Sur la portée du recours aux souscriptions, cf. Depreux, Kanzlei, p. 157. Ce diplôme est le seul acte d'un »Unterkönig« carolingien dont nous ayons connaissance avant le couronnement impérial de l'an 800.

4 B.M. 516(497), éd. Ch.L.A., n° 681.

5 Cf. Depreux, Kanzlei, p. 156 note 111, où je fais mention de quelques propositions d'identification formulées anciennement.

et parfois mal interprété[6], il semble de mise d'ouvrir cette analyse en proposant une identification des personnes ayant apposé leur seing à ce diplôme:

Nom[7]		Personne de la prosopographie[8]
Reginp(er)tus	228.	Régimpert, évêque et chapelain (aq.)
Magnario	196.	Magnaire, proche collaborateur
Immone	168.	Immo, (futur) comte de Périgord
Adalberto	3.	Adalbert (I), futur connétable
Erlaldo	86.	Erlaud, (futur) sénéchal (aq.)
Garico	117.	Géry (I), (futur) fauconnier (aq.)
Uuigfredo	274.	Wigfred, futur comte de Bourges
Ademaro	17.	Adhémar, comte
Raganfredo	218.	Raganfred, non identifié
Bicone	42.	Bégon, futur comte de Toulouse
Gislemaro	120.	Gislemar, non identifié
(G)arico	118.	Géry (II), non identifié
nom illisible		
Harialdo	138.	Hariald, non identifié
Abbone	2.	Abbon, comte de Poitiers
Launus	186.	Launus, clerc
Uuadone	268.	Wadon, non identifié

On le voit, à l'exception du chapelain de Louis et d'un clerc dont on ne sait rien de précis, il s'agit ici essentiellement d'un entourage composé de laïcs. Un autre acte de Nouaillé fait écho à ce document: Louis y est mentionné avec ses *optimates*[9]. Sur les dix-sept noms de personnes ayant souscrit le diplôme de 794, deux seulement sont sans équivoque possible ceux de clercs, et neuf assurément ceux de laïcs. Cinq personnes n'ont pas pu être identifiées par ailleurs, et une sixième mention est absolument illisible. L'incertitude pesant sur le statut de ces personnes peut vraisemblablement être partiellement levée si l'on considère que pour les deux clercs de l'entourage de Louis attestés comme tels, il est fait mention de leur qualité ecclésiastique (à savoir *episcopus* dans le premier cas et *clericus* dans le second) suite à leur nom: si l'on veut bien procéder a contrario, les personnes non identifiées étaient vraisemblablement des laïcs.

6 C'est le cas chez DICKAU, Kanzlei, 1ère partie, p. 34 sq. A ce propos, cf. DEPREUX, Kanzlei, p. 156.

7 Je suis l'orthographe du document, que l'on peut vérifier grâce à l'édition de H. Atsma et J. Vezin; de même, je cite les noms dans leur ordre de succession linéaire. Ils sont en général précédés du mot *sign(um)*; je les laisse au cas originel.

8 Pour la désignation des personnes, j'adopte deux moyens: soit j'écris, comme dans le cas d'Immon: »(futur) comte de Périgord«; soit, comme dans le cas d'Adalbert (I): »futur connétable«. Dans le premier cas, il s'agit d'un personnage dont on ne peut pas dire s'il exerçait dès 794 la fonction qu'on lui connaît ensuite; dans le second, il s'agit d'un personnage qui n'exerçait pas encore la fonction en question, ou bien qui semble ne pas encore en avoir été investi. Les titres suivis de la mention »(aq.)« sont ceux de personnes attachées au Palais de Louis comme roi d'Aquitaine. Chaque nom est précédé du numéro de la notice prosopographique où son cas est étudié.

9 Doc. dipl. Nouaillé, n° 8, p. 12: *... notumque est magnifico nobile domno Hlodoici rege necnon et suis optimatis et viris catholicis, quod ...* Cet acte date de mars 799.

Dans ce groupe, quatre personnes étaient ou allaient devenir des membres du Palais de Louis le Pieux; dans trois cas, il s'agissait du Palais du roi d'Aquitaine. A ce propos, on ne peut pas rester indifférent à un trait de ce groupe: il s'agissait en fait d'une pépinière. A six reprises, on a affaire à de futurs comtes ou titulaires d'un office aulique. Pour une bonne part, en août 794, l'entourage de Louis le Pieux (qui était alors âgé d'environ 16 ans) était un entourage jeune, composé d'individus en devenir, tel Adhémar, qui était vraisemblablement le *connutritus* de Louis qu'on connaît par ailleurs; quant à Bégon, c'était l'*amicus* du roi par excellence. Mais des personnes d'âge mûr figuraient aussi dans ce groupe: l'évêque dirigeant la Chapelle de Louis, et quelques hommes placés par Charlemagne – à commencer par Magnaire, qui avait été envoyé auprès de Louis pour l'assister. C'était également le cas d'Abbon, nommé par Charlemagne à l'occasion de la réforme de 778.

Cette composition laïque de l'entourage de Louis le Pieux en 794 ne semble pas le fruit du hasard, mais le reflet d'une situation constante au cours du règne. En effet, sur quarante-neuf personnes recensées parmi les membres de l'entourage du roi d'Aquitaine[10], on compte dix-sept clercs ou personnes dont les fonctions font supposer qu'elles appartenaient à cet ordre. A l'inverse, la composition laïque de l'entourage de Louis est très marquée: trente-deux personnes, dont l'épouse du roi et au moins treize comtes. Il me semble important, dans cette perspective, de rappeler qu'on a voulu faire d'Arnaud, le *bajulus* du jeune roi, un moine. La chose est loin d'être prouvée, et il se peut qu'Arnaud ne fût autre que le comte homonyme attesté vers la même époque en Aquitaine. Magnaire, qui le remplaça aux côtés de Louis lorsque ce dernier devint majeur, était d'ailleurs lui aussi un laïc.

Il n'y a pas lieu de douter de l'existence du Palais du roi d'Aquitaine[11]: les quelques titulaires de charges auliques que nous rencontrons (un sénéchal, un fauconnier, sans compter les notaires) le confirment; Louis disposait également d'un trésor propre[12]. Et au sein du Palais, il y avait la Chapelle, dont l'existence ne peut être mise en doute puisque l'évêque Régimpert se disait chapelain (*cappalanus*) de Louis. Son grade ecclésiastique n'est pas sans intérêt. En effet, à la différence du responsable de la Chapelle de Pépin le Bref, ceux choisis par Charlemagne furent des évêques[13]; bien qu'il n'observât pas cet usage avec régularité par la suite, Louis semble avoir eu, du vivant de son père, une Chapelle organisée sur le modèle de la sienne.

Quant aux moyens de gouvernement de Louis le Pieux, ils nous sont à peine connus. A l'exception, précisément, d'Arnaud, son *bajulus*, on ignore tout de l'entourage du jeune roi dans les premières années. Est-ce un hasard si ce n'est qu'après la proclamation de sa majorité[14] que nous voyons les membres de son entourage parti-

10 Cf. les notices n° 2, n° 3, n° 17, n° 22, n° 23, n° 24, n° 32, n° 34, n° 38, n° 42, n° 43, n° 44, n° 57, n° 65, n° 68, n° 71, n° 78, n° 86, n° 90, n° 96, n° 109, n° 117, n° 118, n° 120, n° 122, n° 127, n° 128, n° 138, n° 143, n° 146, n° 147, n° 152, n° 156, n° 168, n° 173, n° 176, n° 186, n° 187, n° 189, n° 194, n° 196, n° 218, n° 228, n° 230, n° 239, n° 256, n° 268, n° 274 et n° 275.

11 Cf. EITEN, Unterkönigtum, p. 40.

12 Il est question de la *camera nostra* dans le diplôme B.M. 519(500), éd. Doc. dipl. Nouaillé (bis), n° 2, p. 78 sqq. (à la p. 79).

13 Cf. FLECKENSTEIN, Hofkapelle 1, p. 45 sqq.

14 Louis fut armé à Ratisbonne au printemps ou au début de l'été 791, cf. Astronomus, Vita, c. 6, p. 610: *Ibique ense, iam appellens adolescentiae tempora, accinctus est ...* Il allait sur ses treize ans ou venait de les avoir.

ciper au gouvernement[15]? Peut-être pas. Il est en tout cas certain que le roi disposait de *missi*: il ne s'agissait pas seulement de porteurs d'un message, tel Adhémar en 800, mais aussi de personnes ayant vraisemblablement pouvoir de traiter des questions précises, comme Géry (I) auprès de Charlemagne, et de délégués chargés de représenter le roi avec le pouvoir de se prononcer en son nom, d'accomplir pour lui un acte juridique; ainsi en était-il pour Aldebaud et Hermingaud, pour Gauselme et peut-être pour Leibulf ou pour Sturmion. L'on en sait également trop peu sur la tenue de plaids par Louis: l'une des rares descriptions dont on dispose est due à Ermold le Noir, qui écrivait environ douze ans après l'accession de Louis à l'empire; il mettait en scène Guillaume (I) et Loup, à propos de la préparation d'une expédition militaire[16] (d'ailleurs, une douzaine de personnes étudiées dans la prosopographie étaient des compagnons de combat de Louis). Ermold rappelait l'importance du conseil des grands, car c'est d'après ce dernier qu'il convenait d'agir: »... en appelant les Francs selon l'usage antique, le rejeton de Charles convoque les armées célèbres, c'est-à-dire l'élite du peuple, ceux qui sont au faîte du royaume: c'est immuablement sur leurs conseils qu'est définie l'action à mener«[17]. Ce trait est confirmé par l'Astronome (qui écrivait après la mort de Louis) à propos d'une assemblée convoquée en raison de la défection du prédécesseur de Guillaume (I), le duc Chorson. Le biographe de Louis soulignait le gouvernement collégial exercé dans le royaume d'Aquitaine: la *res publica* y était administrée sur le conseil des *proceres* du roi[18]. Ce trait serait-il dû uniquement au fait que Louis n'était alors pas encore majeur[19]? Je ne le crois pas.

Si l'on cherche les thèmes fondamentaux du Livre Premier de l'Elegiacum carmen consacré par Ermold le Noir à Louis le Pieux[20], où le poète chantait les hauts faits de Louis lorsqu'il était roi en Aquitaine, il en apparaît deux: la lutte contre les Sarrasins et le soutien apporté par le prince à la vie monastique, ce qui est confirmé par l'Astronome[21]. Ce dernier décrivit le soutien apporté par Louis au renouveau des études et à la réforme des monastères; il lui préférait, en raison de ses oeuvres, le nom de *sacerdos* à celui de *rex*[22]. Les deux actions principales menées par Louis et que soulignaient ses chantres ne sont pas sans lien avec la composition de son entourage: il y avait certes

---

15 Il convient toutefois de rappeler que Louis avait convoqué des plaids avant sa majorité, cf. Astronomus, Vita, c. 5, p. 609 (il s'agit des plaids de 789 et de 790).

16 Ermoldus, Elegiacum carmen, I, v. 150 sqq., p. 16 sqq.

17 Ibid., I, v. 146 sqq., p. 16: ... *accitu Francorum more vetusto/ Jam satus a Carolo agmina nota vocat, / Scilicet electos populi, seu culmina regni,/ Quorum consiliis res peragenda manet.*

18 Astronomus, Vita, c. 5, p. 609: ... *rex Hludowicus et proceres, quorum consilio res publica Aquitanici amministrabatur regni, conventum generalem constituerunt* ... De manière significative quant à l'appréhension qu'ont les historiens du règne de Louis le Pieux, HANNIG, Consensus fidelium, p. 261, transforme cela en »völlige Abhängigkeit seines aquitanischen Regimes von den *proceres*«, et il souligne »die Abhängigkeit von Beratern« qu'il croit observer chez Louis.

19 Les auteurs des Regesta imperii reconnaissaient dans l'expression de l'Astronome citée à la note précédente la description du conseil de tutelle, voire de régence (»vormundschaftliche Regierung«).

20 Le témoignage d'Ermold est plus sérieux qu'on a longtemps voulu le croire, comme l'attestent quelques recherches récentes menées indépendamment les unes des autres et qui, sur certains points, confirment les dires du poète, cf. DEPREUX, Poètes, p. 315 sq.

21 Astronomus, Vita, c. 13 sqq., p. 612 sqq., pour ce qui concerne les campagnes militaires. A ce propos, cf. WOLFF, Aquitaine, p. 278 sqq.

22 Astronomus, Vita, c. 19, p. 616 sq. Voici la phrase en question: *Et regis quidem ab ineunti aetate, sed tuncque maxime, circa divinum cultum et sanctae aecclesiae exaltationem piissimus incitabatur animus; ita ut non modo regem, sed ipsius opera potius eum vociferarentur sacerdotem.*

les chefs de guerre que menait le roi sportif et chasseur qu'était Louis[23]; il y avait également quelques artisans de la réforme monastique. Je ne reprendrai pas ici l'étude de cette entreprise en Aquitaine[24], mais je soulignerai simplement que plusieurs membres de l'entourage aquitain de Louis furent directement impliqués dans ce mouvement. On croise bien évidemment Benoît; mais il faut également prendre en compte l'attitude d'Aton concernant Nouaillé, ou la fondation d'un monastère à Conques, où Dadon s'était retiré. Adhémar et Guillaume (I) choisirent eux aussi la vie monastique. Quant à Bégon et à Ebbon, ils feraient plus tard preuve de leur intérêt pour la réforme monastique (le premier en réformant Saint-Maur, le second en participant à la réforme de Saint-Denis). Le cas de Conques, l'exemple retenu par Ermold pour caractériser la politique religieuse du roi d'Aquitaine, est d'autant plus intéressant que ce monastère semble avoir bénéficié du soutien d'au moins l'un des membres de l'entourage de Louis le Pieux: celui de Liutard.

L'une des obsessions des historiens est de traquer les membres de l'entourage de Louis le Pieux ayant pu exercer une forte influence sur ce dernier. On avance généralement le nom de Benoît, sans grand-preuve à l'appui[25]. Une autre personne peut être mentionnée avec quelque raison: Alcuin. Je ne veux pas contester que Louis, notamment pendant ses jeunes années, ait pu apprendre le métier de roi sous l'influence de quelques personnes privilégiées, par exemple de son *bajulus*, Arnaud, ou de son parent, Aton, qui avait fait ses preuves au service de Charlemagne. Ce qui est à mon sens frappant, sans être étonnant, ce sont les liens unissant à Charlemagne nombre de personnes de l'entourage du jeune Louis[26]. J'ai déjà nommé Aton, mais il faudrait, outre Archambaud (l'envoyé de Charlemagne), également citer Hermingaud (qui fut appelé à exercer une fonction d'importance au Palais de Charlemagne), Héribert (envoyé par l'empereur commander une expédition militaire sous la responsabilité de Louis), ou encore Richard (I), Willibert et Rostaing. Les comtes devaient d'ailleurs leur nomination à Charlemagne: cela avait déjà été le cas d'Abbon avant le sacre de Louis, cela le serait également pour Béra ou pour Guillaume (I), vraisemblablement nommé à l'occasion d'une visite de Louis à la cour de son père.

B. Quelques remarques sur l'entourage de l'empereur

C'est au début du mois de mars 814 que Louis le Pieux arriva en son palais d'Aix-la-Chapelle[1]. On considère généralement que l'avènement du nouvel empereur fut l'occasion d'un renouvellement de l'équipe dirigeante, les anciens conseillers de Charlemagne étant écartés au profit des amis de Louis[2]. Le changement fut-il cependant si radical qu'on le pense? Il est difficile de répondre à cette question, pour la bonne et simple raison que l'on ne dispose pas d'une documentation semblable à celle concer-

---

23 Theganus, Vita, c. 19, p. 594 sq.
24 Cf. SEMMLER, Institutioneller Zusammenschluß, p. 262 sqq.
25 Je rejoins ici NOBLE, Louis the Pious, p. 308: »It is not at all clear that Benedict dominated Louis«.
26 Quant à la dépendance de Louis à l'égard de son père, elle a été soulignée par EITEN, Unterkönigtum, p. 43 sqq., et par WOLFF, Aquitaine, p. 293 sqq.

1 Cf. DEPREUX, Poètes, p. 324 sq.
2 Cf. HALPHEN, Charlemagne, p. 200 sq.; RICHÉ, Carolingiens, p. 150; WERNER, Origines, p. 399; SCHIEFFER, Karolinger, p. 114.

nant le bas Moyen-Age, où les livres de comptes permettent de reconstituer la composition des cours princières. Il nous faut au contraire glaner ici ou là quelques indications fragmentaires et proposer une analyse où les lacunes abondent. Si l'on compte parmi les membres du Palais de Louis le Pieux dans les années 814 et suivantes les individus déjà en fonction sous Charlemagne, on en recense une huitaine; presque exclusivement des ecclésiastiques: Aldric (I), Anségise, Archambaud (auquel Louis avait déjà eu affaire en Aquitaine), Clément, Dicuil, Eginhard, Hildebaud et, sous toute réserve, Albgaire[3]. Nous verrons plus loin que Louis utilisa également durant son règne des *missi* auxquels Charlemagne avait déjà eu recours[4]. Parmi les membres du Palais ayant gardé leur charge, seules deux personnes méritent véritablement attention, parce que leur rôle était politique: Eginhard et Hildebaud. Eginhard avait souhaité l'association de Louis le Pieux à l'empire en 813; le nouvel empereur pouvait donc compter sur son soutien. Il n'en était vraisemblablement pas de même de Hildebaud, mais son maintien à la tête de la Chapelle était un symbole: le signe d'une certaine continuité entre le règne de Charlemagne et celui de Louis. La présence de l'archevêque de Cologne à la cour était en fait un trompe-l'oeil. Il n'apparaît que dans un contexte purement protocolaire et semble n'avoir pris part à aucun acte de gouvernement. Le contraste avec son successeur, Hilduin, est à cet égard tout à fait frappant[5]. Quant aux membres de l'entourage de Louis en Aquitaine que le nouvel empereur fit venir auprès de lui, ou auxquels il eut de nouveau recours après 814, on n'en compte qu'une dizaine[6]: le comte Bégon (qui fut promu à Paris et demeura selon toute vraisemblance un conseiller écouté), Benoît d'Aniane (qui se rapprocha progressivement d'Aix), et parmi les membres du Palais, Hélisachar (le responsable de la »chancellerie« en Aquitaine, qui garda les mêmes fonctions à la cour d'Aix), Claude (le futur évêque de Turin), Ebbon (rapidement promu au siège archiépiscopal de Reims) et, sous toute réserve, le connétable Adalbert (I). Par ailleurs, Louis eut recours ultérieurement aux services de Géry (I), son ancien fauconnier, et de l'archevêque Jean; il put également compter sur le soutien du comte Gauselme. Bien entendu, Ermengarde suivit son mari jusqu'à Aix. Au total, ces »Aquitains« ne représentent pas plus du cinquième des membres de l'entourage de Louis à l'époque où ce dernier était roi. Il n'y a pas de quoi en faire une révolution de palais. Parmi les conseillers importants, seul peut-être Hélisachar avait durablement une charge au Palais. Son action se confina à la surveillance consciencieuse des activités de la »chancellerie«; c'est précisément après qu'il eut abandonné son office que Hélisachar se mêla des affaires politiques. Bégon et Benoît n'appartenaient pas à l'hôtel de l'empereur. Louis s'entoura donc assurément de gens qui l'avaient déjà servi en Aquitaine et sur l'appui desquels il pouvait compter pour gouverner à sa manière, mais il ne renouvela certainement pas radicalement la cour. Il en réforma simplement les mœurs[7].

3 Cf. les notices n° 21, n° 25, n° 30, n° 32, n° 66, n° 73, n° 82 et n° 151.
4 Cf. en particulier les notices n° 139, n° 153 et n° 171.
5 Cf. la notice n° 157.
6 Cf. les notices n° 3, n° 42, n° 43, n° 65, n° 78, n° 90, n° 109, n° 117, n° 143, n° 176.
7 Astronomus, Vita, c. 23, p. 619.

Benoît passe généralement pour l'éminence grise du début de règne[8] (il faut à cet égard rappeler qu'il n'intervint qu'en matière de réforme monastique); on est même allé jusqu'à mettre en rapport direct sa mort, en février 821, et certains changements dans la politique de l'empereur[9]. Certes, on observe un revirement dans les années 821/822. Il fut marqué par la réconciliation de Louis le Pieux avec Adalhard (I), Wala et ses demi-frères; l'empereur reconnut alors avoir mal agi et déclara qu'il voulait amender sa manière de gouverner. On ne peut pas, à ce propos, écarter l'éventualité d'un remords sincère et personnel. Mais au-delà de l'influence de telle ou telle personne, c'est à un renouvellement de génération que l'on a vraisemblablement affaire. Il ne faut pas oublier que Louis, empereur depuis peu, était alors déjà âgé d'une quarantaine d'années; ceux qui l'avaient conseillé en Aquitaine étaient soit du même âge, soit un peu plus vieux. D'autres, enfin, étaient morts: Bégon en 816, la reine Ermengarde en 818. Hélisachar avait quitté la »chancellerie« en 819. L'énergique abbé Hilduin avait été promu à la tête du Palais vers la même époque. Un examen de la composition du Palais (dans la mesure où on peut la connaître) entre 814 et 821/822 d'une part, et entre 822 et 829 d'autre part, s'avère instructive. Dans les deux cas, sur des périodes de longueur sensiblement égales, on recense une trentaine d'individus dont la présence au Palais est attestée. Or, seulement huit personnes présentes pendant la première période le sont également durant la seconde. Cela ne veut bien évidemment pas dire que les trois quarts des membres du Palais furent renouvelés vers le début des années vingt, mais il semble difficile de nier un certain changement, un rajeunissement de la cour, qui pouvait affecter la politique impériale.

Le renouvellement du personnel aulique était parfois dû tout simplement à des nominations. Il arrivait en effet que des titulaires de charges auliques fussent envoyés dans l'empire, pour gouverner tel comté ou duché[10]; on pouvait faire ses preuves à la cour en tant que sénéchal ou en tant que comte du Palais et être ensuite promu ailleurs. Le renvoi du Palais ne signifiait donc pas toujours disgrâce, comme le prouve le cas de Hélisachar. Le renvoi de Foulques (I) n'altéra pas non plus sa fidélité à Louis le Pieux. Nous ne voyons cet archichapelain participer activement au gouvernement qu'au coeur de la crise de 833; sa présence à la cour fut trop courte pour qu'on puisse apprécier son action. En revanche, Hilduin eut le temps et l'énergie de s'imposer comme une personnalité indispensable. Drogon également. Leur compétence dépassait le cadre étroit du Palais. C'est toutefois hors de ce dernier qu'il faut chercher les principaux responsables politiques, du moins pour ce qui concerne la période précédant la grande crise des années 829/833. Un trait s'avère en effet marquant: parmi les membres de l'entourage de Louis le Pieux, certains des individus les plus influents, en raison même de leur prestige personnel, pouvaient se dispenser d'assumer une fonction aulique. L'âge jouait éventuellement, comme dans le cas d'Adalhard (I), le vieil abbé de Corbie. Il était le symbole par excellence des temps carolins que Louis, au début de son règne, avait pensé révolus. Alors même qu'il venait d'être rappelé d'exil, Adalhard semblait avoir gardé son influence intacte, si l'on en croit le témoignage d'Agobard. Ce retour en faveur fut aussi exprimé par le nouveau crédit

8 Cf. par exemple WALLACE-HADRILL, Frankish Church, p. 229; McKITTERICK, Frankish kingdoms, p. 112.
9 Cf. FRIED, Papsttum, p. 254 sq.; contra: DEPREUX, Empereur, p. 895 sq.
10 Cf. les notices n° 4, n° 7, n° 9 et n° 129.

accordé à Wala: ce fut vraiment une mission de confiance dont Louis le Pieux l'investit en l'envoyant assister Lothaire en Italie. Par ce biais, Wala prit part au gouvernement. Il semble également être redevenu un familier de la cour; c'est ce que l'épisode du choix d'Anschaire pour raccompagner Harold dans son royaume, en 826, laisse penser. En revanche, il est beaucoup plus difficile de se faire une idée exacte de l'action du comte de Tours, Hugues (I) – qui fut à l'occasion le *missus* de Louis le Pieux. Le prestige de ce membre d'une illustre famille me semble cependant indéniable, puisque Louis unit Lothaire à sa fille. Quant à Matfrid, le collègue et complice de Hugues, il apparaît plus souvent dans les sources. Le comte d'Orléans multipliait les preuves de sa puissance, de son influence: il est, à mon sens, l'une des figures-clefs du règne de Louis le Pieux[11]. Comme pour celui de Tours, on a la preuve du prestige protocolaire dont jouissait le comte d'Orléans à la cour de Louis le Pieux grâce à la description de la cérémonie de 826 à Ingelheim. Plus importante semble toutefois l'apparition de son nom dans les formules *N. ambasciavit* des diplômes de Louis le Pieux, ainsi que nous le verrons plus loin. Matfrid faisait donc partie du cercle restreint des plus grands parmi ceux auxquels l'empereur accordait sa confiance. On comprend dès lors peut-être mieux la sévérité des sanctions prises à l'égard du comte d'Orléans et de celui de Tours en février 828: leur ampleur devait être à la mesure de la déception de Louis le Pieux.

La première crise du règne de l'empereur, marquée par la révolte de 830, commença en réalité deux ans plus tôt[12]. K. Brunner a montré qu'on pouvait difficilement croire à l'existence d'un parti unitaire d'essence ecclésiastique (»kirchliche Einheitspartei«) ayant combattu en rangs serrés pour le maintien de l'idée impériale définie en 817 par un partage réservant à Lothaire le premier rang; de même, on ne peut pas réduire ce conflit à une opposition entre deux groupes familiaux rivaux[13]. En fait, l'attribution d'un territoire à Charles en 829 ne contrevenait pas à l'Ordinatio imperii[14]. Le sort du dernier fils de l'empereur fut pourtant la raison principale des déchirements du règne de Louis le Pieux. La dotation de Charles amputait certes d'autant le lot de ses demi-frères (et dans l'immédiat, la part qui reviendrait à Lothaire à la mort de leur père). Il faut compter avec le sentiment de jalousie. Mais cette dotation entraînait aussi et surtout une modification des relations de fidélité et d'hommage. Cela fut d'ailleurs explicitement reproché à Louis le Pieux en 833, lors de son procès[15]. L'empereur commit l'erreur d'appeler à ses côtés son filleul, celui-là même qui avait fait l'objet du premier acte d'opposition de la part de Matfrid et de Hugues, le beau-père de Lothaire. Le passage de Bernard au Palais fut trop éphémère pour que l'on puisse apprécier en détail son influence sur le gouvernement de l'empereur. Il en va de même pour Gombaud, qui chercha peu de temps après à tirer avantage de la situation politique pour s'arroger la maîtrise du gouvernement: les sources documentaires sont rares. Toutefois, c'est pendant la période de répit (entre la »révolte

---

11 J'analyse son action dans DEPREUX, Matfrid.
12 Cf. GANSHOF, Am Vorabend.
13 Cf. BRUNNER, Oppositionelle Gruppen, p. 111. Sur les dispositions de 817, cf. GANSHOF, Observations; MOHR, Einheitspartei.
14 Cf. EWIG, Teilungen, p. 245 sq.
15 Relatio Compendiensis, c. 2, p. 54. L'usage anarchique des serments qui, d'une certaine manière, en résulta fut (ou avait déjà été) condamné par l'empereur, cf. les Capitula de coniurationibus redécouverts par MORDEK, Bibliotheca, p. 1014 sq. (n° 22).

loyale« et le coup d'Etat) que ce qui se tramait depuis le remariage de Louis, et surtout depuis la naissance de Charles, éclata au grand jour: une nouvelle donne politique. Le rôle joué par Judith en est l'expression, alors que Lothaire était écarté de la cour et relégué en Italie, après qu'il eut été plusieurs fois envoyé en mission en lieu et place de l'empereur[16] et que son nom eut été un temps associé à celui de son père dans les diplômes de ce dernier, ce qui était l'expression de sa vocation à participer au pouvoir impérial[17].

On a depuis longtemps observé l'émergence, dans la seconde moitié du IXe siècle, du terme – et par conséquent du concept politique dont il est l'expression – de *consors regni* appliqué à la reine[18]. C'est avec Judith qu'apparaissent nettement les éléments caractéristiques de cette association au pouvoir[19]: outre son rôle dans l'administration du trésor et des biens du domaine[20], la reine pouvait intervenir en faveur d'un tiers, comme l'attestent certains diplômes[21]. Alors que l'on observe à mainte reprise une telle intervention de la part de Judith, la première épouse de Louis le Pieux, Ermengarde, ne semble avoir joué ce rôle qu'une seule fois. Néanmoins, les interventions de Judith ne se répartissent pas uniformément dans le temps. En effet, le premier diplôme dans lequel on peut lire qu'elle *ambasciavit* ne date que de mars 828, alors qu'elle était l'épouse de Louis le Pieux depuis neuf ans. En revanche, son nom apparaît beaucoup plus souvent après 831, c'est-à-dire après que Louis, en la réhabilitant, l'eut placée au-dessus de tous les membres de son entourage[22]. Cette observation est due à un témoin partisan – opposé à Judith. Or, rien depuis son mariage[23] n'avait, à notre connaissance, modifié le statut de Judith[24]: au contraire, l'auteur de la continuation des Annales Mettenses priores prétend que Louis, en 831, ne fit que rétablir Judith dans son ancienne dignité[25]. Quoi qu'il en soit, il ne fait aucun doute

---

16 Cf. Jarnut, Regnum Italiae, p. 351 sqq., pour ce qui concerne les faits; mais pour ce qui est de leur interprétation, je me permets de renvoyer à Depreux, Empereur, p. 901 sqq.

17 Cf. Depreux, Empereur, p. 903 note 80.

18 Cf. par exemple Delogu, Consors regni, p. 85 sqq. Sur les implications concrètes de cette distinction, cf. Erkens, Sicut Esther, p. 19 sqq.

19 Cf. Erkens, Sicut Esther, p. 16.

20 Ibid., p. 15 sq. Les attributions de la reine pour ce qui concerne la gestion du trésor sont évoquées par Hincmar en son De ordine palatii. Quant à ses attributions dans la gestion des domaines, elles sont incontestablement attestées dès le règne de Charlemagne, cf. Capitulare de villis, c. 16, p. 84 et c. 47, p. 87.

21 Cf. Erkens, Sicut Esther, p. 17 sq.

22 Agobardus, Libri contra Iudith, I, c. 2, p. 275.

23 Annales Xantenses, a. 819, p. 6: *Mense Februario Ludewicus imperator accepit sibi in coniugium Iudith ad imperatricem*; Theganus, Vita, c. 26, p. 596 – texte cité à la notice n° 181. Sur l'importance du mariage comme acte constitutif de l'association au pouvoir, cf. Erkens, Sicut Esther, p. 24.

24 On sait, grâce à l'auteur de la continuation des Annales Mettenses priores, que Judith avait été couronnée, puisqu'il la décrit comme telle à l'occasion du plaid tenu en février 830 à Aix-la-Chapelle: *Praedictus enim domnus imperator Ludoicus habebat quandam reginam pulchram nimis, nomine Iudith, et sapientiae floribus optime instructam, sociatam sibi in coniugio, quae etiam imperatrix coronata, et Augusta ab omnibus est adclamata* (Annales Mettenses, p. 336). Brühl, Krönungsbrauch, p. 322, se montre fort prudent quant à la date de ce couronnement, que Wolf, Königinnen-Krönungen, p. 65 sq., voudrait dater de février 831 – ce que la structure du récit interdit à mon sens. En fait, ce couronnement datait fort probablement du mariage de Judith, cf. Simson, Jahrbücher, tome 1, p. 146.

25 Annales Mettenses, p. 336: *... suam coniugem praedictam Iudith imperatricem recepit, atque eam pristino honori restituit.*

que la seconde épouse de Louis le Pieux exerça une influence non négligeable dès la seconde moitié des années vingt – environ depuis la naissance du jeune Charles: c'est à elle avant tout que s'en prirent les auteurs de la première révolte contre l'empereur. Mais suite à sa purification de 831, il semblerait qu'elle ait jeté le masque: son pouvoir, exercé jusqu'alors dans l'ombre, était désormais public. Plus que son mariage ou son couronnement, ce sont les qualités personnelles de Judith et le contexte politique qui se sont avérés décisifs[26]. C'est essentiellement au travers de ses interventions auprès de Louis le Pieux[27] qu'apparaît l'*adiutrix in regimine*, l'auxiliaire *in gubernacione regni* dont parlait Agobard[28]. L'on sait cependant que les attributions de Judith furent encore plus larges: elle pouvait également user de son influence concernant l'agrément d'un candidat à l'épiscopat[29]. Mais elle avait aussi, aux dires de l'archevêque de Lyon, la fonction d'*adiutrix in gubernacione palacii* – rôle dans lequel on peut éventuellement aussi observer Ermingarde quant à la gestion du trésor[30]. On a fort peu d'éléments prouvant l'activité de Judith dans l'administration du Palais: l'accusation d'adultère avec Bernard (II) était vraisemblablement d'autant plus aisée que, d'après la description de l'archevêque de Reims, la reine devait travailler en étroite collaboration avec le chambrier[31]. Par ailleurs, grâce à une lettre de l'abbesse de Remiremont à Judith, on a la preuve que cette dernière venait à gérer les réquisitions dues au titre du droit de gîte, ainsi que le prévoyait le c. 27 du Capitulare de villis. En outre, Judith avait fait installer sa famille à la cour; ses frères, Conrad et Raoul, étaient dans l'entourage impérial: Nithard précise qu'en février 831, ils furent rendus à Louis le Pieux[32] suite à la révolte au cours de laquelle ils avaient été exilés. Que les opposants à la politique de l'empereur s'en prissent aux frères de son épouse montre que ceux-ci étaient sinon influents, du moins le symbole de la puissance du »clan« mené par Judith.

Après l'erreur de la nomination de Bernard, Louis eut recours à un homme qui avait fait carrière à la cour: Tanculf. Il était depuis fort longtemps à son service. On compte en effet quelques personnes dont la période d'activité fut extraordinairement longue: le notaire Durand, par exemple, ou son collègue Hirminmaris. Ces personnes contribuaient au maintien des traditions et à la continuité de l'administration.

---

26 Je tends par conséquent à renverser l'échelle de valeurs établie par ERKENS, Sicut Esther, p. 24, bien qu'il ne sous-estime pas l'importance des facultés personnelles de la reine: »Sieht man einmal von den (sicherlich nicht unmaßgeblichen) persönlichen Fähigkeiten und Begabungen der einzelnen Herrscherinnen sowie den äußeren Umständen ab, unter denen sie ihre politischen Qualitäten unter Beweis stellen mußten, dann ist es offenbar die Salbung, die Einbeziehung in die sakrale Sphäre gewesen, die ihre besondere Position in der westfränkischen Herrschaftsordnung entscheidend mitbegründete«. Judith, de même qu'Ermengarde, semble ne jamais avoir été sacrée. En 816, la première épouse de Louis le Pieux fut »bénie« en sus de son couronnement (cf. Ermoldus, Elegiacum carmen, II, v. 1102 sqq., p. 86), ce que WERNER, Hludovicus Augustus, p. 40, met à juste titre en parallèle avec la cérémonie de 754, mais cette *benedictio*, pas plus que pour l'épouse de Pépin le Bref (cf. HALPHEN, Charlemagne, p. 33), n'est, ici, synonyme de *consecratio* – c'est pourquoi la comparaison avec le sacre de 866 établie par WOLF, Königinnen-Krönungen, p. 86 note 15, est dangereuse.

27 Exceptionnellement, cela est attesté par la mention *Iudith ambasciavit*. Comme nous le verrons plus loin, l'impératrice était d'ordinaire mentionnée comme celle qui avait présenté la requête.

28 Agobardus, Libri contra Iudith, II, c. 2, p. 277.

29 Frotharius, Epistolae, n° 15, p. 286 sq.

30 C'est ainsi que j'interprète Ardo, Vita Benedicti, c. 31, p. 213. Cf. la notice n° 90.

31 Hincmarus, De ordine palatii, l. 365 sqq., p. 74.

32 Nithard, Historia, I, c. 3, p. 12.

Néanmoins, le Palais fut, semble-t-il, fondamentalement renouvelé après le coup d'Etat de 833 et la restauration de Louis l'année suivante. C'est ainsi que l'on peut analyser le fait que sur la petite vingtaine de titulaires de charges auliques recensés entre 834 et 840, on en avait déjà croisé seulement un cinquième avant la désertion du Rotfeld (il s'agit des notaires Hirminmaris et Méginaire, du comte du Palais Gébouin et du sénéchal Adalhard, le conseiller influent de la fin du règne). La direction du Palais fut confiée à de nouvelles personnes, mais pas à des *homines novi*! Les demi-frères de l'empereur devinrent l'un archichapelain, et l'autre archichancelier. La nomination de proches parents du souverain ne correspondait pas aux traditions: elle prouve que Louis demeurait sur le qui-vive; elle trahit l'échec d'une politique d'association de chacun au gouvernement. L'empereur se méfiait, et il achetait désormais les fidélités[33].

C. Les proches collaborateurs de l'empereur d'après les mentions d'intermédiaires dans les diplômes

C'est un lieu commun de rappeler que les diplômes d'un souverain forment une source particulièrement riche pour l'étude de son gouvernement. Ces actes de la pratique permettent notamment d'entrevoir les conseillers influents au sein de l'entourage du prince et d'apprécier la façon dont ils traitaient les affaires soumises au roi ou à l'empereur. A cet égard, les diplômes dans lesquels il est fait mention de l'intervention d'une personne en faveur d'un tiers sont particulièrement précieux. On en possède un peu moins de soixante-dix pour le règne de Louis le Pieux[1], ce qui correspond environ à un septième des actes dont on conserve le texte[2]. Parmi les personnes ayant introduit la cause d'un tiers ou soutenu sa requête, on peut distinguer principalement deux catégories d'individus: ceux qui semblent avoir été concernés person-

---

33 Cf. DEPREUX, Nithard, p. 152. Sur les donations faites par Louis le Pieux, cf. GANSHOF, Concession d'alleux.

1 Cf. B.M. 521(502); B.M. 579(559); B.M. 595(575); B.M. 597(577); B.M. 603(583); B.M. 607(587); B.M. 617(597); B.M. 648(626); B.M. 654(640); B.M. 656(642); B.M. 670(656); B.M. 682(663); B.M. 684(664); B.M. 711(688); B.M. 728(704); B.M. 735(711); B.M. 757(732); B.M. 759(734); B.M. 764(739); B.M. 773(748); B.M. 775(750); B.M. 782(757); B.M. 787(760); B.M. 789(764); B.M. 794(769); B.M. 796(772); B.M. 797(773); B.M. 813(789); B.M. 833(807); B.M. 848(822); B.M. 849(823); B.M. 850(824); B.M. 858(834); B.M. 869(840); B.M. 872(843); B.M. 876(847); B.M. 883(854); B.M. 888(859); B.M. 895(866); B.M. 896(867); B.M. 902(873); B.M. 910(881); B.M. 914(885); B.M. 919(890); B.M. 921(892); B.M. 922(893); B.M. 923(894); B.M. 925(896); B.M. 929(900); B.M. 933(904); B.M. 952(921); B.M. 954(923); B.M. 963(932); B.M. 964(933); B.M. 971(940); B.M. 972(941); B.M. 973(942); B.M. 977(946); B.M. 978(947); B.M. 979(948); B.M. 988(957); B.M. 990(959); B.M. 991(960); B.M. 993(962); B.M. 994(963); B.M. 997(966); B.M. 999(968); B.M. 1006(975). Il n'y a pas lieu de compter ici B.M. 907(878); à ce propos, cf. la notice n° 265. Par ailleurs, on ne peut pas retenir B.M. 743(718): il y est dit que l'archevêque Agobard fit un rapport à l'empereur concernant l'élection de l'abbé Tructesinde; il n'est pas dit qu'il demanda à Louis le Pieux de confirmer cette mesure. En outre, il convenait que celui qui présenta la requête ne partageât pas d'intérêts communs avec le bénéficiaire; c'est pourquoi, par exemple, on ne peut pas prendre en compte le diplôme B.M. 886(857) expédié en faveur du monastère de Cormery, sur la requête de Fridugise. En l'absence d'une critique sérieuse de B.M. 996(965), je préfère écarter cet acte.

2 JOHANEK, Probleme, p. 413, avait annoncé »578 Volltexte«, mais lors de sa communication à Bonn, le 18 février 1994, à l'occasion du colloque sur Schriftkultur und Reichsverwaltung unter den Karolingern, il a revu ce chiffre à la baisse, déclarant travailler sur 474 textes complets.

nellement par l'affaire en question et ceux qui ne le paraissent pas. Les premiers ne feront l'objet que d'une brève présentation, car ce sont les seconds qui s'avèrent les plus intéressants. D'ailleurs, il y avait parmi eux les personnes dont on sait qu'elles *ambasciaverunt* et qui se trouvaient ainsi au degré ultime de la participation à la prise de décision.

Les interventions en faveur de tiers consistaient essentiellement en deux phases: il convenait d'informer l'empereur de la situation et de formuler ou d'appuyer la demande du requérant. Parfois, il est simplement dit que l'empereur prit sa décision sur la *petitio*, la *suggestio* ou la *deprecatio* d'un tel[3]. Mais souvent, cette requête s'accompagnait d'une *relatio*, d'un exposé de la situation[4], introduit généralement par le verbe *suggere*[5], *innotescere*[6] ou *referre*[7] – quelquefois, la chose était sous-entendue[8]. A l'occasion, d'aucuns pouvaient renoncer à se rendre à la cour et se reposer entièrement sur leur intermédiaire[9]. De même, celui qui appuyait la demande pouvait également ne pas être physiquement présent, mais dépêcher quelqu'un pour le représenter[10]. En d'autres cas, l'intermédiaire pouvait intervenir au tout début du processus juridique (par exemple pour demander l'autorisation préalable à un échange), sans qu'il semble avoir été ensuite de quelque secours pour les personnes concernées[11]. Mais par ailleurs, en ce qui concerne certains diplômes, alors que le requérant était réputé avoir présenté lui-même la requête en exposant l'affaire, on sait qu'en fait, celui qui *impetravit* était un officier du Palais[12]. Force est alors d'avouer, dans la majorité des cas, notre impuissance à reconstituer le processus d'octroi d'un privilège et d'établissement des diplômes expédiés en conséquence: en effet, si le diplôme donné en faveur de Kempten le 4 avril 833 n'était pas conservé en original (si, donc, nous n'avions pas connaissance de la mention en notes tironiennes portée sur le parchemin), nous ignorerions tout de l'intervention de l'archichapelain Foulques – ceci n'est qu'un exemple parmi d'autres.

L'on peut admettre que celui qui introduisait auprès de l'empereur la requête d'un tiers avait auparavant pris connaissance du dossier et qu'il avait jugé la demande recevable. C'est le bon sens qui commande cette hypothèse: présenter à l'empereur la requête d'un quidam supposait de la part de celui qui acceptait – probablement après réflexion – de se prêter à cette procédure que, d'une certaine manière, il appuyât cette requête. Or, un haut personnage pouvait-il se permettre de cautionner une de-

3 B.M. 579(559); B.M. 603(583); B.M. 682(663); B.M. 757(732); B.M. 813(789); B.M. 850(824); B.M. 876(847); B.M. 883(854); B.M. 895(866); B.M. 910(881); B.M. 919(890); B.M. 990(959).
4 B.M. 617(597); B.M. 988(957).
5 B.M. 759(734); B.M. 896(867).
6 B.M. 773(748); B.M. 782(757); B.M. 789(764); B.M. 796(772); B.M. 849(823); B.M. 858(834); B.M. 869(840); B.M. 888(859); B.M. 902(873); B.M. 914(885); B.M. 952(921); B.M. 972(941); B.M. 973(942); B.M. 978(947).
7 B.M. 971(940).
8 B.M. 670(656); B.M. 684(664); B.M. 775(750); B.M. 797(773); B.M. 1006(975).
9 B.M. 775(750).
10 B.M. 933(904). A ce propos, cf. la notice n° 205.
11 B.M. 794(769).
12 B.M. 921(892). Cas de figure similaire dans B.M. 923(894) ou dans B.M. 925(896). Pour GRAT, Mention, p. 14, »la mention *N. impetravit* désigne ... la personne qui a obtenu du souverain l'expédition du diplôme«; mais il admettait que cette personne était »presque toujours« celle qui avait obtenu la faveur garantie par le diplôme (ibid., p. 20).

mande incongrue? Il y risquait la déconsidération de l'empereur. Néanmoins, cette hypothèse n'est pas facile à prouver, car notre information n'est constituée que de bribes éparses qu'il est parfois hardi de vouloir mettre bout à bout: qui nous assure en effet que toutes les pièces appartiennent au même puzzle? En ce qui concerne le rôle joué par l'intermédiaire, le diplôme B.M. 775(750) s'avère particulièrement intéressant: il nous montre le comte Matfrid se présentant devant l'empereur en tenant à la main le diplôme que l'évêque Possedonius lui avait confié pour justifier sa requête. Il n'est pas concevable que Matfrid, qui présenta la requête à la place de l'évêque, n'ait pas examiné cet acte pour juger de son authenticité et prendre connaissance de sa teneur. Car on sait par diverses sources que le demandeur devait prouver le bien-fondé de sa requête (parfois envoyée par écrit[13]) en produisant les actes qui l'attestaient[14], ce qui permettait parfois de faire l'économie d'une enquête[15], mais pas toujours[16]. Et ces actes étaient dûment examinés[17]. Il n'est par conséquent pas incongru de penser que la personne qui introduisait ou présentait la requête d'un tiers avait auparavant examiné le dossier. Dans un autre contexte, nous savons que le rôle du comte du Palais consistait notamment à examiner les causes avant d'en informer le souverain si nécessaire[18]. Mais il n'était manifestement pas le seul à accomplir cette tâche, si l'on en juge par exemple par l'activité de certains huissiers[19].

Chez les personnes apparemment intéressées à l'affaire en cause, on compte divers types d'individus[20]. Il pouvait s'agir d'un évêque ou d'un comte de la région d'origine du bénéficiaire: ce fut le cas de l'évêque Rataud qu'accompagna l'abbé de Saint-Zénon, celui de l'évêque Heito à l'égard du prêtre Engilbert, celui également du patriarche Maxence[21] ou des comtes Gauselme et Nominoé, respectivement en faveur des monastères de Saint-André de Sorède et de Saint-Sauveur de Redon. La chose est plus délicate à apprécier en ce qui concerne Bernard (II): le bénéficiaire, Sunifred, venait certes de sa région, mais le chambrier était alors au faîte de sa puissance. La requête pouvait avoir été présentée par le fondateur du monastère bénéficiaire, par le »rénovateur« de la vie monastique (ce fut le cas des comtes Bégon et Bérenger), par son fils (ainsi en fut-il pour le comte Elpodorius[22]), ou par son successeur (tel le comte Rampon). C'est également à ce titre que Laidrade de Lyon présenta une requête pour l'abbaye de l'île Sainte-Barbe et que Benoît intervint en faveur du monastère d'Aniane ou d'une *cella* dépendant d'Aniane mais jouissant du privilège de la liberté

---

13 B.M. 753(728), éd. Doc. dipl. Westphalie, n° 3, p. 4 sq. (à la p. 4): ... *missa petitione deprecatus est* ... Cf. également B.M. 619(599) ou B.M. 840(814). On possède le texte de telles suppliques, cf. Doc. dipl. Conféd. suisse, n° 46, p. 38 sqq., n° 47, p. 40 sq. et n° 49, p. 41 sq.

14 Cf. par exemple B.M. 707(686) ou B.M. 887(858).

15 Cf. B.M. 848(822). Pour un exemple *a contrario*, cf. B.M. 845(819). Il s'agit dans les deux cas d'une restitution.

16 Cf. B.M. 715(692).

17 Cf. B.M. 592(572), éd. Doc. dipl. Farfa, n° 217/CCXXXIIII, p. 176 sq. (à la p. 177): ... *hoc nostrae auctoritatis preceptum inspectas auctoritates paternas fieri placuit* ... Cf. également B.M. 848(822).

18 Hincmarus, De ordine palatii, l. 315 sqq., p. 68.

19 Cf. les notices n° 115 et n° 232.

20 En règle générale, il ne sera fait référence au numéro B.M. des diplômes qu'au cas où ils concernent des individus n'ayant pas fait l'objet d'une notice prosopographique. Dans la majorité des cas, il conviendra de se reporter aux notices prosopographiques pour plus ample information.

21 B.M. 682(663).

22 B.M. 654(640).

d'élection de son propre abbé. Il se pouvait aussi qu'une personne présentât une requête en faveur d'un établissement religieux concernant un bien de cet établissement sur lequel elle avait des droits: c'est ce que l'on observe dans le cas d'Arn de Salzbourg[23], de Théodrade[24] ou des comtes Gérold (I), Banzlegb[25] et Adalbert (II) en ce qui concerne l'église cathédrale du Mans. Il arrivait également qu'un *missus* intercédât en faveur d'une personne ou d'une institution dont il avait eu à s'occuper, comme le fit Aldric (I) à propos de Saint-Amand.

Nous verrons plus loin que des titulaires d'offices importants pouvaient avoir connaissance de plusieurs dossiers dans lesquels ils ne semblent avoir eu aucun intérêt. Mais il arrivait également qu'ils fussent concernés par la cause qu'ils soutenaient: ceci est par exemple vrai pour les reines, couvrant l'action de leur personnel[26] ou favorisant leurs vassaux[27]. On ne sait par ailleurs pas à quel titre Judith présenta la requête en suite de quoi Louis fit faire le diplôme B.M. 964(933) en faveur du monastère du Mont-Sainte-Odile. L'archichapelain Drogon présenta également une requête en faveur d'un des chapelains. Il est patent que tous ces individus soit étaient personnellement intéressés par l'octroi du diplôme, soit connaissaient particulièrement bien le dossier – parfois, le bénéficiaire dépendait d'eux. C'est vraisemblablement à ce dernier titre qu'ils présentèrent la requête: l'empereur pouvait reconnaître en eux des experts de la question. Au contraire, on peut penser que la compétence technique passait au second plan lorsque les intermédiaires étaient étrangers à l'affaire en cause: c'étaient alors vraisemblablement leur influence et leur prestige politique qui primaient.

A l'exception de Scahafès, de Hiliand et de Suizgaire, des individus dont on ne sait rien et qu'il convient dès à présent de laisser de côté pour cette raison, les personnes ayant introduit la cause de tiers sans qu'il semble que ce fût parce qu'elles y étaient intéressées forment un cercle assez restreint. On y compte essentiellement des hauts personnages du Palais ou des personnes d'un poids politique incontesté. Il s'agit de Lothaire, Louis le Germanique, Charles (le Chauve) et Judith, des archichapelains Hilduin, Foulques et Drogon, du chambrier Bernard, de l'archichancelier Hugues, du sénéchal Adalhard, des huissiers Richard et Gérung (dont il est question dans un seul diplôme mais dont les compétences sont attestées par d'autres sources), et, enfin, du comte Matfrid, de l'archevêque Ebbon et de l'abbé Eginhard.

Si l'on écarte les individus attestés une seule fois (Bernard, Hugues et Gérung, Eginhard et Ebbon, et même le jeune Charles, dont Gombaud se servit à deux reprises), on observe que les individus intervenant plusieurs fois dans des situations variées étaient soit des personnes explicitement associées au pouvoir impérial, soit des

23 B.M. 607(587).
24 B.M. 848(822).
25 B.M. 972(941).
26 B.M. 670(656).
27 B.M. 919(890).

individus au sommet de la hiérarchie du Palais[28] (cela est également vrai pour Hugues et, surtout, pour Bernard): d'une part, on trouve Lothaire (empereur associé), Louis (roi) et l'impératrice Judith, d'autre part, les archichapelains créés par Louis (à la différence d'un Hildebaud que l'empereur avait hérité de Charlemagne), l'huissier Richard, et le sénéchal Adalhard, dont Nithard souligna la grande influence qu'il exerçait sur Louis le Pieux vers la fin de son règne[29]. Mais il y avait aussi une exception: Matfrid. Il était apparemment le seul membre de ce »club« fermé ne faisant pas, à notre connaissance, partie du Palais au sens classique; c'est d'ailleurs ce qui fait l'intérêt de sa personne[30]. Les interventions de Lothaire et de Louis revêtaient un caractère hautement politique: ainsi, ils s'entremirent pour appuyer la cause de requérants dépendant territorialement d'eux[31]. Mais Louis le Germanique défendit également les intérêts de monastères sis en des régions sur lesquelles son père ne lui reconnaissait pas autorité, mais qu'il revendiquait[32]. Par ailleurs, si l'on ne peut apparemment pas trouver de raison particulière à la présentation, en 829, de la cause de l'évêque d'Angers par Lothaire, en revanche, son intervention en faveur du monastère de Charroux en 830 illustre parfaitement la conjoncture politique du moment: le bénéficiaire n'était autre que Gombaud, qui avait profité de la crise entretenue par Lothaire pour se hisser au pouvoir.

Parmi les personnes ayant introduit la cause de tiers tout en y étant apparemment étrangères, on en compte également quelques-unes qui, à ce qu'il semble, ne jouissaient pas d'une influence particulière. Il s'agit des évêques Hucbert et Rataud. Hucbert se joignit à l'archevêque Ebbon (cela est assuré pour le premier des deux diplômes en faveur de la communauté de Corvey dans lequel on dit qu'il est intervenu; dans le second diplôme, donné une semaine plus tard, Hucbert semble avoir agi seul) et Rataud s'associa à l'archichapelain Drogon. On ignore la raison pour laquelle les moines de Corvey s'adressèrent à Ebbon et à Hucbert. Peut-être était-ce le fruit du hasard, peut-être l'amitié joua-t-elle un rôle. En effet, on sait que l'évêque de Meaux accueillit en mars 836 l'abbé de Corvey lorsque ce dernier procéda à la translation des reliques de saint Guy, de Saint-Denis jusqu'en Saxe[33]. Pourquoi Warin fit-il halte chez Hucbert, qui l'accueillit avec faste? N'était-ce dû qu'à la dévotion du peuple meldois, ou bien était-ce en raison de quelque amitié entre l'évêque et l'abbé? Toujours est-il que les diplômes pour Corvey en question furent donnés au plus fort de la crise politique: les intermédiaires se faisaient vraisemblablement rares en juin 833.

---

28 BÜHRER-THIERRY, Evêques, p. 31, aboutit *mutatis mutandis* à un constat assez proche en ce qui concerne les évêques de l'entourage des derniers rois carolingiens en Germanie apparaissant comme »intercesseurs présentant une requête en faveur d'un tiers«: »il nous semble que cette ... fonction désigne les grands ecclésiastiques qui ont la plus large audience auprès du roi et qui font partie de l'entourage direct du souverain«. Mais selon l'auteur, la géographie était un facteur contraignant (n'importe qui n'intervenait pas dans n'importe quelle région), cf. ibid., p. 49 notamment.

29 Cf. Nithardus, Historia, IV, c. 6, p. 142.

30 Cf. DEPREUX, Matfrid.

31 Ce fut le cas pour Louis en ce qui concerne Kremsmünster, cf. B.M. 850(824). C'est également à qui de droit que l'évêque de Coire, Victor, s'était adressé lorsqu'il se tourna vers Lothaire pour lui demander de plaider sa cause auprès de Louis le Pieux, cf. la notice n° 191.

32 C'est le cas en ce qui concerne, en Alémanie, les abbayes de la Reichenau, cf. B.M. 869(840), et de Kempten, cf. B.M. 929(900) et B.M. 978(947). A ce propos, cf. la notice n° 192.

33 Translatio s. Viti, p. 50 sqq.

Quoi qu'il en soit, la sympathie devait assurément avoir quelque importance en la matière: c'est ce que l'on peut supposer d'Eginhard à l'égard de la communauté de Fulda, où il avait été éduqué[34]; c'était vraisemblablement aussi le cas de l'évêque Rataud pour son confrère de Coire, Vérendaire. En effet, Vérendaire avait été exilé en 833 par les partisans de Lothaire et sa requête visait en l'occurrence à réparer certains dommages alors commis. Or Rataud, un évêque italien qui, par fidélité à Louis le Pieux, avait raccompagné Judith à la cour, était *persona non grata* dans son propre diocèse et Lothaire l'avait privé de la jouissance de ses biens dans son royaume. L'évêque Rataud appuyait par conséquent la demande d'un compagnon d'infortune. Mais bien évidemment le calcul politique n'était pas absent: c'est particulièrement patent pour Gombaud, un bref instant au faîte du pouvoir. Néanmoins, il n'agissait pas seul: il se servit du jeune Charles pour parvenir à ses fins.

Tous les auteurs sont d'accord sur le fait que les personnes dont le nom est mentionné dans la formule *N. ambasciavit* étaient des personnages importants. Dans les diplômes de Louis le Pieux, ces personnes sont fort peu nombreuses. Outre Hiliand et Suizgaire, dont on ne sait rien, il s'agit de Judith, des archichapelains Hilduin et Drogon, du sénéchal Adalhard, du comte Matfrid et des abbés Benoît et Eginhard. J'ai justifié ailleurs[35] pourquoi je partage l'avis de R.-H. Bautier quand il affirme que »la formule *N. ambasciavit* indique la personne qui a instruit l'affaire et commandé effectivement l'acte par délégation«[36]. Il n'y a pas lieu de rouvrir ici le dossier[37]. En revanche, il convient, pour terminer, de prêter une attention toute particulière à la chronologie des interventions dont il a été fait état.

Tout d'abord, une remarque s'impose: on ne peut pas prétendre être en mesure de connaître toutes les interventions de tous les membres de l'entourage de l'empereur; il s'agit par conséquent de manier les sources avec précaution et de ne bâtir aucune interprétation sur une argumentation *a silentio*. Toutefois, on peut observer que les

---

34 Cf. TANGL, Urkunde für Fulda, p. 25.
35 Cf. DEPREUX, Matfrid, p. 335 sqq.
36 BAUTIER, Chancellerie, p. 34.
37 Je me permets toutefois d'ajouter ici un élément qui ne figure pas dans mon article sur Matfrid; à mon sens, il permet de trancher définitivement le débat sur le rôle de celui qui *ambasciavit*. Il s'agit d'un diplôme de Charles le Chauve donné le 1er août 877 en faveur de Saint-Chaffre du Monastier (Actes de Charles le Chauve, tome 2, n° 442, p. 490 sqq.). Il y est dit que l'empereur confia à l'archevêque de Bourges, Frotaire, le soin de procéder à l'examen des actes qui lui avaient été présentés à l'appui d'une requête. C'est après que Frotaire en eut apprécié l'authenticité que Charles accorda la faveur demandée (ibid., p. 492: *Nos denique eadem praecepta dijudicari volentes per Frotarium venerabilem episcopum, invenimus veram esse eorum praeceptorum auctoritatem et quod petebat libenter ei concessimus*). Or, la formule de datation est singulière: *datum ... per manus Frotarii archiepiscopi ambasciatoris* (ibid., p. 493). Bien que ce diplôme ne soit pas connu en original, on peut considérer cette lecture, proposée par J. MABILLON, comme relativement sûre, cf. De re dipl. 6, p. 546, n° 107 (»ex chartario S. Theofredi«); c'est également la lecture proposée par U. CHEVALIER, dans: Doc. dipl. Saint-Chaffre, n° 23, p. 24. En effet, le manuscrit le plus important pour l'établissement du texte (B.N. ms. lat. 5456 A; à ce propos, cf. Doc. dipl. Saint-Chaffre, p. VII) donne la leçon *âbac*, que l'on peut résoudre par *a(m)ba(s)c(iatoris)*, cf. B.N. ms. lat. 5456 A, p. 15; dans la Gallia Christiana, tome 2, Paris 1720, Preuves, col. 259, on trouve la leçon *abacs*.; G. TESSIER, dans: Actes de Charles le Chauve, tome 2, p. 493 note o, indique que l'abréviation d'*ambasciatoris* est suivie du mot *scripsit* dans la copie de Cl. Estiennot, B.N. ms. lat. 12765. Ainsi, on peut considérer que le rôle de celui qui *ambasciavit* consistait à examiner les titres produits pour examiner une requête et, plus largement, à juger du bien-fondé de cette requête.

mentions d'intermédiaires sont relativement rares avant la grande crise politique des années 828/829 et suivantes; inversement, on constate une multiplication de ces intermédiaires pendant les troubles et, ensuite, un certain tassement, le pouvoir étant alors passé aux mains d'autres individus. On doit certainement reconnaître dans le grand nombre des mentions d'intermédiaires entre 828/829 et 834 la volonté des notaires ou des bénéficiaires de s'abriter derrière la responsabilité d'un personnage influent. Ainsi, on compte huit intermédiaires différents jusqu'en 828 (c'est-à-dire sur une période de quatorze ans), dix intermédiaires entre 828 et 834 (c'est-à-dire sur une période deux fois moins longue que la précédente), et six intermédiaires pendant les dernières années du règne (c'est-à-dire pendant un peu plus de cinq ans). Ce bilan ne prend tout son relief que si l'on souligne que dans les phases précédant et suivant les années de crise, on ne compte à chaque fois que deux individus dont les interventions sont répétées et qui font preuve d'une constance dans l'exercice des plus hautes responsabilités. Les interventions des autres intermédiaires semblent relever plutôt du hasard des contraintes administratives ou de l'occasion particulière qu'eut tel ou tel grand d'appuyer une affaire à laquelle il n'était pas indifférent. C'est, à mon sens, ainsi qu'il faut analyser les interventions d'Eginhard en 817, de Benoît en 819, de Hiliand en 820, de Suizgaire en 822 et, enfin, de l'huissier Gérung et de celui qui se joignit à lui (dont on ne connaît que l'initiale: L.). La même chose vaut pour l'intervention de Judith en 837, de Louis le Germanique en 838, de l'archichancelier Hugues en 839 et de Scahafès vers la fin du règne de Louis le Pieux.

En contraste avec ces diverses personnes dont on n'a la trace que d'une intervention, on rencontre d'une part Matfrid et l'archichapelain Hilduin, d'autre part son successeur Drogon et le sénéchal Adalhard (III). Dans les deux cas, on a un clerc et un laïc, qui pouvaient à l'occasion traiter une affaire de concert, comme ce fut le cas pour Hilduin et Matfrid: ils *ambasciaverunt* ensemble en 821. A-t-on ici affaire au hasard? Il est difficile de répondre, car si l'on peut être tenté de reconnaître le partage des pouvoirs décrit par Hincmar[38] (à ceci près que l'archevêque de Reims accordait au comte du Palais une importance qu'on n'observe pas pour le règne de Louis le Pieux), on doit concéder qu'il y un certain déplacement dans le temps des principales manifestations d'influence. On rencontre d'abord Matfrid (à six reprises, dont la moitié en tant qu'*ambasciator*), de 815 à 823. Ensuite, c'est Hilduin qui s'impose, jusqu'à la période de crise (pour lui aussi, on dénombre six interventions en faveur de tiers, dont trois en tant qu'*ambasciator*). Il ne fait pas de doute qu'il tirait son prestige de son titre d'archichapelain. Hilduin commença par *ambasciare* pour le compte de sa propre abbaye dès 820; le diplôme B.M. 735(711) où il est mentionné en compagnie de Matfrid concerne la première affaire que l'archichapelain suivit pour le compte d'un tiers. Lorsqu'on passe à la dernière phase du règne de Louis le Pieux, on observe que la période d'intense influence de Drogon se situe entre janvier 836 et juin 838 (on a trace de quatre interventions), et qu'ensuite, le pouvoir se déplaça dans les mains d'Adalhard, principalement actif en 839 (on compte quatre interventions entre avril et juillet, c'est-à-dire pendant la période qui précéda et suivit immédiatement l'accord entre Louis le Pieux et son fils Lothaire, dont la soeur de l'épouse avait

---

38 Hincmarus, De ordine palatii, l. 311 sqq., p. 68.

le sénéchal pour beau-frère[39]). Adalhard était déjà intervenu en 831 (il agissait de concert avec Judith) et en 836. On observe toutefois une différence majeure entre la première phase du règne de Louis le Pieux et la dernière: du temps de Matfrid et de Hilduin, d'autres personnes *ambasciaverunt* (Eginhard, Benoît, Hiliand et Suizgaire); en revanche, l'exercice de ce pouvoir de décision fut ensuite confisqué au profit exclusif de Drogon et d'Adalhard. Les autres intermédiaires (Louis, Hugues ou Scahafès) n'avaient que la possibilité d'intercéder; Judith elle-même fut soumise à cette discipline, bien qu'elle eût jadis l'occasion d'*ambasciare*. Il s'agissait vraisemblablement d'une réaction à la relative anarchie de la période de crise.

On ne peut pourtant pas dire que la faculté d'*ambasciare* fût bradée durant cette période: alors que le malaise naissait[40], Judith *ambasciavit* en mars 828; mais ensuite, plus personne n'assuma cette responsabilité. On n'eut plus que des intercesseurs. Lothaire d'abord, en janvier 829. Mais il était concurrencé, par son frère Louis (le roi de Bavière intervint à deux moments particulièrement critiques: en septembre 829, alors que son frère aîné venait d'être évincé, et en juillet 834, quand Lothaire était en rébellion), et par Bernard. Le chambrier appuya une requête en octobre 829. On sait qu'il fit courte carrière à la cour: elle fut interrompue par la révolte de 830. Il se peut que dans la période qui suivit immédiatement cette crise, Charles fût jugé seul capable de gagner la confiance de son père: Gombaud s'en servit en février 831. Puis les choses rentrèrent dans l'ordre; un huissier, Richard, appuya deux affaires (en avril 831 et en juillet 832). Ce fut aussi le triomphe de Judith, cette épouse enfin lavée des accusations portées contre elle: on compte deux interventions à l'automne 831 (dont une en commun avec le sénéchal Adalhard, vraisemblablement déjà le beau-frère de sa belle-soeur[41]), une intervention en novembre 832 et une autre en juin 833. Nous voilà au coeur de la tourmente: c'était apparemment l'affolement[42]. Entre avril et juin 833, alors que Louis le Pieux s'efforçait de rassembler ses fidèles, on compte cinq diplômes mentionnant l'intervention d'un ou deux intermédiaires: outre Judith, on voit apparaître l'archichapelain Foulques, l'évêque Hucbert et l'archevêque Ebbon, c'est-à-dire le plus haut responsable du Palais, un ancien chantre de la Chapelle et un

---

39 En effet, Lothaire avait épousé Ermengarde, la fille du comte Hugues de Tours (cf. la notice n° 191). Une autre fille de Hugues, Berthe, avait été unie au comte Girard, qui n'était autre que le frère du sénéchal Adalhard (cf. LOUIS, Girard, p. 30 sqq.; VOLLMER, Etichonen, p. 169; WILSDORF, Etichonides, p. 10).

40 Hugues et Matfrid venaient d'être déposés, cf. les notices n° 164 et n° 199.

41 On ignore la date à laquelle Conrad, le frère de Judith, épousa Adélaïde, la soeur de Berthe, l'épouse du comte Girard et belle-soeur d'Adalhard (cf. LOUIS, Girard, p. 32; VOLLMER, Etichonen, p. 168; WILSDORF, Etichonides, p. 10). Il est toutefois peu probable que le frère de l'impératrice s'unît à la fille du comte Hugues de Tours après qu'il entra en révolte contre Louis le Pieux.

42 C'est ce que semble prouver la multiplication des diplômes. En effet, la fréquence d'expédition des diplômes lorsque Théoton était archichancelier s'avère remarquable, notamment avant le coup d'Etat. En moins d'un an, c'est-à-dire entre le 13 juillet 832 et le 10 juin 833, vingt-trois diplômes furent expédiés. C'est plus que la moyenne annuelle du règne de Louis le Pieux: JOHANEK, Probleme, p. 421, l'a estimée à »22,23« (sur les critères, cf. ibid., note 51), mais elle doit être revue à la baisse. Elle devrait s'élever en réalité à environ 18 diplômes expédiés annuellement. En effet, P. Johanek avait calculé cette moyenne sur la base de 578 »Volltexte« (ibid., p. 413). Or, comme j'en ai fait état au début de ce développement, il a récemment reconnu s'être trompé et devoir modifier ce nombre: il n'y aurait que 474 »Volltexte«. Le nombre élevé de diplômes expédiés en 832/833 est assez simple à expliquer: il s'agissait pour Louis le Pieux de récompenser ou d'acheter les fidélités, cf. DEPREUX, Nithard, p. 152.

ami d'enfance (qui, néanmoins, devait trahir l'empereur) – bref, ce qui semble avoir été les dernières personnes sur lesquelles Louis pensait pouvoir s'appuyer et qui étaient susceptibles de soutenir sa cause.

D. Délégation de pouvoir et diplomatie pendant le règne impérial

Si les interventions de certaines personnes auprès de l'empereur lorsque des requêtes étaient présentées peuvent nous renseigner assez précisément sur les variations de l'entourage immédiat du prince, d'autres actions, menées certes au loin mais sur son ordre, complètent notre information sur l'évolution de la vie politique dans l'empire. Je veux parler des enquêtes et autres tâches confiées aux *missi dominici*. Ce n'est pas ici le lieu d'entreprendre une étude exhaustive ni de proposer la synthèse qui fait toujours défaut[1], mais d'observer la composition de certains groupes de *missi* et d'avancer quelques interprétations à cet égard. Je dois donc formuler une réserve d'usage, particulièrement appropriée ici: non seulement notre connaissance est fragmentaire, mais je ne m'attarderai que sur un petit nombre de cas[2]. Par conséquent, il ne s'agit que d'un éclairage partiel de certains faits que je juge significatifs, mais qui ne peut en aucun cas passer pour une analyse de valeur générale.

Avant même qu'il ne fût à Aix-la-Chapelle, et précisément pour préparer son arrivée en y mettant de l'ordre, Louis le Pieux dépêcha quatre personnes[3]: Garnier et Lambert (deux Widonides: un oncle et son neveu), Ingobert et Wala. On a pu dire à ce propos que Louis s'était arrangé pour mettre ensemble des représentants des plus importantes familles nobles en concurrence[4]. De fait, on peut reconnaître en Garnier et Lambert deux membres d'une importante famille possessionnée en Austrasie; en Ingobert, un parent de l'épouse de Louis, que ce dernier avait appris à connaître lorsque Charlemagne l'avait envoyé auprès de lui; en Wala, un descendant de Charles Martel. Wala, le demi-frère d'un des conseillers les plus influents de Charlemagne, était lui-même un personnage d'un poids politique considérable: sa soumission à Louis fut le signal du ralliement d'une grande partie de l'aristocratie au nouvel empereur. La composition de cette délégation reflète vraisemblablement la volonté, de la part de Louis, de garder les apparences d'une certaine continuité avec le règne de Charlemagne et la nécessité, pour cet héritier qui à vrai dire rongeait son frein[5], de s'arranger avec certaines personnes incontournables. On retrouve Ingobert trois ans plus tard, en mission à Tournai[6]. Il semble s'être imposé comme un individu avec lequel et sur lequel l'empereur devait ou pouvait compter (cette situation devait durer

---

1 L'inventaire de KRAUSE, Geschichte, est toujours utile, mais il s'avère dépassé. On dispose d'une description d'ensemble: WERNER, Missus, et de quelques études ponctuelles: ECKHARDT, Capitularia missorum specialia; HANNIG, Pauperiores vassi; HANNIG, Zentrale Kontrolle; HANNIG, Zur Funktion; KAISER, Evêques de Langres. Il me semble par ailleurs que l'on peut expliquer l'absence de tout acte entrant dans la catégorie diplomatique des jugements pour le règne de Louis le Pieux par un recours plus soutenu aux *missi* (cf. DEPREUX, Gouvernement, tome 1, p. 431 sqq.). Prochainement, je publierai ailleurs une étude à ce propos.

2 Pour le règne de Louis le Pieux, on compte à peu près une vingtaine de *missi* permanents, autant de *missi* attestés à plusieurs reprises et une soixantaine de *missi* attestés une seule fois.

3 Cf. les notices n° 108, n° 171, n° 184 et n° 269.

4 BRUNNER, Oppositionelle Gruppen, p. 96.

5 C'est ce que laisse penser l'épisode de 813 relaté à la notice n° 117.

6 Cf. les notices n° 139, n° 171 et n°172.

même après 818, c'est-à-dire après la mort de la reine Ermengarde). On sait qu'Ingobert avait commencé sa carrière sous Charlemagne. Ce fut aussi le cas de ses compagnons: Hartmann, en qui l'on peut éventuellement reconnaître un *missus* de Charles en Italie, et Irminon, l'abbé de Saint-Germain. Louis envoya donc trois personnes que l'on pouvait difficilement suspecter d'infidélité à la mémoire de Charlemagne pour agrandir le cloître des chanoines de Tournai, une mesure qui s'inscrivait parfaitement dans le cadre de la réforme ecclésiastique qu'il venait d'engager[7]. Contrairement à ce que certaines actions encouragées par l'empereur pourraient laisser penser[8], la politique de Louis ne fut pas en complète rupture avec celle de son père: il sut mettre les formes pour que la *Renovatio regni Francorum* fût une réforme (on pourrait presque dire une réformation), et non une révolution – en dépit des bannissements alors prononcés. Ce que l'on a vu pour les *missi* de Tournai vaut également pour d'autres *missi* envoyés dans les monastères, tels Aldric (I) ou Benoît d'Aniane[9]. Certes, Arnoul fut le geôlier d'Adalhard de Corbie, mais il semble difficile de mettre en doute le respect de ces réformateurs pour la mémoire de Charlemagne: Benoît lui devait une bienveillance qui permit à son mouvement de réforme monastique de s'étendre; quant à Aldric, il servit un temps au palais du vieil empereur.

Cette impression de changement dans la continuité est confortée par l'étude des personnes envoyées en mission en Italie, un royaume longtemps sous la tutelle d'Adalhard[10] et d'où vint la première menace contre le pouvoir de Louis[11]. Au lendemain du *mea culpa* d'Attigny, Louis envoya son fils Lothaire en Italie et il le fit accompagner de Wala et de l'huissier Gérung, qui bénéficièrent également de la coopération d'Adalhard (II), apparemment un spécialiste de ce royaume[12] – son nom trahit en tout cas son origine familiale, sans qu'on puisse toutefois la préciser. De toute évidence, Louis choisit par cette mesure de renouer avec la politique du temps de Charlemagne. Mais la rupture avait-elle été si radicale qu'il y paraît de prime abord? Ce n'est pas certain. En effet, en 820, on peut observer l'action de deux groupes de *missi*. Dans l'un[13], on voit l'évêque Adaloch, qui fut peut-être une créature de Louis le Pieux; ce n'était en revanche apparemment pas le cas de Hartmann, rencontré auparavant à Tournai: il avait déjà servi Charlemagne en Italie. La composition de l'autre groupe est encore plus intéressante[14]. On y rencontre l'abbé Anségise (un membre du Palais de Charlemagne envers qui le vieil empereur s'était montré généreux), l'évêque Heito (une créature de Charlemagne jadis employée comme ambassadeur), et enfin Gérold (I), qui était un cousin de Louis comptant déjà politiquement du temps de Charlemagne. Louis le Pieux nomma vraisemblablement ces *missi* dans l'espoir que leur passé servirait de caution. La même analyse pourrait concerner les *missi* envoyés en 823 à Rome, suite à l'assassinat de dignitaires de l'Eglise romaine auxquels des hommes à la solde du pape avaient ainsi fait payer leurs opinions appa-

---

7 Exposé des faits par SEMMLER, Renovatio regni Francorum.
8 Cf. la notice n° 208.
9 Cf. les notices n° 25, n° 36 et n° 43.
10 Cf. la notice n° 8.
11 Cf. la notice n° 49.
12 Cf. les notices n° 9, n° 115, n° 191 et n° 269.
13 Cf. les notices n° 12 et n° 139.
14 Cf. les notices n° 30, n° 112 et n° 142.

remment trop favorables à la cour franque[15]: l'abbé Adalung et le comte Hunfrid (déjà envoyé à Rome en 808) devaient leur carrière à Charlemagne. Les affaires italiennes n'étaient donc pas aux mains d'*homines novi* promus par Louis.

Passons maintenant en revue divers cas de figure d'envoi de *missi* un peu plus avant dans le règne de Louis le Pieux. Bien évidemment, on ne peut pas déceler toujours la même tendance dans la composition des délégations (l'analyse est par exemple assez malaisée dans le cas des comtes Erchangaire et Erlégaud[16]), mais on la retrouve chez les *missi* envoyés en 820 à Wurzbourg[17]: si l'activité d'Ermenfrid ne semble pas remonter jusqu'au règne de Charlemagne, ce n'était pas le cas pour son compagnon, l'évêque Bernaire; Charlemagne lui avait confié une enquête à Rome et il jouissait d'un grand prestige sous cet empereur. Mais il arrivait également que Louis nommât comme *missi* ses propres créatures ou pour le moins des individus dont la fidèle collaboration lui était acquise depuis longtemps. C'était le cas pour l'enquête sur les Juifs de Lyon[18], confiée à Evrard, Frédéric et Géry (I): le premier était un parent de Bermond, le bourreau de Bernard d'Italie; quant au dernier, il n'était vraisemblablement autre que le fauconnier de Louis en Aquitaine. Certes, la fonction d'Evrard le désignait pour cette tâche (il était en effet *magister Iudeorum*), mais Louis avait peut-être aussi choisi des hommes sûrs afin de pouvoir tenir tête à celui qui était à l'origine de cette enquête, l'archevêque Agobard. A mon sens, bien qu'il fût nommé au siège archiépiscopal de Lyon au début du règne de Louis[19], Agobard ne jouissait pas d'un grand crédit auprès de l'empereur[20]. Une des dispositions de la Commemoratio missis data (vers 825) pourrait confirmer mon analyse: de manière générale, les archevêques faisaient office de *missi* permanents dans leur province ecclésiastique. Il y avait toutefois quelques exceptions: pour une raison inconnue, l'archevêque de Besançon fut déchargé de cette mission, de même que celui de Reims (mais c'était parce qu'Ebbon était par ailleurs fortement sollicité par Louis). Enfin, il y avait le cas des provinces de Lyon, de Tarentaise et de Vienne: il n'est point question d'Agobard; c'est l'évêque de Langres qui reçut la charge de ce grand *missaticum*[21]. Il ne fait enfin aucun doute que, parfois, l'empereur devait procéder à des dosages diplomatiques. Ce fut assurément le cas en 827, lorsqu'il dépêcha trois *missi* pour pacifier la Marche d'Espagne[22]. Pour se convaincre du caractère délicat de la mission confiée à Hélisachar, Donat et Hildebrand, il suffit de se rappeler le retard avec lequel les comtes Matfrid et Hugues portèrent de l'aide au filleul de l'empereur et la crise, fatale au pouvoir de ce dernier, qui s'ensuivit. Hélisachar joua un rôle prépondérant, en raison de sa connaissance de la région. Mais ce qui importe ici, c'est d'observer que l'on trouve parmi ces *missi* à la fois un ancien *missus* de Charlemagne (Hildebrand), qui faisait peut-être office de caution politique, un fidèle d'entre les fidèles de l'ancien roi d'Aquitaine (Hélisachar) et, enfin, un jeune comte rompu à l'exercice de la fonction de *missus* (Donat). On découvre là un subtil mélange de diplomatie et de compétence technique.

15 Cf. les notices n° 14 et n° 166.
16 Cf. les notices n° 84 et n° 87.
17 Cf. les notices n° 48 et n° 88.
18 Cf. les notices n° 94, n° 102 et n° 117.
19 Pour cette raison, WERNER, Origines, p. 399, le compte parmi les conseillers de l'empereur.
20 Cf. Annexe n° 3 A.
21 Cf. KAISER, Evêques de Langres, p. 98 sqq.
22 Cf. les notices n° 74, n° 143 et n° 153.

Louis dut également envoyer des *missi* en Septimanie vers la fin de son règne, en 838, pour mettre un frein aux exactions des hommes de Bernard (II), l'ancien chambrier dont il avait grand-peine à se faire encore obéir. Au cas où Hélisachar ne serait pas déjà mort, il était en tout cas très âgé. Quant à Hildebrand, il était alors assurément décédé. Louis ne pouvait par conséquent plus recourir entièrement aux mêmes hommes. Voyons donc sur qui il fit porter son choix[23]. Donat l'avait autrefois satisfait: l'empereur eut de nouveau recours à lui. Son cas est d'autant plus intéressant qu'il s'était rebellé contre Louis le Pieux et était passé dans le camp de Lothaire. Néanmoins, dès 834 il s'était réconcilié avec l'empereur, mais il avait perdu son *honor* comtal. Le comte Boniface, qui l'accompagnait en 838, avait également été dépouillé de son *honor*, mais pour la raison inverse: il avait quitté l'Italie par fidélité à Louis le Pieux. Quant à l'abbé Adrevald, qui avait jadis travaillé à la libération de Louis en collaboration étroite avec ce même Bernard (II) qu'il connaissait donc bien, il avait prouvé son habileté dans une mission de confiance à Rome l'année précédente. Une dizaine d'années après l'envoi en mission de Hélisachar et de ses compagnons, on observe par conséquent un recours beaucoup plus marqué à des gens ayant prouvé sans équivoque leur fidélité à Louis le Pieux. La présence de Donat devait rappeler en outre à Bernard et aux siens que l'empereur désirait une réconciliation durable (en dépit de ses sautes d'humeur à l'égard de ses fils[24]). Cette observation a-t-elle cependant quelque valeur plus générale?

La personnalité des *missi* envoyés en 831 enquêter à Pfävers[25] ou celle des évêques Albéric et Modouin qui firent partie de la commission dépêchée entre 829 et 836 à Flavigny[26] le laissent penser. Néanmoins, Louis ne pouvait pas s'appuyer sur n'importe quel grand dont la fidélité lui était acquise. Il lui fallait parfois se montrer diplomate. Ce fut assurément le cas en 834 aux environs de Blois, lorsqu'il dépêcha des légats auprès de Lothaire pour le convaincre de se réconcilier avec lui[27]. Louis confia cette mission au comte Gébaard, qui, quelques mois plus tôt, avait rendu visite à l'empereur lorsqu'il était prisonnier de son fils, et surtout à l'évêque Badurad et au comte Bérenger (I). Or, l'évêque de Paderborn avait soutenu avec constance la fondation de Corvey, un trait auquel Wala, qui se trouvait alors dans l'entourage de Lothaire, ne devait certainement pas demeurer indifférent. La présence du comte Bérenger (I), de la puissante famille des Unrochides[28], parmi les envoyés de Louis était également susceptible de flatter le ressentiment de Lothaire et de ses amis pour un ancien conseiller de l'empereur. Bérenger était en effet alors en concurrence acharnée avec Bernard (II) pour le contrôle de la Septimanie. L'identité des membres

---

23 Cf. les notices n° 18, n° 55 et n° 74.
24 Les rapports de Louis avec son fils homonyme illustrent particulièrement bien l'incapacité de l'empereur à négocier avec tous à la fois: il s'unissait avec l'un contre l'autre, et vice versa.
25 Louis le Pieux eut plusieurs fois recours aux services de l'évêque Bernold, notamment entre les deux coups d'Etats qui marquèrent son règne. L'abbé Gotafrid se montra fidèle durant la crise. On ne sait toutefois rien de l'attitude de Réthaire. Cf. les notices n° 51, n° 124 et n° 229.
26 Albéric et Modouin prouvèrent leur fidélité à Louis le Pieux en 833/834. Leurs compagnons dans cette mission étaient l'archevêque Aldric (I), qui pouvait passer pour un expert de la réforme monastique, et l'abbé de Fleury, Boson (II), qui peu avant cette mission ou peu après fut le geôlier d'Ebbon de Reims; Boson était par conséquent un homme sûr. Cf. les notices n° 20, n° 25, n° 60 et n° 202.
27 Cf. les notices n° 39, n° 45 et n° 110.
28 Cf. WERNER, Bedeutende Adelsfamilien, p. 134.

d'une autre ambassade envoyée auprès de Lothaire un peu plus tard, vers 836 en Italie, illustre aussi la diplomatie de Louis le Pieux à l'égard de son fils[29]. Outre l'évêque Hildi, on rencontre le comte Warin (II), qui après s'être opposé à Louis en 830, avait travaillé ardemment à sa libération lors de la seconde crise. Lothaire avait eu affaire à lui: il avait marchandé sa fidélité, mais Warin était finalement demeuré attaché à Louis. Dans cette délégation, on rencontre également le comte Adalgise et l'archevêque Otgaire. Le premier était l'homme de terrain du groupe: en tant que comte de Parme, il travaillait sous les ordres de Lothaire. Quant au second, il s'avérait le véritable ambassadeur de la réconciliation durable que l'empereur souhaitait: il était lui-même un ancien »traître« (le mot est de Thégan) à qui Louis avait tout pardonné.

Enfin, l'analyse de la composition de deux autres délégations, envoyées toutes deux à Saint-Calais en 838, peut éclairer notre propos d'un jour particulièrement intéressant. D'abord, l'empereur ordonna une enquête suite à la plainte d'un de ses amis, l'évêque Aldric (II); ensuite, il fit procéder par d'autres *missi* à l'application du jugement rendu en faveur de l'évêque du Mans. Le premier groupe[30] fut composé des évêques de Poitiers et de Paris (Ebroin et Erchanrad), d'Altmar (le sénéchal de Judith) et du comte Rorgon. Erchanrad était demeuré fidèle à Louis durant la crise de 833; il était en outre vraisemblablement un ami d'Aldric. La fidélité d'Ebroin envers Louis le Pieux ne fait également pas l'ombre d'un doute. Il était parent avec Rorgon, dont le prestige est certain, en dépit de sa brève association avec Lothaire. Rorgon était en outre l'homme de terrain de l'équipe, puisqu'il était comte du Maine. La composition de ce groupe est donc ici d'une teinte tranchée: on y décèle un mélange d'attachement presque inconditionnel au couple impérial et d'un rien, peut-être, de partialité. A l'inverse, le groupe des *missi* chargés de procéder à l'investiture d'Aldric fut composé de personnages (un comte du Palais, deux comtes et un vassal[31]) à la personnalité beaucoup plus neutre, pour qui ce fut vraisemblablement la première (et pour certains peut-être aussi la seule) occasion de s'illustrer. Il suffisait d'appliquer un jugement: la décision politique faisait alors place à l'action purement administrative.

*

On aura compris que je rejoins l'analyse de R. Le Jan lorsqu'au regard des informations qu'elle a recueillies sur les agents du roi en Neustrie du milieu du VIIe siècle au milieu du IXe, elle constate que »tout se passe (...) comme si le pouvoir se personnalisait davantage en se concentrant entre les mains des quelques grands qui entourent l'empereur«[32]. De même, je m'accorde avec S. Airlie pour privilégier l'examen individuel de la manière dont chaque personne pouvait agir au gré des diverses situations[33]. C'est donc à cette étude que je convie maintenant le lecteur.

---

29 Cf. les notices n° 7, n° 155, n° 209 et n° 273.
30 Cf. les notices n° 28, n° 79, n° 85 et n° 238.
31 Cf. les notices n° 33, n° 97, n° 99 et n° 132.
32 Hennebicque-Le Jan, Prosopographica Neustrica, p. 234.
33 Cf. Airlie, Political behaviour, notamment la conclusion, p. 305 sqq. (l'auteur se refuse à analyser l'action des membres de l'aristocratie en se fondant principalement sur les réflexes familiaux).

PROSOPOGRAPHIE

1.

AARON[1]

Moine (prêtre), attesté en 817/818

Aaron, qui ne nous est peut-être connu que par son nom de profession religieuse[2] et que Candide qualifiait de *monachus occidentalis*[3] et de *presbyter*[4], fut envoyé par Louis le Pieux à Fulda après la déposition de l'abbé Ratgaire[5], pour mettre fin aux dissensions à l'intérieur de la communauté. Il était accompagné du moine Adalfrid[6]. L'empereur les y envoya également pour éprouver et, éventuellement, modifier les institutions de cette abbaye[7]; ce qu'ils firent[8]. L'on se doit par conséquent de mettre ce fait en relation avec l'envoi d'inspecteurs dans tout l'empire, suite à l'assemblée réformatrice tenue à Aix-la-Chapelle en juillet 817[9]: il est en effet fort probable qu'on doive classer Aaron et son compagnon, Adalfrid, dans la catégorie de *missi* dont l'Astronome fait mention[10]. Aaron et Adalfrid dirigèrent la communauté de Fulda pendant un temps assez long[11], puis les moines, principalement sur le conseil d'Aaron (*inito consilio cum Aaron et sociis eius*), envoyèrent Adalfrid et quelques moines de Fulda à la cour pour demander à l'empereur la permission d'élire un abbé[12]. Celle-ci obtenue et Eigil une fois élu[13], Aaron dirigea la délégation des moines de Fulda

1 Seule forme onomastique: *Aaron*. Au début de chaque notice, j'annoncerai les formes onomastiques sur lesquelles j'ai travaillé. Il ne s'agit toutefois ni d'une indication visant à quelque étude sur les noms de personnes, ni d'un inventaire exhaustif, mais d'une annonce des éventuelles propositions d'identification que j'exposerai dans le texte.

2 Le frère de Moïse fait figure de lévite par excellence, cf. Ex. IV, 10–17; Ex. VII, 1–7; Ex. XXVIII, 2; Ex. XXIX, 1–46 etc.

3 J. Mabillon a proposé d'identifier Aaron avec un moine homonyme du monastère de Bèze, mais OEXLE, Forschungen, p. 74 sq. a montré le caractère hypothétique de toute identification.

4 Candidus, Vita Eigilis, c. 9, p. 225: … *Aaron presbyter primus ex monachis occidentalibus* …

5 TANGL, Urkunde für Fulda, p. 27 sqq. émit l'hypothèse selon laquelle Ratgaire aurait déjà été démis de ses fonctions lorsque les moines de Fulda obtinrent le diplôme daté du 4 août 817, dans lequel le nom de l'abbé ne figure pas. Cf. B.M. 656(642). Sur l'histoire de Fulda, cf. HUSSONG, Fulda.

6 Cf. la notice n° 5.

7 Candidus, Vita Eigilis, c. 3, p. 223: *Quo iam decedente ob quandam discordiam, quam seminaverunt inter eum et fratres illius membra capitis omnium iurgiorum, surrexit statim cura et auxilium circa nos Hludwici serenissimi augusti … Hic igitur misit nuntios suos Aaron et Adalfridum cum sociis ipsorum, monachos scilicet occidentales, qui nos in temptatione temporalis miseriae consolando sublevarent et, si quae de regulae institutis apud nos aut incoepta aut dilapsa fuissent, fraterna dilectione praemonendo corrigerent.*

8 Ibid., c. 4, p. 224: *Eramus quidem multo tempore in coenobio degentes vitam quitatem sub eorum magisterio, addito praeposito et decanis ab eisdem constitutis.* Cf. SEMMLER, Studien zum Supplex Libellus, aux p. 279 sqq. et à la p. 295.

9 B.M. 651(631).

10 Astronomus, Vita, c. 28, p. 622: *Itidemque constituit isdem amabilis Deo imperator Benedictum abbatem et cum eo strenuae monachos per omnia vitae, qui per omnia monachorum euntes redeuntesque monasteria, uniformem cunctis traderent monasteriis, tam viris quam sanctis monialibus feminis, vivendi secundum regulam sancti Benedicti incommutabilem morem.*

11 Candidus, Vita Eigilis, c. 4, p. 224: *Eramus quidem multo tempore in coenobio degentes vitam quietam sub eorum magisterio* …

12 Ibid.

13 TANGL, Urkunde für Fulda, p. 30 note 1, émit l'hypothèse d'une élection vers la fin de l'année 818.

lorsqu'elle alla présenter le nouvel abbé à Louis le Pieux[14]: c'est lui qui, le premier, fut introduit auprès de l'empereur[15].

2. ABBON[1]

Comte de Poitiers, attesté d'environ 778 au 27 avril 795

Abbon fut l'un des Francs que Charlemagne plaça en Aquitaine au retour de l'expédition militaire de 778[2]; il fut nommé à Poitiers[3]. Abbon est attesté comme comte de Poitiers en 780; il présida deux plaids en cette cité, le 18 novembre[4] et le 1er décembre[5]. Un certain Abbon souscrivit le diplôme de Louis le Pieux donné en faveur de la *cellola* de Nouaillé le 3 août 794 au Palais[6] (Haute-Vienne, arr. Limoges). Ce souscripteur peut être identifié avec le comte de Poitiers[7]. Enfin, Abbon souscrivit la notice d'un plaid tenu à Poitiers le 27 avril 795 et présidé par les *missi* du roi d'Aquitaine[8], Aldebaud[9] et Hermingaud[10]. En 811, un comte du nom d'Abbon fit partie des *primores de parte Francorum* qui confirmèrent par serment la paix conclue avec les Danois[11]. Rien ne permet cependant d'identifier ce comte avec celui de Poitiers[12]. Il en va de même du comte Abbon qui tenait en fief le *vicus Epaonis*[13] que Louis le Pieux, suite à la requête de ce dernier, restitua le 3 mars 831 à l'église cathédrale de Vienne[14].

---

14 Candidus, Vita Eigilis, c. 9, p. 225 sq.
15 Candidus, De vita Aeigili, p. 103 l. 13 sqq.: *Tum namque occiduus monachus et presbyter alti/ Regis ad aspectum prior invitatus Aaron/ Progreditur, causasque viae fratresque venisse/ Fuldenses humili coram sermone patenter/ Rege aperit atque ante fores astare reclusit.*

 1 Seule forme onomastique: *Abbo*.
 2 Cf. ABEL, Jahrbücher, tome 1, p. 310; AUZIAS, Aquitaine, p. 17; WOLFF, Aquitaine, p. 287 sq.; GANSHOF, Crise dans le règne de Charlemagne; BAUTIER, Campagne en Espagne.
 3 Astronomus, Vita, c. 3, p. 608: *Ordinavit autem per totam Aquitaniam comites, abbates, necnon alios plurimos quos vassos vulgo vocant, ex gente Francorum, quorum prudentiae et fortitudini nulli calliditate nulli vi obviare fuerit tutum, eisque commisit curam regni prout utile iudicavit, finium tutamen, villarumque regiarum ruralem provisionem ... porro Pictavis Abbonnem ...*
 4 Doc. dipl. Nouaillé, n° 4, p. 5 sq.: *... coram Abbonne comite ...*
 5 Doc. dipl. Nouaillé, n° 5, p. 6 sqq.: *... ante Abbonnem comite ...* Le comte souscrivit la notice de plaid.
 6 B.M. 516(497), éd. Ch.L.A., n° 681.
 7 Cf. AUZIAS, Aquitaine, p. 17 note 28. Sur cette liste de souscripteurs, cf. DEPREUX, Kanzlei, p. 156 et supra, la partie d'analyse II A.
 8 Doc. dipl. Nouaillé, n° 7, p. 10 sq.: *S. Abbonnis comitis.*
 9 Cf. la notice n° 24.
10 Cf. la notice n° 147.
11 Annales regni Franc., a. 811, p. 134. Cf. ABEL, Jahrbücher, tome 2, p. 465 sqq.
12 AUZIAS, Aquitaine, p. 17 note 28, a affirmé l'identité, mais WOLFF, Aquitaine, p. 291 note b, a laissé la question ouverte. Faute d'argument probant, il est préférable de distinguer les deux personnages, comme le fait BRUNNER, Oppositionelle Gruppen, p. 205 (index).
13 Cf. MOREAU, Dictionnaire, p. 330, art. *Epao*; MOREAU, Supplément, p. 98, art. *Epaone*.
14 B.M. 885(856), éd. Recueil des hist. 6, n° 166, p. 570 sq. Le même jour, un autre diplôme de Louis le Pieux fut donné en faveur de l'église cathédrale de Vienne; il fut délivré sur la requête de l'archevêque Bernard. Cf. B.M. 884(855).

3. **ADALBERT**[1] **(I)**

Connétable, attesté le 2 septembre 820 (peut-être dès le 3 août 794)

Le 2 septembre 820 à Quierzy-sur-Oise, le comte de Tours et l'évêque de Worms, agissant en tant qu'abbé de Wissembourg, conclurent un échange, dont de nombreux témoins souscrivirent la notice. Parmi eux, un certain connétable Adalbert[2]. De ce fait, l'on peut conclure que cette personne participa au plaid tenu par Louis le Pieux en son palais de Quierzy à la même époque[3]. Les éditeurs des actes de l'abbaye de Wissembourg ont identifié ce connétable avec son homonyme, le sénéchal[4], ce que je tiens pour impossible. En effet, bien qu'il concédât que le sénéchal, le bouteiller et le connétable avaient des fonctions comparables[5], Hincmar reconnaissait au sénéchal la plus grande importance[6]. Il est donc invraisemblable qu'un personnage attesté en 816 comme sénéchal régressât dans les années suivantes et devînt connétable. Il s'agit par conséquent de deux personnes différentes. Le 3 août 794 au Palais (Haute-Vienne, arr. Limoges), un certain Adalbert avait souscrit le diplôme de Louis le Pieux en faveur de la *cellola* de Nouaillé[7]. Pour des raisons chronologiques, il me semble impossible qu'il s'agisse du futur sénéchal de Louis le Pieux nommé ensuite comte de Metz. En revanche, il se peut que l'on ait en l'occurrence affaire au futur connétable. Si cette hypothèse s'avérait juste, l'on aurait ici le cas d'un membre de l'entourage de Louis le Pieux que le roi d'Aquitaine, une fois empereur, aurait conservé à son service et promu connétable, à moins qu'Adalbert ne le fût déjà pendant la période aquitaine.

4. **ADALBERT**[1] **(II)**

Sénéchal, puis comte de Metz, attesté à partir du 8 novembre 816 –
mort le 13 mai 841

Adalbert est attesté comme sénéchal de Louis le Pieux dans un diplôme daté du 8 novembre 816[2]: il avait été envoyé enquêter en tant que *missus* à la suite d'une plainte des moines de Prüm concernant l'aliénation d'une part de forêt par les *servi* du fisc de Thommen (*Tumbas*)[3]. Il faut rapprocher cette mission du sénéchal Adalbert de deux

---

1 Seule forme onomastique: *Adalbertus*.
2 Doc. dipl. Wissembourg, n° 69, p. 268 sqq., ici p. 271: *Signum Adalberti comite stabuli*. Cf. SIMSON, Jahrbücher, tome 1, p. 157 sq.
3 B.M. 722(699)a.
4 Cf. Doc. dipl. Wissembourg, p. 272 note 13. Sur le sénéchal Adalbert, cf. la notice n° 4.
5 Hincmarus, De ordine palatii, l. 373 sqq., p. 74 sqq.
6 Ibid., l. 382, p. 76: *Quae videlicet cura quanquam ad buticularium vel ad comitem stabuli pertineret, maxima tamen cura ad senescalcum respiciebat, eo quod omnia cetera praeter potus vel victus caballorum ad eundem senescalcum respicerent.*
7 B.M. 516(497), éd. Ch.L.A., n° 681. Sur les souscripteurs de ce diplôme, cf. DEPREUX, Kanzlei, p. 156 et supra, la partie d'analyse II A.

1 Formes onomastiques: *Adalbertus, Adhelbertus, Adalberhtus.*
2 B.M. 638(618), éd. Doc. dipl. Rhin moyen, p. 57 sq.
3 Ibid. (à la p. 57): *Nos quoque hec audientes ilico missum nostrum nomine Adalbertum siniscalcum videlicet nostrum, qui hoc per veraces homines pagenses scilicet loci illius diligenter inquireret, utrum*

autres témoignages relatifs à l'action d'un comte Adalbert en tant que *missus*: à une date indéterminée, Louis le Pieux rendit la liberté à un quidam qui s'était plaint devant les *missi* de l'empereur, Hetti[4] et Adalbert[5]. Nous savons par ailleurs que l'archevêque de Trèves et le comte Adalbert avaient en charge la *legatio* de Trèves[6]. Etant donné l'identité des zones d'action et malgré la fourchette de neuf ans séparant les deux témoignages datables, je tends à identifier le sénéchal Adalbert avec le comte faisant office de *missus* en compagnie de Hetti.

Bien que les auteurs des Regesta imperii[7] tendissent à reconnaître le futur comte de Metz en le *fidelis* auquel Louis le Pieux, le 20 novembre 834, céda en pleine propriété les biens sis dans le *pagus* de Worms et en *Cunigessunteri* (près de Mayence[8]) qu'il tenait jusqu'alors de l'empereur en bénéfice[9], et bien que l'on puisse en conclure que ce *fidelis* participa au plaid tenu en novembre 834 à Attigny[10], ce n'est que vers 835 que l'on a de nouveau assurément affaire au comte Adalbert[11]: Louis le Pieux l'avait chargé de transmettre à l'abbé de Fulda l'ordre de renforcer la garde de l'archevêque Ebbon, accusé de diffuser des écrits de propagande, de peur que Lothaire ne parvînt à libérer ce dernier[12]. Tandis que le préambule du diplôme du 20 novembre 834 n'a rien d'exceptionnel[13], il n'en va pas de même d'un diplôme donné environ deux ans plus tôt, par lequel Louis le Pieux donna à un certain *fidelis vassallus noster*

---

ita esset an non, misimus. At ille secundum quod illi iniunxeramus diligentissimam adhibens inquisitionem, repperit, quod nostri servi aliquam partem ipsius waldi iniuste ad partem nostram tenuissent ... Sur le fisc de Thommen (Belgique, arr. Verviers), cf. RANZI, Königsgut, p. 52; CARNOY, Origines, tome 2, p. 667.

4 Cf. la notice n° 150.

5 B.M. 823(798) = Formulae imperiales, n° 9, p. 293: ... *quidam homo, nomine Ingilbertus, questus est coram missis nostris, Etti videlicet archiepiscopo et Adalberto comite, eo quod ... Quae res dum ab eisdem missis et ceteris fidelibus nostris diligenter perscrutata, et per homines bone fidei veraciter inquisita esset, inventum est, sicut iidem missi nostri renuntiaverunt, ita verum esse.*

6 Commemoratio, p. 308: *In Treveris Hetti archiepiscopus et Adalbertus comes.* DÜMMLER, Geschichte, tome 1, p. 126 note 2, établit un rapprochement avec le comte de Metz.

7 De même SIMSON, Jahrbücher, tome 2, p. 179; DÜMMLER, Geschichte, tome 1, p. 126.

8 Cf. DÜMMLER, Geschichte, tome 1, p. 126 note 2.

9 B.M. 932(903), éd. Doc. dipl. Nassau (bis), n° 56, p. 23 sq. (à la p. 23): ... *quia concessimus eidem fideli nostro, Adalberto nomine, ad proprium quasdam res, quas idem ipse nostro munere in pago Wormaciense et Cuniges Sunteri hactenus iure beneficiario possedit* ...

10 B.M. 931(902)g. Le diplôme B.M. 932(903) fut donné à Attigny.

11 Cf. SIMSON, Jahrbücher, tome 2, p. 136, qui tient l'identification avec le comte de Metz pour »vraisemblable« (ibid., p. 136 note 3).

12 Epistolarum Fuldensium fragmenta, p. 520 l. 37 sqq.: *Et captum illum (sc. Ebbonem) in Fuldense coenobium misit ac custodiri in carcere iussit eundemque, cum fama increbuisset, quod Lotharius eum conaretur in Italiam ad novas turbas evocare et quod ipse literas scriberet, quibus ecclesiam et rempublicam denuo perturbaret, praecepit abbati per Adalbertum legatum suum, ut eum diligentius et accuratius custodiret, ut patet ex epistolis abbatis ad Drogonem et ad Marquardum Prumiensem et ad Iuditham.*

13 Arengenverzeichnis, n° 1076: *Imperialis celsitudinis moris est, fideles suos donis multiplicibus et honoribus ingentibus honorare atque sublimare.*

du nom d'Adalbert la *villa Fontanas* sise dans le *pagus* de Toulouse[14]: c'était, d'après le préambule, expressément pour le récompenser de la constance avec laquelle il avait servi l'empereur[15]. Rien ne s'oppose à ce que les deux *fideles* n'en fussent en réalité qu'un seul; rien ne permet cependant de le prouver. C'est Nithard qui, dans son récit relatif aux événements de 841, fit mention d'Adalbert comme comte de Metz[16]; ce dernier joua un grand rôle dans le conflit entre Louis le Germanique et Lothaire, et il fut à cet effet créé *dux* par le second[17]. Nithard souligna également le prestige dont jouissait alors Adalbert[18]. Mais le prestige du comte est attesté dès 838/839, puisqu'il était alors parvenu, tantôt par ses menaces et tantôt par ses conseils[19], à rallier les Saxons au parti de Louis le Pieux, contre Louis le Germanique[20]. Lors de l'ultime révolte du roi de Bavière contre son père, Adalbert fut chargé, avec Drogon[21], de garder la rive occidentale du Rhin[22].

De la mention du nom du comte Adalbert (le premier des laïcs, cités après les évêques) parmi les témoins de la restitution ordonnée par Louis le Pieux en faveur de l'abbé de Fulda le 14 juin 838 au palais Nimègue[23], on peut conclure que cet individu participa au plaid alors réuni par l'empereur et dont l'objet principal était la défense des côtes contre les Danois[24]. Le 13 mai 841, le *dux Austrasiorum* livra bataille à Louis le Germanique pour, conformément aux ordres de Lothaire, l'empêcher de rejoindre Charles le Chauve[25]: il mourut dans le combat[26]. Nous avons déjà pu constater que l'importance du comte Adalbert était loin d'être négligeable vers la fin du règne de Louis le Pieux. Un détail va l'illustrer encore plus précisément: le 17 avril 838, Louis le Pieux avait restitué, à la demande du comte Adalbert, la *villa Bonalla* sise dans le *pagus Carmicense*, que ce dernier tenait de lui en bénéfice, à l'église cathédra-

---

14 B.M. 907(878), éd. Recueil des hist. 6, n° 177, p. 581.
15 Arengenverzeichnis, n° 1078: *Imperialis celsitudinis moris est sibi bene servientibus beneficia oportuna largiri, quorum fidelis famulatus non solum in diversa certamina, sed etiam in reipublicae obsequio fideliter obtemperare dinoscitur.* Sur ce préambule, cf. DEPREUX, Nithard, p. 158.
16 Nithardus, Historia, lib. 2, c. 7, p. 58.
17 Ibid., p. 60.
18 Ibid., p. 58: *Erat enim eo in tempore ita prudens consilio, ut sententiam ab eo prolatam non quilibet mutaret vellet.*
19 Sur le ton employé par l'annaliste pour décrire l'action d'Adalbert, cf. SIMSON, Jahrbücher, tome 2, p. 196 note 7.
20 Annales Fuldenses, a. 839, p. 29: *Imperator … cum exercitu navigio Rhenum transiit, obvios habens Saxones partim minis partim suasionibus Adalberhti comitis adductos.* Sur le contexte, cf. SIMSON, Jahrbücher, tome 2, p. 195 sqq.
21 Cf. la notice n° 75.
22 Annales Fuldenses, a. 840, p. 30: *Quo conperto imperator de Aquitania infecto negotio redire conpulsus Druogonem archicapellanum et Adalbertum comitem cum aliis multis praemisit ad tuendum litus occidentale Rheni fluminis …* Sur le contexte, cf. DÜMMLER, Geschichte, tome 1, p. 135 sq.
23 Doc. dipl. Fulda, n° 513, p. 226.
24 B.M. 977(946)a. Cf. SIMSON, Jahrbücher, tome 2, p. 176 sq.
25 Nithardus, Historia, lib. 2, c. 9, p. 66. Sur le contexte, cf. DÜMMLER, Geschichte, tome 1, p. 148 sqq.
26 Annales Fuldenses, a. 841, p. 32: *… ortoque proelio Adalbertus comes et incentor discordiarum occiditur et cum eo innumerabilis multitudo hominum prosternitur III. Idus Mai.*

le du Mans[27]. Or, dans ce diplôme, Adalbert est dit être le conseiller de l'empereur: *comes et consiliarius noster*[28].

Prétendument vers la même période apparaît dans un diplôme attribué à Louis le Pieux un certain Adalbert réputé être *fidelis vassalus noster et sacri palatii comes*; il est présenté comme le fondateur du monastère de Lindau. Or le diplôme en question est un faux[29]. Bien que le nom d'Adalbert soit réellement lié à l'histoire du monastère de Lindau[30] et qu'un comte du Palais soit par ailleurs attesté comme *stifter dis mùnsters*[31], on ne peut ici prendre en compte cet hypothétique *comes palatii* de Louis le Pieux. Reste la question de l'identité entre le sénéchal attesté en 816 et le comte de Metz de la fin du règne de Louis le Pieux. Bien que B. Simson se soit avec vigueur prononcé contre cette identité[32], il me semble que la constance géographique plaide fortement en sa faveur. L'abbaye de Prüm, le diocèse de Trèves, le comté de Metz, les rivages du Rhin: ces lieux sont le rayon d'action d'un personnage qui, certes, tint des *beneficia* et eut des propriétés dans tout l'empire[33], mais se trouvait ancré en Austrasie.

5.   **ADALFRID**[1]
                          Moine, attesté en 817/818

Adalfrid fut l'un des *monachi occidentales* envoyés à Fulda par Louis le Pieux pour mettre fin aux dissensions au sein de la communauté et pour procéder à la réforme des institutions de l'abbaye. Son action est présentée dans la notice relative à son compagnon, Aaron[2].

---

27 B.M. 973(942), éd. Gesta Aldrici, p. 197 sqq.
28 Ibid., p. 198. Il faut toutefois noter que le titre de *consiliarius*, que l'on rencontre à l'occasion dans les sources narratives de l'époque, ne fait pas partie du vocabulaire habituel de chancellerie; c'est, à ce qu'il me semble, ici l'unique occurrence. SICKEL, Acta regum, tome 2, p. 352 L. 358, ne souffle mot de ce titre.
29 B.M. 992(961), éd. M.B. 31, n° 39, p. 85 sqq. (à la p. 85).
30 Translatio Sanguinis, c. 15, p. 448.
31 D'après le nécrologe de Lindau, cité par BORGOLTE, Grafen Alemanniens, p. 19. Sur l'état de la question concernant cet Adalbert, cf. ibid., p. 19 sq.
32 Cf. SIMSON, Jahrbücher, tome 2, p. 241. En revanche, DÜMMLER, Geschichte, tome 1, p. 126 note 2, établit un rapprochement entre le comte Adalbert attesté vers 825 comme *missus* dans le diocèse de Trèves et le comte de Metz. On doit peut-être expliquer la réticence de B. Simson par une difficulté à concevoir que le service du souverain pût s'inscrire en début et non en fin de carrière et que l'envoi »en province« s'avérât en réalité une promotion, ce qui fut pourtant le cas du comte du Palais Adalhard, qui reçut le duché de Spolète. Cf. Annales regni Franc., a. 824, p. 166. Il est donc tout à fait possible qu'Adalbert ait commencé sa carrière au Palais, comme sénéchal, et l'ait achevée dans la prestigieuse cité de Metz. Sur l'importance de Metz, cf. OEXLE, Stadt des heiligen Arnulfs.
33 C'est-à-dire dans sa région, vers Worms, mais aussi en Neustrie et, éventuellement, dans le Toulousain.

1 Seule forme onomastique: *Adalfridus*.
2 Cf. la notice n° 1.

6.   **ADALGAIRE**[1]

Comte, attesté de septembre 836 au 7 juillet 856

Lothaire, pour cause de maladie, ne parut pas au plaid tenu par son père à Worms en septembre 836[2]: en conséquence, Louis le Pieux envoya son demi-frère Hugues[3] et le comte Adalgaire auprès de son fils pour le *visitare* par l'intermédiaire de ses *missi fidelissimi*, comme l'écrit l'Astronome, qui semble faire allusion à une visite de courtoisie[4]. En réalité, le terme *visitare* est à comprendre au sens d'inspecter[5], comme Prudence l'atteste en ses Annales: il s'agissait certes de s'inquiéter de l'état de santé de Lothaire, mais aussi de s'informer s'il comptait rencontrer son père par la suite. En outre, les deux *missi* durent traiter deux affaires: d'une part, négocier la restitution aux églises de *Francia* de leurs biens italiens usurpés par les tenants de Lothaire et, d'autre part, obtenir la garantie pour les évêques et comtes ayant raccompagné Judith d'exil – c'est-à-dire ayant par ce fait abandonné la cause de Lothaire – de recouvrer leurs charges et leurs biens[6]; les tractations ne semblent pas, à ce propos, avoir abouti[7]. Du fait de sa mission, on peut en outre conclure à la participation du comte Adalgaire au plaid tenu en septembre 836 à Worms[8].

On peut également identifier avec notre personnage un comte témoin de la restitution faite en faveur de l'abbé de Fulda sur l'ordre de Louis le Pieux, le 14 juin 838 à Nimègue[9]. Par conséquent, Adalgaire participa au plaid alors tenu en ce palais par l'empereur, visant à la défense des côtes contre les Danois[10]. C'est peut-être à cette occasion qu'il fut envoyé chez les Abodrites et les Wilzes[11]. Toujours est-il qu'il ac-

---

1 Formes onomastiques: *Adalgarius, Adelgarius.*
2 Cf. Simson, Jahrbücher, tome 2, p. 156 sqq.
3 Cf. la notice n° 165.
4 Astronome, Vita, c. 55, p. 641: *Imperator vero clementissimus natura, ut filium adversa valitudine correptum audivit, per missos fidelissimos, Hugonem videlicet fratrem suum, sed et Adalgarium comitem, eum visitavit, atque eius omnia incommoda rescire studuit, imitatus videlicet beatum David, qui multis insectationibus lacessitus a filio, mortem tamen eius aegerrime tulit.* Cf. la réaction de David à l'annonce de la mort d'Absalom, 2 Sam. XIX, 1–5.
5 Gaffiot, Dictionnaire, p. 1684.
6 Annales Bertiniani, a. 836, p. 19: *Ad quem directis denuo Hugone abbate et Adalgario comite, de infirmitate ac recuperatione eius et voluntate in posterum veniendi quaesitum est, necnon de restitutione rerum ecclesiis Dei in Francia constitutis, quae in Italia sitae a suis pro libitu fuerant usurpatae; verum et de episcopis atque comitibus qui dudum cum augusta fideli devotione de Italia venerant, ut eis et sedes propriae et comitatus ac beneficia seu res proprie redderentur.*
7 Cf. Simson, Jahrbücher, tome 2, p. 158 sq.
8 B.M. 963(932)a.
9 Doc. dipl. Fulda, n° 513, p. 226.
10 Cf. Simson, Jahrbücher, tome 2, p. 176 sq.
11 Au cas où son envoi aurait été décidé à l'occasion d'un plaid, il me semble plus probable que cela se soit fait lors du plaid de Nimègue, plutôt que lors de celui tenu en septembre suivant à Quierzy, cf. B.M. 982(951)a. Le retour d'Adalgaire à l'automne rend d'ailleurs son départ en septembre invraisemblable.

complit sa mission avec succès[12] et en revint à l'automne[13], avec des otages[14]. Adalgaire semble par la suite avoir été un personnage important de l'entourage de Charles le Chauve, qui l'envoya durant l'été 840 comme messager auprès de Lothaire[15], et pour la liberté de qui le jeune roi n'hésita pas à mettre en oeuvre le siège de Laon[16]. Adalgaire est en outre attesté comme *missus* de Charles le Chauve en novembre 853[17] et le 7 juillet 856[18].

7. ADALGISE[1]

Comte du Palais, puis comte de Parme, attesté de 827 à 853

Le comte Adalgise[2], en qui l'on a reconnu un Supponide[3], a été identifié comme comte de Parme[4] en raison de la souscription qu'il porta au bas de la donation que Cunégonde, la veuve du roi Bernard d'Italie, fit le 15 juin 835 au monastère Saint-Alexandre de cette cité[5]. Il est attesté à plusieurs reprises comme *missus* de l'empereur Lothaire: vers 835 à Crémone, où une *inquisitio* lui avait été confiée[6], et en 838 à Rovigo, où il présida avec les évêques Théodore et Witgaire un plaid où une affaire concernant l'église cathédrale de Ravenne fut jugée[7]. Le comte Adalgise est attesté pour la dernière fois en 853[8]. L'on doit encore étudier en détail deux occurrences de

---

12 Ce succès fut néanmoins éphémère, cf. Simson, Jahrbücher, tome 2, p. 215.

13 Cf. B.M. 982(951)c.

14 Annales Bertiniani, a. 838, p. 25 sq.: *Verum pridem imperatore in Verno venationem exercente, Adalgarius et Egilo comites, ad Obodritos et Wilzos a fide deficientes dudum directi, reversi sunt, adductis secum obsidibus, imperatori subditos deinceps fore nuntiantes. Imperator vero coeptum peragens iter, ad Franconofurd hiemandi gratia profectus est.*

15 Nithardus, Historia, lib. 2, c. 2, p. 40. Ph. Lauer notait, à mon sens à tort, à propos d'Adalgaire que »ce personnage n'est pas connu par ailleurs« (ibid., p. 41 note 3).

16 Nithardus, Historia, lib. 3, c. 4, p. 96 sqq. Nelson, Charles the Bald, p. 16, y voit juste la preuve que Charles le Chauve sut se montrer »a good Lord«.

17 Capitulare missorum Silvacense, p. 275.

18 Capitula ad Francos, p. 279.

---

1 Formes onomastiques: *Adalgisus, Adalghisus, Adelghisus, Adelgisus, Adelgis.*

2 Sur ce personnage, cf. Hlawitschka, Franken, p. 110 sq.

3 Ibid., p. 111 et p. 299 sqq.

4 Cf. Pivano, Comitato di Parma, p. 11.

5 Annales O.S.B.2, n° 58, p. 689 sq.: + *Adalghisus comes, rogatus ad Cunigunda, manu mea subs.* L'acte fut établi à Parme. On en a conclu qu'Adalgise était le comte de ce lieu, cf. Pivano, Comitato di Parma, p. 11. A mon sens, on peut seulement dire qu'Adalgise fut *vraisemblablement* comte de Parme, et non que ceci fut prouvé par S. Pivano, comme l'affirme Hlawitschka, Franken, p. 110.

6 Dipl. Karol. 3, n° 25, p. 98 sq. (diplôme du 7 mars 835): *Quam causam diligenter Ructaldo sacri palacii capellano nostro nec non et Maurino comiti palacii nostri seu et Adalgiso comiti inquirere precipimus, si per iustitiam ipsa parafreda vel ipsa carra ad nostrum servicium peragendum dare debuissent an non.* L'on retrouve notre personnage présidant un plaid à Crémone le 22 mars 841, cf. Doc. dipl. Italie, n° VIII, p. 576 sqq.

7 Doc. dipl. Italie, n° 43, p. 139 sqq.: + *Adalghisus comes et missus domni imperatoris subscripsi.*

8 Cf. Pivano, Comitato di Parma, p. 53 sq.; Hlawitschka, Franken, p. 111. Pivano, Comitato di Parma, p. 59, a résumé ainsi la carrière de notre personnage: »Adalgiso, dall'835 sicuramente conte di Parma, e molto probabilmente conte anche di Brescia, è ad un tempo duca del cospicuo ducato lombardo-emiliano, inchiudente, con Parma e Brescia, anche Bergamo, Cremona e con ogni verosimig-

son nom. Le 11 mars 827 à Ostiglia, un plaid avait été tenu pour régler un différend entre l'abbaye de Nonantola et le comte de Vérone[9]. Ce plaid avait été notamment présidé par Adalgise, comte du Palais, agissant comme *missus* de l'empereur: *in presencia Ragimundi comiti et Adelgis comis palacii missi domni imperatoris*[10]. L'on ne peut malheureusement pas définir s'il s'agit d'un comte du Palais de Louis le Pieux ou de Lothaire[11]. Par ailleurs, un certain comte Adalgise avait fait partie d'une délégation envoyée par Louis le Pieux à Pavie en 836, auprès de Lothaire[12].

Les avis des érudits sont fort partagés à propos de l'identification de ces deux personnages. Alors que L. Hartmann avait émis l'hypothèse de l'identité entre le comte attesté en Italie comme *missus* de Lothaire et le comte du Palais présidant le plaid de 827[13], E. Hlawitschka, rejoignant ici B. Simson[14], la rejeta en la jugeant »impossible«[15] – sans cependant présenter une quelconque justification de cet avis. De même, E. Hlawitschka se refusa (ici également sans se justifier[16]) à reconnaître avec S. Pivano[17] et P. Hirsch[18] le comte de Parme dans l'individu envoyé en ambassade auprès de Lothaire. Concernant ce problème d'identification, la part d'hypothèse est fort grande et elle dépend en majeure partie de la sensibilité des différents auteurs. Il me semble impossible de prouver l'identité des personnages[19]. Reste à savoir si cette identité est, comme l'affirme E. Hlawitschka, impossible. Tout d'abord, rien, dans ce que nous savons de l'itinéraire du comte de Parme ne s'oppose à ce qu'il fût le membre de la légation envoyée auprès de Lothaire: il était à Parme le 15 juin 835[20], mais cette légation ne fut ordonnée qu'au cours de l'hiver 835/836[21]. D'autre part, on ne peut pas prétexter une tension telle entre Louis le Pieux et Lothaire qu'elle interdît à un comte du royaume de ce dernier de se rendre à la cour du premier (d'où il est vraisemblable qu'il partit pour se rendre auprès de Lothaire), puisque les deux hommes s'étaient réconciliés en 834[22] et que la dégradation des relations ayant conduit à

---

lianza Piacenza«. Pour un rapide aperçu de la carrière d'Adalgise, cf. HLAWITSCHKA, Franken, p. 110 sq.

9 Doc. dipl. Italie, n° II, p. 566 sqq.

10 C. Manaresi comprit que le plaid était présidé par »les« *missi* impériaux Ragimond et Adalgise, mais on ne peut grammaticalement retenir que le second comme *missus*. C'est pourquoi le premier n'a pas été étudié dans cette prosopographie.

11 MEYER, Pfalzgrafen, p. 460, le mentionne toutefois parmi les comtes du Palais de Louis le Pieux, tout en reconnaissant le flou qui entoure ce personnage (ibid., note 7).

12 Liutolfus, Translatio s. Severi, c. 2, p. 292: *Interea Hludowicus imperator Otgarium Mogontiensem archiepiscopum et Hilti Viridunensem antistitem duosque comites, quorum alter Warinus, alter Adalgisus vocabatur, ad Hlutharium filium suum, qui eo tempore Ticini morabatur, destinavit pro pace et amicitiis inter eos renovandis, quae pravorum hominum machinatione ex aliqua parte erant turbatae.*

13 Cf. HARTMANN, Geschichte Italiens, tome 3/1, p. 229 note 114.

14 Cf. SIMSON, Jahrbücher, tome 2, p. 146 note 2.

15 HLAWITSCHKA, Franken, p. 111 note 12.

16 Ibid.

17 Cf. PIVANO, Comitato di Parma, p. 13.

18 Cf. HIRSCH, Erhebung, p. 55 note 1.

19 Cf. MEYER, Pfalzgrafen, p. 460 note 7.

20 Annales O.S.B. 2, n° 58, p. 689 sq.

21 B.M. 951(920)a.

22 B.M. 931(902)d.

la fermeture des cols alpins par Lothaire[23] ne data que de 836[24]/837[25]. Il me semble par conséquent tout à fait possible que le comte envoyé par Louis le Pieux auprès de Lothaire fût le comte de Parme: une thèse qui a l'inconvénient, d'une part pour les partisans d'une division trop stricte entre l'entourage de Louis et celui de son fils et d'autre part pour les historiens posant comme postulat une Italie hors de la zone d'influence de Louis le Pieux, de remettre en question une interprétation trop manichéenne de l'histoire de l'empire carolingien vers la fin du règne de Louis le Pieux – c'est d'ailleurs la raison pour laquelle j'opte pour cette identification. Quant au refus d'aucuns concernant l'identification du comte du Palais de 827 comme futur comte de Parme, il ne repose sur aucun argument sérieux. A mon sens, cette identification est d'autant plus probable que nous avons un autre exemple (cette fois irréfutable) de la nomination d'un comte du Palais (de Louis le Pieux) à la tête d'une circonscription administrative d'Italie[26].

8. **ADALHARD[1] (I)**

Abbé de Corbie, mort le 2 janvier 826

Il est hors de question de présenter ici une étude exhaustive sur Adalhard, d'autant que l'on dispose désormais d'une biographie de l'abbé de Corbie[2]. Il convient juste par conséquent de rappeler l'importance de l'Antoine[3] du temps de Charlemagne et d'observer ce qu'il en fut sous Louis le Pieux. L'abbé de Corbie, de sang royal[4], jouit d'un très grand prestige à la cour de Charlemagne, comme en témoignent plusieurs auteurs considérant en lui le premier parmi les plus proches conseillers du souverain[5]. Son domaine d'action politique fut essentiellement l'Italie (c'est-à-dire l'ancien royaume des Lombards et le *Patrimonium Petri*[6]). Il fut envoyé porter au pape les actes du concile tenu à Aix-la-Chapelle en 809 sur la question de la procession du saint Esprit[7]. Mais c'est surtout la régence qu'il exerça à la mort de Pépin d'Italie (8

---

23 Annales Bertiniani, a. 837, p. 22.
24 B.M. 963(932)a.
25 B.M. 965(934)a.
26 Il s'agit d'Adalhard (II), cf. la notice n° 9, qui reçut le duché de Spolète, cf. Annales regni Franc., a. 824, p. 166.

1 Formes onomastiques: *Adalhardus, Adalardus, Adelhardus, Adalhard.*
2 Kasten, Adalhard.
3 Cf. les lettres que lui adressait Alcuin: Alcuinus, Epistolae, n° 175, 220, 222 et 237, respectivement p. 290 sq., 364, 365 sq. et 381 sq. Cf. également Paschasius, Epitaphium, lib. 1, p. 30 et p. 42. A ce propos, cf. Ganz, Epitaphium, p. 541.
4 Paschasius, Vita Adalhardi, c. 7, p. 525.
5 Hincmarus, De ordine palatii, l. 218 sqq. p. 54: ... *inter primos consiliarios prim(us)...* ; Paschasius, Vita Adalhardi, c. 7, p. 525; Translatio s. Viti, p. 36: *Hic cum esset inter primos palatii atque consiliarios regis, scilicet quia erat consanguineus eiusdem, voluntas supradicti regis ei abscondi minime potuit.*
6 Cf. Translatio s. Viti, p. 38 (nous sommes au début de l'année 814): ... *perrexit Romam non solum orationis causa, sed etiam ut cum venerabili viro Leone papa conferret de necessitate regia et plebis* ... Cf. également Paschasius, Vita Adalhardi, c. 17, p. 526.
7 Annales regni Franc., a. 809, p. 129: *His ita gestis imperator de Arduenna Aquas reversus mense Novembrio concilium habuit de processione Spiritus sancti, quam questionem Iohannes quidam mo-*

juillet 810) qui atteste son rôle prépondérant au sein de l'empire franc[8]. Adalhard fut en quelque sorte le mentor du jeune Bernard[9], pour qui il composa éventuellement son De ordine palatii[10]. Adalhard ne résida pas tout le temps de sa régence en Italie; il fit vraisemblablement plusieurs voyages en *Francia* – un tel voyage est du moins attesté, au cours duquel l'abbé de Corbie introduisit l'abbé Pierre de Nonantola auprès de l'empereur pour requérir son accord relativement à un échange de biens[11]. L'action d'Adalhard en tant que *missus* en Italie est, grâce à plusieurs notices de plaid, assez bien connue[12].

Dès qu'il reçut la nouvelle de la mort de Charlemagne, Adalhard regagna en hâte son monastère de Corbie[13]. Les historiens s'accordent sur le fait que c'est en 814, à l'occasion de la purge du Palais, que l'abbé de Corbie fut envoyé en exil[14], au monastère de Saint-Philibert[15]. Certes, les auteurs médiévaux favorables au père spirituel qu'était pour eux Adalhard mirent l'avènement de Louis le Pieux en rapport avec le triste sort infligé à l'abbé de Corbie[16], mais aucune source ne permet de dater cet exil avec précision. Toujours est-il qu'Adalhard ne semble pas n'avoir plus osé s'aventurer hors de son monastère[17], puisqu'il participa, en 814, à un synode réuni à Noyon par l'archevêque de Reims, Vulfaire[18]. L'on pourrait objecter qu'il est possible que l'abbé Adalhard que mentionne à cette occasion Flodoard fût le successeur d'Adal-

---

nachus Hierosolimis primo commovit; cuius definiendae causa Bernharius episcopus Wormacensis et Adalhardus abbas monsterii Corbeiae Romam ad Leonem papam missi sunt. Passage repris dans les Annales Fuldenses, a. 809, p. 17. A propos de cette mission, cf. Leo, Epistolae, n° 9, p. 67 sq.

8 Translatio s. Viti, p. 36 sqq.: *Sed iam dicto abbati illo in tempore commissa erat cura maxima, videlicet ut regnum Longobardorum gubernare deberet, donec filius Pippini Bernhardus nomine cresceret.* Cf. Doc. dipl. Lombardie, n° 88 col. 164: *Cum post obitum piae memoriae domni Pippini regi domnus imperator Carolus missos suos ad procurandam Italiam dirigeret ...* Cf. également Paschasius, Vita Adalhardi, c. 16, p. 525 sq.

9 Translatio s. Viti, p. 38: *Factum est autem, postquam praefatus puer crevit, accepit ei uxorem et constituit (eum) secundum iussionem principis super omne regnum.* Sur la nomination de Bernard comme roi en Italie, cf. DEPREUX, Königtum.

10 Cf. BRÜHL, Hinkmariana, p. 54; KASTEN, Adalhard, p. 72 sqq. (notamment p. 79). Cet auteur, à la différence de BRÜHL, Hinkmariana, p. 53 note 27, soutient la thèse d'une régence assurée par Adalhard en Italie au début du règne de Pépin, cf. KASTEN, Adalhard, p. 42 sqq. La date de rédaction du traité d'Adalhard n'est pas connue avec certitude. D'autres la pensaient par exemple plus tardive (cf. KIRN, Staatsverwaltung, p. 533 sq.; LÖWE, Karolinger, p. 317).

11 Doc. dipl. Lombardie, n° 88 col. 164 sqq.

12 Cf. Doc. dipl. Italie, n° 25 p. 77 sqq. (Pistoia, mars 812); n° 26 p. 80 sqq. (avril 813); n° 28 p. 85 sqq. (Spolète, février 814 – malgré la date, Adalhard agit en tant que *missus* de Charlemagne: il n'avait vraisemblablement pas encore reçu la nouvelle de la mort de ce dernier).

13 Cf. Translatio s. Viti, p. 38.

14 SIMSON, Jahrbücher, tome 1, p. 20 sqq.; KASTEN, Adalhard, p. 85; BRUNNER, Oppositionelle Gruppen, p. 78. Les causes de l'exil d'Adalhard ne sont pas claires, cf. KASTEN, Adalhard, p. 85 sq. SEMMLER, Beschlüsse, p. 78, est d'avis que »die Verbannung ... hatte sicherlich dynastisch-familiäre Gründe«. Quant à WEINRICH, Wala, p. 30, il souligne que »der Prozeß der Neuordnung des Hofes war schon so weit gediehen, daß sich gegen diese Behandlung Adalhards kein Widerspruch erhob«.

15 Paschasius, Vita Adalhardi, c. 32, p. 527: *... mittitur ... ad Heri insulam.*

16 Paschasius, Vita Adalhardi, c. 30, p. 527; Translatio s. Viti, p. 38.

17 KASTEN, Adalhard, p. 85, suppose qu'entre son retour d'Italie et son bannissement, Adalhard fréquenta la cour qu'il n'aurait quittée qu'après le synode de Noyon. Rien ne permet d'affirmer cela.

18 Flodoardus, Historia, lib. 2, c. 18 p. 466 l. 1 sqq. Cf. HARTMANN, Synoden, p. 164 sq.; SOT, Flodoard, p. 468 sq. KASTEN, Adalhard, p. 85, invente quand elle date le synode du »début de l'été« 814 et prétend qu'il fut présidé par Louis le Pieux.

hard, à savoir Adalhard »le Jeune«[19]. Toutefois, un détail m'incite à identifier cet abbé avec Adalhard »l'Ancien«[20], si l'on admet avec M. Sot que Flodoard utilisa les actes du synode pour composer son Histoire[21] et si l'on suppose qu'il fut, selon son habitude[22], fidèle à sa source: le fait qu'Adalhard est le premier des abbés cités.

Le 29 janvier 815 à Aix-la-Chapelle, Louis le Pieux délivra un diplôme en faveur de l'abbaye de Corbie: à la demande de l'abbé Adalhard, il confirma à l'abbaye son privilège d'immunité; il devrait s'agir d'Adalhard »le Jeune«. En effet, Adalhard »l'Ancien« semble avoir été envoyé en exil en 814, ou du moins sept ans avant d'être libéré[23]. Or, c'est à la mi-octobre 821 qu'il rentra en grâce[24]. Au plaid tenu en août 822 à Attigny, Louis le Pieux battit publiquement sa coulpe (*publicam confessionem fecit et paenitentiam egit*) en partie en raison de l'envoi en exil de l'abbé de Corbie[25]. L'abbé de Corbie consacra ensuite toute son énergie à la fondation du monastère de Corvey[26], pour laquelle il reçut l'appui de Louis le Pieux[27]. Il ne convient pas ici de rouvrir ce dossier. En revanche, un détail sur l'activité politique d'Adalhard doit retenir notre attention. L'abbé de Corbie semble avoir joué un rôle assez important lors du plaid tenu en août 822: d'après le témoignage d'Agobard, il se serait montré chaud partisan de la réforme générale alors mise en oeuvre par un souverain cherchant, le premier, à s'amender[28]. L'abbé de Corbie, ainsi que son demi-frère et Hélisachar, servirent alors d'intermédiaires entre l'archevêque de Lyon et Louis le Pieux concernant la question du baptême des esclaves de maîtres juifs[29]. Il n'y a donc aucun

19 SIMSON, Jahrbücher, tome 1, p. 21 note 2, opte pour cette solution.
20 KASTEN, Adalhard, p. 85, opte pour cette solution (sans cependant sembler se poser la question d'une éventuelle participation d'Adalhard »le Jeune«).
21 Cf. SOT, Flodoard, p. 646.
22 Sur la méthode de travail de Flodoard, cf. ZIMMERMANN, Flodoards Historiographie.
23 Paschasius, Vita Adalhardi, c. 45, p. 529. Cf. également la fin du c. 39, non reproduite par G. H. Pertz, mais éditée dans P.L. 120, col. 1530.
24 Annales regni Franc., a. 821, p. 156; Astronomus, Vita, c. 34, p. 626; Translatio s. Viti, p. 42. Cf. SIMSON, Jahrbücher, tome 1, p. 171.
25 Annales regni Franc., a. 822, p. 158. Cf. Paschasius, Vita Adalhardi, c. 50 et 51, p. 529 sq. Cf. SIMSON, Jahrbücher, tome 1, p. 178 sqq.
26 Cf. Erlebnisbericht; Paschasius, Vita Adalhardi, c. 65, p. 531; Translatio s. Viti, p. 42 sqq.; Catalogus abbatum Corbeiensium, p. 275. Cf. SIMSON, Jahrbücher, tome 2, p. 266 sqq.; WIESEMEYER, Gründung; SEMMLER, Corvey und Herford; KASTEN, Adalhard, p. 145 sqq.
27 B.M. 779(754), B.M. 780(755) et B.M. 924(895).
28 Agobardus, Epistolae, n° 5, p. 166 l. 37 sqq.
29 Agobardus, Epistolae, n° 4, p. 164: *Nuper cum a palatio tempus redeundi nobis iam fuisset indultum, suavissima dilectio vestra sedit et audivit me, musitantem potius quam loquentem contra eos, qui querelas Iudeorum astruebant. Cumque audita fuissent a vobis et modificata que dicebantur altrinsecus, surrexistis, et ego post vos. Vos ingressi estis in conspectu principis, ego steti ante ostium; post paululum fecistis, ut ingrederer, sed nihil audivi, nisi absolutionem discedendi. Quid tamen vos dixeritis clementissimo principi prefata de causa, qualiter acceperit, quidve responderit, non audivi. Ad vos postea non accessi, prepediente pudore ignavo, et molestia fatigante me, que mihi utique accessit non tam ex involutione rerum, quam ex ignobilitate mentis.*

doute sur le fait qu'à sa mort, l'abbé de Corbie avait recouvré tout son prestige et toute son influence[30]. Adalhard mourut le 2 janvier 826[31].

9.   ADALHARD[1] (II)

Comte du Palais[2], puis duc de Spolète, attesté à partir de 822 (peut-être dès l'été 821) – mort à la fin de l'année 824

Un certain Adalhard, *vassus* de l'empereur, siégea en qualité de *missus* de Louis le Pieux dans un plaid tenu à Nurcie en août 821, où l'on traita une affaire concernant l'abbaye de Farfa[3]. On peut vraisemblablement identifier ce *vassus* avec le *comes palatii* du même nom dont la présence en Italie est attestée pour les années suivantes. C'est ainsi qu'il siégea avec Wala[4] lors d'un plaid tenu en 822[5], ce qui laisse supposer que, bien que l'auteur des Annales royales n'en souffle mot, Adalhard fut envoyé en Italie avec Wala et Gérung[6], chargés d'accompagner et de seconder Lothaire[7] – à moins qu'il ne résidât toujours en Italie, ce que suggérerait sa présence déjà en 821. Après le retour de Lothaire à la cour franque en juin 823 et suite au rapport de ce dernier, le comte du Palais Adalhard fut envoyé en Italie pour continuer d'y rendre la justice et régler les questions en cours d'examen[8]. Reste à savoir si Adalhard était comte du Palais de Louis le Pieux ou de Lothaire. Outre le fait que Louis le Pieux en disposait comme il l'entendait (ainsi en 823, mais également en 824, comme nous le verrons plus loin), raison pour laquelle je tends à en faire un comte du Palais de ce

---

30 Il semblerait qu'Adalhard ne se soit cependant pas plié aux idéaux ludoviciens, mais ait plutôt travaillé à rétablir les traditions du temps de Charlemagne, comme ses choix architecturaux pour Corvey le laissent penser. Cf. Jacobsen, Allgemeine Tendenzen, p. 650 sqq.

31 Le 2 janvier 826 est traditionnellement retenu comme date de la mort d'Adalhard, cf. Kasten, Adalhard, p. 168 sq.

1 Formes onomastiques: *Adalhardus, Adelard, (Adalhartus)*.

2 Cf. Simson, Jahrbücher, tome 2, p. 244; Meyer, Pfalzgrafen, p. 460.

3 Doc. dipl. Italie, n° 32, p. 98 sqq.: *Dum a pietate domni precellentissimi et a Deo coronati Hludovici magni imperatoris a finibus Spoletanis directi fuissemus nos Aledram comes et Adelard seu Leo vassi et missi ipsius augusti singulorum hominum causas audiendas et deliberandas … Signum + manus suprascripti Adelardi missi, qui interfui*. En réalité, il y fut rendu deux jugements. Cf. B.M. 766(741), éd. Doc. dipl. Farfa, n° 267/CCLXXXII, p. 218: *… Ingoaldus abba … detulit serenitati nostrae duo iudicia evindicata quae ante Aledramnum et Adalardum seu et Leonem missos nostros facta fuerunt et eorum manibus roborata erant.*

4 Cf. la notice n° 269.

5 Doc. dipl. Italie, n° 36, p. 109 sqq.: *Adalhard(us) com(es) p(alatii), miss(us) domni imperatoris*. Le texte est défectueux, mais il est presque certain que le *p* est la première lettre du mot *palatii*. D'autre part, il y a hésitation pour la datation, mais il semble beaucoup plus probable qu'il faille lire 822 et non 812.

6 Cf. la notice n° 115.

7 Annales regni Franc., a. 822, p. 159.

8 Annales regni Franc., a. 823, p. 161: *Qui cum imperatori de iustitiis in Italia a se partim factis partim inchoatis fecisset indicium, missus est in Italiam Adalhardus comes palatii, iussumque est, ut Mauringum Brixiae comitem secum adsumeret et inchoatas iustitias perficere curaret*. L'on peut conclure de l'examen du texte qu'Adalhard était au Palais quand Louis le Pieux l'envoya en Italie, mais pas Mauring. Cf. également Astronomus, Vita, c. 36, p. 627.

dernier[9], il y a un détail de la correspondance d'Eginhard qui permet d'affirmer qu'Adalhard appartenait au Palais de Louis le Pieux: avec les comtes du Palais Adalhard et Gébouin[10], Eginhard fit part à l'empereur d'une affaire concernant un certain Alahfrid, un *homo* d'Eginhard à propos de qui le comte Robert[11] tardait à rendre justice[12]. Or Gébouin était sans conteste un comte du Palais de Louis le Pieux: on peut en conclure que c'était également le cas pour Adalhard. En 824, ce dernier quitta le Palais: il reçut le *ducatus* de Spolète[13] – et il mourut dans la même année[14].

Pour finir, il faut mentionner la donation faite à l'abbaye de Saint-Gall, le 15 mai 820, par un certain Adalhard[15]. Par ailleurs, un Adalhard, ayant reçu de l'évêque de Freising l'église d'(Ober)kienberg, la céda à l'évêque d'Augsbourg[16], lors d'un plaid tenu à Paderborn[17]. Rien ne permet de dire si ces individus et le comte du Palais étaient identiques.

10.   ADALHARD[1] (III)

Sénéchal[2], attesté du 19 octobre 831 à 877[3]

C'est le 19 octobre 831 que le sénéchal Adalhard est attesté pour la première fois: à sa requête et à celle de Judith, Louis le Pieux fit une donation à l'abbesse de Hohenbourg[4]. Mais c'est vers la fin du règne de Louis le Pieux que le sénéchal semble avoir

---

9 Le fait qu'on l'appelle Adalhard »le Jeune« (cf. Annales regni Franc., a. 824, p. 166) me semble également un argument en faveur de l'appartenance de ce personnage à la cour de Louis le Pieux: s'il n'était en fonction qu'à la cour de Pavie, le souci de le distinguer de l'abbé de Corbie ne serait, tant pour l'annaliste que pour ses contemporains, pas si impératif.

10 Cf. la notice n° 111.

11 Cf. la notice n° 235.

12 Cf. Einhardus, Epistolae, n° 7, p. 112 – texte cité à la notice n° 111.

13 Annales regni Franc., a. 824, p. 166: *Suppone apud Spoletium, sicut dictum erat, defuncto eundem ducatum Adalhardus comes palatii, qui iunior vocabatur, accepit. Qui cum vix quinque menses eodem honore potiretur, correptus febre decessit.* Cf. SIMSON, Jahrbücher, tome 1, p. 234.

14 Etant donné qu'il semble que la mort de Suppo se situe vers le mois de mars (Annales regni Franc., a. 824, p. 164) et que le récit concernant le décès d'Adalhard et de son successeur, le comte de Brescia, est mentionné au milieu d'événements s'étant déroulés en novembre/décembre 824, il faut en conclure qu'Adalhard fut nommé assez rapidement – par exemple à l'occasion du plaid tenu en juin 824 à Compiègne, cf. B.M. 785(761)c – et qu'il mourut à l'automne ou au début de l'hiver 824.

15 Doc. dipl. Saint-Gall, tome 1, n° 252, p. 241 sq.

16 Doc. dipl. Freising, n° 475, p. 406 sq.

17 ... *in palatio habito ad Phadarprunnin* ... S'agit-il du plaid tenu en 815? Cf. B.M. 587(567)b. C'est en tout cas le seul plaid ayant été tenu à Paderborn avant le 31 août 822, date de la notice par laquelle nous connaissons cette affaire.

1 Formes onomastiques: *Adalhardus, Adalaardus, Adelardus, Adalardus.*

2 Cf. SIMSON, Jahrbücher, tome 2, p. 241 sq.

3 Cf. LOT, Alard, p. 604.

4 B.M. 895(866), éd. Doc. dipl. Strasbourg, p. CCCXXX: ... *ad deprecacionem dilecte conjugis nostre Judith auguste & Adalardi seniscalci nostri* ...

gagné en influence à la cour – une mauvaise influence, si l'on en croit Nithard[5]. Son nom apparaît dans les mentions en notes tironiennes de plusieurs diplômes[6] – principalement des donations. C'est lui qui *ambasciavit* à Rambervillers en août 836 en faveur du *fidelis* Fulbert[7], à Thionville en juin 837 pour Cormery (à cette occasion, Adalhard ne fit que transmettre la demande[8]), au palais *Bodoma villa* en avril 839 pour la Reichenau[9] et pour le *fidelis* Eckard[10], à Worms en juin 839 encore une fois pour la Reichenau[11] et, enfin, en juillet 839 au palais de *Cruciniacum* pour le *fidelis* Gérulf[12]. Dans ce contexte, l'on se doit de mentionner une lettre de l'abbesse de Remiremont, Teuthilde[13], à un membre du Palais du nom d'Adalhard[14], que l'on a identifié avec le sénéchal[15] – mais qui pourrait aussi se rapporter au comte du Palais, Adalhard (II). Ce personnage, désigné comme une personnalité de première importance[16], fut remercié par l'abbesse pour son appui[17].

En juin 840, Adalhard permit et souscrivit, en tant qu'abbé (*abbas*) de Saint-Martin de Tours, un échange passé entre un certain Frédéric et l'abbé de Cormery[18]. On considère qu'Adalhard était »abbé laïque de Saint-Martin de Tours et de Marmoutier depuis la mort de Fridugisus et de Theoton, en 834«[19], mais rien ne permet en réalité

---

5 Nithardus, Historia, lib. IV, c. 6, p. 142: *Dilexerat autem pater ejus (i. e. Karoli) suo in tempore hunc Adelardum adeo ut quod idem vellet in universo imperio, hoc pater faceret. Qui utilitati publice minus prospiciens placere cuique intendit. Hinc libertates, hinc publica in propriis usibus distribuere suasit ac, dum quod quique petebat, ut fieret effecit, rem publicam penitus annullavit.* A ce propos, cf. Depreux, Nithard, p. 157 sq.

6 Simson, Jahrbücher, tome 2, p. 176 sq., s'appuie sur le fait qu'Adalhard serait mentionné comme *ambasciator* dans les diplômes B.M. 977(946) et 978(947), respectivement du 7 et du 14 juin 838, pour affirmer que le sénéchal participa au plaid tenu en juin 838 à Nimègue, B.M. 977(946)a. Or il n'en est rien. Certes, le nom d'Adalhard est cité par les auteurs des Regesta imperii pour le premier diplôme, mais la personne dont les notes tironiennes font mention en tant qu'elle *ambasciavit*, c'est Drogon (cf. Mentions tironiennes, p. 20). Quant au second diplôme, c'est sur l'entremise de Louis le Germanique qu'il fut établi, et le nom d'Adalhard n'apparaît aucunement. Par conséquent, l'hypothèse de B. Simson a perdu tout fondement.

7 B.M. 963(932). Mentions tironiennes, p. 20: *Adalaardus seniscalcus ambasciavit et fieri jussit. Hugo fieri et firmare jussit.*

8 B.M. 967(936). Mentions tironiennes, p. 20: *Adalaardus per Bartolomeum ita fieri rogavit.*

9 B.M. 991(960). Mentions tironiennes, p. 20: *Adalaardus ambasciavit.*

10 B.M. 993(962). Mentions tironiennes, p. 20: *Adalaardus ambasciavit.*

11 B.M. 994(963). Mentions tironiennes, p. 20: *Adalaardus seniscalcus ambasciavit.*

12 B.M. 997(966). Mentions tironiennes, p. 20: *Adalaardus ambasciavit.*

13 Sur cette abbesse, cf. Hlawitschka, Äbtissinnenreihe, p. 36 sqq.

14 Indicularius Thiathildis, n° 4, p. 526 sq.

15 Hlawitschka, Äbtissinnenreihe, p. 37; Levillain, Wandalbert, p. 18 sq.

16 Indicularius Thiathildis, n° 4, p. 526: *Eximio viro adque per omnia magnifico, summis palacii dignitatibus sublimato, necnon sapiencie faleramentis adornato, domino Adalardo.*

17 Ibid.: *Gracias vobis imensas referimus, quasi vestris sacris vestigiis provolute, de magna benivolencia et sollicitudine vestra, quam circa nos abuistis, et fidentes sumus, quod et abetis.*

18 Doc. dipl. Cormery, n° 13, p. 27 sqq.

19 Lot, Alard, p. 593. Je rappelle que Théoton succéda vraisemblablement à Fridugise à Saint-Martin, cf. la notice n° 265.

de déterminer la date de sa promotion[20]. Adalhard joua un rôle prépondérant sous le règne de Charles le Chauve[21], qui épousa sa nièce, Ermentrude[22]. Sur les aléas de la carrière d'Adalhard, je me permets de renvoyer à l'étude exhaustive de F. Lot[23].

11.   ADALLEOD[1]

Scribe/notaire, éventuellement attesté entre 817 et 824, notaire de
Louis le Germanique entre 830 et 840

Le nom d'Adalleod n'apparaît aucunement dans les diplômes de Louis le Pieux; mais sur la base de comparaisons paléographiques, O. Dickau[2] a émis l'hypothèse – vraisemblable[3] – selon laquelle le notaire de Louis le Germanique[4] des années 830/840, en qui P. Kehr avait reconnu un élève de Durand[5], serait issu de la »chancellerie« de Louis le Pieux, pour qui il aurait écrit trois diplômes[6]. Depuis longtemps, l'on s'accorde sur le fait qu'Adalleod serait originaire de Saint-Martin de Tours[7].

12.   ADALOCH[1]

Evêque de Strasbourg[2], attesté du 28 août 816 au 2 septembre 820[3]

L'évêque de Strasbourg, Adaloch, est attesté pour la première fois le 28 juin 816, dans un diplôme de Louis le Pieux confirmant, à sa requête, à l'église cathédrale de Stras-

---

20 Il semble juste ne pas y avoir eu d'intermédiaire entre Théoton et lui, cf. VAUCELLE, Saint-Martin, p. 439. E. Vaucelle souligna cependant l'absence complète d'information sur l'abbé Adalhard (ibid., p. 78). En 845, ce dernier fut remplacé par Vivien (ibid., p. 439), c'est-à-dire qu'il perdit l'abbaye de Saint-Martin avant d'avoir trahi Charles le Chauve (cf. LOT, Alard, p. 596).
21 Cf. NELSON, Intellectual in Politics, p. 3.
22 Annales Bertiniani, a. 842, p. 43.
23 LOT, Alard, p. 592 sqq.

1 Seule forme onomastique: *Adalleodus*.
2 DICKAU, Kanzlei, 2e partie, p. 68 sqq. et p. 105.
3 Cf. DEPREUX, Kanzlei, p. 152 sq.
4 BRESSLAU, Urkundenlehre, tome 1, p. 431.
5 KEHR, Kanzlei, p. 15.
6 B.M. 656(642) pour Fulda (Ingelheim, 4 août 817); B.M. 768(743) pour Wurzbourg (Francfort, 19 décembre 822); B.M. 791(766) pour Saint-Denis (Rennes, 20 septembre 824).
7 SICKEL, Kaiserurkunden in der Schweiz, p. 4 sq. Cf. BRESSLAU, Urkundenlehre, tome 1, p. 431; KEHR, Kanzlei, p. 14 note 5.

1 Formes onomastiques: *Adaloch, Adallohus, Adallahus*.
2 Cf. DUCHESNE, Fastes, tome 3, p. 172.
3 Son successeur, Bernold, est attesté pour la première fois le 12 juin 823. Cf. DUCHESNE, Fastes, tome 3, p. 173, et B.M. 773(748).

bourg la possession du petit sanctuaire (*sacellum*) dit *Stella*[4]. L'évêque Adaloch[5] fut envoyé par Louis le Pieux en Italie *ad iustitias faciendas* avec le comte Hartmann[6]. A cette occasion, il leur fut confié l'enquête en vue de la restitution à l'église cathédrale de Plaisance du monastère de Gravago[7], usurpé du temps de Charlemagne – une restitution demandée par le prêtre Ragenold, agissant au nom de l'évêque Podon. Les *missi* de Louis le Pieux menèrent leur enquête et firent leur rapport à l'empereur[8]. Leur mission nous est connue par le diplôme de restitution octroyé par Louis le Pieux suite à leur avis. Ce diplôme fut donné à Aix-la-Chapelle le 27 avril 820; l'envoi des deux *missi* fut donc antérieur à cette date – et peut-être de beaucoup, puisqu'il ressort du texte qu'Adaloch et Hartmann étaient déjà en Italie quand ils reçurent l'ordre de procéder à cette enquête[9]. L'évêque de Strasbourg participa également au plaid tenu en 820 à Quierzy-sur-Oise[10], puisqu'il souscrivit l'acte d'échange du 2 septembre de cette année conclu entre le comte de Tours et l'évêque de Worms, agissant en tant qu'abbé de Wissembourg[11].

13.   **ADALULF**[1]

Notaire, attesté en 828, éventuellement dans la période 826/829

Adalulf[2], qui avait le grade ecclésiastique de diacre, fit la recognition d'un diplôme donné à Thionville le 20 août 828 en faveur d'Eichstätt[3] et d'un diplôme pour Saint-Denis datable de la période 826/829[4]. Son nom apparaît également dans le faux relatif à la fable de la donation de Montier-en-Der à l'église cathédrale de Reims[5].

---

4 B.M. 627(607).
5 Simson, Jahrbücher, tome 1, p.183 note 2, n'est pas certain de l'identification avec l'évêque de Strasbourg (l'évêque en question s'appelle Adallahus); en revanche, Krause, Geschichte, p. 265 n° 77 et p. 287 n° 72, l'affirme. Menke, Namengut, p. 78, identifie lui aussi le *missus* envoyé en Italie avec l'évêque de Strasbourg.
6 Cf. la notice n° 139.
7 Cf. Menke, Namengut, p. 215.
8 B.M. 715(692), éd. P.L. 104, col. 1095 sq. (à la col. 1096): *Quam rem jussimus missis nostris Adallaho venerabili episcopo et Artmanno comiti, quos ad justitias faciendas in Italiam misimus, diligenti inquisitione investigare et nobis si ita verum esset renuntiare. Hanc causam subtiliter investigatam detulerunt jam dicti missi nostri ad nostram notitiam et eam quanta potuerunt subtilitate nobis exposuerunt.*
9 Cf. la note précédente.
10 B.M. 722(699)a.
11 Doc. dipl. Wissembourg, n° 69, p. 268 sqq., à la p. 271: *signum Adalloho episcopo*. Cf. Simson, Jahrbücher, tome 1, p. 157 sq.

1 Seule forme onomastique: *Adalulfus*.
2 Cf. Sickel, Acta regum, tome 1, p. 92; Bresslau, Urkundenlehre, tome 1, p. 386; Dickau, Kanzlei, 2e partie, p. 106.
3 B.M. 853(-).
4 B.M. 847(821).
5 B.M. 835(809). Sur ce faux, cf. Depreux, Zur Echtheit, p. 6 sqq.

14.   ADALUNG[1]

Abbé de Lorsch et de Saint-Vaast, attesté à partir de novembre 804 –
mort le 24 août 838

Bien que selon la tradition de l'abbaye de Lorsch, la promotion d'Adalung[2] comme abbé de cette abbaye[3] date de 805[4], c'est en 804 qu'il faut placer cet événement, puisque le nom d'Adalung[5] apparaît pour la première fois dans une donation datant du 10 novembre 804[6], c'est-à-dire datant d'un peu plus d'un mois après le décès de son prédécesseur[7]. En 808, un certain Adalung fut promu abbé de Saint-Vaast[8] – son abbatiat y dura 30 ans[9]. Grâce aux travaux de B. Bischoff, l'on est assuré de l'identité de ces deux personnages[10]. Environ trois ans plus tard, l'importance politique d'Adalung est attestée: il figurait parmi les témoins du testament[11] de Charlemagne immédiatement après l'abbé de Saint-Martin de Tours[12]. Le 5 mars 815, à Aix-la-Chapelle, il obtint de Louis le Pieux deux diplômes pour son abbaye de Lorsch[13]. De même, le 22 juin 823 à Francfort, Louis le Pieux fit, à sa requête, une donation à l'abbaye des bords de la Weschnitz[14]. On peut éventuellement en conclure qu'Adalung participa au plaid que tint l'empereur en mai de cette année à Francfort[15], mais étant donné le peu de distance qui sépare ce lieu de Lorsch, l'on ne peut pas considérer sa présence en ce palais comme une preuve de son éventuelle participation au plaid de mai[16]. Il se peut en effet qu'Adalung se soit rendu à la cour à l'occasion du baptême du jeune Charles, né neuf jours avant la délivrance du diplôme en question[17].

Vers la même époque parvint à la cour la nouvelle de la mise à mort de Théodore, primicier de l'Eglise romaine, et du nomenclateur Léon, prétendument assassinés sur l'ordre du pape, parce que trop fidèles à Lothaire, c'est-à-dire aux Francs[18]. Louis le

---

1 Formes onomastiques: *Adalungus, Adalongus, Adelungus, Adalangus, Adalunc*.
2 Sur Adalung, cf. SEMMLER, Lorsch, p. 85 sq.; BISCHOFF, Lorsch, p. 62. Adalung était prêtre (cf. Theganus, Vita, c. 42, p. 598 l. 42). Il était vraisemblablement proche de la famille des Robertides, cf. GLÖCKNER, Lorsch und Lothringen, p. 314 sq. Il est supposé avoir été un proche parent de la mère de Judith. Cf. SIEGWART, Alemannisches Herzogsgut, p. 158 sq. (tableau p. 156); BRUNNER, Oppositionelle Gruppen, p. 77.
3 Doc. dipl. Lorsch, tome 1, p. 294: ... *post excessum Richbodonis successit Adalungus, uir potens in opere et sermone, et iuxta cor Domini electus*. Le nom d'Adalung ouvre la liste des moines de Lorsch dans le *Liber memorialis* de la Reichenau, cf. Verbrüderungsbuch Reichenau, pl. 54 A1.
4 Doc. dipl. Lorsch, tome 1, p. 294: *Anno dominice incarnationis DCCCV*.
5 Vraisemblablement comme abbé; le texte est ici défectueux.
6 Doc. dipl. Lorsch, tome 3, n° 3621, p. 158.
7 Ricbodon mourut le 1er octobre 804. Cf. SEMMLER, Lorsch, p. 85 et note 161.
8 Chronicon Vedastinum, p. 707: *808 ... Adalungus Atrebatensium abbas effecitur*. Il faut s'en tenir à cette date, cf. KURZE, Verlorene Chronik, p. 25 sq.
9 Series abbatum s. Vedasti.
10 BISCHOFF, Lorsch, p. 44. Cf. déjà GRIERSON, Fulco, p. 280 note 4.
11 Cf. ABEL, Jahrbücher, tome 2, p. 451 sqq.
12 Einhardus, Vita Karoli, c. 33, p. 100.
13 B.M. 576(556) & B.M. 577(557).
14 B.M. 777(752).
15 B.M. 771(746)a.
16 SIMSON, Jahrbücher, tome 1, p. 194 sq., considérait la présence d'Adalung au plaid comme certaine.
17 B.M. 773(748)a.
18 Cf. SIMSON, Jahrbücher, tome 1, p. 202 sqq.

Pieux décida d'envoyer deux *missi*, l'abbé Adalung, mentionné en tant qu'abbé de Saint-Vaast, et le comte de Coire, Hunfrid[19]. L'arrivée à la cour franque de légats du pape ne changea rien à la décision de l'empereur. Toutefois, les *missi* impériaux ne purent rien découvrir, le pape s'étant purifié par serment. C'est au plaid tenu en novembre 823 à Compiègne[20] que les deux *missi* firent leur rapport à l'empereur[21]. Le dernier acte politique d'Adalung s'incrit dans un contexte particulièrement troublé et tendu[22]: suite à la visite que Grégoire IV fit à Louis le Pieux en juin 833 lors de son arrivée au »Champ du mensonge«, Adalung fut chargé par l'empereur de porter des présents au pape[23], et vraisemblablement également de défendre la position du père vis-à-vis de ses fils[24] – une mission de haute diplomatie. Ce n'est qu'à la suite de cet épisode que Thégan relate les nombreuses désertions qui décidèrent de l'échec de Louis. Rien ne permet de savoir si Adalung passa lui aussi dans le camp des fils ou s'il fit partie du lot des fidèles[25]. Toujours est-il qu'il oeuvra jusqu'à la dernière minute pour Louis le Pieux[26].

Adalung est attesté pour la dernière fois comme abbé de Lorsch le 23 juillet 837[27]. Il mourut un 24 août[28], reste à savoir en quelle année. D'après les Annales de Saint-Amand, il serait décédé en 838[29], d'après la Chronique de Saint-Vaast, en 839[30]. Mais d'après la Chronique de Lorsch, l'abbé serait mort dès 837[31]. C'est par conséquent la date du 24 août 837 qui est habituellement retenue[32]. Or, comme l'a montré avec jus-

19 Cf. la notice n° 166.
20 B.M. 783(758)a.
21 Annales regni Franc., a. 823, p. 161 sq.: *Nuntiatum est etiam, Theodorum sanctae Romanae ecclesiae primicerium et Leonem nomenclatorem, generum eius, in patriarchio Lateranense primo excaecatos ac deinde fuisse decollatos et hoc eis ob hoc contigisse, quod se in omnibus fideliter erga partes Hlotharii iuvenis imperatoris agerent; erant et, qui dicerent, vel iussu vel consilio Paschalis pontificis rem fuisse perpetratam. Ad quod explorandum ac diligenter investigandum missi sunt Adalungus abbas monasterii sancti Vedasti et Hunfridus comes Curiensis.* Cf. Astronomus, Vita, c. 37, p. 627 sq.; Theganus, Vita, c. 30, p. 597.
22 Cf. SIMSON, Jahrbücher, tome 2, p. 44 sqq.
23 Theganus, Vita, c. 42, p. 598: *Non post multos dies venerunt ad colloquium imperator et supradictus pontifex; qui non diu loquentes, honoravit eum pontifex inprimis magnis et innumeris donis. Postquam uterque rediit ad tabernaculum, misit imperator dona regalia per Adalungum venerabilem abbatem atque presbyterum supradicto pontifici.*
24 Cf. Astronomus, Vita, c. 48, p. 636: *... nuntiatum est imperatori advenire papam Romanum ... Deductus autem papa in habitationem castrensem, multis assertionibus perdocuit, non se tantum iter ob aliud suscepisse, nisi quia dicebatur, quod inexorabili contra filios discordia laboraret, ideoque pacem in utramque partem serere vellet. Audita vero parte imperatoris, mansit cum eo aliquot diebus.*
25 Sur ces derniers, cf. Annales Bertiniani, a. 833, p. 9 note g.
26 On peut penser qu'il resta fidèle à Louis le Pieux, à l'instar des membres du groupe familial dont il était proche, les Robertides, cf. GLÖCKNER, Lorsch und Lothringen, p. 225; SIEGWART, Alemannisches Herzogsgut, p. 184 sq. Sa fidélité peut être considérée comme prouvée par le fait qu'Adalung fit toujours dater les actes de Lorsch d'après les années de règne de Louis le Pieux, et ce même après 833, cf. Doc. dipl. Lorsch, tome 1, p. 54; SEMMLER, Lorsch, p. 86 et note 173.
27 Doc. dipl. Lorsch, tome 3, n° 2328 p. 21.
28 Kalendarium necrologicum Lauréshamense, p. 149.
29 Annales Elnon. maiores, p. 11.
30 Chronicon Vedastinum, p. 708.
31 Doc. dipl. Lorsch, tome 1, p. 308 c. 26.
32 SEMMLER, Lorsch, p. 86, place la mort d'Adalung en 834, mais il s'agit d'une coquille, comme le prouve la note 183 p. 148, où il se réfère à Doc. dipl. Lorsch, p. 309 note 5. Cf. également TREMP, Studien, p. 20 et note 101. Il est à noter que l'on n'a généralement pas pris en compte que le chroni-

tesse Ph. Grierson[33], c'est la date du 24 août 838 qui doit être préférée, puisqu'elle permet d'accorder les données relatives à l'abbatiat d'Adalung à Lorsch (805[34] + 33[35] = 838) et à Arras (808 + 30 = 838). C'est principalement en raison de son mécénat que les moines de Lorsch gardèrent d'Adalung un souvenir favorable[36]. Il faut également signaler qu'Adalung et Eginhard étaient particulièrement en bons termes, comme en témoigne la donation à Lorsch par ce dernier de la *cella* de Michelstadt[37] qu'il avait reçue de Louis le Pieux[38].

15.   ADELRIC[1]

Peintre (vers 825)

Adelric[2] fut l'un des peintres ayant enluminé le ms. 3868 de la Biblioteca Apostolica Vaticana[3], produit vers 825 à la cour de Louis le Pieux[4].

16.   ADHALLVIT[1]

Attesté en 826

Adhallvit ne nous est connu que par un détail: après le baptême de Harold en juin 826 à Ingelheim, lorsque la procession se rendit du palais à l'église où l'on allait célébrer la messe, »Adahallvit, sa baguette en main, en frapp(ait) la foule et prépar(ait) un chemin à César et à sa suite, à sa femme et à ses fils«[2]. Rien ne permet de cerner de plus près le rôle de ce fonctionnaire du Palais[3].

---

queur, n'étant pas fiable pour l'année de début de l'abbatiat, pouvait également ne pas l'être pour celle de sa fin.

33 GRIERSON, Fulco, p. 280 note 5.
34 Bien que nous ayons vu qu'Adalung fut abbé à Lorsch dès 804, il faut ici compter comme le chroniqueur, c'est-à-dire à partir de 805.
35 En réalité, le texte donne XIII. C'est K. GLÖCKNER, dans Doc. dipl. Lorsch, tome 1, p. 295, qui corrigea en XXXIII.
36 Cf. Doc. dipl. Lorsch, tome 1, p. 294 sq.
37 Doc. dipl. Lorsch, tome 1, p. 301 n° 20 (donation du 12 septembre 819).
38 B.M. 569(549), donation du 11 janvier 815.

1 Seule forme onomastique: *Adelricus*.
2 Cf. KOEHLER, Karolingische Miniaturen, tome 4, p. 75 sqq.
3 Ibid., p. 87, qui donne la leçon: *Adelricus me fecit*; la qualité de la reproduction n'est pas telle que l'on puisse vérifier cette leçon sur la table 3O (fol. 3r).
4 Cf. MÜTHERICH, Book illumination, p. 597.

1 Seule forme onomastique: *Adhallvitus*.
2 Ermoldus, Elegiacum carmen, lib. IV, v. 2287 sqq. p. 174: *Adhallvitus adest fertque manu ferulam,/ Percutit instantesque viam componit honore/ Caesaris et procerum, conjugis et sobolis.* Traduction d'E. Faral, ibid., p. 175.
3 A la suite de WAITZ, Verfassungsgeschichte, tome 3, p. 505 sq., SIMSON, Jahrbücher, tome 2, p. 243, désigna notre personnage comme le subordonné de Gérung. Rien ne permet d'affirmer cela de façon certaine.

17.   ADHÉMAR[1]
                         Comte, attesté de 794 à 815

Un certain Adhémar est attesté pour la première fois comme membre de l'entourage
de Louis le Pieux le 3 août 794 au Palais (Haute-Vienne, arr. Limoges), quand il
souscrivit l'acte donné par le roi d'Aquitaine en faveur de la *cellola* de Nouaillé[2]. Au
printemps 800[3], alors qu'il apprit la venue de Charlemagne en Neustrie, Louis le
Pieux dépêcha son légat Adhémar à Rouen pour demander à son père de venir inspecter son royaume d'Aquitaine[4]. Charlemagne refusa, et finalement la rencontre,
objet d'une anecdote célèbre[5], se fit à Tours[6]. C'est, ensuite, à l'occasion des campagnes militaires de Louis le Pieux en Marche d'Espagne que l'on rencontre notre
homme. Durant l'été 801[7], Adhémar est attesté comme porte-enseigne (*signifer*); il fit
partie des troupes devant faire obstacle aux renforts sarrasins[8]. En 804 ou 809[9], Adhémar fit partie du détachement chargé de prendre Tortosa à revers et de piller le
pays[10]. En 808 ou 810, il fit de nouveau partie du détachement devant, sous la conduite d'Ingobert[11], créer la surprise à Tortosa[12]. Ce fut un échec, car ils furent auparavant découverts. Le personnage dont nous avons jusqu'ici suivi la trace devait être titulaire d'un comté en Marche d'Espagne, puisqu'il faisait partie des destinataires du
Praeceptum pro Hispanis donné par Charlemagne le 2 avril 812[13]. L'aprisionnaire
Jean eut maille à partir avec lui et l'affaire dut être tranchée par le tribunal du Palais[14],

1 Formes onomastiques: *Adhemarus, Hademarus, Hadhemarus, Ademarus, Ademar, Ademares.*
2 B.M. 516(497), éd. Ch.L.A., n° 681. Sur les souscripteurs de ce diplôme, cf. DEPREUX, Kanzlei, p. 156
   et supra, la partie d'analyse II A.
3 AUZIAS, Sièges, p. 9 et p. 14, tenta de soutenir l'hypothèse selon laquelle Charlemagne aurait entrepris un nouveau voyage à Tours vers 802. Son argumentation n'est pas convaincante: un tel voyage
   est difficile à concilier avec l'itinéraire de Charlemagne tel qu'il est jusqu'à présent connu, cf. B.M.
   380(372)c et les n° suivants.
4 Astronomus, Vita, c. 12 p. 612: *Hieme porro transacta, Karolus imperator tempus oportunum nactus,
   utpote ab externis quiescens bellis, coepit circuire loca regni sui, mari contigua. Quod dum Hludowicus rex comperisset, Rotomagum misso legato Hademaro, petiit eum in Aquitaniam divertere, et regnum quod sibi dederat invisere, et ad locum qui Cassinogilus vocatur venire. Cuius petitionem pater
   honorabiliter suscepit, gratias filio egit, petita tamen negavit, et ut sibi Turonum occurreret mandavit.*
5 Vita Alcuini, c. 15, p. 192 sq. Cf. également Ermoldus, Elegiacum carmen, lib. I, v. 600 sqq. p. 48 sqq.
   A ce propos, cf. DEPREUX, Poètes, p. 315 note 16.
6 Cf. B.M. 352(343)b jusque B.M. 357(348).
7 AUZIAS, Sièges, p. 8 sqq., proposa de dater le siège de Barcelone de 803. Son hypothèse fut, avec raison, rejetée par WOLFF, Evénements de Catalogne, p. 455 sqq.
8 Cf. Astronomus, Vita, c. 13, p. 612. Cf. AUZIAS, Aquitaine, p. 48 sqq. Sur l'emploi des étendards, cf.
   BLAIR, Anglo-Saxon England, p. 205.
9 La première date est celle adoptée par AUZIAS, Sièges, p. 21 sqq. et par WOLFF, Evénements de Catalogne, p. 455 sqq. La seconde date est la date classique retenue notamment par les auteurs des Regesta imperii.
10 Cf. Astronomus, Vita, c. 14, p. 613. Cf. AUZIAS, Aquitaine, p. 60 sq. Dans sa thèse, l'auteur situait
   cette expédition »entre 804 et 807«.
11 Cf. la notice n° 171.
12 Cf. Astronomus, Vita, c. 15, p. 614 sq. l. 32 sqq. Cf. AUZIAS, Aquitaine, p. 62 sqq.
13 Cf. Praeceptum pro Hispanis. Cf. AUZIAS, Aquitaine, p. 71 note 5 et p. 72, qui en faisait le titulaire
   du comté de Narbonne. De même WOLFF, Aquitaine, p. 290.
14 Cf. Enquête de Fontjoncouse, n° 3, p. 112 sqq.

vraisemblablement vers la fin de l'année 814[15]. Il se peut que notre comte ait, sur la fin de sa vie, revêtu la bure et ne soit autre que le moine Adhémar, *connutritus* du jeune roi Louis, témoin à qui l'Astronome devait son information concernant la période aquitaine du règne de Louis le Pieux[16]. Nous ignorons la date de sa mort[17].

18.   ADREVALD[1]

Abbé de Flavigny, attesté à partir de 834 – mort au début de 840

Le 19 février 834, les comtes Warin[2] et Bernard[3], soucieux de libérer Louis le Pieux, dépêchèrent deux légats, dont l'abbé Adrevald, auprès de Lothaire à Saint-Denis, pour négocier[4]. Nous retrouvons l'abbé Adrevald investi d'une mission délicate en 837. Alors que l'on avait apporté à Louis le Pieux la nouvelle que Lothaire s'en prenait aux biens de l'Eglise romaine[5], l'empereur, que les événements empêchaient de se rendre sur place[6], envoya trois *missi*: deux auprès de Lothaire, un autre (Adrevald) auprès du pape[7]. Après avoir été reçu par le pape, ce n'est que par ruse qu'Adrevald put faire parvenir à Louis le Pieux la lettre que Grégoire IV lui avait adressée[8].

---

15 Cf. l'annexe n° 1.

16 Astronomus, Vita, Prologue, p. 607: *Porro quae scripsi, usque ad tempora imperii Adhemari nobilissimi et devotissimi monachi relatione addidici, qui ei coaevus et connutritus est* … Cf. Depreux, Poètes, p. 319 sq.

17 L'Astronome ne semble pas faire mention d'un défunt lorsqu'il évoque le moine Adhémar (cf. la note précédente), ce qui laisserait supposer que ce dernier était encore en vie à l'époque de la rédaction (c'est-à-dire pendant l'hiver 840/841, au plus tard au printemps 841) – chose peut-être difficilement compatible avec les données biographiques relatives au comte qui nous intéresse ici, en pleine activité au tournant du siècle. Mais il faut souligner que l'Astronome semble ne pas distinguer clairement par une formule appropriée les personnages encore en vie et les défunts. Ainsi, la manière dont il désignait, par exemple, le pape Hadrien (Astronomus, Vita, c. 4, p. 608 l. 44) s'appliquait plutôt à un personnage encore en vie – or ce pontife était mort depuis presque un demi-siècle.

1 Formes onomastiques: *Adrebaldus, Adrevaldus, Arewaldus.*

2 Cf. la notice n° 273.

3 Cf. la notice n° 50.

4 Astronomus, Vita, c. 51, p. 637: *Instabat sane sanctae quadragesimae tempus; cuius ebdomada prima, feria quinta, missi sunt ab illis legati, Adrebaldus abbas et Gautselmus comes, ad Hlotharium filium imperatoris, postulantes ut eis absolutus custodiae vinculis imperator redderetur… Cum hac ergo satisfactione praedicti legati remissi sunt ad eos qui se miserant.* Sur le contexte, cf. Simson, Jahrbücher, tome 2, p. 86 sqq.

5 Astronomus, Vita, c. 55, p. 641 l. 12 sqq.

6 D'une part une attaque danoise en Frise le retint en ces contrées, cf. B.M. 963(932)g, d'autre part Lothaire avait fait fermer les cols des Alpes, cf. Annales Bertiniani, a. 837, p. 22.

7 Astronomus, Vita, c. 55, p. 641: *… misit missos ad Hlotharium, Fulconem scilicet abbatem, et Richardum comitem, necnon et Adrebaldum abbatem; quorum Fulco et Richardus responsum sibi a Hlothario referrent, Adrebaldus porro Romam pergeret, Gregorium papam de necessariis consulturus, et voluntatem imperatoris ceteraque sibi iniuncta perlaturus. Sed Hlotharius de his conventus, necnon et de rebus quarundam ecclesiarum ablatis quae in Italia sunt, quibusdam annuit, quaedam se servare non posse respondit. Et Folco quidem atque Richardus imperatori a Fresia post fugam Normannorum revertenti talia nuntiant in Franconofurt palatio* … Cf. Simson, Jahrbücher, tome 2, p. 165 sq.

8 Cf. Astronomus, Vita, c. 56, p. 641 sq.

C'est à propos du plaid tenu en septembre 838 à Quierzy-sur-Oise[9] que l'Astronome fait mention d'Adrevald, qui participa à cette assemblée, en indiquant son monastère: Flavigny. Nous nous heurtons ici à un problème chronologique: d'après la liste des abbés de Flavigny, Adrevald ne serait devenu abbé de ce monastère qu'en 839 et serait mort la troisième année[10], c'est-à-dire en 841. Etant donné qu'Adrevald fut abbé plus longtemps que seulement trois ans (au moins quatre ans, de 834 à 838), il faut en conclure, si l'on veut sauvegarder le crédit de la Series abbatum Flaviniacensium, qu'il fut auparavant abbé d'un autre monastère et mourut trois ans après avoir reçu l'abbaye de Flavigny. L'indication de la Series relative à l'année de sa promotion est forcément erronée, puisque notre abbé est attesté en tant que tel dès 838. Mais puisque ce n'est que pour son récit consacré à l'année 838 que l'Astronome mentionne Adrevald comme abbé de Flavigny, l'on peut supposer que sa nomination était alors toute récente – du moins que notre auteur ne pouvait pas lui donner ce titre à propos de sa mission en Italie. Nous avons vu qu'elle était particulièrement délicate et périlleuse – on pourrait dès lors considérer l'abbatiat de Flavigny comme une récompense. Reste la contradiction chronologique entre 838 et 839. Une marge d'incertitude d'un an dans les listes d'abbés ou les listes épiscopales n'est en rien impossible ou extraordinaire. Il semble donc qu'il faille considérer qu'Adrevald était abbé d'un monastère dont on ignore le nom – à moins qu'il ne s'agît de celui de Saint-Germer de Flay[11] – avant de recevoir, vers 838, l'abbaye de Flavigny. Il serait alors mort vers 840, ce qui est en accord avec l'avis de l'auteur de l'Histoire de Saint-Germer de Flay, composée au XVIIe siècle, qui datait la mort de l'abbé Adrevald du début de 840[12]. Mais revenons à l'assemblée de Quierzy de 838. Encore une fois, c'est d'une mission particulièrement délicate que fut investi Adrevald. Alors que les *nobiles* de Septimanie se plaignaient des exactions des hommes du duc Bernard[13] et demandaient l'envoi de *missi* pour mettre de l'ordre dans leur région, Louis le Pieux nomma

9 B.M. 982(951)a. Cf. SIMSON, Jahrbücher, tome 2, p. 179 sqq.

10 Series abbatum Flaviniacensium, p. 502: ... *Vigilius successit. Huic anno 839. Adrevaldus successit, et tertio anno obiit.* Cf. Hugo, Chronicon, lib. I, p. 353 l. 51 sq.

11 En raison d'une notice publiée par L. d'Achéry dans son commentaire du *De vita sua* de Guibert de Nogent (rééd. dans P.L. 156, col. 1088 D sq.), l'on a voulu amender *Flaviniacensis* en *Flaviacensis* (cf. SIMSON, Jahrbücher, tome 2, p. 87 note 6, qui reproduit cette notice), ce à quoi l'auteur des Jahrbücher s'était d'ailleurs opposé. Je suis également d'avis que la correction ne s'impose pas; mais on peut éventuellement aussi admettre que l'abbé de Flavigny fut en même temps abbé de Saint-Germer. Par ailleurs, je signale que dans une histoire de l'abbaye de Saint-Germer de Flay composée au XVIIe siècle, on peut lire à propos d'Adrevald (j'imprime en romain les passages communs à la notice du commentaire de L. d'Achéry): *Adrebaldus seu ut alli volunt, Ardebardus & Artebaldus, dignissimus Ansisisi successor abbas Flaviacensis monasterii decimus tertius, vir* integritatis, prudentiae et ingenii *laude celeberrimus, et Ludovico imperatori aeque* pio *ac augusto ita carus et* acceptus *extitit ut prae caeteris eius principibus et aulicis, sic enim de eo manuscriptus sancti Geremari liber loquitur, ad gravissima negotia, et in ecclesia et in regno componenda in longinquas usque gentes saepius directus fuerit* (Paris, Bibliothèque Nationale, ms. lat. 13890, p. 65 sq.).

12 Paris, Bibliothèque Nationale, ms. lat. 13890, p. 69: *Post alias legationes ab imperatore de maximis negotiis ad ecclesiamm et imperium spectantibus, intrepide susceptas, et ad felicem exitum perductas, Adrebaldus ... diem suum obiit extremum ineunte vere anni Salutis reparatae octingentesimi quadragesimi magnumque sui, Ludovico imperatori, qui non diu supervixit ...*

13 Cf. la notice n° 50.

deux comtes et l'abbé Adrevald[14]. C'est la dernière mission dont nous ayons connaissance. A chaque fois, l'on devine en Adrevald un fin diplomate.

19. AGBERT[1]

Huissier, attesté vers la fin de 839 et au début de 840

Le 16 novembre 839 à Poitiers, Louis le Pieux restitua à l'église cathédrale du Mans, sur la demande d'Agbert, qualifié de *comes et (h)ostiarius atque consiliarius noster*, une *villa* que ce dernier tenait de l'empereur en *beneficium*[2]. La dénomination de *consiliarius* est singulière pour un diplôme de Louis le Pieux; il est peut-être préférable de la considérer comme une interpolation[3]. En revanche, le fait que l'huissier Agbert est également qualifié de comte s'avère fort intéressant: ce fonctionnaire aulique n'était en rien un personnage de second rang. Agbert faisait partie de la famille des Egbertides[4]. Il s'agit peut-être du frère de Warin (I), l'abbé de Corvey[5].

20. ALBÉRIC[1]

Evêque de Langres[2], attesté à partir de 821 – mort le 21 décembre 838

L'évêque Albéric est attesté pour la première fois comme évêque de Langres en 821[3] et pour la première fois comme *missus* de l'empereur vers 825: les provinces ecclésia-

---

14 Astronomus, Vita, c. 59, p. 644: *In eodem loco et tempore pene omnes Septimaniae nobiles affuerunt, conquerentes adversus Bernhardum ducem illarum partium, eo quod homines illius tam rebus ecclesiasticis quamque privatis absque ullo respectu divino humanoque pro libitu abuterentur. Unde petierunt, ut domnus imperator sub protectionis suae eos susciperet munimine, et post haec tales missos in eandem terram dirigeret, qui et potestate et prudentia de ablatis aequo libramine penderent, et avitam eis legem conservarent. Ad quod peragendum missi sunt secundum postulationem eorum et domni imperatoris electionem Bonifatius comes et Donatus itidem comes, sed et Adrebaldus Flaviniacensis monasterii abbas.*

1 Formes onomastiques: *Agbertus, Acbertus.*
2 B.M. 999(968), éd. Gesta Aldrici, p. 192 sqq. (à la p. 193). Le 24 janvier 840, toujours à Poitiers, Agbert reçut de l'évêque Aldric cette *villa* en précaire, cf. Gesta Aldrici, p. 191 sq.
3 Le Maître, Corpus du Mans, p. 200 (n° 96), contrairement à l'avis communément partagé par les diplomatistes, a rejeté ce diplôme comme faux. L'acte, dans son formulaire, ne prête pas vraiment le flanc à une critique aussi sévère.
4 Sur cette famille, cf. Hlawitschka, Liudolfinger, p. 147 sqq.; Wenskus, Stammesadel, p. 248 sqq.
5 A ma connaissance, cette hypothèse n'a jamais été formulée. Elle est cependant plausible. Cf. l'arbre généalogique dans Hlawitschka, Liudolfinger, p. 149. Sur Warin, cf. la notice n° 272.

1 Formes onomastiques: *Albericus, Albricus.*
2 Cf. Duchesne, Fastes, tome 2, p. 189.
3 Doc. dipl. Saint-Etienne, n° 2, p. 8 sqq.: *Ecclesie sancti Stephani martiris, que est constructa in castro Divionensi, ubi venerabilis vir dominus Albericus preesse videtur.* Le document ne précise pas en quelle qualité Albéric présidait aux destinées de l'établissement religieux. Oexle, Forschungen, p. 75, est tout aussi flou: »als bereits Alberich die Leitung von S. Etienne übernommen hatte«. Toujours est-il que le *castrum* de Dijon était situé dans le diocèse de Langres (cf. Duchesne, Fastes, tome 3, p. 5). L'éditeur du document data ce dernier de 822, ce qui est inexact, puisque la charte fut

stiques de Lyon, de Tarentaise et de Vienne lui étaient alors confiées[4]. Il est encore attesté comme *missus* vers 829 – il s'agit vraisemblablement du même *missaticum*[5]. A une date inconnue, du moins entre 829 et 836[6], Albéric fut l'un des quatre *missi* de Louis le Pieux chargés de régler, à l'abbaye de Flavigny, le différend relatif au partage des menses abbatiale et conventuelle[7]. Au début de l'année 835, l'évêque de Langres participa au plaid tenu à Thionville au cour duquel l'archevêque Ebbon fut déposé[8]. En 838, Albéric fut encore mêlé activement à l'actualité, puisqu'il fit partie des destinataires de l'acte d'accusation porté par Florus de Lyon contre le chorévêque Amalaire, chargé d'administrer le diocèse depuis la déposition d'Agobard[9], ce qui laisse supposer qu'Albéric fut pressenti pour juger l'affaire ou en être rapporteur[10]. La question fut étudiée lors du plaid tenu en septembre 838 à Quierzy-sur-Oise[11], mais curieusement, il semble qu'Albéric en fut absent. Tout au moins ne figure-t-il pas parmi les participants mentionnés dans la notice du jugement concernant les moines de Saint-Calais[12], alors que sa présence est attestée lors du jugement rendu en avril 838 à Aix-la-Chapelle[13].

Albéric fut particulièrement actif dans le domaine des réformes monastiques[14]. Non seulement il réforma le collège des chanoines de Langres[15], comme nous l'apprend un diplôme de Louis le Pieux donné à Langres le 19 août 834 (une époque particulièrement tendue[16], ce qui prouve la fidélité d'Albéric) par lequel l'empereur confirmait la dotation faite par l'évêque[17], mais Albéric travailla aussi à la réforme du monastère de Bèze. Albéric passa les fêtes pascales de l'année 826, du moins le Vendredi Saint (30 mars), en ce monastère[18], mais ce n'est qu'en 830 qu'il le réforma. C'est avec l'accord de l'archevêque de Lyon, Agobard, qui fut présent au synode réu-

---

donnée *die Jovis in anno VIII regnante domino nostro Ludovico imperatore*, c'est-à-dire en 821, comme l'avait noté DUCHESNE, Fastes, tome 2, p. 189, ou plus exactement entre février 821 et janvier 822 (sur la date du début de règne de Louis le Pieux, cf. DEPREUX, Wann begann?).

4 Commemoratio, p. 308: *Lugdunum, Tarantasia et Vienne Albericus episcopus et Rihhardus comes.* Sur les raisons éventuelles de la nomination d'Albéric, cf. KAISER, Evêques de Langres, p. 99.

5 Capitula tractanda, p. 7: *De monasteriolis etiam diversis in missatico Albrici.*

6 Ce sont les dates du pontificat d'Aldric de Sens, en mission avec lui; cf. la notice n° 25.

7 Dipl. Karol. 3, n° 50 p. 145: *... detuleruntque nobis quandam ordinationem, quam domnus et piae recordationis genitor noster Hludouicus augustus inibi propter evitandas discordias per missos suos, per Aldricum scilicet sanctae Senonicensis ecclesiae venerabilem quondam archiepiscopum nec non et Albericum Lingonensis ecclesiae episcopum seu Motuinum Augustudunensis episcopum vel Bosonem venerabilem sancti Benedicti abbatem, olim instituit ... sicut a praefatis missis domni et genitoris nostri ordinatum atque institutum esse dinoscitur ...*

8 Concilium ad Theodonis villam, p. 703 (n° 28). Cf. SIMSON, Jahrbücher, tome 2, p. 126 sqq.

9 Amalarius, Epistolae, n° 13, p. 267 sqq.

10 SIMSON, Jahrbücher, tome 2, p. 185, était d'avis que Florus s'adressa à Albéric et à d'autres personnes simplement en raison des liens d'amitié qui les unissaient à l'Eglise de Lyon.

11 B.M. 982(951)a. Cf. Concilium Carisiacense, p. 768–782.

12 Concilium Carisiacense (bis), p. 850.

13 Ibid., p. 846.

14 Cf. OEXLE, Forschungen, p. 163 sqq. Pour le détail des réformes que l'on peut attribuer à Albéric, cf. SEMMLER, Beziehungen, p. 388 sq.

15 Pour un autre exemple de l'attention d'Albéric pour les biens de son église, cf. Frotharius, Epistolae, n° 26, p. 293 sq.

16 Cf. B.M. 930(901)b.

17 B.M. 931(902).

18 Spicilegium, tome 2, p. 407 (*Carta Teutonis abbatis*). Il s'agit d'un échange de biens.

ni à Langres le 20 novembre 830 et en souscrivit la notice, et avec la permission de Louis le Pieux et le consentement de Lothaire, mais éventuellement aussi sur l'injonction du pape[19], que l'évêque restaura le monastère de Bèze[20]. La restauration du monastère de Bèze fut confirmée par un diplôme impérial[21]. Albéric, qui appartenait à la »Sippe« des évêques de Langres tenant l'abbaye de Schäftlarn et liés à l'abbé Wicterp d'Ellwangen[22], décéda le 21 décembre 838[23]. Il fut inhumé en le monastère de Bèze[24].

21. ALBGAIRE[1]

Comte, attesté de 817 jusqu'à éventuellement 842

Alors que l'empereur de Constantinople avait envoyé une ambassade auprès de Louis le Pieux pour examiner les questions de frontières entre les Dalmates, les »Romains« et les Slaves[2], ce cernier avait fait venir à la cour Cadola, *ad quem illorum confinium cura pertinebat*[3], mais étant donné que l'avis des populations était nécessaire pour la prise d'une décision, l'empereur envoya Cadola en Dalmatie et lui adjoignit Albgaire, dont l'annaliste spécifie qu'il était *Unrochi nepos*[4]. Il n'est pas nécessaire de reprendre en détail l'étude des données relatives à Albgaire, puisque ce dernier a fait l'objet de présentations exhaustives[5]. Qu'il suffise de rappeler qu'Albgaire fut vraisemblablement institué comme *confinii comes* en Pannonie[6]. Ce personnage, qui reçut ensuite un comté en Alémanie, puisqu'il est dit *comes de Alamania* dans une notice de plaid datée d'entre avril 823 et juin 840[7], avait résidé à la cour de Charlema-

---

19 Annales Besuenses, p. 248: *830. Hoc anno venerabilis Albericus episcopus precipiente sibi beato Petro apostolo reedificavit locum istum, et clericos inde eiecit, et monachos constituit.* Le monastère de Bèze était dédié aux apôtres Pierre et Paul. Il est difficile de trancher si l'auteur avait en tête une éventuelle dévotion particulière d'Albéric pour ces deux saints, s'il voulait faire allusion à une apparition de l'apôtre Pierre qu'aurait éventuellement eue Albéric, ou bien s'il faut reconnaître dans ce texte une référence à une injonction du pape. Pour un exemple montrant comment l'intervention supposée de saint Pierre pouvait se combiner à la politique pontificale, cf. GUILLOT, Miracles.

20 Concilium Lingonense, p. 681 (Louis et Lothaire) et p. 681 sq. (Agobard).

21 B.M. 878(849).

22 Cf. SCHMID, Bischof Wikterp, p. 120 sqq.; BAUERREISS, Altbayerische Hachilingen, p. 256. SEMMLER, Beziehungen, p. 377, émit des réserves (il était moins réservé ibid., p. 388) concernant le résultat des travaux de K. Schmid.

23 Annales s. Benigni, p. 39: *838. Albericus episcopus Lingonensis obiit 12 Kal. Ian.* En revanche, son décès est mentionné à l'année 855 dans les Annales Besuenses, p. 248.

24 Cf. Spicilegium, tome 2, p. 407.

1 Formes onomastiques: *Albgarius, Alpcharius, Alpcarius.*

2 Astronomus, Vita, c. 27, p. 621: *Legatio autem, excoepta amicitia et sotietate, erat de finibus Dalmatorum Romanorum et Sclavorum.* Cf. LOUNGHIS, Ambassades, p. 163.

3 Annales regni Franc., a. 817, p. 145. Sur ce personnage, cf. HLAWITSCHKA, Franken, p. 163 sqq.

4 Cf. Annales regni Franc., a. 817, p. 145 – texte cité à la notice n° 62. Cf. également Astronomus, Vita, c. 27, p. 621. Sur l'origine d'Albgaire, cf. TELLENBACH, Großfränkischer Adel, p. 58 sq; HLAWITSCHKA, Franken, p. 120 sqq.; VIANELLO, Unruochingi, p. 362 sq.

5 Outre les ouvrages cités à la note précédente, cf. BORGOLTE, Grafen Alemaniens, p. 46 sqq.

6 Conversio Carant., p. 50 et p. 58. TELLENBACH, Großfränkischer Adel, p. 58, jugea fort probable l'identité de ce comte avec l'adjoint de Cadola; HLAWITSCHKA, Franken, p. 121 note 8, préférait ne pas se prononcer.

7 Doc. dipl. Italie, n° 45, p. 147 sqq.

gne: il avait été le précepteur (*baiolus*) de la fille de Pépin d'Italie[8]. Peut-être Albgaire poursuivit-il ses »services au Palais« sous Louis le Pieux, du moins au début du règne (jusqu'à son envoi en 817?). Rien ne permet de reconnaître avec certitude le comte Albgaire dans la personne du *fidelis* à qui, en février 842, Lothaire fit une donation[9].

22.   ALBON[1]
Attesté en 808

Albon ne nous est connu que par la mention *Albo ad vicem Helizachar scripsi*[2] portée sur le diplôme de Louis le Pieux donné à Chasseneuil le 7 avril 808 en faveur du monastère de Cormery[3].

23.   ALCUIN[1]
Abbé de Saint-Martin de Tours, mort le 19 mai 804

Il n'est pas question de présenter ici une biographie de celui qui, selon une anecdote célèbre au temps de Louis le Pieux, prédit l'accession de ce dernier à l'empire[2]. On se reportera pour cela aux nombreuses études qui furent consacrées à l'abbé de Saint-Martin[3]. Il convient juste de citer ici un extrait de la correspondance d'Alcuin, qui justifie qu'on le considère comme conseiller de Louis le Pieux, alors roi d'Aquitaine[4]. Il s'agit d'une lettre adressée à Charles, le fils aîné de Charlemagne. Elle prouve les relations étroites qu'entretenaient le vieux maître et Louis: »Ton frère, le jeune (et) très noble Louis, m'a plus souvent (que toi) demandé de lui envoyer des lettres d'admonition; ce que j'ai alors fait et que, si Dieu le veut, je ferai encore: en effet, il a

---

8 Ibid.: *Dicebat ipse Alpcharius: Tempore domni Pippini regis, dum ego eram baiolus Adelaide filie ipsius Pippini regis ... Postea, dum per iussionem domno Pippino rege ambolavi cum predicta Aldelaidam in Franciam ad domnum Carolum imperatorem, et dum in eius servicio illic demorassem, sua mercede dedit mihi comitum; et dum pro his et ceteris palatinis serviciis preocupatus venire in hac patria licentiam non habuissem ...*
9 Dipl. Karol. 3, n° 66, p. 177 sq. Cf. HLAWITSCHKA, Franken, p. 121 note 8.

1 Seule forme onomastique: *Albo*.
2 Cf. SICKEL, Acta regum, tome 1, p. 86. Sur cette mention, cf. DICKAU, Kanzlei, 1ère partie, p. 49.
3 B.M. 518(499), éd. Recueil des hist. 6, n° 2, p. 453. Sur ce diplôme, cf. DICKAU, Kanzlei, 1ère partie, p. 45 sqq.; DEPREUX, Kanzlei, p. 160.

1 Les principales formes onomastiques sont *Alcuinus* et *Albinus*.
2 Vita Alcuini, c. 15, p. 192 sq. A ce propos, cf. DEPREUX, Poètes, p. 315 note 16.
3 Cf. entre autres DUCKETT, Alcuin; WALLACH, Alcuin; GODMAN, Alcuin, p. XXXIII sqq. qui fournit également une riche bibliographie sur Alcuin. Sur son action à Tours, cf. VAUCELLE, Saint-Martin.
4 Il faut cependant rappeler que le royaume de Louis ne comprenait pas la cité martinienne, cf. WOLFF, Aquitaine, p. 283 et note 118.

pour habitude de les lire avec grande humilité«[5]. Il n'est également pas inutile de rappeler ici qu'Alcuin et Benoît d'Aniane étaient amis[6].

24.   ALDEBAUD[1]

Attesté en 795

Aldebaud et Hermingaud[2] présidèrent un plaid à Poitiers le 27 avril 795 en qualité de *missi* de Louis le Pieux, roi d'Aquitaine[3]. Notons qu'un certain Adalbaud avait donné à Pépin le Bref des biens sis à Salonnes[4] (Moselle, arr. Château-Salins), mais rien ne permet d'affirmer un quelconque lien entre les deux personnages.

25.   ALDRIC[1] (I)

Précepteur du Palais, abbé de Ferrières, puis archevêque de Sens[2], né en 775[3]
– mort le 10 octobre 836

Aldric, en qui J. Fleckenstein reconnaît avec raison un chapelain[4], fut élevé au monastère de Ferrières[5] du temps d'Alcuin[6]. En revanche, je considère l'interprétation de J. Fleckenstein comme erronée[7] quand l'auteur, identifiant sans argument véritable-

---

5 Alcuinus, Epistolae, n° 188, p. 316: ... *nobilissimus iuvenis Chlodoicus germanus tuus me rogavit saepius mittere ammonitorias illi litteras. Quod iam et feci et volente Deo faciam; quas etiam cum magna humilitate legere solet.* A ce propos, cf. EDELSTEIN, Eruditio, p. 62 note 67.
6 Cf. Vita Alcuini, c. 14, p. 192; Alcuinus, Epistolae, n° 57, p. 100 sq.

1 Formes onomastiques: *Aldebaldus, Adelbaldus.*
2 Cf. la notice n° 147.
3 Doc. dipl. Nouaillé, n° 7, p. 10 sq.: ... *coram Aldebaldo et Hermingaude missi domno Klodowick rege Aquitaniorum ... Actum fuit Afrialdo in advocatione Adelbaldi et Hermengaudi missos.*
4 Dipl. Karol. 1, n° 107, p. 152. Charlemagne donna ces biens à Saint-Denis.

1 Formes onomastiques: *Aldricus, Haldricus, Adhelricus* (?).
2 Cf. DUCHESNE, Fastes, tome 2, p. 417. Courte biographie dans SIMSON, Jahrbücher, tome 2, p. 259 sq. Cf. également LEVILLAIN, Wandalbert, p. 6 sq.
3 Vita Aldrici, c. 1, p. 741. On a cependant proposé de corriger en »vers 790« (cf. l'introduction, ibid., p. 740, paragraphe 2).
4 FLECKENSTEIN, Hofkapelle 1, p. 71.
5 L'auteur de la Vita Aldrici, c. 2, p. 741 dit qu'il fut présenté par ses parents au monastère de la bienheureuse Marie. Il ne fait cependant aucun doute qu'il s'agit de Ferrières, puisque l'auteur affirme ensuite que Sigulf succéda à Alcuin à la tête de cet établissement, or Sigulf est attesté comme abbé de Ferrières (Lupus, Correspondance, tome 2, n° 130, p. 206; Vita Aldrici, c. 5, p. 742). Ce monastère fut ensuite dédié par Aldric aux saints Pierre et Paul (Vita Aldrici, c. 5, p. 742) et il conserva cette dédicace (cf. COTTINEAU, Répertoire, tome 1, col. 1130).
6 Cf. Vita Aldrici, c. 2, p. 741. L'auteur de la Vita Alcuini le présente comme ayant reçu l'ordre de Sigulf de lui lire Virgile en secret, cf. Vita Alcuini, c. 16, p. 193.
7 Je préfère en effet, plutôt que de me fier à une identification fort hypothétique, m'appuyer sur le fait que l'auteur de la Vita Aldrici (certes probablement composée seulement au XIe siècle, comme l'a supposé J. MABILLON, cf. l'introduction à la Vita Aldrici, p. 740, paragraphe 2), pourtant fort précis quant à la jeunesse de son héros, ne dit mot d'un séjour à Salzbourg.

ment probant un certain Adhelric mentionné par Alcuin dans sa correspondance[8] avec notre personnage, veut faire de celui qui nous intéresse ici un disciple d'Arn de Salzbourg et pense ainsi que le jeune moine de Ferrières fut »son chapelain à Salzbourg pendant une longue période«[9]. Ensuite, »la renommée de ce bienheureux adolescent« parvint aux oreilles de l'archevêque de Sens, Jérémie, et ce dernier fit ordonner Aldric diacre, puis prêtre[10]. Louis le Pieux en fit son »précepteur du Palais«[11], mais la présence d'Aldric au Palais, comme notaire, est attestée dès le temps de Charlemagne, en 807[12]. Notre personnage est également attesté à la tête de la »chancellerie« de Pépin Ier d'Aquitaine[13] du 24 juin 827 au 5 mai 829[14]. A une date indéterminée, Aldric devint abbé de Ferrières[15].

Il est attesté, avant le 29 juin 822, comme *missus* à Saint-Amand, où il fut envoyé *ad ordinem regulae sancti Benedicti confirmandum*, c'est-à-dire pour y introduire la réforme monastique[16]. On peut donc penser qu'Aldric fut au nombre de ces *missi* qui, vers 817, eurent pour tâche de faire appliquer les réformes décidées à Aix-la-

---

8 Alcuinus, Epistolae, n° 260, p. 417 sq. Cf. également ibid., n° 264, p. 421 sq.

9 FLECKENSTEIN, Hofkapelle 1, p. 71.

10 Vita Aldrici, c. 3, p. 741 sq.

11 Vita Aldrici, c. 4, p. 742: *Tandem fama celebris viri illustris, longe lateque diffusa, ad regis Ludovici, filii Caroli Magni, pervenit audientiam, qui tunc regni Francorum tenebat monarchiam. Ad cujus monitum, quorumdam incredulorum, qui tunc fidem christianam impugnabant, prout spiritus sanctus dabat eloqui illi, versutias elisit argutas, et ruinam periclitans fidei propulsata penitus ambiguitate redintegravit. Super quibus jucundatus imperator augustus, eum praeceptorem palatinum instituit, ut vita imperialis aulae et majora negotia suae discretionis arbitrio diffinirentur.* Si j'interprète bien ce texte, Aldric aurait été notamment préposé à l'enseignement des païens (demeurant au Palais). Or on sait, par exemple, que le danois Harold, après son baptême en 826, laissa son fils et son neveu à la cour de Louis le Pieux (Ermoldus, Elegiacum carmen, lib. IV, v. 2510 sq., p. 190).

12 Cf. BRESSLAU, Urkundenlehre, tome 1, p. 385. Aldric fit la recognition du diplôme donné à Ingelheim (Dipl. Karol. 1, n° 206, p. 275). Il écrivit également ce diplôme (cf. les notes tironiennes). Il semblerait aussi qu'Aldric ait fait la recognition du diplôme donné à Aix-la-Chapelle le 26 mai 808 (Dipl. Karol. 1, n° 207, p. 276 sqq.). Cf. ibid., p. 277 et BRESSLAU, Urkundenlehre, tome 1, p. 385 note 1.

13 Cf. Actes de Pépin, p. XLI sq.: »On voit, par le simple rapprochement des dates, que le chancelier de Pépin Ier devait être l'abbé de Ferrières et qu'il abandonna la direction des services dont il avait la charge pour devenir le métropolitain de la province de Sens«.

14 Cf. ibid., p. XLVII. Les recognitions *ad vicem Aldrici* sont la preuve qu'Aldric dirigeait alors la »chancellerie«. Les recherches paléographiques de JUSSELIN, Notes tironiennes, p. 126 sq., sembleraient éventuellement permettre de considérer qu'Aldric était déjà en fonction au 31 octobre 825, comme tendait à le penser L. LEVILLAIN, cf. Actes de Pépin, p. XLVII et p. 14. Mais étant donné qu'il s'agit d'un diplôme (n° 4, p. 12 sqq. pour Saint-Antonin) auquel je considère qu'il est prudent, en l'état actuel de la recherche, de ne pas donner un trop grand crédit (cf. l'annexe n° 2), je ne retiens pas cette date.

15 Vita Aldrici, c. 5, p. 742. Aldric est attesté comme abbé de Ferrières par Lupus, Correspondance, tome 1, n° 1, p. 6 et tome 2, n° 130, p. 206.

16 B.M. 757(732), éd. Recueil des hist. 6, p. 530 sq. (à la p. 530), diplôme donné le 29 juin 822, à *Stratella villa*: ... *adiens serenitatem culminis nostri vir venerabilis Adaleodus abba monasterii sancti Amandi, una cum Aldrico misso nostro, quem ad praedictum coenobium direximus ad ordinem regulae sancti Benedicti confirmandum, suggesserunt mansuetudini nostrae qualiter congregationi confessoris Christi Amandi aliqua de rebus & villis ejusdem ecclesiae deputare & confirmare ad usus & necessitates illorum praejudicaremus.* Aldric était alors déjà abbé: *ad deprecationem vel suggestionem praedictorum abbatum, Adaleodi videlicet & Aldrici* ...

Chapelle et que l'Astronome mentionne[17]. Par ordre (*jussu*) de Louis le Pieux[18], Aldric reçut l'archevêché de Sens[19]. Le siège métropolitain était vacant à la fin de l'année 828, lorsque l'empereur convoqua pour l'année suivante quatre conciles[20]; mais Aldric participa comme archevêque de Sens à celui tenu en juin 829 à Paris[21], à l'occasion duquel il présida avec Ebbon une *inquisitio* sur la profession des moines de Saint-Denis et où il fut décidé de procéder à la réforme de ce monastère[22]. Il souscrivit également la charte par laquelle, le 22 janvier 832 à Saint-Denis, la question de la mense conventuelle fut réglée[23]. A part la réforme de Saint-Denis (où il intervint en tant qu'évêque métropolitain), l'action pastorale d'Aldric est fort mal connue. Les Gesta des évêques d'Auxerre mentionnent le rôle qu'il joua dans l'installation d'Héribaud sur le siège épiscopal de saint Germain[24]. D'autre part, Aldric transféra le monastère de Saint-Remi de sa cité épiscopale à Vareille et il obtint de Louis le Pieux un diplôme garantissant les possessions du monastère et définissant ses rapports juridiques avec l'archevêque[25]. Au début de 835, Aldric participa au plaid réuni à Thionville, au cours duquel Ebbon fut déposé[26]. A une date indéterminée, Aldric fut l'un des *missi* envoyés par Louis le Pieux à Flavigny pour y procéder au partage des menses abbatiale et conventuelle[27]. L'archevêque de Sens mourut le 10 octobre 836[28].

---

17 Astronomus, Vita, c. 28, p. 622 – texte cité à la notice n° 1.

18 Lupus, Correspondance, tome 2, n° 130, p. 206.

19 Aldric n'était pas le candidat initial du clergé de Sens. Sur les déboires du clergé de Sens dans cette élection, cf. Frotharius, Epistolae, n° 13 à 15, p. 285 sqq. A propos de la promotion d'Aldric au siège métropolitain de Sens, cf. sa lettre à l'évêque de Toul: Frotharius, Epistolae, n° 16, p. 287.

20 Constitutio de synodis, p. 2: *archiepiscopus Senonis qui fuerit*. Jérémie était mort le 7 décembre 828.

21 Doc. dipl. Paris, n° 35, p. 49 sqq.

22 Praeceptum synodale; B.M. 905(876). Sur la réforme, cf. OEXLE, Forschungen, p. 115; SEMMLER, Saint-Denis, p. 107 sqq.

23 Constitutio de partitione, confirmée le 26 août 832 par B.M. 906(877).

24 Gesta episc. Autisiodorensium, c. 36, p. 397: *Hunc … clerus ac populus, sollempni electione facta, pontificatui suffecerunt, Aldrico Senonum archiepiscopo cum coepiscopis ex precepto Ludovici imperatoris huius negotium procurante.*

25 B.M. 949(918), diplôme donné le 16 novembre 835 à Aix-la-Chapelle.

26 Concilium ad Theodonis villam, p. 703. Le sixième des évêques présents est *Haldricus archiepiscopus*, que les éditeurs du document identifient comme étant l'évêque du Mans, sans toutefois remarquer que le titre d'archevêque interdit cette identification: il s'agit par conséquent de l'archevêque de Sens. Il est cependant fort étonnant que l'évêque du Mans n'ait point participé à cette assemblée.

27 Dipl. Karol. 3, n° 50, p. 144 sq. (diplôme du 4 décembre 840) – texte cité à la notice n° 20.

28 Vita Aldrici, c. 11, p. 743: *LXI vitae suae anno, sexto Idus octobris, feliciter migravit ad Dominum.* Cf. DUCHESNE, Fastes, tome 2, p. 417: »son biographe le fait naître en 775 et mourir à 61 ans, c'est-à-dire en 836; le jour est fourni par les calendriers, où saint Aldric trouva place; c'est le 10 octobre«. Cf. LEVILLAIN, Lettres, p. 86 note 3: »La date du 10 octobre est encore attestée par un manuscrit du Vatican, provenant de Ferrières, le *Regin.* 1573 (anc. Petau, G. 53), qui contient aux fol. 1–7 un calendrier où on lit: *VI idus octobris, transitus sancti Aldrici archiepiscopi Sen(onensis) et abbatis hujus loci*«. Ce manuscrit fut décrit par Montfaucon sous son ancienne cote 1148 (cf. Manuscrits de la reine de Suède, p. 63). Edition du Martyrologium Ferrariense dans: P.L. 81, col. 848 (= éd. Arevalo mentionnée par L. LEVILLAIN dans: Lupus, Correspondance, tome 1, p. 58 sq. note 1; il s'agit non pas de la p. 322, mais de la p. 332). Le souvenir d'Aldric à Sens fut cependant entretenu au 6 juin (cf. introduction à la Vita Aldrici, p. 741, paragraphe 6). C'est d'ailleurs à cette date qu'est porté son décès dans B.H.L. (n° 263). C'est ce qui expliquerait pourquoi certains ont cru que le 6 juin était le jour de consécration d'Aldric, cf. Constitutio de synodis, p. 2 note 8; Frotharius, Epistolae, n° 13, p. 285 note 3.

26.   **ALDRIC[1] (II)**

Confesseur de l'empereur, puis évêque du Mans[2], né le 21 juin 800 –
mort le 24 mars 857

Aldricus praesul meritis insignis et actu, telle est la manière dont un poète a pu qualifier l'évêque du Mans[3]. De fait, Aldric se montra particulièrement actif, comme l'état
extraordinairement riche de la documentation le concernant permet de le constater[4].
Aldric naquit le 21 juin[5] 800[6]; son père, un dénommé Saxon, était Franc, quant à sa
mère, Syon, elle était d'origine alémanique et bavaroise[7]. A l'âge de douze ans, il fut
envoyé au Palais[8]. Bien que l'auteur des Gesta affirme que dès avant d'être envoyé au
Palais, Aldric avait été élevé au milieu d'évêques[9], l'enfant fut destiné à une carrière
séculière. C'est en effet au Palais qu'il reçut sa vocation religieuse[10] et il demanda au
souverain la permission de quitter la *militia secularis*[11], permission que ce dernier est
censé ne lui avoir accordée qu'à contre-coeur[12]. Aldric demanda à Louis le Pieux de
lui accorder une prébende à Metz, pour lui et douze clercs l'accompagnant[13].

D'après la chronologie du récit, Aldric se rendit à Metz vers 821. Il y reçut la tonsure, et après deux ans, il fut ordonné diacre par l'évêque Gundulf. Trois ans plus
tard, c'est de Drogon qu'il reçut l'ordination sacerdotale[14]. Il fut ensuite promu

---

1 Seule forme onomastique: *Aldricus*.
2 Cf. DUCHESNE, Fastes, tome 2, p. 338 sq.
3 Carmina Cenomanensia, n° 6, p. 628.
4 Cf. la chronologie de la vie d'Aldric établie par LE MAÎTRE, Aldric, p. 63 sq. Cette chronologie n'est
cependant pas parfaite. L'auteur ne prend pas en compte que la lettre de Grégoire IV du 8 juillet 833
(Epistolae selectae, n° 14, p. 72 sqq.) est un faux (LE MAÎTRE, Corpus du Mans, tome 2, p. 231 sqq.
juge ce document simplement »douteux«); il date de 834–35 et non d'environ 838 le fait que »Florus
de Lyon dédie à Aldric son ouvrage contre Amalaire«. D'autre part, l'indication de l'année 840 manque, et Louis le Pieux n'est pas mort en novembre à Poitiers.
5 Gesta Aldrici, p. 17: *Prescripto namque XI kalendarum iuliarum die antedictus Aldricus pontifex est
de utero matris suae natus ...*
6 Carmina Cenomanensia, n° 7, p. 628 sq.: *Bis quadringentos dum mundus volveret annos/ Instabili
currens nocte dieque gradu,/ Ex quo Salvator terras invisere venit/ Virginis intactae viscera casta petens,/ Funditur in lucem propriae tunc matris ab alvo/ Temporibus Karoli principis eximii,/ Aldricus
magnae Cenomannis episcopus urbis,/ Quem servet nobis omnipotens Dominus.* Ce poème et le n° 5
(ibid., p. 625 sqq.) sont de nature principalement biographique.
7 Gesta Aldrici, p. 5.
8 Ibid., p. 5 sq.: *Iam enim duodecim annorum habens a iam dicto patre suo ad palatium deductus est, et
glorioso Karolo Francorum rege atque denuo Hludowico eius filio honorifice commendatus, et ab eo
est decenter susceptus.*
9 Ibid., p. 5.
10 Ibid., p. 6.
11 Ibid., p. 7: *... ad regem deprecaturus accessit ut militiam secularem dimittere ei liceret et militiae spirituali se coniugere atque cum Domino famulari permitteret.*
12 Ibid.
13 Ibid.: *Tunc ergo ipse, inspirante divina gratia, petiit locum sibi dari in quadam civitate cuius vocabulum est Mediomatricis quae et alio nomine Mettis vocatur; sibique cum suis duobus clericis tantummodo postulavit dari praebendam. Rex autem et hoc concessit, et quantum volebat sibi dari spopon-
dit.*
14 Ibid., p. 7 sq. Sur les ordres mineurs reçus auparavant par Aldric, cf. Carmina Cenomanensia, n° 7, p.
631 v. 87 sqq.

maître-chantre, écolâtre et, pour finir, primicier[15]. Vers juillet 832[16], Louis le Pieux l'appela au Palais et en fit son confesseur[17]. Le 9 novembre 832, Aldric fut élu évêque du Mans en présence de Louis le Pieux, à Tours[18]. Il reçut le sacre épiscopal le 22 décembre 832[19]. Louis le Pieux vint rejoindre Aldric au Mans et passa les fêtes de Noël 832 avec lui[20]. Et de commencer la longue série des diplômes que l'évêque du Mans obtint de l'empereur[21], qui en échange pouvait compter sur sa fidélité[22]. De fait, Aldric se montra fidèle, puisqu'il fit partie de ceux qui ne trahirent pas Louis le Pieux en juin 833, au Rotfeld[23].

D'un diplôme donné le 24 juin 835 à *Stramiaco*, dans le *pagus* de Lyon[24], on peut déduire qu'Aldric participa à l'assemblée devant laquelle Agobard fut sommé – en vain – de comparaître[25]. L'on ne peut, par conséquent, que s'étonner de l'absence d'Aldric à Thionville au début de 835, où Ebbon fut déposé[26]. La présence d'Aldric à la cour est attestée en mars 836[27], et environ un mois plus tard, un pacte de fraternité

15 Gesta Aldrici, p. 8 sq.
16 Plus exactement, quatre mois avant qu'il ne reçût l'évêché du Mans.
17 Gesta Aldrici, p. 9: *Audiens autem Hludowicus imperator Francorum eius opinionem, ad se cum vocavit et in suo palatio, volente vel nolente, eum seniorem sacerdotem suumque confessorem inesse instituit.* Cf. MINOIS, Confesseur du roi, p. 90 sq. La présentation du règne de Louis le Pieux faite par cet auteur est toutefois caricaturale.
18 Le prédécesseur d'Aldric mourut le 6 novembre 832 (Actus pont. Cenom., p. 295). Aldric fut nommé trois jours plus tard (ibid., p. 294).
19 Gesta Aldrici, p. 9 sq.: *Quatuor autem menses cum imperatore in suo palatio nobiliter degens, eique amabiliter serviens, nec ad unum diem licentiam exinde evadendi et in patriam pergendi impetrare valebat. Episcopatum quippe ei quoddam, cuius vocabulum est Cenomannis, eligente eum eiusdem provinciae archiepiscopo Landramno, atque comite eiusdem parrochiae Morigone (= Rorigone), sive omnibus praefixae parrochiae nobilibus hominibus, atque cunctis palatinis, et clero et populo, per baccculum Landramni Turonicae civitatis et praedictae parrochiae metropolitani iam dictum episcopatum est in sua praesentia et eo instigante a Hludowico gloriosissimo imperatore ortantibus cunctis cura pastorali commissum; qui et hoc refugiens, et nolens praedictum episcopatum suscipere, omnibus tamen, licet coactus, hortantibus, ipsum sacrum suscepit ministerium. Ordinatus quoque a praedicto suo metropolitano et ceteris nobilibus et sapientibus episcopis in idipsum convenientibus, eligente cum clero et populo in praedicta civitate et in ipsa matre aecclesia die XI. est kal. ianuariarum, anno igitur incarnationis Domini nostri Ihesu Christi DCCCXXXII.*
20 Ibid., p. 10; Annales Bertiniani, a. 832, p. 8.
21 Cf. trois actes donnés entre le 29 décembre 832 et le 8 janvier 833: B.M. 911(882), B.M. 912 (883) – alors que les auteurs des Regesta imperii n'y ont vu qu'une »fälschende Tendenz«, LE MAÎTRE, Corpus du Mans, tome 2, p. 207 sq., rejette ce diplôme comme faux – et B.M. 917(888). Il n'y a pas lieu d'étudier en détail la teneur de ces actes, ce qui nous conduirait à mener une étude sur l'administration du diocèse du Mans. Pour cela, cf. LE MAÎTRE, Aldric; LE MAÎTRE, Corpus du Mans. Les documents suivants sont particulièrement intéressants: Gesta Aldrici, p. 79 sqq., p. 88 sqq. et p. 98 sqq.
22 B.M. 937(908), éd. Gesta Aldrici, p. 185 sq. (à la p. 186): *... et de nostra fidelitate magnam curam semper habeas, sicut actenus te habere cognovimus.*
23 Annales Bertiniani, a. 833, p. 9 note g (ajout dans le ms. de Saint-Omer, XIe siècle).
24 B.M. 942(911). A noter cependant qu'au contraire des auteurs des Regesta imperii, LE MAÎTRE, Corpus du Mans, tome 2, p. 194 sq., rejette ce diplôme comme faux.
25 B.M. 941(910)a.
26 Cf. Concilium ad Theodonis villam, p. 703. Il y a bien, parmi les évêques présents, un Haldricus, identifié par les éditeurs du document comme étant l'évêque du Mans; mais puisqu'il est qualifié d'*archiepiscopus*, il ne peut s'agir que de l'archevêque de Sens (cf. la notice n° 25).
27 Plus exactement du 17 au 23 mars 836 à Aix-la-Chapelle, cf. B.M. 957(926) et B.M. 960(929).

fut conclu entre les Eglises du Mans et de Paderborn[28]. De même, l'évêque du Mans se trouvait à la cour à la mi-juin 837[29] – Aldric participa vraisemblablement au plaid tenu en mai à Thionville[30]. Au printemps 838, Aldric était de nouveau à Aix-la-Chapelle[31], où son conflit avec les moines de Saint-Calais fut finalement jugé[32]. Aldric participa également au plaid tenu en septembre 838 à Quierzy-sur-Oise[33]; il est vraisemblable qu'il eut à examiner la plainte de Florus de Lyon[34] contre Amalaire, qui fut alors déposé[35]. A l'automne 839 et début 840, Aldric fit partie de l'expédition militaire de Louis le Pieux en Aquitaine[36]. Lorsque Louis le Pieux laissa la famille royale en Aquitaine pour se tourner contre Louis le Germanique, Aldric regagna Le Mans, où, le 12 mai 840, il tint un synode diocésain[37]. Le pontificat d'Aldric se prolongea encore un peu plus de quinze ans après la mort de Louis le Pieux[38]; l'évêque du Mans mourut le 24 mars 857[39], »son anniversaire est pourtant fêté, au moins depuis le XVᵉ siècle, le 7 janvier«[40]. Avant de devenir évêque du Mans, Aldric aurait reçu l'abbaye de Saint-Amand[41]. Notons que le catalogue des abbés de Saint-Riquier mentionne un certain Aldric ayant succédé à Hélisachar[42]. Rien ne permet de savoir s'il s'agit également de notre personnage.

28 Translatio s. Liborii, p. 154: *Dehinc inter utriusque aecclesiae, Cenomannicae videlicet et praefatae Patherbrunnensis, congregationes, firmata karitate perpetuae fraternitatis, ad patriam eis redeundi licentiam dedit.* Sur ce récit de translation, cf. HONSELMANN, Zur Translatio s. Liborii; HONSELMANN, Bericht des Klerikers; LE MAÎTRE, Corpus du Mans, tome 1, p. 161 sqq.
29 B.M. 966(935), diplôme donné le 15 juin 837 à *Gundulfi villa*; B.M. 968(937), diplôme donné le 18 juin 837 à Thionville.
30 B.M. 965(934)a.
31 Cf. B.M. 972(941), diplôme donné le 22 mars; B.M. 973(942), diplôme donné le 17 avril; B.M. 974(943), diplôme donné le 23 avril. A noter cependant qu'à la différence des auteurs des Regesta imperii, Ph. Le Maître juge le premier de ces diplômes »douteux« et les deux autres »faux« (LE MAÎTRE, Corpus du Mans, tome 2, p. 197 sq.).
32 Cf. Concilium Carisiacense (bis) p. 836 sqq. Le jugement fut rendu le 1er mai, cf. Carmina Cenomanensia, n° 9, p. 634 v. 11 sqq.
33 Cf. Concilium Carisiacense (bis), p. 847 sqq. Cf. également B.M. 980(949) et B.M. 981(950).
34 J'interprète ainsi le fait qu'Aldric fut l'un des co-destinataires de la lettre dans laquelle Florus exposait ses griefs contre Amalaire. Cf. Amalarius, Epistolae, n° 13, p. 267 sqq.
35 Cf. Concilium Carisiacense.
36 B.M. 998(967)a. Cela est attesté par deux diplômes, donnés à Poitiers le 16 novembre 839 et le 15 février 840: cf. B.M. 999(968) – à noter qu'à la différence des auteurs des Regesta imperii, LE MAÎTRE, Corpus du Mans, tome 2, p. 200, a rejeté ce diplôme comme »faux« – et B.M. 1002(971). Les auteurs des Regesta imperii ont déclaré ce dernier diplôme »mindestens zweifelhaft«, mais LE MAÎTRE, Corpus du Mans, tome 2, p. 189, l'a jugé »authentique«. Quand Aldric demanda l'autorisation de se décharger d'une part de ses fonctions sur un économe, il revendiqua la continuation d'une tradition mancelle, cf. Concilium Carisiacense (bis), p. 838 l. 26 sqq. et p. 846 l. 9 sqq.
37 Cf. Concilium Cenomannicum.
38 Cf. LE MAÎTRE, Aldric, p. 64.
39 DUCHESNE, Fastes, tome 2, p. 339: »D'après les indications du catalogue (XIe siècle), sa mort devrait tomber au 24 mars 857«. En effet, alors que le catalogue des Actus pont. Cenom., p. 8, ne donne que le nombre d'années d'épiscopat (24 ans), celui transmis avec les Gesta Aldrici, p. XXI, est plus précis: *Domnus Aldricus episcopus, feliciter multa vivat per tempora, sed. annis XXIIII, menses III, dies II*. Or 832 + 24 = 856, 22 décembre 856 + 3 mois = 22 mars 857, et 22 + 2 = 24, ce qui donne la date du 24 mars 857.
40 DUCHESNE, Fastes, tome 2, p. 339.
41 Annales Bertiniani, a. 833, p. 9 note *g* (ajout de la fin du XIe siècle dans le ms. de Saint-Omer).
42 Catalogus abbatum Centulensium.

27. ALÉDRAMNE[1]

Comte de Troyes, attesté à partir de septembre 820 – mort avant le 25 avril 855

Un comte Alédramne siégea en qualité de *missus* de Louis le Pieux dans un plaid tenu à Nurcie en août 821, où l'on traita une affaire concernant l'abbaye de Farfa[2]. Du texte d'un diplôme donné le 6 novembre 822 en faveur de Farfa, l'on peut conclure qu'Alédramne était encore en vie à cette date[3]. Le 2 septembre 820, à Quierzy, un certain comte Adadramne souscrivit l'acte d'échange passé entre le comte de Tours et l'évêque de Worms, agissant en tant qu'abbé de Wissembourg[4]. On peut en conclure que le comte Adadramne/Alédramne[5] participa au plaid alors tenu en ce palais par Louis le Pieux. Rien ne permet d'affirmer à coup sûr l'identité de ce comte avec celui attesté comme *missus* en Italie[6], mais rien n'interdit cette identification. H. d'Arbois de Jubainville identifia le comte attesté comme *missus* en Italie en 821 comme étant le comte de Troyes Alédramne ayant en 837 autorisé, contre paiement d'un cens, le prêtre Adremar à fonder une *cella* en l'honneur de saint Pierre, la future abbaye de Montiéramey[7]. H. d'Arbois crut, à la faveur d'un mandement, pouvoir faire preuve de l'activité de ce comte dès le règne impérial de Charlemagne[8] – à tort[9]. En revanche, c'est avec notre comte qu'il faut identifier le personnage qui *ambasciavit*, attesté dans un diplôme du 18 octobre 849 par lequel Charles le Chauve donna en toute propriété à l'un de ses *fideles* des biens sis en Narbonnais[10]. Depuis 848 environ[11], il était

---

1 Formes onomastiques: *Aledramnus, Aledram, Adadramnus, Aledrammus, Aledrannus, Aledrans*.
2 Doc. dipl. Italie, n° 32, p. 98 sqq.: (texte cité à la notice n° 9) *Signum + manus suprascripti Aledrammi missi, qui interfui*. En réalité, il y fut rendu deux jugements. Cf. B.M. 766(741) – texte cité à la notice n° 9.
3 B.M. 766(741). Il n'est pas fait mention d'Alédramne comme d'un défunt. Cf. la note précédente.
4 Doc. dipl. Wissembourg, n° 69, p. 268 sqq.: *Signum Adadramno comitis*.
5 D'après les éditeurs des actes de Wissembourg, »Adadram enthält einen Schreibfehler und gehört wohl zu den im westlichen Franken unter mannigfachen Spielarten auftretenden Aledram, Aldedran, Aldran«. Ils identifient ce personnage avec le *missus* attesté par le diplôme de Louis le Pieux mentionné ci-dessus (ibid., p. 271 note 8).
6 CHAUME, Bourgogne, p. 189 note 3, admit implicitement cette identification.
7 ARBOIS, Champagne, p. 60. Cette identification fut jugée plausible par SIMSON, Jahrbücher, tome 1, p. 183 note 7, qui ne trancha cependant pas. LOT, Aye d'Avignon, p. 146, retint cette identification. Le document, publié par ARBOIS, Champagne, p. 438, fut réédité dans Doc. dipl. Montiéramey, n° 1, p. 1 sq. Les relations entre le comte et l'abbaye furent parfois confictuelles, comme l'atteste un diplôme de Charles le Chauve: Actes de Charles le Chauve, tome 1, n° 201, p. 512 sqq. A ce propos, cf. LOT, Aye d'Avignon, p. 154 sq.
8 ARBOIS, Champagne, p. 58 sq. Le document, publié ibid. p. 434, fut réédité dans Doc. dipl. Chapelle-aux-Planches, p. 120 n° 3.
9 SICKEL, Acta regum, tome 2, p. 305 L. 50 et p. 447, montra que ce mandement et un autre document non édité ne pouvaient pas, étant donné la titulature du souverain, remonter à Charlemagne, et qu'ils devaient dater du règne de Charles le Gros. A noter que dans un diplôme – falsifié – du 12 juin 885, il est question d'un certain *Aledrannus dilectus nobis comes* ayant, de concert avec l'évêque Warnulf, présenté une requête auprès de l'empereur Charles le Gros en faveur des chanoines de Saint-Marcellès-Chalon-sur-Saône (Dipl. regum Germ. 2, n° 120, p. 189 sqq.). Tout comme l'identification de l'évêque (cf. DUCHESNE, Fastes, tome 2, p. 195 note 3), celle du comte n'est pas sans poser problème.
10 Actes de Charles le Chauve, tome 1, n° 120 p. 317 sqq.: *Aledrans ambasciavit*. Cf. LOT, HALPHEN, Charles le Chauve, p. 206 note 5.
11 LOT, HALPHEN, Charles de Chauve, p. 206.

en effet investi de la Marche de Gothie[12]. Le comte Alédramne, dont les origines ne sont pas éclaircies[13], mourut avant le 25 avril 855[14].

28. ALTMAR[1]

Sénéchal de Judith, attesté en 838

Altmar, désigné comme *seneschalcus domne Iudith imperatricis et missus palatinus*, fut envoyé (vraisemblablement vers le début de 838 ou environ) avec trois autres *missi* et plusieurs autres *vassi dominici* procéder à une *inquisitio* concernant le différend entre les moines de Saint-Calais et l'évêque du Mans, Aldric[2]. Etant donné que les choses trainaient, l'empereur évoqua l'affaire devant son tribunal[3].

29. ANSCHAIRE[1]

Archevêque de Hambourg(/Brême)[2], né vers 801 – mort le 3 février 865

Anschaire est un personnage bien connu[3]. Pour cette raison, il n'est pas nécessaire de retracer toutes les étapes de sa vie: seuls les éléments les plus significatifs pour notre

---

12 Chronicon Font., p. 302 l. 38; Annales Bertiniani, a. 850, p. 58 sq. Fin 848, Alédramne fut chassé de Barcelone par le fils de Bernard de Septimannie, cf. LOT, HALPHEN, Charles le Chauve, p. 206 sq. Sur les péripéties de l'action d'Alédramne en Gothie, cf. LOT, Aye d'Avignon, p. 147 sqq.; LEVILLAIN, Nibelungen, p. 17 sq.

13 CHAUME, Bourgogne, p. 189 note 3, p. 314 note 1 et p. 552 sq., voulut faire d'Alédramne l'époux d'une soeur de Judith et par conséquent un oncle maternel de Charles le Chauve. Avec raison ni FLECKENSTEIN, Herkunft der Welfen, ni TELLENBACH, Älteste Welfen, n'ont retenu cette hypothèse. De même, CHAUME, Bourgogne, p. 152 note 3, voulut faire de Dhuoda une soeur de Judith. L'argument qu'il avança ne résiste pas à la critique, cf. Dhuoda, Liber manualis, p. 84 et p. 368 (ce sont les deux seules occurrences du nom de Louis le Pieux, que Chaume voulait en vain faire appeler *frater* par Dhuoda). RICHÉ, Carolingiens, p. 190, fait du comte Alédramne un »allié à la famille des Robertides«. Sur les Alédramnides en Italie, cf. TELLENBACH, Großfränkischer Adel, p. 64.

14 Cf. Actes de Charles le Chauve, tome 1, n° 171 p. 449 sqq. Il s'agit d'un diplôme délivré sur la requête d'Eudes, successeur d'Alédramne: ... *tempore predecessoris sui Aledramni, quondam fidelis comitis nostri ex comitatu Tricasino* ... Ce diplôme, daté de 854 d'après les années de règne (GIRY, Etudes carolingiennes, p. 124 n° 4), doit en réalité être daté d'après l'indiction, c'est-à-dire de 855, comme le montra LOT, Aléran, p. 582 note 4.

---

1 Seule forme onomastique: *Altmarus*.

2 Concilium Carisiacense (bis), p. 837: *Precepit enim hanc iustitiam inquirere domnus imperator Ebroino Pictaviensis urbis episcopo et Erchinrado Parisiace civitatis episcopo et Rorigoni comiti et Altmaro seneschalco domne Iudith imperatricis et misso palatino una cum aliis vassis dominicis.* Cf. SIMSON, Jahrbücher, tome 2, p. 243.

3 Concilium Carisiacense (bis), p. 837 sq.: *Sed dum hec res ad effectum tunc minime pervenit propter alias necessitates et hoc domno imperatori renuntiatum esset, praecepit, ut ante se in suo palatio ipsa altercatio finiretur.*

---

1 Formes onomastiques: *Anskarius, Ansgarius, Ansger.*

2 Chronicon breve Bremense, p. 390.

3 Cf. MOREAU, Anschaire; OPPENHEIM, Ansgar.

propos seront retenus ici. Anschaire fut moine à Corbie[4] et il y exerça les fonctions de *magister scolae*[5]. Puis il fut envoyé à Corvey lors de la fondation de ce monastère, également pour y enseigner[6]. C'est alors que son nom, lors d'une délibération entre l'empereur et ses *optimates*[7], fut proposé par Wala, suite à la demande du Danois Harold formulée lors de son baptême en 826, concernant l'envoi d'un missionnaire pour parfaire sa propre formation catéchétique et évangéliser son peuple[8]. Après avoir demandé à Anschaire s'il était prêt pour cette expédition missionnaire[9] – l'on pourrait presque dire cette aventure[10] -, Louis le Pieux lui donna des objets liturgiques, des coffres et des tentes, et il l'envoya accompagner Harold[11].

L'on observe à peu près le même processus lorsqu'une délégation de Suèves vint à la cour de Louis le Pieux, vraisemblablement en 829[12], informer l'empereur que les

4 Rimbertus, Vita s. Anskarii, c. 3, p. 691.

5 Ibid., c. 4, p. 692.

6 Ibid., c. 6, p. 694.

7 Ibid., c. 7, p. 694 l. 20 sqq.: *De hoc itaque praedictus Augustus in publico conventu optimatum suorum cum sacerdotibus suis ceterisque fidelibus tractare coepit* … Cf. B.M. 829(770)b.

8 Rimbertus, Vita s. Anskarii, c. 7, p. 694 sq. La question des délais requis pour la prise de décision concernant l'envoi d'un missionnaire aux côtés de Harold est fort difficile à résoudre. Bien que Rimbert écrive qu'Anschaire fut appelé au Palais (Rimbertus, Vita s. Anskarii, c. 7, p. 694 l. 30 sq.) et qu'il relate comment ce dernier, suite à sa présentation à l'empereur, élit domicile dans un carré de vigne sis près de l'habitation de Wala (ibid., p. 695 l. 1), on peut penser qu'Anschaire était déjà à Ingelheim si l'on prend en compte le diplôme que Louis le Pieux délivra le 20 juin 826 en faveur du monastère de Corvey, B.M. 830(804), où il n'est fait référence qu'au défunt Adalhard, sans mention de l'abbé: il n'est pas invraisemblable que le *primus et magister scolae* de Corvey qu'était alors Anschaire (Rimbertus, Vita s. Anskarii, c. 6, p. 694 l. 6 sq.) fît partie de la délégation de moines ayant éventuellement présenté la requête (le texte du diplôme ne souffle cependant mot d'une telle délégation). Mais il est également possible qu'Anschaire ne vînt à la cour qu'après le plaid de juin 826, puisque Harold resta vraisemblablement au palais d'Ingelheim jusqu'à la fin de l'automne (cf. B.M. 830(804)a; les auteurs des Regesta imperii proposent de situer le départ de Harold »im Spätherbst« en s'appuyant sur le témoignage d'Ermoldus, Elegiacum carmen, IV, v. 2506 sq. p. 190: *Et jam vela vocant aurae, ventusque morantes/ Arguit, atque hiemis signa tremenda monet*); on aurait alors eut le temps de faire venir Anschaire depuis Corvey.

9 Rimbertus, Vita s. Anskarii, c. 7, p. 694: *Deductus itaque ad praesentiam Augusti, cum ab ipso interrogaretur, utrum pro Dei nomine, causa in gentibus Danorum evangelium praedicandi, comes fieri vellet Herioldi? omnino se velle constanter respondit.* Cf. HAUCK, Missionsauftrag Christi, p. 295.

10 Anschaire se trouva un compagnon en la personne d'Autbert (Rimbertus, Vita s. Anskarii, c. 7, p. 695 l. 2 sqq.), mais cette mission, à laquelle Anschaire aurait été préparé par plusieurs visions (cf. ibid., c. 3, p. 691 sq.: *Vade, et martyrio coronatus ad me reverteris*; c. 4, p. 693: *Noli timere, quia ego sum qui deleo iniquitates tuas*), devait sembler tellement terrifiante aux contemporains que personne ne voulut les accompagner: *Dimissi itaque ab imperatore nullum habuerunt socium, qui eis aliquid servitii impenderet, quoniam nemo ex familia abbatis cum eis sua sponte ire, nec ille quemquam ad hoc invitum volebat cogere* (ibid., c. 8, p. 695).

11 Ibid., c. 8, p. 695: *Post haec itaque ambo deducuntur ad regem; quorum voluntati et desiderio ipse condelectatus, dedit eis ministeria ecclesiastica, et scrinia atque tentoria, caeteraque subsidia, quae tanto itineri videbantur necessaria, et cum praefato Herioldo ire praecepit: denuncians ut eius fidei maximam impenderent sollicitudinem, eumque et suos qui simul baptizati fuerant, pia exhortatione ne ad pristinos reducerentur diabolo instigante errores, continue roborarent; simulque etiam alios ad suscipiendam christianam religionem verbo praedicationis strenue commonerent.*

12 L'on s'appuie traditionnellement sur la mention des Annales royales relative à la venue à Worms en 829 d'une *legatio* … *de aliis longinquis terris* (Annales regni Franc., a. 829, p. 177) pour dater du plaid alors tenu à cet endroit la venue de l'ambassade suève, cf. B.M. 865(836)c.

populations des environs de Birca désiraient se convertir au christianisme[13]. En revanche, la mission que reçut alors Anschaire semble avoir été sensiblement différente de celle de 826 – d'ailleurs, Rimbert emploie à ce propos un terme différent, qui relève du vocabulaire diplomatique: il parle en effet d'une *legatio*[14]. Anschaire fut alors impliqué dans la politique extérieure de l'empire franc à un degré nouveau: il s'agissait pour lui d'évaluer sur place si, en réalité, les Suèves étaient prêts à recevoir le Christ[15] (et par ce fait, à entrer dans la zone d'influence franque). Anschaire ayant jugé que c'était le cas[16], l'action évangélisatrice fut alors menée en accord avec les autorités locales[17], et c'est fort de son succès que le missionnaire regagna la cour impériale[18].

Alors, Louis le Pieux, cherchant à consolider les structures ecclésiastiques aux confins de l'empire[19], créa, avec le consentement des évêques réunis en synode, l'archevêché de Hambourg[20] et il y nomma Anschaire, qu'il fit sacrer par l'évêque de Metz, son demi-frère Drogon[21]. Puis l'empereur fit accompagner le nouvel archevê-

---

13 Rimbertus, Vita s. Anskarii, c. 9, p. 696: *Interim vero contigit legatos Sueonum ad memoratum principem venisse Hludowicum, qui inter alia legationis suae mandata clementissimo Caesari innotuerunt: esse multos in gente sua, qui christianae religionis cultum suscipere desiderarent, regis quoque sui animum ad hoc satis benivolum, ut ibi sacerdotes Dei esse permitteret; tantum eius munificentia merentur, ut eis praedicatores destinaret idoneos.*

14 Ce terme est également employé pour désigner la mission d'Ebbon en 822, cf. Rimbertus, Vita s. Anskarii, c. 13, p. 699 l. 13.

15 Rimbertus, Vita s. Anskarii, c. 10, p. 697: *Suscepit itaque legationem sibi a Caesare iniunctam, ut in partes iret Sueonum, et probaret, utrum populus ille ad credendum paratus esset, sicut missi supradicti* (c'est-à-dire les membres de l'ambassade suève) *innotuerant.* Le compagnon d'Anschaire fut alors le moine Witmar (ibid., l. 10).

16 Ibid., c. 11, p. 697 l. 39 sqq.

17 Ibid., c. 11, p. 697 l. 30 sqq.

18 Ibid., c. 12, p. 698: *Peracto itaque apud eos altero dimidio anno, praefati servi Dei cum certo suae legationis experimento et cum litteris regia manu more ipsorum deformatis, ad serenissimum reversi sunt Augustum. Qui honorifice, et cum maxima pietatis benivolentia ab eo suscepti, narraverunt, quanta Dominus secum egerit, et quod ostium fidei in illis partibus ad vocationem gentium patefactum fuerit.* L'éditeur de la Vita date ce retour de 832.

19 Ibid.: *... quaerere coepit, quomodo in partibus aquilonis, in fine videlicet imperii sui, sedem constituere posset episcopalem, unde congruum esset episcopo ibi consistenti, causa praedicationis illas frequentius adire partes et uunde etiam omnes illae barbarae nationes facilius uberiusque capere valerent divini mysterii sacramenta.*

20 Ibid.: *... una cum consensu episcoporum ac plurimo synodi conventu in praefata ultima Saxoniae regione trans Albiam in civitate Hammaburg sedem constituit archiepiscopalem, cui subiaceret universa Nordalbingorum ecclesia, et ad quam pertineret omnium regionum aquilonalium potestas ad constituendos episcopos sive presbyteros, in illas partes pro Christi nomine destinandos.* La création de l'archevêché de Hambourg a fait l'objet d'un débat houleux, prenant parfois des accents passionnels chez les médiévistes. SCHIEFFER, Adnotationes, p. 506 sqq., a résumé l'état de la question. C'est tout à fait consciemment que je laisse de côté cette querelle érudite, pour donner le primat à l'œuvre de Rimbert, »eine zeitgenössische Quelle von ungewöhnlichem Rang« (SCHIEFFER, Adnotationes, p. 511).

21 Rimbertus, Vita s. Anskarii, c. 12, p. 698: *Ad hanc ergo sedem dominum et patrem nostrum sanctissimum Anskarium praedictus imperator solemniter consecrari fecit archiepiscopum per manus Drogonis Mettensis praesulis et summae sanctaeque palatinae dignitatis tunc archicapellani, astantibus archiepiscopis Ebone Remensi, Hetti Treverensi, et Otgario Magonciacensi ...* A ce propos, cf. la notice n° 75.

que de quelques *missi*[22] jusqu'à Rome, où il reçut le pallium des mains de Grégoire IV[23]. La date à laquelle Anschaire fut promu au siège de Hambourg n'est pas connue par des documents contemporains[24]. Elle se situe vers la fin de 831[25]. Il n'entre pas dans mon propos de retracer l'activité pastorale d'Anschaire, qui date d'ailleurs plutôt de la période post-ludovicienne[26]. Anschaire mourut le 3 février[27] 865[28], alors qu'il était dans sa soixante-quatrième année, c'est-à-dire la trente-quatrième année de son pontificat[29].

30. ANSÉGISE[1]

Abbé, attesté avant 807 – mort le 20 juillet 833

Grâce aux Gesta des abbés de Fontenelle, nous disposons d'une documentation assez riche sur Anségise. Il était le fils d'un certain Anastase et d'une certaine Himilrade[2]. Après avoir reçu la tonsure à Fontenelle sous l'abbatiat de Géroald (787/789–807?), son parent[3], il fut envoyé au Palais[4]. L'on ne peut rien tirer du titre donné à Charlemagne pour proposer de dater l'événement[5]. J. Fleckenstein a montré que les chapelains entraient au service du souverain par prestation de la *commendatio*[6]; Anségise fut vraisemblablement membre de la Chapelle royale[7]. Avant 807, il reçut le monas-

---

22 Il s'agissait des évêques Bernold et Rataud, ainsi que du comte Gérold. Cette requête visant à la confirmation de l'élévation d'Anschaire à la dignité archiépiscopale fut présentée en 832, cf. SEEGRÜN, Erzbistum Hamburg, p. 33.

23 Rimbertus, Vita s. Anskarii, c. 13, p. 699. La nomination d'Anschaire est présentée comme un événement s'inscrivant en continuité avec la mission d'Ebbon en 822.

24 L'on ne peut à ce propos pas prendre en compte le diplôme du 15 mai 834, par lequel Louis le Pieux est censé avoir alors fondé l'archevêché de Hambourg, B.M. 928(899), et qui n'est qu'un faux.

25 Cf. SCHMEIDLER, Hamburg-Bremen, p. 235, et la notice consacrée à Drogon (n° 75).

26 Cf. Rimbertus, Vita s. Anskarii, c. 14 sqq., p. 699 sqq. et c. 21 sqq., p. 706 sqq.

27 Adam, Gesta Hammaburg. eccl. pont., p. 37: *Cuius depositio summa veneratione colitur III° non. Februarii. Obiit anno Domini DCCCLXV…*

28 Annales Corbeienses, p. 3: *865. Ansgarius archiepiscopus obiit.* Erreur d'un an dans les Annales Fuldenses, a. 866, p. 22 sq.: *… sanctissimus episcopus Bremensis Anser de hac luce migravit.*

29 Rimbertus, Vita s. Anskarii, c. 40, p. 722 l. 27 sq. Le nombre des années d'épiscopat est le même dans le Chronicon breve Bremense, p. 390: 16 (Hambourg) + 18 (Brême) = 34.

1 Formes onomastiques: *Ansegisus, Ansigisus, Ansgisus.*

2 Gesta patrum Font., p. 92. Ibid., p. 92 sq.: *… ex nobili Francorum prosapia claram duxit originem …*

3 Ibid., p. 93: *Denique, tenente locum regiminis huius coenobii Geroaldo abbate, propinquo suo, hoc accessit monasterium tonsuramque capitis ab eo suscepit.*

4 Ibid., p. 93: *Denique non multo post ad palatium eum perducens, in manus gloriosissimi regis Karoli commendare studuit.*

5 D'après ce titre, il semblerait qu'Anségise se soit rendu au Palais avant la fin de l'an 800. Or Charlemagne est également appelé *rex* par l'auteur alors qu'il est question d'un événement datant d'après 807. Cf. Gesta patrum Font., p. 94.

6 FLECKENSTEIN, Hofkapelle 1, p. 30 sqq.

7 Cf. FLECKENSTEIN, Hofkapelle 1, p. 31. Sa présence à la cour est d'autre part attestée: Carmina Centulensia, n° 101, p. 334: *Munificum patrem nimium deposco valere/ Ansigisum Karoli residentem regis in aula …*

tère de Saint-Sixte de Reims et celui de Saint-Menge de Châlons-sur-Marne (ces *coenobia* lui furent confiés *ad regendum*)[8]. En 807, Anségise reçut en précaire de Charlemagne le monastère de Saint-Germer de Flay[9], qu'il restaura[10] et dont il fut le *rector*[11]. En échange de Saint-Germer, il dut renoncer à Saint-Sixte et à Saint-Menge[12]. A une date indéterminée, mais s'inscrivant après 807, Anségise fut nommé *exactor operum regalium* au palais d'Aix-la-Chapelle; il était sous les ordres d'Eginhard[13]. En 817 (ou plutôt entre février 817 et janvier 818), Anségise reçut en bénéfice l'abbaye de Luxeuil[14] et le 2 avril 823 (un Jeudi Saint), il succéda à Eginhard comme abbé de Fontenelle[15].

Avant le 28 avril 820, Anségise est attesté comme *missus* de Louis le Pieux dans le duché de Spolète[16] – à cette date, il était déjà de retour. A une date indéterminée (vrai-

8 Cf. Gesta patrum Font., p. 94.

9 Cf. ibid., p. 93. L'auteur de l'histoire de Saint-Germer de Flay composée au XVIIe siècle (Paris, Bibliothèque Nationale, ms. lat. 13890, fol. 24v sqq.) accorde une large place à l'abbatiat d'Anségise, mais son information ne repose que sur les Gesta des abbés de Fontenelle.

10 Cf. Gesta patrum Font., p. 93 sq.

11 Cf. la note suivante.

12 Gesta patrum Font., p. 94: *Quae deserta Flauiacensis rector constituitur ...*

13 Gesta patrum Font., p. 94: *Praeterea dum praedictum Flauiacum iure precarii ac beneficii teneret, etiam exactor operum regalium in Aquisgrani palatio regio sub Einhardo abbate, viro undecunque doctissimo, a domno rege constituitus est.* Cf. FLECKENSTEIN, Hofkapelle 1, p. 66. J. FLECKENSTEIN, ibid., p. 94 note 94, prétend qu'Anségise »war noch unter Ludwig d. Frommen in Aachen als *exarctor operum regalium* tätig«. Cette affirmation, bien qu'elle ait pour elle la vraisemblance, est gratuite: les Gesta ne permettent pas d'affirmer une telle chose.

14 Gesta patrum Font., p. 95: *Interea defuncto magno Karolo imperatore augusto, diuae memoriae, Hludouuicus, eius filius, in imperium eleuatur. A quo idem domnus Ansigisus magnifice honorari meruit. Anno denique imperii sui III, Luxouium, famosum Gallis coenobium, ad regendum beneficii iure eidem contulit.* L'abbatiat d'Anségise à Luxeuil est confirmé par le Chronicon Luxoviense breve, p. 221, et par un extrait des Miracles de saint Waldebert (De miraculis sancti Waldeberti abbatis Luxoviensis tertii liber ..., éd. J. MABILLON, Acta Sanctorum Ordinis sancti Benedicti, tome 3/2, Venezia 1734, c. 12, p. 414).

15 Gesta patrum Font., p. 96: *... Einhardus hoc coenobium per VII ferme tenuit annos. Quod demum ultro derelictum, diuina, ut credi fas est, iussione, ac gloriosissimi imperatoris Hludouuici largitione domnus Ansegisus ad gubernandum suscepit anno supra iam taxato.* La date est indiquée ibid., p. 92: *... ab anno dominicae incarnationis DCCCXXIII ... sub die IIII Nonarum Aprilium ...* Cette date ne correspond pas à celle que l'on peut déduire des données relatives à la durée de l'abbatiat d'Anségise, ibid., p. 124. Anségise mourut le 20 juillet 833. Or l'auteur des Gesta compte qu'il fut à la tête de l'abbaye 10 ans, 5 mois et 18 jours, ce qui donne non pas la date du 22 janvier 823 (comme le notent les éditeurs, p. 124 note 372), mais celle du 2 février 823: 833 – 10 = 823, 20 juillet – 5 mois = 20 février, 20 – 18 = 2. Je préfère m'en tenir à la date donnée par le texte plutôt qu'à celle que l'on pourrait déduire de la durée de l'abbatiat, d'autant plus qu'une des fêtes majeures de l'année liturgique tombait le 2 avril 823. Pour un témoignage de l'action d'Anségise à Fontenelle, cf. la *constitutio* de 829 (Gesta patrum Font., p. 117 sqq.; Doc. dipl. Saint-Wandrille, n° 121, p. 188 sqq.). Pour un exemple de continuité de gestion entre Eginhard et Anségise, cf. Einhardus, Epistolae, n° 1, p. 109. Il faut ici rappeler d'une part qu'Anségise était parent de l'abbé Géroald, d'autre part que la dévolution du monastère de Fontenelle semble avoir été réservée aux membres du Palais: Géroald était chapelain de la reine Bertrade (cf. FLECKENSTEIN, Hofkapelle 1, p. 88); Eginhard lui succéda, puis Anségise.

16 B.M. 719(696), éd. Doc. dipl. Farfa, n° 247/CCLXV, p. 204 sq. (à la p. 204). Suite à un différend entre l'évêque de Spolète et l'abbé de Farfa concernant l'église Saint-Marc de Spolète: *... precipimus missis nostris Hettoni videlicet episcopo et Ansegiso abbati et Geraldo comiti, quos propter diuersorum hominum causas et iustitias faciendas in ducatum Spoletanum direximus, ut audita eorum contentione et inquisita rei veritate causa que inter eos vertebatur, si ibidem per eos definiri non potuisset, nostro iudicio definienda reservatur.* Un accord à l'amiable survint entre les deux parties (ibid., p.

semblablement vers 830[17]), une mission délicate en Marche d'Espagne fut confiée à l'abbé de Fontenelle[18]. En janvier 827[19], il composa sa célèbre Collection de capitulaires[20]. Anségise mourut le 20 juillet 833[21].

31.   **ANSFRID**[1]

Abbé de Nonantola, attesté du 1er décembre 825 au 19 novembre 837 –
vraisemblablement décédé en 842, le 13 mars

Le 1er décembre 825 à Aix-la-Chapelle, Louis le Pieux fit, à la requête de l'abbé Ansfrid, une donation à son monastère de Nonantola[2]. Mais c'est pour une mission que l'abbé reçut quelque temps plus tard que ce dernier nous intéresse ici: lors du plaid tenu à Aix-la-Chapelle en février 828[3], l'évêque de Cambrai, Halitgaire, et l'abbé de Nonantola revinrent de Constantinople où ils avaient été envoyés en ambassade au-

205): *Quae pactuatio sive convenientia cum nostris auribus per praedictos missos nostros fuisset insinuata, complacuit nobis eam nostrae auctoritatis iussione confirmare.*

17 CALMETTE, De Bernardo, p. 84, proposa l'année 830; les éditeurs des Gesta patrum Font., p. 99 note 218, à la suite de SIMSON, Jahrbücher, tome 1, p. 269, avancèrent la date de 827. Etant donné que le soulèvement d'Aizo (à ce propos, cf. ABADAL, Dels Visigots, p. 311 sqq.), qui aurait nécessité l'envoi d'Anségise, eut lieu en 826, je juge impossible de retenir cette date, puisque Anségise était occupé à la confection de sa Collection au début de 827. CALMETTE, Gaucelme, p. 170 sq., plaida de nouveau – de manière à mon avis convaincante – en faveur d'une datation vers 830.

18 Gesta patrum Font., p. 99: *Iustitiae postremo virtutem quam magnifice tenuerit testantur legationes, quibus iussu Augustorum frequenter functus est, maxime ea quae tempore domni Hluduouici magni imperatoris iussu eiusdem partibus marcae Hispanicae celebrata est adversus Gautselinum custodem limitis illius.*

19 Ansegisus, Capitularium collectio, p. 394. La date précise est donnée par Anségise: il rassembla les capitulaires de Charlemagne et de Louis le Pieux en l'an 827, lors de la 13e année de règne de Louis le Pieux. Etant donné qu'à partir de février 827 commence la 14e année de règne (à ce propos, cf. DEPREUX, Wann begann?), l'abbé de Fontenelle ne peut avoir composé sa Collection qu'en janvier 827.

20 L'identité entre l'abbé (de Luxeuil) Anségise et le compilateur de la Collectio capitularium est affirmée par l'auteur des Miracula s. Waldeberti, c. 12, p. 414: *Capitula siquidem regum Francorum quae diversis fuerant acta conciliis excepit & uno volumine contineri fecit.* Sur cette Collection, cf. SCHMITZ, Kapitulariengesetzgebung, p. 477 sqq.; GUILLOT, Ordinatio, p. 455 sqq.; WERNER, Hludovicus Augustus, p. 84 sqq.

21 Anségise était malade, cf. Gesta patrum Font., p. 110: *… passio incidit illi quam Graeci paralisim uocant …* Il mourut après dix ans d'abbatiat, *die XIII Kalend. Augusti.* Cf. ibid., p. 124. Comme les éditeurs des Gesta l'ont noté (ibid., p. 128), il y a contradiction avec l'indication chronologique donnée au c. 4 (ibid., p. 101): *… quod factum est pridie nonas Decembris, dominica, expletis post obitum eiusdem gloriosi patris mensibus III et diebus XVI.* De cela, on devrait conclure qu'Anségise serait mort le 19 août 833 (et non le 18 août, comme l'indiquent les éditeurs, ibid., p. 101 note 231): 4 décembre – 3 mois = 4 septembre, 4 septembre – 16 jours = 19 août. Comme dans le cas de l'accès à l'abbatiat, je préfère m'en tenir à l'indication d'une date donnée dans le texte, plutôt qu'à un calcul de durée, pour lequel les risques d'erreur sont plus grands. Par ailleurs, les éditeurs des Gesta n'ont pas remarqué que le 4 décembre 833 ne tombait pas un dimanche, mais un jeudi (comme l'a noté S. LOEWENFELD dans son édition pour les M.G.H. SS. rer. Germ. 28, p. 53 note 2), ce qui rend l'utilisation de cette donnée encore plus sujette à caution.

1 Formes onomastiques: *Ansfridus, Ansfredus, Ansfrit, Ansfrith.*
2 B.M. 816(792).
3 B.M. 844(818)a.

près de l'empereur Michel II[4]. Le 18 mars 830, Lothaire confirma, par un diplôme donné à Mantoue, la totalité des possessions de l'abbaye de Nonantola[5], comme l'avait fait auparavant son père. De même, Lothaire, de visite en l'abbaye le 3 février 837, accorda aux moines la liberté de l'élection de leur abbé[6]. Il est très étonnant que le nom de l'abbé Ansfrid soit passé sous silence dans ce diplôme. On doit peut-être interpréter ce fait comme une marque d'hostilité de Lothaire vis-à-vis de l'abbé: il se pourrait qu'Ansfrid se soit gardé de soutenir Lothaire dans son conflit contre Louis le Pieux, en juin 833. En effet, puisque la présence d'Ansfrid semble être attestée en Italie le 27 juillet 833[7], on peut supposer qu'il ne fut pas au nombre des partisans de Lothaire assemblés fin juin 833 au Rotfeld[8]. Le nom d'Ansfrid apparaît pour la dernière fois dans un acte du 19 novembre 837[9]. La notice du catalogue des abbés de Nonantola pose problème[10]. Ansfrid ne peut pas avoir succédé à l'abbé Pierre en 821, puisque ce dernier était encore en vie en décembre 824[11], comme G. Tiraboschi le remarqua[12]. En revanche, rien ne s'oppose à ce que l'on accorde crédit à l'information selon laquelle Ansfrid aurait exercé son abbatiat dix-sept ans[13]: il serait donc mort le 13 mars 842.

4 Annales regni Franc., a. 828, p. 174: *Halitgarius Camaracensis episcopus et Ansfridus abba monasterii Nonantulae Constantinopolim missi et a Michahele imperatore, sicut ipsi inde reversi retulerunt, honorifice suscepti sunt.* Cf. également Astronomus, Vita, c. 42, p. 631. Les auteurs des Regesta imperii, B.M. 844(818)a, placent l'envoi à cette date, ce que l'on ne peut pas déduire du texte des Annales royales. Quant à l'Astronome, il affirme que c'est leur retour de mission qui eut alors lieu. SIMSON, Jahrbücher, tome 1, p. 258, place également ce retour en 828. Sur le contexte des relations diplomatiques entre la cour byzantine et celle de Louis le Pieux, cf. LOUNGHIS, Ambassades, p. 165 sq.
5 Dipl. Karol. 3, n° 7, p. 66 sqq.
6 Dipl. Karol. 3, n° 32, p. 108 sq.
7 Doc. dipl. Nonantola, tome 2, n° 31 p. 48.
8 A moins qu'il ne fît partie de la suite du pape Grégoire IV, retourné à Rome immédiatement. Cf. B.M. 925(896)c.
9 Doc. dipl. Nonantola, tome 2, n° 33, p. 50 sq. La première occurrence dans les actes de Nonantola date du 8 février 826 (ibid., n° 27, p. 44 sqq.).
10 Catalogi abbatum Nonantulanorum, p. 571: *Ansfrith annos 17. Ordinatus anno Domini 821. Hic fuit religiosus et Deo devotus vir et sanctissime vixit. Fecit autem capsam euangelii totam auream et preciosis lapidibus ornatam. Fecit et calicem grandem argenteum et patenam, quos mirifice vestivit auro et ornavit lapidibus. Obiit 3. Idus Mart.*
11 Cf. Doc. dipl. Italie, n° 36, p. 109 sqq.
12 Doc. dipl. Nonantola, tome 1, p. 80.
13 D'après le catalogue des abbés de Nonantola, Ratpert aurait succédé à Ansfrid en 838, et il aurait eu pour successeur Rotichild en 839 (il faut évidemment amender la date 809 des Catalogi abbatum Nonantulanorum, p. 571, en 839, comme cela est imprimé dans l'édition de G. Tiraboschi; G. Waitz affirme que l'édition des M.G.H. ne fut pas une simple réédition du texte de G. Tiraboschi, mais que L. Bethmann collationna le texte sur le manuscrit; toutefois, étant donné qu'aucune note infrapaginale ne signale la divergence, il faut la tenir pour une coquille), lui-même remplacé par Giselprand en 842. Or l'abbé Rotichild (Rothtehild) était encore en vie le 18 mai 845, comme l'atteste un acte de Nonantola (Doc. dipl. Nonantola, tome 2, n° 36, p. 52 sq.). L'on ne peut par conséquent pas prendre en compte les années indiquées par le catalogue comme étant celles de l'entrée en charge – au cas où les durées d'abbatiat seraient exactes, il faut admettre un décalage d'environ quatre ans.

32.   ARCHAMBAUD[1]

Notaire, attesté de 778 à fin 814 (?)

Notre personnage[2] est attesté comme notaire de Charlemagne (le nom apparaît principalement sous la forme Ercanbaldus) de janvier 778[3] au 17 février 797[4]. Du 31 mars
797 au 2 avril 812, il dirigea la »chancellerie«[5]. La compétence d'Archambaud hors
du domaine de l'établissement des diplômes est attestée[6], de même que l'étendue de
ses compétences, puisqu'en 801 l'organisation d'une flotte en Ligurie lui fut confiée[7].
A une date indéterminée, Archambaud, qualifié de secrétaire (*commentariensis*), fut
envoyé par Charlemagne auprès de Louis le Pieux, alors roi d'Aquitaine, pour lui
porter des ordres[8]. Par ailleurs, un certain Archibald désigné comme *notarius*[9] siégea
lors d'une séance du tribunal du Palais, vraisemblablement tenue peu avant le 1er janvier 815[10]. Je tends à identifier ce personnage avec le notaire du temps de Charlemagne[11], d'où une conséquence, en réalité double: Archambaud serait simplement »rentré dans le rang« et demeuré au Palais, passant alors au service du comte du Palais,
qui disposait d'un service d'écritures personnel[12].

1 Formes onomastiques: *Archamboldus, Erchambaldus, Ercanbaldus, Hercambaldus, Archibaldus.*
2 Cf. Sickel, Acta regum, tome 1, p. 82 sqq.; Bresslau, Urkundenlehre, tome 1, p. 384.
3 Cf. Dipl. Karol. 1, n° 119, p. 166 sq.
4 Dipl. Karol. 1, n° 180, p. 242 sqq. La formule de recognition est la suivante: *Ercanbaldus advicem
   (Radoni) recognovi*, et l'éditeur de remarquer en note infrapaginale: »der Name ist aus Versehen ausgeblieben, da mit *advicem* die Zeile schloß«. Il s'agit d'un diplôme copié dans le cartulaire de Prüm
   (Liber aureus) du XIIe siècle. Bresslau, Urkundenlehre, tome 1, p. 384, considère que la dernière trace de l'activité notariale d'Archambaud remontait au 22 février 794 (Dipl. Karol. 1, n° 176, p. 236
   sqq.), alors que Sickel, Acta regum, tome 1, p. 82, était tenté de voir en notre homme le chef de la
   »chancellerie« à partir de février 797, c'est-à-dire à partir du diplôme n° 180 qui nous intéresse ici. Je
   considère pour ma part que Radon était encore en fonction à cette date, et qu'Archambaud lui
   succéda au mois suivant. En effet, Archambaud ne put faire la recognition en tant que responsable de
   la »chancellerie« s'il le fit à la place d'une autre personne (*Ercanbaldus advicem recognovi*, si l'on supprime la correction d'E. Mühlbacher – ce qui n'a guère de sens).
5 Cf. Dipl. Karol. 1, n° 181 p. 244 sq. (Sickel, Acta regum, tome 2, p. 277 K.159, tient l'anomalie que
   représente la recognition du diplôme de juin 799 pour Aniane: *Erchimbaldus advicem Radoni*, Dipl.
   Karol. 1, n° 188, p. 252 sq., pour une »wol [sic] unrichtige Unterschrift«) et n° 217, p. 289 sq. Son successeur, Jérémie, est attesté pour la première fois le 9 mai 813, cf. Dipl. Karol. 1, n° 218, p. 290 sqq.
6 Cf. Leo, Epistolae, n° 5, p. 95: *Potestis interrogare fratrem nostrum Hildibaldum archiepiscopum et
   Ercandaldum cancellarium. Fortasse aliquid exinde cognoverunt. Quia cognovimus eos animae vestrae fideles in omnibus.* De l'extrait d'un poème de Théodulf d'Orléans (Theodulfus, Carmina, n° 25,
   p. 487 v. 147 sqq.), Sickel, Acta regum, tome 1, p. 83, conclut qu'il était »eine angesehene Person« à la
   cour de Charlemagne.
7 Annales regni Franc., a. 801, p. 116: *Tum ille misit Ercanbaldum notarium in Liguriam ad classem parandam, qua elefans et ea, quae cum eo deferebantur, subveherentur.* Cf. également Annales Tiliani,
   p. 223. Une telle activité n'était pas incompatible avec l'état ecclésiastique, comme le prouve l'exemple
   du prêtre homonyme (Hercambald) de l'abbaye de Fleury, en 834 (Adrevaldus, Miracula, p. 48). Toutefois, aucune source ne spécifie l'état d'Archambaud (cf. Sickel, Acta regum, tome 1, p. 83). Pour
   des raisons chronologiques, il ne peut pas être identique avec le prêtre de Saint-Benoît.
8 Astronomus, Vita, c. 19, p. 617: *Nam quadam tempestate misso Archamboldo commentariensi, imperia dum ei quaedam ferenda filio referendaque commisisset … A son retour auprès de Charlemagne,
   Archambaud fit un rapport enthousiaste sur le gouvernement du roi d'Aquitaine.
9 Enquête de Fontjoncouse, n° 3, p. 112 sqq.

33. ARDOUIN[1]

Comte, attesté au printemps 838 – mort avant le 13 janvier 859

En application du jugement rendu le 28 avril 838 à Aix-la-Chapelle, Louis le Pieux dépêcha quatre *missi*, dont le comte Ardouin, pour investir Aldric du monastère de Saint-Calais[2]. Ce comte avait participé à l'assemblée où le jugement fut prononcé[3]. Il est fort probable que notre personnage soit identique avec le comte Ardouin auquel Charles le Chauve donna, le 30 août 843, la *villa* de Bouillancourt-en-Séry[4]. Le 13 janvier 859, ce bien fut donné par Warimburge[5], la veuve d'Ardouin[6], et son fils, le comte Eudes, au monastère Saint-Maur-des-Fossés[7]. On peut supposer que déjà sous Louis le Pieux, notre comte était en charge de l'*Otlingua Saxonia*[8] (située dans l'actuel département du Calvados).

10 Cf. l'annexe n° 1.
11 Déjà HALBEDEL, Fränkische Studien, p. 43 et note 14, avait voulu reconnaître en Archambaud – que BRESSLAU, Urkundenlehre, tome 1, p. 380 note 6, tenait pour un »pfalzgräflich(er) Notar« du temps de Louis le Pieux – le notaire Ercambaldus, responsable de la chancellerie de Charlemagne de 797 à 812. Certes, les noms du notaire de Charlemagne et de celui mentionné dans le procès verbal de 834, tous deux connus par des documents originaux, ne sont pas absolument identiques: il s'agit d'une part d'Ercambaldus (cf. par exemple Dipl. Karol. 1, n° 181, p. 244 sq.) et d'autre part Archibald(us), cf. Enquête de Fontjoncouse (planche IV). Certaines leçons du nom du notaire de Charlemagne se rapprochant du nom d'Archibaldus sont toutefois fournies par des copies relativement tardives (cf. Dipl. Karol. 1, p. 541, »Anhang« à l'index). Toutefois, le témoignage de l'Astronome est ici décisif: il parle en effet d'un certain Archamboldus, désigné comme *commentariensis*, c'est-à-dire comme secrétaire. Il me semble difficilement contestable qu'il s'agit du notaire Ercanbaldus.
12 Cf. SICKEL, Acta regum, tome 1, p. 356 sqq.; TESSIER, Diplomatique, p. 116 sqq.

1 Formes onomastiques: *Arduinus, Ardoinus, Harduinus* (?).
2 Concilium Carisiacense (bis), p. 842: *Tunc domnus imperator coram illis reddidit Aldrico praefixo episcopo per eorum iudicium plena auctoritate monasterium Anisolae, in quo domnus Karilephus corpore requiescit, ad ius Cenomannicae matris ecclesiae, cui praefatus episcopus praeerat, futuris temporibus possidendum et missos ei dedit, qui ei inde plenam vestituram facerent, Fulconem scilicet comitem palatii et Arduinum et Gunfridum comites et Folcradum vassum dominicum, qui postea, sicut domnus imperator eis iussit, plenam et legalem vestituram per cloccas et hostia senioris ipsius monasterii ecclesie, in qua etiam sanctus Karilephus corporaliter resquiescit, et per portas ipsius monasterii iam dicto Aldrico episcopo multis coram testibus in ipso monasterio sollempniter fecerunt.* HENNEBICQUE-LE JAN, Prosopographica Neustrica, n° 146, p. 252, écrit que notre comte fut »envoyé par Louis le Pieux au Mans en 838 pour enquêter sur les biens de l'église« – ce n'est pas ce qu'indique la source.
3 Concilium Carisiacense (bis), p. 847: *Ardoinus comes* (n° 42).
4 Actes de Charles le Chauve, tome 1, n° 24, p. 59 sqq. (le personnage en question s'appelle Harduinus). Sur la situation de cette *villa* en pays de Caux, »une erreur de géographie historique, mais … peut-être pas une erreur de géographie administrative« au début du règne de Charles le Chauve (LEVILLAIN, Comte Eudes, p. 167), cf. LEVILLAIN, Comte Eudes, p. 166 sq., qui suppose qu'Ardouin fut »appelé au commandement de cette marche maritime« (ibid., p. 167).
5 LEVILLAIN, Comte Eudes, p. 169 sq. voit en elle une parente du comte Warin. CHAUME, Bourgogne, p. 253 note 2, avait proposé d'en faire une »soeur de Robert le Fort«. LEVILLAIN, Comte Eudes, p. 257 sq., s'y est opposé.
6 L'on se doit de remarquer que l'épouse d'Ardouin ne se dit pas sa veuve – en fait la mort du comte

34.   ARNAUD[1] (I)

Comte, attesté vers 781 – mort avant le 14 août 822

Nommé avec d'autres *ministri* chargés de la régence[2] en 781, c'est en qualité de précepteur (*baiulus*) du jeune Louis en Aquitaine que nous rencontrons Arnaud[3], qui devait être identique avec le comte Arnaud[4], mort avant le 14 août 822, qui avait donné *per suum wadium* la *villa* de Cissan[5] et Cazouls-d'Hérault[6], sise dans le *pagus* de Béziers, à l'abbaye d'Aniane du temps de l'abbé Benoît (c'est-à-dire grosso modo sous le règne de Louis le Pieux en Aquitaine)[7].

n'est pas affirmée dans le document. Mais étant donné que ce dernier n'accomplit pas la donation, pourtant menée à bien *secundum votum adque preceptum Harduini comiti ac senioris nostri*, et que celle-ci était faite notamment *pro ejusdem seniore nostro Harduino comite elimosinam et propter anima ipsius liberationem ac quietem*, on en a conclu qu'il était alors déjà mort (ainsi: CHAUME, Bourgogne, p. 253 note 2; G. TESSIER, dans Actes de Charles le Chauve, tome 1, p. 60). A noter que le comte était à coup sûr décédé quand sa fille épousa Louis le Bègue en 862: ... *filiam Harduini quondam comitis ... sibi coniugem copulat* (Annales Bertiniani, a. 862, p. 91).

7   Monuments historiques, n° 170, p. 107 sq. Sur ce monastère, cf. le court résumé historique dans HÄGERMANN, HEDWIG, Polyptichon, p. 4 sqq.

8   L'*Otlingua Saxonia* est attestée comme comté d'Ardouin en 853, cf. Capitulare missorum Silvacense, p. 275: *Otlingua Saxonia et Harduini*. Sur l'identité entre l'*Otlingua Saxonia* et le comté de notre personnage, cf. LEVILLAIN, Comte Eudes, p. 166. Sur la localisation, cf. ibid., p. 166 note 2.

1   Formes onomastiques: *Arnoldus, Arnaldus*.

2   BULLOUGH, Baiuli, p. 630: »Arnold may have been attached to Louis's court merely as a tutor: but the fact that he alone of the *ministri* is named, suggests that his responsabilities were rather more extensive«.

3   Astronomus, Vita, c. 4, p. 609: ... *filiumque suum Hludowicum regem regnaturum in Aquitaniam misit, praeponens illi baiulum Arnoldum, aliosque ministros ordinabiliter decenterque constituens tutelae congruos puerili*. Sur cette fonction, cf. R.-H. BAUTIER, Bayle, L.M.A., tome 1, col. 1715.

4   Cette supposition m'est propre, cf. BULLOUGH, Baiuli, p. 630: »he is not, however referred to elsewhere«. KELLER, Königsherrschaft, p. 149 note 96, a tenté d'identifier le *baiulus* de Louis le Pieux avec l'abbé Arnoul de Saint-Philibert (Noirmoutier). Bien que sa proposition ait été acceptée par SEMMLER, Corvey und Herford, p. 194 et note 47, ainsi que par KASTEN, Adalhard, p. 106, je ne la tiens pas pour convaincante. Les exemples de dénomination par le nom d'Arnaud (Arnoldus) et ses variantes de personnages s'appelant Arnoul (Arnulfus) sont assez rares (cf. le peu d'exemples que H. Keller peut citer à l'appui de son interprétation). Je rappelle par ailleurs que les éditeurs du Liber memorialis de la Reichenau (Verbrüderungsbuch Reichenau, p. 46) ont rassemblé les occurrences Arnoldus (et variantes) et Arnulfus (et variantes) sous deux lemmata différents, respectivement arinwald (n° a615) et arin-wulf (n° a617). Les occurrences de ces deux noms sont également répertoriées séparément dans Klostergemeinschaft von Fulda, tome 3 (Gesamtverzeichnis), respectivement p. 108 n° a387 et p. 109 n° a390.

5   Hameau de la commune de Nizas (Hérault, cant. Montagnac). Cf. THOMAS, Dictionnaire, p. 46.

6   Hérault, cant. Montagnac. Cf. THOMAS, Dictionnaire, p. 41.

35.   **ARNAUD**[1] **(II)**

Notaire, attesté en 816 – éventuellement jusqu'en 835

L'appartenance du notaire Arnaud[2] à la »chancellerie« n'est attestée que par deux diplômes de Louis le Pieux, l'un donné à Aix-la-Chapelle le 10 février 816 en faveur des »Espagnols«[3], l'autre donné également à Aix le 21 juin de la même année en faveur du monastère de Farfa[4]: Arnaud fit la recognition *advicem Helisachar*. Il n'est pas à exclure que ce notaire soit identique avec le *cancellarius* ayant rédigé deux actes de l'abbaye de Murbach. Dans le premier cas, il s'agit d'un acte d'échange entre le comte Gérold et l'abbé Sigismar conclu la seizième année du règne de Louis le Pieux[5] (février 829 – janvier 830) à Blotzheim[6] (*in villa seu marca Flaboteshaim*); dans le second, il s'agit de l'échange d'un *servus* de l'abbaye que l'abbé de Murbach remit à sa belle-famille (*nobilis*) contre trois *mancipia*, afin que les enfants de ce *servus* ne demeurassent pas *in servitio*. L'on procéda à l'échange *licentia a domno imperatore Ludovico accepta* au palais royal d'Illzach[7] (*actum Hilciaco palatio regio*) la vingt-deuxième année du règne de Louis le Pieux[8] (février 835 – janvier 836).

36.   **ARNOUL**[1]

Abbé de Saint-Philibert (Noirmoutier / Grandlieu), attesté à partir de 817 –
mort le 27 ou 28 juin 839

Arnoul fit partie de ces *missi* envoyés par Louis le Pieux dans les monastères de l'empire pour y faire appliquer la réforme décidée à Aix-la-Chapelle en 816/817 et dont l'Astronome fait mention[2]: il est attesté avec Benoît d'Aniane à Saint-Denis, vraisemblablement dès 817[3], où il permit la division de la communauté[4]. Le 16 mars 819, Arnoul obtint pour son monastère de Saint-Philibert[5], qu'en raison des »incursions des Barbares« il avait réédifié à Dée (Saint-Philibert de Grandlieu) *per nostrum con-*

---

7 B.M. 758(733), éd. Recueil des hist. 6, n° 109, p. 531 (diplôme donné à Corbeny le 14 août 822). Dans ce document, il est explicitement fait référence à la mort du comte.

1 Formes onomastiques: *Arnaldus, Arnoldus.*
2 Cf. SICKEL, Acta regum, tome 1, p. 89 (qui ne mentionne pas le diplôme du 21 juin 816); BRESSLAU, Urkundenlehre, tome 1, p. 386; DICKAU, Kanzlei, 2e partie, p. 106.
3 B.M. 608(588).
4 B.M. 619(599).
5 Doc. dipl. Alsace, n° 90, p. 73 sq.: *Arnoldus cancellarius hanc commutacionem scripsi & subscripsi & notavi sub die Lune.*
6 Haut-Rhin, cant. Huningue. Cf. STOFFEL, Dictionnaire, p. 19.
7 Haut-Rhin, cant. Habsheim. Cf. STOFFEL, Dictionnaire, p. 85.
8 Doc. dipl. Alsace, n° 94, p. 76: *Ego Arnoldus cancellarius scripsi & subscripsi, notavi die Martis X kal. aprilis.*

1 Formes onomastiques: *Arnulfus, Arnulphus.*
2 Cf. Astronomus, Vita, c. 28, p. 622 – texte cité à la notice n° 1.

sensum atque adjutorium, un diplôme par lequel l'empereur l'autorisait à construire une adduction d'eau coupant une voie royale (*via regia*) à condition de construire un pont à cet endroit[6]. C'est dans son monastère qu'Adalhard de Corbie fut exilé[7]. Arnoul fut vraisemblablement déchargé de son abbatiat à Saint-Philibert vers 824[8] et il mourut en 839[9], probablement le 27 ou le 28 juin[10]. Il fut également abbé de Saint-Florent[11]; il était vraisemblablement aussi à la tête des monastères de Rebais et de Saint-Faron[12].

3 Cf. OEXLE, Forschungen, p. 113, qui reprend SEMMLER, Reichsidee, p. 43 sqq.

4 B.M. 905(876), éd. Recueil des hist. 6, n° 175, p. 575 sqq. (à la p. 577): *Unde ad monasticae institutionis normam corrigendam duos religiosos et venerabilis vitae viros, Benedictum et Arnulfum abbates, constituimus, qui per nostrum a Deo gubernandum et conservandum imperium seduli huic negotio studiose insisterent. Iidem vero boni et devoti, sed simplicissimi patres, supra memoratorum fratrum calliditate et duritia suaque simplicitate abducti, non studio, sed minus subtili et necessaria investigatione et providentia fallentes eos, qui in soliditate suae professae salvationis perduraverunt, a monasterio removerunt, atque in memorata cella collocaverunt* ... Sur la réforme du monastère, cf. SEMMLER, Saint-Denis, p. 107 sqq.

5 SEMMLER, Corvey und Herford, p. 294, place le début de l'abbatiat d'Arnoul »seit etwa 803/04«. L'auteur ne peut justifier cette datation par aucune source. Néanmoins, il cite deux pièces lui semblant (puisqu'il en fait mention sans commentaire) pouvoir faire foi de ce que l'abbatiat d'Arnoul (à Saint-Philibert et à Saint-Florent) remontait au règne de Charlemagne. Je les réfute. En effet, il cite d'une part Alcuinus, Epistolae, n° 54, p. 97. Il s'agit d'une lettre adressée au »vénérable père« Arnoldus. On rejoint ici l'assimilation chère à KELLER, Königsherrschaft, p. 149 note 66, mais E. Dümmler était plus prudent, qui notait seulement: »On ignore complètement quel monastère il dirigeait, à moins qu'il ne s'agisse par hasard d'Arnoul, l'abbé de Saint-Philibert ...« (Alcuinus, Epistolae, p. 98 note 1). D'autre part, J. Semmler renvoie à un diplôme de Charlemagne (Dipl. Karol. 1, n° 298, p. 445 sqq.) faisant mention d'Arnoul (Arnulfus) comme abbé de Saint-Florent ... or ce diplôme est un faux qu'E. Mühlbacher datait du XIIIe siècle! On ne peut donc en tirer argument pour affirmer qu'Arnoul était contemporain du grand empereur. Si je réfute les documents que J. Semmler cite à l'appui de sa thèse, je suis en revanche d'avis qu'il faut admettre qu'Arnoul était déjà abbé de Saint-Florent sous le règne de Charlemagne, puisque c'est en tant que tel qu'il est cité dans le Liber niger de ce monastère: *Albaldus, Arnulfus. Hii duo fuerunt tempore Karoli Magni* (Paris, Bibliothèque Nationale, ms. nouv. acq. lat. 1930, fol. 82v). L'abbatiat d'Arnoul ne commença que vers l'extrême fin du règne de Charlemagne, puisque Albaud était encore attesté en 808: c'est à cette date que l'auteur des Annales sancti Florenti Salmurensis place son action réformatrice à Saint-Florent (cf. Annales angevines, p. 113).

6 B.M. 687(667).

7 Cf. KASTEN, Adalhard, p. 106 sqq. Si B. Kasten note à propos d'Arnoul: »Ludwig der Fromme hätte für eine politisch gefährliche Person kaum einen sichereren Verbannungsort auswählen können (ibid., p. 66), c'est qu'elle admet comme »wahrscheinlich« l'hypothèse selon laquelle Arnoul serait identique avec le *baiulus* Arnoldus de Louis en Aquitaine et appartiendrait ainsi »zu den engen Vertrauten« de l'empereur. Je m'oppose à cette identification, cf. la notice n° 34.

8 Chronique de Tournus, c. 18 (Monuments Saint-Philibert, p. 82): *At vero magnanimus Hildeboldus, qui post Arnulfum undecimo anno post obitum magni Karoli predicte insule susceperat abbatiam* ... La onzième année après la mort de Charlemagne tombait en 824. Cf. par contre Annales Engolismenses, p. 485: *825. Hildeboldus abba efficitur.* Je partage ici l'interprétation de COUTANSAIS, Monastères du Poitou, p. 8: l'abbé est »mort en 839, mais retiré dès 825«. BRUNTERC'H, Moines bénédictins, p. 82, est du même avis, mais il place à juste titre la résignation des fonctions abbatiales en 824. Le fait qu'Arnoul n'était plus abbé de Saint-Florent au 30 juin 824 est prouvé par un diplôme de Louis le Pieux, B.M. 786(762): l'abbé était alors Frotbert.

37.   ASTRONOME (anonyme dit l')

Attesté de 837 à 840/841[1]

La présence à la cour de celui qu'on a coutume d'appeler l'Astronome[2] et qui fut vraisemblablement un chapelain du Palais[3] est attestée au printemps 837, puisque Louis le Pieux le consulta concernant les phénomènes astronomiques alors observables[4] (il s'agit du passage de la comète de Halley[5]). Du fait que l'auteur affirme être témoin oculaire des événements à partir de l'accession de Louis le Pieux à l'empire[6], l'on pourrait considérer qu'il fut à la cour dès 814, ce qui est chronologiquement peut-être difficile à concilier avec une mort en 877[7], si l'on admet l'identification de

9 Annales Engolismenses, p. 485: *839. Arnulfi abbatis advenit hora.* Je préfère me fier à cette source plutôt qu'aux Annales sancti Florenti Salmurensis, a. 825 (Annales angevines, p. 113): *Hildebodus abbas efficitur, obeunte Arnulpho.* Le successeur d'Arnoul est attesté (sous le nom de Hilboldus) comme abbé de Saint-Florent dans le Liber niger de ce monastère (Paris, Bibliothèque Nationale, ms. nouv. acq. lat. 1930, fol. 82v). L'on peut néanmoins se demander si cette mention est véridique. Dans les Annales de Saint-Florent, le début de l'abbatiat de Hildebold est mentionné à l'année 825 (en réalité, il faut comprendre 824), comme nous venons de le voir, mais il se pourrait que le fait intéressant en réalité le monastère fût la disparition (en réalité le retrait, non le décès) d'Arnoul. En effet, dans le Liber niger, la liste des abbés est ainsi composée: *Hilboldus, Frotbertus. Hii te(m)p(o)r(e) Ludovici. Na(m) Frotb(er)tu(m) istu(m) fecit Ludovicus rev(en)ti de Italia & dedit ei Glomnense cenobium*, cette dernière information étant conforme à B.M. 786(762). Or, d'après le diplôme de Louis le Pieux, Frotbert était déjà abbé de Saint-Florent en date du 30 juin 824. Alors, de deux choses l'une: ou bien Hilbold exerça un abbatiat fort court (une sorte d'intérim?) à Saint-Florent et ne garda que Saint-Philibert, ou bien l'auteur des Annales de Saint-Florent avait en tête l'avènement de Hildebold à Saint-Philibert et l'auteur de la liste du Liber niger interpréta mal le texte et fit à tort de Hildebold un abbé de Saint-Florent.

10 Si l'on admet l'identité de l'abbé de Saint-Philibert avec celui de Rebais et de Saint-Faron. Cf. Obituaires de Sens, tome 4, p. 156 (Rebais): *27 jun. Depositio domni Arnulphi abbatis, patris monachorum*; ibid., p. 166 (Saint-Faron): *28 jun. Ob. Landericus et Arnulphus, abbates.*

11 Cf. COUTANSAIS, Monastères du Poitou, p. 8; BRUNTERC'H, Moines bénédictins, p. 83 et note 52; SEMMLER, Corvey und Herford, p. 294. La datation de J. Semmler (»seit etwa 810«) n'a aucune base documentaire. Outre la mention de son décès dans les annales de ce monastère (Annales angevines, p. 113), qui ne présente pas une preuve décisive (cf. sa mention dans les Annales d'Angoulême: Annales Engolismenses, p. 485), je considère que la mention dans le diplôme (faux) attribué à Charlemagne (Dipl. Karol. 1, n° 298, p. 445 sqq.), si elle ne peut pas être prise en compte pour dater l'abbatiat d'Arnoul, est une trace de son activité dans ce monastère.

12 Cf. SEMMLER, Corvey und Herford, p. 295. A l'exception des mentions dans les obituaires de Rebais et de Saint-Faron, je n'ai pas eu l'occasion de vérifier les sources citées par J. Semmler (ibid., note 50).

1 Au cas où l'identification avec Hilduin le Jeune serait juste, sa mort serait à placer en 877. Sur cette date de 877, cf. LOT, Hilduin, p. 465 et p. 491.

2 Ceci en raison de ses connaissances astronomiques. Cf. MÜTHERICH, Book illumination, p. 600: »The closest connections with the court circle are those shown by the Leiden Aratus. It is a picture book for a noble recipient and is to be dated towards 840. One may thus be tempted to think of the impression which the comet of the year 837 made on the Carolingians and which may well have justified the dedication of an astronomical picture book to a member of the court. The anonymous 'Astronomus', author of the Vita Hludovici, comes to mind though there is no evidence to confirm that he had something to do with the Leiden manuscript«. Ce manuscrit a été reproduit en fac-similé: cf. Aratea. A l'occasion de cette reproduction en fac-similé, plusieurs expositions ont été organisées, cf. notamment: KATZENSTEIN, SAVAGE, Leiden Aratea; Der Leidener Aratus. Antike Sternbilder in einer karolingischen Handschrift (Bayerische Staatsbibliothek – Ausstellungskataloge, 49) s.l.n.d. (München 1989). Cf. également EASTWOOD, Leiden Planetary Configuration.

l'Astronome avec Hilduin le Jeune proposée par d'aucuns[8]. Une autre identification est cependant possible: peut-être l'auteur de la Vita Hludowici imperatoris (composée vers l'hiver 840/841, au plus tard au printemps 841[9]) n'était-il autre que l'Irlandais Dicuil[10]. A ma connaissance, personne n'a proposé cette identification avant moi; mais en l'état actuel de la recherche, cela n'est qu'une hypothèse dont il conviendrait, dans la mesure du possible, d'évaluer la plausibilité par une étude fine du vocabulaire des deux auteurs.

38.   ATON[1]

Diacre et abbé, puis évêque de Saintes[2], attesté à partir de 779 –
mort avant le 16 mars 819

Sur la requête du diacre et abbé Aton, son parent[3] (… *magnifico viro et parente nostro Atone diacono atque abbate* …) qui est également dit *fidelisimus domno et genitore meo et noster*, Louis le Pieux accorda le privilège d'immunité à la *cellola* de Nouaillé et en confirma les possessions[4]. Le diplôme fut donné le 3 août 794 au Palais (Haute-Vienne, arr. Limoges) et il s'avère en ceci remarquable qu'il porte de nombreuses souscriptions[5]. Le statut juridique d'Aton n'est pas indiqué dans le document, quoiqu'il soit habituellement tenu pour l'abbé de Saint-Hilaire de Poitiers[6]. Je tends également à le considérer comme tel. En effet, il est à exclure qu'il fût à la tête de la communauté de Nouaillé puisque celle-ci était pourvue d'un *rector* en la per-

---

3 Fleckenstein, Hofkapelle 1, p. 73: »Sein Bericht verrät, daß er als Geistlicher am Hofe weilte. Man hat deshalb mit Recht auf seine Zugehörigkeit zur Kapelle geschlossen«.
4 Astronomus, Vita, c. 58, p. 643: *Quod cum imperator talium studiosissimus, primum ubi constitit, conspexisset, antequam quieti membra commiteret, accitum quendam (idem me qui haec scripsi et qui huius rei scientiam habere credebar) percontari studuit, quid super hoc mihi videretur. Cui cum tempus peterem, quo faciem syderis considerarem …; Annales Fuldenses, a. 837, p. 28: Stella cometes in signo Librae apparuit III. Id. April. (= 11 avril) et per tres noctes visa est.*
5 Cf. Baldet, Obaldia, Catalogue, p. 10, n° 25.
6 Astronomus, Vita, Prologue, p. 607: *Porro quae scripsi, usque ad tempora imperii Adhemari nobilissimi et devotissimi monachi relatione addidici…; posteriora autem, quia ego rebus interfui palatinis, quae vidi et comperire potui, stilo contradidi.*
7 Cf. Depreux, Poètes, p. 320 note 31. Pour que cette identification soit tenable, il faut considérer que l'Astronome fut »nourri« au Palais dès sa tendre enfance et que les souvenirs de cette époque ne s'évanouirent pas. Sur la date de la mort, cf. Lot, Hilduin, p. 465 et p. 491.
8 Tremp, Überlieferung, p. 147 sq. L'hypothèse n'est pas neuve, cf. Buchner, Entstehungszeit. Sur Hilduin le Jeune, cf. Lot, Hilduin.
9 Cf. Tenberken, Vita, p. 42 sqq. Pour une présentation des travaux relatifs à cette Vita et pour un nouvel examen de la valeur du témoignage de l'Astronome, cf. Depreux, Poètes.
10 Cf. la notice n° 73.

1 Formes onomastiques: *Ato, Atho, Atto, Addo.*
2 Cf. Duchesne, Fastes, tome 2, p. 74 sq.
3 A ce propos, cf. Semmler, Beziehungen, p. 416. Sur l'action de ce personnage, cf. ibid., aux pages suivantes.
4 B.M. 516(497), éd. Ch.L.A., n° 681.

sonne du prêtre Hermenbert[7]. Or, en mars 799, Aton est attesté comme évêque de Saintes et *rector* de Saint-Hilaire de Poitiers, dans un acte passé avec Hermenbert, *rector* du *monasterium* de Nouaillé, restauré par l'évêque[8]. Etant donné les liens entre Saint-Hilaire de Poitiers et Nouaillé[9], il est fort vraisemblable que ce soit en qualité de *rector* de Saint-Hilaire qu'Aton présenta sa requête en 794[10]. Il semblerait que des missions diplomatiques fussent confiées à Aton[11], en qui J. Fleckenstein reconnaît un chapelain du Palais[12]. En effet, vers 779/780, le diacre Aton fut envoyé à Rome avec l'abbé Fulrad de Saint-Denis[13]. Vers 787, il était envoyé en mission à Salerne[14].

Le 2 août 830, Louis le Pieux délivra un diplôme en faveur du monastère de Saint-Philibert. Il y est question d'un certain feu Aton, *episcopus monasterii sancti Philiberti*, ayant oeuvré à la réforme du monastère[15]. Il est possible qu'il s'agisse également de notre homme[16], dont on peut résumer ainsi la carrière: diacre, chapelain du Palais, puis/et *rector* de Saint-Hilaire de Poitiers, puis évêque de Saintes, puis/et abbé de Saint-Philibert de Noirmoutier. On a affaire ici à un parent de Louis le Pieux qui participa activement à la réforme monastique en Aquitaine. Si l'on admet l'identité entre l'évêque de Saintes et l'abbé de Saint-Philibert, notre homme mourut avant le 16 mars 819 – du moins avait-il à cette date déjà été remplacé par Arnoul au monastère de Noirmoutier[17].

---

5 Sur l'interprétation de ce diplôme à souscriptions, cf. DICKAU, Kanzlei, 1ère partie, p. 34 sq. et p. 59 sq.; contra: DEPREUX, Kanzlei, p. 156. Cf. également supra, la partie d'analyse II A.

6 Cf. DUCHESNE, Fastes, tome 2, p. 74 sq.; LEVILLAIN, Nouaillé, p. 279; Doc. dipl. Nouaillé, p. XIII.

7 B.M. 516(497). Hermenbert était déjà attesté comme *rector* de Nouaillé en juillet 780 (Doc. dipl. Nouaillé, n° 2, p. 3 sq. = Ch.L.A., n° 680).

8 Doc. dipl. Nouaillé, n° 8, p. 11 sqq.: *... monasterium ... ipsum renovavimus et m(onacho)s ibidem instituimus ad mercedem comulandam domnorum regum et nostram.* Aton s'intitule *humilis et servus sevorum Dei ultimus, pontifex urbis (Sanctonicae) sancti Petri ecclesiae senioris canonice necnon et rector monasterii sancti Hilarii.* C'est la souscription qui prouve sans conteste possible qu'Aton était évêque de Saintes: *Ego Ato indignus episcopus urbis Sanctonice ecclesiae hanc conjunctionem libentissimo animo fieri vel affirmare rogavi.* Cet acte avait été daté par erreur de 798 par LEVILLAIN, Nouaillé, n° 8, p. 292 sqq. Or, le mois de mars de la trente-et-unième année de règne de Charlemagne tombait en 799. COUTANSAIS, Monastères du Poitou, p. 7, fait par erreur d'Aton un évêque de Limoges.

9 Cf. LEVILLAIN, Nouaillé, p. 246, p. 250 sqq. et p. 278 sq. Sur Aton, ibid., p. 264 sqq. Cf. également B.M. 519(500). Sur l'action d'Aton à Nouaillé, cf. les inscriptions éditées dans Alcuinus, Carmina, n° 99/1, p. 323, n° 99/12, p. 325 (= Corpus inscr. Fr. méd., n° 58, p. 58 sq.) et n° 99/13, p. 326.

10 Aton entra en fonction après 780, puisqu'à cette date, c'est un certain Aper, *abba*, qui était *rector ex monasterio sancti Helarii* (Doc. dipl. Nouaillé, n° 2, p. 3 sq.).

11 Pour l'identification de notre personnage, cf. FLECKENSTEIN, Hofkapelle 1, p. 88 note 307; contra: STOCLET, Fulrad, p. 347 (sans argument solide).

12 FLECKENSTEIN, Hofkapelle 1, p. 59.

13 Codex Carolinus, n° 65, p. 592 sqq. Le nom du personnage en question est Addo.

14 Codex carolinus, n° 82, p. 615 sq. et n° 83, p. 616 sqq. Cf. également ibid., appendix n° 1, p. 654 sq. et n° 2, p. 655 sqq. Cf. ABEL, Jahrbücher, tome 1, p. 611 sqq.

15 B.M. 875(846), éd. Recueil des hist. 6, n° 156, p. 563 sqq.

16 Cf. Monuments Saint-Philibert, p. XXV. Pour J. Semmler, cette identification semble aller de soi, cf. SEMMLER, Beziehungen, p. 422. SEMMLER, Corvey und Herford, p. 294, date l'action d'Aton des environs de l'an 800. Sa datation ne repose sur aucune source. Il est juste dit dans le diplôme de Louis le Pieux B.M. 875(846) qu'Aton entreprit la réforme de l'établissement religieux *per largitatem sanctae recordationis domni Karoli genitoris nostri & praestantissimi imperatoris.*

39.   **BADURAD**[1]

Evêque de Paderborn[2], vraisemblablement à partir de 815 –
mort le 17 septembre 862

Tu decus es populi, vocitaris episcopus ipse,/ Et superintendens, dux eris atque gregis.
Tels sont les termes en lesquels Raban Maur s'adressait à Badurad en l'un de ses poèmes, multipliant les épithètes élogieuses à son égard[3]. Badurad devint évêque de Paderborn vraisemblablement en 815[4]. A sa requête, Louis le Pieux accorda le 2 avril
822 le privilège d'immunité à son église cathédrale[5]. Le 25 août 822, Badurad était à
Corvey: c'est lui qui bénit le lieu où devait s'élever l'autel majeur de l'abbaye qui venait d'être fondée et il lui imposa son nom de *Corbeia*[6]. On le voit d'ailleurs intervenir environ dix ans plus tard dans ce monastère en qualité de *missus* de Louis le
Pieux[7]. En juin 829, l'évêque de Paderborn prit part au concile réuni par l'archevêque
de Mayence à Saint-Alban[8] sur l'ordre de l'empereur[9]. Badurad fit vraisemblablement partie des évêques restés fidèles à Louis le Pieux en 833[10], puisque ce dernier lui
confia, durant l'été 834, la mission de négocier avec Lothaire, alors que sa course fol-
le avait conduit ce dernier à Blois[11] – Badurad sut faire entendre raison au fils rebelle[12]. On voit également l'évêque de Paderborn jouer un rôle important au début de
835 à Thionville: il fut l'un des trois juges qu'Ebbon s'était choisis lors du procès au

17 Cf. B.M. 687(667). Le successeur d'Aton à Saint-Hilaire, Foulques, est attesté pour la première fois
le 24 juin 827, cf. Actes de Pépin, n° 7, p. 21 sqq.

1 Formes onomastiques: *Baduradus, Badaradus, Baturatus, Baderadus, Baturicus, Bathuradus, Patra-
tus.*
2 Cf. BRANDT, HENGST, Bischöfe, p. 42 sqq. (ouvrage pour le grand public, sans référence aux sources). Sur le rôle de Badurad dans la vie politique de l'époque, cf. TENCKHOFF, Beziehungen.
3 Hrabanus, Carmina, n° 11, p. 173 sq. (vers cités: v. 21 sq.)
4 Son prédécesseur mourut peu de temps après la mort de Charlemagne (Translatio s. Liborii, c. 6, p.
151), mais il était encore attesté en 815 (Translatio s. Viti, p. 40). On admet que Badurad lui succéda
dès 815. D'après l'Annaliste Saxon (Annalista Saxo, p. 565: *804 … Hathumarus episcopus Patherbrunnensis obiit; cui Baduradus successit*), c'est en 804 que Badurad serait devenu évêque de Paderborn. Son information est erronée.
5 B.M. 753(728), éd. Doc. dipl. Westphalie, n° 3, p. 4 sq. Badurad ne s'était pas déplacé personnellement, mais avait fait parvenir sa demande écrite à l'empereur (*missa petitione*).
6 Catalogus abbatum Corbeiensium, p. 274; Erlebnisbericht, p. 5. Cf. SIMSON, Jahrbücher, tome 2, p.
269. L'évêque de Paderborn procéda également à la consécration du monastère de Herford (ibid., p.
279): cf. Vita Meinwerci, c. 158, p. 139. Sur ces deux monastères, cf. SEMMLER, Corvey und Herford.
7 B.M. 924(895), éd. Doc. dipl. Westphalie, n° 6, p. 7: *Baderado episcopo et misso nostro. … et ideo per
has litteras nostras tibi praecipimus, ut tu illud praeceptum, quod sicut diximus eidem monasterio fecimus, adsumas et in praesentia eorundem comitum, in cuius ministeria res praedicti monasterii esse
noscuntur, relegi facias, et ex nostra auctoritate eis praecipias, ut ulterius nostrae auctoritatis praeceptum violare non praesumant …*
8 Epistolarum Fuldensium fragmenta, p. 530.
9 Constitutio de synodis.
10 Cf. Annales Bertiniani, a. 833, p. 9 note g.

cours duquel il fut dégradé[13]. Le 25 octobre de la même année, l'évêque de Paderborn se trouvait à Saint-Quentin, où il assista à la translation organisée par l'abbé de ce monastère, Hugues, le demi-frère de Louis le Pieux[14].

Badurad participa également au plaid tenu en mai 836 à Thionville[15] et à celui tenu en juin 838 à Nimègue[16]; il fut alors témoin d'une restitution en faveur de l'abbé de Fulda qu'avait ordonnée Louis le Pieux[17]. A l'occasion de ce rapide bilan de la carrière de Badurad, l'on comprend que l'auteur de la Translatio s. Liborii désigne l'évêque de Paderborn comme l'un de ceux ayant su gagner la *familiaritas* de Louis le Pieux[18]. La mort de ce dernier ne signifia cependant pas la fin de sa carrière: dès août 840, on le voit siéger à un concile réuni par Lothaire[19]. Du moins l'activité de Badurad semble-t-elle s'être restreinte à l'exercice de son ministère spirituel[20]. En octobre 847 et en octobre 852, il participa aux synodes tenus à Mayence[21]. La date de la mort de Badurad a longtemps posé problème. Il est certain qu'il mourut un 17 septembre[22], reste à savoir en quelle année. Etant donné que la présence du prédécesseur de Badurad au plaid tenu en juillet 815 à Paderborn[23] est attestée[24], mais que cet évêque mourut peu de temps après le décès de Charlemagne[25], on admet qu'il expira le 9 août 815[26].

11 B.M. 930(901)d. Theganus, Vita, c. 54, p. 602 l. 9, place l'action aux abords d'Orléans, mais l'auteur des Annales Bertiniani, a. 834, p. 14 sq., affirme que c'est alors que Lothaire se trouvait à Blois que Louis le Pieux lui envoya une délégation chargée de l'inviter à se rendre (*misit ad illum ut pacifice ad se ueniret*).

12 Theganus, Vita, c. 54, p. 602: *Tunc imperator misit legatos suos post illum, Badaradum episcopum Saxonicum, et Gerhardum* (corriger: *Gebaardum*) *nobilissimum ac fidelissimum ducem, et Berengarium sapientem, propinquum suum.* L'évêque parla le premier. Après un temps de réflexion, Lothaire accepta les conditions. *Inde regredientes legati venerunt ad principem, nuntiantes ei quae gesta erant.* Cf. SIMSON, Jahrbücher, tome 2, p. 113.

13 Concilium ad Theodonis villam, p. 702; Flodoardus, Historia, lib. 2, c. 20, p. 472 sq. Badurad fit partie des six évêques ayant entendu la confession de l'archevêque de Reims. Cf. SIMSON, Jahrbücher, tome 2, p. 126 sqq.

14 Miracula s. Quintini, p. 270.

15 B.M. 962(931)a. Ceci ressort de la Translatio s. Liborii, c. 31, p. 157: les délégués de l'évêque de Paderborn furent de retour avec les reliques mancelles le 28 mai 826, or l'évêque était absent, car il se trouvait à la cour de l'empereur: *episcopus quidem nequibat occurrere – nam apud palatium tunc morabatur.* Cette translation fut l'occasion d'établir un pacte de fraternité entre les Eglises du Mans et de Paderborn, cf. ibid., c. 17 p. 154. Sur ce récit de translation, cf. HONSELMANN, Zur Translatio s. Liborii; HONSELMANN, Bericht des Klerikers Ido; LE MAÎTRE, Corpus du Mans, tome 1, p. 161 sqq. A une date indéterminée, Badurad obtint également de l'évêque de Cambrai les reliques de saint Landolin, cf. Doc. dipl. Westphalie (ter), n° 37, p. 42 sq.

16 B.M. 977(946)a. Cf. SIMSON, Jahrbücher, tome 2, p. 176.

17 Doc. dipl. Fulda, n° 513, p. 226.

18 Translatio s. Liborii, c. 6, p. 151: *Qui praeclarae morum nobilitatis, magnanimitatis et industriae merito familiaritatem regiam intime consecutus ...* Une autre preuve de la confiance dont Badurad jouissait auprès de Louis le Pieux: à l'automne 830, cf. B.M. 876(847)c, c'est aux abords de Paderborn que Hilduin fut exilé: Astronomus, Vita, c. 45, p. 633.

19 Concilium Ingelheimense, p. 793. L'archevêque de Reims, jugé en 835 notamment par Badurad, fut alors rétabli.

20 Cf. TENCKHOFF, Beziehungen, p. 95.

21 Concilia 3, n° 14, p. 160 et n° 26, p. 241.

22 Todtenbuch Paderborn, p. 159: *XV. Kal. Oct. Baduradus episcopus ob.* Cf. également Totenbuch Abdinghof, p. 102 (17 septembre; mais il y a également la même mention au 15 février, p. 88). Sur cette (mauvaise) édition, cf. TENTRUP, Handschrift.

Puisque Badurad décéda pendant la quarante-huitième année de son pontificat[27], il mourut vraisemblablement en 862[28].

40.   BARTHOLOMÉ[1]

Notaire, attesté de février 821 (?), de 833 (?), (à coup sûr) de juin 837 à 855[2]

Bartholomé[3] présente le cas intéressant d'un notaire qui, après avoir été chargé de l'écriture, se vit confier la recognition des diplômes[4]. Il est attesté à la »chancellerie« dès juin 837[5], mais H. Bresslau tendait à reconnaître son écriture au moins dès 833[6] et O. Dickau, qui lui attribue la rédaction de 24 diplômes[7], tend à faire débuter sa carrière en février 821[8]. Bartholomé était à Nimègue le 14 juin 838, où il fit la recognition d'un diplôme pour Kempten[9] et à Francfort au début de l'année 839, où il fit la recognition d'un diplôme pour un *fidelis*[10] et pour Fulda[11]. O. Dickau tend à pousser un peu plus loin la période d'activité de Bartholomé, jusqu'en avril 839[12]. Ensuite, il passa dans la »chancellerie« de Charles le Chauve[13].

23 B.M. 587(567)b.
24 Translatio s. Viti, p. 40.
25 Translatio s. Liborii, c. 6, p. 151 l. 27 sq.
26 Cf. HONSELMANN, Paderborner Bischöfe, p. 28.
27 Series episc. Paderbornensium, p. 342: *Bathuradus 48*.
28 Telles étaient les conclusions de W. DIEKAMP dans Doc. dipl. Westphalie (bis), n° 246, p. 33, révisant les datations proposées par H. ERHARD, dans Doc. dipl. Westphalie, n° 407, p. 105 sq. Cette date est également retenue par HONSELMANN, Paderborner Bischöfe, p. 29.

1 Seule forme onomastique: *Bartholomeus*.
2 Pour ce qui concerne cette dernière date, cf. Actes de Charles le Chauve, tome 3, p. 65.
3 Cf. SICKEL, Acta regum, tome 1, p. 99; BRESSLAU, Urkundenlehre, tome 1, p. 387; DICKAU, Kanzlei, 2e partie, p. 62 sqq. et p. 105. Bartholomé s'intitule à chaque fois *notarius*.
4 Cf. BRESSLAU, Urkundenlehre, tome 1, p. 377 et note 1.
5 B.M. 967(936), diplôme donné à Thionville, le 16 juin 837, en faveur de Cormery. Mentions tironiennes, p. 20: *Adalaardus per Bartolomeum ita fieri rogavit*.
6 BRESSLAU, Urkundenlehre, tome 1, p. 387 note 1. L'auteur se basait sur une information due à M. Tangl.
7 DICKAU, Kanzlei, 2e partie, p. 63. En revanche, dans son »Verzeichnis der Urkunden Ludwigs d. Fr.« (ibid., p. 130 sqq.), il reconnaît dans 25 diplômes la main du »Schreiber« LFM, sigle dont il affuble Bartholomé.
8 DICKAU, Kanzlei, 2e partie, p. 63.
9 B.M. 978(947).
10 B.M. 985(954), diplôme donné le 23 janvier 839. Il s'agit d'une donation dans le Thurgau.
11 B.M. 987(956), diplôme donné le 17 février 839.
12 DICKAU, Kanzlei, 2e partie, p. 63, donne la date du 21 avril 839, mais dans son »Verzeichnis«, l'auteur fait une nouvelle fois preuve d'inconséquence, puisqu'il reconnaît en Bartholomé le »Schreiber« du diplôme du 23 avril 839.
13 Cf. Actes de Charles le Chauve, tome 3, p. 65 sqq. G. Tessier le considère comme »l'homme de confiance (de Saint-Martin de Tours) à la chancellerie« (ibid., p. 65 note 6).

41.   **BAUDRY**[1]

Comte, marquis[2]/duc[3] de Frioul[4], attesté de 815 à 828

Etant donné que l'on dispose de bons résumés de la carrière de Baudry[5], il n'est pas nécessaire de reprendre ici tout le dossier. Il suffira d'en rappeler les grands traits. C'est au printemps 815 que notre homme apparaît pour la première fois dans les sources: il était alors le *legatus* de Louis le Pieux envoyé par l'empereur au-delà de l'Eider à la tête de troupes (conduites par les comtes saxons et dont firent partie les Abodrites) afin d'assurer les droits du Danois Harold[6]. A la mort de Cadola[7], en 819, Baudry fut nommé pour le remplacer en Frioul[8], où il eut notamment à faire front à la révolte de Liudévit[9]. Lorsque Louis le Pieux voulut être plus amplement informé des rumeurs concernant la mort du roi des Bulgares, c'est Baudry que l'empereur consulta[10], mais il ne put le renseigner. A ce propos, Baudry prit part au plaid convoqué en juin 826 à Ingelheim[11], au cours duquel Harold, qu'il avait autrefois aidé militairement, fut baptisé[12]. Mais suite à un revers devant les troupes bulgares, Baudry fut démis de ses fonctions en février 828[13], lors du plaid tenu à Aix-la-Chapelle[14]. C'est la dernière fois que l'on entend parler de ce personnage dans les sources[15].

1 Seule forme onomastique: *Baldricus*.
2 Annales regni Franc., a. 826, p. 169: *com(es) et Avarici limitis custo(s)*; ibid., p. 170: *com(es) ac Pannonici limitis praefect(us)*.
3 Annales regni Franc., a. 828, p. 174: *dux Foroiuliensis*; Astronomus, Vita, c. 33, p. 625 l. 21: *nost(er) du(x)*; ibid., c. 42, p. 631 l. 18: *du(x) Foroiuliens(is)*.
4 Cf. HOFMEISTER, Markgrafen, p. 265 sqq.
5 Cf. HLAWITSCHKA, Franken, p. 146 sq.; KRAHWINKLER, Friaul, p. 192 sqq.
6 Annales regni Franc., a. 815, p. 141 sq.; Astronomus, Vita, c. 25, p. 620. SIMSON, Jahrbücher, tome 1, p. 52, fait de Baudry »d(er) vornehmste Graf an der sächsischen Grenze« sans justifier son affirmation autrement que par »wie es scheint«.
7 Sur ce personnage, cf. HLAWITSCHKA, Franken, p. 163 sqq., et la notice n° 62.
8 Annales regni Franc., a. 819, p. 151; Astronomus, Vita, c. 32, p. 624. Cf. HOFMEISTER, Markgrafen, p. 273 sqq.
9 Sur la révolte de Liudévit, cf. KRAHWINKLER, Friaul, p. 186 sqq.
10 Annales regni Franc., a. 826, p. 169: *... illoque expectare iusso propter famae certitudinem comperiendam Bertricum palatii comitem ad Baldricum et Geroldum comites et Avarici limitis in Carantanorum provinciam misit. Qui cum reversus nihil certi super his, quae fama vulgaverat, reportasset, imperator legatum ad se evocatum sine litteris remeare fecit.*
11 Annales regni Franc., a. 826, p. 170: *Baldricus vero et Geroldus comites ac Pannonici limitis praefecti in eodem conventu adfuerunt et adhuc de motu Bulgarorum adversum nos nihil se sentire posse testati sunt.* Baudry amena avec lui un prêtre de Venise, Georges, facteur d'orgues. Cf. également Astronomus, Vita, c. 40, p. 629; Annales Fuldenses, a. 826, p. 24.
12 Cf. B.M. 829(770)b, c et d; B.M. 830(804)a.
13 Annales regni Franc., a. 828, p. 174: *Similiter et Baldricus dux Foroiuliensis, cum propter eius ignaviam Bulgarorum exercitus terminos Pannoniae superioris inpune vastasset, honoribus, quos habebat, privatus et marca, quam solus tenebat, inter quattuor comites divisa est.* Astronomus, Vita, c. 42, p. 631. Sur le partage de la Marche en quatre comtés, cf. MITTERAUER, Markgrafen, p. 85 sqq.
14 B.M. 844(818)a.
15 Sur la tentative de quelques auteurs pour identifier Baudry avec un individu apparaissant en 843 dans une source bavaroise, cf. KRAHWINKLER, Friaul, p. 194 note 415.

42. BÉGON[1]

Comte en Aquitaine (Toulouse?), puis comte de Paris[2], attesté à partir de 794 – mort le 28 octobre 816

La première mention que l'on ait du nom de Bégon, en qui ses contemporains eurent coutume de reconnaître l'*amicus regis*[3], remonte à 794: il faut fort vraisemblablement reconnaître notre homme en le Bico qui souscrivit, le 3 août de cette année, le diplôme de Louis le Pieux donné au Palais (Haute-Vienne, arr. Limoges) en faveur du monastère de Nouaillé[4]. Bégon succéda peut-être à Guillaume[5] comme comte de Toulouse, mais cette hypothèse n'a pour elle que la vraisemblance[6]: rien ne permet d'en être certain[7]. Toujours est-il qu'il exerça des fonctions comtales sous le règne aquitain de Louis le Pieux. C'est ce qui appert d'un acte de Bégon, *vir inluster, comis*, par lequel ce dernier donna au prêtre Crisogomius le monastère d'Alao[8]. En 800, à la fin du plaid où l'expédition contre Barcelone fut décidée, c'est par Bégon que Louis le Pieux fit transmettre l'ordre de mobilisation pour le mois de septembre de cette année[9]. Bégon participa d'ailleurs au siège de la ville[10] et c'est lui qui, au printemps 801, porta la nouvelle de la victoire franque à Charlemagne, précédant le convoi chargé du butin[11]. On le retrouve à Doué-la-Fontaine en février 814[12], quand la nouvelle de la mort de Charlemagne fut apportée à Louis: Bégon consola le roi[13]. Il n'y a

1 Formes onomastiques: *Bego, Bigo, Bicgo, Bico, Picho, Picco, Bicco*.
2 Cf. LEVILLAIN, Comtes de Paris, p. 163 sqq.; LOT, Bègues.
3 Visio cuiusdam pauperculae mulieris, p. 41: *huius regis* (Louis) *qui quondam fuit amicus*; Chronicon Laurissense breve, p. 39: *Picco primus de amicis regis*; Annales Hildesheimenses, a. 815, p. 42: *Bicgo de amicis regis*.
4 B.M. 516(497), éd. Ch.L.A., n° 681. Cette identification a déjà été proposée par LEVILLAIN, Comtes de Paris, p. 174. Cette liste de souscripteurs reflète la composition de l'entourage de Louis le Pieux, cf. DEPREUX, Kanzlei, p. 156 et supra, la partie d'analyse II A.
5 Cf. la notice n° 128.
6 Cf. la démonstration de CALMETTE, Comtes de Toulouse, p. 82 sqq.
7 LEVILLAIN, Comtes de Paris, p. 175; ABADAL, Els Comtats, vol. 1, p. 95 sqq.; ABADAL, Dels Visigots, p. 291.
8 Acte édité par ABADAL, Els Comtats, tome 2, n° 2, p. 281; ABADAL, Dels Visigots, p. 289. L'adresse vise *omnes fideles nostres qui in pago Oritense comanent*. C'est de ce document que l'on déduit habituellement que Bégon succéda à Guillaume, Bégon exerçant »l'autorité comtale en Ribagorza, dépendance administrative du Toulousain« (LOUIS, Girard, p. 20).
9 Ermoldus, Elegiacum carmen, lib. I, v. 214 sqq., p. 20 sqq.: *Tum rex Bigonem verbis conpellat amatum,/ Auribus in cujus dulcia verba sonat:/ »Ito celer, Bigo, haec nostrorum edicito turbis,/ Atque tuo nostra pectore verba tene./ ...«/ Bigo facessit agens doctus mox orsa benigni,/ Itque reditque, ferens inclita jussa celer.*
10 Ibid., v. 309, p. 28.
11 Ibid., v. 578 sqq., p. 46: *Bigo catus properans antevolat agmen et aulam/ Primus adest Caroli, nuntia laeta ferens./ Fama recens totam commiscuit ocius aulam,/ Caesareas aures mox penetravit ovans:/ Bigo vocatus adest, plantis dat basia celsis,/ Et sequitur verbis ordine jussa sibi:/ ...* Ensuite, Bégon fut renvoyé auprès de Louis le Pieux, ibid., v. 646 sq., p. 50.
12 Il participa donc au plaid convoqué par Louis pour la fête de la Purification de la Vierge. Sur ce plaid, cf. DEPREUX, Wann begann?
13 Ermoldus, Elegiacum carmen, lib. II, v. 755 sqq., p. 60: *Ilico tristatur, flet lacrimatque patrem./ Inter cunctantes concurrit Bigo ministros/ (Suetus erat dominum visere mane suum),/ Hortatur siccare genas, deponere fletus:/ ...*

donc aucun doute sur le fait qu'il comptait parmi les plus proches serviteurs[14] du prince[15]. Ermold affirme à cette occasion que Bégon avait l'habitude de rendre visite à Louis le Pieux le matin[16]. Il s'agissait vraisemblablement de séances de travail, à l'instar de ce qui se faisait à la cour de Charlemagne[17].

Après l'élévation de Louis à l'empire, Bégon »conserva toute son influence auprès de lui«[18]. C'est en effet ce dont témoigne son intervention en faveur de Donat, concernant la donation à ce dernier de colonges de la *villa* de Neuilly-Saint-Front[19]. La participation de Bégon au gouvernement permet alors de comprendre plus facilement pourquoi le comte fut mentionné dans la Visio cuiusdam pauperculae mulieris: si l'on en croit ce récit polémique, il se serait fait détester pour sa cupidité[20]. Bégon est attesté comme comte de Paris[21] vraisemblablement dès le 1er décembre 814[22]. Son action ne nous est connue qu'à propos de la restauration de l'abbaye Saint-Maur-des-Fossés[23]: »Bégon, notre fidèle, rapporta à notre sérénité comment, découvrant qu'un certain monastère dans le *pagus* de Paris, au lieu dit des Fossés ... était presque détruit, il veilla, ayant pris sur lui ce travail, à restaurer ce lieu et à le faire revenir au statut initial, pour le profit de son âme. Et une fois cela accompli, venant en notre présence, il nous confia ce monastère avec l'abbé, du nom de Benoît, et les moines confiés à ce même abbé pour être régis«[24]. On a ici l'illustration de ce que l'entreprise

---

14 Ermold le qualifie en effet de *famulus* de Louis (ibid., v. 766, p. 60).

15 CHAUME, Bourgogne, p. 126, exagère cependant quand il écrit: »Grand chambrier du petit Louis d'Aquitaine et, en cette qualité, vice-roi de toute la partie sud-ouest de l'empire franc, il est vraiment l'homme de confiance de son souverain, celui sur lequel l'empereur compte pour suppléer aux déficiences de son troisième fils; c'est lui qui organise l'administration du royaume aquitain, lui aussi qui dirige à plusieurs reprises les expéditions contre les Musulmans d'Espagne, lui encore qui assume la charge de grand conseiller de Louis dans les circonstances décisives«.

16 Ermoldus, Elegiacum carmen, lib. I, v. 757, p. 60: *Suetus erat dominum visere mane suum.*

17 Cf. Einhardus, Vita Karoli, c. 24, p. 72. KASTEN, Adalhard, p. 88 note 19 signale que »in der Forschung herrscht Unsicherheit darüber, ob Bego Pfalzgraf oder Kämmerer gewesen war«, mais LE-VILLAIN, Comtes de Paris, p. 175 note 140, fit observer avec raison que l'on »force le sens du vers« d'Ermold le Noir en alléguant cette source pour prouver que Bégon exerça un office au Palais.

18 LEVILLAIN, Comtes de Paris, p. 176.

19 Hincmarus, De villa Novilliaco, MGH SS 15/2, p. 1168: *Post obitum domni Caroli ..., domnus Ludovicus imperator donavit ipsam villam Noviliacum Donato in beneficio. Qui Donatus, interveniente Bigone, per subreptionem quasi de fisco regis quasdam colonias de ipsa villa obtinuit in proprietatem per praeceptum domni Ludovici imperatoris.*

20 Cf. Visio cuiusdam pauperculae mulieris, p. 41.

21 B.M. 553(534).

22 La datation de B.M. 553(534) est probablement à déduire de B.M. 552(533), donné le 1er décembre 814, puisque le document adressé à Bégon est un mandement relatif au privilège accordé à l'abbaye de Saint-Denis par le diplôme B.M. 552(533).

23 Cf. HÄGERMANN, HEDWIG, Polyptychon, p. 7.

24 B.M. 617(597), éd. Recueil des hist. 6, n° 51, p. 491 sq. (à la p. 491), diplôme donné à Aix-la-Chapelle le 20 juin 816: *Bego fidelis noster retulit serenitati nostrae qualiter quoddam coenobiolum in pago Parisiaco, in loco qui dicitur Fossatus ..., poene destructum inveniens, ob emolumentum animae suae eumdem locum adsumpto labore restaurare et ad pristinum statum revocare curavit. Sed his peractis, veniens ante praesentiam nostram, commendavit nobis idem monasterium, cum abbate, nomine Benedicto, una cum monachis eidem abbati ad regendum commissis ...* Ce diplôme est mentionné dans un diplôme de Charles le Chauve du 1er septembre 841: Actes de Charles le Chauve, tome 1, n° 4, p. 12 sqq. Sur la requête de Bégon, Louis le Pieux accorda également l'exemption de tonlieu: B.M. 618(598). Le comte de Paris fut d'autre part soucieux de procurer des biens à l'abbaye, cf. Fragmenta hist. Foss., p. 370: *Dedit itaque rex piissimus* (l'empereur Louis le Pieux), *interventu bonae memo-*

réformatrice de Louis le Pieux fut partagée par les membres – ou pour le moins par certains membres – de son entourage.

Bégon mourut le 28 octobre[25] 816[26]. Son décès causa une profonde peine à Louis le Pieux[27]. A l'occasion de la mort de Bégon, les sources nous apportent une information capitale: il avait épousé une *filia imperatoris*[28] du nom d'Elpheid/ Alpaid[29]. L'identification de l'épouse de Bégon comme fille de Charlemagne a tout récemment été de nouveau défendue[30]. Je tends cependant à penser que L. Levillain prouva de manière définitive[31] qu'il ne pouvait s'agir que d'une fille de Louis le Pieux[32]. Sensible au fait que la mention de la mort de Bégon fut portée dans le Chronicon Laurissense breve[33], L. Levillain procéda à l'analyse du Codex Laureshamensis et il trouva mention d'un certain Bicco, en qui il reconnut le comte de Paris, dans cinq chartes[34]. L'auteur tira de la datation de ces documents une interprétation fort subtile et séduisante: »nos sources ne nous ont montré Bégon en Aquitaine qu'en 794; il est alors possible que Charlemagne ne l'ait envoyé auprès du roi, son fils, qu'après juin 791, et que la disparition du nom de Bégon dans les chartes de Lorsch ait correspondu exactement à la période du séjour du personnage en Aquitaine, comme sa réapparition en juin 814 correspondrait à un retour en pays rhénan pendant le temps, où, rentré en *Francia*, Bégon n'avait pas encore assumé les fonctions comtales à Paris...«[35] Si l'identification proposée par L. Levillain s'avérait juste, Bégon aurait été uni en premières noces à une certaine Hildtibrun[36]. Quoi qu'en dise F. Vianello[37], qui veut faire de Bégon un Unrochide[38], l'hypothèse de L. Levillain me semble fort plausible.

    riae Begonis comitis, in augmentum victus et vestitus pauperum Christi Fossatensium, in pago Parisiaco villam que vocatur Ferreolas cum omnibus appenditiis suis ...

25 Obituaire de Saint-Germain des Prés, dans: Obituaires de Sens, tome 1, p. 276

26 Chronicon Laurissense breve, p. 39. Les Annales Hildesheimenses, p. 42, mentionnent à tort sa mort en 815, qu'Ermold, en revanche, évoque parmi les événements de 816 (Ermoldus, Elegiacum carmen, lib. II, v. 1134, p. 88).

27 Ermoldus, Elegiacum carmen, lib. II, v. 1134 sqq., p. 80: *Bigo fidelis obit, narrantur funera regi,/ Invitusque suum deserit heu dominum./ Divisitque dapes, nec non partitur honorem/ In sobolem propriam Caesar amore patris.* A ce propos, cf. Levillain, Comtes de Paris, p. 187.

28 Chronicon Laurissense breve, p. 39: *Picco primus de amicis regis, qui et filiam imperatoris duxit uxorem, defunctus est*; Annales Hildesheimenses, a. 815, p. 42. Cf. également les sources indiquées à la note suivante.

29 Il s'agit d'une fille de Louis le Pieux, cf. Vita Rigoberti, c. 12, p. 68 sq.; Flodoardus, Historia, lib. II, c. 12, p. 460 et lib. IV, c. 46, p. 595. Schieffer, Karolinger, p. 112, situe le mariage vers 806; rien ne permet d'affirmer cela.

30 Vianello, Unruochingi, p. 349. Exposé des arguments dans Louis, Girard, p. 14 note 4.

31 Cf. Werner, Nachkommen, p. 445 sq. (l'auteur ne prend toutefois pas en compte l'analyse de L. Levillain).

32 Levillain, Comtes de Paris, p. 182 sqq.

33 Ibid., p. 178: »La mention de la mort de Bégon dans les Petites Annales de Lorsch atteste certainement des relations personnelles du défunt avec la grande abbaye du Rheingau et permet de croire à l'origine rhénane de sa famille«.

34 Ibid., p. 178 sq.

35 Ibid., p. 179.

36 Ibid., p. 178 et p. 180. Cf. Doc. dipl. Lorsch, tome 2, n° 640, p. 183.

37 Vianello, Unruochingi, p. 347 note 36.

38 Ibid., p. 346 sqq. L'auteur pense qu'il est »certamente possibile ed anche probabile, che Beggo possa essere un'abbreviazione di Berengar« (ibid., p. 348).

43. **BENOÎT**[1]

Abbé d'Aniane, puis d'Inden, né vers 751[2] – mort le 11 février 821

Benoît est l'une des figures les plus célèbres de l'époque de Louis le Pieux. Pourtant, sa personnalité ne se laisse que difficilement traquer[3]. Voyons quels éléments l'on peut rassembler[4]. Benoît était le nom en religion du goth Vitiza[5], d'origine noble[6]. Son père, qui était comte de Maguelonne[7], l'envoya à la cour de Pépin le Bref (où il fut confié à la reine), pour y recevoir sa formation[8]: il était en effet destiné à une carrière séculière. Au Palais, il exerça les fonctions d'échanson dès le temps de Pépin et sous Charlemagne[9]. C'est alors que naquit sa vocation religieuse[10]. En 774[11], il se fit

---

1 Seule forme onomastique: *Benedictus*.

2 Cette date résulte du fait que Benoît mourut septuagénaire. Cf. Ardo, Vita Benedicti, c. 42, p. 219: *Obiit autem septuagenarius*.

3 Peu de documents permettent un contact direct avec Benoît, puisque presque toute sa correspondance a été perdue. Deux épaves ont toutefois été transmises par Ardo, Vita Benedicti, c. 43, p. 219 sq. et c. 44, p. 220: le premier document est une lettre que Benoît adressa aux moines d'Aniane alors qu'il était à l'article de la mort, le second est un courrier à l'archevêque de Narbonne, Nibride. A signaler également, comme témoignage que fut Benoît, la lettre qu'il adressa à son disciple Garnier: Epistolae variorum 1, n° 40, p. 561 sqq. Cf. également la description d'Ermold: *Moribus in sacris regnabat pulcra voluntas;/ Quantum homini licitum est decernere sanctus erat./ Dulcis, amatus erat, blandus, placidusque modestus,/ Regula cujus erat pectore fixa sacro. Non solum monachis, sed cunctis proficiebat,/ Omnia factus erat omnibus ipse pater* (Ermoldus, Elegiacum carmen, lib. II, v. 1195 sqq., p. 94).

4 Il va de soi que cette notice prosopographique n'entend pas régler les questions relatives à l'expérience spirituelle de Benoît ni à l'histoire monastique du VIIIᵉ siècle finissant (cf. SEMMLER, Fränkisches Mönchtum) et à la réforme entreprise au début du règne de Louis le Pieux. Il est à ce propos fort regrettable que la thèse d'habilitation de Josef SEMMLER, Benedikt von Aniane und die benediktinische Klosterreform in hochkarolingischer Zeit (782–821), Mannheim 1971, n'ait pas été publiée. Sur la réforme de Benoît, outre les travaux de J. Semmler, cf. NARBERHAUS, Benedikt. Sur l'activité de Benoît en tant que liturgiste, cf. PALAZZO, Moyen Age, p. 75 sq. et FRIED, Papsttum, p. 237, qui donnent les références bibliographiques – je ne suis pas J. Fried dans son interprétation concernant la signification de la composition du Supplément à l'Hadrianum, cf. DEPREUX, Empereur, p. 895 sq. Comme dans les autres notices, l'accent sera placé sur les questions relatives au gouvernement.

5 Chronicon Moissiacense, a. 794, p. 301 note *.

6 Ardo, Vita Benedicti, c. 1, p. 201: *... ex Getarum genere partibus Gotiae oriundus fuit, nobilibus natalibus ortus*.

7 Ibid., l. 16 sqq.

8 Ibid., l. 20 sq.: *Hic pueriles gerentem annos prefatum filium suum in aula gloriosi Pipini regis reginae tradidit inter scolares nutiendum*. Cette courte remarque d'Ardon me semble d'un tel intérêt pour la compréhension du rôle de la reine à la cour qu'il s'avère nécessaire, pour éviter toute confusion, de proposer une traduction: »Son fils, déjà mentionné, alors qu'il était encore enfant, il le remit à la reine, à la cour du glorieux roi Pépin, afin qu'il y fût nourri parmi les écoliers«.

9 Ibid., l. 22 sqq.: *Post haec vero pincernae sortitur offitium. Militavit autem temporibus prefati regis. Post cuius excessum cum regni gubernacula Karolus gloriosissimus rex potiretur, ei adaesit serviturus.*

10 Ibid., l. 24 sqq.

11 Ardo, Vita Benedicti, c. 2, p. 201 l. 37.

moine au monastère de Saint-Seine[12]. Vers 782[13], alors que les moines de Saint-Seine voulaient l'élire abbé[14], Benoît, se rendant compte qu'il était peu fait pour les coutumes de ce monastère, s'en retourna sur ses biens familiaux[15]: à Aniane, où il construisit une église et une *cella exigua*. C'est là qu'il fonda sa communauté[16]. Il fit confirmer la fondation par Charlemagne[17]. Bien que moine, Benoît fut toujours mêlé à la vie du *regnum Francorum*, puisqu'il participa au concile tenu en 794 à Francfort[18], où la question de l'hérésie adoptianiste, qui concernait directement la province de Narbonnaise[19], fut débattue[20]. Benoît jouissait assurément d'un prestige très grand dans le royaume d'Aquitaine: Alcuin, qui était lié d'amitié avec lui[21], n'hésita pas, dans l'adresse d'une lettre relative à l'hérésie d'Elipand de Tolède[22], à nommer l'abbé d'Aniane immédiatement après les archevêques de Lyon et de Narbonne, et avant les autres évêques de la région[23]. Il leur demanda, par un autre écrit, leur avis sur son traité contre Elipand avant de le publier[24]. Par ailleurs, l'abbé d'Aniane fut parmi ceux qui reçurent l'ordre d'aller sur place combattre l'Adoptianisme et de veiller, sur le terrain, à sa disparition[25]. Benoît fit aussi office d'intermédiaire entre Alcuin et les abbés de Gothie (ne pourrait-on pas dire, sans exagérer: entre la cour de Charlemagne et ces derniers?), puisque c'est par lui que l'abbé de Saint-Martin leur fit connaître le *libellus* qu'il composa en rassemblant des extraits des Ecritures montrant en

---

12 Ibid., l. 45 sqq.: *Preparatis itaque omnibus, iter quasi Aquis iturus arripuit; set ubi sancti Sequani ingressus est domum, redire suos ad patriam iubet, seque in eodem coenobio Christo Deo servire velle indicavit. Postulat ingrediendi licentiam; qua adepta, mox capitis comam deposuit et veri monachi abitum sumpsit.* Après une période probatoire fort rude, il fut nommé cellérier: *Iniungitur ei post haec custodiendum cellarium* (ibid., p. 202, l. 35).

13 La période de jeûnes et de mortification que Benoît s'infligea lors de son entrée au monastère dura deux ans et six mois (Ardo, Vita Benedicti, c. 2, p. 201 sq.). Ensuite, cinq ans et huit mois s'écoulèrent jusqu'à la mort de l'abbé de Saint-Seine (ibid., c. 3, p. 202), ce qui fait un total d'environ huit ans. 774 + 8 = 782. Ardo, Vita Benedicti, c. 17, p. 205, date de 782 la construction de l'église Saint-Sauveur.

14 Ardo, Vita Benedicti, c. 3, p. 202.

15 Ibid., l. 46 sqq.

16 Ardo, Vita Benedicti, c. 4 sqq., p. 203 sqq.

17 Ardo, Vita, c. 18, p. 207 sq. = Dipl. Karol. 1, n° 173, p. 231 sqq. Ce diplôme fut donné à Ratisbonne en août 792. Or, il y fut alors question de l'Adoptianisme (cf. HARTMANN, Synoden, p. 104 sq.). On peut par conséquent en conclure que Benoît était dès 792 impliqué dans la lutte contre l'Adoptianisme et qu'il participa à l'assemblée de Ratisbonne.

18 Chronicon Moissiacense, a. 794, p. 301 note *: *inter quos etiam venerabilis ac sanctissimus abbas Benedictus qui vocatur Vitiza, monasterii Anianensis a partibus Gotiae…*

19 Ardo, Vita Benedicti, c. 8, p. 204.

20 Sur ce concile, cf. HARTMANN, Synoden, p. 105 sqq.

21 Ardo, Vita Benedicti, c. 24, p. 210: *… inviolabili se illi caritate coniuncxit …* C'est ce qu'illustrent un passage de la Vita de l'abbé de Saint-Martin relatant la visite de Benoît à Tours (Vita Alcuini, c. 14, p. 192) et sa correspondance (Alcuinus, Epistolae, n° 56, p. 99 sq. et n° 57, p. 100 sq.).

22 Cf. W. HEIL, Adoptianismus, dans: L.M.A., tome 1, col. 162 (qui donne des orientations bibliographiques); K. SCHÄFERDIEK, Elipandus, dans: L.M.A., tome 3, col. 1830 sq.

23 Alcuinus, Epistolae, n° 200 (datée de 800 par l'éditeur), p. 330: *Domnis in Christi caritate venerabilibus atque dilectissimis Laidrado episcopo Lugdunensi et Nefridio episcopo Narbonensi et Benedicto abbati simulque sanctissimis nobisque valde honorabilibus Gothiae provinciae partibus episcopis, abbatibus et fratribus humillimus sanctae ecclesiae filius Albinus salutem.*

24 Alcuinus, Epistolae, n° 201, p. 333 sq.

25 Alcuinus, Epistolae, n° 207, p. 345: *Et ille cum abbate Benedicto Nifridio missus est in illas partes occidentales ad extinguendas et evacuandas huius pravissime adsertionis infidelitates.*

quoi l'Adoptianisme allait contre la Révélation[26]. Benoît s'avérait également un lien entre Alcuin et l'archevêque de Narbonne, Nibride[27]. De la correspondance de l'abbé de Saint-Martin, il appert que l'archevêque de Narbonne et l'abbé d'Aniane travaillaient en étroite collaboration[28]: Alcuin les encouragea tous deux dans leur action pastorale[29]. On voit d'ailleurs Benoît participer à un concile tenu en Arles[30].

C'est principalement par son action réformatrice que Benoît est célèbre. La réforme des monastères – menée dans un premier temps à titre privé, à ce qu'il semble – commença dans la province de Narbonne. »Enfin, en (les) soutenant et en (les) assistant, il était comme le nourricier de tous les monastères sis tant en Provence qu'en Gothie ou en Novempopulanie; et tous l'aimaient comme (leur) père, le révéraient comme (leur) seigneur, le craignaient comme (leur) maître«[31]. Puis certains évêques firent appel à lui, ou du moins lui demandèrent de leur envoyer de ses disciples: ainsi Laidrade de Lyon pour réformer le monastère de l'Ile-Barbe[32] ou Théodulf d'Orléans pour Saint-Mesmin de Micy[33]. Alcuin lui demanda également de lui envoyer des moines pour Cormery[34]. Constatant le zèle avec lequel Benoît se consacrait à sa tâche, Louis le Pieux, alors roi d'Aquitaine, le choisit comme conseiller (Benoît sut également gagner la confiance de la reine[35]) et il lui confia la réforme de l'ensemble des monastères de son royaume: »Quant au très glorieux Louis, alors roi des Aquitains, mais maintenant, par la prévoyance de la grâce divine, empereur auguste de

26 Alcuinus, Epistolae, n° 205, p. 340: *Albinus humilis Christi famulus et serviens sancti Martini omnibus abbatibus fratribus et filiis, qui sunt Gothiae partibus, in Christo karissimis aeterne beatitudinis salutem. (…) Quod multis testimoniis evangelicis vel apostolicis, vel etiam sanctorum patrum tradicionibus conprobari potest, sicut in libello ex parte factum est, quem direximus per abbatem Benedictum vobis solacium et confirmacionem fidei catholice.*

27 Alcuinus, Epistolae, n° 206, p. 342: *Frater vero Benedictus mea omnia tibi innotescere potuerit. Quem cum lacrimis dimisi; tu vero cum gaudio recipias eum.*

28 C'est notamment patent dans une lettre qu'il adressa aux deux hommes: Alcuinus, Epistolae, n° 303, p. 461 sq. Alcuin terminait sa lettre ainsi: *Vos divina gratia fortes efficiat in certando et felices in regnando, fratres carissimi.*

29 Alcuinus, Epistolae, n° 206, p. 342: *Vos vero ambo laborate quasi boni pastores in grege Christi; nihil haesitantes de mercede perpetua, quae dabitur fideliter gregem Christi pascentibus.*

30 Ardo, Vita Benedicti, c. 20, p. 208: *Caritate utique plenus, Arelato cum quam pluribus episcopis, abbatibus, monachis perplures resedit dies, canonum secreta pandens et beati Gregorii papae homelias enucleans ignorantibus.* Rien ne permet de savoir s'il s'agit du Concile réuni en 813. D'après l'agencement du récit, cela me semble peu probable.

31 Ardo, Vita Benedicti, c. 19, p. 208: *Omnium denique monasteriorum tam in Provincia quam in Gotia seu Novempalitana provintia consistentium erat quasi nutrix fovens iuvansque, atque ab omnibus amabatur ut pater, venerabatur ut dominus, reverebatur ut magister.*

32 Ardo, Vita Benedicti, c. 24, p. 209: *Interea audientes eius sanctitatis famam gregisque eius sanctam opinionem, postulare instanter exempli gratia monachos nonnulli episcopi coeperunt, de quibus Leidradus Lugdunensium pontifex volens monasterium quod vocatur Insula-Barba rehedificare …*

33 Ibid.: *Theodulfus quoque Aurelianensium presul, cum monasterium sancti Maximini construere vellet, a iam prefato viro postulat regularis disciplinae peritos …*

34 Ibid., p. 210 l. 13 sqq.

35 Ardo, Vita Benedicti, c. 31, p. 213: *Regina quoque pio affectu colebat eum; et quia iustum noverat, libenter obscultabat suisque muneribus sepissime honorabat.*

toute l'Eglise se trouvant en Europe, ayant appris quel était le chemin (choisi par Benoît pour parvenir à) la sainteté, il l'aim(a) extrêmement et il se soum(it) volontiers à son conseil; d'autre part, il le préposa à tous les monastères de son royaume afin qu'il montrât à tous la règle salutaire«[36]. Grâce à l'Astronome, l'on peut se faire une idée de l'ampleur de la réforme alors accomplie[37]. Benoît veilla également à la prospérité d'Aniane[38] et reçut, tant de particuliers que du roi d'Aquitaine, plusieurs monastères[39], dont Saint-Savin sur Gartempe[40].

Lors de son accession à l'empire, Louis le Pieux fit venir Benoît à la cour[41]. Pour Aniane, voici un déluge de diplômes impériaux[42]. Il en fut délivré trois le 23 avril 814 à Aix-la-Chapelle[43], ce qui prouve que Benoît suivit effectivement Louis à la cour franque ou qu'il le rejoignit dans les plus brefs délais. Le 22 février 815, à Aix-la-Chapelle, Benoît obtint un nouveau diplôme[44]. C'est la dernière mention que l'on ait de lui en temps qu'abbé d'Aniane. Le 21 mai 815, son successeur est attesté à la tête de la communauté fondée par Benoît[45]. Mais cela ne veut pas pour autant dire que ce dernier se désintéressa du sort d'Aniane: à deux reprises, le 9 mars 819 et le 15 octobre 820, des diplômes furent délivrés en faveur de cet établissement[46] – or c'est Benoît qui en avait présenté la requête. Le premier de ces deux diplômes est d'autant plus in-

36 Ardo, Vita Benedicti, c. 29, p. 211: *Gloriosissimus autem Ludoicus rex Aquitaniorum tunc, nunc autem divina providente gratia tocius aecclesiae Europa degentis imperator augustus, sanctitatis eius viam compertam, permaxime diligebat eiusque consilium libenter obtemperabat; quem etiam omnibus in suo regno monasteriis prefecit, ut normam salutiferam cunctis ostenderet.* L'auteur poursuit ainsi: *Erant enim quaedam monasteria instituta canonica servantes, regulae autem precepta ignorantes. Cuius ille obediens iussis, circumivit singulorum monasteria, non solum semel et bis, sed et multis vicibus, ostendens monita regulae eamque eis per singula capitula discutiens, nota confirmans, ignota elucidans; sicque actum est providente Deo, ut omnia pene monasteria in Aquitania sita regularem susciperent formam.*
37 Astronomus, Vita, c. 19, p. 616 sq.: *Et quidam multa, ut dictum est, ab eo* (Louis le Pieux) *sunt in eius dicione reparata, immo a fundamentis aedificata monasteria, sed praecipue haec:* et l'auteur de citer pas moins de 25 monastères *et cetera plurima.* Sur l'action de Benoît en Aquitaine, cf. SEMMLER, Institutioneller Zusammenschluß.
38 Ardo, Vita Benedicti, c. 30, p. 211 sqq.
39 Ardo, Vita Benedicti, c. 31 sqq., p. 214.
40 IOGNA-PRAT, Geste des origines, p. 146 sqq., a récemment montré quelle importance ce détail fourni par Ardon a pu revêtir pour l'hagiographie ultérieure et pour l'historiographie.
41 Chronicon Moissiacense, a. 814, p. 311 note *.
42 Déjà lorsqu'il était roi d'Aquitaine, Louis le Pieux avait fait des donations à Aniane, cf. Ardo, Vita Benedicti, c. 30, p. 213 l. 17 sqq. et B.M. 969(938). Cependant, la simple mention d'une donation n'est en aucun cas une preuve de l'établissement d'un diplôme, comme le souligna M. PROU, Recueil des actes de Philippe Ier, roi de France (1059–1108), Paris 1908, p. CXXIX sq. Sur le diplôme de Louis d'Aquitaine pour Gellone, cf. DEPREUX, Kanzlei, p. 157 sqq.
43 B.M. 522(503), B.M. 523(504) et B.M. 524(505). Pour éviter de surcharger encore plus cette notice, je n'entre pas dans le détail de ces diplômes, qui intéressent avant tout l'histoire d'Aniane.
44 B.M. 574(554).
45 B.M. 580(560).
46 Respectivement B.M. 684(664) et B.M. 728(704).

téressant qu'il porte en notes tironiennes une mention prouvant que Benoît examina lui-même le dossier (qu'il connaissait bien puisqu'il s'agissait de confirmer une mesure qu'il avait prise): *Benedictus abba ambasciavit et magister dictavit*[47]. Il est vraisemblable que l'abandon de l'abbatiat à Aniane ait coïncidé avec l'installation de Benoît à Inden, qu'il faudrait donc dater du printemps 815. Toutefois, ce ne fut pas son premier lieu de séjour en *Francia*: Benoît s'installa tout d'abord à Marmoutier (en Alsace), mais étant donné l'éloignement par rapport à Aix-la-Chapelle et »parce qu'il était indispensable à l'empereur à de nombreux titres« (*quia imperatori multis pro causis erat necessarius*), ce dernier le fit se rapprocher et ordonna la construction du monastère d'Inden (Cornelimünster)[48], qu'il considérait comme son propre monastère (*monasterium noster*)[49]. Le témoignage d'Ermold est ici tout à fait remarquable, et il convient de le citer intégralement: »S'adressant à lui en des termes affectueux, comme de coutume, et inspiré par l'amour divin, (Louis le Pieux) lui dit: »Tu sais, je pense, Benoît, combien je m'intéresse à ton ordre depuis qu'il m'est connu. Aussi voudrais-je, pour l'amour de Dieu, dédier un monastère dans le voisinage de ma résidence. Trois raisons, je te le dis, m'en ont mis le désir au cœur, et je t'en exposerai ceci. Tu vois comme les soucis de l'empire sont lourds à mon esprit; les affaires me sont un grand fardeau: peut-être, dans cette maison, pourrai-je me reposer un peu et offrir saintement à Dieu un tribut agréable. Ma seconde raison est que, de ton propre aveu, ta situation présente ne répond pas à ton souhait, étant donné que les moines ne doivent pas se mêler aux affaires publiques ni prendre plaisir à la vie de palais: dans cette maison, tu pourrais diriger les travaux des moines, préparer aux visiteurs de passage une sainte hospitalité; puis, retrempé, tu reviendrais auprès de moi, et, à intervalles, tu rapporterais tes bons avis à tes frères. Je pense, en troisième lieu, au profit que serait pour moi et pour mes sujets un sanctuaire de cette sorte à proximité d'Aix: si je mourais, c'est là que mon corps trouverait sa sépulture; c'est là que s'enrôleraient au service du Christ ceux qui auraient découvert leur vocation et qu'ils feraient agréer leur pieuse résolution«[50].

---

47 Lecture de M. Illo Humphrey. Cette mention se trouve à la fin du texte, juste après le mot *sigillari*. Seule la lecture *dictavit* n'est pas certaine. A l'intérieur de la ruche, on lit également la mention en notes tironiennes: *Helisacaar re(cognovit)*. Le diplôme B.M. 684(664) fait partie d'un lot d'actes pour Aniane et Gellone récemment retrouvés et mis en dépôt aux Archives départementales de l'Hérault en 1993. Grâce à l'amabilité de M. Jean Le Pottier, Directeur des Archives départementales de l'Hérault, et de Mme Martine Sainte-Marie, Conservateur, j'ai pu consulter ce document (cote: 1 J 1017) en août 1994. Ce diplôme fut exposé aux Archives Nationales de février à avril 1994, cf. le catalogue: La mémoire de la France. Quarante ans d'enrichissements des Archives de France, Paris 1993, cat. n° 2, p. 29 sq. C'est lors de son exposition qu'I. Humphrey en déchiffra les notes tironiennes. Je le remercie vivement pour son aide amicale.
48 Ardo, Vita Benedicti, c. 35, p. 215.
49 B.M. 734(710), éd. Vet. script. ampl. collectio, tome 1, col. 76 sq.
50 Ermoldus, Elegiacum carmen, lib. II, v. 1208 sqq., p. 94 sqq. (traduction d'E. Faral). Etant donné la longueur du texte, par exception, je renonce à le citer en latin, priant le lecteur de se reporter à l'édition d'E. Faral.

Louis, une fois empereur, s'efforça d'étendre la réforme monastique à tout l'empire[51]. Le rôle de Benoît fut alors prépondérant[52]. Et Ardon d'affirmer que c'est Benoît qui eut l'initiative de la promulgation du Capitulare monasticum pour contraindre juridiquement les monastères à la réforme[53]. Benoît participa probablement au *concilium* d'août 816[54]. On peut en tout cas être certain qu'il anima les séances du plaid tenu en juillet 817[55]: Ardon l'atteste[56]. A la suite de cette assemblée, il fut envoyé dans les monastères de l'empire y introduire la réforme[57]. C'est à ce titre qu'il se rendit à Saint-Denis avec Arnoul, l'abbé de Saint-Philibert[58], vraisemblablement en 817[59]. Il ne put cependant procéder à la réforme et permit la division de la communauté[60]. L'action de Benoît est également attestée à Sainte-Colombe de Sens[61]. En janvier 819, Louis le Pieux tint un plaid à Aix-la-Chapelle[62], auquel participèrent les *missi* qu'il avait dépêchés dans les diverses Eglises de l'empire, et ils lui firent alors leur rapport[63]. Il est vraisemblable qu'il faille considérer que c'est à cette occasion qu'il fut mis fin à la mission de Benoît, qui – à n'en pas douter, bien qu'aucun document ne permette de l'affirmer – participa à ce plaid. Ensuite, nous ignorons tout de

51 Il est hors de question d'étudier ici la législation promulguée par Louis le Pieux au début de son règne, cf. *Synodus prima Aquisgranensis*; *Synodus secunda Aquisgranensis*. A ce propos, il convient de renvoyer aux travaux de J. Semmler: Semmler, Reichsidee; Semmler, Überlieferung; Semmler, Beschlüsse. Cf. également Semmler, Iussit princeps. Sur l'action de Benoît et sur le mouvement général de *renovatio* au début du règne de Louis le Pieux: Semmler, Benedictus II; Semmler, Réforme; Semmler, Monachisme occidental; Semmler, Renovatio regni Francorum.

52 Ardo, Vita Benedicti, c. 36, p. 215: *Prefecit eum quoque imperator cunctis in regno suo coenobiis, ut, sicut Aquitaniam Gotiamque norma salutis instruxerat, ita etiam Franciam salutifero imbueret exemplo. Multa denique monasteria erant, quae quondam regulariter fuerant instituta; set paulatim tepescente rigore, regularis pene deperierat ordo.*

53 Ibid.: *... de quibus etiam capitularem institutum imperatori confirmandum prebuit, ut omnibus in regno suo positis monasteriis observare preciperet.* Si je comprends bien Ardon, Benoît aurait demandé à Louis le Pieux de confirmer le capitulaire déjà établi (en assemblée?, par Benoît seul?).

54 B.M. 622(602)a. C'est ce que suppose Semmler, Beschlüsse, p. 63.

55 B.M. 649(627)a.

56 Ardo, Vita Benedicti, c. 36, p. 215 l. 37 sqq.

57 Astronomus, Vita, c. 28, p. 622 – texte cité à la notice n° 1.

58 Cf. la notice n° 36.

59 Cf. Oexle, Forschungen, p. 113, qui reprend Semmler, Reichsidee, p. 43 sqq.

60 B.M. 905(876) – texte cité à la notice n° 36. Ce n'est qu'en 832 qu'il fut mis fin à cette situation, cf. Semmler, Saint-Denis, p. 107 sqq.

61 B.M. 961(930), éd. Recueil des hist. 6, n° 214, p. 610 sq. (à la p. 610): *... olim dum monasticum ordinem usquequaque depravatum esse constaret, et ad eum corrigendum atque emendandum, imo ad pristinum debitumque modum et rectitudinem, auxiliante Domino, reducendum, quemdam abbatem ejusdem ordinis ferventissimum, Benedictum cognomine, per monasteria imperii a Deo nobis commissi destinaremus, contigit cum ad monasterium, quod dicitur sanctae Columbae, haud procul ab urbe Senonensi devenire: in quo cum caetera regulariter ordinare satageret, quia tunc temporis abbatem canonicum, Jacob vocabulo, inibi praeesse contigerat, quasdam villas, quae priscis temporibus ad usus fratrum ibidem Deo famulantium fuerant destinatae, segregavit, ut absque regali aut publico servitio, vel quolibet abbatis dono aut exactione usibus eorum perpetuo deservirent, id est ...*

62 B.M. 672(658)h.

63 Astronomus, Vita, c. 32, p. 624: *Qua hieme imperator in eodem palatio conventum populi sui celebravit publicum, et renuntiantes sibi missos de omni regno suo quos pro statu sanctae ecclesiae restaurando deiecta vel confirmando stantia, miserat, audivit.* Annales regni Franc., a. 819, p. 150: *Conventus Aquisgrani post natalem Domini habitus, in quo multa de statu ecclesiarum et monasteriorum tractata atque ordinata sunt, legibus etiam capitula quaedam pernecessaria, quia deerant, conscripta atque addita sunt.*

Benoît. Toujours est-il qu'il se trouvait à la cour, au début de février 821, lorsqu'il tomba malade. Pendant son agonie, il fut transporté à Inden par Tanculf[64]; Hélisacar[65] se trouvait à son chevet[66]. Benoît mourut le 11 février 821[67].

44. BÉRA[1]

Comte de Barcelone, attesté de 801 à 820 – vraisemblablement encore en vie en 827, mort avant juillet 844

Béra, d'origine wisigothique[2], est explicitement attesté comme comte de Barcelone en 820[3]; il était comte d'une autre cité en 801, lorsqu'il reçut la garde de la ville après son siège[4], auquel il avait pris part[5]. C'est par Charlemagne qu'il fut nommé comte de Barcelone[6]. Béra participa également aux expéditions de 804 ou 809[7] et de 808 ou 810[8] contre Tortosa. En 812, Béra était au nombre des comtes auxquels le praeceptum pro Hispanis fut adressé[9]. Peu auparavant, il avait donné une preuve du prestige politique dont il jouissait alors: il fit partie des témoins mentionnés dans le testament de Charlemagne[10]. K. Brunner, s'appuyant sur le fait que le nom y apparaît sous la forme de Béro, a rejeté cette identification[11] pourtant classique[12] – l'argument philo-

---

64 Cf. la notice n° 258.
65 Cf. la notice n° 143.
66 Ardo, Vita Benedicti, c. 42, p. 219 l. 17 sqq.
67 Ibid., l. 35 sq. Cf. également Chronicon Moissiacense, a. 821, p. 312 note *.

1 Formes onomastiques: *Bera, Bero*.
2 Ermoldus, Elegiacum carmen, lib. I, v. 356: *Bero princeps ille Gothorum*. L'origine wisigothique de Béra est aussi attestée par Astronomus, Vita, c. 33, p. 625 l. 24.
3 Annales regni Franc., a. 820, p. 152.
4 Astronomus, Vita, c. 13, p. 613: *Post haec Bera comite ibidem ob custodiam relicto cum Gothorum auxiliis, hiemandi gratia ad propria remeavit*. Puisqu'il retourna chez lui pour l'hiver, Béra pouvait difficilement déjà avoir été nommé comte de Barcelone.
5 Ermoldus, Elegiacum carmen, lib. I, v. 309, p. 28 et v. 356, p. 32.
6 Ibid., lib. III, v. 1808, p. 138: *Qui Parchinonam Carolo tribuente tenebat*.
7 Astronomus, Vita, c. 14, p. 613. La première date est celle adoptée par Auzias, Sièges, p. 21 sqq. et par Wolff, Evénements de Catalogne, p. 455 sqq. La seconde est la date classique retenue notamment par les auteurs des Regesta imperii.
8 Astronomus, Vita, c. 15, p. 614. Sur les deux datations, cf. la note précédente.
9 Praeceptum pro Hispanis.
10 Einhardus, Vita Karoli, c. 33, p. 102.
11 Brunner, Oppositionelle Gruppen, p. 82. Charlemagne aurait ainsi dû faire une exception à la »Regel, daß kein Großer aus den Regna seines Sohnes und seines Enkels ein fränkisches Testament garantieren könne« (l'auteur ne cite bien évidemment pas de texte appuyant son assertion). Mais surtout, étant donné le jugement pour crime de lèse-majesté en 820 et le bannissement de Béra, citer son nom dans la Vita Karoli, composée ultérieurement, eût été »ein direkter Affront« qu'Eginhard, selon K. Brunner, n'aurait pu se permettre. Or si Eginhard nous transmet le document »in Form und Inhalt getreu«, comme l'admet K. Brunner, ibid., p. 69, il se devait de transcrire cette liste de témoins dans son intégralité.
12 Cf. Abel, Jahrbücher, tome 2, p. 454, et la remarque de L. Halphen dans Einhardus, Vita Karoli, p. 101 note 4: »il est vraisemblable que sous le nom fautif de Bero se cache le comte de Barcelone Bera, qui effectivement était en fonctions dans les dernières années du règne de Charlemagne«.

logique qu'il invoque ne tient cependant pas[13]. Vers 813, Béra est censé avoir fondé avec son épouse Romelle, pour le repos de leur âme et de celle de Guillaume, le père de Béra, l'abbaye d'Alet qui aurait été soumise au pape Léon III et à l'Eglise romaine[14]. Avec raison, Ph. Wolff a remis en question l'authenticité de ce document[15]. Vraisemblablement peu avant le 1er janvier 815[16], le comte Béra, venu à Aix-la-Chapelle avec la délégation des »Espagnols«[17], siégea parmi les membres du tribunal présidé par le comte du Palais Warengaud[18], pour examiner la plainte de l'aprisionnaire Jean[19]. Or voici qu'en janvier 820, lors du plaid alors tenu par Louis le Pieux à Aix-la-Chapelle[20], Béra fut accusé d'infidélité à l'empereur par Sanila et, son échec lors du duel judiciaire ayant prouvé sa culpabilité, il fut condamné au bannissement à Rouen[21]. L'on ignore tout de la nature de la trahison de Béra ou des motifs ayant poussé Sanila à l'accuser[22]. Béra semble encore avoir été en vie en 827[23]; il mourut avant le 30 juillet 844[24].

---

13 BRUNNER, Oppositionelle Gruppen, p. 82, distingue de manière très stricte les noms Béra et Béro et veut faire du Béro du testament de Charlemagne un Bernard, »denn für die Kurzform von Bernhard gäbe es Identifikationsmöglichkeiten genug, es sind auch vermutlich zwei verschiedene Namen: Während Bero als Kurzform von Bernhard gelten kann, ist Bera Vollname (Ursus)«. Or les deux formes Béra et Béro ont la même racine, cf. FÖRSTEMANN, Personennamen, col. 258 sqq.; KAUF-MANN, Personennamen, p. 57 sq.; MORLET, Noms de personne, tome 1, p. 52. D'autre part, la forme Béro est également attestée pour le nom de Béra, sans qu'une identification avec un autre personnage soit possible: ainsi, le comte attesté en 801 à Barcelone s'appelle Béra pour l'Astronome et Béro pour Ermold (Astronomus, Vita, c. 13, p. 613 l. 18; Ermoldus, Elegiacum carmen, lib. I, v. 309 p. 28 & v. 356 p. 32). De même pour le comte accusé en 820 (Annales regni Franc., a. 820, p. 152: Béra; Astronomus, Vita, c. 33, p. 625 l. 22: Béra; Ermoldus, Elegiacum carmen, lib. III, v. 1806 p. 138: Béro).

14 Doc. dipl. Languedoc, n° 23, col. 79 sq.

15 WOLFF, Aquitaine, p. 298 note 249. Déjà TISSET, Gellone, p. 33 sqq., avait bien vu la difficulté que présente l'identification de Béra comme fils de Guillaume de Toulouse. BRUNNER, Oppositionelle Gruppen, p. 82, a mal compris le document (qu'il ne cite d'ailleurs pas) quand il fait de l'épouse de Béra la fille du »Vater namens Wilhelm«. Romelle semble bien avoir été l'épouse de Béra: cf. Doc. dipl. Languedoc, note XCI, col. 338 sqq., où il est fait mention d'une »vente faite par Rotrude, veuve du comte Alaric, & fille du feu comte Béra & de Romille«.

16 Cf. l'annexe n° 1.

17 Cf. B.M. 566(546).

18 Cf. la notice n° 271.

19 Enquête de Fontjoncouse, n° 3, p. 112 sqq.

20 B.M. 709(659)a.

21 Annales regni Francorum, a. 820, p. 152; Astronomus, Vita, c. 33, p. 625: *In quo placito Bera comes Barcinonensis, cum impeteretur a quodam, vocabulo Sanila, et infidelitatis argueretur, cum eodem secundum legem propriam – utpote quia uterque Gothus erat equestri proelio – congressus est, et victus. Sed cum lege in eum animadvertendum esset, ut capitali sententia tamquam reus maiestatis feriretur, imperatoris tamen clementia vitae reservatus est, et Rotomagum consistere iussus.*

22 Ermold, à qui l'on doit un récit pittoresque de l'accusation et du combat, montre les deux hommes fermement décidés à s'affronter. S'agirait-il d'un différend personnel? Cf. Ermoldus, Elegiacum carmen, lib. III, v. 1806 sqq. p. 138 sqq.

23 Il en est question à propos de la défection de son fils, Willemond, qui passa dans le camp du rebelle Aizo. L'annaliste ne parle pas de Béra comme d'un défunt. Cf. Annales regni Franc., a. 827, p. 172; information reprise par Astronomus, Vita, c. 41, p. 630 l. 24 sq.

24 Cf. l'acte de vente établi par *Argila qui sum filius* quondam *Berani comiti* (Doc. dipl. Languedoc, n° 126, col. 259 sq.).

45.   BÉRENGER[1] (I)
                    Comte de Toulouse (et de Velay), attesté de 818 à 835

En 818, Bérenger[2] est attesté comme comte de Toulouse[3]. Le 7 février 819, on le voit
exercer ses fonctions judiciaires[4]. Il est de nouveau attesté, présidant un plaid, le 2
avril 832 à Elne[5]. L'on retrouve notre personnage dans les chartes de Saint-Julien de
Brioude, comme comte de Velay[6]; il est attesté pour la première fois en septembre
819, lors d'un échange entre un certain Rodague et son épouse d'une part et le comte
Bérenger, l'abbé Ferriole et les chanoines d'autre part[7]. Le statut de Bérenger à Saint-
Julien de Brioude n'est, juridiquement, pas clairement défini; il est cependant assuré,
puisqu'il est souvent cité en premier (avant l'abbé) et qu'il semble agir au nom de la
communauté, que c'est lui qui, en réalité, avait autorité sur l'établissement religieux.
En réalité, c'est lui qui restaura Saint-Julien, et c'est en cette qualité que celui à qui
Louis le Pieux avait confié le comté de Brioude demanda à l'empereur de confirmer
par un précepte la restauration des chapitres de Saint-Julien et de Vitry et de définir
leurs prestations[8]. De ce diplôme de Louis le Pieux du 4 juin 825, dont l'authenticité
a été contestée par E. Magnou-Nortier, qui admet toutefois que le faussaire pût travailler d'après un document sincère[9], l'on peut conclure que Bérenger participa au
plaid tenu en mai[10]. Bérenger est encore attesté dans les actes de Brioude en octobre
825, lors d'un échange entre le chapitre de Saint-Julien et un certain *vir illuster* du
nom de Wigon[11].
    En 834 aux environs de Blois[12], Bérenger, qualifié par Thégan de *sapiens* et pré-
senté comme le parent (*propinquus*) de Louis le Pieux, fut envoyé par ce dernier avec
deux autres légats auprès de Lothaire, pour tenter de faire entendre raison à ce fils rebelle[13]. Un document inconnu des auteurs des Regesta imperii et publié pour la première fois par R. d'Abadal montre clairement que Bérenger bénéficiait alors de la

1 Formes onomastiques: *Berengarius, Beringarius.*
2 Sur ce personnage, cf. ABADAL, Diplôme inconnu, p. 346 sqq. L'auteur défend cependant la thèse selon laquelle Bérenger aurait été le fils de Hugues, le comte de Tours (ibid., p. 348), alors qu'il s'agit
  d'un Unrochide, cf. WERNER, Bedeutende Adelsfamilien, p. 133 sqq. et plus particulièrement p. 134.
3 Annales regni Franc., a. 819, p. 150: ... *Lupus Centulli Wasco, qui cum Berengario Tolosae et Warino
  Arverni comite eodem anno* (le récit se rapporte à l'année 818) *proelio conflixit ... cum in conspectum
  imperatoris venisset ... temporali est exilio deportatus.* Cf. Astronomus, Vita, c. 32, p. 624. Cf. également un diplôme (non daté) par lequel Bérenger confirma au monastère d'Alao ses possessions,
  ABADAL, Els comtats, tome 2, p. 283 sq., n° 8.
4 Cf. Doc. dipl. Languedoc, n° 49, col. 123 sq.
5 Doc. dipl. Languedoc, n° 80, col. 177 sqq.: ... *in presentia Berengario comite.*
6 Sur l'identité du comte de Toulouse avec celui de Brioude, cf. SIMSON, Jahrbücher, tome 1, p. 141 note 2. MAGNOU-NORTIER, Brioude, p. 315 sq., a contesté l'hypothèse selon laquelle Bérenger aurait
  été comte du Velay (chose affirmée dans le diplôme de Louis le Pieux, dont le texte est reproduit
  ibid., p. 335, qu'elle rejette comme faux).
7 Doc. dipl. Brioude (bis), n° 293, p. 81 sq.
8 B.M. 797(773).
9 Cf. MAGNOU-NORTIER, Brioude, p. 322 sq.
10 B.M. 794(769)c. Cf. SIMSON, Jahrbücher, tome 1, p. 235.
11 Doc. dipl. Brioude, n° 341, p. 351 sq. La datation est établie d'après le seul règne de Pépin Ier d'A-
   quitaine.
12 Cf. B.M. 931(902)d.
13 Theganus, Vita, c. 54, p. 602 – texte cité à la notice n° 39.

confiance de l'empereur et qu'il avait accès direct auprès de Louis le Pieux. En effet, dans un diplôme du 19 octobre 834 donné à Quierzy-sur-Oise[14], Louis le Pieux fit une donation au comte Oliba, sur la suggestion de Bérenger[15]. L'année suivante, en 835, l'on voit ce même Bérenger (*dux fidelis et sapiens* selon Thégan[16]) en rivalité avec Bernard de Septimanie pour le contrôle de cette région. On considère généralement que c'est à l'occasion de la disgrâce de Bernard que Bérenger fut investi de la Septimanie[17]. Selon J. Dhondt, le »bon droit« se trouvait du côté de Bérenger[18], l'auteur étant d'avis que l'administration du Toulousain et celle de la Septimanie n'étaient alors pas séparées[19]. Le conflit n'eut pas de suite étant donné la mort de Bérenger[20].

46.   BÉRENGER[1] (II)

Comte, attesté en 825

En 825, un comte Bérenger fut nommé, ainsi que l'évêque Rantgaire de Noyon, comme *missus* de l'empereur dans les diocèses de Noyon, Amiens, Thérouanne et Cambrai[2]. L'on ignore tout de ce comte[3].

---

14 Ce diplôme s'intègre bien dans l'itinéraire de Louis le Pieux. Il ne pose qu'un problème mineur pour ce qui relève de la critique diplomatique: Louis le Pieux est intitulé *divina propitiante clementia imperator augustus* alors qu'à cette époque la titulature normale portait *repropitiante*. Il s'agit cependant d'un détail négligeable, qui ne justifie aucunement que l'on mette l'authenticité de ce diplôme en doute, puisqu'il y est bien fait allusion à la *clementia* divine, comme c'était le cas dans les diplômes délivrés après le rétablissement de 834, alors que les diplômes d'avant octobre 833 faisaient référence à la *providentia* divine. Sur les titulatures de Louis le Pieux, cf. WOLFRAM, Lateinische Herrschertitel, p. 172.

15 ABADAL, Diplôme inconnu, p. 345 sq.: ... *Beringarius fidelis comes noster pro quodam fidele nostro Oliba comiti fidele nostro, nostrae suggessit serenitati ut, quia ille fidem suam in perturbationis tempore fideliter et inviolabiliter circa partes nostras conservare studuit, aliquod remunerationis debitum ei contulissemus, ejus suggestioni, quia justam et rationi convenientem esse perspeximus, annuere placuit* ...

16 Theganus, Vita, c. 58, p. 603.

17 DHONDT, Naissance, p. 183.

18 Ibid., p. 184.

19 Ibid., p. 176 sqq.

20 Astronomus, Vita, c. 57, p. 642 – lors du plaid tenu dans le *pagus* de Lyon en juin 835, B.M. 942(910)a: *Set et causa Gothorum ibidem ventilata est, quorum alii partibus Bernhardi favebant, alii autem favore ducebantur Beringarii, H. Turonici quondam comitis filii. Sed Berengario inmatura morte praerepto, apud Bernhardum potestas Septimaniae quemmaxima remansit, legatis illuc missis, qui ea quae indigebant correctione in meliorem componerent statum.* Cf. SIMSON, Jahrbücher, tome 2, p. 300. Theganus, Vita, c. 58, p. 603: *Eodem anno ipso in itinere obiit Berengarius, dux fidelis et sapiens, quem imperator cum filiis suis luxit multo tempore.*

1 Seule forme onomastique: *Berengarius*.

2 Commemoratio, p. 308 – texte cité à la notice n° 223.

3 Cf. SIMSON, Jahrbücher, tome 1, p. 247, qui distingue ce comte de Bérenger (I), cf. ibid., tome 2 (index), p. 308.

47.   **BERN**[1]

Chapelain

Bern[2] ne nous est connu que par un extrait d'une lettre de février 842, qui nous apprend que ce dernier, parent (*propinquus*) de Charles le Chauve, avait été pressenti par le roi pour devenir évêque d'Autun[3]. Or Bern avait été élevé par Louis le Pieux, qui le combla d'*honores*[4]. L'appartenance de Bern à la Chapelle de Charles le Chauve est attestée[5], mais on peut penser qu'il faisait déjà partie de celle de Louis le Pieux[6].

48.   **BERNAIRE**[1]

Evêque de Worms[2], attesté à partir de 809 (peut-être dès 799) – mort le 21 mars 826

La première mention certaine que nous ayons de Bernaire date de 809: suite au concile assemblé à Aix-la-Chapelle pour débattre de la procession du saint Esprit[3], l'évêque de Worms fut envoyé par Charlemagne avec Adalhard de Corbie auprès du pape Léon III pour lui soumettre les travaux de cette assemblée et lui demander son avis à ce sujet[4]. Peut-être Bernaire s'était-il déjà rendu à Rome dix ans plus tôt: il se peut en effet que le Bernard que mentionne le Liber pontificalis à propos de la délégation franque ayant raccompagné le pape Léon III à Rome[5] et enquêté concernant l'attentat perpétré contre lui[6] ne fût autre que l'évêque de Worms[7]. En 811, Bernaire fut envoyé à Fulda pour mettre fin au différend entre l'abbé et la communauté[8]. Deux ans plus tard, il participa au concile tenu à Mayence[9]. Outre les archevêques de Cologne, Mayence et Salzbourg, il est le seul évêque apparaissant nommément dans la lettre

1 Seule forme onomastique: *Bernus*.
2 Cf. DUCHESNE, Fastes, tome 2, p. 181 note 7.
3 FLECKENSTEIN, Hofkapelle 1, p. 88 note 307: »Über Bern ist sonst nichts bekannt. Er ist vermutlich gestorben, ehe er, wie vorgesehen, Bischof von Autun werden konnte«.
4 Lupus, Correspondance, tome 1, n° 26, p. 126: *Bernus, a beatae memoriae glorioso imperatore Hl(udovico) tenere educatus et claris ornatus honoribus.*
5 Ibid.: *Idque vestrae prudentiae domnus noster nobis jussit suggerere non esse novicium aut temerarium, quod ex palatio honorabilioribus maxime ecclesiis procurat antistites.*
6 FLECKENSTEIN, Hofkapelle 1, p. 150.

1 Formes onomastiques: *Bernharius, Bernarius.*
2 Cf. DUCHESNE, Fastes, tome 3, p. 162 (sous le nom de Bernhardus).
3 Cf. HARTMANN, Synoden, p. 126 sq.
4 Annales regni Franc., a. 809, p. 129 – texte cité à la notice n° 8; Annales Fuldenses, a. 809, p. 17; Leo, Epistolae, n° 9, p. 67 sq.
5 Liber pontificalis, tome 2, p. 6.
6 Cf. B.M. 350(341)e.
7 C'est déjà ce que supposait L. Duchesne.
8 Chronicon Laurissense breve, p. 38 (44e année du règne de Charlemagne): *Facta est conturbatio non minima in monasterio sancti Bonifatii, et fratres XII ex ipsa familia perrexerunt simul cum abbate Ratgario ad iudicium imperatoris Karli, nec tamen ita commotio illa quievit, sed post Riholfus archiepiscopus Magontiacensis et Bernharius episcopus civitatis Wangionum et Hanto episcopus Augustensis et Wolgarius episcopus ecclesiae Wirzaburg cum ceteris fidelibus, qui simul ad illum placitum convenerunt iussu imperatoris, sanaverunt commotionem illam in monasterio sancti Bonifatii.*
9 Cf. HARTMANN, Synoden, p. 128 sqq.

par laquelle les Pères de ce concile en adressèrent les actes à Charlemagne[10]: un signe patent du prestige de l'évêque de Worms.

Une fois Louis devenu empereur, Bernaire ne tarda pas à faire confirmer par ce dernier les privilèges de son église cathédrale. Ce qui fut fait le 3 septembre à Aix-la-Chapelle[11]. L'évêque de Worms avait donc probablement participé au plaid tenu par Louis le Pieux un mois plus tôt en ce palais[12]. Avant le 20 janvier 820, Bernaire est attesté comme *missus* de Louis le Pieux à Wurzbourg, où il dut enquêter concernant la restitution de biens à Saint-Kilian[13]. L'évêque de Worms participa au plaid tenu par Louis le Pieux en 820 à Quierzy-sur-Oise[14], comme l'atteste l'acte conclu le 2 septembre entre Bernaire et le comte de Tours, Hugues[15]. C'est en qualité d'abbé de Wissembourg que Bernaire conclut cet acte d'échange. Il est attesté à la tête de l'abbaye alsacienne à partir du 20 mai 811[16] et il en demeura l'abbé jusqu'à sa mort, le 21 mars[17] 826[18]. Il était notamment lié d'amitié avec Eginhard[19].

49. BERNARD[1] (I)
Roi d'Italie, né vraisemblablement vers 797[2] – mort le 17 avril 818[3]

Le fils de Pépin d'Italie, Bernard, qui épousa Cunégonde[4] (vraisemblablement une Supponide[5]), est un personnage qui pose d'énormes problèmes aux historiens[6], notamment à propos de sa révolte de 817 et de sa mort en 818. Malgré les efforts faits pour tirer au clair cette question[7], nous sommes encore loin d'une explication en tout

10 Concilium Moguntinense, p. 259.
11 B.M. 536(517) et B.M. 537(518).
12 B.M. 528(509)a.
13 B.M. 711(688), éd. MB 28, n° 8, p. 13 sq.: *Nos vero uolentes scire hanc rem qualiter se habere, iussimus Bernarium episcopum et Ermenfridum comitem fideles missos nostros hoc inquirere nobisque renuntiare.*
14 B.M. 722(699)a.
15 Doc. dipl. Wissembourg, n° 69, p. 268 sqq.: *His itaque rebus inter se sepe uentilatis contigit ut predictus presul una cum supra nominato comite instante congruo tempore palatium adire uocaretur.*
16 Doc. dipl. Wissembourg, n° 180, p. 382 sq. Son prédécesseur est attesté pour la dernière fois le 1er juin 809 (ibid., n° 174, p. 376 sq.).
17 Weissenburger Aufzeichnungen, p. 404: *XII. k. Apr. Bernharius episcopus obiit.*
18 Bernaire est attesté pour la dernière fois le 21 mai 825, cf. Doc. dipl. Wissembourg, n° 185, p. 387 sq. Le successeur de Bernaire est attesté pour la première fois comme évêque de Worms le 31 octobre 826, cf. B.M. 834(808). Bernaire mourut donc le 21 mars 826. Cette démonstration avait déjà été faite par A. HOFMEISTER (Weissenburger Aufzeichnungen, p. 412).
19 Cf. Einhardus, Epistolae, n° 2 et 3 p. 109 sqq.

1 Formes onomastiques: *Bernardus, Bernhardus, Bernhartus.*
2 Cf. WERNER, Nachkommen, p. 445; DEPREUX, Königtum, p. 5 note 21.
3 B.M. 515(496)p.
4 Cf. POCHETTINO, Pipinidi, p. 2 sqq. En 835, Cunégonde fit une donation au monastère Saint-Alexandre de Parme, qu'elle fonda, *cogitans pro mercedem & remedium animae seniori meo Bernardi vel mea, seo filio meo Pippino* (Annales O.S.B. 2, n° 58, p. 689 sq.).
5 Cf. FISCHER, Königtum, p. 205 sqq.
6 Cf. WERNER, Hludovicus Augustus, p. 31 sqq. Deux jalons importants de la recherche historiographique au siècle dernier: MALFATI, Bernardo; MÜHLBACHER, Bernhard.
7 Cf. NOBLE, Revolt.

satisfaisante[8], et il est fort probable que le cas de Bernard doive rester toujours plus ou moins une énigme, car l'état de la documentation ne permet pas, à mon sens, de tout résoudre. C'est dire que la part d'hypothèse restera toujours grande. Pour ce qui est du début du règne, je pense avoir prouvé que Bernard fut nommmé roi d'Italie[9] par Charlemagne non en septembre 813[10], mais un an plus tôt[11]. La nomination de Bernard ne fut par conséquent pas liée à l'association de Louis le Pieux à l'empire. C'est toutefois avec l'accord de ce dernier que Bernard reçut le royaume italien[12]. Il est hors de mon propos d'examiner de nouveau ici la révolte de Bernard et ses origines[13] – qu'il suffise de rappeler qu'elle était directement dirigée contre Louis le Pieux[14]. Il n'est également pas nécessaire de revenir ici sur la mort de Bernard[15]. Seuls m'intéressent les témoignages prouvant la participation de Bernard au gouvernement de l'empire (dans le cadre administratif de son *regnum*). Il convient à ce propos de

8 Tel est à mon avis le cas pour JARNUT, Rehabilitierung.
9 Bien que le souvenir du règne de Bernard fût entretenu de manière fort positive par certains Italiens (cf. Andreas, Historia, c. 5, p. 224 – à ce propos: DEPREUX, Königtum, p. 6), il est absent de plusieurs catalogues des rois d'Italie: Catalogus regum Langobardorum, p. 64; Guido, Chronica, p. 64; Catalogi regum Italiae, n° 1, p. 215, n° 4, p. 217, n° 5, p. 218.
10 Annales regni Franc., a. 813, p. 138.
11 Cf. DEPREUX, Königtum, p. 7. Aux preuves que j'apporte dans cet article, ajouter le témoignage des Annales Xantenses, p. 4, qui mentionnent en 812 la nomination de Bernard comme roi d'Italie, un an avant l'association de Louis à l'empire.
12 Cf. DEPREUX, Königtum, p. 9 sq. et note 44.
13 Cf. NOBLE, Revolt, et JARNUT, Rehabilitierung, soulignent le rôle décisif de l'Ordinatio imperii; WERNER, Hludowicus Augustus, et DEPREUX, Königtum, mettent également en valeur l'importance de la cérémonie rémoise d'octobre 816.
14 Theganus, Vita, c. 22, p. 596: *voluit eum a regno expellere*; Chronicon Laurissense breve: *Bernhardus quoque rex Italiae seditionem levavit contra imperatorem.*
15 Je suis d'avis qu'il faut prendre au sérieux le témoignage de l'Astronome (Astronomus, Vita, c. 30, p. 623) mentionnant le suicide de Bernard après sa condamnation et son aveuglement, cf. DEPREUX, Königtum, p. 23 note 117. L'on ne peut pas verser au dossier comme preuve de l'assassinat (dont les auteurs de deux documents hautement polémiques – perdant par là-même de leur crédibilité – et hostiles à l'empereur, à savoir Visio cuiusdam pauperculae mulieris, p. 42, et Relatio Compendiensis, c. 1, p. 54, accusaient Louis le Pieux) l'affirmation de Regino, Chronicon, a. 818, p. 73: *primo oculis, post vita privatur* (l'auteur n'est en effet pas une source sûre en ce qui concerne l'histoire du début du IXe siècle) ou encore la mention d'un auteur du milieu du XIVe siècle: *Bernardum ... regnoque Italie et vita privavit* (Gesta abbatum Trudonensium, c. 10, p. 372). Toutes les sources dignes de foi affirment que Bernard fut condamné à mort par le jugement des Francs et gracié par Louis le Pieux, qui le fit aveugler: Chronicon Moissiacense, a. 817, p. 312 sq.; Theganus, Vita, c. 22, p. 596; Annales regni Franc., a. 818, p. 148. Bernard, selon certains, serait mort de ses blessures, cf. Andreas, Historia, c. 6, p. 225: *... oculi Bernardi evulsi. Ab ipso dolore defunctus est*; Nithardus, Historia, lib. I, c. 2, p. 6 sqq.: *... a Bertmundo, Lugdunensis provincie praefecto, liminibus et vita pariter privatur* (aveugler quelqu'un pour ensuite le mettre à mort n'a aucun sens: Nithard veut dire que l'aveuglement est à l'origine de la mort – ce qu'affirme également l'Astronome, puisque selon lui, Bernard ne supporta pas cet aveuglement). Cf. aussi Annales Fuldenses, a. 818, p. 21. On retrouvera le même phénomène en 830 dans l'attitude de Lothaire vis-à-vis d'Herbert, le frère de Bernard de Septimanie (cf. Nithardus, Historia, lib. I, c. 3, p. 10): *in eodem placito cecatus est iudicio publico, vita sibi clementer concessa* (Paschasius, Epitaphium, p. 74).

rappeler que les droits régaliens sur les abbayes italiennes furent reconnus à Bernard[16], un roi dont nous ne possédons cependant aucun diplôme[17].

Bernard participa au plaid tenu en août 814 à Aix-la-Chapelle[18]: il s'agissait pour le jeune roi de manifester à Louis le Pieux sa soumission. J'ai présenté ailleurs une interprétation de cette venue de Bernard à la cour de son oncle[19] et n'ai pas à y revenir ici. Bernard participa également au plaid tenu à l'été 815 à Paderborn[20]; il y vint avec son armée[21]. Peu auparavant, alors que Louis était encore à Aix-la-Chapelle, on avait appris à la cour la nouvelle de la tentative d'attentat contre Léon III perpétrée par quelques membres de l'aristocratie romaine, opposants politiques que le pape avait fait exécuter[22] (c'est en cela qu'il outrepassa ses droits[23]). En conséquence, Louis le Pieux dépêcha à Rome son neveu Bernard, auquel il adjoignit le comte Gérold[24], pour y enquêter. Souffrant, le roi d'Italie fit transmettre son rapport à l'empereur par Gérold[25]. Vers la fin de cette même année, l'on voit Bernard intervenir de nouveau dans le *Patrimonium Petri* pour y pacifier la situation (plus exactement: il y envoya des troupes, commandées par le duc de Spolète), des Romains ayant profité de la mauvaise santé de Léon III pour tenter une nouvelle révolte contre ce dernier[26]. Du-

---

16 B.M. 639(619), éd. Annales eccl. Franc., tome 7, p. 375 sq. (à la p. 376), diplôme du 17 novembre 816 pour le monastère de Montamiata. Louis le Pieux accorda la liberté d'élection de l'abbé parmi les frères: *per hujusmodi nostram auctoritatem & consensum, vel dilecti filii nostri Bernardi regis licentiam habeant eligendi abbates …*

17 A l'exception d'un faux (Dipl. Karol. 1, n° 317, p. 479 sq.), on ne possède également aucun diplôme de Pépin d'Italie.

18 B.M. 528(509)a.

19 Cf. Depreux, Königtum, p. 10 sqq.

20 B.M. 587(567)b.

21 Chronicon Moissiacense, a. 815, p. 311: *… et venit* (Louis le Pieux) *ad Partesbrunnam; et ibi venit ad eum Bernardus, rex Langobardorum, cum exercitu, et habuit imperator ibi placitum magnum …* Cf. également Annales regni Francorum, a. 815, p. 142.

22 Annales regni Franc., a. 815, p. 142.

23 Astronomus, Vita, c. 25, p. 619: *… quos detractos atque convictos isdem apostolicus supplitio addixerit capitali, lege Romanorum in id conspirante.* La dernière remarque de l'Astronome est singulière. Or il ne fait pas de doute que c'est bien le pape que Louis le Pieux suspectait d'avoir violé le droit, puisque c'est lui (par l'intermédiaire de ses légats: *… legati pontificis … per omnia imperatori satisfecerunt,* Annales regni Franc., a. 815, p. 142 sq.) qui devait rendre des comptes à l'empereur. Bien que l'Astronome écrivît longtemps après la conclusion du pacte de 817, par lequel l'empereur restreignit l'étendue des pouvoirs judiciaires du pape (éd. Hahn, Hludowicianum, p. 134), il me semble qu'il faille voir dans cette réaction de l'empereur la preuve que dès le pontificat de Léon III, Louis le Pieux entendait faire appliquer un droit (déjà en vigueur sous ce pape? et) qu'il fit (de nouveau?) promulguer sous Pascal Ier. Bien qu'on ait pu voir dans la clause du Hludowicianum relative à l'exercice de la justice une marque de »Schwäche des Kaisers gegenüber der Kirche« en ce sens que Louis renonçait à intervenir en temps normal si ce n'est à la requête du pape (cf. Hahn, Hludowicianum, p. 96), le fait que l'empereur se réservait le droit d'intervention au cas où la justice ne régnerait pas prouve que »Wahrung und Ausübung der *iustitia* ohne Ansehen der Person waren ihm … ein besonderes Anliegen« (ibid., p. 99).

24 Cf. la notice n° 112.

25 Annales regni Franc., a. 815, p. 142: *… cum ad Franconofurd palatium venisset, Bernhardum regem Italiae, nepotem suum, qui et ipse cum eo in Saxonia fuerat, ad cognoscendum, quod nuntiabatur, Romam mittit. Is cum Romam venisset, aegritudinem decubuit, res tamen, quas compererat, per Geroldum comitem, qui ad hoc ei legatus fuerat datus, imperatori mandavit.* Cf. Astronomus, Vita, c. 25, p. 619.

26 Annales regni Franc., a. 815, p. 143: *Romani, cum Leonem papam aegritudine decubuisse viderent, collecta manu omnia praedia, quae idem pontifex in singularum civitatum territoriis noviter constru-*

rant l'été 816, Bernard se rendit à la cour de Louis le Pieux, comme l'atteste la Chronique de Moissac[27], et il est vraisemblable qu'il participa au plaid tenu à Aix-la-Chapelle[28]. En septembre 816, lors de la venue d'Etienne IV en *Francia*, Bernard reçut l'ordre d'accompagner le pape sur une partie de son itinéraire[29] – ce fut peut-être la dernière action menée par Bernard au service de l'empereur Louis le Pieux, avant qu'il ne se révoltât contre lui.

50.   **BERNARD**[1] **(II)**

Comte de Barcelone, chambrier, attesté à partir de 824 – mort en 844

Bernard de Septimanie est un personnage bien connu[2], pour lequel il ne s'agira pas ici de retracer la vie, mais simplement la manière dont il participa au pouvoir. D'après Ardon, c'est le comte Guillaume[3] qui fit investir ses fils de ses diverses charges[4]. En outre, il trouva pour Bernard un parrain prestigieux en la personne de Louis le Pieux[5]. C'est peut-être d'ailleurs en qualité de filleul de l'empereur que Bernard put se marier, le 29 juin 824, au palais d'Aix-la-Chapelle[6]. En 827, il est attesté comme comte de Barcelone: la bravoure avec laquelle il défendit sa cité contre le rebelle Aizo[7], alors que les troupes envoyées en renfort et conduites par Hugues[8] et Matfrid[9] tardaient à arriver[10], le rendit célèbre … et fit des jaloux. On ignore cependant pourquoi les comtes de Tours et Orléans, dès 827, lui étaient hostiles – ce dont témoigne leur lente progression[11]. Je suppose que l'opposition à une dotation territoriale de Charles au détriment de Lothaire n'y fut pas étrangère: pour marquer un désaccord avec la politique ourdie à la cour, il pouvait s'avérer symbolique de s'en prendre au

---

xit, primo diripiunt, deinde inmisso igne cremant, tum Romam ire statuunt et, quae sibi erepta querebantur, violenter auferre. Quo comperto Bernhardus rex missa manu per Winigisum ducem Spolitinum et seditionem illam sedavit et eos ab incepto desistere fecit, quaeque gesta erant, per legatos suos imperatori nuntiavit. Cf. Astronomus, Vita, c. 25, p. 620.

27 Chronicon Moissiacense, a. 816, p. 312: *… et aestatis tempore venit ad eum Bernardus, rex Langobardorum.*

28 B.M. 622(602)a.

29 Astronomus, Vita, c. 26, p. 620: *Imperator autem eius adventu praecognito, Bernardo quidem nepoti eum comitari iussit. Sed et adpropinquanti alios missos, qui eum cum debito perducerent honore, direxit.*

1 Formes onomastiques: *Bernhardus, Bernardus.*

2 Cf. CALMETTE, De Bernardo.

3 Cf. la notice n° 128.

4 Ardo, Vita Benedicti, c. 30, p. 213: *Adiuvantibus quoque eum filiis, quos suis comitatibus prefecerat…*

5 Theganus, Vita, c. 36, p. 597: *Bernhard(us), qui erat de stirpe regali, et domni imperatoris ex sacro fonte baptismatis filius.*

6 Dhuoda, Liber manualis, Préface, p. 84. Cf. également ibid., note 2 p. 85.

7 Annales regni Franc., a. 827, p. 172 sq.

8 Cf. la notice n° 164.

9 Cf. la notice n° 199.

10 Astronomus, Vita, c. 41, p. 630.

11 Pour ce fait, ils furent déposés lors du plaid suivant, cf. Annales regni Franc., a. 828, p. 174.

filleul de l'empereur[12]. Or, l'Astronome montre explicitement que la vie politique, dans la première phase de la période de crise que connut le règne de Louis le Pieux, fut largement dominée par l'hostilité personnelle vouée par une frange, influente, de l'aristocratie franque envers Bernard[13]. Mais restons encore en Marche d'Espagne: il est vraisemblable que c'est avant 829 et les troubles qui suivirent que Bernard, au nom de Louis le Pieux, procéda à la délimitation des territoires du monastère de Saint-Polycarpe en Razès[14].

En août 829, à l'occasion du plaid alors tenu à Worms[15], Louis le Pieux prit deux mesures lourdes de conséquences: il renvoya Lothaire en Italie[16] et nomma Bernard chambrier[17]. Les contemporains de Louis sont unanimes: il s'agissait pour l'empereur, inquiet d'une éventuelle révolte[18], d'ériger une sorte de rempart contre ses opposants (*statuit contra eos quasi quoddam propugnaculum erigere*[19]). Telle était la mission de Bernard, à qui Louis confia son jeune fils Charles[20] (qu'il venait de doter notamment de l'Alémanie[21]). Nithard affirme que Louis donna à son filleul le second rang dans l'empire (*secundum a se in imperio praefecit*[22]). Toujours est-il que les preuves de la participation de Bernard au pouvoir ne manquent pas, alors qu'il ne demeura chambrier que quelques mois. A Tribur le 14 octobre 829, *Bernardus impetravit* concernant la donation de la *villa* de Foncouverte à Sunifred, un *fidelis* de l'empereur[23]. En février 830, lors du plaid tenu à Aix-la-Chapelle[24], c'est principalement Bernard qui poussa Louis à ordonner l'expédition militaire en Bretagne[25]. Cette mesure fut à l'origine de la »révolte loyale« de 830[26] et compta parmi les griefs formulés en 833 à Saint-Médard de Soissons[27]. La révolte de 830 fut principalement causée par

---

12 Cf. Depreux, Matfrid, p. 357.

13 Cf. la remarque de l'Astronome à propos de la nomination de Bernard comme chambrier: *quae res non seminarium discordiae extinxit, sed potius augmentum creavit* (Astronomus, Vita, c. 43, p. 632).

14 Cf. Actes de Charles le Chauve, tome 1, n° 50, p. 144 sqq.

15 BM? 865(836)c.

16 Cf. Jarnut, Regnum Italiae, p. 356; Depreux, Empereur, p. 902.

17 Annales regni Franc., a. 829, p. 177.

18 Sur le contexte politique tendu, cf. Ganshof, Am Vorabend; Brunner, Oppositionelle Gruppen, p. 109 sqq.

19 Astronomus, Vita, c. 43, p. 632; Nithardus, Historia, lib. I, c. 3, p. 10: *Ad quod Bernardum quendam, ducem Septimanie, pater in supplementum sibi sumens, camerarium constituit Karolumque eidem commendavit ac secundum a se in imperio praefecit.*

20 Cf. le témoignage de Nithard, cité à la note précédente.

21 Cf. Simson, Jahrbücher, tome 1, p. 327 sq. Cf. Zatschek, Reichsteilungen, p. 190; Ewig, Teilungen, p. 245 sq.; Boshof, Einheitsidee, p. 183.

22 Nithardus, Historia, lib. I, c. 3, p. 10.

23 BM? 872(843); Mentions tironiennes, p. 19.

24 BM? 872(843)g.

25 Annales Bertiniani, a. 830, p. 1: *Mense februario conventus ibidem factus est, in quo statuit cum universis Francis hostiliter in partes Brittaniae proficisci, maximeque hoc persuadente Bernardo camerario.*

26 Annales Bertiniani, a. 830, p. 2.

27 Relatio Compendiensis, c. 3, p. 54.

le mécontentement que suscitait la participation de Bernard au gouvernement, et elle fut dirigée contre lui[28]. La haine personnelle trouva d'ailleurs son expression en l'aveuglement du frère de Bernard, ce dernier ayant pu s'échapper[29].

Pour atteindre politiquement Bernard, on l'accusa d'adultère avec Judith[30]. Les révoltés étaient également hostiles à la reine[31], dont Agobard caricatura les moeurs ignominieusement[32], mais avec talent (bien qu'il ne cite aucun nom, tout le monde comprend de qui il parle). En 831, lors du plaid tenu par Louis le Pieux à Thionville[33], Bernard se purifia des accusations portées contre lui[34]. Bien que Nithard affirme que Bernard chercha aussitôt à recouvrer sa charge aulique[35], une période nouvelle commençait pour l'ancien chambrier: il semble alors avoir exercé une influence (redoutée par Louis le Pieux) sur Pépin Ier d'Aquitaine[36]. Certes, Bernard oeuvra, en 833/834, à la libération de l'empereur[37] – ce qui excita certainement l'animosité de Lothaire[38]. Mais l'ancien chambrier, dont le pouvoir qu'il s'était, selon J. Dhondt, forgé en Septimanie[39] avait failli vaciller dans les mois qui suivirent le rétablissement de Louis le Pieux[40], semble avoir politiquement pris ses distances vis-à-vis de ce dernier – du moins l'empereur ne parvint-il plus se faire obéir par le duc de Septimanie[41]. Bernard mourut en 844[42].

---

28 Annales Fuldenses, a. 830, p. 26: *Commotio contra imperatorem a primoribus Francorum in Compendio exorta propter Bernhardum, quem in palatio esse noluerunt.*

29 Annales Bertiniani, a. 830, p. 2. Cf. également Astronomus, Vita, c. 45, p. 633.

30 Theganus, Vita, c. 36, p. 597. A propos de cette accusation, cf. BÜHRER-THIERRY, Reine adultère.

31 Astronomus, Vita, c. 44, p. 633.

32 Agobardus, Libri contra Iudith, I, c. 2, p. 275.

33 BM? 895(866)a.

34 Astronomus, Vita, c. 46, p. 634; Theganus, Vita, c. 38, p. 598; Annales Bertiniani, a. 831, p. 4; Annales Xantenses, a. 831, p. 7 sq.

35 Nithardus, Historia, lib. I, c. 3, p. 14.

36 Astronomus, Vita, c. 47, p. 635. Cette influence était peut-être ancienne, comme semble le montrer un diplôme de Pépin Ier d'Aquitaine du 22 décembre 825 (Actes de Pépin, n° 5, p. 16 sqq.) établi *ob deprecationem Bernardi comitis.* Encore faut-il qu'il s'agisse bien de notre personnage.

37 Astronomus, Vita, c. 49 et c. 51, p. 637.

38 C'est ce que laisse supposer la mise à mort par noyade de Gerberge, la soeur de Bernard. Cf. Astronomus, Vita, c. 52, p. 639; Theganus, Vita, c. 52, p. 601; Annales Bertiniani, a. 834, p. 14.

39 DHONDT, Naissance, p. 184: »certains indices font penser que la mainmise de Bernard sur la Septimanie fut une pure et simple usurpation«.

40 Lors du plaid tenu dans le *pagus* de Lyon en juin 835; cf. Astronomus, Vita, c. 57, p. 642 – texte cité à la notice n° 45.

41 En septembre 838 à Quierzy, *pene omnes Septimaniae nibiles* se plaignirent *adversus Bernhardum ducem illarum partium, eo quod homines illius tam rebus ecclesiasticis quamque privatis absque ullo respectu divino humanoque pro libitu abuterentur.* Louis le Pieux envoya des *missi* pour rétablir la justice (Astronomus, Vita, c. 59, p. 644), mais dans le cas de l'abbaye de Psalmodi, l'ordre de restitution prononcé par l'empereur n'eut aucune prise sur l'attitude de Bernard (Actes de Charles le Chauve, tome 1, n° 54, p. 151 sqq.).

42 Annales Xantenses, a. 844, p. 13: *Et Bernhardus comes a Karolo est occisus.* Pour l'identification, cf. ibid., note 17. Cf. également Doc. dipl. Languedoc, n° 117 – LXIV, col. 239 sqq.

51.   **BERNOLD**[1]

Evêque de Strasbourg[2], attesté de juin 823 à mai 833

Bernold, d'origine saxonne[3], fut élevé à la Reichenau, puis à la cour[4] de Charlemagne[5]. Il était vraisemblablement membre de la Chapelle du Palais[6] quand il fut promu évêque de Strasbourg[7]. A cet égard, Ermold loue son action pastorale[8]. En juin 823 à Francfort, Louis le Pieux, à la requête de Bernold et d'Erchangaire[9], confirma un échange conclu entre l'évêque et le comte alsacien[10]. On peut donc penser que Bernold était à la cour à la naissance de Charles (le Chauve)[11]. Il avait vraisemblablement participé au plaid tenu en mai 823 au palais de Francfort[12]. Environ trois à quatre ans plus tard[13], c'est auprès de l'évêque de Strasbourg que Louis le Pieux, pour une raison qui nous échappe, exila Ermold le Noir[14]. En juin 829, Bernold participa au concile tenu à Mayence, sous la présidence d'Otgaire[15]. Vers 831, Bernold fut en-

---

1 Formes onomastiques: *Bernoldus, Bernaldus, Pernoltus, Bernolt.*
2 Cf. DUCHESNE, Fastes, tome 3, p. 173.
3 Ermoldus, Ad Pippinum, v. 149, p. 214: *Saxona hic equidem veniens de gente sagaci...*
4 Walahfridus, Carmina, n° 87, p. 420 sq.: *Saxo quidem genere et gremio nutritus in Auuae/ Aulicae mutato gesta labore adiit.*
5 Ermoldus, Ad Pippinum, v. 147 sq., p. 214: *Quem Carolus sapiens, quondam regnator in orbe,/ Doctrinae studiis imbuit atque fide.*
6 FLECKENSTEIN, Hofkapelle 1, p. 72: »da er wahrscheinlich vom Hofe aus auf seinen Bischofsstuhl gelangte, ist anzunehmen, daß er auch Kapellan gewesen ist«.
7 WATTENBACH, Geschichtsquellen, p. 277, affirma, sans citer de source, que Bernold devint évêque de Strasbourg en 821. La date fut reprise par LÜDERS, Capella, p. 61; en revanche, LÖWE, Karolinger, p. 331, n'a pas suivi W. Wattenbach dans la réédition de son oeuvre.
8 Bernold aurait notamment prêché en langue vernaculaire: *Hic populis noto scripturas frangere verbo/ Certat et assiduo vomere corda terit;/ Interpres quoniam simul atque antestis habetur,/ Sic monitando gregem ducit ad astra suum* (Ermoldus, Ad Pippinum, v. 157 sqq., p. 214). PIETSCH, Bernolt, p. 135 sqq., tenta de rendre vraisemblable l'hypothèse »dass bischof Bernolt von Strassburg, sei es als anreger, sei es als hauptförderer, an der Helianddichtung mitgewirkt hat« (citation: p. 140). Or les chercheurs tendent actuellement à dater le Heliand du règne de Louis le Germanique, cf. GEUENICH, Volkssprachige Überlieferung, p. 117 sqq.
9 Cf. la notice n° 84.
10 B.M. 773(748). Matfrid intervint dans l'affaire en tant qu'*ambasciator*. C'est la première mention que l'on ait de Bernold en tant qu'évêque de Strasbourg. Son prédécesseur est attesté pour la dernière fois en septembre 820, cf. PIETSCH, Bernolt, p. 134.
11 B.M. 773(748)a.
12 B.M. 771(746)a.
13 C'est vers cette époque que P. WENTZCKE, dans Régestes Strasbourg, p. 232 sq. n° 72, place l'intervention de *B. episcop(us) Argentinens(is)* auprès de Louis le Pieux en faveur de l'abbaye de Schwarzach, l'évêque *comitan(s)* alors l'abbé de cet établissement lors de sa requête auprès de l'empereur, cf. B.M. 1013(981), éd. Recueil des hist. 6, n° 140, p. 550 sq. Ce diplôme, un faux grossier, doit être totalement écarté.
14 Ermoldus, Ad Pippinum, v. 163 sq., p. 214: *Caesaris imperium nos hanc perduxit ad urbem/ Cumque sacerdote jussit adesse pio*. A ce propos, cf. PIETSCH, Bernolt, p. 133: »Der umstand, dass Ludwig d. fr. den verdächtigen Ermoldus gerade dem Strassburger bischof Bernolt zur bewachung übergab, spricht deutlich für ein festes und dauerhaftes treuverhältnis zwischen dem kaiser und dem bischof«.
15 Cf. Concilium Moguntinense, p. 604; Epistolarum Fuldensium fragmenta, p. 529.

voyé comme *missus* à l'abbaye de Pfävers, pour y enquêter sur la perte d'autorité de l'abbé de ce monastère[16]. Bernold dut faire son rapport à Ingelheim en juin 831 et il en profita pour requérir de Louis le Pieux la confirmation du privilège d'exemption de tonlieu de sa propre église cathédrale[17]. Bernold est également attesté comme *missus* à Coire[18]. Il était peut-être à la cour dès le début du mois de mai, quand l'empereur tint son plaid au palais d'Ingelheim[19]. Vers 832, l'évêque de Strasbourg fit partie de la légation envoyée par Louis le Pieux pour accompagner Anschaire à Rome après son ordination et demander à Grégoire IV de remettre le pallium au nouvel archevêque[20]. C'est peut-être également Bernold qui fut envoyé, en mai 833, par Louis le Pieux alors à Worms, pour tenter de faire revenir les fils à leur père[21]. Ensuite, nous perdons toute trace de l'action de Bernold[22].

16 B.M. 892(863), éd. P.L. 104, col. 1199 sq. (à la col. 1199): *Ad hanc causam diligenti examine investigandam nobisque renuntiandam missos nostros, Bernoldum scilicet venerabilem episcopum Strazburgensem, ac etiam Godefridum sancti Gregorii abbatem, necnon et Retharium comitem destinavimus.* Ce diplôme fut donné le 9 juin 831 à Ingelheim.

17 B.M. 890(861). Diplôme du 6 juin 831.

18 B.M. 893(864).

19 B.M. 888(859)a.

20 Rimbertus, Vita Anskarii, c. 13, p. 699: *Et ut haec omnia perpetuum suae stabilitatis retinerent vigorem, eum honorabiliter ad sedem direxit apostolicam, et per missos suos venerabiles Bernoldum et Ratoldum episcopos ac Geroldum illustrissimum comitem omnem hanc rationem sanctissimo papae Gregorio intimari fecit confirmandam. Quod etiam ipse tam decreti sui auctoritate, quam etiam pallii datione, more praedecessorum suorum roboravit* ... Sur la date, cf. SEEGRÜN, Erzbistum Hamburg, p. 33.

21 Astronomus, Vita, c. 48, p. 635: *Imperator porro e contra maio mense Warmatiam venit cum valida manu, ibique, quid agendum sibi foret, diu deliberavit. Missique destinatis, Bernhardo scilicet episcopo cum reliquis, filios hortabatur ad se redeundum.* Comme le nota G. H. PERTZ, ibid., note 90, il ne peut pas s'agir de l'évêque de Worms Bernaire, puisque ce dernier était déjà mort à cette date (cf. la notice n° 48). L'éditeur a donc proposé d'y reconnaître l'évêque de Strasbourg. Il a été suivi par DUCHESNE, Fastes, tome 3, p. 173: »En 833, l'empereur Louis le chargea d'une mission auprès de ses fils révoltés«. En revanche, pour SIMSON, Jahrbücher, tome 2, p. 37 note 5, cette identification »erscheint bei der Verschiedenheit des Namens ... kaum zulässig. An sich würde es am nächsten liegen, an den Erzbischof Bernard von Vienne zu denken ..., wenn dieser nicht später gerade als einer der schuldigsten Rebellen erschiene«.

22 WATTENBACH, Geschichtsquellen, p. 277, affirmait que Bernold mourut le 17 avril 840, sans toutefois indiquer la source sur laquelle il s'appuyait. DUCHESNE, Fastes, tome 3, p. 173, ne mentionne aucune date en ce qui concerne la mort de l'évêque de Strasbourg. PIETSCH, Bernolt, p. 133: »Weder geburts- noch todesjahr sind bekannt«. Le successeur du successeur de Bernold (entre ce dernier et Ratold vint s'intercaler Uto, cf. Catalogi episc. Argentinensium, notamment le Catalogus episcoporum Argentinensium metricus, p. 322 l. 29 sqq.: *Instituit populum Bernolt bene providus istum./ Alter in hoc numero fuit inde trigesimus Uto./ Diversis opibus loca compserat ista Ratoldus*) est attesté pour la première fois le 29 juillet 840 (ibid., p. 134). Il est toutefois certain que Bernold mourut un 17 avril, cf. Necrologium Augiae divitis, p. 275: *Aprilis, XV. kal.: Bernhart rex ... Pernoltus eps.*

52. BERTCAUD[1]

Scribe royal, attesté en 836

L'existence du scribe Bertcaud, en qui J. Fleckenstein reconnaît un membre de la Chapelle[2], n'est attesté que par une lettre de Loup de Ferrières à Eginhard: le jeune moine désirait se procurer un exemplaire de l'alphabet de lettres onciales[3] dessiné par lui[4]. Il ne me semble pas absolument nécessaire de rattacher Bertcaud à la »chancellerie«, comme l'ont fait certains[5]: étant donné que Loup le désigne également comme *pictor* ne serait-il pas plutôt à compter parmi les membres du *scriptorium* du Palais chargés de la production de manuscrits de prestige[6]?

53. BERTRY[1]

Comte du Palais[2], attesté en 826

Le comte du Palais Bertry ne nous est connu qu'à une seule occasion, quand, suite à l'annonce de la mort du roi des Bulgares, il fut envoyé (au début de l'année 826) s'enquérir de la véracité de la chose auprès de Baudry[3] et de Gérold[4], afin que l'empereur Louis le Pieux sût comment formuler sa réponse à l'ambassade que ce roi avait envoyée à la cour franque[5].

1 Seule forme onomastique: *Bertcaudus*.
2 FLECKENSTEIN, Hofkapelle 1, p. 66 et p. 234.
3 A ce propos, cf. PROU, Paléographie, p. 60 sq.
4 Lupus, Correspondance, tome 1, n° 5 (mai 836), p. 50: *Praeterea scriptor regius Bertcaudus dicitur antiquarum litterarum, dumtaxat earum quae maximae sunt et unciales a quibusdam vocari existimantur, habere mensuram descriptam. Itaque, si poenes vos est, mittite mihi eam per hunc, quaeso, pictorem, cum redierit, scedula tamen diligentissime sigillo munita.* Comme le nota B. Bischoff, il est fort probable que l'alphabet reproduit dans le ms. 250 de la Bürgerbibliothek de Bern soit la réplique de l'exemplaire dessiné par Bertcaud, cf. Karl der Große – Katalog, p. 222 sq. (n° 385a) et planche 36.
5 SIMSON, Jahrbücher, tome 2, p. 240 et note 6; BRESSLAU, Urkundenlehre, tome 1, p. 387; DICKAU, Kanzlei, 2e partie, p. 106.
6 Je me range ici à l'avis de FLECKENSTEIN, Hofkapelle 1, p. 233 sq. Sur cette production à la cour de Louis le Pieux, cf. MÜTHERICH, Book illumination.

1 Seule forme onomastique: *Bertricus*.
2 Cf. SIMSON, Jahrbücher, tome 2, p. 243; MEYER, Pfalzgrafen, p. 460.
3 Cf. la notice n° 41.
4 Cf. la notice n° 112.
5 Annales regni Franc., a. 826, p. 169 – texte cité à la notice n° 41. Cf. Astronomus, Vita, c. 39, p. 629. Sur le contexte, cf. SIMSON, Jahrbücher, tome 1, p. 253.

54.   BODON[1]

Diacre du Palais, attesté du 22 septembre 837[2] à 847

Le chapelain Bodon[3], lié d'amitié à Walafrid Strabon[4], est surtout connu pour son apostasie[5]: alors que ce diacre du Palais, d'origine alémanique, s'était rendu en pèlerinage à Rome en 838, il se convertit au judaïsme et se rendit à Saragosse[6]. Il fit encore parler de lui vers 847 par son comportement hostile aux chrétiens d'Espagne[7].

55.   BONIFACE[1]

Comte de Lucques, attesté du 5 octobre 823 à 838

Boniface, vraisemblablement comte de Lucques[2], apparaît pour la première fois dans les sources le 5 octobre 823 à Lucques: il souscrivit la charte de sa soeur, l'abbesse Richilde, désignée comme la *filia b(eatae) m(emoriae) Bonifacii comiti natio Baivarorum*[3], par laquelle elle promettait de vivre selon la règle de saint Benoît[4]. Vers 828,

1 Formes onomastiques: *Bodo, Puoto, Puato.*
2 Lupus, Correspondance, tome 1, n° 11, p. 82 sqq.
3 Cf. FLECKENSTEIN, Hofkapelle 1, p. 58.
4 Cf. Walahfridus, Carmina, n° 34, p. 386.
5 Cf. l'étude exhaustive de LÖWE, Apostasie.
6 Annales Bertiniani, a. 839, p. 27 sq.: *Interea lacrimabile nimiumque cunctis catholicae aecclesiae filiis ingemescendum, fama perferente, innotuit Bodonem diaconum, Alamannica gente progenitum et ab ipsis paene cunabulis in christiana religione palatinis eruditionibus diuinis humanisque litteris aliquatenus inbutum, qui anno praecedente Romam orationis gratia properandi licentiam ab augustis poposcerat multisque donariis muneratus impetrauerat, humani generis hoste pellectum, relicta christianitate ad iudaismum sese conuertisse (etc.)*; Annales alamannici, a. 838, p. 49: *Puoto diaconus de palatio lapsus est in iudaismum.* Cf. également Annales Augienses, a. 838, p. 68; Annales Weingartenses, a. 838, p. 65.
7 Annales Bertiniani, a. 847, p. 53 sq. Selon RUCQUOI, Péninsule, p. 118, la conversion de Bodon, »son installation à Saragosse sous le nom d'Eléazar, ses tentatives auprès de l'émir 'Abd al-Rahman II (822–852) afin qu'il obligeât les chrétiens à se convertir, ainsi que la polémique qu'il entretint avec Alvare de Cordoue, avaient secoué les milieux chrétiens« d'al-Andalus.

1 Formes onomastiques: *Bonifatius, Bonifacius, Bonefatius, Bonefacius.*
2 HOFMEISTER, Markgrafen, p. 287, considérait que Boniface était »ohne Zweifel« comte de Lucques. Cf. également SIMSON, Jahrbücher, tome 1, p. 299 note 5: »Die Markgrafen von Tuscien hatten ihren Sitz zu Lukka«. A vrai dire, l'on ne possède aucun document désignant explicitement Boniface comme comte de Lucques. Le seul indice consiste en ce qu'il souscrivit la charte de sa soeur, l'abbesse Richilde, à Lucques (cf. infra). Toutefois, puisqu'il semble avoir succédé à son père, il faut admettre qu'il fut comte de Lucques, étant donné que ce dernier l'était. Ceci résulte du texte d'un plaid où le prêtre Alpule fut jugé par l'évêque de Lucques; Boniface y est désigné comme *comes noster*: Doc. dipl. Italie, n° 26, p. 80 sqq.: *Ipse autem Adalardus eum commendavit Bonifatio inlustrissimo comiti nostro et per (eum nobis demandavit, ut cum alio episcopo) simul et cum sacerdotibus coniungere deberemus et sic eum canonico ordine iudicare deberemus, sicut et factum est.* Pour un exemple montrant que l'expression *comes noster* désignait le comte du *pagus* où se trouvait l'établissement religieux où le document fut rédigé, cf. Doc. dipl. Brioude, n° 190, p. 201 sq. (charte de juin 847).
3 Sur ce personnage, cf. HOFMEISTER, Markgrafen, p. 285 sqq.
4 Doc. dipl. Lucques, Appendice, n° 25, p. 35 sq.: *Signum + manus Bonifacii comitis germanus supradicte abbatisse per cujus licentiam hoc factum est.*

Boniface est attesté comme responsable militaire pour la Corse (*cui tutela Corsicae insulae tunc erat commissa*) et on le voit, à la tête d'autres comtes de Toscane, mener une expédition maritime[5]. Au printemps 834[6], Boniface fit partie des *fideles* qui libérèrent Judith et l'amenèrent à la cour de Louis le Pieux. Alors que l'auteur des Annales de Saint-Bertin présente cela comme le fait de leur propre initiative[7], Thégan affirme qu'ils agirent sur l'ordre de Louis: l'empereur aurait fait envoyer des légats en Italie[8]. Le premier témoignage me paraît plus vraisemblable[9]. Boniface fut victime de sa loyauté envers Louis: en quittant l'Italie, il perdit tous ses biens et Lothaire refusa de le réintégrer dans ses fonctions[10]. De fait, nous retrouvons Boniface en *Francia* en septembre 838[11]: suite à la plainte de *pene omnes Septimaniae nobiles* concernant les expropriations indûment accomplies par Bernard[12] et ses hommes, il fut envoyé par Louis le Pieux comme *missus* pour y rétablir la justice[13]. C'est la dernière mention que l'on ait de Boniface.

56.   BONIFRID[1]

Notaire royal[2], attesté de 792 à 820

La première mention de ce notaire apparaît dans un acte de donation faite à Pavie le 9 janvier 792: c'est lui qui rédigea la charte[3]. En mai 798, il dicta la notice du plaid tenu

---

5 Annales regni Franc., a. 828, p. 176; Astronomus, Vita, c. 42, p. 632. Cette expédition contre les pirates sarrasins mena ces comtes toscans de Corse à Carthage, *via* la Sardaigne. On apprend à cette occasion que Boniface avait un frère du nom de Bereharius/Berhardus.

6 Entre le 16 mars (dimanche *Laetare*) et le 5 avril (Pâques), comme on peut le déduire de la chronologie du récit de l'Astronomus, Vita, c. 52, p. 638.

7 Annales Bertiniani, a. 834, p. 13: *Factum est autem, cum sentirent qui fideles erant domno imperatori in Italia, Ratholdus videlicet episcopus, Bonifacius comes, Pippinus, consanguineus imperatoris, alique quamplures, quod coniugem eius quidam inimicorum morti tradere vellent, miserunt sub omni celeritate qui illam eriperent, ereptam usque ad praesentiam domni imperatoris in Aquis incolumem perduxerunt.*

8 Theganus, Vita, c. 51, p. 601: *... misit fideles legatos suos partibus Italiae ...*

9 Une raison fort simple me fait penser que Thégan se trompe: pour être envoyés en Italie, il faudrait que ces *fideles* aient quitté ce royaume. Or qu'auraient-ils fait en *Francia* pendant la captivité de Louis? Aucune source ne parle d'un contingent italien ayant oeuvré à sa libération.

10 Cf. Simson, Jahrbücher, tome 2, p. 159 note 2. Il ne fait pas de doute que Hugues et Adalgaire plaidèrent notamment en sa faveur en septembre 836 lorsque Louis le Pieux les envoya négocier auprès de Lothaire, cf. Annales Bertiniani, a. 836, p. 19 (texte cité à la notice n° 6). Lothaire refusa.

11 Etant donné qu'il reçut une mission à cette occasion, l'on peut considérer que Boniface assista au plaid alors tenu à Quierzy-sur-Oise, B.M. 982(951)a.

12 Cf. la notice n° 50.

13 Cf. Astronomus, Vita, c. 59, p. 644 – texte cité à la notice n° 18.

1 Formes onomastiques: *Bonifridus, Bonifritus, Bonifredus, Bonifrit.*

2 Cf. Ficker, Forschungen, tome 3, p. 13; Bresslau, Urkundenlehre, tome 1, p. 622 sq. J. Ficker voulut identifier – à tort – un certain »Bonipert«/Bompertus attesté en 827 (Doc. dipl. Italie, n° 37, p. 113) avec Bonifrid. H. Bresslau ne l'a pas suivi.

3 Cf. Doc. dipl. Lombardie, n° 66, col. 124 sq.

à Spolète par les *missi domni regis*[4]. D'autre part, ce *notarius domni regis* siégea avec Adalhard[5] lors du plaid tenu par ce dernier en tant que *missus domni inperatoris* en mars 812 à Pistoia[6]. C'est lui qui dicta au notaire Paul le texte de la notice de ce plaid[7]. Le 31 mars 820 à Vérone, il siégea auprès de l'évêque de cette cité, Rataud[8], lors du plaid tenu par ce dernier en tant que *missus*[9]. Rataud avait chargé Bonifrid d'enquêter concernant une affaire relative aux biens de Nonantola[10], et dans le procès, il représenta le monastère[11]. Nous ne disposons pas de plus ample information sur ce personnage. H. Bresslau, était d'avis que Bonifrid était établi à la cour de Pavie et il reconnut en lui un notaire dont »la compétence n'était pas limitée territorialement, mais qui n'agissait en fait que dans le cadre des procès menés par les *missi* et se distinguait par son titre des notaires locaux habituels«[12]. L'on ne peut également qu'être sensible au fait qu'en 812 comme en 820, le *regnum Langobardorum* était administré directement par l'empereur (grâce à des *missi*). En effet, en mars 812, Bernard n'avait pas encore été nommé roi d'Italie[13] et en mars 820, Lothaire, à qui Louis avait dès 817 promis l'autorité sur l'Italie[14], n'y avait pas encore été envoyé[15]. La question de la persistance d'un Palais organisé à Pavie alors qu'aucun roi n'était alors nommé ne peut être réglée ici[16]. Toujours est-il que l'empereur pouvait disposer des services de Bonifrid. D'autre part, le cas de ce notaire est un bon exemple de la continuité que connut l'administration du *regnum Langobardorum* entre le règne de Charlemagne et celui de Louis le Pieux.

---

4 Cf. Doc. dipl. Italie, n° 10, p. 28 sqq.

5 Cf. la notice n° 8.

6 Cf. Doc. dipl. Italie, n° 25, p. 77 sqq.

7 Ibid.

8 Cf. la notice n° 225.

9 Cf. Doc. dipl. Italie, n° 31, p. 95 sqq.

10 Ibid.: *Sed ipse Bonifritus notarius, juxta ut nos illi comendavimus, cepit querere prefatii Hucpaldi comitis de parte monachorum Nonantule ...*

11 Ibid.: *Sic de presenti ipse Hucpaldus comes per manicia sua de manu eundem Bonifrit a parte prefati monasterii revestivit.*

12 BRESSLAU, Urkundenlehre, p. 623. Sur l'appartenance de Bonifrid à la cour de Pavie, cf. ibid., p. 622. Sur les notaires italiens, cf. l'appendice n° 3 Q.

13 Cf. DEPREUX, Königtum, p. 6 sq.

14 Ordinatio imperii, c. 17, p. 273.

15 Cf. DEPREUX, Empereur, p. 901 sqq.

16 Le fait que Bonifrid est désigné comme *notarius domni regis* ou comme *notarius regalis* ne me semble pas du tout prouver qu'il était un notaire attaché exclusivement à la cour d'un roi, car les contemporains ne faisaient pas de distinction stricte entre *regalis* et *imperialis*. Pour un exemple de confusion entre *regnum* et *imperium*, cf. DEPREUX, Empereur, p. 902 et note 71.

57.   BOREL[1]

Comte, attesté de 798/799 à 804[2]

Vers 798/799, Louis le Pieux confia au comte Borel la garde des places nouvellement fortifiées sur la frontière méridionale du royaume d'Aquitaine[3]. En 804[4], Borel fit partie de la troupe chargée de prendre Tortosa à revers et de piller l'arrière-pays[5]. Ce comte est vraisemblablement le Bosrellus à qui Charlemagne avait cédé la *villa* de Foncouverte[6].

58.   BORNA[1]

Duc de Dalmatie, attesté à partir de 818 – mort en 821

Borna apparaît pour la première fois dans les sources en 818 en tant que *dux Guduscanorum*[2], alors qu'il avait envoyé des légats auprès de Louis le Pieux[3]. L'empereur reçut en effet diverses ambassades étrangères (du duc de Bénévent, des Abodrites, de Borna, mais aussi du duc de Pannonie et du marquis de Frioul) vers la fin de l'année 818, à Herstal[4]. Il ne convient pas ici de retracer le détail des expéditions militaires de Borna contre Liudévit[5], avec qui il était cependant éventuellement parent[6]. Borna

1 Formes onomastiques: *Burrellus, Burellus, Bosrellus.*
2 L'hypothèse d'Auzias, Aquitaine, p. 92 note 16, relative à la mort de Borel »vers 810«, est toute conjecturale.
3 Astronomus, Vita, c. 8, p. 611: *Ordinavit autem illo in tempore in finibus Aquitanorum circumquaque firmissimam tutelam. Nam civitatem Ausonam, castrum Cardonam, Castaressam, et reliqua oppida olim deserta, munivit, habitari fecit, et Burrello comiti cum congruis auxiliis tuenda commisit.* Auzias, Aquitaine, p. 44, est d'avis que »Borel fut nommé comte d'Ausone«.
4 Datation d'après Auzias, Sièges, p. 21 sqq., reprise par Wolff, Evénements de Catalogne, p. 457 sq
5 Cf. Astronomus, Vita, c. 14, p. 613.
6 Cf. B.M. 872(843), éd. Recueil des hist. 6, n° 153, p. 561: (la *villa* de Foncouverte) ... *praedicto Suniefredo fideli nostro ad proprium concedimus, et de nostro jure in jus et dominationem eius cum omni integritate transfundimus, quemadmodum dominus et genitor noster Carolus bonae memoriae serenissimus imperator Bosrello, patri suo, quondam concessum habuit.*

1 Seule forme onomastique: *Borna.*
2 Sur l'évolution du titre de Borna dans les *Annales royales,* cf. Krahwinkler, Friaul, p. 188 sq. note 383.
3 Annales regni Franc., a. 818, p. 149: ... *Erant ibi et aliarum nationum legati ... ac Bornae, ducis Guduscanorum ...*
4 Cf. B.M. 672(658)f.
5 Cf. Annales regni Franc., a. 819, p. 151 et Astronomus, Vita, c. 32, p. 624 sq.; Annales regni Franc., a. 820, p. 152 et Astronomus, Vita, c. 33, p. 625. Sur la révolte de Liudévit, cf. Wolfram, Geburt, p. 268 sqq.; Krahwinkler, Friaul, p. 186 sqq. Excellent exposé des campagnes militaires dans Bowlus, Middle Danube, p. 61 sqq.
6 L'oncle maternel (*avunculus*) de Borna, auprès de qui Liudévit trouva refuge, s'appelait en effet *Liudemuhslus* (cf. Annales regni franc., a. 823, p. 161): à comparer avec *Liude*witus. Wolfram, Geburt, p. 272, fait de Liudemuhsle un »älter(er) Verwandte und Nachbar des Borna-Nachfolgers Ladasclavus«. Ladasclave était le *nepos* de Borna (cf. Annales regni Franc., a. 821, p. 155).

agissait certes en lien avec la cour franque[7], mais c'est surtout le fait que Louis le Pieux, en janvier 820 lors du plaid tenu à Aix-la-Chapelle[8], prit conseil auprès de *Borna* qui me semble d'un intérêt tout particulier: l'empereur le fit en effet venir auprès de lui spécialement à cette fin[9]. Borna mourut en 821[10].

59. BOSON[1] (I)
Comte (en Italie), attesté en 826 et 827

Le comte Boson est attesté comme *missus* de l'empereur peu avant mai 827, lorsqu'il présidait un plaid à Turin[2]. Il ne fait aucun doute que Boson était un *missus* de Louis le Pieux[3], puisque c'est à ce titre que l'empereur lui confia une enquête relative aux biens de l'église cathédrale de Grado[4]. Le 10 juin 826 à Ingelheim, Louis le Pieux fit une donation à ce comte[5]. Il faut donc en conclure que ce dernier participa au plaid alors tenu par Louis le Pieux au palais d'Ingelheim[6]. C'est tout ce que l'on sait de ce personnage[7].

7 Annales regni Franc., a. 819, p. 151: *… quae qualiter gesta fuerint, per legatos suos imperatori nuntiare curavit.*
8 B.M. 709(659)a.
9 Annales regni Franc., a. 820, p. 152: *Mense Ianuario conventus ibidem habitus, in quo de Liudewiti defectione deliberatum est, ut tres exercitus simul ex tribus partibus ad devastandam eius regionem atque ipsius audaciam coercendam mitterentur. Borna quoque primo per legatos, deinde ipse veniens, quid sibi facto opus esse videretur, suggessit.*
10 Annales regni Franc., a. 821, p. 155. Son successeur fut son neveu (*nepos*), Ladasclave. Cf. également Astronomus, Vita, c. 34, p. 625.

1 Seule forme onomastique: *Boso*.
2 Doc. dipl. Italie, n° 37, p. 113 sqq.: *Dum Boso comes vel misso domni imperatoris residisset infra civitate Taurinensi, curtis ducati, in palatio publico ad singulorum hominum causas audiendo vel deliberandum …*
3 Le cas de Boson me semble un exemple particulièrement éloquent du fait que la partition entre *missi* de Louis et agents de Lothaire est fort probablement avant tout une invention d'historiens, car Lothaire ne tenait son pouvoir en Italie que par délégation des pouvoirs de son père.
4 B.M. 838(812), éd. Doc. dipl. Istrie, n° 57, p. 129. Les empereurs Louis et Lothaire firent savoir au patriarche de Grado que, sur sa demande, ils avaient envoyé une lettre *ad Bosonem comitem missum nostrum de rebus ecclesiae tuae, quas antecessor tuus Fortunatus Dominico nepoti suo dederat, ut inquisitionem idem faceret, et secundum hoc, quod justum esse inveniret, ex nostra jussione eidem Dominico praeciperet.* Cf. SIMSON, Jahrbücher, tome 1, p. 282.
5 B.M. 831(805).
6 B.M. 829(770)b & c.
7 Il en est peut-être question dans Responsa, c. 7: *De rebus quas marchio tradidit filio Bosonis vel aliis hominibus: volumus ut hi quibus traditae fuerint vestituram suam accipiant et insuper confirmationem.* Pour des raisons chronologiques, il me semble impossible de reconnaître en notre personnage le comte homonyme du temps de Louis II (dont la carrière a été retracée par HLAWITSCHKA, Franken, p. 158 sqq.).

60.   BOSON[1] (II)

Abbé de Fleury, attesté de 833/834[2] jusqu'à l'été 840[3]

L'abbé de Fleury Boson fut l'un des *missi* de Louis le Pieux ayant, à une date indéterminée, procédé au partage de la mense abbatiale et de la mense conventuelle à Flavigny[4]. Il fut également, pour un temps, le geôlier d'Ebbon, l'archevêque de Reims déchu[5]. La restitution du 24 août 835 était peut-être déjà une récompense pour les bons services de Boson[6].

61.   BURGARIT[1]

Responsable des veneurs, mort à l'automne 836

Burgarit ne nous est connu comme *praefectus venatoribus regalibus* qu'à l'occasion de sa mort: partisan de Lothaire, il l'avait suivi jusqu'en Italie et il fut frappé par l'épidémie de 836[2]. Etant donné que l'Astronome cite à cet endroit explicitement ceux qui firent défection à Louis le Pieux, l'on ne peut pas douter que Burgarit appartînt au Palais de ce dernier – cette interprétation est d'ailleurs renforcée par l'expression *quondam*[3]. Il s'agit peut-être d'un parent du connétable de Charlemagne, Burchard[4].

1 Seule forme onomastique: *Boso*.
2 Adrevaldus, Miracula, c. 20, p. 47 sq.
3 Narratio clericorum Rhemensium, col. 18 – texte cité à la notice n° 78.
4 Dipl. Karol. 3, n° 50, p. 144, diplôme de Lothaire du 4 décembre 840 – texte cité à la notice n° 20.
5 Narratio clericorum Rhemensium, col. 18.
6 B.M. 947(916). Cette affaire traînait vraisemblablement depuis plusieurs années, cf. la notice n° 164. Ce n'est donc peut-être pas par hasard que Louis lui donna une issue favorable durant l'été 835.

1 Seule forme onomastique: *Burgaritus*.
2 Astronomus, Vita, c. 56, p. 642: *Ea tempestate quanta lues mortalis populum qui Hlotharium secuti sunt, invaserit, mirabile est dictu. In brevi enim, id est a Kalendis Septembribus usque ad missam sancti Martini* (11 novembre), *hii primores eius vita excesserunt: ... Burgaritus quondam praefectus venatoribus regalibus ... Hi enim erant, quorum recessu dicebatur Francia nobilitate orbata, fortitudine quasi nervis succisis evirata, prudentia his obeuntibus adnullata.*
3 Ceci laisserait entendre que Burgarit ne reçut pas de fonction similaire à la cour de Lothaire.
4 Sur Burchard, cf. BRUNNER, Oppositionelle Gruppen, p. 80 sq. Le fondement de cette hypothèse est d'ordre philologique: les deux noms font partie de la même famille (cf. FÖRSTEMANN, Personennamen, col. 346 sqq.). Le nom de Burchard se laisse décomposer en Burg-ward (cf. MENKE, Namengut, p. 93). Le premier élément du nom de Burgarit lui est commun (cf. MORLET, noms de personne, tome 1, p. 62: Burgaridus); le second se rattache à *ridan*, aller à cheval (ibid., p. 18: Adalridus).

62.   CADOLA[1]

Duc de Frioul, attesté à partir de 804 – mort le 31 juillet 819

Le comte Cadola[2] est attesté en tant que *missus* de Charlemagne en 804[3] en Istrie, à l'occasion d'un plaid qu'il présida en compagnie du prêtre Izzo et du comte Aio[4]. D'après l'identification d'un certain Chadaloh apparaissant dans quelques chartes de Saint-Gall proposée par G. Tellenbach[5], »Cadola était … originaire d'Alémanie et il descendait … de l'ancienne famille comtale alémanique des Halaholfinger«[6]. Ce n'est cependant qu'à partir de 817 qu'il est attesté comme responsable de la Marche de Frioul[7]. Au début de cette année-là, une ambassade envoyée par l'empereur Léon V *pro Dalmatinorum causa* parvint à la cour franque. Avant de prendre toute décision, Louis le Pieux préféra attendre l'arrivée de Cadola, qui devait venir au palais. Mais étant donné que l'affaire ne pouvait être réglée sans le consentement des frontaliers concernés, Cadola leur fut envoyé par Louis en compagnie d'Albgaire[8]. C'est principalement contre Cadola que Liudévit tenta initialement de faire porter sa révolte[9]. Au retour d'une campagne en Pannonie, en 819, le marquis de Frioul fut pris de fièvre et mourut[10] – peut-être le 31 juillet[11]. Son successeur fut Baudry[12]. Les deux

---

1 Formes onomastiques: *Cadola, Cadolach, Cadolah, Kadola, Cadalus, Chadalo, Cadolaus, Cadolao, Chadaloh, Chadolt, Chadelous.*

2 Cf. Hlawitschka, Franken, p. 163 sqq.; Krahwinkler, Friaul, p. 223 sqq.

3 Le document n'est pas daté. C. Manaresi a proposé cette date dans son édition. Hofmeister, Markgrafen, p. 272 et Hlawitschka, Franken, p. 164, préférèrent s'en tenir à la fourchette chronologique 801–810, mais Krahwinkler, Friaul, p. 201 note 10, a montré que la date de 804 était fort probable.

4 Doc. dipl. Italie, n° 17, p. 48 sqq. Cf. également B.M. 732(708).

5 Tellenbach, Großfränkischer Adel, p. 54.

6 Hlawitschka, Franken, p. 165 (avec un arbre généalogique).

7 Cf. Hofmeister, Markgrafen, p. 272 sq. Krahwinkler, Friaul, p. 223: »Cadolah dürfte der unmittelbare Nachfolger des 799 gefallenen Herzogs Erich gewesen sein«. Le conditionnel est en effet de mise, car rien ne permet d'affirmer cela avec certitude.

8 Annales regni Franc., a. 817, p. 145: … *legatum Leonis imperatoris de Constantinopoli pro Dalmatinorum causa missum Niciforum nomine suscepit; quem etiam, quia Cadolah, ad quem illorum confinium cura pertinebat, non aderat et tamen brevi venturus putabatur, adventum illius iussit opperiri…Quo veniente ratio inter eum et legatum imperatoris de questionibus, quas idem detulit, habita est; et quia res ad plurimos et Romanos et Sclavos pertinebat neque sine illorum praesentia finiri posse videbatur, illo decrenenda differtur, missus ad hoc cum Cadolane et praedicto legato in Dalmatiam Albgarius, Unrochi nepos.* Cf. également Astronomus, Vita, c. 27, p. 621. Cf. Lounghis, Ambassades, p. 163. Sur Albgaire, cf. la notice n° 21.

9 Ainsi l'accusa-t-il devant l'empereur en octobre 818 à Herstal, par l'intermédiaire d'une ambassade: *res novas moliens Cadolaum comitem et marcae Foroiuliensis praefectum crudelitatis atque insolentiae accusare conabatur* (Annales regni Franc., a. 818, p. 149). Cf. également Astronomus, Vita, c. 31, p. 624. Cf. Wolfram, Geburt, p. 269.

10 Annales regni Franc., a. 819, p. 151; Astronomus, Vita, c. 32, p. 624.

11 Necrologium Augiae Divitis, p. 278; Necrologium sancti Galli, p. 478. Selon, Tellenbach, Großfränkischer Adel, p. 54 note 72, il n'est cependant pas absolument certain qu'il s'agisse de notre personnage. Il est toutefois à noter que sa mort est mentionnée dans les Annales royales entre le développement consacré au plaid tenu en juillet et la mention d'événements survenus durant l'hiver. Un décès fin juillet correspond par conséquent à la chronologie du récit. D'autre part, la datation d'un manuscrit (sur ce dernier, cf. Bischoff, Schreibschulen, tome 1, p. 199 sq.) permet d'affirmer que la campagne commandée par Cadola était en tout cas achevée le 12 septembre 819. En effet, le scribe écrivit: *hic liber fuit inchoatus in hunia in exercitu anno d(omi)ni XVIIII° IIII n(onarum) iun(ii) & perfinitus apud s(an)c(tu)m Florianum II id(us) sept(em)b(ris) in ebd(omada) XVma*; cf. le

hommes avaient successivement cédé des biens en *beneficium* au patriarche Maxence d'Aquilée[13].

63.   **CHARLES**[1] (le Chauve)

Fils de Louis le Pieux, né le 13 juin 823[2] – mort le 6 octobre 877[3]

Etant donné que le personnage de Charles est relativement bien connu et qu'il a récemment fait l'objet d'une biographie[4], il ne me semble pas nécessaire de reprendre en détail l'étude de ses années de jeunesse[5]. Il va de soi que les années postérieures à la mort de Louis le Pieux, c'est-à-dire le règne de Charles lui-même, ne peuvent pas être analysées ici. Charles passa son enfance à la cour de Louis le Pieux. En 826, il gambadait devant son père dans le cortège conduisant l'empereur et le Danois Harold à l'intérieur de la chapelle d'Ingelheim[6]; vers 829, Walafrid Strabon le décrit aux côtés de Judith: ils sont comparés à Rachel et Benjamin[7]. Au début de l'année 831, Charles fut chargé d'accueillir et d'amener à Aix-la-Chapelle sa mère lorsqu'elle fut libérée[8]. Louis avait également son jeune fils auprès de lui en juin 833, au Rotfeld[9]. Charles était probablement à Coblence les 19 à 21 novembre 836, pour assister à la célébration de l'octave de la translation des reliques de saint Castor, à laquelle Louis le Pieux participa *cum conjuge et liberis*[10]. L'on doit supposer que Charles fut présent aux divers plaids jalonnant le règne de Louis le Pieux lors desquels l'empereur procéda à un partage en sa faveur[11]. Il était également à Nimègue en juin 838, lors d'un plaid dont

fac-similé dans: Mss. datés en Belgique, planche 1. On considère que le scribe acheva son travail à la célèbre abbaye autrichienne de Saint-Florian, qui en était alors aux balbutiements de son histoire (cf. HEUWIESER, Geschichte, p. 295). Il est par conséquent possible que Cadola soit mort le 31 juillet 819. WOLFRAM, Geburt, p. 269, tient cette date pour assurée.

12 Cf. la notice n° 41.
13 B.M. 785(761).

1 Formes onomastiques: *Karolus, Carolus.*
2 B.M. 773(748)a. La naissance de Charles fut consignée dans de nombreux récits annalistiques; à ce propos, cf. SCHIEFFER, Väter und Söhne, p. 155.
3 Annales Bertiniani, a. 877, p. 217; Annales Vedastini, a. 877, p. 42; Regino, Chronicon, a. 877, p. 113.
4 NELSON, Charles the Bald. Cf. également les études publiées dans GIBSON, NELSON, Charles the Bald.
5 Cf. ibid., p. 75 sqq. Cf. également EITEN, Unterkönigtum, p. 133 sqq.
6 Cf. Ermoldus, Elegiacum carmen, IV, v. 2300 sq., p. 176.
7 Cf. Walahfridus, Carmina, n° 23 (De imagine Tetrici), v. 174 sqq., p. 375.
8 Annales Mettenses, supplément, p. 336: *Qui statim propter eam optimates regni sui misit, ut eam honorifice ad eum adducerent; postea vero Karolum, filium suum, et Drogonem episcopum, fratrem videlicet suum, cum aliis optimatibus obviam ei misit, qui eam ad Aquasgrani palatium cum magno honore deducerent.*
9 C'est ce que l'on peut déduire du témoignage de l'Astronome, qui relate que Lothaire fit notamment arrêter son père et son frère. Cf. Astronomus, Vita, c. 48, p. 636: *Ipsum vero Hlotharius ad sua cum Karolo admodum puero deduxit, et cum paucissimis in papilione ad hoc deputato consistere fecit.*
10 Theganus, Vita, continuation, p. 603.
11 Cf. B.M. 868(839)a, B.M. 882(853), B.M. 906(877)b – il ne s'agit pas d'un plaid général -, B.M. 970(939)a, B.M. 982(951)a, B.M. 993(962)c.

on connaît nombre de participants grâce à un acte privé[12]. Au cours du même été, lors du plaid tenu à Quierzy, Louis le Pieux arma son fils Charles devenu majeur[13] et il le couronna en signe d'investiture des nouveaux territoires qu'il lui avait attribués[14]. En conséquence, Charles quitta la cour de son père et gagna ses nouvelles contrées[15]; il ne s'absenta cependant que pour l'automne[16].

Il n'y a pas lieu de rappeler que la volonté de Louis le Pieux et de Judith de doter Charles est à l'origine des nombreux partages ayant marqué ce règne, ni de présenter à nouveau la chronologie et la teneur de ces mesures[17]. Ces dernières commencent dès 829, avec l'attribution à Charles d'un territoire au coeur même de l'empire[18]. Il s'ensuit que l'opposition à Louis le Pieux avait en partie pour cause sa politique à l'égard de Charles. L'on comprend dès lors que le fils subît le sort de son père. En 830, il fut gardé en semi-liberté avec Louis le Pieux[19], et en 833/34, Lothaire le fit retenir prisonnier en certains monastères: d'abord à Prüm[20], où il aurait reçu la tonsure[21], puis à Saint-Denis, où il retrouva son père[22]. Les avatars de Louis le Pieux ne

12 Il s'agit d'un acte de restitution suite au jugement d'un différend (*contentio*) relatif à des biens de Fulda. L'affaire fut examinée *coram imperatore Hludovico et filiis eius Hludovico et Carolo necnon et principibus eius* (Doc. dipl. Fulda, n° 513, p. 226).

13 Charles avait alors quinze ans, l'âge requis par la Loi des Francs Ribuaires. Cf. Ordinatio imperii, c. 16, p. 273, et Lex Ribuaria, titre 84(81), p. 130.

14 Annales Bertiniani, a. 838, p. 24 sq.: *Quo Pippino paternis obsequiis assistente atque favente, fratri Karolo, tunc cingulo insignito, pars Niustriae ad presens data est, ducatus videlicet Cenomannicus omnisque occidua Galliae ora intra Ligerim et Sequanam constituta*; Nithardus, Historia, I, c. 6, p. 26: *... praefato Karolo arma et coronam necnon et quandam portionem regni inter Sequanam et Ligerem dedit*; Astronomus, Vita, c. 59, p. 643: *Ubi domnus imperator filium suum Karolum armis virilibus, id est ense, cinxit, corona regali caput insignivit, partemque regni quam homonimus eius Karolus habuit, id est Neustriam, attribuit*. Cf. Brunterc'h, Duché du Maine, p. 44; Flori, Origines, p. 218.

15 Annales Bertiniani, a. 838, p. 25: *Absoluto conventu, ipse* (Louis) *orationis gratia Parisius sanctorumque martyrum basilicas curavit invisere. Directoque Karolo in partes Cenomannicas ...*

16 Ibid.: *... Attiniacum perveniens Karolum redeuntem suscepit.*

17 Cf. Zatschek, Reichsteilungen; Ewig, Teilungen, p. 243 sqq.; Boshof, Einheitsidee. Pour une présentation rapide du règne de Louis le Pieux dans le dessein d'expliquer celui de Charles, cf. Lot, Halphen, Charles le Chauve, p. 1 sqq.

18 Cf. Theganus, Vita, c. 35, p. 597; Annales Xantenses, a. 829, p. 7. La part attribuée à Charles en 829 fut élargie en 831, cf. Regni divisio, p. 24. D'où l'objectif militaire de Louis le Germanique lors de sa révolte contre son père, en 832: il voulait envahir l'Alémanie, *quae fratri suo Karolo a patre iam dudum data fuerat* (Annales Bertiniani, a. 832, p. 5 sq.).

19 Nithardus, Historia, I, c. 3, p. 10: *Et Lodharius quidem, eo tenore re publica adepta, patrem et Karolum sub libera custodia servabat.*

20 Annales Bertiniani, a. 833, p. 9 sq.: *... et filium eius Karolum illi auferens, ad monasterium Pronee transmisit, unde patrem nimium contristavit.*

21 Astronomus, Vita, c. 48, p. 636: *... et Karolo Prumiae commendato nec tamen attonso ...*

22 Les partisans de Louis le Pieux voulaient se rendre à Saint-Denis, *ubi tunc Lodharius patrem et Karolum servabat* (Nithardus, Historia, I, c. 4, p. 16). Je voudrais soulever ici un point délicat. En 875, Charles le Chauve fit apposer les signes de validation sur l'un de ses diplômes pour Saint-Denis en rappelant les motifs le poussant à cet acte: il se disait en effet *Dei constitutione rex, ipsiusque et fratrum electione monasterii magni Dionysii abba, a patre causa tutele traditus* (Actes de Charles le Chauve, tome 2, n° 379, p. 350), d'où il faut conclure que Charles fut »remis à Saint-Denis par son père, en raison de la tutelle«. Ce passage est obscur. Faut-il comprendre que Louis le Pieux plaça son fils à Saint-Denis, comme oblat? Déjà, Pépin le Bref fut éduqué à Saint-Denis (cf. Riché, Carolingiens, p. 59); quant au roi Lothaire (954–986), il fut *oblatus* à Saint-Remi (cf. Depreux, Saint Remi, p. 256). Mais dans le cas de Charles, on sait qu'il passa sa jeunesse à la cour de son père. C'est pourquoi

changèrent pas grand-chose à sa ligne de conduite: vers la fin de son règne, sa réconciliation avec Lothaire et le partage qui la scella[23] avaient pour principal objet d'assurer l'avenir de Charles[24]. Par ailleurs, Louis n'hésita pas à entreprendre lui-même le voyage d'Aquitaine, à l'automne 839, pour imposer son jeune fils[25] et, vraisemblablement, remettre de l'ordre dans l'administration du royaume aquitain[26].

Pour finir, il convient d'analyser les éléments qui, en fait, justifient la prise en compte de Charles dans cette prosopographie: ils sont au nombre de deux. Il y a d'abord un diplôme de Louis le Pieux donné à Aix-la-Chapelle le 25 février 831; il s'agit d'une donation au monastère de Kempten[27]. Louis le Pieux fit cette donation sur la requête de Charles, *ad deprecationem dilecti filii nostri Karoli*. L'intervention de Charles est justifiée, puisque la *cellula* donnée était sise *in ducatu Alamannie*, c'est-à-dire sur le territoire qu'il avait reçu de son père[28]. Néanmoins, la prise de décision apparaît sous un jour nouveau grâce aux mentions en notes tironiennes de ce diplôme: il y est en effet rappelé que *Guntbaldus abba impetravit*[29]. Ce personnage exerçait alors une influence certaine à la cour[30]. On peut par conséquent supposer que c'est en réalité lui qui se chargea de faire présenter la requête par Charles (alors âgé de presque huit ans), car ce dernier avait officiellement en charge le *ducatus* d'Alémanie, mais peut-être surtout parce qu'on pouvait espérer qu'il saurait gagner son père à la cause du monastère de Kempten. Ce diplôme, où il est fait mention d'une requête

je suppose que cette *traditio* du fils encore mineur eut lieu lors de la captivité de l'empereur. Il me semble que, bien qu'il en attribue l'initiative à Lothaire et qu'il place l'événement en 830, le témoignage de Nithardus, Historia, c. 3, p. 10, est un indice non négligeable: il y est relaté que Lothaire incita son frère (et non Louis, comme le supposait Ph. LAUER, ibid., p. 11 note 8, car Charles est le dernier nommé dans la phrase précédente et par conséquent celui que vise l'expression *cum quo*) à se faire moine (*cum quo monachos, qui eidem vitam monasticam traderent et eandem vitam illum assumere suaderent, esse praeceperat*).

23 Cf. Annales Bertiniani, a. 839, p. 31 sq.; Nithardus, Historia, I, c. 7, p. 30 sqq.; Astronomus, Vita, c. 60, p. 644; Annales Fuldenses, a. 839, p. 30.

24 Judith joua un rôle décisif à ce sujet. Cf. Astronomus, Vita, c. 54, p. 640; ibid., c. 59, p. 644. Cf. également Nithardus, Historia, I, c. 6, p. 28; sur le partage de Worms, cf. ibid., c. 7, p. 30 sqq.

25 Cf. Nithardus, Historia, I, c. 8, p. 32 sqq.; Annales Bertiniani, a. 839, p. 34 sq.; Astronomus, Vita, c. 61, p. 645 sq.

26 On sait que le voyage de Louis avait été occasionné par l'opposition d'une partie des Aquitains, qui soutenaient le fils homonyme de Pépin d'Aquitaine (cf. Annales Bertiniani, a. 839, p. 33; Astronomus, Vita, c. 61, p. 645). En conséquence, il semble qu'il faille prêter attention à deux témoignages convergents, qu'il nous faut à présent évoquer. Bien que son témoignage date de la génération suivante, l'on ne peut écarter la présentation de l'action menée par Louis le Pieux en 839 donnée par Ado, Chronicon, p. 321: il relate que l'empereur confia le royaume d'Aquitaine, c'est-à-dire son administration, aux *maiores Francorum*, tout en donnant aux Aquitains un roi en la personne de son fils (… *commisso Aquitaniae regno maioribus Francorum, et inclyto Carolo filio suo rege Aquitanis dato* …). Autrement dit, Louis, sous couvert de l'octroi aux Aquitains d'un roi qui leur fût propre, aurait redistribué le pouvoir. Or, selon Astronomus, Vita, c. 61, p. 646, Louis le Pieux se serait rendu en Aquitaine pour y procéder à une *ordinatio* de ce royaume (… *deinde ad regni Aquitanici ordinationem sese convertit*). L'auteur avait déjà employé ce terme à propos de la grande réforme de 778 menée en Aquitaine par Charlemagne (cf. GANSHOF, Crise dans le règne de Charlemagne): il est dans ce cas certain que le roi procéda à un renouvellement de personnel (Astronomus, Vita, c. 3, p. 608: *Ordinavit autem per totam Aquitaniam comites* …).

27 B.M. 883(854), éd. M.B. 28, n° 12, p. 19 sq. (à la p. 19).

28 Cf. Theganus, Vita, c. 35, p. 597; Annales Xantenses, a. 829, p. 7; Regni divisio, p. 24.

29 Cf. Mentions tironiennes, p. 19.

30 Cf. la notice n° 123.

présentée par Charles, est d'autant plus important qu'il permet de rejeter l'une des principales objections de G. Tessier concernant la sincérité d'un acte de Charles lui-même, où il est dit avoir présenté une requête auprès de son père[31] – c'est le second élément prouvant la participation de Charles au gouvernement. En effet, dans cet acte, il est rappelé que Walefred, l'abbé de Charroux, présenta à Charles un diplôme de donation de Louis le Pieux dans lequel il était signalé que cette donation avait été faite *ad nostram deprecationem*[32]. L'on pourrait supposer que cette intervention de Charles date d'une époque où l'Aquitaine dépendait de lui, c'est-à-dire fugitivement vers 832[33] ou plutôt en 839/840[34]. Il me semble cependant qu'un détail rend probable que cette requête fut présentée vers 830/831: le fait qu'elle concernait le monastère de Charroux, autrement dit, le monastère dont Gombaud était abbé. On aurait alors confirmation de l'hypothèse que j'ai formulée plus haut: à savoir que Gombaud se serait servi du jeune Charles pour obtenir de Louis le Pieux ce qui lui convenait. L'abbé de Charroux n'était d'ailleurs apparemment pas le seul à connaître l'influence que le fils cadet de l'empereur pouvait exercer sur son père[35].

64.   CHOSLE[1]

Palefrenier, mort à la fin de l'été 818

On ne connaît Chosle[2], attesté au Palais comme *custos regiorum equorum*[3], qu'à l'occasion de sa mort lors de l'expédition militaire de Louis le Pieux vers la fin de l'été 818, en Bretagne[4]: alors que le Breton Morman, rebelle à la domination franque[5], s'était attaqué au train de l'armée impériale, Chosle le tua[6]. Mais un Breton tua Chosle en retour[7]. De la manière dont l'Astronome le désigne (*quidam custos* et non seulement en tant que le seul *custos*), l'on peut déduire que Chosle n'avait pas, à lui

---

31 Actes de Charles le Chauve, tome 2, n° 236 bis, p. 23 sqq. Sur les réserves de G. Tessier, cf. ibid., p. 24: après la désignation de Charles comme *augustus* dans l'intitulation, il note qu'il »est plus grave de lire que les diplômes de Louis le Pieux avaient été expédiés à la prière de Charles«.
32 Ibid., p. 25 sq.: *Walefredus vir venerabilis … ad nostram accedens excellentiam attulit obtutibus nostris auctoritates domni genitoris nostri, in quibus continebatur qualiter idem domnus et genitor noster, ad nostram deprecationem, pro eterne retributione fructu, ad jam dictum monasterium ejusdem congregationi ibidem Deo famulanti concessisset cellam in honore sancti Saturnini constructam …*
33 Cf. Nithardus, Historia, I, c. 4, p. 14: *Per idem tempus Aquitania, Pippino dempta, Karolo datur, et in ejus obsequio primatus populi, qui cum patre sentiebat, jurat.*
34 Cf. supra.
35 Cf. la notice n° 198.

1 Formes onomastiques: *Choslus, Coslus*.
2 Chosle était d'origine franque, cf. Ermoldus, Elegiacum carmen, lib. III, v. 1688, p. 128.
3 Sur le sens de cette expression, cf. Simson, Jahrbücher, tome 1, p. 135 note 7.
4 Cf. B.M. 671(657)c.
5 Cf. Guillotel, Temps des rois, p. 211 sq.
6 Astronomus, Vita, c. 30, p. 623: *… donec interfecto Marmano, dum sarcinis inmediatur castrensibus, a quodam regiorum custode equorum nomine Choslo …* Pour une description haute en couleurs de l'événement, cf. Ermoldus, Elegiacum carmen, lib. III, v. 1688 sqq., p. 128 sqq.
7 Ermoldus, Elegiacum carmen, lib. III, v. 1716 sq., p. 130.

seul, la charge de la garde de l'écurie impériale[8]. De fait, le moine de Saint-Gall, auteur des Gesta Karoli (fin IXe siècle), parle des *custodes equorum* du Palais[9]. D'autre part, Chosle avait des aides pour le seconder[10].

65.   CLAUDE[1]

Evêque de Turin, attesté de 811 à mai 827

L'évêque de Turin[2] est célèbre pour les positions dogmatiques qu'il adopta – ou plutôt qu'on l'accusa d'avoir adoptées. Ce n'est cependant ni son iconoclasme[3], ni son oeuvre[4] qui nous intéressent ici, mais le fait qu'il fut membre de la Chapelle de Louis le Pieux[5]. Claude, un prêtre »espagnol«[6] qui avait reçu sa formation à Lyon auprès de Laidrade[7], fut appelé au service de Louis le Pieux et appartint à son Palais, comme l'attestent plusieurs documents, à commencer par la lettre de dédicace de son Expositio in Genesim à l'abbé Druetéramne[8]. Claude est attesté à la cour aquitaine de Louis le Pieux, un prince auquel il fut très attaché si l'on en croit l'une de ses dédicaces[9], dès 811[10]. Il suivit vraisemblablement Louis le Pieux à la cour d'Aix-la-Cha-

---

8   Il faut distinguer ce personnage du connétable, le »comte de l'étable« (*comes stabuli*), cf. WAITZ, Verfassungsgeschichte, tome 3, p. 502 note 1. Il va de soi que Chosle était sous les ordres de ce dernier.

9   Gesta Karoli, lib. II, c. 21, p. 763.

10 Ermoldus, Elegiacum carmen, lib. III, v. 1718, p. 130, mentionne un *Cosli puer* qui, *domini praevinctus amore*, mit à mort le Breton ayant tué Chosle.

1   Seule forme onomastique: *Claudius*.

2   Cf. DÜMMLER, Claudius von Turin; G. SERGI, Claudio, dans: D.B.I., tome 26 p. 158–161.

3   Cf. BOUREAU, Conjoncture de 825. Jonas d'Orléans présente Claude comme la réincarnation de Felix d'Urgel, cf. Jonas, De cultu imaginum, col. 309: *Felix in quodam discipulo suo nomine Claudio, ut pote (ut verbis beati Hieronymi utar) Euphorbus in Pythagora, renascitur.* Cf. Heronymus, Epistula adversus Rufinum, c. 40, éd. P. LARDET, Turnhout 1982 (Corpus Christianorum, Series Latina, 79), p. 110. Sur le contexte diplomatique dans lequel survint l'accusation portée contre Claude, cf. McCORMICK, Textes, p. 149 sqq.

4   Cf. FERRARI, Claudio di Torino.

5   Cf. FLECKENSTEIN, Hofkapelle 1, p. 72; FAVREAU, Claude de Turin.

6   Epistolae variorum 2, n° 32, p. 354: *Is namque Deo dilectissimus princeps inter caetera bonitatis suae studia erga divinum cultum amplificandum multiplici modo ferventia quendam presbyterum, natione Hispanum, nomine Claudium, qui aliquid temporis in palatio suo in presbyteratus militaverat honore, cui in explanandis sanctorum evangeliorum lectionibus quantulacunque notitia inesse videbatur, ut Italicae plebi, quae magna ex parte a sanctorum evangelistarum sensibus procul aberat, sacrae doctrinae consultum ferret, Taurinensi praesulem subrogari fecit ecclesiae.*

7   Cf. Claudius, Epistolae, n° 1, p. 592.

8   Ibid.: *Sed quia regali iussione pii principis domni Hlodoici regis in Aquitaniam iussus sum venire provinciam, et quod ibi initiavi, hic Deo fabente in Cassanolio palatio iamdicti principis consumavi.*

9   Claudius, Epistolae, n° 4, p. 597 sqq. (vers 816): *Proprio domino meo inclito atque glorioso, mihi speciali cultu affectuque prae cunctis mortalibus diligendo, gratia Dei patri patriae potius quam imperatori, cuius imperii dignitas ex fonte horta est pietatis, sanctae Dei ecclesiae catholicae filio Hlodohico Claudius peccator.*

10 Claudius, Epistolae, n° 1, p.593: *Finitum opusculum in Casanolio palatio, suburbio Pictavino, provintia Aquitanica, anno vicesimo septimo regnante pio principe domno Hlodohico rege, filio gloriosi Caroli imperatoris, era DCCCXLVIII, qui est annus incarnationis domini nostri Iesu Christi DCCCXI. Faustinus scripsit.* Cf. VEZIN, Manuscrits présentant des traces, p. 165. Sur la présence de Claude à Chasseneuil, cf. FAVREAU, Claude de Turin.

pelle lors de l'accession de ce dernier à l'empire[11]. L'on ne peut pas savoir précisément quand Claude fut nommé évêque de Turin[12]. Il est attesté pour la dernière fois en tant que tel en mai 827[13].

66. CLÉMENT[1]

Maître de l'école du Palais, attesté depuis le règne de Charlemagne jusqu'en 826

Clément[2] est présenté par Ermold comme préposé au collège des prêtres, quand le poète décrit la procession précédant la messe célébrée en 826 à Ingelheim à l'occasion du baptême de Harold le Danois[3]. J. Fleckenstein compte Clément parmi les chapelains du Palais[4]. En réalité, ce prêtre d'origine insulaire (*Scottus*)[5] était maître de l'école du Palais: *magister palatinus*[6]. Le moine de Saint-Gall, auteur des Gesta Karoli, a dépeint son arrivée sur le continent[7]; c'est la »classe« de Clément qui fit l'objet de la célèbre »visite d'école« de Charlemagne[8]. Sous le règne de Louis le Pieux, l'abbé de Fulda envoya certains de ses moines étudier auprès de Clément[9], qui fut également le

---

11 C'est ce que semble prouver un extrait de sa correspondance, cf. Claudius, Epistolae, n° 2, p. 593 sqq. (lettre de 815 à l'abbé Juste): *Anno DCCCmo XVmo incarnationis salvatoris Iesu Christi domini nostri, postquam pius ac mitissimus princeps sanctae Dei ecclesiae catholicae filius Hludowicus anno secundo imperii sui caelesti fultus auxilio adversus barbaras nationes movisset exercitum, teque abeunte et discedente tuam paternitatem ex palatio iam dicti principis ad tutum dilectumque tibi semper tui monasterii portum iniunxisti mihi, ut aliquod dignum memoriae opusculum in expositione evangelii ad legendum dirigerem fratribus monasterii vestri.*

12 Cf. DÜMMLER, Claudius von Turin, p. 431: »Das Jahr ist nicht mit Sicherheit festzustellen, frühestens wohl 816, doch könnte es ebenso gut ein paar Jahre später gewesen sein«.

13 Doc. dipl. Italie, n° 37 p. 113. Malgré le combat dogmatique suscité par les positions de Claude, ce dernier ne fut pas déposé, cf. DÜMMLER, Claudius von Turin, p. 436 sqq. Le successeur de Claude est attesté pour la première fois en 832, cf. ibid., p. 438.

1 Seule forme onomastique: *Clemens*.

2 Cf. SIMSON, Jahrbücher, tome 2, p. 256 sqq. Sur l'oeuvre grammaticale de Clément, cf. MANITIUS, Geschichte, p. 456 sqq.

3 Ermoldus, Elegiacum carmen, lib. IV, v. 2284 sq., p. 174: *Turba sacerdotum Clementis dogmate constat/ Levitaeque micant ordine namque pii.*

4 FLECKENSTEIN, Hofkapelle 1, p. 74.

5 Catalogus abbatum Fuldensium, p. 272; Gesta Karoli, lib. I, c. 1, p. 731. On a supposé que c'est de Clément dont Théodulf d'Orléans se moqua, faisant du *Scottus* un *sottus*. BISCHOFF, Theodulf, a toutefois montré qu'il s'agissait d'un autre personnage (Cadac-Andreas).

6 Karol. Miscellen, p. 116: *et (obitus) Clementis presbiteri magistri palatini.*

7 Gesta Karoli, lib. I, c. 1, p. 731.

8 Ibid., c. 3, p. 731 sq.

9 Catalogus abbatum Fuldensium, p. 272: *Tertius abbas Ratger ... direxit ... Modestum cum aliis ad Clementem Scottum grammaticam studendi.*

précepteur de Lothaire[10]. Clément, dont on a pu louer les vertus[11], est mort un 29 mai[12] – l'on ignore en quelle année.

67. **CONRAD**[1]

Comte, attesté à partir de 830 – disparaît des sources après 862[2]

Le frère de l'impératrice Judith jouissait d'un grand prestige auprès de ses contemporains, comme Heiric d'Auxerre l'atteste par sa façon de le désigner dans ses Miracles de saint Germain[3]: »Conrad, prince fort célèbre, (était) le compagnon des rois et (il s'avérait) supérieur en célébrité aux plus importants membres de la cour«[4]. Walafrid Strabon se fit également le chantre de ce comte[5]. L'on ne sait cependant pas grand-chose du beau-frère de l'empereur, du moins pour ce qui concerne le temps de Louis le Pieux, époque qui nous intéresse ici. Toujours est-il qu'en épousant Adélaïde[6], Conrad s'unit à la fille d'Hugues, le comte de Tours[7].

L'on ne s'étonnera cependant pas de voir Conrad victime de la »révolte loyale« de 830 dirigée en partie contre Judith, car il ne fait pas de doute que l'ascension politique de cette dernière et celle de ses frères étaient liées: Conrad reçut la tonsure et fut confié à la garde de Pépin d'Aquitaine[8]. Il faut conclure du témoignage des sources que Conrad se trouvait à la cour de Louis le Pieux, à Compiègne[9], lorsque la révolte éclata. L'impression selon laquelle les frères de Judith auraient fait partie de l'entourage immédiat de Louis le Pieux se trouve confortée par une remarque de Nithard, d'après lequel ils »furent rendus« à l'empereur[10], en février 831. Conrad était comte en

---

10 Carmina varia, n° 24 (Clemens ad Hlotharium regem), p. 670.
11 Theodulfus, Carmina, n° 79, v. 55 sq., p. 581: *Maxime Clementem, merito qui nomine tali/, Ornatus claret et pietate probus.*
12 Karol. Miscellen, p. 116 (nécrologe de Wurzbourg): *IIII Kal. Iun. et (obitus) Clementis magistri palatini.* E. Dümmler (ibid., p. 118) et à sa suite Simson, Jahrbücher, tome 2, p. 259, ont supposé que Clément s'était retiré à Wurzbourg et y était mort.

1 Formes onomastiques: *Chuonradus, Chonradus, Conradus, Cunradus.*
2 Annales Bertiniani, a. 862, p. 95. Cf. Borgolte, Grafen Alemanniens, p. 169.
3 Heiricus, Miracula, lib. II, c. 3, p. 401.
4 Ibid., c. 2, p. 401: *Chuonradus, princeps famosissimus, collega regum et inter primates aulicos adprime inclytus.*
5 Walahfridus, Carmina, n° 37, p. 387 sq.
6 Heiricus, Miracula, lib. II, c. 2, p. 401.
7 Cf. Wilsdorf, Etichonides, p. 10.
8 Nithardus, Historia, lib. I, c. 3, p. 10: *Quamobrem, pariter cum omni populo, patri ad Compendium superveniunt, reginam velaverunt, fratres ejus Cunradum et Rodulfum totonderunt atque in Aquitaniam servandos Pippino commiserunt.* Les deux frères furent gardés dans des monastères (Theganus, Vita, c. 36, p. 597); quant à Judith, elle fut retenue à Sainte-Radegonde de Poitiers (Annales Bertiniani, a. 830, p. 2).
9 Il s'agissait d'un plaid, cf. B.M. 874(845)b.
10 Nithardus, Historia, lib. I, c. 3, p. 12: *... conventuque condicto, regina et fratres ejus eidem restituntur ac plebs universa ditioni ejus se subdidit.* Nithard fait ici preuve d'imprécision chronologique: Judith retrouva Louis en février 831 à Aix-la-Chapelle, cf. B.M. 881(852)a; mais les grands s'étaient soumis à l'empereur dès le plaid tenu en octobre 830 à Nimègue, cf. B.M. 876(847)c. Cf. également Astronomus, Vita, c. 46, p. 634.

Alémanie[11], comme l'atteste un diplôme de Louis le Pieux du 20 juin 839: l'empereur fit donation à l'abbaye de la Reichenau de cens en Alémanie, notamment *ex ministerio Chuonradi comitis*[12]. Quelques mois plus tôt, il était attesté comme comte d'Argengau[13]. Il y demeura en dépit de la crise ouverte par la mort de Louis le Pieux[14]. Conrad était également »abbé laïc de Saint-Germain d'Auxerre (vers 846) et peut-être également comte de ce lieu«[15]. Il ne convient pas de retracer la carrière de ce personnage après 840[16].

68. DADON[1]

Ermite, attesté vers 793 – mort avant avril 819

L'ermite à l'origine du monastère de Conques, dont Ermold relate en détail la fondation (vraisemblablement vers l'an 800), ne peut être compté parmi les membres de l'entourage de Louis le Pieux qu'en raison de sa visite au roi (sur la convocation de ce dernier) et des entretiens censés avoir alors eu lieu. Vraisemblablement en 793, sa mère avait été mise à mort dans des conditions horribles, lors d'une invasion sarrasine. C'est suite à cela que Dadon décida de vivre en ermite[2]. »Quand la nouvelle parvint à ses oreilles, le pieux monarque appela aussitôt à son palais le serviteur de Dieu. Pendant des journées entières, le roi et le serviteur de Dieu s'entretiennent en égaux, avec une égale piété«[3]. D'après Ermold, Louis aurait oeuvré particulièrement activement à la fondation du monastère de Conques, d'ailleurs cité par l'Astronome dans sa liste des monastères construits ou restaurés par le roi d'Aquitaine[4]. Dadon semble être mort avant le 8 avril 819[5].

---

11 Cf. Borgolte, Grafen Alemanniens, p. 165 sqq.

12 B.M. 994(963), éd. Doc. dipl. Wurtemberg, n° 102, p. 117 sq.

13 Doc. dipl. Saint-Gall, tome 1, n° 378.

14 Cf. Fleckenstein, Herkunft der Welfen, p. 120.

15 Ibid., p. 121.

16 Ibid., p. 121 sqq.; Borgolte, Grafen Alemanniens, p. 167 sqq.

1 Formes onomastiques: *Dado, Datus*.

2 Ermoldus, Elegiacum carmen, lib. I, v. 230 sqq., p. 22 sqq. Outre le témoignage d'Ermold, notre information concernant la fondation de Conques est due à B.M. 688(668). On en trouve un résumé dans Actes de Pépin, p. 138 (critique du diplôme n° 32).

3 Ermoldus, Elegiacum carmen, lib. I, v. 294 sqq.: *Haec dum fama pii regis pervenit ad aures,/ Mox Domini famulum ad sua tecta vocat;/ Namque diem totum parili sermone trahebant/ Rex famulusque Dei, relligione pares*. Traduction d'E. Faral.

4 Astronomus, Vita, c. 19, p. 616.

5 B.M. 688(668), éd. Doc. dipl. Conques, n° 580, p. 409 sqq. Il y est fait référence à Dadon au passé: ... *vir religiosus Dado quondam nomine, qui nostris temporibus religione et sanctitate divina sibi adminiculante gratia emicuit* ... Plus loin dans le texte, il est fait mention de Grandvabre, *in quo memoratus Dado exoptatam sibi quietem tenuit et vivendi finem fecit*.

69.   DAGOLF[1]

Veneur, attesté en 839[2]

Le veneur (*venator*) Dagolf n'est attesté que par une lettre d'Eginhard: il devait transmettre un ordre de l'empereur à un comte bavarois[3].

70.   DANIEL[1]

Notaire, attesté d'août 836 à octobre 849

Daniel[2], notaire à la »chancellerie« de Louis le Pieux, ne nous est connu que par deux actes dont il fit la recognition: l'un donné à Rambervillers le 24 août 836 en faveur de Fulbert, un *fidelis* de l'empereur[3]; l'autre à Worms le 20 juin 839 en faveur de la Reichenau[4]. Dans les deux cas, Daniel s'intitulait *notarius*, mais il est également désigné dans les notes tironiennes du diplôme de juin 839 comme *subdiaconus*[5]. Ensuite, Daniel est attesté à la »chancellerie« de Lothaire[6]. C'est à Th. Schieffer qu'il revint de prouver que Daniel passa au service du fils aîné de Louis le Pieux dès l'été 840[7].

71.   DÉODAT[1]

Responsable de la »chancellerie«, attesté en août 794

Déodat[2] ne nous est connu que par un seul document: le diplôme de Louis le Pieux donné au Palais (Haute-Vienne, arr. Limoges) le 3 août 794 en faveur de la *cellola* de Nouaillé. Déodat était alors responsable de la »chancellerie« du roi d'Aquitaine[3].

---

1 Seule forme onomastique: *Dagolfus*.
2 Cf. SIMSON, Jahrbücher, tome 2, p. 213.
3 Einhardus, Epistolae, n° 41, p. 130 sq.: *Domnus imperator mandavit per Dagolfum venatorem: N. comes faceret convenire ad unum locum illos comites, qui sunt in Austria, id est Hattonem et Popponem et Gebehardum et caeteros socios eorum, ut inter se considerarent, quid agendum esset, si aliquid novi de partibus Baioariae fuisset exortum.* Le 31 octobre 826, à Ingelheim, Louis le Pieux confirma un échange entre l'évêque de Worms et un certain Dagolf, cf. B.M. 834(808). Rien ne permet de savoir s'il s'agit de notre homme.

1 Seule forme onomastique: *Daniel*.
2 Cf. SICKEL, Acta regum, tome 1, p. 99; BRESSLAU, Urkundenlehre, tome 1, p. 387; DICKAU, Kanzlei, 2ᵉ partie, p. 76 sq. et p. 105.
3 B.M. 963(932).
4 B.M. 994(963).
5 Mentions tironiennes, p. 20.
6 BRESSLAU, Urkundenlehre, tome 1, p. 400, donne la fourchette chronologique 22 août 843 – 18 octobre 849.
7 Cf. SCHIEFFER, Doppelurkunde. Ce diplôme, écrit par Daniel, fut donné le 13 août 840.

1 Seule forme onomastique: *Deodatus*.
2 Cf. SICKEL, Acta regum, tome 1, p. 86; BRESSLAU, Urkundenlehre, tome 1, p. 385 note 5.
3 B.M. 516(497), éd. Ch.L.A., n° 681: *Ego Hildigarius advicem Deodatus s(ubscripsi)*.

72.   **DEUSDEDIT**[1]

Notaire, attesté en mars 820

Deusdedit[2] est attesté comme *notarius regalis* par la notice (rédigée de sa main) du plaid tenu le 31 mars 820 à Vérone par l'évêque Rataud[3], siégeant en tant que *missus domni imperatoris*[4].

73.   **DICUIL**[1]

Peut-être enseignant au Palais, attesté de 795 à 825

C'est sous toute réserve que Dicuil est présenté dans cette prosopographie: on suppose en effet qu'il enseignait la grammaire à la cour[2], mais cette hypothèse est fort fragile puisqu'elle repose sur un seul vers qui, au demeurant, ne prouve pas grand-chose[3]. Outre la diversité de son oeuvre[4], Dicuil s'avère intéressant pour deux raisons: pour l'application avec laquelle, vers le début du règne de Louis le Pieux, il s'efforça de gagner la bienveillance de l'empereur en lui offrant ses écrits d'astronomie à l'occasion des plaids généraux[5]; mais aussi pour une oeuvre que jusqu'à présent personne ne lui a attribuée, mais qui pourrait être de sa plume. Je veux parler de la Vita Hludowici de l'anonyme connu sous le nom d'Astronome. D'aucuns ont voulu reconnaître en cet auteur Hilduin le Jeune[6]. Certes, il serait simpliste d'associer sous une même identité, par une sorte de *qui pro quo*, celui que Louis le Pieux consulta en 837 à propos du passage de la comète de Halley[7] et l'auteur d'un traité d'astronomie. Pour que l'hypothèse prenne corps, il faudrait engager une recherche philologique et procéder à des comparaisons stylistiques que je ne peux pas mener ici. Néanmoins, cette hypothèse mérite qu'on s'y intéresse, pour des raisons de chronologie[8].

1 Seule forme onomastique: *Deusdedit*.
2 Le nom de Deusdedit est tellement fréquent dans les notices de plaids italiens (cf. Doc. dipl. Italie, p. 643 [index]: Adeodatus) qu'il me semble prudent de ne proposer aucune identification avec d'autres personnages homonymes, identifications qui ne seraient d'ailleurs que de pures hypothèses.
3 Cf. la notice n° 225. Sur les notaires italiens, cf. l'annexe n° 3 Q.
4 Doc. dipl. Italie, n° 31, p. 95 sqq.: *Ego Deusdedit notarius regalis scripsi* … Un autre notaire royal, Bonifrid, participa également à ce plaid: il siégeait aux côtés de l'évêque. Cf. la notice n° 56.

1 Seule forme onomastique: *Dicuil*.
2 Cf. MANITIUS, Geschichte, p. 647 sq.; BRUNHÖLZL, Geschichte, p. 306; BERGMANN, Dicuil, p. 526.
3 Dicuil, De Astronomia, c. VII/6, p. 444: *Impediit me etenim forsan doctrina scolarum.*
4 Cf. VAN DE VYVER, Dicuil; BRUNHÖLZL, Geschichte, p. 306 sqq.
5 Dicuil avait préparé le Livre Premier de son De Astronomia en mai 814, pour le cas où Louis le Pieux convoquerait un plaid général, cf. Dicuil, De Astronomia, lib. I, c. VI/5, p. 390. Il composa son Livre Deuxième en 815, cf. ibid., lib. II, c. XIII/7, p. 414. A ce propos, cf. VAN DE VYVER, Dicuil, p. 27 sqq. Etant donné que Dicuil ne montra plus le même empressement dans les livres ultérieurs, on a supposé que Louis le Pieux s'était désintéressé de lui (cf. ibid., p. 30)
6 Cf. BUCHNER, Entstehungszeit; TREMP, Überlieferung, p. 147 sq.
7 Cf. la notice n° 37.
8 Je dois cependant reconnaître que tant dans ma proposition d'identification que dans l'hypothèse où l'auteur de la Vita Hludowici serait Hilduin le Jeune, il faut supposer que l'Astronome fit de vieux jours; dans les deux cas, il faut lui prêter une longévité de plus de soixante-dix ans.

Certes, la dernière trace que nous ayons de Dicuil ne remonte qu'à l'an 825[9], c'est-à-dire à une quinzaine d'années avant la composition de la Vita Hludowici, mais les données relatives à l'arrivée de l'Irlandais[10] à la cour peuvent correspondre à ce que nous savons de l'Astronome. En effet, Dicuil semble n'être venu dans le royaume de Charlemagne (et, vraisemblablement, à sa cour) que vers la fin de son règne. En 795, il entendit le récit de voyage de clercs qui s'étaient rendus en Islande[11] – Dicuil n'avait alors vraisemblablement pas encore quitté l'Irlande[12]. C'est donc plus tard qu'il gagna le continent. Dicuil évoque certes l'éléphant de Charlemagne, qui mourut en 810[13], mais il ne prétend pas l'avoir vu[14]. On suppose cependant que Dicuil vint en *Francia* vers l'extrême fin du VIIIe siècle[15] ou au début du IX[e][16]. Ceci correspondrait par conséquent à ce que l'on sait de l'Astronome: ce dernier ne se dit témoin oculaire que pour les années du règne impérial; pour la période que Louis passa en Aquitaine, il eut recours au témoignage d'un tiers[17].

74.   **DONAT**[1]

Comte de Melun, attesté avant le 28 octobre 816 – mort après 843

Le cas du comte Donat est fort intéressant. Donat était comte de Melun. Ceci appert du récit relatif à un plaid présidé par lui et Jonas, évêque d'Orléans[2], en qualité de *missi a latere regis*[3], et où devait être tranché un différend entre les abbayes de Fleury et de Saint-Denis[4]. Etant donné que son comté se trouvait dans la province ecclésiastique de Sens, il est probable qu'il faille l'identifier avec le *Donatus comes* attesté vers

---

9 C'est alors que Dicuil acheva son traité de géographie, cf. Dicuil, De mensura, c. IX/ 13, p. 102.
10 Cf. Dicuil, De Astronomia, lib. I, c. V/2, p. 388.
11 Cf. Dicuil, De mensura, c. VII/11–13, p. 74. Dicuil dit cet événement vieux de trente ans. On a par conséquent supposé qu'il était né vers 760/770 (cf. l'introduction de J. TIERNEY, ibid., p. 11).
12 Cf. ibid., p. 12.
13 Annales regni Franc., a. 810, p. 131.
14 Dicuil, De mensura, c. VII/35, p. 82.
15 Cf. l'introduction de J. TIERNEY, dans Dicuil, De mensura, p. 12.
16 Cf. BRUNHÖLZL, Geschichte, p. 306, qui propose l'année 806.
17 Astronomus, Vita, prologue, p. 607. A ce propos, cf. DEPREUX, Poètes, p. 319.

1 Seule forme onomastique: *Donatus*.
2 Cf. la notice n° 178.
3 Il faut ici comprendre *imperatoris*. Il est en effet hors de question que des *missi* du roi d'Aquitaine eussent pouvoir de trancher une affaire concernant Saint-Denis. Ce pouvoir relevait des *missi* de l'empereur. A noter également que, bien que l'abbaye de Fleury ait, de par sa position géographique, été mêlée à l'histoire du royaume aquitain, elle est située sur la rive opposée (rive droite) du fleuve frontière.
4 Adrevaldus, Miracula, c. 25, p. 56: *Praeterea aderant in eodem placito missi a latere regis, Jonas, episcopus Aurelianensis, et Donatus, comes Melidunensium. Sed cum litem in eo placito finire nequirent, eo quod salicae legis judices ecclesiasticas res sub romana constitutas lege discernere perfecte non possent, visum est missis dominicis placitum Aurelianis mutare...* Cf. SCHMITZ, Kapitulariengesetzgebung, p. 504 sqq.

825 comme *missus* pour cette province, avec l'archevêque Jérémie[5]. Grâce à Hincmar, nous connaissons relativement bien le destin politique de Donat. En effet, au tout début du règne impérial de Louis (en tout cas avant le 28 octobre 816, date de la mort de Bégon), Donat reçut en *beneficium* la *villa* de Neuilly-Saint-Front, sur l'entremise du comte Bégon[6]. Lors du conflit entre Lothaire et son père, Donat passa dans le camp du fils rebelle. Bien qu'il se réconciliât avec Louis le Pieux en 834 lors de la capitulation de Lothaire aux abords de Blois[7], il perdit et le comté de Melun, et la *villa* de Neuilly-Saint-Front. Hincmar affirme qu'il ne récupéra rien du vivant de Louis le Pieux. Ce n'est qu'après 843 que Donat recouvra la *villa* de Neuilly-Saint-Front. Il recommanda quelque temps plus tard son fils Gozelin au roi Charles le Chauve[8].

On a par ailleurs trace d'un autre *missus* du nom de Donat. Il est attesté pour la première fois dans un diplôme du 5 juin 818: suite à la requête de l'abbé Ingoald visant une donation à l'abbaye de Farfa d'une forêt aux confins de la cité de Rieti, Louis le Pieux avait chargé deux *missi*, dont son vassal Donat, de délimiter le bien en question[9]. Environ un an plus tard, un certain Donat fut envoyé enquêter sur les biens du monastère de Hornbach, suite à une requête de l'abbé Wyrund[10]. Il est à noter que dans les deux cas, Donat, dit tantôt *vassus noster*, tantôt *fidelis noster*, n'est pas men-

---

5 Commemoratio, c. 1, p. 308. Sur Jérémie, cf. la notice n° 177.

6 HENNEBICQUE-LE JAN, Prosopographica Neustrica, n° 74, p. 245, affirme que Landrade, l'épouse de Donat, était une »proche du comte Bego«. Selon CHAUME, Bourgogne, p. 314 note 1, repris par LOUIS, Girard, p. 22, Landrade aurait éventuellement été une fille de Bégon. Il s'agit d'une construction fort hypothétique et fort fragile. Sur Bégon, cf. la notice n° 42.

7 B.M. 931(902)d.

8 Hincmarus, De villa Novilliaco, p. 1168: *Post obitum domni Caroli, et defuncto ipso Anschero, domnus Ludovicus imperator donavit ipsam villam Novilliacum Donato in beneficio. Qui Donatus, interveniente Bigone, per subreptionem quasi de fisco regis quasdam colonias de ipsa villa obtinuit in proprietatem per praeceptum domni Ludovici imperatoris. Et quando Lotharius, filius domni Ludovici imperatoris, Cavillonem veniens, eam expugnavit, Donatus a villa supra Matronam, quae Pomarius vocatur, ab imperatore defecit et illi mentitus ad Lotharium confugit. Et veniente hostiliter imperatore Ludovico ad villam quae Caleiacus dicitur, Lotharius ad eum cum suis constrictus venit, et sacramentum ipse et sui ab imperatore quaesitum illi iuraverunt. Inter quos et Donatus, de infidelitate eius comprobatus, ipsi imperatori quaesitum sacramentum iuravit, et comitatum Miridunensem et villam Novilliacum cum suis appendiciis imperator ab eo abstulit et Athoni, qui fuerat ostiarius Caroli imperatoris, in beneficium dedit. Donatus autem in vita imperatoris Ludovici nec comitatum recepit nec de proprietate sua ullam firmitatem promeruit. Post obitum domni Ludovici imperatoris, diviso regno inter fratres, et pace facta inter eos, et mortuo Athone, dedit Carolus Donato in beneficium Novilliacum. Processu denique temporis commendavit Donatus filium suum Gozelinum Carolo regi; cui in beneficium dedit Carolus villam Novilliacum cum appendiciis suis.* Le texte de Hincmar ne permet pas d'évaluer avec certitude quand Donat mourut.

9 B.M. 664(650), éd. Doc. dipl. Farfa, n° 237/CCLV, p. 194: *... sollemni traditione contulimus ... scilicet ut a missis nostris* (lacune dans le texte) *et Donato vasso nostro termini eiusdem gualdi ingadatione simili scripta vel designata sunt ...*

10 B.M. 699(678), éd. M.B. 31, n° 17, p. 43 sqq. (à la p. 44): *... quod nos dum ad hoc investigandum Donatum fidelem nostrum iuxta veritatis et equitatis ordinem diligenter perscrutari iuberemus ...* Plus loin dans le texte, Donat est appelé *missus noster.*

tionné avec le titre comtal[11]. Or Hincmar n'affirme absolument pas que Donat était comte lorsqu'il reçut la *villa* de Neuilly-Saint-Front[12]. L'on peut donc proposer de reconnaître en nos *missi* un seul et même personnage, en la personne du (futur) comte de Melun[13]. En 827, pour parer à la situation explosive en Marche d'Espagne, Louis le Pieux envoya trois *missi*, dont un comte Donat[14] que rien n'interdit d'identifier avec le comte de Melun. Nous rencontrons une dernière fois un comte Donat comme *missus* en 838, à l'occasion du plaid tenu par Louis le Pieux en septembre à Quierzy-sur-Oise[15]: suite à la plainte de *pene omnes Septimaniae nobiles* relative aux agissements de Bernard de Septimanie[16], Louis le Pieux envoya trois *missi*, dont *Donat*, pour y rétablir la justice[17]. Il me semble logique, étant donné l'identité de la zone géographique concernée, de reconnaître en les *missi* de 827 et de 838 un seul et même personnage. De prime abord, la défection de Donat en 834 et la privation de son *honor* sembleraient interdire une identification du *missus* de 838 avec l'ancien comte de Melun[18]. Mais a y regarder de près, l'affaire est possible. En effet, il ne faut pas oublier que Donat se réconcilia avec Louis le Pieux et prêta serment de fidélité. Rien n'indique que Donat suivit Lothaire en Italie[19]. Il se peut par conséquent que Louis le Pieux ait encore eu recours à ses services. D'ailleurs, le comte Boniface, envoyé avec Donat en 838, était également sans *honor* (il avait, au contraire, perdu son *honor* italien en restant fidèle à Louis[20]). Dans l'hypothèse où l'identification proposée ici serait juste, Donat présenterait le cas remarquable d'un *missus* auquel Louis le Pieux aurait eu recours tout au long de son règne et en des régions toujours différentes de son empire, en dépit des avatars politiques.

11 C'est cette absence de titre comtal qui me fait supposer qu'il s'agit du même personnage (du moins qui rend l'identification possible).

12 Il est totalement à exclure que l'investiture du comté de Melun et la dotation en *beneficium* de la *villa* de Neuilly-Saint-Front fussent liées, puisque cette dernière était sise hors du *pagus* de Melun (Neuilly-Saint-Front se trouve dans l'Aisne, arr. Château-Thierry).

13 SIMSON, Jahrbücher, tome 1, p. 246 note 4, a hésité à identifier le comte de Melun avec le Donat attesté par ailleurs comme *missus*. Finalement, il a distingué les deux personnages (cf. l'index à la fin de son ouvrage). A mon sens, ou bien l'on accepte l'identité des deux personnages – que de toute façon l'on ne peut pas définitivement prouver – ou bien, en bonne logique, l'on applique la méthode hypercritique consistant à distinguer autant de personnages qu'il y a d'occurrences du nom. L'identification des différents *missi* avec le comte de Melun est donc avant tout une hypothèse de travail.

14 Annales regni Franc., a. 827, p. 172: *Imperator Helisachar presbyterum et abbatem et cum eo Hildibrandum atque Donatum comites ad motus Hispanicae marcae componendos misit. (…) Cum ad sedandos ac mitigandos Gothorum atque Hispanorum in illis finibus habitantium animos Helisachar abbas cum aliis ab imperatore missus multa et propria industria et sociorum consilio prudenter administrasset …* Cf. également Astronomus, Vita, c. 41, p. 630.

15 B.M. 982(951)a. Donat participa à ce plaid.

16 Cf. la notice n° 50.

17 Astronomus, Vita, c. 59, p. 644 – texte cité à la notice n° 18.

18 Telle est l'opinion de SIMSON, Jahrbücher, tome 1, p. 246 note 4.

19 Le fait qu'il recouvra la *villa* de Neuilly-Saint-Front sous Charles le Chauve rend vraisemblable qu'il ne se soit pas exilé.

20 Cf. la notice n° 55. Rien ne permet d'affirmer que Louis le Pieux dota Boniface d'un *honor* au nord des Alpes.

75.   **DROGON**[1]

Evêque de Metz, archichapelain, né le 17 juin 801[2] – mort le 8 décembre 855[3]

Etant donné que l'on dispose d'une excellente étude sur Drogon[4], je ne rappellerai ici que les faits essentiels de sa biographie avant d'étudier en détail son action au Palais. Pour ce qui concerne le destin de Drogon après la mort de Louis le Pieux, on se re-portera à l'étude de Chr. Pfister[5]. Drogon était l'un des fils naturels que Charlema-gne eut de sa concubine Régine[6]. Charles le confia à Louis le Pieux lorsqu'il l'associa à l'empire[7] et ce dernier accueillit Drogon à sa table après la mort de leur père[8]. Suite à la révolte et à la condamnation de Bernard d'Italie, Louis fit tonsurer Drogon ainsi que ses autres demi-frères[9]. Ce n'est qu'en 822, lors du plaid tenu à Attigny, que l'empereur se réconcilia avec Drogon[10]. Peu de temps après, le 12 juin 823, à Franc-fort[11], il fut ordonné prêtre pour recevoir – malgré son fort jeune âge[12] – le siège épis-copal de Metz[13], cité carolingienne par excellence[14] où Drogon était déjà chanoine[15]. C'est vraisemblablement le 28 juin 823 que Drogon reçut la consécration épiscopa-le[16]. En tant qu'évêque de Metz, Drogon devait veiller au destin de l'abbaye de Gor-

---

1 Formes onomastiques: *Drogo, Droco, Drugo, Druògo, Druago, Trugo.*
2 Cf. Weissenburger Aufzeichnungen, p. 419; PFISTER, Drogon, p. 101.
3 Cf. PFISTER, Drogon, p. 123.
4 PFISTER, Drogon.
5 Ibid., p. 115 sqq.
6 Einhardus, Vita Karoli, c. 18, p. 56. Le frère de Drogon n'était autre que Hugues (II).
7 Cf. Chronicon Moissiacense, a. 813, p. 259 et p. 311.
8 Cf. Nithardus, Historia, lib. I, c. 2, p. 6.
9 Cf. Chronicon Moissiacense, a. 817, p. 313; Theganus, Vita, c. 24, p. 596. Bien que l'auteur de la Chronique de Moissac place l'événement en 817, cette mesure semble n'avoir été prise que l'année suivante, suite à la condamnation de Bernard, comme l'indique Thégan.
10 Annales regni Franc., a. 822, p. 158: *Domnus imperator consilio cum episcopis et optimatibus suis ha-bito fratribus suis, quos invitos tondere iussit, reconciliatus est… Cf. Astronomus, Vita, c. 35, p. 626.
11 Annales Besuenses, a. 823, p. 248: *Drogo pridie Idus Iunii in Franconofurt presbiter est ordinatus; cui et episcopatus Mettensis est datus.*
12 Drogon avait alors 22 ans.
13 Cf. PFISTER, Drogon, p. 104 sq. Cf. Annales Xantenses, a. 823, p. 6: *Ludewicus imperator dedit Druagoni fratri suo regimen et cathedram episcopalem Metensiae civitatis.* Cf. également Annales Quedlinburgenses, a. 823, p. 42; Catalogus episc. Mettensium, p. 269; Gesta episc. Mettensium, p. 541.
14 Cf. OEXLE, Stadt des heiligen Arnulfs.
15 Annales regni Franc., a. 823, p. 161: *Drogonem fratrem eius sub canonica vita degentem Mettensi ecclesiae clero eiusdem urbis consentiente atque eligente rectorem constituit eumque ad pontificatus gradum censuit promoveri. Astronomus, Vita, c. 36, p. 627: Gundulfo porro Mettensi episcopo eodem tempore defuncto, clerus omnis populusque eiusdem ecclesiae, veluti animati uno spiritu, Drogonem imperatoris fratrem, sub canonico habitu nobilissime viventem, sibi poscunt dari sacerdotem; mirum-que in modum tam imperatoris quam procerum eius, sed et totius populi consensus, quasi quodam co-agulo in unum coniuravit, ut omnes id velle, nullus nolle repperiretur. Ideoque imperator cum sum-mo gaudio petitioni ecclesiae annuit, eisque quem petebant pontificem dedit.*
16 Cf. PFISTER, Drogon, p. 105 et note 2.

ze[17]; ce n'est cependant que tardivement qu'il en devint abbé[18]. De même, ce n'est qu'en 838 qu'il reçut l'abbaye de Saint-Trond[19]. En revanche, il reçut l'abbaye de Senones en même temps que l'évêché de Metz[20]. »Drogon cumula avec sa dignité épiscopale celle d'abbé d'un assez grand nombre de monastères«[21]; mais c'est surtout à la largesse de Lothaire qu'il le dut[22].

Drogon participa au concile assemblé en juin 829 à Mayence[23] ainsi qu'à l'assemblée de janvier 832 au cours de laquelle la règle bénédictine fut restaurée à Saint-Denis[24]. Il fut étroitement associé à la politique missionnaire de Louis le Pieux, puisque c'est lui qui, en 832, sacra Anschaire archevêque de Hambourg. Rimbert prétend qu'Anschaire fut sacré par l'archichapelain Drogon[25]. Puisqu'il jugeait que »Drogon n'eut qualité pour présider à une telle cérémonie que le jour où il fut archichapelain«[26], Chr. Pfister data la consécration d'Anschaire de 834, année durant laquelle aurait été expédié le diplôme de fondation de l'archevêché, un acte pourtant réputé faux[27]. Or, Adam de Brême, qui connaissait d'ailleurs ce diplôme, affirmait que c'est en 832 qu'eut lieu la consécration – des mains de Drogon, qui n'est pas mentionné comme archichapelain. Vraisemblablement, Adam eut à sa disposition une source indépendante et meilleure. Les origines de l'archevêché de Hambourg-Brême ont fait l'objet d'une polémique passionnée qui a fait couler beaucoup d'encre. On est allé jusqu'à qualifier de »fiction« l'existence de l'archevêché de Hambourg[28]. Th. Schieffer, dans une étude où il s'efforçait de replacer chaque source dans son contexte et de lui accorder l'importance qui lui est véritablement due, montra qu'il s'agissait d'une

---

17 Cf. l'échange de biens fait en 824 *una per consilium et licentiam domni et senioris nostri Drogoni, archiepiscopi* (Doc. dipl. Gorze, n° 48, p. 86 sq.).

18 Cf. PFISTER, Drogon, p. 130 sq. Ce n'est qu'en 848 que Drogon est attesté comme abbé de Gorze, cf. GAILLARD, Diocèse de Metz, p. 268. Cf. Doc. dipl. Gorze, n° 53, p. 95 sq. (acte de 849): ... *ubi domnus Drogo rector preesse videtur.*

19 Cf. Gesta abbatum Trudonensium, p. 372.

20 Cf. PFISTER, Drogon, p. 132 sq.; cf. Frotharius, Epistolae, n° 28, p. 294 sq.

21 PFISTER, Drogon, p. 129. M. Gaillard a tenté de brosser un tableau de l'application de la réforme bénédictine dans le diocèse de Metz au IXe siècle. Force est de constater que les résultats sont fort maigres, ainsi que le concède l'auteur: sous Louis le Pieux, durant l'épiscopat de Drogon, il semble »qu'un vent de rénovation, sinon de réforme, soufflait sur le diocèse de Metz, sans qu'on puisse établir de relation explicite avec les capitulaires monastiques de 816–817« (GAILLARD, Diocèse de Metz, p. 270). A vrai dire, ce »vent« a plutôt l'aspect d'une brise des plus légères.

22 Sur les divers monastères à la tête desquels se trouvait Drogon, cf. PFISTER, Drogon, p. 129–138.

23 Epistolarum Fuldensium fragmenta, p. 529.

24 Constitutio de partitione, p. 694.

25 Cf. Rimbertus, Vita s. Anskarii, c. 12, p. 698 – texte cité à la notice n° 29.

26 PFISTER, Drogon, p. 125 note 4.

27 B.M. 928(899), éd. Recueil des hist. 6, n° 188, p. 593 sq. (à la p. 594): *Cui et primum praeesse atque solenniter consecrari per manus Drogonis Metensis et summae sanctae palatinae dignitatis praesulis Ansgarium fecimus archiepiscopum, astantibus archiepiscopis Ebone Remensi, Hetti Treverensi et Otgario Mogontiacensi cum plurimis aliis generali in conventu totius imperii nostri praesulibus congregatis* ... Le faussaire s'est manifestement inspiré de la Vita composée par Rimbert.

28 Cf. DRÖGEREIT, Erzbistum Hamburg.

impasse: le témoignage de Rimbert est en effet fiable[29]. Mais il convient également de prêter attention au récit d'Adam. Si l'on en croit cet auteur, la consécration d'Anschaire aurait eu lieu en janvier 832: il fait en effet coïncider l'année 832 avec la dix-huitième année du règne de Louis le Pieux[30]. Il est toutefois possible – ce qui semble probable – qu'il se soit trompé pour l'année de l'incarnation et que la consécration ait eu lieu durant l'automne 831 (avant le 9 novembre), car une autre source situe cette consécration en la quarante-deuxième année du pontificat de l'évêque Willeric[31]. Il s'ensuivrait que Drogon n'aurait pas consacré Anschaire *ex officio*, mais en raison de sa proximité envers l'empereur.

Drogon dut se montrer particulièrement fidèle à Louis en 830, puisqu'il fut désigné par ce dernier pour aller à la rencontre de Judith lorsqu'au début de 831, elle regagna la cour[32]. Drogon demeura également fidèle en juin 833, au »Champ du mensonge«[33]. Aux côtés de Louis le Germanique, il travailla à la libération de Louis le Pieux[34]. On comprend dès lors que ce soit en sa compagnie que l'empereur fêta – *hilariter* – la Noël 834, à Metz[35]. C'est également en la cathédrale de Metz que Louis fut, le 28 février 835, officiellement réconcilié avec l'Eglise[36]. Et c'est encore en ce sanctuaire qu'il participa aux fêtes de Pâques[37], le 18 avril 835. On voit par conséquent de quel honneur jouissait alors Drogon. D'ailleurs, il présida l'assemblée qui déposa l'archevêque Ebbon[38]; il est le premier cité parmi les participants à l'assemblée du 4 mars 835, à Thionville[39]. L'honneur suprême que reçut Drogon fut sa no-

29 Cf. SCHIEFFER, Adnotationes, p. 534: »Auszuschließen ist aber, aus historischen und diplomatischen Gründen, daß die biographischen und urkundlichen Zeugnisse über die Errichtung des Missionsbistums Hamburg durch Ludwig d. Fr., die Weihe Ansgars durch Drogo von Metz, seine Erhebung zum Erzbischof durch Gregor IV., seine 'Versetzung' nach Bremen und die von Nikolaus I. sanktionierte Vereinigung der beiden Diözesen – daß all dies fiktiv sei«; sur Rimbert, cf. ibid., p. 511.

30 Adam, Gesta Hammaburg. eccl. pont., lib. I, c. 16, p. 23: *Hoc factum est anno Domini DCCCXX-XII, qui est Ludvici imperatoris XVIII, Willerici Bremensis episcopi XLIII. Consecratus est autem a Drogone Metensi episcopo, cesaris fratre germano, astantibus atque faventibus Odgario Mogontino, Ebone Remensi, Heddi Treverensi et aliis ...*

31 Chronicon breve Bremense, p. 390: *Anno eius 42. (i. e. Willerici) sanctus Ansgarius archiepiscopus ordinatus est apud Hammaburg.* Cf. SCHMEIDLER, Hamburg-Bremen, p. 235 sq. W. Seegrün, qui suit la chronologie établie par B. Schmeidler, date la fondation de l'archevêché de Hambourg de 831 (SEEGRÜN, Erzbistum Hamburg, p. 27) et la demande de confirmation par le pape de 832 (ibid., p. 33).

32 Annales Mettenses, p. 336: *Qui statim propter eam optimates regni sui misit, ut eam honorifice ad eum adducerent; postea vero Karolum, filium suum, et Drogonem episcopum, fratrem videlicet magno honore deducerent.* La décision fut prise lors du plaid tenu en octobre 830 à Nimègue.

33 Cf. Annales Bertiniani, a. 833, p. 9 note g.

34 Astronomus, Vita, c. 49, p. 637: *A Germania porro Hugo abbas in Aquitaniam missus a Hludoico et ab eis qui illuc confugerant, a Drogone scilicet episcopo et reliquis, Pippinum in hoc ipsum instigabat.*

35 Annales Bertiniani, a. 835, p. 15 (il s'agit du 25 décembre 834); Astronomus, Vita, c. 54, p. 640.

36 Astronomus, Vita, c. 54, p. 640.

37 Ibid.; Annales Bertiniani, a. 835, p. 17.

38 Flodoardus, Historia, lib. II, c. 20, p. 472.

39 Concilium ad Theodonis villam, p. 703: *Drogo archiepiscopus.*

mination comme archichapelain[40] – et Walafrid Strabon de reconnaître en lui un second Joseph, qui après avoir connu la prison tint les rênes de l'Etat[41]. Etant donné qu'il est mentionné dans les Annales de Saint-Bertin comme *episcopus* à la Noël 834 et comme *archiepiscopus* à l'occasion des fêtes de Pâques de l'année suivante[42], on a supposé que c'est entre ces deux dates que Drogon, qui ne portait pas le titre archiépiscopal en raison du siège épiscopal qu'il occupait, mais *ad personam*, devint l'archichapelain de Louis le Pieux[43]. Si on en croit la manière dont il est désigné dans le libelle du 4 mars 835, c'est en tant que la plus haute personnalité du Palais qu'il présida le procès de l'archevêque de Reims[44]. Drogon semble également avoir siégé dans d'autres assemblées où des jugements furent prononcés: il fit certainement partie de la commission qui, en 835, étudia le cas de l'archevêque de Lyon, Agobard, et le déposa[45]; il semble par ailleurs avoir présidé le tribunal réuni au printemps 838 à Aix-la-Chapelle[46]. Il prit aussi activement part à l'assemblée tenue en septembre suivant à Quierzy[47]. Entre-temps, il participa au plaid tenu en juin 838 à Nimègue[48].

Plusieurs diplômes de Louis montrent quel rôle de premier plan Drogon jouait à la cour. On le voit, dans un diplôme du 8 janvier 836, intervenir en faveur de l'évêque de Coire, Vérendaire, qui était resté fidèle en 833/834 et fut pour cela exilé par les ennemis de Louis le Pieux[49]. Pour ce diplôme, *domnus Drogo archiepiscopus ambasciavit*[50]. On sait également que *Drogo ambasciavit*[51] pour un diplôme du 20 décembre 837, par lequel Louis le Pieux confirma un échange concernant les biens de l'église de

---

40 Il fut le successeur de Foulques, cf. Hincmarus, De ordine palatii, l. 268, p. 62. Cf. Perrichet, Grande Chancellerie, p. 461; Lüders, Capella, p. 58 sq.; Fleckenstein, Hofkapelle 1, p. 55 sq.; Dickau, Kanzlei, 2e partie, p. 112 sq.

41 Walahfridus, Carmina, n° 5, p. 353 sqq., notamment v. 25: *Qui Ioseph regnare dedit post carceris umbras*.

42 Cf. Annales Bertiniani, a. 835, p. 15 et p. 17. L'on doit toutefois noter qu'entre ces deux mentions, l'auteur anonyme des Annales avait passé la main à Prudence.

43 Cf. l'introduction de L. Levillain, Annales Bertiniani, p. X sq. Pfister, Drogon, p. 107 note 3, se montre fort prudent quant à la détermination de la date de la nomination de Drogon; il mentionne une fourchette chronologique de trois ans. Cf. la belle formule de l'auteur des Gesta episc. Mettensium, p. 541: *Hic archiepiscopus honore sublimatus est, et sacri palacii moderator extitit*.

44 Concilium ad Theodonis villam, p. 703.

45 C'est vraisemblablement pour cela qu'il figure en tête des personnalités auxquelles Florus, en 838, adressa son mémoire contre Amalaire, cf. Amalarius, Epistolae, n° 13, p. 267 sqq.

46 Concilium Carisiacense (bis), p. 843: *Hae vero chartae et haec praecepta publice relecta et recitata sunt ante domnum imperatorem et Drogonem eius fratrem et archicapellanum sive etiam ante suos missos, quos domnus imperator ad hanc causam audiendam et discernendam constituit, seu ante conscriptos episcopos et comites et ministros ac iudices, quando hoc iudicium in praescripto palatio iudicatum est* ... Drogon souscrivit les actes immédiatement après Judith et le jeune Charles (ibid., p. 846).

47 Ibid., p. 848 et p. 850.

48 Doc. dipl. Fulda, n° 513, p. 226.

49 B.M. 952(921), éd. Doc. dipl. Alsace, n° 96, p. 77 sq. (à la p. 77): ... *dilectus frater noster Drogo archiepiscopus & sacri palatii nostri archicapellanus necnon Rotaldus itidem episcopus nostram adeuntes mansuetudinem innotuerunt* ...

50 Mentions tironiennes, p. 20.

51 Ibid.

Wurzbourg[52]. Il *ambasciavit* également pour un diplôme en faveur de Fulda[53] et pour un diplôme de donation au monastère de Herford[54]. Enfin, le 18 avril 839, Louis le Pieux, à la requête de Drogon, donna au monastère de Kempten la *cella Aldrici*, sise dans l'Albgau; cette *cella* était tenue en bénéfice par le chapelain Ratulf[55]. Drogon savait également mener une armée. En 840, quand il apprit la révolte de Louis le Germanique, Louis le Pieux envoya son archichapelain pour contenir le rebelle outre Rhin[56]. En juin 840, il se trouvait au côté de l'empereur lorsque ce dernier était à l'agonie. Drogon l'assista et lui administra les sacrements[57]. C'est également à lui que Louis le Pieux ordonna de faire procéder à l'inventaire de ses biens[58]. C'est lui, enfin, qui célébra les obsèques de l'empereur, inhumé à Saint-Arnoul de Metz[59]. C'est vraisemblablement à Drogon que revint le choix du sarcophage[60], dont l'iconographie résume probablement la dimension mystique dont Louis voulut imprimer son règne[61]. Après la mort de Louis le Pieux, mais dès 840, Drogon choisit son parti: celui de l'empereur Lothaire, dont il dépendait territorialement[62].

52 B.M. 971(940), éd. M.B. 28, n° 21, p. 31 sqq. (à la p. 31): ... *dilectus frater noster Drogo archiepiscopus et sacri palatii nostri archicappellanus nobis retulit eo quod* ... Ibid., p. 32: *Supplicauit celsitudini nostrae vice Hunberti eiusdem urbis episcopi, ut* ...

53 B.M. 954(923), diplôme donné à Aix-la-Chapelle, le 4 février 836. Mentions tironiennes, p. 20: *Drogo ambasciavit.*

54 B.M. 977(946), diplôme donné à Nimègue, le 7 juin 838. Mentions tironiennes, p. 20: *(Domnus Drogo) archiepiscopus et archicapellanus ambasciavit.*

55 B.M. 990(959), éd. P.L. 104, col. 1304: ... *ad deprecationem dilectissimi fratris nostri Drogonis venerabilis archiepiscopi, sacrique palatii nostri summi capellani* ... Sur Ratulf, cf. la notice n° 227.

56 Annales Fuldenses, a. 840, p. 30: *Hludowicus filius imperatoris partem regni trans Rhenum quasi iure sibi debitam affectans per Alamanniam facto itinere venit ad Franconofurt, multorum ad se orientalium Francorum animis prudenti consilio conversis. Quo converto imperator de Aquitania infecto negotio redire conpulsus Druogonem archicapellanum et Adalbertum comitem cum aliis multis praemisit ad tuendum litus occidentale Rheni fluminis; ipse vero secutus in Aquisgrani pascha celebravit.*

57 Astronomus, Vita, c. 63, p. 647: *Aderant autem eius consolationi venerabiles antistites et alii servi Dei quamplurimi; inter quos erant Heti venerabilis Treverorum archiepiscopus, Otgarius Mogontiae similiter archiepiscopus, sed et Droco frater domni imperatoris, Mettensis episcopus necnon sacri palatii archicapellanus, quem quanto sibi propinquiorem noverat, tanto ei familiarius sua omnia et semet credebat. Per eum quidem cotidie confessionis suae munus, sacrifitium spiritus contribulati et cordis humiliati, quod Deus non despicit, offerebat.* Sur l'agonie de Louis le Pieux, cf. TREMP, Letzte Worte.

58 Astronomus, Vita, c. 63, p. 647: *Iussit autem eidem fratri suo venerabili Drogoni, ut ministros camerae suae ante se venire faceret, et rem familiarem, quae constabat in ornamentis regalibus, scilicet coronis et armis, vasis, libris vestibusque sacerdotalibus, per singula describi iuberet. Cui, prout sibi visum fuit, quid ecclesiis, quid pauperibus, postremo quid filiis largiri deberet, edixerat, Hlothario scilicet et Karolo.*

59 Cf. Astronomus, Vita, c. 64, p. 647 sq.; Nithardus, Historia, lib. I, c. 8, p. 34 sqq.; Ado, Chronicon, p. 321.

60 Carmina varia, n° 6, p. 654: *Cuius germanus Drogo, Christique sacerdos,/ Transtulit huc corpus, condidit hoc tumulo.*

61 Cf. SCHMOLL, Grabmal; DEPREUX, Louis le Pieux reconsidéré?, p. 191 sq. note 84.

62 Drogon fut le premier des participants au concile d'Ingelheim, en août 840, à souscrire le document rétablissant l'ancien archevêque de Reims, Ebbon. Cf. Concilium Ingelheimense, p. 792.

76.   **DROGUS**[1]

Cubicularius, attesté vers 828

L'on ne connaît ce membre du personnel du Palais attaché au service de la Chambre du souverain (*cubicularius*[2]) qu'à l'occasion de sa guérison, obtenue grâce à saint Marcellin et mentionnée par Eginhard. Le jeune Drogus était d'origine grecque[3].

77.   **DURAND**[1]

Notaire, attesté du 23 avril 814 au 4 octobre 832

Durand[2] était assurément l'un des personnages les plus importants de la »chancellerie« de Louis le Pieux[3]. Il fit la recognition de 118 diplômes de Louis le Pieux (ce chiffre est obtenu en ne comptant que les actes sincères[4]). Durand était diacre. Dans les notes tironiennes de deux diplômes, datant l'un du 10 novembre 827[5] (où il est également orné du titre de *magister*), l'autre du 14 octobre 829[6], Durand est mentionné comme ayant procédé au scellement. Il ne fait donc point de doute qu'à ces dates, il était au sommet de la hiérarchie de la »chancellerie«, mais bien sûr sous les

---

1 Seule forme onomastique: *Drogus*.
2 Contrairement à ce que laisse entendre SCHUBERT, Reichshofämter, p. 436, Drogus n'est pas cité par SIMSON, Jahrbücher, tome 2, p. 241, parmi les chambriers, mais en tant que »einer der Kammerbeamten«. Je considère avec P. Schubert (ibid.) que Drogus était »einer der Unterbeamten« dépendant du chambrier. Si l'on en croit SCHUBERT, Reichshofämter, p. 431 sq., c'était l'inverse à l'époque mérovingienne, le *cubicularius* ayant alors le *camerarius* sous ses ordres.
3 Einhardus, Translatio, IV, c. 1, p. 256: ... *iuvenis inter cubicurarios regis, natione Graecus, nomine Drogus* ... SIMSON, Jahrbücher, tome 2, p. 241 note 1: »den Namen Drogo mag dieser Grieche erst am fränkischen Hofe angenommen haben«.

1 Formes onomastiques: *Durandus, Duroldus*.
2 Cf. SICKEL, Acta regum, tome 1, p. 88; BRESSLAU, Urkundenlehre, tome 1, p. 386; DICKAU, Kanzlei, 2ᵉ partie, p. 17 sqq. et p. 104.
3 Il semble d'ailleurs avoir accompagné Louis le Pieux dans la majorité de ses déplacements: il est de presque tous les plaids, comme je l'ai montré dans DEPREUX, Gouvernement, tome 1, p. 155 sqq. La présence de Durand dans la suite de l'empereur est attestée lors des assemblées suivantes (cette liste reprend celle établie ibid., p. 321): été 814 (Aix), été 815 (Paderborn), été 816 (Aix), automne 816 (Compiègne), été 817 (Aix), été 819 (Ingelheim), début de l'année 820 (Aix), début de l'année 821 (Aix), printemps 821 (Nimègue), automne 821 (Thionville), été 822 (Attigny), fin de l'année 822 (Francfort), printemps 823 (Francfort), printemps 825 (Aix), printemps 826 (Ingelheim), automne 826 (Ingelheim), automne 830 (Nimègue).
4 Le chiffre de 118 diplômes m'est propre. SICKEL, Acta regum, tome 1, p. 88 donne le chiffre de 56 + 49 + 1 = 106. DICKAU, Kanzlei, 2ᵉ partie, p. 21: »Das Diktat von LFH/Durandus weisen 125 Urkunden auf ...« Mais dans son inventaire des diplômes (ibid., p. 130 sqq.), il fait paraître le signe »LFH« 130 fois sous la rubrique »Diktat«, sans compter 2 interpolations.
5 B.M. 844(818). Mentions tironiennes, p. 19: *Magister Durandus firmare iussit et ipse sigillavit*.
6 B.M. 872(843). Mentions tironiennes, p. 19: *Magister ita fieri et firmare iussit et Durandus sigillavit*.

ordres de l'archichancelier[7]. En poste dès le début du règne de Louis le Pieux[8], Durand est attesté à la »chancellerie« jusqu'au 4 octobre 832[9]. Rien ne permet de savoir si ce notaire était l'abbé de Saint-Aignan d'Orléans attesté en 818[10]; Th. Sickel penchait toutefois en faveur de cette identification[11].

78.   EBBON[1]

Archevêque de Reims[2], attesté dès le règne de Louis le Pieux en Aquitaine[3] – mort le 20 mars 851[4]

Ebbon de Reims, dont M. Sot considère l'épiscopat comme »un des plus brillants de la Renaissance carolingienne«[5] a déjà fait l'objet de plusieurs études[6]. Le responsable de la province de Belgique Seconde que Walafrid Strabon chanta comme le *pontificum sublime caput*[7] bien qu'il fût *ex originalium servorum stirpe*[8] nous intéresse ici principalement parce qu'il comptait parmi les intimes de Louis le Pieux: il était *praecelsi regis amicus*[9]. De fait, lui et Louis étaient frères de lait et ils furent élevés ensem-

7 Cf. JUSSELIN, Garde du sceau, p. 36 sq.
8 B.M. 522(503). Diplôme du 23 avril 814.
9 B.M. 907(878).
10 Ermoldus, Elegiacum carmen, lib. III, v. 1536 sqq., p. 118: *Jamque, Aniane, tuam properando revisitat arcem,/ Et sibi praestari flagitat auxilium:/ Tum, Durande, frequens currisque recurris, et offers/ Quae tibi Caesareo munere cessa manent.*
11 SICKEL, Acta regum, tome 1, p. 88. Par contre, il refusa de le reconnaître en l'abbé de Saint-Chinian attesté par B.M. 832(806), diplôme du 1er août 826. L'argument qu'il présente n'est pas fort probant: »Er (c'est-à-dire Durand) nennt sich consequent diaconus, und schon deshalb möchte ich den damaligen Abt von S. Chinian in L. 244 nicht für dieselbe Person halten« – contre cet argument: Alcuin est le plus bel exemple d'un diacre à la tête d'une abbaye. Force est tout simplement de reconnaître que toute identification certaine est impossible, Durand n'assurant pas la recognition des diplômes en tant qu'abbé; les seules indications données par certains notaires ne concernent en effet que leur grade ecclésiastique (sous-diaconat ou diaconat).

1 Formes onomastiques: *Ebo, Ebbo, Eppo, Hebo.*
2 DUCHESNE, Fastes, tome 3, p. 88.
3 GOETTING, Bischöfe, p. 57: »Als Geburtsjahre werden ohne Begründung 775 bzw. 778 vermutet«.
4 Cf. GOETTING, Bischöfe, p. 78 sq.
5 SOT, Flodoard, p. 471.
6 Cf. McKEON, Ebbo; fondamentale est la notice consacrée à l'archevêque de Reims par GOETTING, Bischöfe, p. 56 sqq. SOT, Flodoard, p. 471 sqq., s'en tient aux informations transmises par l'Historia Remensis Ecclesiae, cf. Flodoardus, Historia, lib. II, c. 19 sq., p. 467 sqq. Rapide aperçu dans SOT, Dossiers, p. 36 sq. Cf. également AIRLIE, Bonds of Power, p. 200 sqq.
7 Walahfridus, Carmina, n° V/1, v. 2, p. 350.
8 Theganus, Vita, c. 44, p. 599.
9 Versus ad Ebonem, v. 8, p. 623.

ble[10], ce qui permit au *servus*[11] qu'était Ebbon de devenir *liberalibus disciplinis eruditus*[12]; on comprend par conséquent qu'il exerçât auprès du roi d'Aquitaine les fonctions de bibliothécaire[13]. Peut-être fut-il investi d'une abbaye dès avant d'accéder à l'épiscopat: c'est ce qu'il faudrait déduire de la liste des participants au synode réuni en 814 à Noyon[14], au cas où l'Ebbon mentionné parmi les abbés[15] serait identique avec notre personnage, ce que l'on ne peut en rien prouver[16].

Ebbon devint archevêque de Reims quelque temps après le sacre de Louis par le pape[17] en octobre 816 en la cathédrale de cette cité[18]: »Le fait qu'Ebbon soit censé avoir déjà reçu le pape en tant qu'archevêque de Reims repose sur une erreur de Flodoard«[19]. M. Sot a récemment tenté de réhabiliter le témoignage de Flodoard[20]. Il me semble important de verser au dossier deux éléments qui, à mon sens, tendent à prouver qu'Ebbon n'était pas archevêque de Reims en octobre 816: à savoir le témoignage de Charles le Chauve dans sa lettre, adressée en 867 au pape Nicolas Ier, relative au cas d'Ebbon[21] et celui de l'ennemi juré d'Ebbon que fut Thégan[22], en vouant une attention particulière à la chronologie des récits. En effet, Charles le Chauve évoque successivement la rencontre de Louis le Pieux et d'Etienne IV à Reims en octobre 816, la mort, *eo tempore*, de l'archevêque Vulfaire, et ensuite la candidature ratée de Gislemar puis, finalement, le choix d'Ebbon par l'empereur[23]. De même Thégan, aux c. 16 et 17, relate la rencontre de Louis et d'Etienne IV, au c. 18 il mentionne la mort de ce dernier, puis il fait le portrait de Louis le Pieux (c. 19), et ce

---

10 Flodoardus, Historia, lib. II, c. 19, p. 467: *Ludowici collactaneus et conscolasticus*. Cf. Carolus, De causa Ebbonis, p. 557: *Ipse igitur Ebbo … regia pietate pii ac gloriosi avi nostri Caroli susceptus, palatinis negotiis non mediocriter annutritus, libertate donatus, ad nobilitatem vehementis ingenii in sacris ordinibus gradatim promotus, genitori nostro Hludovico piissimo augusto Aquitanicum regnum regenti ab eodem glorioso est ad serviendum deputatus.* FLECKENSTEIN, Hofkapelle 1, p. 66, a déduit de ce passage que »Karl d. Gr. (ihn) in seine Kapelle aufgenommen hatte«. Au cas où Ebbon aurait reçu sa formation à la cour de Charlemagne, il ne peut pas avoir été éduqué avec Louis le Pieux, comme le laisse entendre Flodoard. En effet, Louis, roi dès 781, fut envoyé en Aquitaine au plus tard vers 784, donc au plus tard alors qu'il était dans sa septième année (cf. supra, introduction, note 1). Etant donné qu'Ebbon et Louis étaient sensiblement du même âge (la mère d'Ebbon fut la nourrice de Louis), Ebbon ne pouvait pas quitter la cour de Charlemagne en 784 muni des grades ecclésiastiques. En revanche, si l'on considère la cour de Louis comme partie de celle de Charlemagne (étant donné que ce dernier avait toujours autorité sur elle), on peut considérer qu'Ebbon accompagna Louis en Aquitaine alors qu'ils étaient encore enfants et que c'est là que, jouissant de la bienveillance de Charlemagne, il fut éduqué avec son royal frère de lait.

11 Cf. Theganus, Vita, c. 20, p. 595. Sa mère s'appelait Himiltrude, cf. Flodoardus, Historia, lib. II, c. 19, p. 467 l. 39.

12 Flodoardus, Historia, lib. II, c. 19, p. 467. Ermold atteste de ce qu'Ebbon reçut sa formation à la cour de Louis: Ermoldus, Elegiacum carmen, lib. IV, v. 1908 sq.: *Nam Hludowicus enim puerum nutrirat eundem,/ Artibus ingenuis fecerat esse catum.*

13 Carolus, De causa Ebbonis, p. 557 B.

14 Cf. HARTMANN, Synoden, p. 164 sq.

15 Flodoardus, Historia, lib. II, c. 18, p. 466.

16 Cf. GOETTING, Bischöfe, p. 59 note 18.

17 Sur la portée de cette cérémonie, cf. DEPREUX, Saint Remi, p. 236 sqq.

18 Cf. GOETTING, Bischöfe, p. 59.

19 Ibid. Cf. Flodoardus, Historia, lib. II, c. 19, p. 468 l. 36.

20 SOT, Flodoard, tome 2, p. 683 note 60.

21 Carolus, De causa Ebbonis.

22 Cf. TREMP, Studien, p. 70 sqq.

23 Carolus, De causa Ebbonis, p. 557 B et C.

n'est qu'ensuite, au c. 20, qu'il décoche ses premières flèches contre Ebbon, en ne le mentionnant toutefois pas nommément, mais l'allusion est limpide[24]. Au c. 21, il est question de l'Ordinatio imperii de 817. Au cas où le vil Ebbon aurait reçu le siège rémois avant octobre 816 et aurait accueilli le pape à Reims en qualité d'archevêque, Thégan n'aurait-il pas agencé son récit autrement? Volontairement, je passe sous silence l'action d'Ebbon à Reims[25], pour analyser d'emblée son rôle sur la scène politique de l'empire carolingien.

La première action d'envergure menée par Ebbon remonte à l'année 822[26]: il partit alors évangéliser les Danois. Il fut officiellement investi de cette mission par le pape[27] et bénéficia du soutien de Louis le Pieux[28]: mission et politique extérieure ne font qu'un à cette époque[29]. Ebbon revint en 823, son action couronnée de succès[30] – Ebbon ramena notamment dans l'empire franc de jeunes enfants danois pour les éduquer dans la foi chrétienne[31]. L'archevêque de Reims fut présenté à Anschaire comme un modèle lorsque ce dernier fut nommé archevêque de Hambourg[32]. Ebbon assista d'ailleurs à son sacre[33] et il lui donna des reliques de saints rémois[34].

---

24 Theganus, Vita, c. 20, p. 595: *Quia iamdudum illa pessima consuetudo erat, ut ex vilissimis servis fiebant summi pontifices …*

25 Cf. Sot, Flodoard, 471 sqq. D'un intérêt tout particulier est le diplôme B.M. 801(777) transmis uniquement par Flodoardus, Historia, lib. II, c. 19, p. 469 sq. A ce propos, cf. Depreux, Zur Echtheit. Outre la construction de la cathédrale, il semble qu'Ebbon ait également entrepris celle de l'abbatiale de Saint-Remi, cf. Depreux, Dévotion, p. 128. On dispose d'un témoignage de l'action pastorale d'Ebbon avec Ebo, De ministris ecclesiae. A sa demande (Epistolae variorum 3, n° 2, p. 616 sq.), Halitgaire composa son pénitentiel (Halitgarius, De vitiis). L'archevêque de Reims fut à son tour prié par son ami Agobard de composer sur le thème de la foi et de la crainte un florilège de textes bibliques (cf. Agobardus, Epistolae, n° 14, p. 221 sqq.).

26 Annales Fuldenses, a. 822, p. 22.

27 Epistolae selectae, n° 11, p. 68 sqq. Halitgaire lui fut adjoint par Pascal Ier.

28 Epistolae variorum 4, n° 16, p. 163.

29 C'est ce qu'illustre le passage des Annales regni Franc., a. 823, p. 163, où il est fait mention de l'action d'Ebbon chez les Danois (Ebbon revint avec des légats de Louis envoyés examiner la situation politique). D'après Ermoldus, Elegiacum carmen, lib. IV, v. 1900 sqq., p. 144 sqq., la tâche d'Ebbon aurait été d'amener le Danois Harold à la conversion. Cf. également Dierkens, Typologie.

30 Annales regni Franc., a. 823, p. 163: … *cum quibus* (il s'agit des *missi* mentionnés à la note précédente) *et Ebo Remorum archiepiscopus, qui consilio imperatoris et auctoritate Romani pontificis praedicandi gratia ad terminos Danorum accesserat et aestate praeterita multos ex eis ad fidem venientes baptizaverat, regressus est.* C'est certainement la mention en 823 du retour d'Ebbon (parti l'année précédente) qui est à l'origine de ce que certaines annales, par erreur, situent son départ en mission à cette date, cf. Annales Xantenses, a. 823, p. 6; Annales Iuvav. maximi, a. 823, p. 740. Sur la dimension »rémigienne« de cette mission, cf. Depreux, Dévotion, p. 126 sqq.

31 Cf. Rimbertus, Vita Anskarii, c. 33, p. 716: … *venerabilis Gauzbertus episcopus ad gentem Sueonum quendam misit presbyterum, nomine Ansfridum, qui ex gente Danorum oriundus a domino Ebone ad servitium Domini educatus fuerat.*

32 Cf. Rimbertus, Vita Anskarii, c. 13, p. 699.

33 Ibid., c. 12, p. 698 l. 38; B.M. 928(899). Le sacre d'Anschaire eut lieu fin 831, cf. Schmeidler, Hamburg-Bremen, p. 235 et la notice n° 75, consacrée à Drogon.

34 Adam, Gesta Hammaburg. eccl. pont., lib. I, c. 18, p. 25. Adam note également: *beati vero Remigii cimilia cum decenti honore servavit Bremae.*

Flodoard illustre, en rapportant le récit de la vision d'un moine de Saint-Remi, l'importance du rôle d'Ebbon dans les affaires publiques[35]. En effet, alors que l'archevêque séjournait souvent à la cour (*dum frequenter igitur Ebo presul in palatio tunc moraretur*), la Vierge et saint Remi apparurent au moine Radouin. Un dialogue s'engagea alors entre Marie et le moine, au cours duquel la Vierge reprocha à Ebbon de trop fréquenter le Palais[36]. Si les indices permettant d'évaluer le temps passé par l'archevêque de Reims à la cour de Louis le Pieux nous manquent, en revanche, les documents illustrant le rôle de premier plan qu'il jouait abondent. Un élément est ici à verser au dossier, qui prouve – notamment à l'époque critique évoquée par la Visio Raduini – l'influence d'Ebbon auprès du prince. Il s'agit de la mention en notes tironiennes portée au bas d'un diplôme délivré le 1er juin 833 à Worms pour Corvey[37]. L'archevêque présenta la requête visant la permission pour le monastère de battre monnaie: *Hucbertus et Ebo impetraverunt*[38].

Qu'Ebbon ait participé à des conciles n'a rien d'extraordinaire. Sa présence est attestée en juin 829 à Paris[39]. Plus intéressant est le fait qu'Ebbon, ainsi que l'en accusait Thégan, semble avoir joué un rôle déterminant dans la répression des acteurs de la »révolte loyale« de 830: lors du plaid tenu en octobre 830 à Nimègue[40], l'évêque d'Amiens, Jessé, fut déposé[41]. D'après Thégan, ce fut principalement sur le jugement d'Ebbon; c'est également lui qui, au printemps 831 à Ingelheim[42], aurait rétabli l'évêque d'Amiens[43]. D'autre part, Ebbon est attesté comme *missus* de l'empereur pour introduire la réforme dans les monastères. C'est le cas (avant le 12 février 827) dans le diocèse de Châlons-sur-Marne, à Montier-en-Der[44], mais également à Saint-Denis[45],

---

35 Flodoardus, Historia, lib. II, c. 19, p. 471. Flodoard situe l'événement au début des années trente du IXᵉ siècle: *Illud enim tunc aderat tempus, quando filiorum suorum contumeliis agebatur imperator Ludowicus*. Sur cette vision, cf. DEPREUX, Saint Remi, p. 249. DINZELBACHER, Vision, p. 75, date la rédaction du texte transmis par Flodoard du temps du pontificat de l'archevêque Hincmar.

36 Flodoardus, Historia, lib. II, c. 19, p. 471: »*Ubi modo degit Ebo Remensis archiepiscopus?*« Quo respondente: »*Palatina iussu regis exequitur negocia*«. »*Cur*«, ait, »*tam sedulo palatii terit limina? Prorsus hinc nequaquamm maiore ditabitur sanctitatis efficacia. Veniet enim, veniet celerrime tempus, quando non prosperabitur in talibus*«.

37 B.M. 922(893).

38 Mentions tironiennes, p. 19. »Il y avait d'abord *Hucbertus impetravit*; *et Ebo* fut ajouté et la terminaison *vit* fut corrigée en *verunt*«.

39 Constitutio de synodis, p. 2; Doc. dipl. Paris, n° 35, p. 49 sqq. (cette charte de l'évêque de Paris fournit la liste des évêques présents au concile). Tant dans la convocation par l'empereur que dans la charte de l'évêque de Paris, Ebbon est nommé le premier, bien qu'il fût hors de sa province ecclésiastique. Cf. HARTMANN, Synoden, p. 181 sqq. Ebbon est réputé avoir été présent à Thionville en 821, cf. Capitulare de clericorum percussoribus, p. 360; mais ce document est un faux: cf. SCHMITZ, Waffe der Fälschung, p. 94 sqq.

40 B.M. 876(847)c.

41 Theganus, Vita, c. 37, p. 598: *Et ibi Iesse iusto iudicio episcoporum depositus est*.

42 B.M. 888(859)a. Sur l'amnistie, cf. Annales Bertiniani, a. 831, p. 4; Astronomus, Vita, c. 46, p. 634.

43 Theganus, Vita, c. 44, p. 600: *Tu cum ceterorum iudicio Iesse a sacerdotio deposuisti; nunc iterum revocasti eum in gradum pritinum*.

44 B.M. 839(813), éd. Recueil des hist. 6, n° 162, p. 552: *Nos vero hanc rem diligentius scire volentes, jussimus venerabilem virum Hebonem Remensem archiepiscopum et aliquos ex suffraganeis suis ad praedictum locum ire, et diligenter intueri, non solum si ipse locus aptus esset ad monasticum ordinem observandum, verum et utrum clerici ibi degentes monastice vellent vivere, an non*. Sur les rapports entre l'archevêque de Reims et l'abbaye de Montier-en-Der, cf. DEPREUX, Zur Echtheit, p. 7.

45 Sur la réforme de Saint-Denis, cf. SEMMLER, Saint-Denis, p. 107 sqq.

d'abord en juin 829 à l'occasion du concile de Paris[46], mais également au début de l'année 832[47]: il souscrivit la charte par laquelle Hilduin définit les biens attribués à la mense conventuelle[48]. D'autre part, Ebbon est attesté en 825 comme *missus* dans le diocèse de Reims[49]. Il est spécifié qu'Ebbon n'était tenu d'exercer ses fonctions que lorsqu'il le pourrait (*quando potuerit*). Dans le cas contraire (*et quando non licuerit*), c'est l'évêque de Soissons qui était chargé de le remplacer. Fort heureusement, l'on dispose d'un document montrant Ebbon et le comte Rotfrid[50] assurant leurs fonctions de *missi*, lors d'une enquête sur le statut juridique d'une famille[51].

La trahison d'Ebbon et sa déposition ne nous intéressent ici qu'à un moindre degré. Il faut rappeler que jusqu'au dernier moment, c'est-à-dire jusqu'à la convocation de l'armée au début du mois de juin 833 à Worms[52], il resta au service de Louis le Pieux[53]. C'est vraisemblablement au Rotfeld qu'Ebbon se laissa acheter: il accepta, contre l'abbaye Saint-Vaast, de trahir Louis le Pieux[54] – et de pousser l'ignominie jusqu'à dégrader son bienfaiteur[55], comme le lui reprochait amèrement Thégan[56]. Les partisans de Lothaire choisirent Ebbon pour juger Louis le Pieux[57]; c'est ainsi qu'il put passer pour le porte-drapeau de cette faction[58]. Une fois Louis le Pieux délivré, Ebbon, qui séjournait au monastère de Saint-Basle (Verzy)[59], s'enfuit[60] chez les Da-

---

46 Cf. OEXLE, Forschungen, p. 115. C'est néanmoins une assemblée indépendante du concile qui fut tenue à Saint-Denis par les archevêques de Sens et de Reims, pour enquêter sur la profession des moines de Saint-Denis et y rétablir l'ordre monastique. Cf. Praeceptum synodale, p. 684 et B.M. 905(876).

47 Cf. HARTMANN, Synoden, p. 189.

48 Constitutio de partitione, p. 694: + *Ebo indignus Remensis archiepiscopus*.

49 Commemoratio, c. 1, p. 308: *In Remis Ebo archiepiscopus, quando potuerit; et quando ei non licuerit, Ruothadus episcopus eius vice et Hruotfridus comes sint super sex videlicet comitatus, id est Remis, Catolonis, Suessionis, Silvanectis, Belvacus et Laudunum.* La province ecclésiastique de Reims est la seule, dans le document, à être coupée en deux entités, d'une part, comme on vient de le voir, les diocèses de Reims, Châlons, Soissons, Senlis, Beauvais et Laon; d'autre part, ceux de Noyon, Amiens, Thérouanne et Cambrai, confiés à l'évêque de Noyon, Rantgaire, et au comte Bérenger.

50 Cf. la notice n° 240.

51 B.M. 822(-) = Formulae imperiales, n° 45, p. 321: *Quam causam missos nostros, Ebbonem episcopum et Hruotfridum comitem diligenter inquirere iussimus ac inquisitam nobis renuntiare; qui revertentes retulerunt nobis, per omnia ita verum esse, sicut memoratus ille Enoch renuntiaverat.*

52 B.M. 925(896)a.

53 C'est ce que prouve la mention en notes tironiennes de B.M. 922(893).

54 Flodoardus, Historia, lib. II, c. 20, p. 471: *... accepta a Lothario pro patris proditione abbatia sancti Vedasti ...*

55 Annales Bertiniani, a. 833, p. 10: *In quo conventu* (Compiègne, octobre 833) *multa in domnum imperatorem crimina confinxerunt, inter quos Ebo, Remorum episcopus, falsarum obiectionum incentor extiterat. Et tam diu illum vexaverunt quousque arma deponere habitumque mutare cogentes liminibus ecclesiae pepulerunt, ita ut nullus cum eo loqui auderet nisi illi qui ad hoc fuerant deputati.* Sur les faits, cf. également Relatio Compendiensis; Agobardus, Cartula de poenitentia. Cf. HALPHEN, Pénitence. Pour une interprétation de la pénitence de Louis le Pieux, cf. OBERNDORFF, Openbare boetedoening; DE JONG, Power and humility.

56 Theganus, Vita, c. 44, p. 599 sq. L'apostrophe *crudelis* revient comme un leitmotiv en ce chapitre.

57 Ibid.: *Elegerunt tunc unum inpudicum et crudelissimum, qui dicebatur Ebo, Remensis episcopus, qui erat ex originalium servorum stirpe ...*

58 Annales Bertiniani, a. 835, p. 16: *... Ebo ... qui eiusdem factionis velut signifer fuerat ...*

59 Narratio clericorum Rhemensium, col. 17.

60 Theganus, Vita, c. 48, p. 601. De même ses complices, les évêques Jessé d'Amiens, Héribaud d'Auxerre, Agobard de Lyon et Bartholomé de Narbonne. Il faut ajouter également à la liste des traîtres

nois[61], mais il fut ramené par les évêques de Soissons et Paris jusqu'au monastère de Fulda, où il attendit son procès[62]. Le 4 mars 835, après s'être confessé auprès de juges qu'il s'était choisis, Ebbon signa son acte de démission[63]. Une fois déposé, Ebbon retourna à Fulda, puis il fut confié à la garde de Fréculf, l'évêque de Lisieux[64], et pour finir à celle de Boson, l'abbé de Fleury[65]. Alors que dans la Narratio clericorum Rhemensium, il est affirmé que ce n'est qu'à la mort de Louis le Pieux qu'Ebbon rejoignit Lothaire[66], Flodoard prétend que l'ex-archevêque de Reims, dès après sa déposition, se rendit auprès du fils de Louis le Pieux, en Italie[67]. Il semblerait que le chanoine de Reims se soit trompé sur ce point[68]. Toujours est-il que Lothaire, en août 840, fit rétablir Ebbon sur le siège rémois[69]. Chassé par Charles le Chauve, en froid avec Lothaire, Ebbon se réfugia auprès de Louis le Germanique, qui lui accorda le siège de Hildesheim[70].

79. ÉBROIN[1]

Evêque de Poitiers[2], attesté à partir de 831 – mort vraisemblablement le 18 avril 854[3]

L'évêque de Poitiers Ebroin, de la famille des Rorgonides[4], est bien connu[5]; il suffira ici de rappeler rapidement, pendant le règne de Louis le Pieux, les faits marquants qui

Hildemann de Beauvais, retenu prisonnier à Saint-Vaast. Cf. Flodoardus, Historia, lib. II, c. 20, p. 472.

61 Flodoardus, Historia, lib. II, c. 20, p. 472 l. 6 sqq.

62 Ibid., l. 13 sqq. Epistolarum Fuldensium fragmenta, p. 520.

63 Cf. Concilium ad Theodonis villam. Cf. également Annales Bertiniani, a. 835, p. 16 sq.; Theganus, Vita, c. 56, p. 602; Astronomus, Vita, c. 54, p. 640.

64 Cf. la notice n° 101.

65 Narratio clericorum Rhemensium, col. 18. Sur Boson, cf. la notice n° 60.

66 Narratio clericorum Rhemensium, col. 18: *Defuncto autem imperatore, reductus est a jam dicto Bosone abbate ad Lotharium* …

67 Flodoardus, Historia, lib. II, c. 20, p. 473: *Igitur Ebo post hanc depositionem suam in Cisalpinis fertur regionibus conversatus usque ad obitum Ludowici imperatoris, qui contigit anno dominicae incarnationis 840.*

68 Cf. Carolus, De causa Ebbonis, p. 558 E: *Post obitum vero domni imperatoris praefatus Ebbo ab illo, qui eum custodiebat, fratri nostro Hlothario ductus est.*

69 Cf. Concilium Ingelheimense.

70 Sur la carrière d'Ebbon après la mort de Louis le Pieux, cf. GOETTING, Bischöfe, p. 69 sqq. Les sources saxonnes font d'Ebbon un évêque de Hildesheim »par la clémence de l'empereur« (Catalogus episc. Hildesheimensium, p. 747; Chronicon Hildesheimense, p. 851; Annalista Saxo, p. 574), ce qui est faux. Tout aussi fausse est la lettre de Grégoire IV (Epistolae selectae, n° 15, p. 81 sqq.).

1 Formes onomastiques: *Ebroinus, Hebroinus.*

2 Cf. DUCHESNE, Fastes, tome 2, p. 86. Sur ce personnage, cf. également l'importante étude d'OEXLE, Bischof Ebroin.

3 Cf. la longue démonstration de LEVILLAIN, Ebroin, p. 203 sqq.

4 Doc. dipl. Anjou, p. 378 sq. n° 34 (1er mars 839): le comte Rorgon désigne l'évêque de Poitiers comme son *consanguineus*; Odo, Miracula s. Mauri, c. 3, p. 468: *Affinitate enim carnalis generositatis ipse Hebroinus ei* (il s'agit du comte Rorgon) *propinquus erat.* Cf. WERNER, Bedeutende Adelsfamilien, p. 137 sqq.

5 Cf. LEVILLAIN, Ebroin. L'auteur (ibid., p. 178) a supposé qu'il »fit partie du clergé palatin, car c'était au palais, et là seulement, que de jeunes clercs pouvaient se former aux fonctions administratives et

le concernent. En 839, son loyalisme envers Louis le Pieux éclata au grand jour: c'est lui qui, à la tête des grands d'Aquitaine s'opposant à toute initiative avant que l'empereur n'eût pris sa décision suite à la mort de Pépin Ier, prévint Louis le Pieux de la situation explosive dans ce royaume et de la nécessité de trancher les problèmes de succession au plus vite[6]. Peut-être Ebroin avait-il dès 832 pris parti pour Louis le Pieux, et donc contre son roi Pépin Ier, si l'on en croit L. Levillain, qui interprète de cette manière la disparition d'Ebroin de la »chancellerie« du roi d'Aquitaine[7]. En effet, Ebroin avait dirigé ce service, assurant vraisemblablement la succession d'Aldric[8]. Il n'est cependant attesté dans cette fonction que par un seul diplôme, daté du 25 février 831[9]. *Consilio et hortatu illustris viri Rorigonis*, le roi d'Aquitaine donna à Ebroin, qui n'était alors que simple clerc, le monastère de Saint-Maur de Glanfeuil[10], mais Ebroin était déjà évêque de Poitiers quand il se fit confirmer la possession de l'abbaye par Louis le Pieux[11]. Ebroin est attesté comme évêque de Poitiers au début de 838[12]. C'est la première mention que nous ayons relativement à son épiscopat. D'autre part, Ebroin possédait également Saint-Aubin d'Angers[13]. Ebroin fut directement associé au pouvoir en 838, puisqu'il fut chargé, en qualité de *missus*, d'enquêter à Saint-Calais concernant le différend entre l'abbé et l'évêque du Mans[14]. L'évêque de Poitiers siégea d'ailleurs lors de l'assemblée ayant eu connaissance de l'affaire,

s'initier à la vie politique«. Il fut suivi par Fleckenstein, Hofkapelle 1, p. 142 sq. Rien ne permet cependant de prouver avec certitude qu'Ebroin reçut sa formation au Palais et qu'il fut chapelain de Louis le Pieux.

6 Astronomus, Vita, c. 61, p. 645: *...nuntii ad eum certissimi venerunt, affirmantes, quod verum erat, alios Aquitanorum suam expectare sententiam, qualiter res ordinaretur Aquitanici regni; alios autem indigne ferre, eo quod audierint Karolo idem a patre traditum regnum. Nam imperatore de talibus sollicito, Ebroinus nobilissimus Pictavensis episcopus* - pour l'identification, cf. B.M. 996(965)c – *advenit, nuntians tam se quam ceteros primores eiusdem regni imperatoris exspectare voluntatem, et imperantis exequi iussionem. Erant enim in hanc conspirantes voluntatem maximi quique procerum; quorum eminentes erant ipse Ebroinus venerabilis episcopus ... At vero altera pars populi ... assumentes filium quondam Pippini regis, Pippinum itidem nomine, quaquaversum vagabantur, sicut moris talibus est, praedatione atque tyrannidi operam dantes. Precabatur ergo praefatus antistes Ebroinus imperatorem, ne in longum differret hunc morbum serpentem, sed mature mederetur per suum adventum incommodo tali, antequam tanta lues plurimos inficere posset. Imperator porro praefatum episcopum in Aquitaniam cum multis gratiarum actionibus remisit...*

7 Levillain, Ebroin, p. 178 sq.

8 Actes de Pépin, p. XLII.

9 Ibid., p. XLVII. Il s'agit de l'acte n° 17, p. 59 sqq.

10 Odo, Miracula s. Mauri, c. 3, p. 467 sq. l. 51 sqq. Sur l'action d'Ebroin à Saint-Maur de Glanfeuil, cf. Levillain, Ebroin, p. 180 sqq.

11 Odo, Miracula s. Mauri, c. 3, p. 468 l. 5 sqq.

12 Duchesne, Fastes, tome 2, p. 86, se trompe quand il prétend qu'Ebroin n'est attesté qu'à partir de 839.

13 Cf. Doc. dipl. Saint-Aubin, tome 1, n° 17, p. 29 sq. (acte non daté de l'abbé Lambert, datation proposée par l'éd.: 846): *... ut innoscerem domno regi Carolo qualiter pater ejus pie recordationis, domnus Hludovicus, ortante Ebroino episcopo, qui tunc eorum existebat pastor, eis per preceptum concesserit quasdam villas ad usus ipsorum quarum hec habentur vocabula ...* Cf. également B.M. 1008(-), éd. Dipl. inédits (Fr.), n° 12, p. 219: *Preceptum Hludovici regis impetratum ab Ebroino Pictavensium episcopo de confirmatione rerum beati Albini et ordinis in ipsius monasterio constituti.* Levillain, Ebroin, p. 179, a supposé qu'Ebroin avait reçu Saint-Aubin de Louis le Pieux assez tôt, avant d'avoir été promu à l'épiscopat. Rien ne permet cependant d'affirmer cela.

14 Concilium Carisiacense (bis), p. 837 – texte cité à la notice n° 28.

à la fin du mois d'avril 838 à Aix-la-Chapelle[15]; il participa également au plaid tenu en septembre 838 à Quierzy-sur-Oise[16]. D'autre part, Ebroin souscrivit deux chartes d'Aldric du Mans[17]. C'est en la cité d'Ebroin que Louis le Pieux passa ses dernières fêtes de Noël[18] (le comte de Poitiers, hostile à Louis le Pieux, fut démis de ses fonctions, et la cité présentait alors un havre sûr pour la cour[19]). Sous Charles le Chauve, l'évêque de Poitiers connut une brillante carrière[20].

80.   ÉÉMUND[1]

Comte, attesté en 825

Le comte Eémund ne nous est connu qu'à une seule occasion: en 825, il est attesté comme *missus* dans le diocèse de Cologne[2].

81.   ÉGILOLF[1]

Précepteur de Louis le Germanique, attesté en avril 818

Egilolf, le précepteur de Louis le Germanique, ne nous est connu que par une charte de Freising: il est mentionné comme témoin d'une donation faite le 18 avril 818[2]. Etant donné que Louis ne fut envoyé dans son royaume qu'en 825[3], l'on doit compter son précepteur parmi les membres du Palais de son père[4]. On ignore tout de l'état (ecclésiastique ou laïc) d'Egilolf.

15 Ibid., p. 846 (n° 11).
16 Ibid., p. 850 (n° 15).
17 Gesta Aldrici, p. 85 et p. 95. (actes datés du 1er avril 837, jour de Pâques).
18 B.M. 1000(969).
19 Cf. LEVILLAIN, Ebroin, p. 188.
20 Ibid., p. 189 sqq.; FLECKENSTEIN, Hofkapelle 1, p. 143 sq.

1 Seule forme onomastique: *Eemundus*.
2 Cf. Commemoratio, c. 1, p. 308 – texte cité à la notice n° 134.

1 Seule forme onomastique: *Egilolfus*.
2 Doc. dipl. Freising, n° 397a, p. 337: *Et haec testes per aures tracti: Inprimis Egilolfus pedagogus Hloduuuici iuvenis.*
3 Annales regni Franc., a. 825, p. 168.
4 STÖRMER, Früher Adel, tome 1, p. 76, veut que cette donation ait eu lieu à Aix-la-Chapelle: »Die Schenkung des Gutes Kinzlbach war offensichtlich am Kaiserhof vorgenommen worden, da an erster Stelle Egilolfus ... zeugte und die Schenkung vor anderen bayerischen Adeligen im Kloster Isen erneuert werden mußte«, alors qu'EITEN, Unterkönigtum, p. 116, y avait vu la preuve que le précepteur et son élève se trouvaient alors en Bavière. Il faut reconnaître que nous ignorons où la donation en question eut lieu, mais il est plus vraisemblable qu'elle se soit produite en Bavière plutôt qu'à la cour de Louis le Pieux (c'est la seconde confirmation de cette donation qui s'y déroula). Notons par ailleurs qu'Egilolf est le premier des *testes per aures tracti*. Il s'agit d'une spécificité du droit bavarois (cf. H. SIEMS, Lex Baiuvariorum, H.R.G., tome 2, col. 1887–1901, à la col. 1899) illustrée notamment dans l'exposition organisée par le Bayerisches Hauptstaatsarchiv à l'automne 1990: »Gerechtigkeit erhöht ein Volk«. Recht und Rechtspflege in Bayern im Wandel der Geschichte, cf. le catalogue, p. 26 sqq. Je me permets de signaler qu'une analyse approfondie de l'usage de tirer les témoins par l'oreille serait nécessaire pour expliquer

82.   ÉGINHARD[1]

Attesté à partir de 788[2] – mort le 14 mars 840[3]

Eginhard[4] jouissait d'une très bonne réputation tant chez ses contemporains[5] qu'aux générations suivantes[6]. Il joua sous Louis le Pieux un rôle de premier plan[7], mais c'est sous Charlemagne que débuta sa carrière. Eginhard reçut sa première éducation à Fulda[8]. Peut-être y fit-il office de scribe. Plusieurs actes des années 788/791 furent en effet rédigés par un certain Einhart[9]. S'il s'agit bien de notre homme, force est de constater qu'il mourut à un âge avancé[10]. Eginhard fut »nourri« au Palais de Charlemagne[11]. Vers la fin du règne de ce dernier, il supervisait les travaux effectués au palais d'Aix-la-Chapelle[12]. Grande était sa science; c'est pourquoi l'abbé de Fulda Ratgaire lui confia la formation de l'un de ses moines[13]. L'on pourrait multiplier les

pourquoi, dans le troisième élément de la notice, qui porte sur la confirmation faite au palais d'Aix le 30 décembre 819 (Doc. dipl. Freising, n° 397c, p. 338), il est clairement fait distinction entre ceux qui assistèrent réellement à la scène (*Haec sunt qui praesentes adfuerunt*) et les témoins désignés comme ceux dont Egilolf ouvrait un an plus tôt la liste (*Isti vero testes per aures tracti*). Quant à la présence de Louis le Germanique en Bavière, elle n'est aucunement prouvée par celle de son précepteur. On peut simplement en conclure que ce dernier n'était pas étranger à la Bavière.

1 Formes onomastiques: *Einhardus, Einhart, Einhartus, Einardus, Eynardus, Heinhardus, Heinardus, Ainardus, Ainhardus.*
2 FLECKENSTEIN, Einhard, L.M.A., tome 3, col. 1737, date la naissance d'Eginhard »um 770«. D'autres penchent pour les années 775/776, cf. GANSHOF, Eginhard, p. 728 note 3.
3 Cette date a été établie par Ph. JAFFÉ, dans: Monumenta Carolina, p. 499 note 6. Son analyse fait autorité, cf. KURZE, Einhard, p. 89. Néanmoins, FLECKENSTEIN, Einhard, p. 120, préfère la prudence: »wir wissen (…) nicht, wann er gestorben ist«. La date de 844 donnée par les Annales s. Bavonis Gandensis, p. 187, est erronée.
4 Cf. HAMPE, Einhard; FLECKENSTEIN, Einhard (bibliographie p. 96 note 2).
5 Cf. Astronomus, Vita, c. 41, p. 631: … *Heinhardus sui temporis prudentissimus virorum* …
6 Cf. Poeta Saxo, Annales, a. 803, p. 261: … *Francos inter clarus veraxque relator/ Ac summe prudens, Einhardus nomine* …
7 Cf. KURZE, Einhard, p. 31 sqq.
8 Ceci est attesté par le prologue que Walafrid Strabon composa pour la Vita Karoli (Einhardus, Vita Karoli, appendice, p. 104): *Natus enim in orientali Francia, in pago qui dicitur Moingewi, in Fuldensi coenobio sub paedagogio sancti Bonifacii martiris prima puerilis nutriturae rudimenta suscepit* … Voyant qu'Eginhard s'avérait doué, l'abbé de Fulda l'envoya au Palais de Charlemagne. Sur l'origine d'Eginhard et sa vie à Fulda, cf. SCHEFERS, Einhard, p. 2 sqq.
9 Cf. Doc. dipl. Fulda, n° 87, p. 53 (19 avril 788): *Ego Einhart rogatus scripsi*; n° 100, p. 60 (12 septembre 791) et n° 102, p. 61 (791): *Ego Einhart scripsi.* GANSHOF, Eginhard, p. 728 note 3, pense que cet Einhart »n'est pas nécessairement le futur biographe de Charlemagne«.
10 Il devait être à peu près septuagénaire.
11 Einhardus, Vita Karoli, Prologue, p. 2: … *res gestas domini et nutritoris mei Karoli* …; ibid., p. 4: *Suberat et alia non inrationabilis, ut opinor, causa, quae vel sola sufficere posset ut me ad haec scribenda conpelleret, nutrimentum videlicet in me inpensum et perpetua, postquam in aula ejus conversari coepi, cum ipso ac liberis ejus amicitia.* Cf. également Hrabanus, Carmina, n° 85, p. 238: *Quem Carolus princeps propria nutrivit in aula,/ Per quem et confecit multa satis opera.* Sur la présence d'Eginhard à la cour, cf. GANSHOF, Eginhard, p. 728 sqq.
12 Cf. Gesta patrum Font., p. 94 – texte cité à la notice n° 30. Sur l'activité d'Eginhard à la cour de Charlemagne, cf. SCHEFERS, Einhard, p. 6 sqq.
13 Catalogus abbatum Fuldensium, p. 272: *Eo quoque tempore Hrabanum et Hatton Turonis direxit ad Albinum magistrum liberales discendi gratia artes, Brunan ad Einhartum variarum artium doctorem peritissimum, Modestum cum aliis ad Clementem Scottum grammaticam studendi.*

exemples de la culture d'Eginhard[14]. Une mission dont Charlemagne l'investit prouve qu'Eginhard jouissait de sa confiance: en 806, l'empereur l'envoya auprès du pape Léon III pour que ce dernier souscrivît la Divisio regnorum[15]. On a voulu faire d'Eginhard un chapelain[16], en tant que »clerc ayant reçu quelque ordre mineur«[17]. On sait pourtant qu'il était marié[18]. Il est donc nécessaire qu'Eginhard fût d'un grade inférieur à celui de sous-diacre[19]. Certes, Eginhard fut désigné comme *capellanus Ludovici piissimi imperatoris*, mais seulement dans une source du XIVe siècle[20]. Par ailleurs, peut-on se fier au témoignage de l'auteur de la Translatio sanguinis Domini (Xe siècle) qui le désignait comme *clericus*[21] et supposer qu'il reçut l'un des grades ecclésiastiques mineurs? Force est de constater qu'aucune source contemporaine ne le désigne comme tel[22].

Si l'on en croit Ermold le Noir, en 813, Eginhard aurait pris la parole lors de l'assemblée au cours de laquelle Louis le Pieux fut associé à l'empire et il se serait prononcé en faveur de cette mesure[23]. Louis avait par conséquent un allié en Eginhard, qu'il récompensa de son service assidu par la donation, début 815, de Michaelstadt[24]. Louis le dota également de plusieurs abbayes[25]. Outre qu'il fonda celle de Seligenstadt[26], Eginhard tint de 817 à 823 l'abbaye de Fontenelle[27]. Dès le début du règne de Louis le Pieux, il reçut l'abbaye de Saint-Pierre au Mont-Blandin[28]. En effet, Louis le

14 Ainsi l'auteur anonyme d'une lettre sur la Trinité adressée à Louis le Pieux termine-t-il par ces mots: *Einharde, si hec legas, non mireris, si forte invenias errantem, sed magis volo mireris, si aliquid a me recte dictum videas* (Epistolae variorum 3, n° 1, p. 616). Cf. également Lupus, Correspondance, tome 1, n° 1, p. 2 sqq.

15 Annales regni Franc., a. 806, p. 121: *De hac partitione et testamentum factum et iureiurando ab optimatibus Francorum confirmatum, et constitutiones pacis conservandae causa factae, atque haec omnia litteris mandata sunt et Leoni papae, ut his sua manu suscriberet, per Einhardum missa. Quibus pontifex lectis et adsensum praebuit et propria manu subscripsit.*

16 FLECKENSTEIN, Hofkapelle 1, p. 70.

17 Ibid., p. 68: »Kleriker eines der niederen Weihegrade«.

18 Ceci est attesté par plusieurs sources. Son épouse se nommait Imma. Cf. notamment Doc. dipl. Lorsch, tome 1, p. 301 sq.; Lupus, Correspondance, tome 1, n° 3 et 4, p. 12 sqq.

19 Cf. E. JOMBART, Le célibat des clercs en droit occidental, dans: Dictionnaire de droit canonique, éd. R. NAZ, tome 3, Paris 1942, col. 132–145, à la col. 134 sq.

20 Annales s. Bavonis, p. 187. Tout aussi fantaisiste est le titre d'*archicapellanus notariusque imperatoris Karoli* donné à Eginhard dans la Chronique de Lorsch, cf. Doc. dipl. Lorsch, tome 1, p. 298.

21 Translatio Sanguinis, p. 447.

22 On notera que FELTEN, Äbte, p. 49, qualifie Eginhard de »einer der frühesten Laienäbte überhaupt«. SCHEFERS, Einhard, p. 1, le désigne comme un »fromm(er) Laie«.

23 Ermoldus, Elegiacum carmen, lib. II, v. 682 sqq., p. 54. Ermold présente les choses comme si l'association de Louis avait été décidée hors de sa présence.

24 B.M. 569(549). Eginhard en fit donation à Lorsch quatre ans plus tard, cf. Doc. dipl. Lorsch, tome 1, p. 301 sq., n° 20.

25 On ignore à quel titre l'abbé Eginhard procéda, en 824, à un échange de *mancipia* avec l'abbesse d'Argenteuil, cf. De re dipl. 6, n° 70, p. 515 sq.

26 Cf. Doc. dipl. Lorsch, tome 1, p. 304: *Quomodo … Einhardus monasterium Seliginstat construxerit* … Cf. FLECKENSTEIN, Einhard.

27 Gesta patrum Font., p. 96: *Post quem Einhardus hoc coenobium per VII ferme tenuit annos.*

28 Cf. Doc. dipl. Mont-Blandin (bis), p. 5 sq. On doit donc rejeter le témoignage de l'auteur des Annales s. Bavonis, p. 187, qui place l'accession d'Eginhard en 826, bien que ceci soit confirmé par les Annales de Saint-Pierre au Mont-Blandin, où il est fait mention, en 825, d'une donation sous l'abbé Folrad (en réalité: *sub eodem*; il faut remonter à l'année 815 pour trouver le nom de l'abbé), alors que la donation dont il est fait mémoire en 826 est datée *sub Einardo*. Cf. Annales Blandinenses, p. 23.

Pieux confirma le privilège de cet établissement le 2 juin 815, sur la requête du *vir venerabilis Einhardus abba ex monasterio Blandinio*.[29]. Eginhard était également abbé de Saint-Bavon[30]. Par ailleurs, il était abbé de Saint-Servais de Maastricht[31], de Fritzlar[32] et de Saint-Cloud[33], et il tenait en bénéfice la basilique Saint-Jean-Baptiste de Pavie à l'époque de la translation des saints Pierre et Marcellin – puisque dans son récit, Eginhard fait mention »des rois«, l'on peut penser qu'il s'agit d'un bénéfice de Charlemagne confirmé par Louis le Pieux et/ou Lothaire[34]. A ce que l'on peut en juger, Eginhard portait un soin tout particulier à l'établissement des actes privés des établissements qu'il dirigeait[35], attention toute naturelle pour un personnage en relation avec la chancellerie de Louis le Pieux[36]. Eginhard s'avéra un partisan de la réforme monastique et, pour citer un cas précis, l'on a supposé qu'il favorisa celle de Fulda[37]. Eginhard participa au plaid de septembre 820 à Quierzy-sur-Oise[38]. Il prit également part au plaid tenu en février 828 – on tient à cette occasion l'une des rares preuves que les grands recevaient à cet effet une convocation écrite[39] – ainsi qu'à celui tenu à la fin de cette année[40]. Entre-temps s'était produit l'un des événements majeurs dans la vie du conseiller de Louis le Pieux: la translation des saints Pierre et Marcellin[41]. Pour cela, Eginhard avait envoyé en 827 à Rome[42] son notaire Ratleic[43]

29 B.M. 581(561), éd. Einhardus, Oeuvres complètes, tome 1, n° 1, p. XCI sq. (à la p. XCI). Sur l'action d'Eginhard à Saint-Pierre, cf. Doc. dipl. Mont-Blandin (bis), p. 14 sqq.

30 Cf. B.M. 689(669) – diplôme du 13 avril 819. Cf. VERHULST, Sint-Baafsabdij, p. 14 sqq. Cf. également (mais à utiliser avec une extrême prudence): VAN LOKEREN, Histoire, p. 16 sqq. GANSHOF, Eginhard à Gand, p. 16, suppose qu'Eginhard devint la même date abbé des deux établissements gantois.

31 Il est attesté comme tel en 819/821, cf. Formulae imperiales, n° 35, p. 313.

32 Einhardus, Epistolae, n° 9, p. 113. A ce propos, cf. SCHEFERS, Einhard, p. 19 et note 77.

33 Einhardus, Epistolae, n° 39, p. 129; Einhardus, Oeuvres complètes, tome 2, p. 423 sqq. A ce propos, cf. SCHEFERS, Einhard, p. 19 et note 78.

34 Einhardus, Translatio, I, 6, p. 242: *... tunc ex beneficio regum ad meam pertinuit potestatem.*

35 Doc. dipl. Mont-Blandin, n° 10 (21 janvier 830), p. 17 sq. (cité d'après Doc. dipl. Belgique [bis], vol. 1, n° 50, p. 139 sq., à la p. 140, reproduit en fac-similé ibid., vol. 2, pl. II): *Ego Einhard(us) abb(a) recognivi et subscripsi*; de même, cf. Doc. dipl. Mont-Blandin, n° 11 (7 septembre 839), p. 18. Cf. également l'acte transmis par les Formulae imperiales, n° 35, p. 313, qui débute par un préambule particulièrement solennel et dont le protocole final s'inspire des diplômes: *Et ut haec manumissionis ac libertatis auctoritas inconvulsam atque inviolabilem obtineat firmitatem, manu propria subter firmavi ... Ego Einhardus abbas manu propria scribendo firmavi*. Il se peut néanmoins qu'il s'agisse d'un remaniement dû au scribe qui copia les Formulae imperiales, car l'on retrouve le même phénomène dans Formulae imperiales, n° 33, p. 311 sq. – il s'agit également d'une charte d'affranchissement.

36 Il est remarquable que le scribe qui copia les Formulae imperiales ait eu connaissance de l'acte d'affranchissement d'un *servus* de Saint-Servais par Eginhard, afin qu'il pût recevoir l'ordination sacerdotale. A ce propos, cf. VIDIER, Actes d'affranchissement, p. 301 sqq.

37 Cf. SEMMLER, Studien zum Supplex Libellus, p. 296. Sur l'action d'Eginhard à Saint-Bavon et surtout à Blandinium, cf. GANSHOF, Eginhard à Gand, p. 27 sqq.

38 Cf. Doc. dipl. Wissembourg, n° 69, p. 268 sqq.

39 Einhardus, Translatio, I, 15, p. 245: *... sed etiam regali diplomate, quod nobis in via obviam venerat, evocati, Domino iter nostrum prosperante, ad palatium sumus cum magna exultatione regressi.*

40 Cf. Einhardus, Translatio, III, 12, p. 252.

41 Cf. BONDOIS, Translation; FLECKENSTEIN, Einhard, p. 107 sqq.

42 Cf. Annales regni Franc., a. 827, p. 174; Astronomus, Vita, c. 41, p. 631; Rodulfus, Miracula Fuld., p. 329.

43 Cf. DÜMMLER, Geschichte, tome 2, p. 432. Ratleic passa ensuite dans la chancellerie de Louis le Germanique.

et le diacre Deusdona[44]. Les reliques transitèrent par Aix-la-Chapelle[45]. Eginhard s'efforça d'ailleurs de persuader Louis le Pieux du rôle protecteur que ces deux saints pouvaient jouer sur son royaume[46].

Eginhard exerça une grande influence à la cour de Louis le Pieux[47], bien que, dans les sources auxquelles on peut prêter foi, l'on ne parvienne pas à trouver d'autre mention de l'exercice d'une charge aulique que celle de responsable des travaux au palais d'Aix, ce que confirme Walafrid Strabon quand il mentionne Eginhard parmi les membres du Palais, dans son De imagine Tetrici: il le compare alors à Béséléel[48], le maître d'oeuvre du premier sanctuaire du Très-Haut[49]. Le crédit dont Eginhard jouissait auprès de l'empereur lui valut de recevoir la charge, vers 817, de veiller sur les moeurs de Lothaire[50]. D'autre part, comme Eginhard le reconnut lui-même, il était de son habitude de se rendre au palais[51]. Le matin, il attendait devant la porte de Louis le Pieux que ce dernier se montrât[52]. Un document illustre de la meilleure manière combien Eginhard était un homme digne de confiance: c'est en effet à lui que Bernaire, l'évêque de Worms, écrivit alors qu'il se trouvait à l'agonie, pour le charger de veiller au règlement de sa succession[53]. On observe un cas quelque peu similaire avec la lettre que le clergé de Sens adressa à Eginhard – un autre courrier fut rédigé à l'attention de Judith et un troisième pour Hilduin – afin de lui demander son aide concernant le candidat qu'ils avaient élu pour succéder à Jérémie; il s'agissait d'obtenir une audience auprès de l'empereur malgré l'avis défavorable des *missi dominici*[54].

44 Cf. Einhardus, Translatio, I, 1, p. 240.
45 Cf. Einhardus, Translatio, II, 6, p. 247.
46 Cf. Einhardus, Epistolae, n° 10, p. 113 sq.
47 Cf. Schefers, Einhard, p. 14 sqq. L'auteur a cependant tendance, p. 16, à broder en imputant à Eginhard, en certains points, une influence dont rien ne permet de prouver la réalité.
48 Walahfridus, Carmina, n° 33, p. 370 sqq., v. 221 sqq., p. 377.
49 Ex. XXXV, 30 – XXXVI, 1. Schefers, Einhard, p. 10 sqq., suppose que Gerward reçut dès 814 les attributions d'Eginhard, parce qu'il est attesté comme tel par ce dernier une douzaine d'années plus tard. Ceci ne me semble aucunement convaincant: rien n'empêcha Eginhard d'exercer aussi ses fonctions sous Louis le Pieux, puisque, également à la fin des années vingt, Walafrid Strabon le désignait en tant que Béséléel, ce qui signifie que, bien après la mort de Charlemagne, Eginhard était encore considéré comme le responsable des travaux.
50 Cf. Einhardus, Epistolae, n° 11, p. 114: *Quantam curam et sollicitudinem erga magnitudinem vestram mea pusillitas gerat, non facile verbis explicare valeo, quoniam aeque vos atque piissimum dominum meum, patrem vestrum, semper dilexi et aequaliter ambos salvos esse volui, postquam vos in societatem nominis et regni consensu totius populi adsumpsit meaeque parvitati precepit, ut vestri curam gererem ac vos de moribus corrigendis et honestis atque utilibus sectandis sedulo commonerem.*
51 Einhardus, Translatio, III, 19, p. 255: *Cum me quaedam necessitas secundum consuetudinem comitatum regis adire compelleret …*
52 Einhardus, Translatio, IV, 7, p. 258: *Gerwardus vero, cum in crastinum ad regem venisset, ea quae de hoc signo relatione illius feminae compererat eidem indicavit. Rex autem, cum ego secundum consuetudinem ingressus coram illo starem, quid sibi Gerwardus de hoc miraculo retulisset …*
53 Einhardus, Epistolae, n° 3, p. 110 sq.: *His itaque propter nimiam magnamque angustiam carnis vel spiritus breviter prelibatis deprecor, dilectissime mi, ut summam pro amore Dei ac meae vilitatis amicitia ecclesiarum meae parvitati commissarum adhibeas curam, ne post obitum meum lupi locum sanctitatis invadant rapaces gregemque humillimum dispergant, sed potius eis talis concedatur rector, qui Deum amare noverit vel timere et his, qui subditi sunt, misericorditer subvenire.*
54 Frotharius, Epistolae, n° 14, p. 286: *Presumpsimus, mi domine, auribus claementie vestrae necessitatis nostrae causas humiliter innotescere, ut per vestram pietatem de his celeriter mereamur consolationem recipere. Notum esse vobis craedimus, quod nobis indignissimis a domno imperatore concessum fuerat, ut ex nobis ipsis electionem faciendi haberemus licenciam. Sed cum illum, quem scitis, elegisse-*

Une dizaine d'années plus tôt, Eginhard avait peut-être été celui qui *ambasciavit* et dicta le diplôme donné à Aix-la-Chapelle le 4 août 817, par lequel l'empereur concluait un échange entre le fisc et le monastère d'origine d'Eginhard, l'abbaye de Fulda[55]. On a par ailleurs la preuve qu'Eginhard joua le rôle d'intermédiaire entre un tiers et l'empereur – il semble avoir fait en quelque sorte office de secrétaire[56]. Ainsi, il prévint Amalaire de Metz que l'ordre de venir au palais lui avait été transmis par erreur et qu'il s'était entretenu avec Louis de son problème[57]. De même, un Hetti, archevêque de Trèves, ne dédaigna pas de s'adresser à Eginhard pour obtenir des informations – mais en l'occurrence, ce fut en vain[58].

On a cru observer chez Eginhard, progressivement, une certaine critique et une distance par rapport à la politique de Louis le Pieux[59], dont la Vita Karoli serait notamment l'expression[60]. Or, le désir d'Eginhard était de se retirer du monde, et Louis le Pieux le lui permit[61] – ce qui n'exclut pas qu'il continuât de conseiller, par lettres, l'empereur[62]. L'on pourrait accuser Eginhard de couardise politique: il est vrai que

---

mus, et a serenitate domni imperatoris non pleniter fuiset receptus, permissum nobis iterum est, ut alium si potuisemus ex nobis huic officio congruum inveniremus. Sed cum esset inventus, ut credimus, in Dei et domni imperatoris servitio habilis, nescimus, ob quam causam a missis dominicis non est plena benivolentia susceptus. Unde vestram oramus benignitatem, ut ex (hoc) nobis in adiutorium esse dignemini, quatenus ipsum, de quo dicimus, ad praesentiam domni imperatoris nos ipsi deducamus, et qualiter iusserit, discutiatur et probetur, si nobis prodesse valeat et in servitio Dei aptus esse possit, an minus. Optamus vos divinis semper muniri praesidiis et inmortalitatis corona quandoque gloriari, piissime et reverentissime domine.

55 B.M. 656(642). Cf. Mentions tironiennes, p. 17: *... ardus ambasciavit atque dictavit.* L'hypothèse de restitution (Einh)ardus est due à TANGL, Urkunde für Fulda, p. 24 sq.

56 Sur les lettres qu'Eginhard écrivit pour Louis le Pieux, cf. HAMPE, Einhard, p. 606 sqq.; FLECKENSTEIN, Einhard, p. 102.

57 Einhardus, Epistolae, n° 4, p. 111: *Nescio quis prevenit adventum pueri vestri, qui mihi litteras vestras attulit et effecit, ut tibi mandaretur, quatinus proximo palmarum die ad imperatorem venisses. Sed postquam ego litteras vestras accepi et imperatorem de his, quae voluisti, interrogavi, precepit mihi vobis scribere, ut sanctum pasche diem domi celebrassetis et ceterum comitatum vestrum post vos venire iuberetis, eo modo ut, quando ille ad vos in palatio venisset, mandatis acceptis et ratione legationis vestrae vobis insinuata, sine mora iter vestrum adgredi valeatis.*

58 Einhardus, Epistolae, n° 45, p. 132 sq.: *Quod autem per nos cognoscere voluistis, minime vos de his certiores reddere valemus, quia pene nihil inde ad nostram notitiam solet pervenire; neque nos de his magnopere curiosi sumus, de quorum cognitione nullam utilitatem et parvam percipimus voluptatem.* Il semblerait qu'Eginhard ait alors déjà quitté la cour.

59 Cf. FLECKENSTEIN, Einhard, p. 104 sq.

60 Cf. LINTZEL, Zeit der Entstehung, p. 33 sq. Sur les diverses interprétations de la Vita Karoli par les historiens contemporains, cf. WOLTER, Intention. LÖWE, Entstehungszeit, date la rédaction de cette biographie des années 825/826. INNES, MCKITTERICK, Writing of history, p. 204 sqq., contestent cette datation et proposent de la placer à une époque plus haute, aux alentours de 817. Je ne suis pas convaincu par leur argumentation. Ce n'est pas ici le lieu de la discuter point par point. Je rappellerai simplement que la mention des témoins du testament de Charlemagne ne pose pas de problème majeur: Eginhard faisait oeuvre d'historien. Quant à l'accident survenu au palais d'Aix et daté par Eginhard de la fin du règne de Charlemagne, il se peut qu'il ne s'agisse que d'une erreur de chronologie, cf. DEPREUX, Louis le Pieux reconsidéré?, p. 186 note 39. Il me semble en tout cas impossible d'en tirer quelque argument pour dater la Vita Karoli des environs de 817.

61 Cf. Einhardus, Translatio, I, 1, p. 239. Sur la retraite d'Eginhard, cf. FLECKENSTEIN, Einhard, p. 114 sqq.

62 Cf. Einhardus, Epistolae, n° 40, p. 129 sq.

son départ coïncidait avec le début de la grave crise du règne de Louis le Pieux[63], mais le conseiller était alors un vieillard – il invoquait d'ailleurs des raisons de santé pour qu'on l'excusât[64]. On doit aussi prendre au sérieux son dégoût de la politique au spectacle des rivalités qui déchirèrent l'empire[65] – Eginhard ne rompit cependant pas toute relation avec le Palais et il y conserva des amis[66]. Certes, Eginhard fit en sorte de se prémunir contre la défaveur de Lothaire[67]; mais en 830, il eut le courage de l'exhorter à ne rien entreprendre contre son père[68]... Einhard mourut vraisemblablement le 14 mars 840. Raban Maur composa son épitaphe[69].

83. ENGILPOTO[1]

Missus dominicus, attesté en août 814

Engilpoto, désigné comme *missus dominicus*, ne nous est connu que par une charte de Freising du 25 août 814: il est mentionné comme témoin de la donation[2].

84. ERCHANGAIRE[1]

Comte (en Brisgau), attesté de mai 816 (peut-être dès 811) à mars 828

Erchangaire a déjà fait l'objet d'une présentation détaillée par M. Borgolte[2], qui reconnaît en lui grâce aux datations *sub Erchangario comite* de quelques chartes de Saint-Gall un comte en Alpgau et Brisgau[3]. La première de ces chartes date du mois de mai 816[4]. Cette première occurrence du nom d'Erchangaire coïncide avec la réfor-

---

63 BONDOIS, Translation, p. 81 sqq., rejette l'hypothèse classique d'un retrait définitif des affaires en 830.
64 Cf. Einhardus, Epistolae, n° 13, p. 116 sq. et n° 15, p. 118. A ce propos, cf. GANSHOF, Eginhard à Gand, p. 21 sqq.
65 Il écrivit en effet à un ami: *Quidem de statu rerum palatinarum nihil mihi scribere peto, quia nihil ex is, quae aguntur, audire delectat* (Einhardus, Epistolae, n° 35, p. 127).
66 Cf. Einhardus, Epistolae, n° 18, p. 119 et n° 52, p. 135.
67 Vers mai 830, il écrivit à un évêque ami pour qu'il lui obtînt d'être reçu par Lothaire (Einhardus, Epistolae, n° 16, p. 118). On le voit également bien soucieux, trois ans plus tard, de sauvegarder l'un de ses bénéfices (Einhardus, Epistolae, n° 25, p. 122) et il recherche la coopération de Louis le Germanique (Einhardus, Epistolae, n° 33, p. 126).
68 Einhardus, Epistolae, n° 11, p. 114 sq. Il s'agit d'une fort belle lettre.
69 Hrabanus, Carmina, n° 85, p. 237 sq.

1 Seule forme onomastique: *Engilpoto*.
2 Doc. dipl. Freising, n° 320, p. 274.

1 Formes onomastiques: *Erchangarius, Ercangarius, Erkingarius*.
2 BORGOLTE, Grafen Alemanniens, p. 105 sqq.
3 Sur ces *pagi*, cf. BORGOLTE, Grafschaften Alemanniens, p. 111 sqq.
4 Doc. dipl. Saint-Gall, tome 1, n° 221, p. 211 sq. Le 4 juin 817, Louis le Pieux donna à l'abbaye de Saint-Gall des biens sis *in ministerio Erchangarii comitis*, B.M. 648(626), éd. Doc. dipl. Saint-Gall, tome 1, n° 226, p. 217.

me de la »Grafschaftsverfassung« en Alémanie que M. Borgolte a cru observer – à tort[5]; il n'y a donc pas lieu d'en prendre compte. Il se pourrait que le comte Ercangaire cité en 811 comme témoin dans le testament de Charlemagne[6] fût identique avec notre personnage[7]. Erchangaire nous intéresse ici parce qu'il est attesté comme *missus* de Louis le Pieux, lors d'une enquête concernant la restitution de biens confisqués (au premier sens du terme, c'est-à-dire intégrés au fisc)[8]. Le diplôme de restitution fut délivré le 24 juillet 819 à Ingelheim. Bien qu'il ne soit pas explicitement dit dans le document que l'empereur prit sa décision d'après le rapport de ses *missi*[9], l'on peut considérer qu'Erchangaire participa au plaid tenu à Ingelheim ce mois-là[10]. M. Borgolte ignore ce diplôme. Rien ne prouve en effet que le comte de Brisgau fut envoyé en Saxe, pour enquêter dans le Sturmigau[11]. Rien ne s'oppose cependant à cette identification, d'autant que nous allons voir qu'Erchangaire avait des relations à la cour.

Le 12 juin 823, Erchangaire était à Francfort où, à sa requête et à celle de l'évêque de Strasbourg, Louis le Pieux confirma un échange de biens sis en Alsace conclu par les deux hommes. Dans cette affaire, Matfrid, le comte d'Orléans, *ambasciavit*[12]. Par conséquent, Erchangaire assista vraisemblablement au plaid tenu en mai 823 à Francfort[13]. Il est plus que probable qu'il était à la cour lors de la naissance de Charles le Chauve[14], le lendemain du jour où Louis confirma l'échange. M. Borgolte, dans sa prosopographie, a cité ce comte alsacien pour information[15], sans cependant tirer la conséquence qu'il s'agit du même personnage que celui attesté par les chartes de Saint-Gall[16]. Il est vrai qu'une telle identification irait contre son analyse des docu-

---

5 SCHULZE, Grundprobleme, p. 274 sq., a montré qu'il s'agissait d'une méprise.
6 Einhardus, Vita Karoli, c. 33, p. 102.
7 Cf. BRUNNER, Oppositionelle Gruppen, p. 82; BORGOLTE, Grafen Alemanniens, p. 106.
8 B.M. 696(675), éd. Doc. dipl. Westphalie (quarto), n° 4, p. 9 sqq. (à la p. 10): ... *quidam homines ex pago Stormuse ... questi sunt missis nostris Ercangario comiti et Erlegaldo misso nostro, eo quod quando res infidelium Wigmodorum ad partem dominicam revocatae fuerunt, res eorum qui tum fideles Francis erant pariter cum ipsis inuiste sociatae fuissent.*
9 Ibid. (p. 10): *Quae res, dum ab eisdem missis et caeteris fidelibus nostris iuxta veritatis et aequitatis ordinem diligenter perscrutata et per homines bonae fidei veraciter inquisita esset, inventum est, illos res eorum iniuste amisisse, eo quod illas forfactas non habuerunt nec infideles fuerunt. Proinde placuit nobis ...*
10 B.M. 692(671)a.
11 Ce *pagus* est situé aux environs du cours inférieur de l'Aller, affluent de la Weser.
12 Mentions tironiennes, p. 18.
13 B.M. 771(746)a.
14 B.M. 773(748)a.
15 BORGOLTE, Grafen Alemanniens, p. 106 sq.
16 Pourtant, il l'avait, ailleurs, identifié comme le comte de Brisgau: »Im Elsaß tritt der Breisgau- und Alpgaugraf ... nur als Grundherr hervor« (BORGOLTE, Grafengewalt, p. 25). Bien évidemment, l'on ne peut prouver définitivement l'identité du comte alsacien avec celui de Brisgau. Néanmoins, la présence à la même époque et dans la même région de deux personnages homonymes rend cette identification plus que vraisemblable.

ments, puisqu'il désire, au prix d'une interprétation de la datation d'une charte[17] qui reste hypothétique[18] (bien qu'elle soit de l'ordre du plausible), faire mourir le comte de Brisgau entre le 28 avril 827 et le 12 février 828[19]. Or le comte Erchangaire est attesté à Aix-la-Chapelle le 4 mars 828: à la requête de l'abbé Waldo et du comte, entouré de sa famille[20], Louis le Pieux confirma l'échange conclu entre l'abbé de Schwarzach et la famille d'Erchangaire[21]. Cette fois, Judith *ambasciavit*[22]. Il faut en conclure qu'Erchangaire participa au plaid tenu en février 828 à Aix-la-Chapelle[23]. Il est à remarquer que dans les deux cas, le comte bénéficia de l'appui de personnages fort influents (Matfrid, Judith) pour obtenir la confirmation des échanges auxquels il avait procédé.

M. Borgolte a identifié le comte en question dans ce dernier diplôme comme le fils d'Erchangaire[24]. A ce propos, deux remarques s'imposent. D'une part, Erchangaire ne peut pas avoir transmis à son fils homonyme (Erkingarius) »ses comtés« (»seine Grafenwürde«): à la même époque, un tiers, à savoir Liuthaire (Liutharius), fut investi de son *honor* en Brisgau[25]. D'autre part, il est curieux, au cas où Erchangaire serait mort peu auparavant, qu'il ne soit fait aucune mention de ce dernier dans le diplôme de Louis le Pieux, alors que c'est justement suite à sa mort que sa veuve et ses fils auraient formé une »Erbengemeinschaft«. L'hypothèse d'une »Erbengemeinschaft« est intéressante, mais éventuellement à analyser autrement: s'il n'est pas fait mention de l'époux (mort ou non) de Rotrude, ne serait-ce pas parce qu'il n'était, en cette question, pas important? Ce serait le cas s'il s'agissait d'un bien appartenant personnellement à la mère[26] de celui que, dans l'absence d'élément vraiment probant allant con-

---

17 Doc. dipl. Saint-Gall, tome 1, n° 313, p. 290 sq.
18 L'éditeur du document l'avait daté du 28 avril 828. M. Borgolte veut dater cet acte établi la quinzième année du règne de Louis le Pieux du 28 avril 827, cf. BORGOLTE, Grafen Alemanniens, p. 107 sq. L'auteur fait référence à BORGOLTE, Chronologische Studien, p. 176 et note 550, comme s'il y avait démontré la solidité de son hypothèse; il n'en est rien, puisqu'il s'agit d'une liste de chartes que H. Wartmann, faute de mieux, avait datées en prenant comme »Epochetag« le 28 janvier.
19 BORGOLTE, Grafen Alemanniens, p. 108. Il importe pour M. Borgolte qu'Erchangaire ne soit plus comte de Brisgau le 12 février 828 car il veut reconnaître alors cette qualité à Liuthaire, à mon avis à tort: cf. la notice n° 190, consacrée à ce personnage. Sur le fait qu'Erchangaire était, d'après M. Borgolte, mort au 4 mars 828, cf. infra à propos de B.M. 849(823).
20 Doc. dipl. Alsace, n° 89, p. 72 sq. (à la p. 73): *Erkingarius comes ac genetrix & fratri sui Rotdrudis, Woradus, Bernaldus & Bernardus.* Peut-être a-t-on là un indice prouvant un lien de parenté entre Erchangaire et l'évêque de Strasbourg, Bernold. Cf. BORGOLTE, Grafengewalt, p. 27.
21 B.M. 849(823).
22 Mentions tironiennes, p. 19.
23 B.M. 844(818)a.
24 BORGOLTE, Grafengewalt, p. 28: »Da ein Gemahl der Rotdrud nicht genannt wird und die vier Brüder gemeinsam mit der Mutter handeln, treten die Kontrahenten Waldos wie eine Erbengemeinschaft auf. Das legt den Schluß nahe, daß Erchangar, der Partner Bischof Bernolds, vor Februar/März 828 verstorben und seine Grafenwürde einem gleichnamigen Sohn, dem Bruder Worads, Bernalds und Bernards, zugefallen war«.
25 Selon BORGOLTE, Grafen Alemanniens, p. 179 sq.
26 Celle-ci en disposant avec ses héritiers, c'est-à-dire Erchangaire et ses frères.

tre cette identification[27], je considère comme le personnage auquel cette notice est consacrée.

85.   ERCHANRAD[1]

Evêque de Paris[2], attesté à partir de janvier 832[3] – mort le 7 mars[4] 856[5] ou 857[6]

Erchanrad est attesté pour la première fois comme évêque de Paris le 22 janvier 832: il fut présent à l'assemblée au cours de laquelle l'abbaye de Saint-Denis fut rendue à l'observance bénédictine[7] et il souscrivit l'acte par lequel l'abbé Hilduin procéda à la dotation de la mense conventuelle[8]. Le 17 mars 833[9] au monastère de Chelles (dont l'abbesse n'était autre que Hegilwich, la mère de l'impératrice Judith), l'évêque de Paris procéda à la translation des reliques de sainte Bathilde[10]. L'empereur Louis le Pieux fit à cette occasion donation au monastère de la *villa* de Coulombs-en-Valois[11], mais il n'assista cependant pas à la cérémonie de translation[12]. Erchanrad resta fidèle à Louis le Pieux lors de la crise de 833[13], ainsi qu'on peut en juger à l'occasion de la capture et de la déposition d'Ebbon, l'archevêque de Reims. Non seulement Erchan-

---

27 Il semble qu'il faille attendre 843 pour avoir une nouvelle mention d'un comte homonyme (cf. BOR-GOLTE, Grafengewalt, p. 28), qui pourrait bien être cette fois le fils d'Erchangaire et le père de l'épouse de Charles le Gros.

1 Formes onomastiques: *Erchanradus, Ercanradus, Erkanradus, Erchinradus, Erchenradus, Herchen-radus.*
2 Cf. DUCHESNE, tome 2, p. 470.
3 Son prédécesseur, Inchade, est attesté pour la dernière fois en juin 829, lors de la tenue du concile réuni en sa cité, cf. Doc. dipl. Paris, n° 35, p. 49 sqq.; Praeceptum synodale, p. 687.
4 Obituaire de Saint-Germain-des-Prés, dans: Obituaires de Sens, tome 1, p. 253: (mois de mars) *no-nas. Dep. Ercanradi episcopi.* DUCHESNE, Fastes, tome 2, p. 470, prétend à tort que »son obit est du 9 mai«.
5 Cf. LAPORTE, Trésor, p. 154 note 109.
6 Erchanrad est attesté pour la dernière fois le 24 août 855, cf. Doc. dipl. Saint-Calais, n° 17, p. 27 sqq. Son successeur, Enée, fut évêque de Paris avant le 12 juin 857, cf. DUCHESNE, Fastes, tome 2, p. 471.
7 Sur cette assemblée, cf. HARTMANN, Synoden, p. 189; sur la réforme à Saint-Denis, cf. SEMMLER, Saint-Denis, p. 107 sqq.
8 Constitutio de partitione, p. 694.
9 L'événement est daté de la vingtième année du règne de Louis le Pieux.
10 Translatio s. Baltechildis, lect. 7 à 9, p. 285. Sur cette translation, cf. LAPORTE, Trésor, p. 4 sq.
11 Translatio s. Baltechildis, lect. 7, p. 285: *Nuntiatur autem haec sacra miracula* (l'on venait d'inventer les reliques, le 26 février 826, cf. lect. 2) *Hludowico serenissimo augusto et in palatio tam principibus quam et omnibus imperatori militantibus divulgabantur. Exultat Caesar, iocundantur principes, lae-tantur omnes et in honore tantae matris laudes attollunt. Cupiens vero sanctae ac beatissimae Balte-childis gratiam promeri atque eius auxiliis adiuvari, villam Colon cum omni integritate, sitam in pa-go Meldico, eidem in translatione sanctissimi eius corporis contulit, quatinus de collatione eius terrena famulantes in eodem coenobio subsidium haberent et pro statu imperii eius ac pace, coniugis ac fili-orum eius sanitate regem caelestem exorarent.* Cf. LAPORTE, Trésor, p. 154.
12 En effet, Louis le Pieux était arrivé à Worms avant le 26 février 833, cf. B.M. 919(890), et sa présence y est encore attestée le 1er avril 833, cf. B.M. 920(891).
13 Il fit certainement partie des évêques anonymes évoqués dans une note d'un manuscrit des Annales de Saint-Bertin (Annales Bertiniani, a. 833, p. 9 note g).

rad fit partie de l'assemblée réunie à Thionville le 4 mars 835[14], au cours de laquelle Ebbon signa sa résignation[15], mais il avait été, environ un an plus tôt, l'un des deux évêques chargés par l'empereur de rattraper l'archevêque cherchant alors refuge chez les Danois, et de le conduire à Fulda pour l'y faire garder[16]. La présence d'Erchanrad à Paris est attestée au printemps 836, lorsqu'il reçut la délégation de Paderborn rapportant du Mans les reliques de saint Liboire[17]. Enfin, Erchanrad fut mêlé à l'affaire de Saint-Calais (il avait du reste un an plus tôt déjà souscrit deux chartes de l'évêque Aldric[18]): non seulement il participa à l'assemblée tenue à la fin du mois d'avril 838 à Aix-la-Chapelle[19] et à celle tenue en septembre de la même année à Quierzy-sur-Oise[20], mais il fut envoyé à Saint-Calais pour y enquêter en qualité de *missus* de l'empereur[21].

86.   ERLAUD[1]
Sénéchal, attesté en 794 – mort avant le 10 mars 828

Erlaud est attesté comme sénéchal de Louis le Pieux par un diplôme de Pépin Ier d'Aquitaine[2]. Il ne fait pas de doute qu'il fut au service de Louis au temps où il était roi d'Aquitaine[3]. Le sénéchal de Louis avait, sur l'entremise de ce dernier, reçu de l'abbé de Saint-Martin, Itier[4], la *villa* de Marsat (Puy-de-Dôme, canton de Riom)[5]. Or un certain Erlaud fit partie des souscripteurs[6] du diplôme donné par Louis le Pieux le 3 août 794 au Palais (Haute-Vienne, arr. Limoges) en faveur de la *cellola* de

14 B.M. 938(909)c.
15 Concilium ad Theodonis villam, p. 703.
16 Flodoardus, Historia, lib. II, c. 20, p. 472: *Quapropter imperator per episcopos eum, Rothadum scilicet Suessonicum et Erchenradus Parisiorum episcopum, revocari fecit et in monasterio sancti Bonifatii ei et clericis ac laicis, qui cum eo erant, necessaria ministrari et sinodum expectare precepit.*
17 Translatio s. Liborii, c. 25, p. 155.
18 Gesta Aldrici, p. 85 et 95 (documents datés du 1er avril 837, jour de Pâques).
19 Concilium Carisiacense (bis), p. 846.
20 Ibid., p. 850.
21 Ibid., p. 837 – texte cité à la notice n° 28.

 1 Seule forme onomastique: *Erlaldus*.
 2 Actes de Pépin, n° 10, p. 31 sqq. Acte du 10 mars 828. Erlaud était déjà mort à cette époque: *post decessum memorati Erlaldi* (p. 35).
 3 Cf. Simson, Jahrbücher, tome 2, p. 241.
 4 Attesté entre 774 et 790, cf. Vaucelle, Saint-Martin, p. 439.
 5 Actes de Pépin, n° 10, p. 34 sq.: *... pro quadam villa, nomine Marciagus ... quam etiam Iterius quondam abba Erlaldo, ejusdem genitoris nostri seniscalco, per ejus petitionem, ea conditione ut annuatim exinde censum persolveret, concesserat et quam postea domnus Alcuinus ... similiter ad petitionem genitoris nostri praedicto Erlaldo sub eodem censu per scriptum habere permiserat, eo modo ut post decessum illius ... memorata villa ... restueretur ...*
 6 Erlaud apparaît en cinquième position.

Nouaillé[7]. Etant donné la nature de cette liste de souscripteurs[8], l'on peut presque sans hésitation[9] identifier ce personnage avec le (futur) sénéchal de Louis le Pieux[10].

87.   ERLÉGAUD[1]

Comte, attesté en juillet 819

Le comte Erlégaud ne nous est connu que par un seul document: il est attesté comme *missus* de Louis le Pieux lors d'une enquête en Saxe, dans le Sturmigau[2], concernant la restitution de biens confisqués, c'est-à-dire retenus au profit du fisc[3]. Le diplôme de restitution fut délivré le 24 juillet 819 à Ingelheim. Bien qu'il ne soit pas explicitement dit dans le document que l'empereur prit sa décision d'après le rapport de ses *missi*, l'on peut considérer qu'Erlégaud participa au plaid tenu à Ingelheim ce mois-là[4].

88.   ERMENFRID[1]

Comte, attesté de mai 819 (peut-être dès 816/817) à janvier 820

Par un diplôme du 20 janvier 820, nous apprenons que, suite à la requête de l'évêque de Wurzbourg, Vulfgaire, concernant la restitution de biens à l'église de Saint-Kilian, le comte Ermenfrid y fut envoyé en qualité de *missus* de l'empereur, pour y enquêter[2]. On peut penser qu'Ermenfrid participa au plaid tenu en janvier 820 à Aix-la-Chapelle[3]. Le 29 mai 819, un comte Ermenfrid souscrivit l'acte de donation d'un tiers en faveur de l'abbaye de Fulda[4]. Il est vraisemblable qu'il s'agisse de notre homme. On peut d'ailleurs éventuellement l'identifier aussi avec le *missus* de Louis le

---

7 B.M. 516(497), éd. Ch.L.A., n° 681.
8 Cf. DEPREUX, Kanzlei, p. 156 et supra, la partie d'analyse II A.
9 Toutefois, SIMSON, Jahrbücher, tome 2, p. 241 note 2, tient cette identification pour seulement »vermuthlich«.
10 D'aucuns ont voulu l'identifier avec Ernaud, cf. Capitulare de disciplina palatii, p. 297.

1 Seule forme onomastique: *Erlegaldus*.
2 Ce *pagus* est situé aux environs du cours inférieur de l'Aller, affluent de la Weser.
3 B.M. 696(675) – texte cité à la notice n° 84.
4 B.M. 692(671)a.

1 Formes onomastiques: *Ermenfridus, Ermenfredus*.
2 B.M. 711(688) – texte cité à la notice n° 48.
3 B.M. 709(659)a.
4 Doc. dipl. Fulda, n° 387, p. 175.

Pieux envoyé porter à l'archevêque de Sens, Magne, les actes du concile de 816 réuni à Aix-la-Chapelle[5].

89.   ERMENGAIRE[1]

Comte d'Ampurias, attesté de 812 à 815

Ermengaire était comte en Marche d'Espagne en 812, comme le prouve l'adresse du Praeceptum pro Hispanis[2]; plus exactement, Ermengaire était le comte d'Ampurias[3]. On le retrouve à Aix-la-Chapelle vers le 1er janvier 815[4], où il siégea dans le tribunal présidé par le comte du Palais, qui eut connaissance du différend entre l'aprisionnaire Jean et le comte Adhémar[5].

90.   ERMENGARDE[1]

Première épouse de Louis le Pieux, attestée au plus tard à partir de 795 –
morte le 3 octobre 818

Ermengarde était la première épouse de Louis le Pieux, à qui elle donna trois fils et deux filles[2]. Elle était la fille du comte (*comes*[3]/*dux*[4]) Ingoramme[5], un neveu de saint

---

5 Epistolae ad archiepiscopos, p. 339: ... *per praesentes missos nostros, Ermenfredum videlicet et Haymonem* ... A moins qu'il ne s'agisse du futur responsable de la chancellerie de Lothaire, Hermenfrid, attesté en 832/833 (cf. Bresslau, Urkundenlehre, tome 1, p. 399), un personnage »leider ganz unbekannt« selon l'avis de Th. Schieffer (Dipl. Karol. 3, p. 16).

1 Formes onomastiques: *Ermengarius, Irmingarius*.
2 Praeceptum pro Hipanis.
3 Cf. Annales regni Franc., a. 813, p. 139. Sur l'événement en question, cf. Abel, Jahrbücher, tome 2, p. 523; Wolff, Aquitaine, p. 282 note 111.
4 Cf. l'annexe n° 1.
5 Enquête de Fontjoncouse, n° 3, p. 112 sqq.

1 Formes onomastiques: *Irmingarda, Irmingardis, Irmingarta, Ermingarda, Ermengarda, Yrmingardis, Hermengarda, Hermingarda, Hirmingardis, Hermengardis*.
2 Cf. Witgerus, Genealogia Arnulfi, p. 303: *Hludovicus ymperator genuit Hlotharium, Pipinum et Hludovicum, Rotrudim et Hildegardim ex Yrmingardi regina, Karolum et Gislam ex Iudith ymperatrice*. Riché, Carolingiens, tableau VII, p. 354, fait de Gisèle une fille d'Ermengarde, ce qui est erroné. Cf. le tableau fourni par Werner, Nachkommen. Cette erreur fut corrigée dans l'édition allemande du livre de P. Riché, Die Karolinger. Eine Familie formt Europa, Stuttgart 1987, pl. VI, p. 442.
3 Astronomus, Vita, c. 8, p. 611.
4 Theganus, Vita, c. 4, p. 591.
5 Sur ce personnage, cf. Werner, Bedeutende Adelsfamilien, p. 119 note 133.

Chrodegang[6], le célèbre évêque de Metz. Louis l'épousa au plus tard en 795[7]. Thégan affirme que Louis le Pieux donna le titre de reine à son épouse (*reginam constituit*[8]), mais on ignore tout d'une éventuelle cérémonie de couronnement[9]. En revanche, il est certain qu'Ermengarde fut couronnée impératrice par le pape, en octobre 816 à Reims[10]. K. F. Werner y a vu, d'une certaine manière, une répétition de la bénédiction de 754 avec les règles de dévolution de la couronne alors définies[11] d'après la fameuse Clausula de unctione Pippini[12], ce qui, d'après cet historien, expliquerait l'hostilité que la reine aurait, selon André de Bergame, nourrie envers Bernard d'Italie[13].

L'on ignore presque tout de l'action d'Ermengarde et de l'influence qu'elle exerça sur son époux. Deux indices sont cependant d'un intérêt tout particulier. D'une part, il arriva que la reine présentât une requête aboutissant à l'expédition d'un diplôme, comme ce fut le cas de celui délivré en faveur du monastère de Saint-Antonin en Rouergue, établi *ad deprecationem dilectae conjugis nostrae Hermengardis*[14]. D'autre part, Ardon affirme qu'Ermengarde voyait volontiers l'abbé d'Aniane, Benoît, et qu'elle lui faisait souvent des cadeaux[15]: il s'agit d'un passage jusqu'ici négligé par les historiens des institutions, mais qui est fort important, en ce sens qu'il peut être cité comme preuve soutenant l'affirmation d'Hincmar, selon qui la reine avait la responsabilité du trésor royal[16]. Ermengarde mourut le 3 octobre 818 à Angers[17] et elle y fut inhumée[18]. Il faut croire qu'elle laissa chez certains un mauvais souvenir, puisqu'elle est châtiée dans la Visio cuiusdam pauperculae mulieris[19], un texte composé au plus tard à la fin des années trente du IXe siècle, vraisemblablement à la Reichenau[20].

---

6 Theganus, Vita, c. 4, p. 591: *Supradictus vero Hludowicus postquam ad aetatem pervenit, desponsavit sibi filiam nobilissimi ducis Ingorammi, qui erat filius fratris Hruotgangi, sancti pontificis. Supradicta vero virgo Irmingarda vocabatur, quam cum consilio et consensu patris reginam constituit ...*

7 Ceci résulte du fait que Lothaire mourut en 855 à l'âge de 60 ans. Cf. B.M. 1014(-)d et B.M. 1177(1143)b.

8 Theganus, Vita, c. 4, p. 591.

9 Sur les cérémonies de couronnement, cf. BRÜHL, Krönungsbrauch. Sur le couronnement des reines, cf. WOLF, Königinnen-Krönungen.

10 Theganus, Vita, c. 17, p. 594: *Et Irmingardam reginam appellavit augustam, et posuit coronam auream super caput eius.* Cf. également Annales Xantenses, a. 815, p. 5. Sur le couronnement d'Ermengarde d'après le témoignage d'Ermold le Noir, cf. WOLF, Königinnen-Krönungen, p. 64 sq. L'auteur a voulu y reconnaître les »Spuren eines alten Kaiserinnen-Krönungsordo« (ibid., p. 82 sqq.).

11 WERNER, Hludovicus Augustus, p. 39 sqq.

12 Ce texte a été récemment édité par STOCLET, Clausula.

13 Andreas, Historia, c. 6, p. 225.

14 B.M. 670(656), éd. Recueil des hist. 6, n° 76, p. 511. Ce diplôme est classé chronologiquement d'après B.M. 669(655), un diplôme donné à Angers le 17 août 818, également en faveur de Saint-Antonin et à la requête de la reine. Ce diplôme est cependant douteux, cf. l'annexe n° 2.

15 Ardo, Vita Benedicti, c. 31, p. 213: *Regina quoque pio affectu colebat eum; et quia iustum noverat, libenter obscultabat suisque muneribus sepissime honorabat.*

16 Hincmarus, De ordine palatii, l. 360 sqq., p. 72.

17 Annales regni Franc., a. 818, p. 148 sq. Cf. également Theganus, Vita, c. 25, p. 596; Chronicon Moissiacense, a. 818, p. 313; Annales Fuldenses, a. 818, p. 21.

18 C'est ce que l'on peut conclure de Astronomus, Vita, c. 31, p. 623 sq.

19 Visio cuiusdam pauperculae mulieris, p. 41.

20 Hypothèse de H. Houben.

91.   **ERNAUD**[1]

Fonctionnaire du Palais (*magister* des marchands?), attesté vers 820
(peut-être jusqu'en 828)

Ernaud[2] ne nous est connu que par le capitulaire De disciplina palatii Aquisgranensis: il était chargé d'inspecter les maisons des marchands, tant chrétiens que juifs[3]. Il était peut-être le *magister* des marchands évoqué dans un document de 828, le Praeceptum negotiatorum[4]. D'aucuns ont voulu identifier Ernaud avec le sénéchal Erlaud[5].

92.   **EUDES**[1] **(I)**

Echanson, attesté en 826

Eudes est attesté en 826 au palais d'Ingelheim, à l'occasion du festin donné après le baptême du Danois Harold. Eudes, alors désigné par Ermold comme *puer* – expression qui dès l'époque classique pouvait désigner les serviteurs, notamment du prince[2] –, était chargé de préparer les boissons[3]. On le retrouve d'ailleurs formellement attesté comme échanson (*buticularius*) dans un autre document de la même époque[4]. On le voit à ce propos en possession d'une forêt. Rien ne permet de dire s'il s'agissait d'un bien personnel ou d'un *beneficium* rémunérant le bouteiller pour ses services. Eudes n'est attesté comme bouteiller qu'en 826. Peu après apparaît un homonyme que Louis le Pieux investit du comté d'Orléans pour remplacer Matfrid,

---

1 Seule forme onomastique: *Ernaldus*.
2 Pour information: un homonyme souscrivit à Prüm, le 18 août 787, une donation faite par l'abbé du lieu à son monastère (Doc. dipl. Rhin moyen, n° 34, p. 38 sq.: *S. Ernaldo*).
3 Capitulare de disciplina palatii, c. 2, p. 298: *Ut Ratbertus actor … similem inquisitionem faciat. Petrus vero et Gunzo per scruas et alias mansiones actorum nostrorum similiter faciant, et Ernaldus per mansiones omnium negotiatorum, sive in mercato sive aliubi negotientur, tam christianorum quam et Iudaeorum.*
4 B.M. 851(825) = Formulae imperiales, n° 37, p. 314 sq. (à la p. 315): *Quodsi alique cause adversus eos et homines eorum ortae fuerint, quas infra patriam absque gravi et iniquo dispendio definire nequiverint, usque in praesentiam nostram vel magistri illorum, quem super ea et super alios negotiatores praeponimus, fiant suspensae vel reservatae, quatenus secundum iuris ordinem finitivam accipiant sententiam.* Sur ce document, cf. LAURENT, Marchands; GANSHOF, Praeceptum negotiatorum.
5 Cf. Capitulare de disciplina palatii, p. 297.

1 Formes onomastiques: *Odo, Otho*.
2 Cf. GAFFIOT, Dictionnaire, p. 1274.
3 Ermoldus, Elegiacum carmen, lib. IV, v. 2346 sq., p. 178: *Nec minus Otho puer pincernis imperat ardens,/ Praeparat et Bachi munera lenta meri.*
4 Responsa, c. 6, p. 314: *Odo buticularius de foreste sua interrogandus est.*

que l'empereur venait de destituer. Rien ne permet de prouver l'identité entre Eudes (I) et Eudes (II). Cette dernière n'en demeure pas moins une hypothèse séduisante.

93.   EUDES[1] (II)
               Comte d'Orléans, attesté à partir de 830 – mort en 834

Le comte Eudes[2] est mentionné pour la première fois à l'occasion de la révolte contre Louis le Pieux survenue au printemps 830: les opposants à la politique de l'empereur, de passage à Orléans, en expulsèrent Eudes pour restituer son comté à Matfrid[3], qui en avait été privé en février 828[4]. L'on peut supposer que c'est environ depuis cette date qu'Eudes tenait en réalité le comté d'Orléans. A l'occasion du plaid tenu au début de l'été 830 à Compiègne[5], Eudes fut envoyé en exil[6] – un exil qui ne dura vraisemblablement que quelques mois: il fut probablement libéré à l'occasion du plaid tenu à l'automne 830 à Nimègue[7]. On le voit en effet libre lors de la crise de 833/834 – libre, mais non pas rétabli dans ses droits: il est significatif que l'Astronome le désigne alors sans titre[8]. Eudes, dont on a ici la preuve de son attachement au parti de Louis le Pieux, fut l'un des grands avec lesquels Lothaire accepta de négocier la libération de son père au début de 834 (peu après le 19 février); cette démarche n'eut cependant pas lieu étant donné la fuite de Lothaire[9]. A la faveur du rétablissement politique de Louis le Pieux, Eudes dut être réinvesti de son comté d'Orléans. La résistance exercée par Matfrid et Lamtbert conduisit, en 834, à l'affrontement au cours duquel Eudes, notamment, tomba[10]. Son action en Orléanais fut critiquée par l'un des plus importants établissements religieux de la région[11].

1 Formes onomastiques: *Odo, Hodo, Uodo*.
2 Sur ce personnage, cf. WERNER, Untersuchungen, 2e partie, p. 154 sq. LEVILLAIN, Nibelungen, 2e partie, p. 31, identifie le comte d'Orléans avec le bouteiller attesté en 826, c'est-à-dire Eudes (I).
3 Astronomus, Vita, c. 44, p. 633: *His ergo allectus incitamentis iuvenis, cum eis et suorum multis copiis per Aurelianensem urbem, sublato inde Hodone et restituto Mathfrido, Werimbriam usque venerunt.*
4 B.M. 844(818)a. Cf. la notice n° 199.
5 B.M. 873(844)b.
6 Astronomus, Vita, c. 45, p. 633: *Denique Heribertus, Bernhardi frater, luminum amissione multatus est contra votum imperatoris, Hodo consobrinus illius armis ablatis exilio deportatus, tamquam eorum quae Bernhardo et reginae adclamabantur conscii et fautores.*
7 B.M. 876(847)c.
8 Cf. le texte de la note suivante.
9 Astronomus, Vita, c. 51, p. 637: *Commendati sunt Werinus comes et Odo necnon et Folco sed et Hugo abbates, ad se venirent, quatinus cum eis deliberaretur, quomodo petitio eorum fieri posset.*
10 Astronomus, Vita, c. 52, p. 368: *... remanserant in Neustriae partibus Lantbertus comes et Matfridus, ceterique quamplurimi qui easdem partes propria vi tenere nitebantur. Quam rem aegre ferentes Odo comes et alii multi imperatoris faventes partibus, contra eos arma corripiunt, eosque pellere illis nitebantur locis, aut certe cum eis congredi ... ibique et ipse Odo cum fratre interiit Willelmo plurimisque aliis; ceterique salutem in fugae subsidio posuerunt.* Eudes est explicitement désigné comme *comes Aurelianensis* dans Annales Fuldenses, a. 834, p. 27. Cf. également Annales Bertiniani, a. 834, p. 13 et Nithardus, Historia, lib. I, c. 5, p. 20.
11 Adrevaldus, Miracula, c. 20, p. 47 sq.: *Siquidem Matfrido, comite quondam Aurelianensi, ob culpam inertiae propriis honoribus privato, Odo in ejus locum substituitur. Qui insolentia gravi contra sui naturam elatus, cuncta quae juri subjacebant ecclesiae Aurelianensis, matricula excepta, sed et abbatiam*

94.   ÉVRARD[1]

Magister Iudeorum, attesté vers 826/828 (peut-être dès 822)

Evrard, qui exerçait les fonctions de *magister Iudeorum*[2], c'est-à-dire de conseiller chargé des affaires concernant les Juifs[3], fut envoyé par Louis le Pieux vers 826/827 comme *missus* pour enquêter sur le statut des Juifs, notamment à Lyon[4]. Je tends à compter Evrard parmi les membres du Palais de Louis le Pieux[5], mais rien ne permet de l'affirmer avec certitude. Th. Schieffer[6], suivi par E. Vianello[7], voulut reconnaître en ce personnage le père de Bermond[8], le *praefectus Lugdunensis provincie* qui aveugla Bernard d'Italie[9], alors que R. Louis reconnaissait en lui son gendre[10]. Th. Schieffer voulut l'identifier également avec le chambrier de Charlemagne attesté en août 806[11]. Il est cependant fort probable qu'il faille reconnaître le futur chambrier en le *Eborhard(us) magister pincernarum* envoyé par Charlemagne en 781 auprès de Tassilon[12]; pour des raisons chronologiques, il peut difficilement s'agir également du *magister Iudeorum* attesté sous Louis le Pieux.

S. Aniani necnon S. Benedicti, in propriam molitur redigere potestatem. Quod monachi coenobii S. Benedicti cernentes, consilio inito, misericordiae Domini solius se committentes, maturrimam partem suorum fratrum ad praefatum dirigunt comitem nimia insanientem tyrannide, cum pignoribus sanctorum, omnigena supplicantes prece, ne tantum incurrat piaculum, neve res sacro ordini delegatas ad nefarios transferat usus, sed magis servos Dei res sibi a Domino traditas libere liceat ordinare; quae petitio nulli apud eum valuit. Coeperat, eo in tempore, expeditionem parare, viribus undecumque contractis, adversum Lambertum atque Matfridum sociosque eorum, Neustriae partibus residentes, qui ab imperatore ad Lotharium defecerant. Cui expeditioni jusserat quoque interesse Jonam, venerabilem episcopum Aurelianensem, et Bosonem, abbatem S. Benedicti, quorum res injuste sibi vindicaverat …

1 Seule forme onomastique: *Evrardus*.
2 Agobardus, Epistolae, n° 9, p. 199 sqq.: *Temptaverunt porro quidam missi et Evrardus maxime, qui Iudeorum nunc magister est, religiosum hoc opus nostrum destruere, ac sub obtentu edictorum imperialium labefactare.*
3 A ce propos, cf. Agobardus, Epistolae, n° 4, p. 164 sqq.
4 Agobardus, Epistolae, n° 7, p. 182 sqq.: *Venerunt Gerricus et Fredericus, quos precucurrit Evrardus, missi quidem vestri* (c'est-à-dire de Louis le Pieux), *non tamen per omnia vestra agentes, sed ex parte alterius; et ostenderunt se christianis terribiles et Iudaeis mites, maxime Lugduni, ubi partem persecutionis adversus ecclesiam depinxerunt, quam multis gemitibus, suspiriis et lacrimis stimulaverunt.*
5 WAITZ, Verfassungsgeschichte, tome 3, p. 549, compte le *magister Iudeorum* parmi les fonctionnaires palatins. Mais SIMSON, Jahrbücher, tome 2, p. 310 (index) ignore ce personnage qui aurait alors dû trouver place dans le chapitre consacré aux membres du Palais.
6 Dipl. Karol. 3, p. 269.
7 VIANELLO, Unruochingi, note 41 p. 350.
8 Un Ebrardus, père de Bertmundus, est attesté par un diplôme de Lothaire: Dipl. Karol. 3, n° 117, p. 268 sqq.
9 Nithardus, Historia, lib. I, c. 2, p. 6.
10 LOUIS, Girard, p. 26.
11 Dipl. Karol. 1, n° 204, p. 273 sq.: *Ebrehardus camerarius.* Le personnage est également appelé Everardus.
12 Annales regni Franc., a. 781, p. 58. Cf. ABEL, Jahrbücher, tome 2, p. 550 sq.

95. **FARAMOND**[1]

Notaire, attesté du 23 avril 814[2] au 9 mai 826[3]

Le notaire Faramond[4] semble avoir joué un rôle non négligeable au sein de la »chancellerie«[5]. A ses débuts, il rédigea les actes[6], ensuite il en fit la recognition[7]. Toutefois, il se peut que l'on doive assouplir cette chronologie[8]. En tout, O. Dickau estime que Faramond participa à l'élaboration de 27 diplômes[9].

96. **FAUSTIN**[1]

Scribe, attesté en 811

Faustin n'est attesté comme scribe à la cour de Louis, roi d'Aquitaine, que par un colophon nous apprenant qu'en 811 au palais de Chasseneuil, il écrivit l'Expositio in Genesim de Claude[2] (le futur évêque de Turin).

97. **FOLCRAD**[1]

Vassus dominicus, attesté en 838

En mai 838, Folcrad fut l'un des *missi* que Louis le Pieux envoya à Saint-Calais, suite au jugement prononcé à Aix-la-Chapelle, pour y procéder à l'investiture (*plena ve-*

---

1 Seule forme onomastique: *Faramundus*.
2 B.M. 523(504).
3 B.M. 829(770).
4 Cf. SICKEL, Acta regum, tome 1, p. 88; BRESSLAU, Urkundenlehre, tome 1, p. 386; DICKAU, Kanzlei, 1ère partie, p. 117 sqq. et 2ᵉ partie, p. 104.
5 DICKAU, Kanzlei, 1ère partie, p. 117: ce notaire »ist weniger durch die Menge der von ihm in den Jahren zwischen 814 und 819 mundierten Urkunden als vielmehr durch die Qualität seiner Erzeugnisse als eine der bedeutendsten Schreiberpersönlichkeiten innerhalb der personell neu begründeten Reichskanzlei Ludwigs d. Fr. einzustufen«.
6 B.M. 523(504), éd. Recueil des hist. 6, n° 1, p. 455, porte, à la place de la formule de recognition, la mention: *Faramundus ad vicem Helisachar scripsit.* Le diplôme B.M. 529(510), éd. P.L. 104, col. 1007 sqq., dont Hélisachar fit lui-même la recognition, fut écrit par Faramond, cf. Mentions tironiennes, p. 17. Le 13 avril 819, le diplôme B.M. 689(669), éd. Doc. dipl. Belgique (bis), vol. 1, n° 132, p. 222 sq., reproduit en fac-similé ibid., vol. 2, pl. I, dont Durand fit la recognition, fut également écrit par Faramond, cf. Mentions tironiennes, p. 17.
7 B.M. 706(685), du 4 décembre 819; B.M. 739(715); B.M. 787(760); B.M. 829(770).
8 Le diplôme B.M. 658(644), éd. Recueil des hist. 6, n° 74, p. 509, du 20 novembre 817, dont Roimundus fit la recognition rompt en effet cette chronologie: il semblerait qu'il faille reconnaître en ce personnage le notaire Faramond (SICKEL, Acta regum, tome 1, p. 88).
9 DICKAU, Kanzlei, 1ère partie, p. 118.

1 Seule forme onomastique: *Faustinus*.
2 Claudius, Epistolae, n° 1, p. 593 – texte cité à la notice n° 65. Cf. VEZIN, Manuscrits présentent des traces, p. 165.

1 Seule forme onomastique: *Folcradus*.

stitura) de l'évêque Aldric[2]. Folcrad avait d'ailleurs participé au plaid au cours duquel le différend entre l'évêque du Mans et l'abbé de Saint-Calais avait été jugé[3].

98.   **FOULQUES**[1] **(I)**

Archichapelain[2], attesté du 24 juin 827 au 10 octobre 845

Foulques est attesté comme archichapelain par Hincmar[3] et par l'auteur du récit de la translation du corps de saint Junien de Mairé à Nouaillé[4]. Son prédécesseur, Hilduin, tomba en disgrâce en octobre 830, lors du plaid tenu à Nimègue[5]. Il est vraisemblable que Foulques ait été immédiatement nommé pour le remplacer, puisque l'auteur du récit de la translation de saint Junien le désigne comme tel. Or, cette translation eut lieu le 5 novembre[6] 830[7]. On ignore presque tout de l'activité de l'archichapelain, qui »avec la plus grande vraisemblance« fut »sinon le rédacteur, du moins l'inspirateur et, au regard de l'histoire, le garant« de la première partie (années 830/835) des Annales

---

2 Concilium Carisiacense (bis), p. 842 – texte cité à la notice n° 33.
3 Ibid., p. 847 (n° 73): *Folcradus vassus dominicus*.

1 Formes onomastiques: *Fulco, Fulcho, Folco*.
2 Fondamental est l'article de GIERSON, Fulco. Cette étude, bien que connue par les chercheurs allemands, a été méprisée par eux. Ainsi SCHNEIDER, Fulco, p. 3, distingue l'abbé de Saint-Hilaire de l'archichapelain de Louis alors que GRIERSON, Fulco, p. 277 sq. avait prouvé de manière irréfutable cette identité. De même, les éditeurs de Hincmarus, De ordine palatii, p. 62 note 127, attribuent l'identification à B. Simson, comme si elle était hypothétique et non assurée par les sources. C'est ainsi sur une base pas tout à fait juste que SCHNEIDER, Fulco, p. 4, a affirmé que toute identification devait rester question ouverte. Les éditeurs de Hincmarus, De ordine palatii, p. 62 note 127, le suivirent dans sa réserve. Cf. également LÜDERS, Capella, p. 57 sq.; PERRICHET, Grande Chancellerie, p. 461; FLECKENSTEIN, Hofkapelle 1, p. 54; DICKAU, Kanzlei, 2e partie, p. 111 (l'auteur ignore que l'archichapelain était abbé de Saint-Hilaire).
3 Hincmarus, De ordine palatii, l. 267 p. 62. Foulques y est qualifié de *presbyter*.
4 Doc. dipl. Nouaillé, n° 12, p. 20 sqq.
5 B.M. 876(847)c. Cf. la notice n° 157.
6 Doc. dipl. Nouaillé, n° 12, p. 23: *nonas novembris*.
7 Ibid., p. 22: *anno septimo decimo imperii iam supradicti Caesaris* (= Louis le Pieux). Cf. également Chronicon s. Maxentii, p. 44: *Anno ab Incarnatione Dei DCCCXXX basilica sancti Hilarii Nobiliaco dedicatur et corpus sancti Juniani illuc transfertur a Mariaco villa; quam translationem fecerunt abbas Godolenus, adjuvante Sigibranno episcopo et Fulcone abbate sancti Hilarii*. S'appuyant sur le témoignage de la Chronique de Saint-Maixent, GRIERSON, Fulco, p. 277 sq., affirme que Foulques »was present at the translation«. Il me semble ici imprudent de prendre l'auteur de la Chronique au mot, car ce n'est pas du tout ce que permet d'affirmer le récit de la translation. En effet, bien que la cérémonie se soit déroulée *concurrentibus undique sacerdotibus et populorum catervis et venerabilibus episcopis obviam venientibus* (Doc. dipl. Nouaillé, n° 12, p. 23), l'auteur se garde d'avancer un seul nom. Quelques lignes plus haut, il affirme seulement que la translation fut possible *faventibus et consultum ferentibus pontifice Sigibrando et Fulcone archicapellano* (ibid., p. 22). Or si l'on admet, ce que laisse entendre le récit de la translation si son auteur ne commet pas d'anachronisme, que Foulques fut nommé aussitôt Hilduin démis de ses fonctions, c'est-à-dire en octobre 830, l'on peut penser que l'abbé de Saint-Hilaire était présent au plaid tenu à Nimègue. Par conséquent, il est presque hors de question qu'il se soit hâté de retourner en Poitou, alors que la cour demeurait encore à Nimègue à la Saint-Martin, cf. B.M. 877(848). Il me semble par conséquent que Foulques ne participa pas à la cérémonie de translation des reliques de saint Junien.

de Saint-Bertin[8]. Deux documents sont cependant forts précieux, qui nous le montrent agissant à la cour. Il s'agit de deux diplômes donnés à Worms en 833, l'un le 4 avril[9], l'autre 10 juin[10]. Nous sommes alors à une période critique du règne de Louis le Pieux, qui avait convoqué l'ost à Worms pour marcher contre ses fils[11]. Le premier diplôme fut délivré en faveur de l'abbaye de Kempten, le second en faveur de Sainte-Colombe de Sens. Dans les deux cas, Foulques introduisit la requête (*impetravit*) auprès de l'empereur, la première fois seul[12], la seconde, de concert avec l'impératrice Judith[13].

Grâce au récit de la translation de saint Junien[14], l'identité de l'archichapelain avec l'abbé de Saint-Hilaire de Poitiers est établie sans conteste possible. Foulques est attesté comme abbé de Saint-Hilaire dès le 24 juin 827[15]. Par ailleurs, un certain Foulques est attesté comme abbé de Saint-Remi de Reims: c'est lui qui assura la gestion du diocèse de Reims suite à la déposition d'Ebbon. Rien ne permet d'affirmer à coup sûr qu'il s'agit de notre homme. Toujours est-il que ce dernier jouissait de la confiance de Louis le Pieux, et également de celle de Charles le Chauve[16]. Un fait plaide en faveur de l'identification avec l'archichapelain: l'abbé de Saint-Remi, tout comme l'archichapelain, était prêtre[17]. Or le Foulques qui, le 16 mars 834, reçut l'abbatiat de Saint-Wandrille (Fontenelle) était également prêtre[18]. Il s'agit vraisemblablement du même personnage, qui était abbé de Jumièges[19]. Au cas où notre personnage serait

8 Annales Bertiniani, p. VIII.
9 B.M. 921(892).
10 B.M. 926(896).
11 B.M. 925(896)a.
12 Mentions tironiennes, p. 19: *Fulco impetravit*.
13 Ibid.: *Domna regina et Fulco impetraverunt.* »Il y avait d'abord *Fulco impetravit*; on ajouta *Domna regina* et on corrigea *vi* en *verunt*«.
14 Doc. dipl. Nouaillé, n° 12, p. 20 sqq.
15 Actes de Pépin, n° 7, p. 21 sqq.
16 Narratio clericorum Rhemensium, col. 20: *Post haec vero dividentes inter se regna paterna, Lotharius imperator ac domnus noster Carolus gloriosissimus rex, devenit iam saepe dicta mater nostra Rhemensis ecclesia in partem et ditionem gloriosissimi regis Caroli, cum quo erat gratissimus ac potentissimus Fulcho abbas, qui ipsam ecclesiam domni Ludovici imperatoris antea presbyter obtinuerat, et gratia eiusdem regis, cum quo erat, iterum adeptus est eam.* Ensuite, Foulques remit l'administration du diocèse entre les mains de Charles le Chauve: ... *quicquid ex eodem episcopatu, quando de manu Fulconis illum recepimus* ... (Actes de Charles le Chauve, tome 1, n° 75, p. 210 sqq. – acte du 1er octobre 845). Foulques est attesté comme abbé de Saint-Remi par l'acte d'association de 838 entre le monastère rémois et l'abbaye de Saint-Denis, cf. Doc. dipl. Saint-Denis, pièces justificatives, n° 77, p. 58 sq.
17 Narratio clericorum Rhemensium, col. 20. Tous les abbés de l'époque étaient loin d'être prêtres: outre qu'il pouvait s'agir de diacres, ils pouvaient également être des laïcs, cf. FELTEN, Äbte, p. 280 sqq.
18 Gesta patrum Font., c. 14, p. 124 sq.: *Fulco, uenerabilis presbiter succedit ab anno incarnationis Dominicae DCCCXXXV, qui est annus bonae memoriae domni Hludouuici magni imperatoris XXI ... XVII Kalend. Aprilis fuit tunc datum domno Fulconi praedictum coenobium* ... Contrairement à l'indication de l'année de l'Incarnation, il faut placer l'accession de Foulques à l'abbatiat en 834, cf. ibid., p. 125 note 376. C'est d'ailleurs cette année-là qui est la vingt-et-unième du règne de Louis.
19 L'abbatiat de Foulques à Jumièges est attesté seulement de manière fort ténue, cf. LAPORTE, Listes abbatiales, p. 442 sq. L'auteur donne comme chronologie approchée: »831? – vers 835?«. Dans une autre étude (LAPORTE, Jumièges, p. 194), il estime que Foulques fut abbé »dès 830« et que son successeur accéda à l'abbatiat »vers 835 ou peu après«. Toujours est-il que Foulques n'était plus abbé de Jumièges le 23 avril 838, cf. Actes de Pépin, n° 29, p. 124 sqq. GRIERSON, Fulco, p. 280, considère que Foulques reçut Saint-Vaast en compensation.

réellement identique avec l'abbé de Fontenelle, ce que la chronologie des événements rend probable, on aurait ici affaire à une récompense octroyée par Louis le Pieux – quelque deux semaines après son rétablissement au pouvoir[20] – à un fidèle ayant œuvré à ce retournement de situation (en effet, en février[21], Foulques avait été désigné par les partisans de Louis le Pieux pour négocier avec Lothaire[22]). Cette promotion fut certainement également un dédommagement[23]: c'était dorénavant le demi-frère de Louis le Pieux, Drogon, qui se trouvait à la tête de la Chapelle.

Néanmoins, Foulques continua de compter parmi ceux en qui l'empereur pouvait avoir confiance, comme l'atteste sa mission auprès de Lothaire en 837, pour rappeler ce dernier à ses devoirs envers l'Eglise romaine[24]. En 839, un certain Foulques fut promu à l'abbatiat de Saint-Vaast[25]. Il s'agit probablement de l'ancien archichapelain[26]. Une fois Louis le Pieux mort et Foulques dès lors privé du soutien de son protecteur, sa carrière finit de piètre manière: il perdit successivement Saint-Vaast, la gestion du diocèse de Reims et Fontenelle[27]. Celui dont on sait qu'il était lié d'amitié avec Eginhard[28] est mentionné pour la dernière fois le 10 octobre 845[29].

99.   **FOULQUES**[1] **(II)**

Comte du Palais[2], attesté en 838

Le comte du Palais Foulques ne nous est connu que par le Mémorial du Mans[3]. Il participa à l'assemblée d'Aix-la-Chapelle en avril 838 ayant eu connaissance du différend entre l'évêque du Mans et l'abbé de Saint-Calais[4]. Il fut d'ailleurs ensuite au nombre des *missi* de l'empereur chargés de procéder à l'investiture (*plena vestitura*) d'Aldric en ce monastère. Foulques était le premier nommé parmi ces *missi*[5].

20 Cf. la cérémonie à Saint-Denis le 1er mars 834, B.M. 926(897)p.
21 Après le 19 février, jour de l'envoi de la première délégation.
22 Astronomus, Vita, c. 51, p. 637 – texte cité à la notice n° 93. Cette démarche n'eut cependant pas lieu, étant donné la fuite de Lothaire.
23 Assurément, Foulques n'était plus abbé de Saint-Hilaire en novembre 835, cf. Actes de Pépin, n° 24, p. 87 sqq. Il perdit peut-être son abbaye poitevine à l'occasion de la révolte de 833, cette perte s'avérant le prix à payer pour sa fidélité à Louis le Pieux, au Rotfeld par exemple: »That Fridebert's appointment dates from 833 is only an assumption, though a very probable one« (GRIERSON, Fulco, p. 278 note 7). Ph. GRIERSON, ibid., p. 279, considère que l'abbatiat à Fontenelle et Jumièges servit de compensation à la perte de Saint-Hilaire, et la gestion du diocèse de Reims à celle de la fonction d'archichapelain.
24 Cf. Astronomus, Vita, c. 55, p. 641 – texte cité à la notice n° 18. Cf. en outre la notice n° 231.
25 Chronicon Vedastinum, a. 839, p. 708.
26 Comme l'a montré GRIERSON, Fulco.
27 GRIERSON, Fulco, p. 281 sq.
28 Cf. Einhardus, Epistolae, n° 35 et 36, p. 127 sq.
29 GRIERSON, Fulco, p. 282.

1 Seule forme onomastique: *Fulco*.
2 Cf. SIMSON, Jahrbücher, tome 2, p. 243; MEYER, Pfalzgrafen, p. 461.
3 Il n'y a pas lieu de mettre son existence en doute, puisque l'on considère que le Mémorial transmet pour le moins des »authentic signatures« (GOFFART, Le Mans Forgeries, p. 152).
4 Concilium Carisiacense (bis), p. 847 (n° 64): *Fulco vassus dominicus et comes palatii*.
5 Ibid., p. 842 – texte cité à la notice n° 33.

100.   **FRANCON**[1]

Evêque du Mans[2], attesté à partir de 816 – mort le 6 novembre 832[3]

Francon[4], qui fut ordonné le 29 juin 816[5], était issu de la Chapelle de Louis le Pieux[6]: il reçut sa formation de diacre au Palais[7]. Après la mort de son oncle Francon (premier du nom), l'empereur lui confia l'administration du diocèse du Mans et l'archevêque Landramne le sacra[8].

101.   **FRÉCULF**[1]

Evêque de Lisieux[2], attesté de 825 à 850[3]

L'on ne connaît que très peu de choses sur l'évêque de Lisieux. Il participa au concile tenu en 825 à Paris[4] concernant le culte des images; c'est lui qui, s'étant entretenu de ce sujet avec le pape, fit un rapport aux Pères de cette assemblée[5]. Il participa aussi au concile tenu également à Paris quatre ans plus tard[6]. Peu après la crise de 833/834, Louis le Pieux montra la confiance qu'il avait en Fréculf: il fit de lui, pour un temps, le geôlier de l'ex-archevêque de Reims, Ebbon[7]. En mars 835, Fréculf avait d'ailleurs participé à l'assemblée tenue à Thionville au cours de laquelle Ebbon avait signé sa résignation[8]. Mais c'est surtout pour son oeuvre que ce lettré[9] formé par Hélisa-

---

1 Seule forme onomastique: *Franco.*
2 Cf. DUCHESNE, Fastes, tome 2, p. 337 sq.
3 Actus pont. Cenom., p. 295.
4 Ibid., p. 293: *Domnus Franco junior ... neposque propinquus atque successor praedicti senioris Franconis, natione scilicet Francus, ex pago Asbanio, de nobilibus parentibus ortus ...*
5 Ibid., p. 294. Un peu plus bas dans le texte, il est dit que l'épiscopat de Francon dura 16 ans, 5 mois et 5 jours, ce qui ne concorde pas avec les données relatives à la date du décès de cet évêque.
6 Cf. FLECKENSTEIN, Hofkapelle 1, p. 58.
7 Actus pont. Cenom., p. 293: *... atque in palatio domni Hludovici in diaconatus ministerio instructus ...*
8 Ibid., p. 293 sq.: *... cui a praedicto domno Hludovico, gloriosissimo imperatore, post obitum praedicti Franconis, jam dictum episcopatum ad regendum est commissum, in quo antedictus Franco a Lamtramno, Turonice civitatis archiepiscopo, et ab aliis episcopis, in ipsa sue sedis aecclesia episcopus est, tercio kalendarum juliarum, consecratus et ad eandem aecclesiam titulatus.*

1 Formes onomastiques: *Freculfus, Frechulfus, Freculphus.*
2 Cf. DUCHESNE, Fastes, tome 2, p. 236. Sur l'oeuvre de Fréculf, cf. MANITIUS, Geschichte, p. 663 sqq.
3 Concilia 3, n° 20, p. 202 sqq.
4 Cf. HARTMANN, Synoden, p. 168 sqq.
5 Concilium Parisiense, p. 482: *... fecimus epistolam nobis relegi, quam vobis legati Graecorum anno praeterito detulerunt. Venerabilis namque Freculfus episcopus subtiliter prudenterque, qualiter ipse et Adegarius, socius illius, de hac re cum domno apostolico et cum venerandis episcopis et ministris illius egissent, viva voce parvitati nostrae innotuit.*
6 Cf. Doc. dipl. Paris, n° 35, p. 49 sqq. Sur ce concile, cf. HARTMANN, Synoden, p. 181 sqq.
7 Narratio clericorum Rhemensium, col. 18.
8 Concilium ad Theodonis villam, p. 703.
9 Sur ses relations avec Raban Maur, cf. Hrabanus, Epistolae, n° 7 à 12, p. 391 sqq.

char[10] est connu: c'est *ob amorem dominae meae augustae Judith*[11] que Fréculf composa la seconde partie de sa Chronique, pour l'éducation du jeune Charles (le Chauve)[12].

102.   FRÉDÉRIC[1]
Missus, attesté vers 826/827

Frédéric est attesté à Lyon comme *missus* de Louis le Pieux chargé d'enquêter sur le statut des Juifs[2].

103.   FRÉHHOLF[1]
Missus, attesté entre 790/794 (?) et 822

Le 3 avril 822 lors d'un plaid tenu à Ergolding[2], deux *missi* de l'empereur, dont Frehholf, interrogèrent sur l'ordre de ce dernier l'évêque de Freising, Hitto, concernant le statut de l'église d'Oberföhring[3]. Louis le Pieux eut vraisemblablement recours à un grand de la région pour faire alors office de *missus dominicus*. En effet, le nom de Fréhholf est loin d'être étranger aux chartes de Freising. On retrouve Fréhholf (ou son homonyme) comme témoin en 815, en 818 et en 819[4].

---

10 Freculphus, Chronicon, II, col. 917: *Tu quidem, mi dilectissime Elisachare, et amore insatiabilis sophiae venerande praeceptor ...* Cf. Epistolae variorum 2, n° 13, p. 317 sq.
11 Freculphus, Chronicon, II, col. 1258.
12 Epistolae variorum 2, n° 14, p. 319 sq. Sur cette oeuvre, cf. GOEZ, Weltchronik.

1 Seule forme onomastique: *Fredericus*.
2 Agobardus, Epistolae, n° 7, p. 182 sqq. – texte cité à la notice n° 94.

1 Formes onomastiques: *Frehholf, Frecholf*.
2 Bavière, Landkreis Landshut.
3 Doc. dipl. Freising, n° 463, p. 394 sq.: *Dum sedissent Cotafrid videlicet et Hatto ad Ergeltingas, Adalhram, Hitto, Baturih, Reginheri, Agnus episcopi, Kisalhart et Ellanperht iudices ceterique omnes coronatores viri ibique inter eos surrexerunt Nidhart et Frehholf missi dominici et interpellabant Hittonem episcopum pro ecclesiam quae sita est in loco nominato Feringa* (Bavière, München) *dicentes a domno imperatore eis iniunctum fuisse pro ipsam ecclesiam investigare, utrum ad episcopatum pertinere aut specialiter cappella ad opus dominicum fieri deberet, eo quod Gregorius domno imperatore referebat Hittonem episcopum ipsam praefatam ecclesiam iniuste praeripuisse.*
4 Ibid., respectivement n° 336, p. 286 sq., n° 401c, p. 345 sq. et n° 407, p. 350 sq. De même on a le texte de deux donations par un Fréchof, en 790/794 et en 806/811, respectivement n° 134, p. 141 sq. et n° 243, p. 221 sq.

104.   **FRIDUGISE**[1]

Archichancelier[2], attesté vers la fin du règne de Charlemagne – mort le 10 août 833[3]

Fridugise, d'origine anglo-saxonne[4] comme Alcuin, était un élève de ce dernier[5]. Dès sa jeunesse, Fridugise apprit à commercer avec les palatins[6]: on le voit servir de courrier entre Charlemagne et Alcuin[7]; il fut à l'occasion au service de Gisèle, la fille de Charlemagne[8]; une autre fois, c'est auprès de l'archevêque de Salzbourg qu'Alcuin envoya son élève, pour lui porter un petit Manuel[9]. Les liens de Fridugise avec la cour de Charlemagne sont encore soulignés par le traité De nihilo et de substantia tenebrarum, qu'il dédia aux membres du Palais[10]. Fridugise reçut l'abbatiat de Saint-Martin de Tours. Il est attesté pour la première fois dans cette fonction par un diplôme du 7 avril 808 donné à Chasseneuil[11]. En 811, Fridugise fit partie des témoins du testament de Charlemagne: il est le premier des abbés cités[12]. Une fois Louis le Pieux empereur, ce dernier multiplia les diplômes en faveur de Saint-Martin: il en délivra plusieurs en série le 30 août 816[13] et un autre le 1er juillet 817[14]. L'on peut en déduire que Fridugise participa aux conciles réformateurs tenus à Aix-la-Chapelle en août 816[15] et en juillet 817[16]. Pendant l'été 818, Fridugise accueillit Louis le Pieux à Tours à l'occasion de son expédition militaire en Bretagne[17].

1 Formes onomastiques: *Fridugisus, Fredegisus, Fredegysus, Fredigysus, Fridogisus, Fredegis*.
2 Cf. FLECKENSTEIN, Hofkapelle 1, p. 81 sqq.; SICKEL, Acta regum, tome 1, p. 89 sqq.; PERRICHET, Grande Chancellerie, p. 469; BRESSLAU, Urkundenlehre, tome 1, p. 386; TESSIER, Diplomatique, p. 44; DICKAU, Kanzlei, 2e partie, p. 103 et p. 117 sqq
3 Cf. GASNAULT, Actes privés, p. 26 note 9; OEXLE, Charroux, p. 200 note 23.
4 Doc. dipl. Saint-Bertin, n° 56, p. 74 sq.: *Fridegisus, genere Anglus*; Bovo, Inventio, p. 529: … *cuidam canonico, genere Anglo, Fredegiso nomine* …
5 Cf. Vita Alcuini, c. 11, p. 191. On dispose de plusieurs lettres du maître au disciple, où ce dernier est appelé *filius*: Alcuinus, Epistolae, n° 135, p. 203 sq.; n° 245, p. 393 sqq. (sous le pseudonyme de Nathanaël); n° 251, p. 406 sq. et n° 289, p. 447 sq.
6 FLECKENSTEIN, Hofkapelle 1, p. 81: »Fridugis … war allem Anschein nach schon unter Karl d. Gr. Kapellan gewesen: als Nathanael gehörte er dem Kreis der Hofgelehrten an«.
7 Alcuinus, Epistolae, n° 148, p. 237: *Dulcissima pietatis vestrae munera mihi Fredegysus, servolus vester, adtulit.* Cf. également ibid., n° 261, p. 418 sq.
8 Alcuinus, Epistolae, n° 154, p. 249: *Et puer Fridigisus secundum temporis oportunitatem vobis ferat auxilium.*
9 Alcuinus, Epistolae, n° 259, p. 417.
10 Epistolae variorum 1, n° 36, p. 552–555: *Omnibus fidelibus et domni nostri serenissimi principis Karoli in sacro eius palatio consistentibus Fredigysus diaconus.* Sur cette oeuvre, cf. GENNARO, Fridugiso. Sur la science de Fridugise, cf. Theodulfus, Carmina, n° 25, v. 175 sq., p. 487.
11 B.M. 518(499), éd. Recueil des hist. 6, n° 2, p. 453. Louis le Pieux accorda à *Fridegisus, abba(s) ex monasterio sancti Martini, ubi ipse corpore requiescit* l'exemption de tonlieu pour deux bateaux en faveur du monastère de Cormery. Que Fridugise ne soit attesté qu'à partir de 808 ne signifie pas qu'il fut »seit 808 als Nachfolger Alcuins Abt von St. Martin in Tours«, comme l'affirme FLECKENSTEIN, Hofkapelle 1, p. 81; déjà ainsi: BRESSLAU, Urkundenlehre, tome 1, p. 386. En effet, rien ne permet d'affirmer que l'abbatiat de Fridugise commença en 808. Par ailleurs, Fridugise ne fut pas le successeur direct d'Alcuin, cf. VAUCELLE, Saint-Martin, p. 63 sq. et p. 439.
12 Einhardus, Vita Karoli, c. 33, p. 100.
13 B.M. 629(609), B.M. 630(610), B.M. 631(611) et B.M. 632(612).
14 B.M. 649(627).
15 B.M. 622(602)a.
16 B.M. 649(627)a et B.M. 651(631).
17 Ermoldus, Elegiacum carmen, lib. III, v. 1542–1545, p. 118.

Durant l'été ou l'automne 819, Fridugise connut les plus grands honneurs: il fut nommé archichancelier[18]. »Fridugisus ouvre la série des archichanceliers qui ne reconnaissent plus jamais eux-mêmes les diplômes«[19] – ce qui ne signifie pas pour autant qu'il se désintéressât du fonctionnement de ses services[20]. Fridugise demeura à la tête de la »chancellerie« jusqu'au printemps 832[21]. L'année suivant sa promotion, en 820, il reçut, *regia donatione*, l'abbaye de Saint-Bertin[22]. Dès le 18 septembre 820, à Vern, il obtint pour sa nouvelle abbaye un diplôme de Louis le Pieux[23]. Fridugise réduisit le nombre des religieux et leurs revenus[24], et il laissa un fort mauvais souvenir de son gouvernement: non seulement chez ses contemporains (comme l'attestent deux chartes – déclarées fausses par W. Pückert[25] – de l'évêque de Thérouanne Folcouin[26] et de Hugues, le successeur de Fridugise à Saint-Bertin[27]), mais également aux siècles ultérieurs. Le diacre Folcouin, en 961, le qualifiait de *destructor* de la vie

---

18 La date de nomination de Fridugise pose un problème qu'il faudra résoudre lors de l'édition des diplômes de Louis le Pieux. En effet, Fridugise est attesté pour la toute première fois par la recognition *advicem* de B.M. 700(679), éd. Dipl. inédits (Arezzo), p. 447 sq., un diplôme publié après la parution de SICKEL, Acta regum, qui l'ignore par conséquent. Ce diplôme date du 17 août 819. Hélisachar est attesté pour la dernière fois (avant la mention évoquée ci-dessus) le 7 août 819, B.M. 699(678). Or, on retrouve Hélisachar à la tête de la »chancellerie« dans un diplôme (interpolé) du 4 septembre 819, B.M. 702(681), éd. dipl. Westphalie, n° 2, p. 3 sq., et dans un diplôme du 1er octobre 819, B.M. 703(682), qui n'est pas sans poser problème (cf. la notice n° 143). Fridugise est de nouveau attesté, sans doute possible, à la tête de la »chancellerie« le 19 octobre 819, B.M. 704(683), éd. Recueil des hist. 6, n° 102, p. 524 sq. On a voulu attribuer à Fridugise l'initiative de la confection des Formulae imperiales, cf. FLECKENSTEIN, Hofkapelle 1, p. 82. Ces formules ont été peu étudiées, cf. SICKEL, Acta regum, tome 1, p. 116 sqq. – en tout cas pas d'une manière permettant un jugement précis sur ce recueil (on en trouve une rapide présentation dans GANZ, Tironian Notes, p. 45). J'espère pouvoir en entreprendre l'étude prochainement.

19 TESSIER, Diplomatique, p. 44.

20 Cf. infra la mention en notes tironiennes de B.M. 740(721).

21 Fridugise est attesté pour la dernière fois comme archichancelier le 28 mars 832, cf. B.M. 899(870). Son successeur, Théoton, est attesté pour la première fois le 13 juillet 832, cf. B.M. 901(872). A mon sens, L. Levillain dramatise la situation lorsqu'il écrit que l'archichancelier »aurait perdu la confiance de l'empereur et aurait été dépouillé du sceau et de ses abbayes entre février et juillet (832)« (Actes de Pépin, p. 64 note 2). Il me semble préférable de rejeter la thèse de la perte de confiance pour la simple raison qu'on ne voit pas *pourquoi* une crise dans les relations entre Louis et son archichancelier serait intervenue au beau milieu de 832, c'est-à-dire trop tard (par rapport à la révolte de 830) ou trop tôt (eu égard aux événements de 833). Le cas de Hélisachar montre d'ailleurs fort bien que le responsable de la »chancellerie« pouvait être démis de ses fonctions sans pour autant perdre la confiance du prince (cf. la notice n° 143).

22 Doc. dipl. Saint-Bertin, n° 56, p. 74: *Unde contigit, ut supradictus Fridegisus, genere Anglus et abbas sancti Martini Turonis, anno Verbi incarnati DCCCXX et prefati regis Ludovici VII. abbatiam Sithiensis coenobii regia donatione susciperet gubernandum.*

23 B.M. 726(702). Confirmation aux moines de leur droit de chasse.

24 Sur les griefs contre Fridugise, cf. Doc. dipl. Saint-Bertin, n° 56, p. 74 sq. et Bovo, Inventio, c. 6, p. 529. PÜCKERT, Aniane, a tenté de montrer qu'ils étaient infondés. Cf. l'annexe que cet auteur a consacrée à »Die Unthaten des Abts Fridugis zu Sithin (Fälschungen von St. Bertin)«, p. 259–292.

25 PÜCKERT, Aniane, p. 262.

26 Doc. dipl. Saint-Bertin, n° 4, p. 85 sq. (charte du 20 juin 839): *perpendens injustitiam lacrimabilem quam Fridogisus ... eidem sancto loco intulerat ...*

27 Doc. dipl. Saint-Bertin, n° 5, p. 87 sq. (charte du 29 juin 839). Même son de cloche que dans le document précédent.

religieuse[28], et environ un siècle plus tard, l'abbé Bovon était tout aussi sévère[29]. L'on peut certainement trouver confirmation de cette politique néfaste de Fridugise à Saint-Bertin dans le diplôme de Louis le Pieux délivré le 19 mars 830 non pas sur la requête de l'abbé, mais à la demande des moines de Saint-Bertin: il y est spécifié que les biens de l'abbaye ne pourraient plus jamais être divisés[30]. Fridugise était en passe de mener la même politique désastreuse à Saint-Martin, mais la communauté ne se laissa pas faire: à Tours, le 14 novembre 832, elle obtint de l'empereur la restitution de biens aliénés *in beneficium* par l'abbé, alors qu'ils devaient servir à l'entretien des frères[31].

On ne sait que peu de choses de Fridugise. Quelques diplômes permettent de dire quand il fut, de manière assurée, à la cour: il était à Aix-la-Chapelle au printemps 820[32], et il fut donc présent au plaid tenu en janvier de cette année en ce palais[33]. L'archichancelier était également à Aix en février 821[34] et il fut par conséquent présent au plaid alors tenu en ce lieu. Il était à Thionville à l'automne 821[35] où il participa au plaid alors tenu par Louis le Pieux[36]. Le diplôme prouvant cela est fort intéressant: il est le seul document portant mention du nom de Fridugise orné du titre de *magister* (un titre réservé soit à l'archichancelier soit au notaire assurant par délégation le bon fonctionnement du service de »chancellerie«[37]) dans les notes tironiennes. Par cette mention, nous apprenons que Fridugise donna l'ordre de rédiger et de munir le diplôme des signes de validation: *Hilduinus ambasciavit et Fridugisus magister scribere*

28 Doc. dipl. Saint-Bertin, n° 56, p. 75.

29 Bovo, Inventio, c. 6, p. 529: *Quid igitur iste aliud quam huius monasterii flagellum fuit?*

30 B.M. 873(844), éd. Recueil des hist. 6, n° 161, p. 568 – il s'agit de la confirmation du privilège d'immunité: *Et ideo successores nostros admonemus, ut … nullam divisionem in monasteriis aut cellis vel villis, seu ceteris possessionibus, in quibuslibet pagis aut territoriis consistant, faciant, aut facere permittant, aut in alios usus ipsas res retorqueant.*

31 B.M. 909(880), éd. Recueil des hist. 6, n° 178, p. 582: *… venerabilis abbas Fridegisus monasterii s. Martini patroni nostri, in quo ipse corpore requiescit, innotuit celsitudini nostrae qualiter idem partim per ignorantiam, partim vero per suggestionem quorundam hominum, quasdam villas ejusdem monasterii sibi servientibus in beneficium dedisset, quae ad usum fratrum in eodem monasterio degentium olim deputatae fuerant, et ob hoc vestimenta et sumtus necessarios eis pleniter ministrare non posset. Quamobrem idem ipse et omnis congregatio sancti Martini petiit nostrae conscriptionis auctoritatem sibi dari, per quam repulsa omni occasione, nostra concessione atque permissu easdem villas in suum dominium idem abbas revocaret …*

32 B.M. 711(688), du 20 janvier 820; Mentions tironiennes, p. 18: *magister scribere iussit*. B.M. 713(690), diplôme du 7 mars 820 obtenu par Fridugise pour Cormery en tant qu'abbé de Saint-Martin.

33 B.M. 709(659)a; présence prouvée par B.M. 711(688).

34 B.M. 735(711) du 15 février 821; Mentions tironiennes, p. 18: *Gundulfus Fridugisi iubente subscripsit.*

35 B.M. 746(721), diplôme du 6 novembre 821 pour Saint-Denis.

36 B.M. 740(716)d, plaid tenu en octobre 821 à Thionville.

37 Jusselin, Chancellerie, p. 6: »Cet emploi du mot *magister* prouve que celui qu'il désignait était considéré par les autres notaires comme leur chef«. Dès le 10 novembre 827, le notaire Durand était également orné du titre de *magister*, B.M. 844(818). Cf. Jusselin, Garde du sceau, p. 36. Mais contrairement à Fleckenstein, Hofkapelle 1, p. 82, qui reconnaît Durand en le *magister* anonyme de nombreux diplômes, je tends à considérer qu'il s'agit de Fridugise, autrement dit du »Vorsteher der Kanzlei«, selon l'hypothèse formulée par Sickel, Acta regum, tome 1, p. 91.

et firmare rogavit[38]. Il était à la cour au printemps 822[39] et il se trouvait à Francfort en juin 823[40], ce qui permet de penser qu'il participa au plaid de mai[41]; il était à la cour lors de la naissance de Charles (le Chauve)[42]. On le retrouve à Aix-la-Chapelle au début de l'été 825[43] et à Ingelheim en 826[44], où il participa vraisemblablement à l'assemblée de juin[45] et à coup sûr à celle d'octobre[46]. Au cours de cet été-là, il assista au baptême du Danois Harold: le poète Ermold le montre marchant immédiatement après les membres de la famille royale dans la procession se rendant à l'église, ouvrant ainsi le cortège des chapelains[47]. Au printemps 828, il était à la cour d'Aix-la-Chapelle[48]; il participa peut-être au plaid tenu par l'empereur en février[49]. En octobre 829, il était au palais de Tribur[50] et au début de l'année 831, à Aix-la-Chapelle[51]; il participa vraisemblablement au plaid que l'empereur y tint en février[52]. A l'automne 831, il était à Thionville[53], où il participa donc au plaid tenu par Louis le Pieux[54]. On

---

38 Mentions tironiennes, p. 18. Le terme *magister* apparaît pour la première fois dans les notes tironiennes de l'acte du 20 janvier 820, B.M. 711(688). Cf. Jusselin, Chancellerie, p. 6. C'est donc Fridugise qui semble avoir été le premier désigné par ce titre. Les interventions du *magister*, dont on peut considérer qu'il s'agit de l'archichancelier, étaient de diverses natures (les mentions étudiées ici sont citées d'après Mentions tironiennes, p. 18 sq.). Il donnait l'ordre d'écrire: *magister scribere iussit* – B.M. 711(688) du 20 janvier 820, *magister scribere iussit* – B.M. 796(772) du 3 juin 825, *magister scribere iussit* – B.M. 833(807) du 27 octobre 826; il assurait parfois le »Diktat«: *magister scribere iussit et dictavit* – B.M. 773(748) du 12 juin 823, *magister dictavit et scribere atque firmare iussit* – B.M. 831(805) du 10 juillet 826; il donnait l'ordre de munir le diplôme des signes de validation, comme c'était déjà le cas dans la mention précédente: *magister firmari iussit* – B.M. 756(731) du 18 mai 822, *magister ita fieri et firmare iussit* – B.M. 872(843) du 14 octobre 829; ou encore, il donnait au notaire l'ordre de procéder à la recognition: *Gundulfus Fridugisi iubente subscripsit* – B.M. 735(711) du 15 février 821, *demandante magistro recognovi et subscripsi* – B.M. 753(728) du 2 avril 822. On ne peut donc pas affirmer avec Dickau, Kanzlei, 2ᵉ partie, p. 104, que sous Fridugise »die Geschäftsführung in die Hände des Durandus überging«, comme je l'ai déjà noté dans Depreux, Kanzlei, p. 151.

39 B.M. 753(728) du 2 avril 822; Mentions tironiennes, p. 18: *Hirminmar(is) diaconus rog(ante) et demandante magistro recognovi et subscripsi*. B.M. 756(731) du 18 mai 822; Mentions tironiennes, p. 18: *magister ita firmari iussit*.

40 B.M. 773(748) du 12 juin 823; Mentions tironiennes, p. 18: *magister scribere iussit et dictavit*.

41 B.M. 771(746)a.

42 B.M. 773(748)a.

43 B.M. 796(772) du 3 juin 825; Mentions tironiennes, p. 18: *... et magister scribere iussit*.

44 B.M. 831(805) du 10 juillet 826; Mentions tironiennes, p. 18: *magister dictavit et scribere atque firmare iussit*. B.M. 833(807) du 27 octobre 826; Mentions tironiennes, p. 18: *Hilduinus ambasciavit et magister scribere iussit*.

45 B.M. 829(770)b.

46 B.M. 832(806)c. Cette présence résulte de B.M. 833(807).

47 Ermoldus, Elegiacum carmen, lib. IV, v. 2310 sq., p. 176: *Et Fridugisus abit, sequitur quem discipulorum/ Turba sagax, candens vestibus atque fide*.

48 Cf. Actes de Pépin, n° 10, p. 31 sqq., diplôme du 10 mars 828 donné à Aix-la-Chapelle sur la requête de Fridugise en faveur de Saint-Martin de Tours.

49 B.M. 844(818)a.

50 B.M. 872(843) du 14 octobre 829; Mentions tironiennes, p. 19: *magister ita fieri et firmare iussit et Durandus sigillavit*.

51 Cf. Actes de Pépin, n° 17, p. 59 sqq., diplôme du 25 février 831 donné à Aix-la-Chapelle en faveur de Saint-Martin de Tours. B.M. 886(857), du 10 mars 831, acte délivré en faveur de Cormery, sur la requête de Fridugise, agissant en tant qu'abbé de Saint-Martin.

52 B.M. 881(852)a.

53 B.M. 896(867), du 4 novembre 831 en faveur de Saint-Martin de Tours.

54 B.M. 895(866)a.

ignore quel grade ecclésiastique avait Fridugise au sommet de sa carrière politique. Il était vraisemblablement demeuré diacre[55]. A une époque dont on ignore la date, Fridugise entretint un conflit théologique avec Agobard de Lyon[56]. Reste un point dont il faut à présent parler. Le 6 octobre 833, à Pierrefitte, Pépin Ier d'Aquitaine délivra un diplôme en faveur du monastère de Manlieu en Auvergne, dont la mention de recognition est ainsi rédigée: *Fridugisus diaconus atque notarius ad vicem Dodonis recognovi*[57]. L. Levillain proposa »assez témérairement«[58] de reconnaître en ce Fridugise l'abbé de Saint-Martin et de Saint-Bertin[59]. En fait, il n'y a pas lieu d'attribuer cette recognition à l'ancien responsable de la »chancellerie« de Louis le Pieux puisqu'il était déjà mort lorsque le diplôme en question fut expédié.

105.   FROTBERT[1]

Abbé de Saint-Florent de Saumur, attesté en juin 824

Frotbert fut envoyé avec sa communauté en Italie par Louis le Pieux, on ne sait ni quand[2] ni à quel propos. Après avoir rappelé l'abbé ainsi que les moines, l'empereur leur donna l'abbaye de Saint-Florent, comme l'atteste le diplôme délivré à Compiègne le 30 juin 824, par lequel Louis accorda à ce monastère le privilège d'immunité[3]. Ce n'est que sous toute réserve que Frotbert a été retenu dans cette prosopographie, car il est loin d'être prouvé que c'est en qualité de *missus* qu'il fut envoyé en Italie[4], par exemple pour y introduire la réforme bénédictine[5]. Toujours est-il que Frotbert, selon toute vraisemblance, participa au plaid tenu à Compiègne en 824, vers la Saint-Jean d'été[6].

---

55 Fridugise se désignait comme *diaconus* dans sa lettre De nihilo … adressée aux membres du Palais de Charlemagne. Cf. Epistolae variorum 1, n° 36, p. 552. Cf. également Alcuinus, Epistolae, n° 251, p. 406.
56 Agobardus, Epistolae, n° 13, p. 210 sqq.; cf. Boshof, Agobard, p. 188 sqq.
57 Actes de Pépin, n° 18, p. 61 sqq.
58 Tessier, Diplomatique, p. 44 note 5.
59 Actes de Pépin, p. 64.

1 Seule forme onomastique: *Frotbertus*.
2 Vraisemblablement après l'accession de Louis à l'empire en février 814, quand il eut autorité sur l'Italie.
3 B.M. 786(762), éd. Recueil des hist. 6, n° 123, p. 537 sq. (à la p. 537): … *quemdam venerabilem virum Frotbertum cum monachis suis, quos in Italia miseramus, exinde reverti fecimus et concessimus eis quoddam monasterium* (= Saint-Florent) …
4 Qu'il fût envoyé avec sa communauté parle toutefois contre ce fait. Ce n'est pas le seul cas d'échange monastique à travers les Alpes, cf. par exemple le cas du moine Radouin, à Saint-Remi de Reims, qui était originaire d'Italie (Flodoardus, Historia, lib. II, c. 19, p. 471).
5 On aurait alors affaire à l'un des *missi* évoqués par Astronomus, Vita, c. 28, p. 622 l. 10 sqq. Pour un exemple d'adoption de la règle bénédictine en Italie, cf. le cas du monastère de Lucques, en 823 (Doc. dipl. Lucques, Appendice, n° 25, p. 35 sq.).
6 B.M. 785(761)c.

106.   **FROTHAIRE**[1]

Evêque de Toul[2], attesté à partir de 814 – mort le 22 mai 849 ou 850

Frothaire, que l'on connaît principalement grâce à ses lettres[3], a fait depuis long-temps l'objet d'une étude exhaustive[4]. Il ne sera par conséquent ici question, après une rapide présentation, que de ce qui motive la présence de l'évêque de Toul dans cette étude. Frothaire fut éduqué à Gorze[5] avant de devenir abbé de Saint-Epvre près Toul[6]. Il fut sacré évêque de Toul le 22 mars[7] 814[8]. Frothaire participa au concile réu-ni en juin 829 à Mayence[9]. Il prit également part à l'assemblée tenue en 835 à Thionville, pendant laquelle Ebbon fut déposé[10]. Mais l'évêque de Toul fut égale-ment présent à Ingelheim en août 840, pour approuver la réinstallation d'Ebbon sur son siège rémois[11]. Frothaire mourut un 22 mai[12], en 849 ou en 850[13]. Il fut inhumé à Saint-Epvre[14].

Diverses lettres de Frothaire prouvent ses fréquents séjours à la cour (il y pos-sédait une habitation, puisqu'il lui arrivait de se faire livrer des victuailles à Aix[15]). Ainsi, il écrivit une fois à l'archevêque Hetti pour lui dire qu'il regrettait de ne pas avoir pu s'entretenir avec lui au passage, lors de son récent retour du palais[16]. Néan-moins, il pouvait arriver qu'un évêque effectuât un voyage jusqu'au palais d'Aix seulement pour y régler des questions privées ou concernant les intérêts de son dio-cèse[17]. Cependant, la nouvelle que Frothaire annonçait à Hetti n'est pas sans intérêt:

---

1 Formes onomastiques; *Frotharius, Frotarius, Flotarius.*
2 Cf. DUCHESNE, Fastes, tome 3, p. 65.
3 A ce propos, cf. HAMPE, Datierung.
4 PFISTER, Frothaire. Sur l'administration de l'Eglise de Toul, cf. ibid., p. 265 sqq.; sur les services dus au prince par l'évêque, cf. ibid., p. 299 sqq.
5 Frotharius, Epistolae, n° 28, p. 294 sq. (à la p. 295).
6 Gesta episc. Tullensium, c. 26, p. 637.
7 Ibid.
8 C'est ce que PFISTER, Frothaire, p. 264 et note 4, a montré en fondant son analyse sur Flodoardus, Historia, II, c. 18, p. 466.
9 Epistolarum Fuldensium fragmenta, p. 30.
10 Concilium ad Theodonis villam, p. 703.
11 Concilium Ingelheimense, p. 793.
12 Gesta episc. Tullensium, c. 26, p. 637.
13 Je reprends ici la fourchette proposée par PFISTER, Frothaire, p. 312. Toujours est-il que Frothaire est réputé avoir exercé son ministère pendant 35 ans, cf. Gesta episc. Tullensium, c. 26, p. 637.
14 Gesta episc. Tullensium, c. 26, p. 637.
15 Il demanda par exemple à l'abbé d'Inden de lui livrer à Aix du vin depuis Bonn, cf. Frotharius, Epi-stolae, n° 31, p. 297: *Ceterum peto, ut vestro amminiculo tria carra vini de Bonna faciatis nobis per-duci ad palatium Aquis et quicquid iterum vobis de nostro servitio competit, remandate.*
16 Frotharius, Epistolae, n° 12, p. 284: *Nam et inde me usquequaque fateor anxiari, quod nuper mihi de palatio regredienti defuit facultas vobiscum loquendi.*
17 Ce fut par exemple le cas de l'archevêque de Narbonne, Nibride, comme l'atteste une lettre de Héli-sachar, cf. Epistolae Variorum 2, n° 6, p. 307 l. 24 sqq.: *... dudum quando apud Aquasgrani palatium me offitium palatinum, vosque propter ecclesiastica dirimenda imperialis iussio obstringeret ...* La dé-marche à laquelle Hélisachar fit allusion visait vraisemblablement à l'obtention du diplôme B.M. 557(538). Ce diplôme, donné à Aix-la-Chapelle le 29 décembre 814, est le seul acte délivré par Louis le Pieux en faveur de l'église cathédrale de Narbonne dont nous ayons le texte.

il lui fit part de l'ordre qu'il avait reçu de pourvoir au gîte d'ambassadeurs[18]. A ce propos, une difficulté se présente: faut-il comprendre par l'expression *ad providendas mansiones* que Frothaire avait une responsabilité d'intendance au Palais, ou bien qu'il était astreint à cette prise en charge d'ambassadeurs depuis le Mont-Saint-Bernard jusqu'au palais d'Aix-la-Chapelle au titre des services dus par n'importe quel évêque[19]? Dans le doute, il conviendrait d'écarter Frothaire de cette prosopographie. Toutefois, plusieurs indices tendant à prouver son importance dans le fonctionnement de l'Etat carolingien font que son cas mérite examen. Tout d'abord, il y avait la grande confiance que Louis le Pieux accordait sans doute à Frothaire: en effet, il se peut que, dans les années 818 et suivantes, ce dernier fût le gardien des demi-frères de l'empereur[20]. Par ailleurs, les liens de Frothaire avec la cour sont indéniables, comme l'atteste sa lettre à Gérung, avec lequel il semble avoir été lié d'amitié[21]; l'évêque priait l'huissier de veiller à le faire exempter de service au cas où l'empereur aurait désiré qu'il l'accomplît dans la Marche d'Espagne[22]. Il est également question d'un service dû au palais d'Aix dans une lettre de Frothaire à Hilduin, mais l'évêque ne précisa malheureusement pas de quoi il désirait qu'on le déchargeât[23]. Enfin, il se peut que Frothaire fît office de *missus* impérial dans le diocèse de Cologne. C'est, selon l'avis de Chr. Pfister[24], la seule explication possible aux propos que l'abbé d'Inden tenait à l'évêque de Toul[25]. Certes, il y a beaucoup de points d'interrogation dans ce dossier. Mais le cas de Frothaire est vraisemblablement représentatif de nombre de ces évêques ou de ces comtes dont on ne sait pour ainsi dire rien et dont la participation au gouvernement, tout active qu'elle fût, nous échappe presque entièrement.

---

18 Frotharius, Epistolae, n° 12, p. 284: ... *quia et ipse secundum imperiale praeceptum ad providendas mansiones, in quibus legati suscipi debent, scilicet a monte Iovis usque palatium Aquis ire debeo* ...

19 C'est en faveur de cette seconde hypothèse que penchait PFISTER, Frothaire, p. 305 sq.

20 Cf. PFISTER, Frothaire, p. 300; PFISTER, Drogon, p. 103. Contrairement à ce que Chr. Pfister laissait entendre, la chose n'est à mon sens pas totalement assurée; elle est seulement probable. Cf. les notices n° 165 et n° 261.

21 Frotharius, Epistolae, n° 6, p. 280: *Sciatis igitur, quod postquam nuper vobiscum in palatio locutus sum, missas C et psalteria L pro vestra salute decantari fecerimus.*

22 Ibid.: *Vos autem praecamur, ut more solito mei memores sitis, et si in partes Ispanie propter custodiam et solicitudinem me senior noster ista hieme futura destinare voluerit, vos ab illo servitio excusare me dignemini.*

23 Frotharius, Epistolae, n° 9, p. 282: *Praecipitur enim, ut in Aquis palatio operemur et laboribus ibidem peragendis insudemus. Sed ab hoc opere alia servitia et necessitates nos revocant, et si vestrae pietati libet, etiam oportunam satis excusationem praetendunt.*

24 PFISTER, Frothaire, p. 311 note 1: »Evidemment Frothaire ne pouvait agir sur le territoire du monastère d'Inden et rendre pareils jugements qu'en qualité de *missus dominicus*«.

25 Frotharius, Epistolae, n° 30, p. 296 sq. (à la p. 296): *Agat itaque benignitas vestra, ut benigne cepit, non solum de rebus et hominibus super ipsas conmanentibus, que in promptu vobis sunt, sed et de illis, quas idem ipsi nostri homines, qui passim et libere habitare videntur, emerunt; ut videlicet semper domini Salvatoris respectui sint mancipate cum illis ipsis, qui eas possident. Qualiter autem super hoc agendum sit, vestrae prudenciae manifestius liquet. Videtur tamen nobis, si vos utile iudicaveritis, ut quicumque de ipsis mancipiis sunt, qui se subtrahere de nostra dominatione moliuntur, servitutem suam coram vobis rewadiare faciatis, et deinceps per iusticiam subacti hanc fraudem perpetrare nequeant.*

107.   **FULCOALD**[1]

                                  Comte

Le comte Fulcoald[2] est attesté comme *missus* de Louis le Pieux[3] par un acte de confirmation des possessions du monastère d'Aniane[4]: Fulcoald assura, au nom de Louis, la remise au monastère de pâturages[5]. On sait par ailleurs qu'un certain Fulcoald *impetravit* auprès de Pépin Ier d'Aquitaine en faveur de l'abbaye de Lagrasse[6]. Le diplôme expédié en conséquence fut donné le 27 septembre 827.

108.   **GARNIER**[1]

                          Comte, mort en février 814

Garnier fut l'un des *missi* dépêchés en février 814 par Louis le Pieux à Aix-la-Chapelle pour assurer l'ordre à la cour avant son arrivée[2]. A l'insu de leurs collègues, Garnier et son neveu Lambert s'érigèrent en justiciers vis-à-vis de Hodouin, qui se défendit en tuant le premier et blessant le second[3]. Garnier était membre de la famille des Widonides; c'est en partie à lui qu'appartenait notamment le monastère de Hornbach[4]. Il convient de renvoyer aux travaux sur cette famille[5].

1 Seule forme onomastique: *Fulcoaldus.*
2 Les éditeurs de l'Histoire de Languedoc ont voulu en faire un comte de Rouergue (Doc. dipl. Languedoc, note 99, c. 16, col. 369). L'identification avec Fulgualdus, le père du comte de Toulouse, Raimond, est tentante et vraisemblable. D'après cette identification, notre comte aurait été marié à une certaine Sénégonde et en aurait eu deux fils: Frédelon et Raimond (Doc. dipl. Languedoc, n° 160, col. 329 – charte du 3 novembre 862).
3 Lorsqu'il était roi d'Aquitaine?
4 B.M. 970(939). Diplôme du 21 octobre 837.
5 Recueil des hist. 6, n° 221, p. 615 sqq. (à la p. 616): *Et inter confinia de pago Rutenico seu Nemausense alpes ad pecora alenda seu alios usus, quas dicunt Jaullo, cum terminis et adjacentiis suis, quas olim praefato monasterio per missos nostros Ragambaldo seu Fulcoaldo comite tradidimus cum omni integritate, sicut a temporibus domni et genitoris nostri ab eisdem monachis possessum fuit.* Ces pâturages doivent se situer dans les Cévennes.
6 Cf. JUSSELIN, Notes tironiennes, p. 127 sq.

1 Seule forme onomastique: *Warnarius.*
2 Astronomus, Vita, c. 21, p. 618: *... misit Walam et Warnarium, necnon et Lantbertum, sed et Ingobertum: qui Aquasgrani venientes ... cautela prospicerent, et aliquos stupri inmanitate et superbiae fastu reos maiestatis caute ad adventum usque suum adversarent.* Cf. SIMSON, Jahrbücher, tome 1, p. 14; BRUNNER, Oppositionelle Gruppen, p. 96 sq.
3 Astronomus, Vita, c. 21, p. 618: *At vero Warnarius comes, inscio Wala et Ingoberto, et accito nepote Lantberto, Hoduinum iam dicto obnoxium crimini ad se venire mandavit, quasi comprehendendum et regiae vindictae obiectandum. Cuius ille insidias, utpote admordente conscientia, acriter praevidit, et quia declinare detractavit, et ipse experiri meruit, et ipsi Warnario ultimam cladem importavit. Nam ad eum, sicut ille mandaverat, veniens, et ipsum Warnarium confecit, et Lantbertum cruris laesione non pauco tempore debilem reddidit; et ad ultimum ipse confossus gladio interiit.*
4 B.M. 699(678), éd. M.B. 31, n° 17, p. 43 sqq. (à la p. 44): *... praedictum monasterium, dum in commune a Warnario et Wydone pater (patre) predicti Lantberti possideretur ...*
5 Cf. METZ, Geschichte der Widonen. Sur l'influence de cette famille, cf. notamment STAAB, Mittelrhein, passim. Cf. également B.M. 938(909).

109.   **GAUSELME**[1]

Comte, attesté à partir de décembre 804[2] – mort durant l'été 834

Gauselme était un des fils de Guillaume de Gellone[3]. On comprend dès lors que ce soit lui qui, en tant que *missus*, fut chargé de délimiter le terrain donné en 807 par Louis le Pieux au monastère fondé par le célèbre comte[4]. L'on admet que Gauselme était comte de Roussillon[5]. A une date inconnue, il délimita avec le comte Bernard, son frère, le territoire du monastère de Saint-Polycarpe en Razès, sur l'ordre de Louis le Pieux[6]. Vers la fin de 814[7], il était à Aix-la-Chapelle, où il siégea au tribunal, présidé par le comte du Palais, ayant connaissance du différend entre l'aprisionnaire Jean et le comte Adhémar[8]. A une date inconnue, le comte Gauselme introduisit auprès de l'empereur la cause du monastère Saint-André de Sorède, en faveur duquel Louis le Pieux accorda immunité et liberté d'élection abbatiale[9]. Il intervint[10] également en faveur du monastère des saints Emeter et Genès[11]. Gauselme resta fidèle à Louis le Pieux lors de la crise de 833/834: il fit partie des légats envoyés par Pépin d'Aquitaine et les grands voulant délivrer Louis le Pieux (dont Bernard, le frère du comte qui nous intéresse ici) pour négocier avec Lothaire, le 19 février 834 à Saint-Denis[12]. Il dut payer de sa vie sa fidélité à Louis: suite à la prise de Chalon-sur-Saône par Lothaire, ce fils rebelle le fit en effet décapiter[13].

---

1 Formes onomastiques: *Gauselmus, Gaucelmus, Gaucelinus* (il s'agit probablement d'une confusion de lecture entre *m* et *in*), *Gauzselmus, Gautselmus, Gotselmus, Gotcelmus, Gothzelmus, Gozhelmus.*

2 Cf. Doc. dipl. Languedoc, n° 16, col. 65 sqq.

3 Ibid. Cf. également Vita s. Willelmi, p. 79: *Nondum enim monasterium ad perfectum ex toto perduxerat: sed postea in habitu sanctae religionis, adjuvantibus eum filiis suis Bernardo scilicet & Gaucelino, quos comitatibus praefecerat suis comitibusque vicinis, perfecit sicut coeperat.* Le souvenir de Gauselme est évoqué par Dhuoda, Liber manualis, X, c. 5, p. 354.

4 B.M. 517(498), éd. Recueil des hist. 6, n° 3, p. 453 sq. (à la p. 453): *... sicut a misso nostro comite Gotcelmo per cruces in lapidibus sculptas seu decursus aquarum in terminationibus traditum et assignatum est ...*

5 Cf. SIMSON, Jahrbücher, tome 1, p. 269; CALMETTE, Famille, p. 155. Comme l'a souligné SIMSON, Jahrbücher, tome 2, p. 107 note 5, ceci ne reste qu'une supposition (»man nimmt an, daß ...«).

6 Actes de Charles le Chauve, tome 1, n° 50, p. 144 sqq.

7 Cf. l'annexe n° 1.

8 Enquête de Fontjoncouse, n° 3, p. 112 sqq.

9 B.M. 914(885), éd. Doc. dipl. Languedoc, n° 70, col. 158 sqq. (à la col. 158): *... vir inluster Gaucelinus* (cette leçon est due à une confusion de lecture entre *in* et *m*) *comes ad nostram accedens clementiam innotuit celsitudini nostrae, qualiter ...* Col. 159: *deprecatusque est nos idem vir inluster Gaucelinus comes ut...*

10 CALMETTE, Gaucelme, p. 169 sq., date cette entremise de 829/830. L'auteur (ibid., p. 167) suppose en effet que c'est en tant que comte de Gérone, *pagus* dans lequel est situé le monastère concerné, que Gauselme joua le rôle d'intercesseur.

11 Charles le Chauve confirma un diplôme d'immunité de Louis le Pieux délivré *per intercessionem Gauzselmi quondam marchionis* (Actes de Charles le Chauve, tome 1, n° 38, p. 102 sqq.). Cf. également ibid., n° 221, p. 555 sqq. CALMETTE, Gaucelme, p. 167 et note 1, en fait le monastère d'Amer. En réalité, Amer était une dépendance de ce monastère, comme il appert des deux diplômes de Charles le Chauve.

12 Astronomus, Vita, c. 51, p. 637 – texte cité à la notice n° 18.

13 Astronomus, Vita, c. 52, p. 639; Nithardus, Historia, lib. I, c. 5, p. 22.

110. **GÉBAARD**[1]

Comte, attesté de juillet 832 au 9 novembre 879[2]

Etant donné que Louis le Pieux confirma, le 13 juillet 832 à Francfort, un échange de biens sis dans le Lahngau conclu entre le comte Gébaard et le prêtre Riculf (le comte puisa dans son *beneficium*, avec la permission de l'empereur)[3], on en a conclu que notre personnage était comte du *pagus* de la Lahn[4]. C'est d'ailleurs dans ce *pagus* qu'il fonda un monastère (Kettenbach)[5], dans lequel E. Tremp suppose qu'il se retira[6]. Ce comte[7], désigné à deux reprises par Thégan comme *nobilissimus ac fidelissimus dux*[8], joua un rôle de premier plan lors du rétablissement de Louis le Pieux en 834. Tout d'abord, il fit partie des grands envoyés par Louis le Germanique en janvier[9] à Aix-la-Chapelle, pour y avoir une entrevue avec l'empereur prisonnier[10]. Quelques mois plus tard, en automne, ce même comte[11] fut envoyé par Louis le Pieux auprès de Lothaire, aux portes de Blois, pour l'inciter à capituler[12]. Gébaard participa également au plaid tenu par Louis le Pieux en juin 838 à Nimègue[13], comme le prouve la mention de son nom parmi les témoins d'une procédure de restitution en faveur de l'abbaye de Fulda[14]. Il se pourrait que notre personnage fît partie des comtes convoqués sur ordre de Louis le Pieux par un comte dont on ignore le nom, pour statuer, vers 839[15], sur la situation en Bavière[16].

1 Formes onomastiques: *Gebaardus, Gebahartus, Gebehardus*.

2 Cf. Régestes Dietkirchen, n° 667, p. 308 sqq.

3 B.M. 903(874), éd. Doc. dipl. Nassau, p. 11 sq.

4 Cf. Tremp, Studien, p. 52 sqq. Sur Gébaard, cf. Metz, Austrasische Adelsherrschaft, p. 292 sqq.

5 Dipl. regum Germ. 1, n° 40, p. 52 sqq.

6 Tremp, Studien, p. 54 sq.

7 Rien ne permet d'identifier avec certitude notre personnage avec le comte G. en question dans Einhardus, Epistolae, n° 20, p. 120.

8 Cf. Jackman, Konradiner, p. 87: »A clear explanation of Gebhard's ducal status and responsibilities is not forthcoming«.

9 Après le 6 janvier, cf. la note suivante.

10 Theganus, Vita, c. 47, p. 600: *Post sanctum diem epiphaniae iterum Hludowicus misit legatos suos ad patrem, Grimaldum venerabilem abbatem atque presbyterum et Gebaardum nobilissimum atque fidelissimum ducem. Qui venientes Aquis, consensit eis Hlutharius, ut viderent patrem cum insidiatoribus, quorum unus vocabatur Othgarius episcopus, alter vero Righardus perfidus. Venientes legati ad conspectum principis, humiliter prosternentes se pedibus eius. Post haec salutaverunt eum ab aequivoco filio suo. Secreta vero verba noluerunt ei indicare propter insidiatores praesentes, sed aliquo motu signorum fecerunt eum intellegi, ut aequivocus eius hoc consentire noluisset supplicium patris.*

11 G. H. Pertz (cf. note suivante) retint la leçon Gerhardus (Levillain, Comtes de Paris, p. 193 et note 190, avait néanmoins douté qu'il pût s'agir du comte de Paris). Cette leçon, déjà contestée dans B.M. 931(902)d, n'a pas été retenue par E. Tremp, qui propose la leçon Gebehardus. Je remercie le Dr. W. Setz (M.G.H., München) de m'avoir permis, lors de la préparation de ma thèse, de consulter les épreuves de l'édition préparée par E. Tremp.

12 Theganus, Vita, c. 54, p. 602 – texte cité à la notice n° 39.

13 B.M. 977(946)a.

14 Doc. dipl. Fulda, n° 513, p. 226.

15 Datation proposée par l'éditeur du document.

16 Einhardus, Epistolae, n° 41, p. 130 sq. – texte cité à la notice n° 69.

111. **GÉBOUIN**[1]

Comte du Palais[2], attesté d'avant 824[3] à 838

Le comte du Palais Gébouin fut le destinataire de deux lettres d'Eginhard: dans un cas cela est certain[4]; dans l'autre, c'est seulement probable[5]. Le comte y est chaque fois qualifié de *frater* par Eginhard; je comprends cette expression dans le sens de *frater in Christo*, propre également à souligner l'amitié entre les deux hommes. Ces deux documents sont d'une richesse inouïe, malgré leur brièveté. La première lettre illustre fort clairement l'action de filtrage assumée par le comte du Palais[6]. Eginhard recommandait à Gébouin la cause d'un *pagensis* du nom de David, qualifié également d'*homo* de Lothaire. Au cas où la requête de David lui semblerait juste, Eginhard demandait au comte du Palais de lui obtenir une audience auprès de Louis le Pieux[7]. Dans le second cas, le comte obtint de l'empereur la permission pour Eginhard de se retirer à Seligenstadt et ce dernier le priait de continuer à jouer un rôle d'intermédiaire entre lui et l'empereur (et ses fils)[8]. Grâce à Eginhard, nous savons que ce comte avait sous sa responsabilité un *pictor*. Eginhard lui conseillait d'intervenir en sa faveur auprès de Louis le Pieux afin qu'il ne perdît pas le *beneficium* acquis par ses bons services à la cour en raison des quelques inimitiés[9]. L'on retrouve le comte du

---

1 Formes onomastiques: *Geboinus, Gebawinus, Gebuinus.*
2 Cf. SIMSON, Jahrbücher, tome 2, p. 244; MEYER, Pfalzgrafen, p. 460.
3 Ceci résulte du fait que Gébouin est mentionné avec le comte du Palais Adalhard (II) dans Einhardus, Epistolae, n° 7, p. 112. Or Adalhard quitta ses fonctions en 824 et mourut la même année, cf. la notice n° 9.
4 Einhardus, Epistolae, n° 6, p. 112: *Dilectissimo fratri Geboino glorioso comiti palatii E(inhardus) in Domino salutem.* Cette lettre date éventuellement d'avant 830.
5 Einhardus, Epistolae, n° 18, p. 119 – lettre datée par l'éditeur du milieu de l'année 830: *Dilectissimo fratri G. glorioso comiti atque optimati E(inhardus) sempiternam i(n) D(omino) s(alutem).*
6 Ce rôle est également explicite dans une autre lettre d'Eginhard, adressée au comte Robert (cf. la notice n° 235). Eginhard lui demandait de régler l'affaire d'un de ses *homines* du nom d'Alahfrid, mais il informait en même temps le comte qu'il avait, avec les comtes du Palais Adalhard et Gébouin, fait part de la chose à Louis le Pieux, qui fut cependant d'avis que tout pouvait être réglé sans son intervention: *Nam ego totam causam, qualiter a vobis apud veraces homines inquisita est, simul cum Adalhardo et Gebuino comitibus palatii domno imperatori indicavi, et ille respondit mihi: mirum sibi videri, cur illa causa iam finita non fuisset* (Einhardus, Epistolae, n° 7, p. 112).
7 Einhardus, Epistolae, n° 6, p. 112: *Rogo dilectionem tuam, ut hunc pagensem nostrum nomine David necessitates suas tibi referre volentem exaudire digneris, et si causam eius rationabilem esse cognoveris, locum ei facias ad domnum imperatorem se reclamare. Est enim idem homo domni Hlutharii, et ideo non tantum propter petitionem meam, sed propter honorem et amorem senioris sui debes illum adiuvare.*
8 Einhardus, Epistolae, n° 18, p. 119: *Semper benivolam erga me sensi dilectionem vestram, sed nunquam plus quam modo, quando mihi licentiam inpetrastis pergendi ad servitium sanctorum Marcellini et Petri, qui ob hoc factum apud Deum intercessuri sunt. Et ideo benignitati vestrae quantas valeo gratias ago, et obnixe deprecor, ut secundum bonam consuetudinem vestram pro me semper esse dignemini tam apud dominum imperatorem quam aput filios eius, maximeque aput domnum Hl(otharium) iuvenem augustum, in cuius pietate licet inmeritus magnam habeo fiduciam.*
9 Ibid.: *Ceterum rogo vos, ut de N. pictore, devoto iuniore vestro, mercedem habere velitis et eum adiuvare atque aput domnum imperatorem pro illo intercedere dignemini, si congruum locum videritis, ne per cuiuscumque invidiam beneficium suum amittat, quod dominis suis bene serviendo adquisivit. Mihi non est necesse vobis nominare, qui sint illi, quos in hac causa timeat, quoniam eque mihi ac vobis noti sunt.*

Palais Gébouin en juin 838 à Nimègue, où il participa au plaid alors réuni par Louis le Pieux[10], comme la mention de son nom en tant que témoin lors d'une procédure de restitution en faveur de l'abbaye de Fulda l'atteste[11].

112.   GÉROLD[1] (I)
Comte, attesté de 811 à 832

Gérold[2] était un *confinii comes*[3] installé *in orientali ... parte Bawarie*[4]. Il s'agit d'un neveu[5] du célèbre comte du temps de Charlemagne[6], oncle de Louis le Pieux[7] mort le 1er septembre 799[8]. Gérold entra dans l'histoire en grande pompe, puisqu'il fit partie des témoins mentionnés dans le testament de Charlemagne (811)[9]. Pendant l'été 815, il fut adjoint à Bernard d'Italie pour enquêter à Rome sur la mise à mort des responsables de la conspiration contre Léon III. Bernard étant tombé malade, c'est Gérold qui présenta le rapport à l'empereur[10]. Avant le 28 avril 820, il fut envoyé comme *missus* de l'empereur dans le duché de Spolète, et il enquêta notamment à propos d'un différend entre l'évêque de cette cité et l'abbé de Farfa concernant l'église Saint-

10 B.M. 977(946)a.
11 Doc. dipl. Fulda, n° 513, p. 226 : ... *coram his testibus ... Gebauuino comite palatii, Ruadharto similiter comite palatii* ... MEYER, Pfalzgrafen, p. 460 note 8, a remarqué que Gébouin était »möglicherweise identisch mit dem in den Gesta Aldrici erwähnten Geboinus comes, der im Jahr 838 an einer Verhandlung vor dem Kaiser in Aachen beteiligt war«. Contre une telle identification parle cependant le fait que ce personnage est mentionné avec le seul titre comtal, alors que la liste des participants porte mention du nom de deux comtes du Palais, cf. Concilium Carisiacense (bis) p. 847.

1 Formes onomastiques: *Geroldus, Keroldus, Kerold, Geraldus.*
2 Il est fort difficile – presque impossible – de démêler avec certitude la vie de notre personnage d'avec celle du comte Gérold du Zürichgau, comme le montre bien la notice de BORGOLTE, Grafen Alemanniens, p. 127 sqq. Je me range ici aux interprétations de MITTERAUER, Markgrafen, p. 18.
3 Conversio Carant., c. 10, p. 50.
4 Ibid., 3 E., p. 58.
5 Cf. MITTERAUER, Markgrafen, p. 16 sq. et p. 25.
6 Ibid., p. 10 sqq.
7 La mère de Louis était la soeur du comte Gérold, cf. Walahfridus, Visio Wettini, v. 813 sq., p. 84.
8 ABEL, Jahrbücher, tome 2, p. 189 sqq. Ce comte est attesté pour la dernière fois le 20 juin 799, cf. Doc. dipl. Passau, n° 46, p. 40 sq. Il est attesté par plusieurs chartes de Saint-Gall, cf. Doc. dipl. Saint-Gall, tome 1, n° 107, 108 et 124, respectivement p. 100 sqq., 101 sq. et 116 sq.
9 Einhardus, Vita Karoli, c. 33, p. 102. BRUNNER, Oppositionelle Gruppen, p. 82, affirme: »Gerold wird erst um 826 Nachfolger seines Onkels in Bayern«. L'auteur confond ici (la date de 826 l'atteste) avec le comte du *pagus* de Zürich étudié par BORGOLTE, Grafen Alemanniens, p. 127 sqq. Toujours est-il que notre Gérold était déjà comte en 811, puisque son nom figure parmi les *comites*. Pour l'identification de ce comte avec notre personnage, cf. MITTERAUER, Markgrafen, p. 18.
10 Annales regni Franc., a. 815, p. 142: *Is cum Romam venisset, aegritudine decubuit, res tamen, quas compererat, per Geroldum comitem, qui ad hoc ei legatus fuerat datus, imperatori mandavit.* Cf. également Astronomus, Vita, c. 25, p. 619.

Marc près Spolète[11]. Le 2 septembre 820 à Quierzy, Gérold souscrivit un acte d'échange conclu entre le comte de Tours et l'évêque de Worms agissant en tant qu'abbé de Wissembourg[12], ce qui permet d'affirmer qu'il participa au plaid alors tenu par Louis le Pieux[13]. Au début de l'année 826, Louis le Pieux fit demander, notamment auprès de Gérold, des renseignements concernant la rumeur relative à l'assassinat du roi des Bulgares. Ce dernier ne fut pas en mesure de se prononcer[14] et il n'eut rien de plus à annoncer lorsqu'il participa, en juin 826 à Ingelheim, au plaid tenu par Louis le Pieux[15].

La position dominante de Gérold en Bavière est attestée par une notice de Freising du 21 août 827 concernant la définition de la frontière entre les biens de la *casa Dei* de Buchenau et les terres des Slaves[16]. D'un intérêt tout particulier, parce qu'il montre que Gérold avait ses entrées à la cour, est le fait que ce comte, de concert avec le roi Louis le Germanique, présenta la requête ayant abouti à la donation faite par Louis le Pieux le 22 mars 828 en faveur du monastère de Kremsmünster[17]. On peut par conséquent supposer que Gérold participa au plaid tenu en février 828 à Aix-la-Chapelle[18], puisqu'au cours de cette assemblée, Baudry fut déposé[19]: il fallait pour cela que des experts fussent présents; Gérold en était certainement. A une date indéterminée, on le voit à Triftern[20] recevoir la prestation d'un serment avec l'évêque Réginaire (Reginharius)[21]. En 829, le comte Gérold et son fils Bébon conclurent avec l'abbé de Murbach un échange de biens sis en Alsace[22]. Nous rencontrons Gérold une dernière fois en 832: il fut chargé d'accompagner à Rome Anschaire lors de la visite *ad limina* du nouvel archevêque de Hambourg venu chercher le pallium[23].

---

11 B.M. 719(696) – texte cité à la notice n° 30. BEYERLE, Wirtschaftsgeschichte, p. 139, a proposé d'identifier le Gérold en question avec le *missus* de 821 en qui il faut cependant voir le futur comte du *pagus* de Zürich (BORGOLTE, Grafen Alemanniens, p. 128). Contrairement à ce qu'affirme M. BORGOLTE, ibid., BEYERLE, Gründung, note 41 p. 209, n'a pas remis en cause son identification; il a juste affirmé qu'aucune source ne pouvait confirmer l'affirmation de Gallus Öhem, Chronik, p. 47, selon laquelle l'évêque de Bâle aurait été envoyé en Italie, ou plus exactement à Rome. On ne peut cependant pas mettre en doute ce diplôme de Louis le Pieux, qui prouve, sinon un envoi à Rome, du moins une mission en Italie.
12 Doc. dipl. Wissembourg, n° 69, p. 268 sqq.
13 B.M. 722(699)a.
14 Annales regni Franc., a. 826, p. 169 – texte cité à la notice n° 41.
15 B.M. 829(770)b et c. Annales regni Franc., a. 826, p. 170 – texte cité à la notice n° 41. Cf. également Astronomus, Vita, c. 40, p. 629.
16 Doc. dipl. Freising, n° 548, p. 469 sq.: *Tunc vero Uuillihelm comis secundum Keroldi iussionem quesivit inter vetustissimis viris Baiouuariis et Sclauaniis ubi rectissimum terminum invenire potuissent ...*
17 B.M. 850(824), éd. Doc. dipl. Enns, n° 7, p. 11 sq. (à la p. 11): *... ad deprecationem dilecti filii nostri Ludowici regis Waioariorum et Geroldi comitis ...*
18 B.M. 844(818)a.
19 Cf. Annales regni Franc., a. 828, p. 174 – texte cité à la notice n° 41.
20 Bavière, Landkreis Rottal-Inn.
21 Doc. dipl. Passau, n° 73, p. 61 sq.
22 Doc. dipl. Alsace, n° 90, p. 73 sq.
23 Rimbertus, Vita s. Anskarii, c. 13, p. 699 – texte cité à la notice n° 51. Sur la date, cf. SEEGRÜN, Erzbistum Hamburg, p. 33.

113.   GÉROLD[1] (II)

Comte, attesté de février 821 à 837/838 (peut-être 840)[2]

Un certain Gérold fut envoyé comme *missus* dans le *pagus* de Zürich, avant le 15 février 821, pour enquêter concernant la restitution de biens à l'abbaye de Saint-Gall[3]. Il ne porte pas de titre comtal[4]. Il semble qu'il faille voir en lui le futur comte du *pagus* de Zürich étudié par M. Borgolte[5]. Gérold est attesté pour la première fois comme comte par une charte de Saint-Gall établie le 1er mars 826 à Eschenbach, *sub Geroldo comite*[6].

114.   GÉROLD[1] (III)

Chapelain[2], attesté de 829 à 834/838

En 834/838[3], Raban Maur dédia son commentaire sur les Macchabées à l'archidiacre du Palais, Gérold[4], avec qui il s'était entretenu à Worms[5], vraisemblablement en 829[6]. Gérold est attesté sans conteste comme chapelain de Louis le Pieux par la liste des bienfaiteurs du monastère de Corvey[7], où il reçut d'ailleurs sa sépulture[8].

1 Seule forme onomastique: *Geroldus*.
2 Cf. Borgolte, Grafen Alemanniens, p. 127.
3 B.M. 735(711), éd. Doc. dipl. Saint-Gall, tome 1, n° 263, p. 249 sq. (à la p. 250): *Cujus petitioni nos adsensum praebentes, fecimus ut rogaverat, et Geroldo fideli nostro hanc causam inquirere jussimus et diligenter inquisitam nobis renunciare.*
4 On ne peut par conséquent pas l'identifier avec le comte envoyé avant le 28 avril 820 comme *missus* en Italie avec, entre autres, l'évêque de Bâle, comme a proposé de le faire Beyerle, Wirtschaftsgeschichte, p. 139. Cf. la notice n° 112.
5 Borgolte, Grafen Alemanniens, p. 127 sqq.
6 Doc. dipl. Saint-Gall, tome 1, n° 297, p. 275.

1 Formes onomastiques: *Geroldus, Geroltus*.
2 Cf. Fleckenstein, Hofkapelle 1, p. 65.
3 Date proposée par l'éditeur du document.
4 Hrabanus, Epistolae, n° 19, p. 424: *Reverentissimo et omni honore dignissimo Gerolto sacri palatii archidiacono.*
5 Ibid.: *Memini me in palatio Wangionum civitatis constitutum tecum habere sermonem de eminentia sanctarum scripturarum et de difficultate divinarum historiarum ...*
6 Cf. Simson, Jahrbücher, tome 1, p. 322.
7 Doc. dipl. Westphalie (quarto), p. 509: (Louis le Pieux est cité comme le premier des bienfaiteurs) *Quorum post imperatorem primus erat ipsius capellanus Geroldus diaconus vir omni scientia eruditus. Qui traditis S. Stephano et Vito omnibus quae habebat – inter quae obtulit Godolmon et argenteam crucem XII librarum magnamque copiam librorum -, iam Christi pauper se ipsum abnegans libertatem secularem servitute Dei et sanctorum eius nobilitavit.* Fleckenstein, Hofkapelle 1, p. 237, le compte par conséquent parmi les »Büchersammler« de la cour. Du dernier membre de phrase, il faut conclure que »der Kapellan Gerold wurde Mönch in Korvey« (Fleckenstein, Hofkapelle 1, p. 105 note 387).
8 Doc. dipl. Westphalie (quarto), p. 67: *Inclytus est istic positus levita Geroldus/ Quondam regali clarus in obsequio ...*

115.   GÉRUNG[1]

Huissier[2], attesté à partir de 822 – mentionné pour la dernière fois vers 840/844[3]

L'huissier (*ostiarius*) Gérung, qui finit ses jours comme moine à l'abbaye de Prüm[4], apparaît pour la première fois dans les sources en 822: après le plaid d'août tenu à Attigny, il fut envoyé en Italie avec Lothaire pour l'assister dans sa mission[5]. On le retrouve exerçant ses fonctions d'huissier, ou plutôt, comme le dit l'auteur des Annales royales, d'*ostiariorum magister*[6] en 826 à Ingelheim, lors du baptême du Danois Harold[7]: la tête couronnée, il portait le sceptre[8] et marchait immédiatement derrière Louis le Pieux[9].

Venons-en maintenant aux documents illustrant de manière particulièrement détaillée le rôle et l'influence de Gérung à la cour. Tout d'abord, il y a deux diplômes de Louis le Pieux dont les mentions en notes tironiennes font part du rôle joué par Gérung; l'un fut donné à Aix-la-Chapelle le 1er décembre 825 en faveur de l'abbaye de Nonantola[10], l'autre fut donné à Compiègne à une date inconnue en faveur de Saint-Maur-des-Fossés[11]. Gérung n'agit jamais seul: il est mentionné une fois avec un certain Rotfrid, une autre fois avec un personnage dont le nom nous est inconnu. Dans le premier cas, il donna l'ordre de procéder à la rédaction du diplôme et de le

1 Formes onomastiques: *Gerungus, Geruncus, Gerung*.
2 Cf. Simson, Jahrbücher, tome 2, p. 243.
3 Cf. Lupus, Correspondance, tome 1, n° 33, p. 152.
4 Cf. Wandalbertus, Miracula s. Goaris, c. 30, p. 371: *ad … clarissimum virum Gerungum, olim palatii aedilem, nunc monachum.* La guérison de Louis le Pieux relatée en ce chapitre eut peut-être lieu en 836, cf. Simson, Jahrbücher, tome 2, p. 160. Dans une lettre à l'abbé Marcward, Loup faisait saluer Gérung de sa part: *Salutate omnes fratres ex nostra parvitate, specialiter Gerungum …* (Lupus, Correspondance, tome 1, n° 33, p. 152).
5 Annales regni Franc., a. 822, p. 159: *… Hlotharium vero filium suum in Italiam misit, cum quo Walahum monachum propinquum suum, fratrem videlicet Adalhardi abbatis, et Gerungum ostiariorum magistrum una direxit, quorum consilio et in re familiari et in negotiis ad regni commoda pertinentibus uteretur.* Cf. également Astronomus, Vita, c. 35, p. 626. Simson, Jahrbücher, tome 1, p. 200, suppose qu'il revint à la cour de Louis le Pieux avec Lothaire en 823.
6 Cf. la note précédente.
7 Ermoldus, Elegiacum carmen, lib. IV, v. 2295 sqq., p. 176: *… Gerung pergit at ipse prior,/ Virgam more gerit, servans vestigia regis,/ Aurea cujus habet quippe corona caput.*
8 E. Faral, ibid., p. 177, comprit que Gérung portait »une verge«. Il m'a été suggéré par les membres du jury, lors de ma soutenance de thèse, que l'on pourrait comprendre que Gérung portait les insignes royaux. Je me rallie à cette idée en ce qui concerne la *virga* que l'huissier portait »selon l'usage« (*more*), étant donné l'idée de puissance royale attachée à ce terme (Ps. CIX, 2; sur la *virga*, cf. Schramm, König von Frankreich, p. 210 sqq.). Mais en ce qui concerne la *corona* en question dans le passage du poème relatif à Gérung, j'en reste à l'interprétation d'E. Faral: Gérung portait, »sur le front, un bandeau d'or«. En effet, l'empereur n'était pas seul à porter couronne: d'autres membres de la cour étaient *coronati*, cf. Ermoldus, Elegiacum carmen, lib. IV, v. 2306, p. 176. A ce propos, cf. Depreux, Matfrid, p. 344 sq.
9 E. Faral, ibid., p. 177, traduisit *Gerung pergit at ipse prior servans vestigia regis* par »Gérung marche immédiatement derrière lui (= Louis le Pieux)«. En cela, il avait raison: l'expression *servare vestigia* signifie indubitablement »suivre« dans Virgile, Enéide, II, v. 711, éd. H. Goelzer, Paris 1925, p. 63. Mais il faut souligner – alors qu'E. Faral taisait ceci dans sa traduction – que Gérung, derrière l'empereur, ouvrait en fait le cortège (*pergit at ipse prior*).
10 B.M. 816(792), donation.
11 B.M. 787(760), privilège d'immunité.

munir des signes de validation[12]; dans le second cas, il présenta la requête au souverain[13]. La première des deux mentions – que l'on s'attendrait plutôt à voir appliquer à l'archichancelier ou au premier des notaires – est, de prime abord, assez surprenante, car elle bouleverse la conception jusqu'ici assez close qu'ont les historiens de la »chancellerie«: le chef des huissiers avait pouvoir d'ordonner l'établissement d'un diplôme. La seconde mention montre Gérung dans un rôle d'intermédiaire par ailleurs bien connu grâce aux lettres de l'évêque Frothaire. Quatre lettres de l'évêque de Toul à l'huissier ont en effet été conservées[14], dans lesquelles Frothaire s'adressait à son correspondant de manière tout à la fois respectueuse et amicale; à trois reprises, l'évêque l'assurait qu'il faisait dire des messes et réciter des psaumes pour lui. Une fois, il demanda à Gérung d'obtenir de Louis le Pieux qu'aucune mission en Espagne (vraisemblablement en 827) ne lui fût confiée[15]. Une autre fois, il demanda à Gérung d'introduire auprès de l'empereur son messager, au cas où Hilduin ne serait pas là pour le faire[16]. Dans une autre lettre, Frothaire demanda à Gérung de lui indiquer quand il pourrait rencontrer l'empereur et il le priait de lui ménager une audience[17]. Enfin, Frothaire en vint également à demander à l'huissier de régler pour lui une affaire[18].

116.   GERWARD[1]

Bibliothécaire[2], attesté à partir de 814 – peut-être mort en 860[3]

C'est grâce à Eginhard, qui l'appelle dans une de ses lettres *dilectissimus frater*[4] (une expression à comprendre dans le sens de *frater in Christo*, qui souligne l'amitié entre

---

12 Mentions tironiennes, p. 17: *Gerungus et Rotfridus preceperunt scribere et firmare.*
13 Ibid., p. 19: *Gerungus et L … impetra(verunt).*
14 Frotharius, Epistolae, n° 6, 10, 18 et 23.
15 Frotharius, Epistolae, n° 6, p. 280 – texte cité à la notice n° 106.
16 Frotharius, Epistolae, n° 23, p. 292: *Sciatis denique nos domno imperatori litteras per praesentem missum nostrum dirigere; unde petimus, ut si domnus Hildoinus deest, ante domnum imperatorem vos eum mittatis.*
17 Frotharius, Epistolae, n° 10, p. 283: *Ceterum noverit celsitudo vestra me oratorem vestrum multis necessitatibus urgeri, quibus conpellor ad praesentiam domni imperatoris venire eiusquae pedibus suppliciter provolvi, quatenus eius misericordia per vestrum adiutorium et de ingruentibus modo necessitatibus solacium. Quapropter depraecor magnitudinem claemenciae vestrae, ut mihi secrete per vestras litteras et per praesentem missum nostrum remandare dignemini, quo tempore venire possim ad vos et per vestrum consilium adque auxilium illi necessitates meas valeam significare.*
18 Frotharius, Epistolae, n° 18, p. 288 sq.: *Vos vero nostri semper reminiscimini et pro necessitatibus adque profectibus ecclesiae nostrae laborare ne pigritemini, videlicet de illa ratione, pro qua ad vos Catallonis vassallum nostrum direxi et nunc domno nom. exinde litteras dirigimus, vestramque benivolentiam praecamur, ut cum illo pariter ex hoc decertetis, nom. id ipsum suadeatis, ut vobis de huiusmodi causa consentiat, quia ad eius ministerium eadem possessiuncula pertinet.*

1 Formes onomastiques: *Gerwardus, Gerowardus, Gerwart.*
2 Cf. FLECKENSTEIN, Hofkapelle 1, p. 66.
3 LÖWE, Annales Xantenses, p. 91.
4 Einhardus, Epistolae, n° 52, p. 135.

ces deux palatins), que nous connaissons la fonction de Gerward[5] au Palais: il était bibliothécaire[6]. On comprend alors qu'il ait édité pour l'empereur la Vita Karoli composée par Eginhard[7]. Vers 828, Gerward était également responsable des travaux et chantiers dans les palais de l'empereur[8]. Si le Gerward ayant donné en 814 à l'abbaye de Lorsch des biens sis *in pago Batauua* est identique avec le bibliothécaire de Louis le Pieux, ce qui est presque certain[9] (cette donation eut lieu au palais d'Aix-la-Chapelle), notre personnage était un clerc[10]. Gerward, à qui l'on doit la première partie des Annales Xantenses[11], termina ses jours vraisemblablement sur ses terres de Gent[12] qu'il avait données à l'abbaye de Lorsch[13] et qu'il administra certainement en tant que moine de cette abbaye[14].

117.   GÉRY[1] (I)
Fauconnier[2], attesté de 794 à 826/827

Géry souscrivit[3] le diplôme de Louis le Pieux donné le 3 août 794 au Palais (Haute-Vienne, arr. Limoges), en faveur de la *cellola* de Nouaillé[4]. Il était fort probablement

5 Gerward doit être identifié avec le *Gerowardus filius Landwardi* qui fit, le 7 février 828, donation à l'église Saint-Martin d'Utrecht de biens héréditaires sis en Gelderland (Doc. dipl. Utrecht, n° 19, p. 30 sq.), comme l'a montré Löwe, Annales Xantenses, p. 84 et p. 87.

6 Einhardus, Translatio, IV, c. 7, p. 258: *Gerwardus palatii bibliothecarius, cui tunc temporis etiam palatinorum operum ac structurarum a rege cura commissa erat, de Noviomago veniens, palatium Aquense petebat.* Gerward disposait également d'une bibliothèque personnelle, dont on a conservé l'inventaire. Il est édité dans LEHMANN, Erforschung, p. 207 sq.

7 Einhardus, Vita Karoli, p. XVI note 1: *Hos tibi versiculos ad laudem, maxime princeps,/ Edidit aeternam memoriamque tuam/ Gerwardus supplex famulus, qui mente benigna/ Egregium extollit nomen ad astra tuum./ Hanc prudens gestam noris tu scribere, lector,/ Einhardum magni magnificum Karoli.*

8 Einhardus, Translatio, IV, c. 7, p. 258. On a voulu réduire cette activité au seul palais d'Aix-la-Chapelle, cf. Löwe, Annales Xantenses, p. 89 note 4.

9 LEHMANN, Erforschung, p. 209, a affirmé cette identité. La démonstration fut menée encore plus avant par Löwe, Annales Xantenses, p. 87 sqq.

10 Doc. dipl. Lorsch, tome 1, n° 101 p. 381 sq.: *Gerwardus clericus.* Löwe, Annales Xantenses, p. 89, suppose qu'il avait un grade ecclésiastique inférieur à celui de diacre.

11 Comme l'a prouvé Löwe, Annales Xantenses.

12 Cf. MARTENS VAN SEVENHOVEN, Gelderland, p. 159. Cf. également LEHMANN, Erforschung, p. 209.

13 Il s'agit de la donation de 814. La bibliothèque de Gerward fut, après la mort de l'abbé Adalung (cf. Löwe, Annales Xantenses, p. 90), transportée à Lorsch (LEHMANN, Erforschung, p. 207: *Hos libros repperimus in Gannetias, quos Gervvardus ibidem reliquit et ab inde huc illos transtulimus*). Puisque ses livres étaient à Gent, il faut supposer que c'est là que résidait le moine (cf. Löwe, Annales Xantenses, p. 91). Sur l'influence de Gerward (que B. Bischoff considérait comme un profès de l'abbaye dès le temps de son service à la cour) en ce qui concerne l'évolution de la bibliothèque de Lorsch, cf. BISCHOFF, Lorsch, p. 62.

14 Gerward est mentionné parmi les moines de Lorsch dans le Liber confraternitatis de la Reichenau (Verbrüderungsbuch Reichenau, p. 54/ B3). Etant donné que cette liste date de l'abbatiat d'Adalung, il faut en conclure que c'est avant le décès de ce dernier que Gerward quitta la cour pour le cloître (Löwe, Annales Xantenses, p. 90).

1 Formes onomastiques: *Garicus, Gerricus.*
2 Et non pas chambrier, comme le pensait SIMSON, Jahrbücher, tome 1, p. 2 et note 8.
3 En 6e position. Un parent de *Garicus* (II)?

identique avec le fauconnier (*capis*[5] *praelatus*) Géry attesté vers 813 comme membre du Palais de Louis d'Aquitaine; il fut envoyé par le roi auprès de Charlemagne afin de consulter ce dernier à propos de questions dont l'Astronome ne dévoile pas la nature. Le fauconnier aurait alors été incité par plusieurs grands à conseiller à Louis le Pieux de se rendre auprès de son père afin de recueillir l'héritage[6]. Il est vraisemblable que ce fût encore ce personnage que Louis le Pieux, vers 826/827[7], envoya en qualité de *missus* à Lyon pour y enquêter sur le statut des Juifs[8].

118.   GÉRY[1] (II)

Attesté en août 794

Géry souscrivit[2] le diplôme de Louis le Pieux donné le 3 août 794 au Palais (Haute-Vienne, arr. Limoges), en faveur de la *cellola* de Nouaillé[3].

119.   GISCLAFRED[1]

Comte, attesté de 812 à 815

Gisclafred était un comte de la Marche d'Espagne[2], comme l'atteste la mention de son nom parmi les destinataires du Praeceptum pro Hispanis du 2 avril 812[3]. Vrai-

4 B.M. 516(497), Ch.L.A., n° 681. Cette liste de souscripteurs reflète la composition de la cour de Louis le Pieux à cette époque, cf. DEPREUX, Kanzlei, p. 156 et supra, la partie d'analyse II A.
5 *Capus* est à comprendre dans le sens de faucon, cf. Synodus Papiensis, p. 117 l. 37: *... cum ... capis, quos vulgus falcones vocat.*
6 Astronomus, Vita, c. 20, p. 617: *Misso enim pro quibusdam necessariis consulendis Gerrico capis praelato, cum in palatio moraretur, praestolans perlatorum responsum, monitus est tam a Francis quam a Germanis, ut ad patrem rex veniret, eique propter adsisteret ... Quod Gerricus cum regi, rex vero consiliariis retulisset ...*
7 Date proposée par l'éditeur pour la rédaction de la lettre nous apprenant ceci.
8 Agobardus, Epistolae, n° 7, p. 182 sqq. – texte cité à la notice n° 94.

1 Seule forme onomastique: *Garicus*.
2 En 12e position. Un parent de Géry (I)?
3 B.M. 516(497), éd. Ch.L.A., n° 681. Sur cette liste de souscripteurs, cf. DEPREUX, Kanzlei, p. 156 et supra, la partie d'analyse II A.

1 Formes onomastiques: *Gisclafredus, Giscafredus.*
2 WOLFF, Aquitaine, p. 290, en a fait un comte de Carcassonne. L'auteur s'appuie sur un diplôme de Pépin Ier d'Aquitaine du 3 septembre 838 (Actes de Pépin, n° 34, p. 152 sqq.), par lequel le roi confirma au monastère de Lagrasse son privilège d'immunité, qui concernait aussi les *cellulae* en dépendant, notamment celle de Fleix, dans le *pagus* de Carcassonne: *et alteram quae vocatur Flexus quae est constructa in honore sancti Cucufati in territorio Carchasensi super fluvium qui vocatur Atax cum omnibus appendiciis et terminis suis, sicut a Bellone c(omi)te et Gisclafredo filio ejus terminatum est.* Rien dans le texte ne permet cependant d'affirmer avec certitude que Bellon fut comte de Carcassonne, ni que le comte attesté en 812 était son fils. Notons cependant qu'un Gisclafred donna à Louis le Pieux *de suo beneficio* la *villa* de *Salas* proche du monastère de Saint-Hilaire, sis dans le *pagus* de Carcassonne (Actes de Pépin, n° 14, p. 49 sqq.). Un nouveau comte de Carcassonne est en tout cas attesté dès 820, en la personne d'Oliba (cf. ABADAL, Diplôme inconnu, p. 353).
3 Praeceptum pro Hispanis.

semblablement peu avant le 1er janvier 815[4], on le retrouve siégeant au tribunal réuni à Aix-la-Chapelle sous la présidence du comte du Palais, pour juger le différend entre l'aprisionnaire Jean et le comte Adhémar[5].

120. GISLEMAR[1]

Attesté en août 794

Gislemar souscrivit le diplôme de Louis le Pieux donné le 3 août 794 au Palais (Haute-Vienne, arr. Limoges), en faveur de la *cellola* de Nouaillé[2].

121. GLORIUS[1]

Notaire[2], attesté de l'automne 838 à février 841

Glorius apparaît comme notaire vers la fin du règne de Louis le Pieux. C'est lui qui fit la recognition du diplôme confirmant un échange entre l'abbé de Saint-Denis, Hilduin, et l'abbesse de Jouarre[3] – un document permettant peut-être de distinguer l'*actum*[4] du *datum*[5]. Glorius accompagna la cour en Poitou pendant l'hiver 839/840, comme l'atteste un diplôme délivré pour Eckard, un *fidelis* de l'empereur[6]. Ensuite, Glorius passa vraisemblablement au service de Lothaire[7]; il est attesté à sa »chancel-

4 Cf. l'annexe n° 1.
5 Enquête de Fontjoncouse, n° 3, p. 112 sqq.

1 Seule forme onomastique: *Gislemarus*.
2 B.M. 516(497), éd. Ch.L.A., n° 681. La liste de souscripteurs reflète la composition de la cour de Louis le Pieux à cette époque, cf. DEPREUX, Kanzlei, p. 156 et supra, la partie d'analyse II A.

1 Seule forme onomastique: *Glorius*.
2 Cf. SICKEL, Acta regum, tome 1, p. 99; BRESSLAU, Urkundenlehre, tome 1, p. 387; DICKAU, Kanzlei, 2e partie, p. 77 sq. et p. 105.
3 B.M. 986(955), éd. Recueil des hist. 6, n° 230, p. 623. Voici l'eschatocole qui fera l'objet des notes suivantes: *Actum Attiniaco palatio regio anno XXVI imperii domni nostri Hludowici piissimi imperatoris. Datum X Kal. Februar. Indictione II, in Dei nomine feliciter. Amen.*
4 Au palais d'Attigny, vraisemblablement à l'automne 838, cf. B.M. 982(951)f.
5 Le 23 janvier 839, alors que l'empereur était au palais de Francfort, cf. B.M. 985(954). A ce propos, cf. SICKEL, Acta regum, tome 1, p. 238, et tome 2, p. 356 (L. 380). Th. Sickel avait daté ce diplôme du 23 janvier 840, étant en cela fidèle à la règle émise par lui (ibid., tome 1, p. 276), selon laquelle il est peu prudent de se fier à l'indiction pour dater un document. Il préféra donc dater le diplôme en question du 23 janvier 840, date qu'implique la datation de la vingt-sixième année du règne de Louis, et non de 839, date qu'implique la seconde indiction (l'indiction étant alors calculée non d'après le style grec, mais à partir du début de l'année). Au cas où Th. Sickel aurait raison, la première mention de Glorius daterait alors du 8 juillet 839, cf. B.M. 997(966).
6 B.M. 1001(970), éd Recueil des hist. 6, n° 240, p. 628 sq. (diplôme du 29 décembre 839). On trouve déjà mention de Glorius dans un acte datant prétendument de 833; il s'agit d'un faux: B.M. 926(897). Sur ce diplôme, cf. Guy JAROUSSEAU, L'abbaye de Saint-Maur-sur-Loire au IXe siècle, Mémoire de Maîtrise (dactyl.), U.C.O., Angers 1988, p. 45 sqq.
7 Cf. BRESSLAU, Urkundenlehre, tome 1, p. 400.

lerie« en février 841[8]. En 843[9], un notaire G. issu du monastère de Ferrières[10], qu'on identifie avec notre personnage[11], fit jaser car il voulut quitter son monastère pour faire carrière à la cour impériale. L'empereur Lothaire l'en dissuada[12]. Je tends à ne pas reconnaître le notaire Glorius en la personne du moine G. Ceci pour deux raisons: d'une part, la mention de Glorius à la »chancellerie« en 841 (et non en 843, comme L. Levillain le croyait) ne coïncide pas exactement avec la chronologie que suppose la lettre de Loup; d'autre part, à lire Loup, on a le sentiment que le moine G. venait de quitter son monastère. Il ne peut donc pas s'agir d'un personnage depuis plusieurs années à la cour impériale et à propos duquel nous n'avons pas la moindre trace d'une protestation de son abbé auprès de Louis le Pieux.

122. GODOLELME[1]

Notaire, attesté en 807

Le notaire Godolelme ne nous est connu que par la recognition du diplôme donné par Louis le Pieux le 28 décembre 807 à Toulouse, en faveur de Gellone: *Godolelmus notarius ad vicem Guigonis recognovit*[2].

123. GOMBAUD[1]

Abbé, attesté en 830/831

Le personnage de Gombaud[2] est fort intéressant, qui met en valeur cette course aux honneurs et ce souci du succès personnel qui ruinèrent l'empire sous Louis le Pieux, comme le montra Nithard[3]. J.-P. Brunterc'h, paraphrasant le récit de Nithard qui est le seul à nous renseigner sur le rôle de Gombaud lors de la première crise du règne de

---

8 Dipl. Karol. 3, n° 52, p. 153 sq. et n° 55, p. 155 sqq.
9 La date est peu certaine. L. Levillain s'était appuyé, entre autres choses, sur le diplôme de Lothaire n° 55, daté par les auteurs des Regesta imperii de 843. Or ce diplôme date de 841. Je garde ici la date de 843 au cas où elle serait établie de manière assez certaine en raison de la référence à la »disette de vin« à venir (et qui concerne réellement l'année 843, comme l'a montré L. Levillain). L'éditeur de la correspondance de Loup avait, lors de ses travaux préparatoires, daté cette lettre de 852 (cf. Lupus, Correspondance, tome 1, p. 130 note 3).
10 Lupus, Correspondance, tome 1, n° 28, p. 132: ... G., *in monasterio nostro educatus* ...
11 Sur l'identification (retenue par FLECKENSTEIN, Hofkapelle 1, p. 126 note 85) de G. comme le notaire Glorius, cf. l'analyse de L. LEVILLAIN (Lupus, Correspondance, p. 130 note 3), qui s'appuie sur la lettre n° 29, p. 134 sqq. DICKAU, Kanzlei, 2e partie, p. 78, se montre – à mon sens avec raison – plus réservé.
12 Lupus, Correspondance, tome 1, n° 28, 29 et 30, p. 130 sqq.

1 Seule forme onomastique: *Godolelmus*.
2 B.M. 517(498), éd. Recueil des hist. 6, n° 3, p. 453 sq. (à la p. 454). Sur cet acte, cf. PÜCKERT, Aniane, p. 149–160; DICKAU, Kanzlei, 1ère partie, p. 37–45; DEPREUX, Kanzlei, p. 157 sqq.

1 Formes onomastiques: *Guntbaldus, Gunbaldus*.
2 Sur ce personnage, cf. BRUNTERC'H, Moines bénédictins, p. 72.
3 A ce propos, cf. DEPREUX, Nithard, p. 153 sqq.

Louis le Pieux[4], a résumé l'action de ce personnage: »En avril 830, dès le début de la rébellion, l'idée de Pépin et de Lothaire est d'amener l'Empereur à renoncer au siècle. Aussi Nithard nous dit-il que dans cette optique, des moines, agissant sur l'ordre de Lothaire, se tiennent auprès de Louis le Pieux afin de l'initier à la vie monastique et de le persuader de s'y consacrer. En fait, ces religieux finissent par s'entendre avec l'Empereur et décident de l'aider à recouvrer son autorité. Parmi eux, Louis le Pieux choisit un moine nommé *Guntbaldus* et, sous couvert de religion, l'envoie proposer un accroissement de royaume à ses fils Pépin et Louis en échange de leur soutien. Après ces tractations menées avec succès, Louis le Pieux impose de nouveau sa suprématie lors de l'assemblée de Nimègue en octobre 830«[5].

Nithard désignait Gombaud en tant que *monachus*. Il est pourtant fort probable[6] qu'il s'agisse en fait de l'abbé de Charroux attesté vers la même époque. En effet, le 13 août 830, à Samoussy, l'empereur Louis le Pieux[7], sur la suggestion de Lothaire (*suggerente supradicto filio dilecto nostro Lothario augusto et consorte imperii nostri*), fit une donation au monastère de Charroux *ubi etiam praesenti tempore vir venerabilis Gunbaldus abbas praeesse dignoscitur*[8]. Notre personnage est également attesté comme abbé de Charroux par un autre diplôme, non daté[9], et par la liste des moines de ce monastère contenue dans le Liber confraternitatis de la Reichenau[10]. Une fois le pouvoir de Louis rétabli, Gombaud ne semble pas s'être résigné à rentrer dans l'ombre. Nithard affirma qu'il convoitait le rang de second personnage de l'Etat[11]. Selon l'auteur de l'Histoire des fils de Louis le Pieux, le moine serait alors entré en concurrence avec l'ancien chambrier de l'empereur, Bernard[12]. Toujours est-il que, de fait, Gombaud fut associé un court temps au gouvernement, comme l'atteste la mention en notes tironiennes d'un diplôme donné à Aix-la-Chapelle le 25 février 831 en faveur de Kempten, par lequel l'empereur fit, à la requête de son fils Charles (*ad deprecationem dilecti filii nostri Karoli*), donation à ce monastère d'une *cella* sise en Alémanie[13]: *Gombaud abba impetravit*[14]. Selon l'hypothèse de J.-P. Brunterc'h, qui s'appuie sur les travaux d'O. G. Oexle, »en réalité, l'ambition de ce personnage est

---

4 Nithardus, Historia, lib. I, c. 3, p. 10 sqq.
5 BRUNTERC'H, Moines bénédictins, p. 71 sq.
6 Ibid., p. 72: »La date, l'homonymie, tout concorde pour voir dans le bénéficiaire celui à qui est confiée une discrète ambassade«.
7 Le diplôme est établi au nom des empereurs Louis et Lothaire. Renouant avec la tradition des années 825–829, Louis associa en effet à son nom celui de son fils dans les diplômes de l'été 830.
8 B.M. 876(847), éd. Recueil des hist. 6, n° 158, p. 566.
9 B.M. 913(884).
10 Verbrüderungsbuch Reichenau, pl. 89/ A1; cf. OEXLE, Charroux, p. 197 sq.
11 Nithardus, Historia, lib. I, c. 3, p. 12: … *Guntbaldus monachus* … *quia multa in restitutione ejus* (c'est-à-dire de Louis) *laboraverat, secundus in imperio esse volebat.*
12 Cf. la notice n° 50.
13 B.M. 883(854), éd. M.B. 28, n° 12, p. 19 sq. (à la p. 19).
14 Mentions tironiennes, p. 19.

étroitement soudée à celle de tout un groupe au centre duquel se trouve le propre frère du souverain, Hugues, fils bâtard de Charlemagne«[15], un membre de la communauté de Charroux[16] qui apparut peu après sur la scène politique[17]. C'est tout ce que l'on sait de Gombaud[18].

124. GOTAFRID[1]
Abbé de Gregorienmünster[2], attesté de juin 823[3] jusqu'en 835[4]

Avant le 9 juin 831, l'abbé Gotafrid fut envoyé enquêter sur la perte d'autorité de l'abbé de Pfävers en tant que *missus* de Louis le Pieux[5]. Le 12 juin 823 à Francfort, il avait obtenu de Louis le Pieux la donation pour son monastère de *Confluens* d'une partie de la forêt du fisc de Colmar[6]. On peut en conclure que, selon toute probabilité, il se trouvait à la cour le jour suivant, pour la naissance de Charles (le Chauve)[7]. Il avait probablement participé au plaid que Louis le Pieux avait tenu à Francfort en mai[8]. Le 27 octobre 826 à Ingelheim, il obtint la confirmation du privilège d'immunité de son monastère[9]. L'on peut en conclure que l'abbé Gotafrid participa également au plaid alors tenu par Louis au palais d'Ingelheim[10]. L'abbé de Gregorienmünster aurait par ailleurs été chargé, une fois l'archevêque Ebbon déposé en 835, de requérir du pape la confirmation de cette décision[11]. Cette assertion de Charles le

---

15 Brunterc'h, Moines bénédictins, p. 72.
16 Oexle, Charroux, p. 198 sqq.
17 Cf. la notice n° 165.
18 Duchesne, Fastes, tome 2, p. 209 sq., voulut l'identifier comme futur archevêque de Rouen: »Il avait, avant de devenir évêque et n'étant encore que moine, joué un certain rôle en 830, dans l'affaire de la restauration de l'empereur Louis. (…) Sa mort est marquée au 5 janvier 849, dans la Chronique de Fontenelle«.

1 Formes onomastiques: *Gotafridus, Godefridus.*
2 Sur ce personnage, cf. Wilsdorf, Godefroy.
3 Il serait devenu abbé en 815, cf. Wilsdorf, Godefroy, p. 7 et note 2.
4 Son successeur serait entré en fonction en 836, cf. ibid., p. 19 et note 3.
5 B.M. 892(863) – texte cité à la notice n° 51. Sur ce diplôme, cf. Wilsdorf, Godefroy, p. 16 note 3.
6 B.M. 772(747).
7 B.M. 773(748)a.
8 B.M. 771(746)a.
9 B.M. 833(807). Pour ce diplôme, *Hilduinus ambasciavit.* Cf. Mentions tironiennes, p. 18.
10 B.M. 832(806)c.
11 Carolus, De causa Ebbonis, p. 558: *His autem ab episcopis taliter definitis, domnus imperator per Godefridum monasterii s. Gregorii venerabilem abbatem suae dignitatis litteras praedecessori vestro dommno Gregorio venerando papae dirigit, ejus assensum, si fieri posset, in depositione ipsius Ebbonis expostulans. Ipse vero per praefatum abbatem suae auctoritatis litteras ei remissit; sed quid in ipsis insertum fuerit omnibus episcopis et cunctis regni nostri ordinibus habetur incognitum.*

Chauve a néanmoins été jugée »à peine crédible« [12]. C'est tout ce que l'on sait sur Gotafrid [13].

125.   **GRIMALD** [1]

Chapelain [2], attesté peu après 824 (vers 825/826) – mort le 13 juin 872

Il n'est pas question de retracer ici la vie de l'abbé de Wissembourg et de Saint-Gall [3], mais il suffira de rappeler le rôle que joua sous Louis le Pieux [4] l'un des principaux membres de l'entourage de son fils, Louis le Germanique [5]. C'est à Grimald, à qui Raban Maur dédia par ailleurs son Martyrologe [6], que Walafrid Strabon dédia sa version poétique de la Visio Wettini [7], Wettin ayant été un parent de Grimald [8]. Walafrid ornait alors ce dernier du titre de *capellanus*. Bien que Louis le Germanique fût envoyé en Bavière [9] à peu près à l'époque de la composition de ce poème [10], il est certain que Grimald était chapelain de Louis le Pieux: il est en effet mentionné par Walafrid sous le nom d'Homère [11] dans le poème De imagine Tetrici, où la cour impériale est décrite [12]. Le 18 août 833, Grimald est pour la première fois attesté comme abbé de Wissembourg [13]. Son prédécesseur est mentionné pour la dernière fois le 17 novembre 830 [14]: on le voit, Grimald fut donc nommé entre les deux crises du règne de Louis le Pieux, une époque pour le moins tendue. Ceci illustre sa loyalité envers l'empereur. On en a la meilleure preuve dans le rôle qu'il joua lorsque Louis le Pieux fut dé-

---

12 SIMSON, Jahrbücher, tome 2, p. 135 (»kaum glaubwürdig«).
13 Il est à mentionner qu'un certain Gotefrid fit partie des meneurs de la »révolte loyale« de 830 (cf. Theganus, Vita, c. 36, p. 597). En 834, il suivit Lothaire en Italie et mourut deux ans plus tard ainsi que son fils homonyme, lors de l'épidémie ayant décimé les grands de *Francia* exilés (cf. Astronomus, Vita, c. 56, p. 642). Sur ce personnage, cf. TREMP, Studien, p. 123 sq. Il s'agit peut-être d'un parent de notre abbé.

---

1 Formes onomastiques: *Grimaldus, Grimoldus.*
2 Cf. LÜDERS, Capella, p. 68; FLECKENSTEIN, Hofkapelle 1, p. 65 et p. 71.
3 Cf. DUFT, GÖSSI, VOGLER, Abtei St. Gallen, p. 105 sqq.; Th. ZOTZ, Grimald, dans: L.M.A., tome 4, col. 1713 sq.; HILDEBRANDT, External School, p. 108 sqq.; mais surtout: GEUENICH, Grimald.
4 GEUENICH, Grimald, p. 60 sq., a montré de manière convaincante qu'il ne pouvait s'agir de notre personnage dans le Grimald de la Reichenau envoyé dans un monastère réformé en 817 pour tenir son abbé au courant des réformes de la vie monastique (cf. Epistolae variorum 3, n° 3, p. 301 sq. et n° 5, p. 305 sqq.). Néanmoins, il est certain que Grimald, qui n'était d'ailleurs pas moine (cf. GEUENICH, p. 59 et note 36), après avoir reçu sa formation à la cour de Charlemagne, s'en alla la compléter à la Reichenau (ibid., p. 57).
5 Cf. BISCHOFF, Privatbibliothek; KEHR, Kanzlei, p. 7 sq.; FLECKENSTEIN, Hofkapelle 1.
6 Cf. Hrabanus, Carmina, n° 6, p. 169 sq. Grimald était alors déjà abbé.
7 Walahfridus, Visio Wettini, Praefatio, p. 40.
8 Ibid.: *Wettin(us) propinqu(us) vest(er).*
9 Annales regni Franc., a. 825, p. 168.
10 Datation vers 825/826, cf. Walahfridus, Visio Wettini, p. 111, note 116.
11 L'identification de cet Homère avec Grimald est fournie par Ermenricus, Epistola ad Grimaldum, p. 579 v. 112.
12 Walahfridus, Carmina, n° 23, v. 227 sqq., p. 377.
13 Doc. dipl. Wissembourg, n° 158, p. 360 sqq.
14 Ibid., n° 172, p. 373 sqq.

posé: en janvier 834[15], Grimald fit partie de la délégation envoyée par Louis le Germanique auprès de son père retenu prisonnier par Lothaire au palais d'Aix-la-Chapelle[16]. Quelque temps après la première mention de Grimald comme abbé de Wissembourg, nous le voyons à la cour de Louis le Germanique, où il dirigeait la »chancellerie«. Il y est attesté (recognition *advicem Grimaldi*) pour la première fois le 19 octobre 833[17].

Grimald, au service du roi de Bavière, fut victime de la brouille entre Louis le Pieux et son fils homonyme: vers la fin du règne de l'empereur, il perdit l'abbaye de Wissembourg[18]. Il faut bien reconnaître que le détail des agissements de Grimald lors de la révolte de Louis le Germanique nous échappe, et il semble que notre personnage ait perdu sur les deux tableaux. En effet, alors que la perte de Wissembourg doit être comprise comme une sanction de Louis le Pieux[19], Grimald perdit également la direction de la »chancellerie« de Louis le Germanique à cette époque[20]. E. Dümmler avait proposé d'expliquer ceci par une fidélité, de la part de Grimald, trop prononcée en faveur de l'empereur[21], hypothèse que P. Kehr rejeta[22]. A mon sens, l'on ne peut expliquer cette disparition de Grimald que par son indécision à choisir son camp – il semblerait alors qu'il fût moins habile qu'Eginhard quelques années plus tôt. Néanmoins, après la mort de Louis le Pieux, Grimald recouvra son abbatiat à Wissembourg[23] et Louis le Germanique, outre qu'il lui donna Saint-Gall[24], lui confia de nouveau la direction de la »chancellerie«[25] et le nomma archichapelain[26]. Il ne convient pas ici de s'attarder sur le règne de Louis le Germanique. Grimald mourut le 13 juin 872[27].

15 Après le 6 janvier.

16 Theganus, Vita, c. 47, p. 600 – texte cité à la notice n° 110.

17 Dipl. regum Germ. 1, n° 13, p. 15 sq. Son prédécesseur, Gauzbald, est attesté pour la dernière fois le 27 mai 833 (ibid., n° 11, p. 13 sq.).

18 Grimald est mentionné pour la dernière fois en automne 838 (Doc. dipl. Wissembourg, n° 273, p. 516 sq.), son successeur est attesté pour la première fois le 23 janvier 840 (ibid., n° 151, p. 352 sqq.).

19 Cf. Duft, Gössi, Vogler, Abtei St. Gallen, p. 105.

20 La dernière recognition *advicem Grimaldi* date du 23 septembre 837 (Dipl. regum Germ. 1, n° 25, p. 30 sq.). Son successeur, Ratleic, est attesté pour la première fois le 10 décembre 840 (ibid., n° 26, p. 31 sq.).

21 Dümmler, Geschichte, tome 2, p. 431.

22 Kehr, Kanzlei, p. 8.

23 Il est attesté pour la première fois le 30 juin 847 (Doc. dipl. Wissembourg, n° 200, p. 410 sqq.). Son prédécesseur, Otgaire, était mort le 21 avril 847 (cf. Régestes Mayence, p. 63).

24 Ratpertus, Casus, c. 7, p. 67: *Ergo hac miserabili consummatione belli peracta, protinus Hludowicus abbatiam sancti Galli Grimaldo destinavit atque contradidit. Qui statim eam, in quantum valuit, causa regiae auctoritatis obtinuit.* Grimald était à la tête d'une troisième abbaye dont on ignore le nom, cf. Geuenich, Grimald, p. 63 sqq.

25 Première recognition *advicem Grimaldi* le 22 juillet 854 (Dipl. regum Germ. 1, n° 69, p. 96 sqq.).

26 Première mention le 21 avril 857 (Dipl. regum Germ. 1, n° 80, p. 116 sqq.).

27 Ratpertus, Casus, p. 71: *Contigit autem transitus eius Idibus Iuniis 6. feria in primo ortu solis anno incarnationis dominicae 872. Rexit autem monasterium nostrum feliciter per annos 30 et unum.*

126. **GUI**[1]

Comte de Vannes, puis du Mans, attesté à partir d'avril 820 – mort au début de l'été 834

Gui[2], un parent du comte homonyme préposé à la Marche de Bretagne sous Charlemagne[3] et de Lambert, est attesté pour la première fois comme comte le 6 avril 820[4] et expressément comme comte du Vannetais dès le 1er avril 821[5]. La dernière mention de Gui à cette fonction date du 16 janvier 830[6]. Sa présence au plaid tenu durant l'été 820 à Quierzy[7] est attestée par la souscription qu'il porta alors à un acte d'échange[8]. Un diplôme de Louis le Pieux du 29 décembre 832 atteste que l'empereur lui confia une enquête relative au statut de trois *cellae* tenues par l'évêque du Mans et réputées appartenir au fisc (or il s'avéra que ces *cellae* appartenaient bien à l'évêque, et Louis le Pieux lui en confirma la possession)[9]. Gui devint ensuite comte du Maine[10] (ce n'est pas en cette qualité qu'il avait reçu la mission au Mans évoquée ci-dessus, car Rorgon était alors en place[11]). Ce n'est vraisemblablement qu'en 834 – c'est-à-dire peu avant sa mort – que Gui devint comte du Maine[12]. La mission dont on vient de faire état ne fut pas la seule: Gui enquêta également avec Hélisachar concernant la restitution de biens de l'église du Mans tenus en bienfait par des vassaux de l'empereur[13]. Etant donné que le diplôme attestant ceci ne date que du 24 juin 835, on a ici un exemple des délais – en réalité assez longs puisqu'ils s'étalaient dans le présent cas sur au minimum un an – qui pouvaient s'avérer nécessaires au règlement de

1 Formes onomastiques: *Wido, Vito, Guido*.
2 Cf. GUILLOTEL, Temps des rois, p. 227; HENNEBICQUE-LE JAN, Prosopographica Neustrica, p. 267 (n° 298).
3 Gui était le neveu du préfet de la Marche de Bretagne (et par conséquent le cousin de Lambert), cf. GUILLOTEL, Temps des rois, p. 204; BRUNTERC'H, Duché du Maine, p. 47. Pour HENNEBICQUE-LE JAN, Prosopographica Neustrica, p. 267 (n° 297), il s'agirait du fils de ce préfet. Il est vraisemblable que la mention d'un comte Gui dans un acte redonais de 814 se réfère à ce personnage (Doc. dipl. Redon, n° 135, p. 102 sq.).
4 Doc. dipl. Redon, n° 151, p. 116.
5 Ibid., n° 131, p. 99 sq.
6 Ibid., n° 155, p. 119 sq.
7 B.M. 722(699)a.
8 Doc. dipl. Wissembourg, n° 69, p. 268 sqq.
9 B.M. 911(882), éd. Recueil des hist. 6, n° 180, p. 584: *Ad quam causam diligenter per meliores et veraciores homines circumquaque memoratae urbis consistentes inquirendam nobisque renuntiandam destinavimus fidelem nostrum Widonem nomine; qui cum ad nos reversus esset, retulit nobis* … BRUNTERC'H, Duché du Maine, p. 56, pense que Gui fut envoyé en mission »dès le 9 novembre (832)«.
10 Il est en effet attesté comme comte du Mans à propos de sa mort, cf. Adrevaldus, Miracula, c. 21, p. 51: *com(es) Cenomanens(is)*.
11 Cf. BRUNTERC'H, Duché du Maine, p. 56 et p. 59 sq.
12 BRUNTERC'H, Duché du Maine, p. 59 sqq., a montré qu'en 834, Rorgon avait certainement perdu momentanément ses *honores* suite à sa trahison de Louis le Pieux pour le parti de Lothaire.
13 B.M. 942(911), éd. Gesta Aldrici, p. 186 sqq. (à la p. 187): *Sed cum nos ad rei veritatem diligentius investigandam fideles missos nostros Helisacharem venerabilem abbatem et Widonem comitem mitteremus, renuntiaverunt nobis per omnia ita verum esse*. Il faut peut-être expliquer le fait que Gui n'est pas désigné comme un défunt par l'utilisation d'un document rédigé de son vivant (mandat ou rapport) pour la rédaction du diplôme.

différends[14]. Gui périt au début de l'été 834, lors de l'affrontement des troupes fidèles à Louis le Pieux, qu'il dirigeait, et des partisans de Lothaire, qui cherchaient à se maintenir en Neustrie[15].

127.   GUIGON[1]

Responsable de la »chancellerie«[2], attesté en août 807

Guigon n'est attesté à la tête de la »chancellerie« de Louis le Pieux, alors roi d'Aquitaine, que par la formule de recognition d'un diplôme donné le 28 décembre 807 à Toulouse en faveur de Gellone: *Godolelmus notarius ad vicem Guigonis recognovit*[3].

128.   GUILLAUME[1] (I)

Comte de Toulouse, attesté de 789 à 806 – mort au plus tard le 28 mai 813

Le comte/duc[2] de Toulouse Guillaume est une personnalité bien connue du règne de Charlemagne[3] et pour qui l'on ne rappellera que quelques faits significatifs. Guillaume fut nommé à la tête du duché de Toulouse à l'occasion du séjour de Louis le Pieux à la cour de son père, à Worms, entre l'été 789 et le printemps 790[4]: sa nomination intervient après la défection du duc Chorson à laquelle le roi d'Aquitaine et ses grands

---

14 Dans le diplôme, l'affaire est d'ailleurs présentée comme de l'histoire ancienne: la dotation des vassaux eut lieu *ante complures annos* et c'est Aldric qui rappela à Louis le Pieux qu'il avait ordonné une enquête par ses *missi*.
15 Cf. Nithardus, Historia, lib. I, c. 5, p. 20; Adrevaldus, Miracula, c. 21, p. 51.

1 Seule forme onomastique: *Guigo*.
2 DICKAU, Kanzlei, 1ère partie, p. 64.
3 B.M. 517(498), éd. Recueil des hist. 6, n° 3, p. 453 sq. (à la p. 454). Sur ce diplôme, cf. PÜCKERT, Aniane, p. 149–160; DICKAU, Kanzlei, 1ère partie, p. 37–45; DEPREUX, Kanzlei, p. 157 sqq.

1 Formes onomastiques: *Willelmus, Wilhelmus, Vilhelm, Vilhelmus, Willihelmus, Guillelmus, Guilelmus*.
2 A plusieurs reprises, AUZIAS, Aquitaine, désigne Guillaume comme »duc«, ce qui correspond au témoignage de l'Astronome (cf. infra), mais d'autres sources – notamment les diplômes de Louis le Pieux (cf. Doc. dipl. Aniane) – le désignent seulement comme comte.
3 Cf. WOLLASCH, Adlige Familie, p. 164. Sa vie a été notamment résumée dans TISSET, Gellone, p. 7 à 38.
4 Ceci n'est pas affirmé explicitement, mais s'avère fort vraisemblable étant donné la chronologie interne du récit de l'Astronome.

tentèrent de remédier[5]. Guillaume joua un rôle de premier plan dans la défense du *regnum* aquitain contre les Sarrasins, notamment en 793, bien que ce ne fût pas une victoire[6]. De même, il participa au siège de Barcelone en 801[7]: il commandait l'armée devant faire obstacle aux renforts sarrasins[8] et il fit, sur l'ordre de Louis le Pieux, ouvrir les portes de Barcelone par les musulmans[9]. D'ailleurs, si l'on en croit Ermold le Noir, il préconisa d'attaquer les Sarrasins lors du plaid tenu au printemps 801, à Toulouse[10]. En 806, Guillaume se retira du siècle: celui *qui in aula … Karoli augusti comes exstitit clarissimus*[11] se fit moine[12]. Il mourut un 28 mai[13], au plus tard en 813[14].

129. **GUILLAUME[1] (II)**

Connétable, attesté durant l'hiver 833/834 – mort au début de l'été 834

Durant la captivité de Louis le Pieux pendant l'hiver 833/834, un certain connétable Guillaume, vraisemblablement connétable de Louis le Pieux[2], travailla en *Francia* à la libération de l'empereur[3]. L'on a identifié[4] ce connétable avec le comte homonyme de Blois[5], mort au début de l'été 834 lors du combat contre les partisans de Lothaire demeurés en Neustrie[6]. Son frère était Eudes, le rival de Matfrid pour le comté d'Or-

5 Astronomus, Vita, c. 5, p. 609.
6 Chronicon Moissiacense, a. 793, p. 300. Cf. également Annales Alamannici, p. 47; Annales Sangallenses, p. 75.
7 Ermoldus, Elegiacum carmen, lib. I, v. 308, p. 28; v. 407, p. 34.
8 Astronomus, Vita, c. 13, p. 612.
9 Ermoldus, Elegiacum carmen, lib. I, v. 510 sqq., p. 42.
10 Ibid., v. 172 sqq., p. 18 sqq. Sur ce plaid, cf. Astronomus, Vita, c. 13, p. 612
11 B.M. 517(498), éd. Recueil des hist. 6, n° 3, p. 453 sq. (à la p. 453). Cf. Ardo, Vita Benedicti, c. 30, p. 211: *Guilelmus quoque comes, qui in aula imperatoris pre cunctis erat clarior*. Ce chapitre est considéré comme une interpolation (cf. Tisset, Gellone, p. 8 sq.), mais je souhaite rouvrir ultérieurement ce dossier.
12 Chronicon Moissiacense, a. 806, p. 308 note *. A ce propos, cf. Tisset, Gellone, p. 21. Plusieurs diplômes documentent l'action de réforme monastique menée par Guillaume: B.M. 517(498), B.M. 580(560), B.M. 522(503). Pour la critique des actes, cf. Pückert, Aniane. Cf. également Ardo, Vita Benedicti, c. 30, p. 211 sqq.
13 Cf. Acta Sanctorum, Mai 6, Anvers 1688, p. 810.
14 Il est en effet question de *Willelmus quondam comes* dans B.M. 522(503), éd. Recueil des hist. 6, n° 3, p. 456 sq. (à la p. 456). Ce diplôme date du 23 avril 814.

1 Formes onomastiques: *Willelmus, Guillelmus*.
2 Simson, Jahrbücher, tome 2, p. 244, présente ceci comme une certitude.
3 Astronomus, Vita, c. 49, p. 637: *Et quidem in Franciam Eggebardus comes, et Willelmus comes stabuli, quos poterant sibi in unione voluntatis restituendum imperatorem coadunabant.*
4 Levillain, Nibelungen, 2e partie, p. 41.
5 Sur ce personnage, cf. Gosbertus, *Carmen acrostichum*.
6 Annales Bertiniani, a. 834, p. 13; Astronomus, Vita, c. 52, p. 638; Adrevaldus, Miracula, c. 21, p. 51.

léans[7]. L'identification du connétable avec le comte de Blois est seulement vraisemblable, mais pas certaine[8].

130.   GUNDOLD[1]
Infirmier[2], attesté en 820

Gundold n'est attesté qu'en janvier 820, lors du plaid tenu au palais d'Aix-la-Chapelle[3]. Ermold nous le montre apportant, »comme d'habitude«, une civière lors du duel entre Béra et Sanila[4].

131.   GUNDULF[1]
Notaire, attesté en 820/821 (peut-être jusque février 822)

Le notaire Gundulf[2] est attesté par seulement quelques actes dont il fit la recognition. Il suivit la cour dans ses déplacements: on le rencontre, dans les diplômes, pour la première fois à Aix-la-Chapelle au printemps 820[3]; il participa certainement au plaid tenu à l'automne à Quierzy-sur-Oise[4], ainsi qu'à celui tenu en février 821 à Aix-la-Chapelle[5] et à l'assemblée réunie en octobre de la même année à Thionville[6]. La recognition de l'acte du 27 octobre 821 est la dernière de ce notaire[7].

---

7 Cf. les sources citées à la note précédente.
8 On trouve par exemple un comte homonyme en Bavière attesté en 821 (Doc. dipl. Passau, n° 78, p. 65 sq.) et en 827 (Doc. dipl. Freising, n° 548, p. 469 sq.).

1 Seule forme onomastique: *Gundoldus*.
2 Simson, Jahrbücher, tome 2, p. 244, en fit le croque-mort de la cour (»Hofleichenträger«).
3 B.M. 709(659)a.
4 Ermoldus, Elegiacum carmen, lib. III, v. 1856 sq., p. 140: *Mox Gundoldus, feretrum de more paratum/ Ducere postque jubet, ut fuerat solitus.*

1 Formes onomastiques: *Gundulfus, Gondailphus*.
2 Cf. Sickel, Acta regum, tome 1, p. 91; Bresslau, Urkundenlehre, tome 1, p. 386; Dickau, Kanzlei, 2ᵉ partie, p. 57 sqq. et p. 105.
3 B.M. 715(692), diplôme donné le 27 avril 820.
4 B.M. 722(699)a. C'est ce que laisse supposer B.M. 723 (-), diplôme donné le 6 septembre 820.
5 B.M. 733(709)a. C'est ce que laisse supposer B.M. 735(711), diplôme du 15 février 821.
6 B.M. 740(716)d.
7 B.M. 745(720). Dickau, Kanzlei, 2ᵉ partie, p. 58, attribue la rédaction de B.M. 750(725) à Gundulf, repoussant ainsi la dernière trace de l'activité de ce notaire au 8 février 822. Je signale d'autre part à titre purement indicatif qu'un certain Gundolf fit une donation à l'église de Passau. Cet acte est daté par l'éditeur de 788–800: Doc. dipl. Passau, n° 25, p. 21.

132.   **GUNFRID**[1]

Comte, attesté en 838

Le comte Gunfrid fut chargé par Louis le Pieux de procéder à l'investiture (*plena ve-stitura*) d'Aldric à Saint-Calais, suite au procès gagné par l'évêque du Mans[2]. Il semble toutefois que Gunfrid n'ait pas participé à l'assemblée tenue à Aix-la-Chapelle en avril 838, qui eut connaissance de l'affaire[3]. R. Hennebicque-Le Jan veut faire de ce personnage un comte de Chartres[4], attesté par un diplôme délivré plus de trente ans plus tôt[5]. Etant donné le décalage chronologique, cette identification me semble hasardeuse.

133.   **GUNZO**[1]

Sénéchal[2], attesté d'environ 820 à 826 (peut-être jusqu'à 838)

Gunzo est mentionné dans le capitulaire De disciplina palatii Aquisgranensis (datant vraisemblablement des alentours de 820): il était chargé, avec Pierre, d'inspecter les demeures des agents du palais[3]. On retrouve ce tandem en 826 au palais d'Ingelheim: »Pierre, chef des panetiers, et Gunzo, chef des cuisiniers, s'emploient activement à disposer les tables«[4]. Il s'agit peut-être de notre personnage dans le *Gunzo vassus do-*

---

1 Seule forme onomastique: *Gunfridus*.
2 Concilium Carisiacense (bis), p. 842 – texte cité à la notice n° 33.
3 Il n'est en effet pas mentionné parmi les participants. Hennebicque-Le Jan, Prosopographica Neu-strica, p. 251 n° 128, ayant compris que Gunfrid avait été envoyé enquêter en préliminaire au juge-ment, en a conclu que notre personnage était »peut-être mort entre-temps«, ce qui est impossible, puisqu'il fut investi d'une mission datant, par définition, d'après le jugement.
4 Hennebicque-Le Jan, Prosopographica Neustrica, p. 251 n° 128.
5 Dipl. Karol. 1, n° 204, p. 273 sq. (diplôme du 17 août 806).

1 Seule forme onomastique: *Gunzo*.
2 Il était *princeps coquorum* d'après Ermold. Simson, Jahrbücher, tome 2, p. 241, en fit mention »als Küchenmeister, d. h. als Senischalk«. C'est avec raison que B. Simson reconnut en lui un sénéchal. En effet, l'Audulf/Odulf désigné comme *princeps cocorum* dans Regino, Chronicon, a. 786, p. 55, est at-testé comme *sinescalcus* dans les Annales regni Franc., a. 786, p. 72. Dans les Annales qui dicuntur Einhardi, il est désigné comme *regiae mensae praepositus* (ibid., p. 73).
3 Capitulare de disciplina palatii, c. 2, p. 298: *Ut Ratbertus ... inquisitionem faciat. Petrus vero et Gun-zo per scruas et alias mansiones actorum nostrorum similiter faciant ...*
4 Ermoldus, Elegiacum carmen, lib. IV, v. 2338 sqq., p. 178: *Interea reverenter opes parabantur heriles,/ Atque cibi vari multimodumque merum./ Pistorum Petrus hinc princeps, hinc Gunzo coquorum/ Ac-celerant, mensas ordine more parant (...) Hic Cererem solitus, hic carnea dona ministrat,/ Aurea per discum vasa sedere vides.* Comme le montre Ermold quelques vers plus loin, Gunzo était plus spé-cialement préposé à la préparation de la viande.

minicus qui participa à l'assemblée d'Aix-la-Chapelle en avril 838 ayant eu connaissance du différend entre l'évêque du Mans et l'abbé de Saint-Calais [5].

134.   HADABOLD [1]

Archevêque de Cologne [2], attesté à partir de 825 [3] – mentionné pour la dernière fois en 840/841 [4]

En 825, Hadabold est attesté comme *missus* de l'empereur dans sa province de Cologne [5]. En 829, l'archevêque de Cologne participa au concile réuni à Mayence [6]. Hadabold participa également à l'assemblée tenue en 825 à Aix-la-Chapelle [7]: il demanda avec Walcaud à l'empereur la permission de procéder à la translation des reliques de saint Hubert [8].

5 Concilium Carisiacense (bis), p. 847 (n° 81). Je signale à titre purement indicatif qu'en août 834, un certain Cunzo fit, avec son fils et sa femme, une donation à Saint-Gall (Doc. dipl. Saint-Gall, tome 1, n° 350, p. 325 sq.).

1 Formes onomastiques: *Hadaboldus, Hadebaldus, Hathabaldus, Athabaldus, Adelbaldus.*
2 Cf. DUCHESNE, Fastes, tome 3, p. 181.
3 Son prédécesseur mourut en septembre 818.
4 Doc. dipl. Bonn, n° 24, p. 253. Hadabold était en tout cas mort avant le 3 janvier 842, quand son neveu était attesté comme *electus episcopus* (ibid., n° 16, p. 245).
5 Commemoratio, c. 1, p. 308: *In Colonia Hadaboldus archiepiscopus et Eemundus comes.*
6 Constitutio de synodis, p. 2; Epistolarum Fuldensium fragmenta, p. 529. Sur les conciles de 829, cf. HARTMANN, Synoden, p. 179 sqq. La présence de Hadabold serait attestée à Thionville en 821 si le Capitulare de clericorum percussoribus (p. 360) n'était pas faux, cf. SCHMITZ, Waffe der Fälschung, p. 94 sqq.
7 B.M. 797(773)c; à ce propos, cf. la note suivante.
8 Jonas, Vita sancti Huberti, c. 32, p. 818: *Sed cum ab ipsis venerandis viris magnopere, ut id eis concederet, exigeretur, prudenti consilio cuncta peragens, Adelbaldum venerabilem virum, metropolitem suum, super hac re consuluit. Qui et ipse in tanta re consilium suum, ut decebat summae humilitatis virum, reputans minimum, ratum duxit ut una christianissimum atque orthodoxum principem Hludovicum imperatorem adirent, et quae eos pulsaret fratrum petitio pariter edicerent. Qui et ipse gloriosus atque invictus augustus, considerans rem pergrandem atque paucorum vires magnitudine sui transcendentem, ad consilium venerabile episcoporum, quod tunc temporis apud Aquasgrani congregatum erat, statuit conferendum, et quid de his esset agendum a sententia sancti conventus magnopere flagitandum. Isdem autem venerabilis ac prorsus Deo amabilis conventus, consideratis undique partibus, scilicet qui et quam rem peterent, sed et reverentia Domini confessoris, sanxerunt tot religiosorum virorum voto sancti viri ossa committi et in monasterio supradicto, ubi religiosus honorarentur, collocari. Quorum sententiae saepedictus pontifex obedientiam praebuit, consilio assensit, et petentibus jam dictis viris venerandis sanctissimi viri Hugberti corpus attribuit.* Quel était ce *consilium venerabile episcoporum, quod tunc temporis apud Aquasgrani congregatum erat*? L'auteur du Cantatorium en fit une *episcoporum synodus provincialis* (Cantatorium, c. 3, p. 8); or l'on ne connaît aucune assemblée d'évêque en 825, si ce n'est le synode tenu en novembre à Paris (cf. HARTMANN, Synoden, p. 168 sqq.), c'est-à-dire plusieurs semaines après la translation des reliques. D'autre part, Jonas spécifie que cette assemblée fut tenue à Aix-la-Chapelle. On en a par conséquent déduit qu'il s'agissait de l'un des plaids de cette année, vraisemblablement de celui d'août, B.M. 797(773)c. La question relative à la translation des reliques de saint Hubert de Liège au monastère d'Andage fut donc soumise par l'empereur Louis le Pieux aux évêques présents lors du plaid tenu à Aix en août 825 et réunis en commission séparée (sur la division entre ecclésiastiques et laïcs, cf. Hincmarus, De ordine palatii, p. 94 l. 604 sqq. et plus particulièrement l. 612 sqq.).

135. HAGAN[1]

Vassalus de l'empereur, attesté de juillet 821 à janvier 831

Le vassal Hagan nous est connu à la faveur de deux enquêtes qui lui furent confiées. Avant le 16 juillet 821, il fut chargé de mener une enquête concernant les biens que Fulquin, pour le temps pendant lequel il serait à l'ost, avait confiés au *cartolarius* impérial Théothard, mais qui avaient été intégrés au fisc à la mort de ce dernier. L'enquête fut ordonnée suite à la requête de Fulquin, qui désirait récupérer ses biens[2]. Avant le 18 janvier 831, Hagan enquêta concernant la restitution d'un bois près de la forêt de *Columbarias* à la *cella* de *Barisis*, tenue par le *fidelis* Léon[3]. Après avoir fait son rapport, Hagan demeura probablement au palais pour participer au plaid de février 831 tenu à Aix-la-Chapelle[4].

136. HAISTULF[1]

Archevêque de Mayence[2], attesté à partir de 813 – mort en 826

Haistulf, un disciple de Lull[3], devint archevêque de Mayence en 813[4] et il mourut en 826[5]. Peu avant son décès, Haistulf était attesté comme *missus* de l'empereur dans sa province de Mayence[6]. C'est principalement l'histoire de ses relations avec Fulda, dont il célébra la dédicace de l'église Saint-Sauveur le 1er novembre 819[7] et dont il

---

1 Formes onomastiques: *Haganus, Haguno.*
2 B.M. 739(715), éd. Doc. dipl. Rhin moyen, n° 53, p. 59 sq. (à la p. 60): *Idem obnixit deprecans in nostra aelemosina hoc inquirere iuberemus, utrum veritas ita esset an non, nos vero eius peticioni propter diuinum amorem renuere noluimus, sed libuit nobis pocius Hagunonem vasallum nostrum hanc rem inuestigare precipere, qui nobis renuncians per omnia ita uerum esse sicut dicebat.*
3 B.M. 881(852), éd. Recueil des hist. 6, n° 163, p. 569: *Cujus nos rei veritatem cupientes scire, direximus missum nostrum Haganum vasallum, qui hanc causam in nostra eleemosyna investigasset, et nobis renuntiasset. Qui jussionem nostram explens, sicut nobis renuntiavit, invenit per legem et justitiam, jam dictam silvam ad supra dictam cellam legibus pertinere, et per fortiam exinde ablatam fuisse.*
4 B.M. 881(852)a.

1 Formes onomastiques: *Haistulfus, Haistolfus, Heistolfus, Heistulfus, Aistulfus.*
2 Cf. DUCHESNE, Fastes, tome 3, p. 160; Régestes Mayence, p. 51 sqq.
3 Hrabanus, Carmina, n° 84, p. 237: *Lulli discipulus.* Le pontificat de Lull dura de 754 à 786, cf. DUCHESNE, Fastes, tome 3, p. 159 sq.
4 Régestes Mayence, p. 51.
5 Ibid., p. 54. »Über den todestag ist nichts authentisches überliefert«.
6 Commemoratio, c. 1, p. 308: *In Mogontia, quae est diocesis Heistulfi archiepiscopi, idem Heistulfus episcopus et Ruodbertus comes.* Haistulf est censé avoir participé au synode de Thionville en 821 (cf. Capitulare de clericorum percussoribus, p. 360), mais le document l'attestant est un faux, cf. SCHMITZ, Waffe der Fälschung, p. 94 sqq.
7 Annales Fuldenses, a. 819, p. 21; Candidus, Vita Eigilis, c. 15, p. 230. Raban Maur composa à cette occasion une série de courts poèmes, cf. Hrabanus, Carmina, n° 41, p. 205 sqq. Il dédia d'autre part plusieurs de ses oeuvres à l'archevêque de Mayence (Hrabanus, Epistolae, n° 3, p. 385 sq.; n° 5, p. 388 sqq.; n° 6, p. 391) et il composa son épitaphe (Hrabanus, Carmina, n° 84, p. 237).

consacra également, en 822, l'église cimétériale Saint-Michel[8], qui nous est parvenue[9].

137.   HALITGAIRE[1]

Evêque de Cambrai[2], attesté à partir de 822 – mort en 830

Halitgaire, qui composa sur la demande d'Ebbon[3], son évêque métropolitain, son célèbre pénitentiel[4], fut un personnage d'une importance certaine du temps de Louis le Pieux. On rencontre l'évêque de Cambrai pour la première fois vers 822[5]: il fut envoyé par le pape Pascal Ier en mission chez les Danois, comme auxiliaire d'Ebbon[6]. Les Annales royales datent de 823 le retour de l'archevêque de Reims[7]. Le 6 décembre 825, c'est Halitgaire, avec l'évêque Amalaire de Metz, qui présenta à l'empereur les travaux des Pères du concile de Paris[8], concernant le culte des images[9]. Peu après,

---

8 Candidus, Vita Eigilis, c. 18, p. 231.

9 Grâce à la Vita Eigilis. L'un des problèmes majeurs que pose l'histoire de Fulda et dont les deux dédicaces célébrées par Haistulf rappellent l'importance est celui de la dépendance de Fulda concernant la hiérarchie ecclésiastique. BECHT-JÖRDENS, Rechtsstatus des Klosters Fulda, rejoignant SEMMLER, Anfänge Fuldas, p. 190, réfute l'hypothèse de la dépendance de l'établissement monastique vis-à-vis de l'évêché de Wurzbourg, avancée récemment par plusieurs auteurs (cf. HUSSONG, Fulda, 1ère partie, p. 47 sqq.), et défend l'ancienne thèse selon laquelle Fulda aurait, dès l'origine, relevé du siège (archi)épiscopal de Mayence. D'autre part, Raban Maur fut ordonné prêtre par Haistulf le 23 décembre 814, cf. Chronicon Laurissense breve, p. 38.

1 Formes onomastiques: *Halitgarius, Halitcharius, Halitcarius, Alitgarius*.

2 Cf. DUCHESNE, Fastes, tome 3, p. 112 sq.

3 Cf. Epistolae variorum 3, n° 2, p. 616 sq.; Flodoardus, Historia, lib. II, c. 19, p. 467 sq.

4 Halitgarius, De vitiis. A ce propos, cf. KOTTJE, Bußbücher.

5 DUCHESNE, Fastes, tome 3, p. 112 note 11, fait remarquer que cette identification n'est pas absolument certaine. D'autre part, l'auteur signale que »divers récits de translation, relatifs aux saints Ursmar, Ghislain et Momble, mentionnent ou son épiscopat ou sa présence. Tous se placent sous Louis le Pieux. Le plus ancien (s. Ursmar de Lobbes) se rapporte à l'année 823, le troisième à l'année 829 au plus tôt« (ibid., p. 113). Contrairement à ce que laisse entendre cet érudit, Halitgaire n'est pas attesté de manière certaine comme évêque de Cambrai en 823 (pour peu que l'on doute, comme L. Duchesne, que l'évêque missionnaire de 822 fût l'évêque de Cambrai). En effet, le premier texte mentionne que la translation fut effectuée *iussu et permissu eius qui tunc erat Cameracensis episcopus*, sans désigner ce dernier nommément (Folcuinus, Gesta abbatum Lobiensium, c. 10, p. 60). Dans les deux autres cas, les translations ne sont pas datées (cf. les références dans DUCHESNE, Fastes, tome 3, p. 113 note 2; dans l'édition vénitienne de 1733 des AA. SS. O.S.B. saec. II de Jean MABILLON, les passages en question sont aux pages 625 et 762).

6 Epistolae selectae, n° 11, p. 68 sqq.: *Collegam denique huic divine administrationis legationi ei providentes, Halitgarium religiosum adicientes ministrum, constituimus, quatinus ad sedem apostolicam oportuno valeat tempore de credito negotio facilius prestante Domino intimare et nunquam se in qualibet parte huic nostre auctoritatis ministerio commisso neglegere.*

7 Annales regni Franc., a. 823, p. 163.

8 Sur cette assemblée, cf. HARTMANN, Synoden, p. 168 sqq.

9 B.M. 818(794), éd. Recueil des hist. 6, n° 6, p. 341: *Venerunt ad praesentiam nostram Halitgarius et Amalarius episcopi VIII Idus Decembris, deferentes collectiones de libris sanctorum patrum, quas in conventu apud Parisios habito simul positi collegistis, quas etiam coram nobis perlegi fecimus* (= Concilium Parisiense, p. 533; cf. également ibid., p. 483).

à une date[10] et pour une raison qui nous sont inconnues, l'évêque de Cambrai fut envoyé à la tête d'une ambassade à la cour de Constantinople. Il en revint vers février 828, à l'occasion du plaid que Louis le Pieux tenait alors à Aix-la-Chapelle[11], et il rapporta de nombreuses reliques de saints[12]. En juin 829, Halitgaire participa au concile réuni à Paris[13]. C'est la dernière trace que l'on ait de son activité: Il mourut en 830[14] et il fut inhumé en l'abbaye du Mont-Saint-Eloi[15].

138.   HARIALD[1]
                              Attesté en août 794

Hariald souscrivit le diplôme de Louis le Pieux donné le 3 août 794 au Palais (Haute-Vienne, arr. Limoges), en faveur de la *cellola* de Nouaillé[2].

139.   HARTMANN[1]
        Comte, attesté de novembre 817 (peut-être dès février 807) à avril 820
                         (peut-être jusqu'à mars 835)

Avant le 20 novembre 817, le comte Hartmann fut nommé pour enquêter à Tournai en qualité de *missus*, suite à la requête de l'évêque du lieu, concernant une donation visant à l'extension de la *claustra canonicorum*[2]. Avant le 27 avril 820, un comte Hart-

---

10 Les auteurs des Regesta imperii placent en février 828 l'envoi de Halitgaire, ce qui à mon sens est une fausse interprétation des sources, cf. B.M. 844(818)a.
11 Annales regni Franc., a. 828, p. 174 – texte cité à la notice n° 31. Cf. également, Astronomus, Vita, c. 42, p. 631.
12 Gesta episc. Cameracensium, c. 42 (40), p. 416 (dans ce texte, Halitgaire est présenté comme l'envoyé de Charlemagne; les données chronologiques sont bien évidemment erronées).
13 Cf. Doc. dipl. Paris, n° 35, p. 49 sqq. Sur ce concile, cf. HARTMANN, Synoden, p. 181 sqq.
14 Chronicon Vedastinum, p. 708.
15 Gesta episc. Cameracensium, c. 42 (40), p. 416.

1 Seule forme onomastique: *Harialdus*.
2 B.M. 516(497), éd. Ch.L.A., n° 681. Cette liste de souscripteurs reflète la composition de la cour de Louis le Pieux à cette époque, cf. DEPREUX, Kanzlei, p. 156 et supra, la partie d'analyse II A.

1 Formes onomastiques: *Hartmannus, Ardemannus, Artmannus*.
2 B.M. 658(644), éd. Recueil des hist. 6, n° 74, p. 509: *Nos itaque ad hoc praevidendum et inspiciendum Irminonem venerabilem abbatem et Ingobertum et Hartmannum missos nostros direximus, qui hoc praeviderent, et juxta quod necessitas ad eamdem clausturam faciendam exigebat, de fisco nostro ex nostra auctoritate ei consignarent. Quod ita et fecerunt ...*

mann, que j'identifie avec le comte en mission à Tournai[3], fut envoyé *ad iustitias faciendas* en Italie: il dut à cette occasion enquêter à propos d'une éventuelle restitution à l'église cathédrale de Plaisance[4]. On a peut-être affaire à notre personnage avec l'Ardemannus attesté comme *missus* de Charlemagne et de Pépin d'Italie le 22 février 807 à Rieti[5]. Il n'est pas impossible, mais plus improbable (car cet individu est mentionné par deux fois sans titre comtal), que notre personnage fût identique avec le Hartmann attesté le 23 mars 835 comme avoué (*advocatus*) du monastère de Murbach[6].

140.   HATTON[1]

Comte, attesté de décembre 819 à mai 824

Dans plusieurs documents de Freising apparaît un certain Hatton, désigné une fois formellement avec le titre comtal[2]. On le voit siéger par deux fois, en 822, comme *missus dominicus* dans des plaids, le 14 avril à Föring[3] et le 31 août à Allershausen[4]. Déjà le 3 avril 822, on rencontrait Hatton siégeant lors d'un plaid tenu à Ergolding[5], mais il ne semble pas y avoir participé en tant que *missus dominicus*[6]. Une dernière fois, on voit Hatton siéger lors d'un plaid tenu le 24 mai 824 à Ergolting[7]. Le comte

---

3 Rien ne peut prouver l'identité. Toutefois, le fait que son compagnon fut l'évêque de Strasbourg, Adaloch, m'incite à penser qu'il faut également faire du comte pour le moins un grand originaire du nord des Alpes.

4 B.M. 715(692) – texte cité à la notice n° 12.

5 Doc. dipl. Italie, n° 21, p. 68 sqq.: *Dum per iussionem dominorum nostrorum Karoli imperatoris vel domni regis Pipini perrexissemus nos Ardemannus et Gaidualdus missi dominorum nostrorum … Signum + manus Ardemanni missi domini regis, qui hic signum sancte + fecit.* A noter que notre personnage ne porte pas (encore) de titre comtal.

6 Doc. dipl. Alsace, n° 94, p. 76. Il s'agit d'un acte d'échange fait en le palais royal d'Illzach.

1 Seule forme onomastique: *Hatto*.

2 Doc. dipl. Freising, n° 507, p. 432 sq. Il faut par conséquent distinguer ce *missus* de son contemporain et homonyme, l'évêque de Passau. Etant donné que la composition des plaids est toujours à peu près identique, ou du moins que les assemblées sont présidées par un groupe constant de personnages, il faut admettre qu'il s'agit à chaque fois du comte en la personne de Hatton.

3 Doc. dipl. Freising, n° 466, p. 398 sqq.: *Cum sedisset Hitto* (évêque de Freising) *videlicet et Baturicus* (évêque de Ratisbonne) *episcopi, Hatto et Kisalhardus missi dominici in publico placito in loco qui vulgo dicitur Pheringa ibique multorum advenientium causas recte terminandas.*

4 Ibid., n° 475, p. 406 sq.: *(Dum) convenissent Hatto videlicet missus dominicus, Hitto, Baturicus et Nidkerus episcopi necnon et Kysalhardus publicus iudex in loco quae vulgo dicitur Adalhareshusir ibique multorum advenientium causas iuste terminandas …*

5 Ibid., n° 463, p. 394 sq. – texte cité à la notice n° 103.

6 Puisque deux autres personnages, Frehholf et Nithart, agissaient alors en tant que tels, cf. la note précédente.

7 Doc. dipl. Freising, n° 507, p. 432 sq.: *Convenientibus venerabilibus viris Hitto episcopus, Baturicus episcopus, Hatto comes, Kisalhart comes, Liutpald comes, Ellanperht comes, Orendil comes et alii multi in locum que dicitur Erkeltingas iudicia recta dirimenda …*

Hatton, dont le personnage est fort difficile à cerner[8], est un oublié de l'histoire bavaroise[9]. E. Dümmler voulut en faire un responsable de la défense de la frontière avec la Bohême, et il l'intercala entre Audulf et Ernust[10]. De fait, on voit Hatton intéressé au sort de la *commarca*[11] de Cham[12]. Peut-être la mention des Annales Guelferbytani à l'année 823[13] concerne-t-elle notre homme[14].

141.   HEIMIN[1]

Evêque[2], attesté en 825/826

L'évêque Heimin est attesté comme *missus* de l'empereur en 825 dans la province de Besançon[3]. Il est également mentionné dans la Responsa missis data de 826: il devait être consulté concernant le statut de deux femmes[4].

---

8 Cf. Dümmler, Geschichte, tome 1, p. 128 note 3.
9 Spindler, Handbuch, ainsi que Störmer, Früher Adel, l'ignorent.
10 Dümmler, De Bohemiae condicione, p. 25. En revanche, cf. Mitterauer, Markgrafen, p. 89: »Unter König Ludwig dem Deutschen tritt neben der ursprünglich gegen die Awaren eingerichteten Mark im Osten noch ein zweiter Grenzbezirk stärker in den Vordergrund. Von einer 'böhmischen Mark', wie sie von der älteren Forschung postuliert wurde, kann allerdings nach den neueren Ergebnissen kaum mehr gesprochen werden. (…) Unter Karl dem Großen und Ludwig dem Frommen scheint Audulf, der oberste Graf Bayerns, mit dem Schutz der böhmischen Grenze betraut gewesen zu sein. Mit Sicherheit läßt sich dies von seinem Nachfolger, dem Grafen Ernst, nachweisen. Dieser wird zwar erst mit Amtstitel erwähnt, doch geht aus seiner Intervention für das Kloster Mondsee von 829 hervor, daß er schon damals zu den Großen des bayerischen Königreiches gehörte. Auch er wird einer von jenen Grafen gewesen sein, die in den ersten Regierungsjahren König Ludwigs bei der Neuordnung der Verwaltung des östlichen Teilreiches seine Stellung erhielt«.
11 Niermeyer, Lexicon Minus, p. 210: »terre inculte qui fait partie d'un domaine«; »finage de village, en particulier la partie inculte du finage«.
12 Je déduis cela d'une notice montrant notamment que le comte Hatton envoya un *missus* au plaid lors duquel, le 14 décembre 819, l'évêque Baturic fit restituer la *commarca* de Cham à Saint-Emmeram. Cf. Doc. dipl. Ratisbonne, n° 16, p. 15 sqq.
13 Annales Guelferbytani, a. 823, p. 46: *In eo anno quando Hatto comes et vassus domni regis Peretolt inter se accusarent coram imperatore.*
14 Cela est d'autant plus probable que le nom Peretolt (et ses variantes) est très fréquent dans les chartes de Freising.

1 Seule forme onomastique: *Heiminus.*
2 Son siège est indéterminé. Werner, Missus, p. 197 note 20, propose de l'identifier avec l'évêque de Sion, abbé de Saint-Maurice d'Agaune.
3 Commemoratio, c. 1, p. 308: *In Vesontio, quae est diocesis Bernoini archiepiscopi, Heiminus episcopus et Monogoldus comes.*
4 Responsa, c. 5, p. 314: *De duabus feminis quae indiculos attulerunt: interrogandi sunt Heiminus et Monoaldus, utrum ecclesiasticae an fiscales fuissent.* Rien ne permet de savoir si le c. 9, p. 315, se rapporte à notre personnage (*Querelam quam Helisachar et Heiminus contra Maginarium habent: volumus ut missi nostri secundum iustitiam et aequitatem definiant*).

142.   HEITO[1]

Evêque de Bâle[2], né en 764 – mort le 17 mars 836

Heito naquit en 764[3]. Dès l'âge de cinq ans, c'est-à-dire vers 769, il entra au monastère de la Reichenau[4], d'où Charlemagne le fit sortir pour lui confier l'évêché de Bâle[5].
En 806, il reçut également l'abbatiat de son monastère d'origine[6], qu'il garda jusqu'en 822, époque à laquelle il se retira des affaires[7]. Il mourut en 836[8], le 17 mars[9].
L'on sait peu de chose sur la politique menée par l'abbé de la Reichenau en son monastère[10], si ce n'est qu'il fit édifier une nouvelle église, dédiée en 816[11]. Quant à l'action pastorale de Heito, on conserve de lui des *capitula*[12]. Par ailleurs, Heito est l'auteur de la Visio Wettini[13], qu'il composa au tout début de sa retraite des affaires. Sous
Charlemagne, Heito jouit d'une influence certaine[14], comme le prouve la mention de
son nom en 811 parmi les témoins cités dans le testament de Charlemagne[15]. La même année, il fut envoyé comme ambassadeur à Constantinople[16]. Il bénéficia égale-

1 Formes onomastiques: *Heito, Haito, Haido, Hetto, Hitto*; ce dernier nom est celui du destinataire
   d'une lettre de l'évêque Frothaire. L'éditeur du document a identifié Hitto comme étant l'évêque de
   Bâle, mais rien dans le texte ne permet de confirmer cette identification. Cf. Frotharius, Epistolae, n°
   5, p. 279 sq. Il se pourrait que le destinataire fût en fait l'évêque de Freising, Hitto (811–835).
2 Cf. DUCHESNE, Fastes, tome 3, p. 225; cf. également Helvetia Sacra, I, tome 1, p. 165 et III, tome 1/2,
   p. 1070.
3 En 823, lorsqu'il tomba gravement malade, il avait soixante ans. Cf. Walahfridus, Visio Wettini, v. 82
   sqq., p. 48.
4 Walahfridus, Visio Wettini, v. 40, p. 46: *Coenobium quinquennis enim Insulanense petivit.*
5 Ibid., v. 45 sqq., p. 46. WILSDORF, Haito reconstructeur, p. 178, pense que »l'épiscopat de Haito (…)
   commença au plus tôt en 791 et au plus tard en 805«.
6 Walahfridus, Visio Wettini, v. 60 sq., p. 46. Sur la date, cf. ibid., v. 83, p. 48. Cf. également Herimann-
   nus, Chronicon, a. 806, p. 101: *Augiae Waldone abbate ad regendum sancti Dionisii coenobium
   transposito, Heito nonus abbas praefuit annos 17.* Le Catalogus abbatum Augiensium, p. 38, donne
   également une durée de 17 ans pour l'abbatiat de Heito.
7 Herimannus, Chronicon, a. 822, p. 102: *Augiae Heitone abbate et episcopo privatam et quietam vitam adoptante, Erlebaldus abbas 10us praefuit annis 13.* Cf. également Annales Weingartenses, a.
   822, p. 65. Toutefois, LÖWE, Methodius, p. 343/350 note 10, date la résignation de Heito de l'année
   823. Déjà, WILSDORF, Haito reconstructeur, p. 177, avait préféré l'année 823, le successeur de Heito
   au siège épiscopal de Bâle ayant été nommé le 21 décembre 823 (cf. ibid., note 12, p. 180).
8 Herimannus, Chronicon, a. 836, p. 103: *Augiae Heito, Basilae episcopus, obiit et sepelitur.* Cf. également Annales Weingartenses, a. 836, p. 65.
9 Necrologium Augiae divitis, p. 274: *Haito eps.*
10 Sur la participation de Heito à la réforme monastique, cf. LÖWE, Methodius, p. 350/357 note 38.
11 Herimannus, Chronicon, a. 816, p. 102: *Augiae basilica sanctae Mariae a Heitone abbate et episcopo
    constructa et dedicata est.* Le modèle du plan de Saint-Gall semble avoir été l'abbaye de Reichenau,
    cf. ZETTLER, St. Galler Klosterplan. Heito fit également reconstruire son église cathédrale de Bâle, cf.
    WILSDORF, Haito reconstructeur.
12 Capitula episcoporum, p. 203–219. Sur l'activité de Heito, cf. en outre WILSDORF, Haito reconstruc-
    teur.
13 Ed. E. DÜMMLER, M.G.H. Poetae 2, p. 267 sqq. Cf. MÜLLER, Beitrag zur Überlieferungsgeschichte;
    cf. également AUTENRIETH, Heitos Prosaniederschrift.
14 Des otages saxons lui furent confiés, cf. Indiculus obsidum. Cf. B.M. 410(403).
15 Einhardus, Vita Karoli, c. 33, p. 100.
16 Annales regni Franc., a. 811, p. 133: *Absoluto atque dimisso Arsafio spathario – hoc erat nomen lega-
    to Nicifori imperatoris – eiusdem pacis confirmandae gratia legati Constantinopolim ab imperatore
    mittuntur, Haido episcopus Baslensis et Hug comes Toronicus et Aio Langobardus de Foro Iuli …* Sur
    le souvenir de la mission de Heito conservé à Saint-Gall, cf. Notkerus, Gesta Karoli, II, c. 6, p. 55 sq.

ment de la confiance de Louis le Pieux, dont il obtint, le 14 décembre 815, la confirmation du privilège d'immunité de la Reichenau[17]. Il en profita pour plaider la cause du serf (*servus*) de l'empereur, le prêtre Engilbert: sur son entremise (*interveniente venerabile Haitone episcopo*), Louis le Pieux permit à Engilpert de donner au monastère de la Reichenau un bien que ce dernier avait acheté[18]. Peut-être Louis le Pieux confia-t-il à Heito une ou plusieurs missions à Rome[19]. Toujours est-il que, vers 820, l'évêque de Bâle fut envoyé comme *missus* en Italie, dans le duché de Spolète. Là, il eut notamment connaissance d'un différend entre l'évêque de Spolète et l'abbé de Farfa concernant l'église Saint-Marc près Spolète, comme nous l'apprend un diplôme du 28 avril 820[20].

143. HÉLISACHAR[1]

Archichancelier, attesté à partir d'avril 808 – mort avant 840[2]

C'est dans les actes de Louis, roi d'Aquitaine, que le nom de Hélisachar, qui était prêtre[3], apparaît pour la première fois. Le 7 avril 808 fut expédié un diplôme écrit *ad vicem* de ce personnage[4] qui fit, le mois suivant, la recognition d'un autre diplôme[5]. Il s'ensuit que Hélisachar devait alors diriger la »chancellerie« du roi d'Aquitaine[6]. Il accompagna Louis le Pieux à Aix-la-Chapelle en 814 et exerça au début du règne

---

L'anecdote relatée suite à cette mission met bien en lumière l'importance de Heito à la cour de Charlemagne.

17 B.M. 601(581).
18 B.M. 603(583), éd. Doc. dipl. Wurtemberg, n° 74, p. 83 sq.
19 Cf. Löwe, Methodius, p. 354/361 sqq., qui se fonde sur le témoignage de Gallus Öhem (à ce propos, cf. la note suivante).
20 B.M. 719(696) – texte cité à la notice n° 30. Gallus Öhem, Chronik, p. 47, affirma que Heito fut envoyé à Rome, ce qu'aucune autre source ne permet de confirmer. Cf. Beyerle, Gründung, note 41 p. 209.

1 Formes onomastiques: *Helizachar, Elisachar, Helysachar, Elysachar, Helisoar, Elisagarus, Elisacharus.*
2 On ignore la date à laquelle Hélisachar mourut. La seule certitude que nous ayons est que sa mort se situe sous le règne de Louis le Pieux. Cf. Hariulf, Chronicon Centulense, p. 100.
3 Il est dit *sacerdos Dei* dans Amalarius, Prologus, c. 10, p. 362, et *gloriosus presbyter*, ibid., c. 13. Cf. également Annales regni Franc., a. 827, p. 172.
4 B.M. 518(499), éd. Recueil des hist. 6, n° 2, p. 453: *Albo ad vicem Helizachar scripsi.* Il s'agit d'un diplôme donné au palais de Chasseneuil, en faveur du monastère de Cormery.
5 B.M. 519(500), éd. Doc. dipl. Nouaillé (bis), n° 2, p. 78 sqq. (à la p. 81): *In Dei nomine Helisachar recognovit.*
6 Dickau, Kanzlei, 1ère partie, p. 62 sqq., se montre fort prudent et ne reconnaît en Hélisachar qu'un »Leiter« de la »chancellerie«. Certes. Mais je suis d'avis qu'il ne faut pas s'arrêter outre mesure à des subtilités de vocabulaire, car il ne semble pas que sa fonction avant 814 fût fondamentalement différente de celle qu'il exerça ultérieurement. Par ailleurs, il est à noter qu'*Elisachar cancellarius subscripsit* dans une donation de 811 fait par le comte Etienne à l'évêque de Paris (Doc. dipl. Paris, n° 29, p. 37 sqq.), mais il s'agit vraisemblablement d'un faux (cf. ibid., p. 37 note 2, et p. 40 note 2).

impérial les mêmes activités[7], le même *officium palatinum*[8], qu'en Aquitaine. Hélisachar demeura à la tête de la »chancellerie« jusqu'au 7 août 819[9]. Le premier archichancelier du règne impérial de Louis le Pieux est en cela remarquable qu'il participa activement à l'expédition des actes: il fit la recognition d'une trentaine de diplômes[10]. Etant donné la diversité des destinataires, dont on peut se rendre compte grâce à l'appendice faisant suite à cette notice[11], il est totalement à exclure que Hélisachar ne participât qu'à l'expédition de diplômes en faveur de personnes proches: la recognition des diplômes entrait au contraire dans le cadre de ses fonctions. Ce ne serait plus le cas sous ses successeurs[12]. Une observation s'impose cependant: presque la totalité des actes dont Hélisachar fit la recognition furent expédiés durant les deux premières années du règne impérial de Louis, la majorité de ces diplômes datant d'ailleurs de 814. On voit par conséquent très nettement ici une manifestation de l'euphorie des débuts, qui s'essouffla rapidement.

Nous devons à présent nous arrêter sur une question d'un intérêt capital: Hélisachar procéda-t-il à la recognition de diplômes après avoir quitté la direction de la »chancellerie«? Il le fit peut-être encore peu de temps après son départ[13] et, ce qui est encore plus remarquable, peut-être aussi bien ultérieurement. Un diplôme du 3 mars 831 est fort important pour l'analyse de ce problème: sur la requête de l'archevêque de Vienne, Bernard, Louis le Pieux restitua à la cathédrale Saint-Maurice le monastère de Saint-André, qui avait été usurpé en raison de la cupidité de certains hommes mauvais (*propter cupiditatem malorum hominum*). Au bas de ce diplôme, on lit: *Helisachar recognovi*[14]. Le même jour, un autre diplôme de restitution fut expédié en faveur de Saint-Maurice de Vienne. Cette fois, *Durandus diaconus ad vicem Fredarii* (pour *Fridugisi*) *recognovit*[15]. Certes, étant donné le caractère de la tradition manuscrite du diplôme B.M. 884(855), l'on ne peut pas prétendre avoir un texte établi de manière certaine[16], mais doit-on suivre Th. Sickel[17], quand il suppose que l'éven-

---

7 Cf. PERRICHET, Grande Chancellerie, p. 468; SICKEL, Acta regum, tome 1, p. 85 sqq.; BRESSLAU, Urkundenlehre, tome 1, p. 385 sqq.; TESSIER, Diplomatique, p. 43 sq.; DICKAU, Kanzlei, 1ère partie, p. 109 sqq. et 2e partie, p. 103 et p. 114 sqq.; SIMSON, Jahrbücher, tome 2, p. 234 sq.; FLECKENSTEIN, Hofkapelle 1, p. 81.

8 C'est ainsi que Hélisachar désignait ses fonctions, cf. Epistolae variorum 2, n° 6, p. 307.

9 Cf. B.M. 699(678). Il fut remplacé aussitôt puisque dès le 17 du même mois au plus tard, son successeur était en fonction, cf. B.M. 700(679).

10 Cf. SICKEL, Acta regum, tome 1, p. 86. Il est toutefois possible que le nombre de ces diplômes soit plus élevé, mais que nous ayons perdu la trace de l'action de l'archichancelier. En effet, il était possible qu'un notaire, en l'occurrence Durand, fît la recognition d'un diplôme, mais que Hélisachar passât après lui et fît de même. C'est ainsi que j'interprète la double recognition de Durand et de Hélisachar (cette dernière étant mentionnée en notes tironiennes) du diplôme B.M. 684(664) pour Aniane dont on a récemment retrouvé l'original, cf. la notice n° 43.

11 Je ne prends bien évidemment pas en compte le diplôme B.M. 593(573), éd. M.B. 31, n° 16, p. 40 sqq. (à la p. 42), dont Hélisachar aurait prétendument fait la recognition (*Helisachar cancellarius ad vicem Richolffi archicapellani recognovi*), puisqu'il s'agit d'un acte interpolé.

12 Cf. TESSIER, Diplomatique, p. 94.

13 Cf. le dernier acte de la liste fournie en appendice à cette notice, et en particulier la dernière note de cet appendice.

14 B.M. 884(855), éd. Recueil des hist. 6, n° 165, p. 570 (diplôme donné à Aix-la-Chapelle).

15 B.M. 885(856), éd. Recueil des hist. 6, n° 166, p. 570 (à la p. 571).

16 Cf. SICKEL, Acta regum, tome 1, p. 86 note 2, juge la souscription »nicht verbürgt«.

17 SICKEL, Acta regum, tome 2, p. 339 (L. 281).

tuelle faute est imputable à un copiste s'étant inspiré du diplôme B.M. 570(550)? L'explication du savant viennois est séduisante. Cependant, rien ne permet de trancher définitivement. C'est pourquoi je préfère signaler le problème en laissant la question ouverte.

Hélisachar était lié d'amitié avec Benoît d'Aniane[18]. Ce dernier l'appela d'ailleurs à son chevet lors de son agonie[19]. Leur amitié remontait certainement à la période aquitaine du règne de Louis le Pieux. On prétend parfois que Hélisachar était d'origine wisigothique[20], mais à ma connaissance, personne n'en a jamais apporté la preuve[21]. Hélisachar semble avoir joui d'un prestige certain à la cour de Louis le Pieux[22]. Un contemporain le qualifia d'ailleurs de »premier parmi les premiers du Palais de l'excellentissime empereur Louis«[23]. Le poème d'Ermold nous en fournit une éclatante confirmation: dans le cortège conduisant l'empereur, la cour et le Danois Harold à l'intérieur de l'église, à Ingelheim en 826, Hélisachar – qui ne détenait alors aucune charge aulique – marchait à la gauche de Louis le Pieux, l'archichapelain Hilduin se tenant à la droite de l'empereur[24]. Deux lettres d'Agobard illustrent de manière concrète comment s'exerçait le rôle de conseiller joué par Hélisachar. La première fut adressée à Adalhard[25], à Wala[26] et à Hélisachar[27]: tous trois entendirent la plainte que l'archevêque de Lyon présenta en août 822 lors de sa venue à la cour[28], concernant le baptême des *mancipia* de Juifs. Ensuite, ils en informèrent l'empereur[29]. La seconde lettre confirme la première[30].

18 Dickau, Kanzlei, 1ère partie, p. 116, présente comme une »begründete Annahme« l'hypothèse selon laquelle ce serait grâce à l'intervention de Benoît d'Aniane que Hélisachar »zunächst den Posten eines Leiters der aquitanischen Schreibstube erhielt, später zum Vorsteher der Reichskanzlei avancierte« en raison des »persönlichen Beziehungen zwischen beiden Männern« et de »ihre gemeinsame Herkunft aus Septimanien«. A mon sens, rien ne permet de prouver que l'abbé d'Aniane fût responsable de la carrière de Hélisachar.

19 Cf. Ardo, Vita Benedicti, prologue, p. 200: *Et quoniam ei unicae dilectionis affectu migranti de seculo Helysacar hesit abbas* ... Cf. également ibid., c. 42, p. 219.

20 Cf. en dernier lieu Dickau, Kanzlei, 1ère partie, p. 116, qui parle de sa »Herkunft aus Septimanien«; Sassier, Concept romain, p. 22, qui le considère comme un »refugié espagnol«. Mais Riché, Réfugiés, n'en souffle mot.

21 Le nom de Hélisachar ne donne pas d'indice quant à l'origine du personnage. Cf. Morlet, Noms de personne, tome 1, p. 79, au préfixe Elis-, Lis: »Ce thème onomastique a été dégagé de noms bibliques tels que *Elisabeth, Eliseus, Elisachar*, par une coupure arbitraire de ces noms«.

22 Toutefois, il ne semble pas avoir été au-dessus des lois, cf. Responsa, c. 9, p. 315: *Querelam quam Helisachar et Heiminus contra Maginarium habent: volumus ut missi nostri secundum iustitiam et aequitatem definiant*. L'identification avec l'ancien archichancelier n'est cependant en rien assurée; elle n'est que probable.

23 Amalarius, Prologus, c. 10, p. 362: *inter priores primus palatii excellentissimi Hludovici imperatoris*.

24 Cf. Ermoldus, Elegiacum carmen, lib. IV, v. 2294, p. 176.

25 Cf. la notice n° 8.

26 Cf. la notice n° 269.

27 Agobardus, Epistolae, n° 4, p. 164 sqq.: *Reverentissimis ac beatissimis domnis et domnis et patribus sanctis Adalardo, Walae et Helisacharo*.

28 Cf. Simson, Jahrbücher, tome 1, p. 393.

29 Agobardus, Epistolae, n° 4, p. 164 – texte cité à la notice n° 8.

30 Cf. Agobardus, Epistolae, n° 5, p. 166 sqq., à la p. 168: *Cum haec igitur a me dicerentur, responderunt pie reverentissimi viri Adalardus et Helisachar abbates. Utrum vero audita retulerint domno imperatori, nescio*. La défiance de l'archevêque de Lyon était certainement due à l'issue négative de sa démarche.

Th. Sickel affirme que Hélisachar apparaît comme intermédiaire dans un diplôme de 826[31] puisqu'il analyse le diplôme du 27 octobre de cette année, B.M. 833(807), comme expédié »postulante Godefredo abbate et ambasciante Helisachar«[32]. Il semble qu'il ne faille pas prendre en compte cette remarque vraisemblablement imputable à une erreur de lecture. M. Jusselin, en effet, a lu dans les notes tironiennes le nom de Hilduin[33]. Déjà lorsqu'il était à la tête de la »chancellerie«, Hélisachar reçut une abbaye: celle de Saint-Aubin d'Angers, comme »première rémunération« selon l'expression de J. Fleckenstein[34]. En effet, Ermold le Noir nous montre Hélisachar accueillant Louis le Pieux à Saint-Aubin vers la fin de l'été 818, à l'occasion du passage de l'empereur alors en chemin vers la Bretagne[35]. A une date indéterminée, Hélisachar reçut l'abbaye de Saint-Riquier[36]. Il fut peut-être également abbé de Jumièges[37]. Un détail des mesures prises par Hélisachar dans son monastère de Saint-Riquier peut être cité en écho à la rigueur morale que Louis le Pieux voulait instaurer à la cour[38]: l'abbé interdit aux femmes de pénétrer dans l'abbaye[39]. Hélisachar participa à l'expédition militaire en Bretagne à l'automne 824: lui et le comte de Tours assistaient Pépin d'Aquitaine dans le commandement de son contingent[40]. On le retrouve avec une mission beaucoup plus importante en 827 puisqu'il fut envoyé pacifier la Marche d'Espagne[41]. C'est vraisemblablement de cette époque que date la définition des limites des dépendances du monastère de Notre-Dame-sur-Orbieu (Lagrasse) par Hélisachar et le comte Oliba[42].

---

31 SICKEL, Acta regum, tome 1, p. 87: »826 erscheint er in L. 245 als Fürbitter«.
32 SICKEL, Acta regum, tome 2, p. 158.
33 Mentions tironiennes, p. 18: *Hilduinus ambasciavit et magister scribere jussit.*
34 FLECKENSTEIN, Hofkapelle 1, p. 81.
35 Ermoldus, Elegiacum carmen, lib. III, v. 1546 sqq., p. 118: *Andegavensis ovans Caesar pervenit in urbem,/ Sacre Albine, tuum corpus honore petit:/ Obvius occurrit laetanti pectore carus/ Helisachar, validas sedulus auget opes.*
36 Cf. Catalogus abbatum Centulensium; Hariulfus, Chronicon Centulense, p. 3 et p. 98 sqq. SICKEL, Acta regum, tome 1, p. 87, suppose que Hélisachar reçut cette abbaye »etwa 822«, mais rien ne permet véritablement d'étayer l'hypothèse ni de préciser la date. Toujours est-il qu'il mourut seulement quelques années après avoir reçu Saint-Riquier: *Helisachare venerabili non multis in regimine annis perfuncto, atque de hoc saeculo nequam erepto …* (Hariulfus, Chronicon Centulense, p. 100).
37 Hariulfus, Chronicon Centulense, p. 98: *… quem ferunt Gemmetici quoque monasterii fuisse rectorem, ob illam quae longe superius a nobis commendata est, mutuae dilectionis fraternitatem.* Quant aux diplômes pour Saint-Maximin de Trèves que Hélisachar aurait obtenus en tant qu'abbé de cet établissement, on se doit de les écarter puisqu'ils sont faux, cf. B.M. 754(729) et B.M. 755(730). HUGLO, Trois livres, p. 283 sq., ne prouve en rien l'abbatiat de Hélisachar à Saint-Maximin.
38 Cf. Astronomus, Vita, c. 21, p. 618. Sur la vie à la cour sous Charlemagne, cf. NELSON, Famille de Charlemagne.
39 Cf. Hariulfus, Chronicon Centulense, p. 98: *Hic magnae sanctitatis studiis pollebat, et in tantum professit summae religionis severitatem, ut ab ingressu monasterii omnimodum arceret feminarum accessum.*
40 Ermoldus, Elegiacum carmen, lib. IV, v. 2006 sq., p. 152: *Pippino regi Huc Helisacharque potentes/ Junguntur, numero cetera turba caret.*
41 Annales regni Franc., a. 827, p. 172 – texte cité à la notice n° 74. Cf. également Astronomus, Vita, c. 41, p. 630, qui désigne Hélisachar comme *abbas.*
42 Actes de Pépin, n° 34, p. 152 sqq. – diplôme du 3 septembre 838: *… concedimusque predicto monasterio Orobioni omnes fines vel terminia cum appendiciis suis, sicut Elisachar fidelis genitoris nostri et Oliba comes terminaverunt …* Cf. ABADAL, Diplôme inconnu, p. 354.

En 830, Hélisachar fit partie des meneurs de la »révolte loyale«[43], mais Louis le Pieux ne semble pas lui en avoir tenu rigueur puisque lors du plaid de l'automne 830 à Nimègue[44], il l'envoya en Marche de Bretagne pour y rendre la justice[45]. Peu après la crise politique de 833/834, on a également la preuve de l'activité de Hélisachar comme *missus* dans la région mancelle. A la demande de l'évêque Aldric, qui avait réclamé l'envoi d'un *missus*, Louis le Pieux répondit: »quant à cette affaire, nous avons ordonné à Hélisachar, notre *missus*, de t'investir des *beneficia* susdits quand il serait envoyé par nous dans ces contrées«[46]. Par un autre diplôme, on a la preuve qu'il enquêta concernant la restitution à la cathédrale du Mans de biens tenus en bénéfice par des vassaux de l'empereur[47]. Hélisachar était un érudit[48], comme le reconnaît notamment l'évêque de Lisieux[49]. Il travailla à l'édition d'un antiphonaire[50], ce que confirme l'une de ses lettres, adressée à l'archevêque Nibride de Narbonne[51]. L'activité de Hélisachar comme sermonnaire est également attestée[52].

Appendice à la notice relative à Hélisachar:
Liste des diplômes dont l'archichancelier fit la recognition

Date[53]	B.M.	Destinataire
8. 4.814	521(502)	Ellwangen
31. 5.814	525(506)	Donzère

43 Theganus, Vita, c. 36, p. 597.
44 Il n'est pas certain que ce soit exactement lors de ce plaid, mais en tout cas cela se situe vers cette époque.
45 Astronomus, Vita, c. 45, p. 633: *Praecepit etiam comitem Lantbertum finium sibi deputatorum custodiam habere; Helisachar item abbatem iusticias direxit facturum cum eo.* Par conséquent, l'on doit rejeter l'assertion de Nithardus, Historia, lib. I, c. 4, p. 14, selon laquelle Hélisachar aurait été délivré par les révoltés de 833. Sur ce passage de l'Histoire de Nithard, cf. DEPREUX, Matfrid, p. 365.
46 B.M. 937(908), éd. Gesta Aldrici, p. 185 sq. (à la p. 186): *Qua de re Helisacharo misso nostro praecipimus ut de supradictis beneficiis tibi vestituram faciat, quando illas in partes a nobis directus fuerit.*
47 B.M. 942(911), diplôme du 24 juin 835 – texte cité à la notice n° 126.
48 Cf. HUGLO, Trois livres, p. 275 sqq. et p. 278 sqq.
49 Epistolae variorum 2, n° 13, p. 317 sqq.: *Domino praeceptori desiderantissimo Elisacharo Frechulfus episcoporum minimus in Christo Dei filio. (…) tu quidem, mi dilectissime, et amore insatiabilis sophie venerande praeceptor* … Il s'agit de la lettre par laquelle Fréculf dédia à Hélisachar le premier tome de sa Chronique universelle que ce dernier lui avait commandée.
50 Amalarius, Prologus, c. 10, p. 362: *In versibus, quos pene mutatos reperiet, si forte quis dignum duxerit praesens volumen frequentare, laboravit et sudavit sacerdos Dei Elisagarus, adprime eruditus, et studiosissimus in lectione et divino cultu, necnon et inter priores primus palatii excellentissimi Hludovici imperatoris. Non solum ille, sed et quoscumque de eruditis ad se potuit convocare, in praesenti negotio sudaverunt.* Cf. HUGLO, Remaniements, p. 96 sqq. Sur Hélisachar liturgiste, cf. également PALAZZO, Moyen Age, p. 117 et p. 155.
51 Cf. Epistolae variorum 2, n° 6, p. 307 sqq.
52 Cf. CROSS, Legimus.
53 A l'exception du diplôme B.M. 553(534), éd. Recueil des hist. 6, n° 17, p. 468, pour lequel subsiste une incertitude, étant donné que le texte de cet acte nous a été transmis sans eschatocole (ce diplôme fut cependant fort vraisemblablement expédié en décembre 814, c'est-à-dire à un moment où Louis se trouvait à Aix), tous les actes dont Hélisachar fit la recognition furent donnés en le palais d'Aix-la-Chapelle.

1. 8.814	529(510)	Nonantola
25. 8.814	531(512)	Saint-Calais
3. 9.814	536(517)	Worms
3. 9.814	537(518)	Worms[54]
9. 9.814	538(519)	Paris
9. 9.814	539(520)	Langres
9. 9.814	540(521)	Mâcon
11. 9.814	541(522)	Orléans
28.11.814	549(530)	Nîmes
29.11.814	550(531)	Mâcon
1.12.814	551(532)	Saint-Denis
1.12.814	552(533)	Saint-Denis
-	553(534)	comte de Paris
1.12.814	554(535)	Saint-Denis
3.12.814	555(536)	Marmoutier
11. 1.815	569(549)	Eginhard
19. 1.815	570(550)	Vienne
3. 2.815	572(552)	Prüm
12. 2.815	573(553)	Charroux
5. 3.815	576(556)	Lorsch
5. 3.815	577(557)	Lorsch
18. 3.815	578(558)	Utrecht
2. 6.815	581(561)	St-Pierre Mt. Blandin
3. 6.815	582(562)	Kempten
11.11.815	595(575)	Ile-Barbe
30. 8.816	629(609)	St-Martin de Tours
9. 3.819	684(664)	Aniane[55]

Bien que Hélisachar ne fût alors plus à la tête de la »chancellerie«, l'on doit compter également le diplôme suivant[56]:

1.10.819	703(682)	Nonantola

---

54 Les auteurs des Regesta imperii signalent que le notaire qui fit la recognition était un certain Heremannus, dans le nom duquel ils reconnaissent une déformation du nom de Hélisachar. En réalité, on trouve la mention *Helisachar recognovit* (il n'est donc pas question de Heremannus) dans Doc. dipl. Worms, n° 3, p. 3 sq. (à la p. 4).

55 Cf. la notice n° 43.

56 Les diplômes B.M. 702(681), éd. Doc. dipl. Westphalie, n° 2, p. 3 sq., et B.M. 703(682) posent problème, puisque la recognition du premier – d'ailleurs interpolé – est faite à la place (*ad vicem*) de Hélisachar, et celle du second par lui-même. On pourrait, en raison de l'interpolation, écarter le premier diplôme (un pseudo-original), mais pas le second (original). Il faut toutefois attendre l'édition critique des diplômes de Louis le Pieux pour pouvoir trancher cette question: la recognition par Hélisachar est affirmée par les auteurs des Regesta imperii, mais le nom de l'ancien responsable de la »chancellerie« n'apparaît pas dans l'édition de Doc. dipl. Nonantola, tome 2, n° 23, p. 40 sq. (à la p. 41); il n'y a que la mention ... *recognovi & subscripsi*, l'original étant apparemment détérioré à cet endroit. Peut-être faut-il voir dans B.M. 703(682) un diplôme entièrement achevé, auquel ne manquait plus que la date. Une autre hypothèse est aussi possible: on sait que le départ de Hélisachar ne fut pas causé par une dissension entre l'empereur et son archichancelier (cf. SICKEL, Acta regum, to-

144. **HENRY**[1]

Abbé, attesté en 838

L'abbé Henry et l'évêque d'Orléans, Jonas[2], durent veiller en 838[3] à ce que les ornements et livres que les moines de Saint-Calais avaient emportés lors de leur départ fussent restitués[4].

145. **HÉRIBAUD**[1]

Evêque d'Auxerre[2], attesté de juin 829[3] à 856[4]

Ce n'est pas en raison de son action en tant qu'évêque d'Auxerre que Héribaud a été retenu ici, mais en raison de son origine. En effet, ce fils d'un Bavarois et d'une femme du Gâtinais fut élevé au Palais de Louis le Pieux[5]. Il faut cependant rejeter l'assertion des Gesta concernant la charge que Héribaud y aurait exercée[6]: il ne fut assurément pas archichapelain[7]. On ignore le détail de l'activité pastorale de Héribaud[8]. Il participa cependant au concile tenu en juin 829 à Paris[9] et au synode chargé de rétablir la règle bénédictine à Saint-Denis, en janvier 832[10]. Sa fidélité à Louis le Pieux fut

me 1, p. 87; FLECKENSTEIN, Hofkapelle 1, p. 81). Il n'est par conséquent pas impossible que Hélisachar n'ait pas cessé brusquement toute activité et qu'il ait, à l'automne suivant son congé, réellement procédé à la recognition d'un diplôme. Cependant, c'est à quelques lenteurs dans l'expédition des diplômes que s'en tiennent les spécialistes pour expliquer les anomalies dont je viens de faire état. Cf. BRESSLAU, Urkundenlehre, tome 1, p. 385 sq. note 7, qui est d'avis que »für beide Stücke ist mit Mühlbacher die Datierung auf ein hinter, die Rekognition aber auf ein vor den 17. August (819) fallendes Stadium des Beurkundungsgeschäftes zu beziehen«.

1   Seule forme onomastique: *Henricus*.
2   Cf. la notice n° 178.
3   Le document n'est pas daté, mais la datation est, de par le contexte historique concernant Saint-Calais, aisée à déterminer.
4   B.M. 975(944), éd. Gesta Aldrici, p. 149 (document adressé à Jonas): *Quapropter tibi praecipimus et Henrico abbati, ut vos omni diligentia illud inquiratis, et cum omni integritate res ecclesiasticas eidem ecclesie restituere faciatis.*

1   Formes onomastiques: *Heribaldus, Hereboldus, Haribaldus, Heirboldus.*
2   Cf. DUCHESNE, Fastes, tome 2, p. 445 sq.
3   L. Duchesne jugeait que l'assertion des Gesta episcoporum Autisiodorensium, selon laquelle Héribaud aurait été ordonné par Aldric de Sens et aurait exercé son pontificat 33 ans, associait »deux choses inconciliables« (Fastes, tome 2, p. 446) car Aldric ne devint archevêque de Sens qu'en 829; or, pour avoir un épiscopat de 33 ans, Héribaud devait avoir été ordonné en 824.
4   Cf. Concilia 3, n° 37, p. 382. Héribaud mourut un 25 avril, cf. Gesta episcoporum Autisiodorensium, p. 398 l. 1 sqq. »L'année ne peut être que 857« (DUCHESNE, Fastes, tome 2, p. 446).
5   Gesta episc. Autisiodorensium, c. 36, p. 397: *Heribaldus episcopus, ex patre Antelmo Baioario, matre Frotilde Vastinensi, sedit annos 33. Hunc ab ineunte etate in palatio educatum post decessum avunculi sui Angelelmi clerus ac populus, sollempni electione facta, pontificatui suffecerunt, Aldrico Senonum archiepiscopo cum coepiscopis ex precepto Ludovici imperatoris huius negotium procurante. Constat autem, eum in aecclesia beati Germani et electione designatum et ordinatione promotum.*
6   Ibid.: *Fuit autem vir admodum nobilis, forma elegans, eloquio nitidus, singulari prudentia circumspectus. Quamobrem et apud reges plurimum valuit, ita ut in palatio archicapellanus effectus, seculari*

loin d'être à toute épreuve: lors de la crise de 833, il prit parti pour Lothaire et une fois Louis rétabli, il abandonna son siège pour se réfugier auprès du fils de l'empereur[11]. Néanmoins, au plus tard durant l'été 838, il recouvra son siège épiscopal, puisqu'il participa (comme ce fut d'ailleurs le cas d'Agobard de Lyon) au concile tenu en septembre 838 à Quierzy-sur-Oise[12]. L'on a fait de l'évêque d'Auxerre le frère de Loup de Ferrières[13], ce qui n'est pas tout à fait assuré[14].

146. ### HÉRIBERT[1]

Attesté de 801 à 830(?)

On rencontre Héribert (désigné sous la forme Heripreth) pour la première fois en 801, à l'occasion du siège de Barcelone auquel il participa[2]. Il prit également part, en 809[3] ou 811[4], au siège de Tortosa[5]. C'est fort vraisemblablement à notre homme, agissant alors comme *missus* de Charlemagne, que Louis le Pieux confia la direction de l'armée chargée d'assiéger Huesca[6]. Au printemps 830[7], à Compiègne, le frère de Bernard de Septimanie, du nom de Hérbert, fut aveuglé sur l'ordre de Lothaire[8], en représaille contre l'ancien chambrier. Il s'agit peut-être du personnage ayant combattu pour Louis le Pieux, quand ce dernier était roi d'Aquitaine. Rien ne permet un avis certain[9]. Reste à signaler que le personnage auquel cette notice est consacrée n'est jamais désigné avec un titre particulier[10] – mais il est possible qu'il fût, par exemple, comte.

quoque dignitate potentissimus ea tempestate extiterit; atque, ut se habent humana, quamdiu quidem huiusmodi potestatis apice floruit, secularibus sese negotiis non mediocriter dedit.

7 Il n'existe aucune preuve étayant cette affirmation. Hincmar ignore Héribaud dans la liste des archichapelains qu'il donne en son De ordine palatii. DUCHESNE, Fastes, tome 2, p. 445 note 2, juge »impossible« que Héribaud ait exercé une telle fonction.
8 Sur cette dernière et sur le mécénat de l'évêque d'Auxerre, cf. Gesta episc. Autisiodorensium, c. 36, p. 397 l. 14 sqq.
9 Doc. dipl. Paris, n° 35, p. 49 sqq. Sur ce concile, cf. HARTMANN, Synoden, p. 181 sqq.
10 Constitutio de partitione, p. 694. Sur cette assemblée, cf. Hartmann, Synoden, p. 189.
11 Flodoardus, Historia, lib. II, c. 20, p. 471 sq.
12 Concilium Carisiacense (bis), p. 850, n° 19. Sur Agobard, cf. l'annexe n° 3 A.
13 Cf. en dernier lieu HOLTZ, Ecole d'Auxerre, p. 133.
14 Cf. les réserves de L. LEVILLAIN dans Lupus, Correspondance, tome 2, p. 108 note 4 (à propos de la lettre n° 95). SEVERUS, Lupus, p. 181 sqq., a cependant rejeté les objections de L. Levillain.

1 Formes onomastiques: *Heribertus, Heripreth.*
2 Ermoldus, Elegiacum carmen, lib. I, v. 309, p. 28.
3 Datation proposée par AUZIAS, Sièges, p. 21 sqq., reprise par WOLFF, Evénements de Catalogne, p. 457 sq.
4 Date classique proposée par les auteurs des Regesta imperii.
5 Astronomus, Vita, c. 16, p. 615.
6 Astronomus, Vita, c. 17, p. 615: *At post anni instantis excursum exercitum ordinavit, et Hoscam cum misso patris Heriberto mittere statuit.*
7 Après le 24 avril.
8 Annales Bertiniani, a. 830, p. 2; Astronomus, Vita, c. 45, p. 633.

147. HERMINGAUD[1]

Peut-être un comte du Palais de Charlemagne, attesté en 795
(peut-être jusqu'en 808)

Le 27 avril 795, Aldebaud et Hermingaud présidèrent un plaid à Poitiers en qualité de *missi* du roi d'Aquitaine, Louis le Pieux[2]. Il est possible que l'on ait ici affaire au comte attesté comme ambassadeur en 802 à Constantinople[3] et en 808 auprès du pape[4], en qui l'on a vu un comte du Palais de Charlemagne[5] en raison de sa désignation, dans son épitaphe, comme *praefectus in aula palatina*[6].

148. HERMOLD[1]

Abbé, attesté en 834

Peu après le plaid tenu à Attigny vers le 11 novembre 834[2] et auquel il participa certainement, Hermold fut envoyé par Louis le Pieux auprès de Pépin Ier d'Aquitaine pour ordonner à ce dernier de procéder à la restitution des biens dont il avait privé les établissements religieux au profit de sa clientèle[3]. L'on ne peut pas identifier avec certitude ce personnage[4]: il s'agit peut-être du poète autrefois exilé à Strasbourg[5], peut-être du futur chancelier de la cour d'Aquitaine[6].

---

9 Cf. les réserves de B. SIMSON dans ABEL, Jahrbücher, tome 2, p. 261 note 4 (imprimée à la p. 262). L'auteur avait voulu également – à mon avis à tort – distinguer le personnage assiégeant Barcelone du *missus* de Charlemagne attesté à Huesca.

10 Dans la description de l'arrivée des troupes franques devant Barcelone, il est cependant mentionné parmi les *duces* (Ermoldus, Elegiacum carmen, lib. I, v. 306 sqq., p. 28).

1 Formes onomastiques: *Hermingaudus, Hermingaudis, Hermengaudus, Helmgaudus, Hermengaldus*.

2 Doc. dipl. Nouaillé, n° 7, p. 10 sq. – texte cité à la notice n° 24.

3 Annales regni Franc., a. 802, p. 117.

4 Leo, Epistolae, n° 1 et 2, p. 87 sq. et 89 sqq.

5 Cf. MEYER, Pfalzgrafen, p. 459 et note 4. Sur ce personnage, cf. également ABEL, Jahrbücher, tome 2, p. 553 sq.

6 Theodulfus, Carmina, n° 40, p. 532: *Namque palatina fuit hic praefectus in aula,/ Dum regeret Karolus sceptra serena pius.*

1 Seule forme onomastique: *Hermoldus*.

2 B.M. 931(902)g.

3 Astronomus, Vita, c. 53, p. 639: *Mandavit filio Pippino per Hermoldum abbatem res ecclesiasticas quae in regno eius erant, quas vel ipse suis attribuerat, vel ipsi sibi praeripuerat, absque cunctatione ecclesiis restitui.*

149.   **HERMOR**[1]

Evêque d'Alet[2], attesté du 15 mai 833[3] au 31 janvier 835[4]

L'évêque Hermor se trouvait à la cour de Louis le Pieux, à Thionville durant l'été
834[5], lorsque Conwoion, envoyé par Nominoé, demanda à l'empereur de confirmer
la donation de la *plebs* de Bain à l'abbaye de Redon. C'est Hermor qui examina la requête et la présenta à Louis le Pieux[6].

150.   **HETTI**[1]

Archevêque de Trèves[2], attesté à partir de 816 – mort le 27 mai 847

Le 27 août 816 à Aix-la-Chapelle, Louis le Pieux, sur la requête de Hetti, confirma à
l'église cathédrale de Trèves son privilège d'immunité[3]. On peut en conclure que l'archevêque participa au concile réformateur tenu à cette époque au palais d'Aix[4]. Hetti
participa au concile tenu en juin 829 à Mayence[5], de même qu'au sacre d'Anschaire
comme archevêque de Hambourg, vers la fin de 831[6]. Hetti resta certainement fidèle
à Louis le Pieux lors de la crise politique de 833, puisqu'il participa, en mars 835, à
l'assemblée de Thionville au cours de laquelle Ebbon fut déposé[7]. L'on peut d'ail-

---

4 Je tiens pour improbable qu'il s'agisse de l'abbé d'Aniane (H)ermenaldus, attesté en 835/837, cf. B.M.
   943(912), B.M. 969(938) et B.M. 970(939).
5 E. Faral s'est montré fort sceptique, cf. Ermoldus, Poème, p. X, et il a émis les mêmes réserves en ce
   qui concerne les autres propositions d'identification. SIMSON, Jahrbücher, tome 2, p. 121 sq., rejette
   tant cette identification que celle avec l'abbé d'Aniane. L'argument onomastique d'E. Faral contre une
   identification avec Ermold le Noir a cependant été – à juste titre – réfuté par Léon LEVILLAIN dans sa
   recension impitoyable de l'édition d'E. Faral, cf. B.E.Ch. 94 (1933) p. 156 sqq.
6 Supposition de SIMSON, Jahrbücher, tome 2, p. 122. L. LEVILLAIN, dans Actes de Pépin, p. XLIII, ne
   se prononce pas. LÖWE, Karolinger, p. 331 note 128, est réservé. Hermold est attesté comme chef de la
   »chancellerie« d'Aquitaine du 28 mars 838 au 23 avril de la même année (Actes de Pépin, p. XLVII).

1 Formes onomastiques: *Hermor, Ermor.*
2 Cf. DUCHESNE, Fastes, tome 2, p. 379.
3 Cf. Doc. dipl. Redon, n° 5, p. 5 sq.
4 Cf. GUILLOTEL, Evêques d'Alet, p. 254.
5 B.M. 930(901)a. L'intervention de Hermor est forcément antérieure à la délivrance du diplôme de donation, B.M. 933(904), le 27 novembre 834 à Attigny. Il s'ensuit que la requête fut présentée à l'été
   834, la présence de Louis le Pieux à Thionville étant attestée le 20 juillet, cf. B.M. 930(901). L'assertion
   de DUCHESNE, Fastes, tome 2, p. 379, selon qui l'évêque Hermor »assista, en 835, à l'assemblée de
   Thionville«, n'est par conséquent pas fondée.
6 Gesta s. Rotonensium, p. 139: *Eo namque tempore erat Hermor episcopus simul et Felix episcopus in
   palatio regis. Statim autem ut audiuit Hermor causas et necessitates eius, gauisus est, intimauitque regi
   omnia de eo.*

1 Formes onomastiques: *Hetti, Heti, Hetto, Hettinus, Etti.*
2 Cf. DUCHESNE, Fastes, tome 3, p. 42.
3 B.M. 626(606).
4 B.M. 622(602)a.

leurs considérer l'archevêque de Trèves comme un intime de Louis le Pieux: non seulement l'empereur visita son monastère de Coblence à l'octave de la translation des reliques de saint Castor[8], le 19 novembre 836[9], mais surtout Hetti assista Louis lors de son agonie[10], ce qui ne l'empêcha pas de montrer ensuite patte blanche envers Lothaire[11]. Hetti mourut en 847[12], après un épiscopat de plus de trente ans[13], ce qui laisse supposer qu'il était tout fraîchement promu lorsqu'il obtint de Louis le Pieux la confirmation du privilège d'immunité de son église cathédrale. De 827 à 838, il fut abbé d'Epternach[14]. A une époque indéterminée (peut-être avant d'accéder à l'épiscopat), il fut abbé de Mettlach[15]. Hetti semble avoir été lié d'amitié avec Eginhard[16].

Hetti est attesté comme *missus* de l'empereur en 825 dans sa province de Trèves[17]. Grâce à un diplôme de Louis le Pieux, par lequel l'empereur rendit la liberté à un quidam qui avait porté plainte devant les *missi*, l'on a un exemple de l'activité exercée par l'archevêque en tant que *missus*[18]. D'autre part, la correspondance de l'évêque de Toul, Frothaire, nous permet d'appréhender quelque peu le rôle administratif joué par l'archevêque de Trèves. A n'en pas douter, Hetti était dès 817 investi de la fonction de *missus* permanent, puisque c'est en qualité de *legatus Hluduuici serenissimi imperatoris* qu'il transmit à son suffragant de Toul l'ordre de mobilisation contre Bernard d'Italie[19]. L'on a également le texte d'une lettre qu'il adressa à Frothaire en prévision du plaid de janvier 819[20], où l'on devait traiter *de statu ecclesiarum et monasteriorum*[21]: l'archevêque ordonnait à son suffragant de s'assurer que la réforme

---

5 Constitutio de synodis, p. 2; Epistolarum Fuldensium fragmenta, p. 529. Hetti est censé avoir participé au synode de Thionville en 821 (cf. Capitulare de clericorum percussoribus, p. 360), mais le document l'attestant est un faux, cf. SCHMITZ, Waffe der Fälschung, p. 94 sqq.

6 Rimbertus, Vita s. Anskarii, c. 12, p. 698. Cf. également l'acte faux B.M. 928(899). Sur la date du sacre d'Anschaire, cf. SCHMEIDLER, Hamburg-Bremen, p. 235, et la notice n° 75.

7 Concilium ad Theodonis-villam, p. 703 n° 2.

8 Theganus, Vita, Continuation, p. 603. Sur ce texte, cf. TREMP, Studien, p. 100 sqq.

9 La date donnée par le texte du ms. Wien, Ö.S.B., n° 408 est celle du 18 décembre, date erronée puisque d'après le texte même, c'était un dimanche; or le 18 décembre 836 tomba un samedi. Il faut donc corriger *XIIII kal. decemb.* en *XIII kal. decemb.*, leçon du ms. Bruxelles, Bibliothèque Royale, 98–100 (du XIIIe s.), qui contient la Translatio sancti Castoris, éditée dans Analecta Bollandiana 1 (1882) p. 119 sq.

10 Astronomus, Vita, c. 63, p. 647 – texte cité à la notice n° 75.

11 Hetti assista au concile d'Ingelheim, en août 840, où Ebbon fut rétabli. Cf. Concilium Ingelheimense, p. 793.

12 Regino, Chronicon, a. 847, p. 75; Annales Einsidlenses, a. 847, p. 139. Selon SCHRÖRS, Hinkmar, p. 561 note 2, Hetti mourut le 27 mai. L'auteur se réfère au nécrologe de Saint-Castor édité par K. J. HOLZER, De proepiscopis Treverensibus, Koblenz 1845, p. 3 sq. Je n'ai pas pu consulter cet ouvrage. DUCHESNE, Fastes, tome 3, p. 42, date également la mort de Hetti du 27 mai 847.

13 Gesta Treverorum, p. 164: *Post 30 annos sui sacerdotii obiit, et sepultus est in monasterio sancti Eucharii ante altare sancti Iohannis baptistae in absida aquilonali.*

14 Catalogus abbatum Epternacensium, p. 738: *V. Sigoaldus ... 14. anno Ludovici Pii ac incarnationis Domini 827, indict. 5 cessit Hettino Trevirorum archyepiscopo regimen huius loci cum nomine abbatis. VI. Hettinus rexit hunc locum 11 annis; et 25. anno Ludovici Pii, qui est annus incarnationis Domini 838, indict. 1. Hieronimus post eum suscepit nomen abbatis.*

15 Gesta Treverorum, p. 163: *Post Fortunatum Trebirorum ecclesiae Hetti praefuit, abbas Mediolacensis.* DUCHESNE, Fastes, tome 3, p. 42, écrit sans indiquer d'où il tire son information: »Lothaire lui rendit, en 842, l'abbaye de Mettlach, temporairement concédée à Guy de Spolète«.

16 Cf. Einhardus, Epistolae, n° 45, p. 132 sq.

17 Commemoratio, c. 1, p. 308: *In Treveris Hetti archiepiscopus et Adalbertus comes.*

18 B.M. 823(798), sans date – texte cité à la notice n° 4.

monastique avait bien été introduite dans les établissements religieux de son diocè-se[22]. Hetti agissait sur l'ordre de Louis le Pieux: l'empereur n'eut donc pas seulement recours à des *missi* d'observance bénédictine[23], mais également au réseau normal de la hiérarchie ecclésiastique pour introduire la réforme dans les monastères de l'empire. Une autre lettre, enfin, montre Hetti dans son rôle d'évêque métropolitain: Frothaire lui demandait quand il comptait lui rendre visite et à quelle date il envisageait de tenir un synode provincial[24]. Signalons pour finir que Hetti était l'un des destinataires de la lettre par laquelle Florus de Lyon, en 838, accusa Amalaire d'hérésie[25]. Hetti ne semble cependant pas avoir participé au concile de Quierzy[26], où Amalaire fut dé-posé[27].

151. HILDEBAUD[1]

Archevêque de Cologne[2], archichapelain[3], attesté à partir de 787/788[4] – mort le 3 septembre 818

Hildebaud est attesté comme archichapelain de Charlemagne pour la première fois en 794[5]. Hincmar désigne Hildebaud seulement comme l'archichapelain de Charle-magne, et non également comme celui de Louis le Pieux[6], alors que nous savons, grâ-ce à l'unique témoignage de l'Astronome, que l'archevêque de Cologne garda ses fonctions au Palais en dépit du changement de souverain: l'auteur anonyme de la Vi-ta Hludowici relate en effet comment l'archichapelain accueillit le pape, en octobre

---

19 Frotharius, Epistolae, n° 2, p. 277 sq.

20 B.M. 672(658)h.

21 Annales regni Franc., a. 819, p. 150. D'autre part, Louis le Pieux adressa à Hetti une lettre, B.M. 737(713), pour l'informer des mesures à prendre relativement au c. 6 du Capitulare ecclesiasticum, p. 276.

22 Frotharius, Epistolae, n° 3, p. 278: *Non nescitis enim, cum qua cautela hoc mandatum suscepimus domni imperatoris, nos in diocesi nostra et episcopi singuli in parrochiis suis, id est de regula augende religionis et de ministratoriis canonicorum officinis, ut si quibus in locis bene comte (non) essent, dein-ceps cum summa diligentia ornarentur. Nunc autem in proximo est placitum, quo sine dubio sciscita-bitur de obtemperatione sui dominus mandati. Quapropter scrutemini diligenter in parrochia vestra, in vestris aliorumque monasteriis, si praefata regula digne per omnia conservetur, et si officinae iuxta ipsius decreta constructe adque innovate contineantur: ut, cum imperiali solerciae praesentabimus deiecta procul molimenta aliorum una nobiscum, ex omnibus illi a nobis veritas nuntietur. Per trien-num enim haec monitio facta est.*

23 Astronomus, Vita, c. 28, p. 622 l. 10 sqq.

24 Frotharius, Epistolae, n° 12, p. 284.

25 Amalarius, Epistolae, n° 13, p. 267 sqq.

26 Il n'est pas nommé dans Concilium Carisiacense (bis), p. 850.

27 Cf. Concilium Carisiacense.

---

1 Formes onomastiques: *Hildibaldus, Hildebaldus, Hiltipaldus, Hiltibaldus, Hildeboldus, Hildibol-dus.*

2 Cf. Pelster, Stand und Herkunft, p. 3; Oediger, Erzbistum Köln, p. 85 sqq.; Duchesne, Fastes, tome 3, p. 180 sq.; Schieffer, Zwischen Civitas und Königshof.

3 Cf. Lüders, Capella, p. 31 sqq.; Fleckenstein, Hofkapelle 1, p. 49 sqq.; Perrichet, Grande chan-cellerie, p. 459; Dickau, Kanzlei, 2e partie, p. 107 sq.

4 Cf. Doc. dipl. Bonn, n° 14, p. 242.

5 Lors du concile de Francfort, le devoir de résidence en la cité épiscopale fut levé en sa faveur: *Dixit*

816 à Reims[7]. Le silence de Hincmar et le fait que Hildebaud ne soit attesté sous Louis le Pieux que dans un rôle relevant purement de l'étiquette tendent à prouver l'effacement de l'archevêque de Cologne sous Louis: sa fonction semble être devenue purement honorifique, son influence réduite à néant[8]. Certes, le nom de Hildebaud n'est par exemple aucunement mentionné dans les diplômes de Charlemagne[9], mais on ne peut pas douter du rôle de premier plan qu'il jouait alors: d'autres sources l'attestent.

D'après Altfrid, c'est sous l'influence de Hildebaud que Liudger, peu avant 791[10], se laissa convaincre d'accepter de devenir évêque de Münster[11]. Fort vraisemblablement, il négocia l'affaire également avec Charlemagne, qui avait d'ailleurs lui-même envoyé Liudger en mission[12]. En 799, la confiance qu'avait Charlemagne en Hildebaud est patente: ce dernier fit partie de la délégation franque chargée de raccompagner Léon III à Rome et d'enquêter sur l'attentat perpétré contre ce dernier[13]. D'autre part, Hildebaud semble avoir été particulièrement bien informé de la situation concernant Fortunat de Grado, puisque le pape recommanda à Charlemagne d'interroger l'archevêque de Cologne à son sujet[14]. En 811, il fit partie des témoins cités dans le testament de Charlemagne[15]. Hildebaud co-présida le concile tenu en juin 813 à Mayence[16], en qualité de *missus* de l'empereur[17]. C'est lui, enfin, qui assista Charlemagne lors de son agonie[18]. Hildebaud était abbé de Saint-Cassius de Bonn[19] et de Mondsee[20]. Il mourut le 3 septembre 818[21].

---

etiam domnus rex in eadem synodum, ut a sede apostolica, id est ab Adriano pontifici, licentiam habuisse, ut Angilramnum archiepiscopum in suo palatio assidue haberet propter utilitates ecclesiasticas. Deprecatus est eadem synodum, ut eo modo, sicut Angilramnum habuerat, ita etiam Hildeboldum episcopum habere debuisset, quia et de eodem, sicut et de Angilramnum, apostolicam licentiam habebat. Omnis synodus consensit, et placuit eis eum in palatium esse debere propter utilitates ecclesiasticas (Capitulare Francofurtense, c. 55, p. 171). Néanmoins, il est probable que Hildebaud fût promu à la tête de la Chapelle dès 791, date du décès de son prédécesseur, Angilramne de Metz, cf. DUCHESNE, Fastes, tome 3, p. 57.

6 Hincmarus, De ordine palatii, l. 265 sq., p. 60.

7 Astronomus, Vita, c. 26, p. 620: *Cui etiam obviam Hildebaldum archicapellanum sacri palatii, Theodulfum episcopum Aurelianensem, Iohannem Arelatensem, aliorumque copiam ministrorum ecclesiae procedere iussit, infulis indutos sacerdotalibus.*

8 On a juste trace, sous Louis le Pieux, de ce qu'il donna son accord concernant la dotation de l'abbaye d'Andage par l'évêque de Liège, Walcaud, vraisemblablement peu avant le 10 août 817 (Cantatorium, c. 4, p. 11). Mais il ne s'agit là que d'une décision prise en qualité d'évêque métropolitain.

9 Cf. FLECKENSTEIN, Hofkapelle 1, p. 62.

10 Date de l'accession de Liudger à l'épiscopat, cf. GAMS, Series, p. 294.

11 Altfridus, Vita s. Liudgeri, lib. I, c. 20, p. 411: *Cui cum Hildibaldus episcopus persuaderet, ut episcopus ordinari debuisset …*

12 Ibid.: *… et rex Karolus eundem virum Dei Liutgerum pastorem in occidentali parte Saxonum constituit.*

13 Liber pontificalis, tome 2, p. 6.

14 Leo, Epistolae, n° 5, p. 94 sq.: *Potestis interrogare fratrem nostrum Hildibaldum archiepiscopum et Ercanbaldum cancellarium. Fortasse aliquid exinde cognoverunt.*

15 Einhardus, Vita Karoli, c. 33, p. 100.

16 Chronicon Laurissense breve, p. 38.

17 Concilium Moguntinense, p. 259.

152.   **HILDEBERT**[1]

Attesté en 800/801

Hildebert fit partie des chefs[2] de l'armée franque conduite par Louis le Pieux en 800/801, pour assiéger Barcelone[3]. Hildebert fut peut-être comte[4], mais nous n'en savons rien.

153.   **HILDEBRAND**[1]

Comte, attesté de 796 à 827 – mort avant le 29 juin 836[2]

Hildebrand[3], qui est attesté dès 796 comme *missus* de Charlemagne dans le *pagus* d'Autun[4], fut envoyé avec Hélisachar[5] et le comte Donat[6] en Marche d'Espagne en 827 pour y pacifier la situation[7]. Le comte évoqué en 826 dans la Responsa missis data[8] est peut-être notre personnage.

18 Theganus, Vita, c. 7, p. 592: (le 27 janvier 814, veille du décès de Charlemagne) *iussit familiarissimum pontificem suum Hildibaldum venire ad se, ut ei sacramenta dominici corporis et sanguinis tribueret, ut exitum suum confirmaret.*

19 Il est attesté en tant que tel de 787/788 à 804: Doc. dipl. Bonn, n° 14, p. 242; n° 27, p. 255; n° 32, p. 259; n° 12, p. 240 sqq.

20 Il est attesté en tant que tel à partir de 808 (Doc. dipl. Salzbourg, n° 4, p. 899 sq.), mais OEDIGER, Erzbistum Köln, p. 86, fait débuter son abbatiat en 802; son prédécesseur est attesté pour la dernière fois en 799 (Doc. dipl. Salzbourg, n° 3, p. 898 sq.). Hildebaud est encore attesté comme abbé en 816 (ibid., n° 5, p. 900 sq.), mais en cette année, dans l'esprit de la réforme bénédictine alors promulguée, il se démit de son abbatiat: cf. SEMMLER, Mönchtum in Bayern, p. 208.

21 Cf. SIMSON, Jahrbücher, tome 2, p. 232. Certaines annales font mourir Hildebaud en 819; B. Simson a cependant montré (ibid., p. 232 note 2) que c'est l'année 818 qu'il faut préférer, selon d'ailleurs le témoignage des Annales s. Petri Colonienses: *818 ind. 11. concurr. 4 obitus Hildebaldi episcopi. In isto anno commissum est Hadebaldo episcopatus beati Petri.* La date du 3 septembre est fournie par le Memorienbuch St. Gereonis, p. 116: *III. nonas septembris. O. Hildebaldus archiepiscopus qui dedit antiquum ciborium.*

1 Formes onomastiques: *Hilthibreth, Hilthiberth.*

2 Il est mentionné parmi les *duces,* cf. Ermoldus, Elegiacum carmen, lib. I, v. 307, p. 28.

3 Ibid., lib. I, v. 310, p. 28. Ermold relate l'un de ses hauts faits, ibid., v. 396 sqq., p. 34.

4 AUZIAS, Aquitaine, p. 49 note 32 (à la p. 50): »Hiltibert est le seul des chefs francs mentionnés par Ermold, dont nous n'ayons aucune connaissance par ailleurs«.

1 Formes onomastiques: *Hildebrandus, Hildibrandus.*

2 C'est ce que l'on peut conclure d'un diplôme de Pépin Ier d'Aquitaine: Diplômes de Pépin, n° 38, p. 166 sqq.

3 Sur ce personnage, cf. LEVILLAIN, Nibelungen, 1ère partie, p. 349 sqq. E. Mabille voulut faire de Hildebrand un comte d'Autun (Doc. dipl. Languedoc, p. 277 sq. et p. 300 sq.), ce qui est impossible, puisque le comte Thierry II est alors attesté en cette fonction (CHAUME, Comtes d'Autun, p. 179 sq.). M. Chaume laissa cependant ouverte l'hypothèse de l'exercice par Hildebrand (Childebrand II) des fonctions comtales à Auxerre (ibid., p. 179). LEVILLAIN, Nibelungen, 1ère partie, p. 351 note 3, a formellement rejeté l'éventualité que Hildebrand ait pu être comte d'Auxerre.

4 Doc. dipl. Saint-Benoît, n° 9, p. 23 sq.

154. HILDEMANN[1]

Vasallus de l'empereur, attesté au début de 833

Avant le 8 janvier 833, Hildemann, vassal de l'empereur, enquêta concernant une restitution à l'église cathédrale du Mans[2].

155. HILDI[1]

Evêque de Verdun[2], attesté à partir de juin 829 – mort le 13 janvier 847[3]

Hildi, d'origine alémanique[4], est attesté pour la première fois en juin 829: il prit part au concile réuni à Mayence[5]; mais son prédécesseur étant mort en 822[6], il fut vraisemblablement ordonné dès cette époque[7]. Hildi participa d'autre part à l'assemblée de mars 835 à Thionville au cours de laquelle Ebbon fut déposé[8] et, en septembre 838, au concile de Quierzy-sur-Oise[9]. En 836[10], Hildi fut envoyé par Louis le Pieux

---

5 Cf. la notice n° 143.
6 Cf. la notice n° 74.
7 Annales regni Franc., a. 827, p. 172 – texte cité à la notice n° 74. Cf. également Astronomus, Vita, c. 41, p. 630.
8 Responsa, c. 10, p. 315: *De querela Hildebrandi comitis, quod pagenses eius paravereda dare recusant: volumus ut hoc missi nostri ab his hominibus qui in eodem comitatu manent et ea dare non debent necnon et a vicinis comitibus inquirant: et si invenerint, quod ipsi ea dandi debitores sint, ex nostra iussione dare praecipiant.*

---

1 Seule forme onomastique: *Hildemannus.*
2 B.M. 917(888), éd. Gesta Aldrici, p. 30 sq. (à la p. 31): *Sed cum hoc nos rei veritatem diligentius investigandam fideles nostros Simeonem presbyterum et venerabilem abbatem et Hildemannum vasallum nostrum mitteremus, renunciaverunt nobis per omnia ita verum esse.*

---

1 Formes onomastiques: *Hildi, Hilti.*
2 Cf. DUCHESNE, Fastes, tome 3, p. 73 sq. (sous le nom de Hildinus).
3 Ibid., p. 74. Cf. Bertarius, Gesta episc. Virdunensium, c. 17, p. 44: *… in ista civitate octavis epiphaniae cum magna tristicia et dolore obiit in Christo … Fuit autem in episcopatu per viginti quatuor annos.* L'année est fixée par la chronologie du pontificat du successeur de Hildi, cf. DUCHESNE, Fastes, tome 3, p. 74.
4 Bertarius, Gesta episc. Virdunensium, c. 17, p. 44: *Defuncto autem isto, abiit pars cleri et plebis ad Ludovicum imperatorem, et petierunt sibi dari domnum Hildinum de Alemannia, virum bonum et sanctum, qui construxit multas aecclesias in isto episcopatu, et multa bona operatus est.*
5 Epistolarum Fuldensium fragmenta, p. 530.
6 Annales Virdunenses, a. 822, p. 7.
7 Ceci est à déduire de la chronologie du pontificat du successeur de Hildi, cf. DUCHESNE, Fastes, tome 3, p. 74.
8 Concilium ad Theodonis villam, p. 703 n° 32.
9 Concilium Carisiacense (bis), p. 850 n° 27.
10 B.M. 1052(1018)a.

avec d'autres ambassadeurs auprès de Lothaire, qui séjournait alors à Pavie, »pour renouveler la paix et l'amitié« entre le père et le fils[11].

156.   HILDIGAIRE[1]

Notaire, attesté en août 794

Hildigaire fit la recognition[2] du diplôme de Louis le Pieux donné au Palais (Haute-Vienne, arr. Limoges) le 3 août 794 en faveur de la *cellola* de Nouaillé: *Ego Hildigarius advicem Deodato s(ubscripsi)*[3].

157.   HILDUIN[1]

Abbé de Saint-Denis, archichapelain, attesté dès décembre 814 – mort »le 22 novembre d'une année comprise entre 855 et 859«[2]

Hilduin est assurément l'un des personnages les plus célèbres du règne de Louis le Pieux[3]: il passe pour l'un des principaux conseillers de cet empereur[4]. Il s'agit d'un personnage bien connu, qui dirigea la Chapelle impériale[5]. C'est pourquoi il s'avère inutile de s'attarder sur les aspects purement prosopographiques et sur les problèmes d'identification[6]: c'est la participation de Hilduin au pouvoir qui importe avant tout ici. Hilduin, qui était prêtre[7], fut abbé de plusieurs monastères[8], le plus célèbre étant

---

11 Liutolfus, Translatio s. Severi, c. 2, p. 292 – texte cité à la notice n° 7. Cf. SIMSON, Jahrbücher, tome 2, p. 145 sq.

1 Seule forme onomastique: *Hildigarius*.
2 Il est à noter que le texte ne donne pas le verbe désignant l'action de ce notaire. Il se pourrait que le *s* que l'on prend habituellement pour le début du verbe *suscribere* s'applique ici à la formule *scribere*. Pour des exemples (tirés d'originaux) de l'emploi du verbe *scribere*, cf. Dipl. Karol. 1, n° 197, p. 165 sq. et n° 213, p. 284 sq. O. DICKAU, qui dit que Hildigaire fit la recognition (Kanzlei, 1ère partie, p. 64), fait d'un certain Immon (Immo) le »Schreiber« de ce diplôme (Kanzlei, 2e partie, p. 131). Il avait distingué deux mains (Kanzlei, 1ère partie, p. 27 et p. 36) – à tort, cf. Ch.L.A., n° 681, p. 36; DE-PREUX, Kanzlei, p. 155, note la divergence d'analyse entre les éditeurs des Ch.L.A. et O. Dickau. L'on aimerait savoir d'où sort cet Immon …
3 B.M. 516(497), éd. Ch.L.A., n° 681.

1 Formes onomastiques: *Hilduinus, Hildoinus, Hildwinus, Hiltwinus, Hilthuin*.
2 Cf. LEVILLAIN, Wandalbert, p. 35.
3 Cf. LEVISON, Hilduin.
4 Cf. ANGENENDT, Frühmittelalter, p. 364 sqq.
5 Cf. PERRICHET, Grande Chancellerie, p. 460 sq.; LÜDERS, Capella, p. 55 sqq.; FLECKENSTEIN, Hofka-pelle 1, p. 52 sqq. DICKAU, Kanzlei, 2ᵉ partie, p. 108 sqq.
6 Cf. LOT, Hilduin; LOT, Hilduins. LEVILLAIN, Wandalbert, p. 14 note 2: »Hilduin de Saint-Denis était, par son père, neveu de la reine Hildegarde«. Cf. BRUNNER, Oppositionelle Gruppen, p. 103.
7 Il est dit *presbyter* par Hincmarus, De ordine palatii, l. 267, p. 62.
8 Cf. FLECKENSTEIN, Hofkapelle 1, p. 53.

celui de Saint-Denis[9]. En 826, Hilduin devint abbé de Saint-Germain-des-Prés[10]. En cette même année, il organisa la translation des reliques de saint Sébastien, qu'il fit venir de Rome et plaça en l'église de Saint-Médard[11] – il était en effet abbé du monastère soissonnais[12]. Hilduin était également abbé de Salonne[13]. On a par ailleurs supposé qu'il fut à la tête de Saint-Ouen de Rouen[14].

Le prédécesseur de Hilduin, l'archevêque de Cologne était déjà à la tête de la Chapelle vers la fin du règne de Charlemagne et il y resta au début du règne de Louis le Pieux – il semble cependant n'avoir alors joué qu'un rôle effacé[15]. On comprend dès lors pourquoi Hincmar considérait que Hilduin, son maître à qui il dut de fréquenter le Palais[16], fut le premier »apocrisiaire« – le premier archichapelain[17] – de Louis le Pieux[18]. Après la préférence de Charlemagne pour des archevêques, on en revient aux traditions du règne de Pépin avec le choix de l'abbé de Saint-Denis, comme l'était Fulrad, dont on sait l'importance pour l'attribution de la dignité royale au grand-père de Louis[19]. Hilduin est attesté pour la première fois dans cette fonction le 1er mai 819[20]. On a supposé que cette charge ne fut pourvue qu'après une vacance d'environ huit mois[21], mais c'est pure hypothèse peut-être simplement due aux hasards de la tradition des sources[22]. Walafrid Strabon décrivit Hilduin, en 829, en le comparant à Aaron[23]. Quant à Ermold le Noir, il nous le montre à Ingelheim, en 826, marchant à la droite de Louis le Pieux, ce qui prouve son grand prestige[24]. Avant d'analyser l'action spécifique de Hilduin en tant qu'archichapelain, il convient de rappeler brièvement que ce n'était pas le premier venu qui fut promu à la plus haute charge du Palais. Dès le 1er décembre 814, Hilduin est attesté comme abbé de la puissante abbaye de Saint-Denis: il obtint alors de Louis le Pieux la confirmation du privilège d'immu-

---

9 Cf. infra les nombreux diplômes établis en faveur de Hilduin et de Saint-Denis. Cf. également les Versus Otfridi, publiés dans Walahfridus, Carmina, n° 65, p. 407 sq.

10 Annales s. Germani, a. 826, p. 167: *Hilduinus senior abba*. Cf. B.M. 857(833), éd. P.L. 104, col. 1175 sqq. (à la col. 1175) – diplôme du 13 janvier 829 où Hilduin est dit *monasterii sancti Vincentii ac sancti Germani abbas* -, et Actes de Pépin, n° 15, p. 54 sqq. (diplôme de 829/830). Cf. également le diplôme – faux – B.M. 683(663) du 25 février 819.

11 Annales regni Franc., a. 826, p. 171. Cf. Astronomus, Vita, c. 40, p. 630; Rodulfus, Miracula Fuld., p. 329; Adrevaldus, Miracula, c. 28, p. 63; Einhardus, Translatio, I, c. 1, p. 240.

12 Odilo, Translatio s. Sebastiani, p. 380 sqq. Cf. également le diplôme – faux – B.M. 841(816).

13 Cf. B.M. 747(722).

14 Cf. LEVISON, England, p. 217.

15 Cf. la notice n° 151.

16 Cf. Flodoardus, Historia, lib. III, c. 1, p. 475.

17 En ce qui concerne la titulature, Hilduin fut le premier responsable de la Chapelle à être désigné comme *archicapellanus*, cf. FLECKENSTEIN, Hofkapelle 1, p. 52.

18 Hincmarus, De ordine palatii, l. 266 sq., p. 60 sqq.: ... *tempore denique Hludovici per Hilduinum presbyterum* ...

19 Sur l'abbé de Saint-Denis, cf. à présent STOCLET, Fulrad.

20 B.M. 691(670).

21 DICKAU, Kanzlei, 2e partie, p. 108 sqq.

22 Hilduin fut peut-être nommé dès l'automne 818, peu après la mort de Hildebaud.

23 Cf. le De imagine Tetrici, publié dans Walahfridus, Carmina, n° 23, p. 370 sqq., v. 209 sqq., p. 376 sq. Cf. également un autre poème du même auteur, cette fois dédié à Hilduin: Walahfridus, Carmina, n° 29, p. 383.

24 Ermoldus, Elegiacum carmen, lib. IV, v. 2294, p. 176. C'est Hélisachar – alors dépourvu de toute charge aulique – qui marchait à la gauche de l'empereur.

nité de son établissement[25]. Vers la fin de l'été 818, Hilduin accueillit Louis le Pieux en chemin vers la Bretagne[26]. Occasionnellement, on consultait Hilduin sur des questions de discipline ecclésiastique[27].

Hilduin profita de sa charge éminente pour faire établir nombre de diplômes en faveur de Saint-Denis. A au moins huit reprises, il fit confirmer les échanges qu'il avait conclus avec des tiers. Presque toujours, une mention en notes tironiennes atteste qu'il *ambasciavit*[28]. Bien qu'Agobard affirmât que l'archichapelain séjournait toujours à la cour[29], sa présence n'y est certaine qu'aux périodes suivantes[30]: au début de mai 819 à Aix-la-Chapelle; à la fin de septembre 820 à Compiègne et à Servais un mois plus tard; à la mi-février 821 à Aix-la-Chapelle, alors que s'y tenait un plaid, et au début du mois de novembre de la même année à Thionville, peu après qu'un plaid y fut tenu. Hilduin était avec la cour à la fin du mois d'août 823 à Coblence et à la mi-août 824 à Compiègne. En septembre de la même année, il se trouvait à Redon, ce qui signifie que Hilduin avait accompagné Louis le Pieux lors de sa campagne militaire en Bretagne. On le retrouve à Aix-la-Chapelle au tout de début janvier 825, ainsi qu'au début du mois de juin. A la fin d'octobre 826, il était à Ingelheim, après qu'un plaid y fut tenu, et en novembre 827 à Quierzy. A la fin du mois de février 828, Hilduin se trouvait à Aix-la-Chapelle[31], où un plaid venait d'avoir lieu; à la mi-janvier 829, il séjournait également dans ce palais[32].

A une date indéterminée[33], Louis le Pieux exempta le monastère de Saint-Denis d'une redevance de deux cents muids: à cette occasion, Hilduin *ambasciavit*[34]. Ce sont cependant moins les diplômes pour sa propre abbaye[35] que ceux pour des tiers qui illustrent l'influence de Hilduin. A plusieurs reprises, Hilduin introduisit les requêtes auprès de Louis le Pieux: c'est le cas concernant trois diplômes de confirmati-

25 B.M. 551(532). Cf. également B.M. 552(533) et B.M. 554(535), éd. Monuments historiques, n° 107, col. 77 sq. Dans ce dernier diplôme, le nom de l'abbé serait Louis (Hludovicus), vraisemblablement une erreur de lecture pour Hilduinus (ceci est invérifiable car l'original est mutilé au début du document, cf. Dipl. Karol. [France], tome 2/1, pl. V).
26 Ermoldus, Elegiacum carmen, lib. III, v. 1523 sqq., p. 116.
27 Cf. Amalarius, Epistolae, n° 6, p. 247 sqq. Hilduin consulta lui aussi des érudits. Il s'adressa par exemple à Raban, qui lui fit parvenir son commentaire sur le Livre des Rois. Cf. Hrabanus, Epistolae, n° 14, p. 401 sqq. et n° 18, p. 422 sqq.
28 Cf. Mentions tironiennes, p. 18 sq. Il s'agit des diplômes B.M. 727(703), B.M. 729(705), B.M. 746(721), B.M. 803(779), B.M. 844(818) et B.M. 846(820).
29 Agobardus, Epistolae, n° 6, p. 179.
30 Les diplômes de Louis le Pieux établis à la requête de Hilduin, lorsque celui-ci introduisit l'affaire ou, selon les mentions en notes tyroniennes, *ambasciavit*, permettent de suivre son itinéraire. La proposition d'itinéraire repose sur les actes suivants (les diplômes de confirmation d'échange pour Saint-Denis sont signalés par un astérisque; je reviendrai plus bas sur les diplômes pour des tiers): *B.M. 691(670); *B.M. 727(703); *B.M. 729(705); B.M. 735(711); *B.M. 746(721); B.M. 782(757); B.M. 789(764); *B.M. 791(766); B.M. 794(769); B.M. 796(772); B.M. 833(807); *B.M. 844(818).
31 B.M. 846(820) – diplôme pour Saint-Denis. A l'occasion du plaid de février – comme on peut le déduire de la chronologie du texte – Eginhard nous montre Hilduin attendant que Louis le Pieux sorte de sa chambre, cf. Einhardus, Translatio, II, c. 1, p. 245.
32 B.M. 857(833). Il s'agit de la confirmation, à la demande de Hilduin, des dispositions prises quant à la dotation de la mense conventuelle de Saint-Germain-des-Prés, dont il était abbé.
33 Hilduin était alors toutefois archichapelain.
34 B.M. 847(821). Cf. Mentions tironiennes, p. 19.
35 Cf. également B.M. 848(822), diplôme dont l'intérêt réside en ce qu'il montre comment Hilduin dut prouver les droits de Saint-Denis.

on d'échange – en août 823 pour l'abbaye de Prüm[36], un an plus tard pour celle de Saint-Mihiel[37]: dans les deux cas, Hilduin annonça à l'empereur la conclusion de l'échange. Dans le troisième, connu par un diplôme du 3 janvier 825 alors que l'échange remontait à novembre 824[38], Hilduin avait présenté à Louis le Pieux la demande de permission de procéder à un échange avec l'archevêque d'Arles Noton qu'avait formulée le comte Leibulf[39]. Pour deux requêtes, il est prouvé que Hilduin *ambasciavit*: en 826, il agit seul concernant le monastère de Münster en Gregorient--tal[40]; mais en 821 concernant l'abbaye de Saint-Gall, ce fut en collaboration avec le comte Matfrid d'Orléans[41]. Enfin, dans un diplôme de juin 825 du plus haut intérêt pour l'étude du fonctionnement de la »chancellerie«, il est prouvé que Hilduin introduisit l'affaire auprès de Louis le Pieux (il s'agit de la demande de confirmation d'un échange conclu entre l'évêque de Mâcon, Hildebaud, et le comte Warin) et qu'il *ambasciavit*[42]. Enfin, la participation de Hilduin au fonctionnement pratique de la »chancellerie« est attestée par un diplôme d'autant« plus remarquable qu'il date de juillet 834, c'est-à-dire du lendemain de la grave crise politique du règne de Louis le Pieux, alors que l'abbé de Saint-Denis n'était plus à la tête de la Chapelle: il ordonna de procéder à l'établissement d'un diplôme pour l'abbaye de Kempten en faveur de laquelle Louis le Germanique avait présenté la requête[43].

Grâce au témoignage d'Eginhard, on sait que Hilduin informa Louis le Pieux, en avril 828, que les reliques des saints Pierre et Marcellin étaient arrivées à Aix-la-Chapelle[44]. Ceci n'est qu'une anecdote montrant que l'archichapelain pouvait porter à l'empereur de telles nouvelles, mais certaines lettres de l'époque nous le présentent comme un véritable intermédiaire entre un tiers et Louis le Pieux. Ainsi l'évêque de Toul et l'abbé de Saint-Mihiel firent-ils un rapport à l'empereur sur le différend opposant l'abbé de Moyenmoutier à ses moines[45] et ils le confièrent aux bons soins de Hilduin en lui demandant d'appuyer les moines[46], ce qui montre éloquemment que le personnage introduisant les causes auprès de l'empereur pouvait exercer une cer-

---

36 B.M. 782(757), éd. Doc. dipl. Rhin moyen, n° 55, p. 61 sq. (à la p. 61): ... *vir venerabilis Hildoinus abba sacrique palatii nostri summus capellanus innotuit celsitudini nostrae eo quod ...*
37 B.M. 789(764), éd. Recueil des hist. 6, n° 124, p. 538: ... *vir venerabilis Hildoinus abba innotuit serenitati nostrae, eo quod ...*
38 Cf. Doc. dipl. Lérins, n° 247, p. 255 sqq.
39 B.M. 794(769) – texte cité à la notice n° 187.
40 B.M. 833(807). Cf. Mentions tironiennes, p. 18: *Hilduinus ambasciavit et magister scribere jussit.*
41 B.M. 735(711). Cf. Mentions tironiennes, p. 18: *Hildoinus et Matfridus ambasciaverunt.*
42 B.M. 796(772), éd. Recueil des hist. 6, n° 134, p. 546: ... *vir venerabilis Hilduinus abbas et sacri palatii summus capellanus innotuit serenitati nostrae, eo quod ...* Cf. Mentions tironiennes, p. 18: *Hilduinus ambasciavit et Hildebaldus episcopus obsecravit et magister scribere jussit.*
43 B.M. 929(900). Cf. Mentions tironiennes, p. 19: *Hilduinus abba fieri ...*
44 Cf. Einhardus, Translatio, II, c. 6, p. 247.
45 Cf. Frotharius, Epistolae, n° 21, p. 290 sq.
46 Frotharius, Epistolae, n° 22, p. 291 sq.: *Domno imperatori litteris innotescimus ego et Smaracdus abba, qualiter Ismundus abba et monachi eius quadam simultate a se invicem discordent. Vestra pia sollicitudo agat, ut illi monachi votum suum Deo promissum implere valeant et easdem litteras ad eius praesenciam vestra paternitas deferat.* La lettre est adressée à l'*egregio viro et cum summa veneratione nominando Hilduino a Deo electo patri et magistro.*

taine influence sur la décision[47]. Quant à l'archevêque de Lyon, Agobard, il s'adressa à Hilduin et à Wala[48] pour se plaindre de l'interdiction de baptiser les *mancipia* de Juifs parce qu'il était persuadé que l'archichapelain et l'abbé de Corbie étaient »les principaux et presque les seuls aides de l'empereur très-chrétien à être dans la voie de Dieu«[49]. Il est d'autre part vraisemblable que l'archichapelain avait une marge d'autonomie dans les décisions. Ainsi l'évêque de Toul s'adressait-il à lui seul pour se faire exempter de certaines obligations au palais d'Aix[50]. Sa lettre est d'autant plus remarquable que Frothaire parle du *regimen* de l'archichapelain, de la tutelle qu'il exerçait[51].

Une autre lettre illustre l'influence de Hilduin. Bien que deux autres courriers similaires fussent adressés à Judith[52] et à Eginhard[53], il est vraisemblable que le document dont il est ici question puisse contribuer à la compréhension d'une définition du rôle de l'archichapelain présentée dans le De ordine palatii. En effet, Hincmar affirme que le gouvernement était notamment exercé *per apocrisiarium, id est responsalem negotiorum ecclesiasticorum*[54]. Or, l'on conserve le texte d'une lettre de 829 adressée à Hilduin par le clergé de Sens, relativement à l'élection du successeur de l'archevêque Jérémie: »Cette lettre nous apprend qu'après la mort de l'archevêque Hiérémias, il y eut une première élection qui ne réussit pas. Hilduin obtint de l'empereur qu'il en serait fait une seconde. Le nouvel élu, qu'on croit être Aldric, ne convint pas aux *missi dominici*. Le clergé de Sens sollicita alors de nouveau la protection d'Hilduin«[55]. Outre l'intérêt du récit de la procédure, on pourrait croire que ce texte fait véritablement écho au De ordine palatii: le clergé de Sens présentait ses vœux à l'*eximio domino et vere sanctissimo Hilduino sacris negotiis a Deo praelato*[56] – à celui, donc, que Dieu préposa aux questions religieuses. D'ailleurs, on voit Hilduin traiter certains problèmes en commun avec les évêques[57].

Deux autres lettres adressées à Hilduin sont en cela intéressantes qu'elles peuvent être assimilées à des requêtes, à des dossiers visant à la prise d'une décision pouvant donner lieu à l'établissement d'un diplôme. Il me semble que les deux documents

---

47 Par mesure de sécurité, Frothaire écrivit également à l'huissier Gérung pour lui demander de présenter sa lettre à Louis le Pieux, au cas où Hilduin serait alors absent de la cour. Cf. Frotharius, Epistolae, n° 23, p. 292 (texte cité à la notice n° 115).
48 Cf. la notice n° 269.
49 Agobardus, Epistola, n° 6, p. 179: *Noverit mansuetudo vestra prudentissima, idcirco me ad utrumque presumpsisse que secuntur scribere, quoniam absque ambiguo vos novi precipuos et pene solos in via Dei esse adiutores christianissimi imperatoris, et propterea im palatio esse unum semper et alterum frequentare, ut in operibus pietatis, que absque omni errore querenda, invenienda, tenenda sunt, vos illi prudentissimis vestris suggestionibus situs exhortatores et ut dixi adiutores.*
50 Frotharius, Epistolae, n° 9, p. 282 sq.
51 Ibid., p. 282: *Dum enim vestri regiminis tutelam nobis solito Dei gratia praeesse annuerit, caelestis protectionis munimen nostris adesse profectibus veraci experimento dinoscimus.*
52 Frotharius, Epistolae, n° 15, p. 286 sq.
53 Frotharius, Epistolae, n° 14, p. 286.
54 Hincmarus, De ordine palatii, l. 232 sq., p. 56.
55 Introduction au document dans Doc. dipl. Yonne, tome 1, n° 20, p. 37 sqq.
56 Frotharius, Epistolae, n° 13, p. 285.
57 Epistolarum Fuldensium fragmenta, p. 520: *Et Hilduinus ac episcopi occidentales inquiunt: Una est catholica ecclesia per totum orbem terrarum diffusa.*

suivants doivent être considérés comme propres à illustrer le travail préparatoire auquel devait se livrer la personne présentant des requêtes à l'empereur – et dont les notaires citaient le nom dans les notes tironiennes en spécifiant qu'elle *ambasciavit*. Dans sa lettre visant à la restitution de manses, l'évêque de Toul est explicite: il exposait son cas à Hilduin parce qu'il savait que ce dernier avait l'habitude de présenter des requêtes à l'empereur, après qu'il les avait lui-même »reçues«, c'est-à-dire après qu'il les avait jugées recevables[58]. Dans une autre lettre[59], il est question de la possession d'une *villa* autrefois tenue en bénéfice par un *Hispanus*[60] dont la veuve et le jeune fils, *qui sunt ex familia domni imperatoris*, réclamaient la jouissance entière, ce à quoi s'opposait Frothaire. A cette occasion également, l'évêque de Toul soulignait la grande influence de l'archichapelain[61].

Dès 829, Hilduin travailla à la réforme monastique de son abbaye de Saint-Denis[62], mais ce n'est qu'en 832 que celle-ci aboutit[63]. L'affaire est célèbre et elle a fait l'objet de travaux détaillés[64]. Mais entre-temps, Hilduin connut un revers politique d'importance. En effet, l'archichapelain s'associa à la révolte de 830: Thégan le cite comme le premier des *magnat(i) prim(i)* de Louis le Pieux ayant suivi Pépin d'Aquitaine[65]. C'est la raison pour laquelle il fut exilé lors du plaid tenu durant l'automne 830 à Nimègue – le prétexte étant qu'il se présenta armé à cette assemblée[66]. Hilduin fut bien évidemment démis de ses fonctions au Palais. L'Astronome affirme qu'il fut exilé près de Paderborn, mais il semble avoir été ensuite transféré à Corvey[67], qui se trouve d'ailleurs dans la même région. Sa libération dut se produire lors de l'amnistie prononcée au printemps 831, à l'occasion du plaid tenu à Ingelheim[68]. Lors de la crise politique de 833, Hilduin sut s'attirer les faveurs de Lothaire[69], mais Louis le Pieux ne semble pas lui en avoir tenu rigueur, comme l'atteste la lettre par laquelle l'empereur, peu après son rétablissement sur le trône, lui ordonna de rassembler les écrits

---

58 Frotharius, Epistolae, n° 17, p. 287 sq.: *Quamobrem diversas hominum vos constat suscipere causas et susceptas ad aures deferre imperiales, ut ob uiuscemodi laborem et studium sempiterna vobis augescat merces et praemium.*
59 Frotharius, Epistolae, n° 20, p. 289 sq.
60 Ibid., p. 290.
61 Ibid., p. 289: *De omnibus necessitatibus atque indigentiis nostris ad vos semper recurrimus utpote patrem unicum ac defensorem piissimum, cuius patrocinio assidue indigemus, cuius amminiculo sepius sublevamur. Constat quippe protectionem vestram ianuam adesse salutis vestrumque regimen portum solidissime quietis.*
62 Praeceptum synodale.
63 Constitutio de partitione; B.M. 905(876); B.M. 906(877). Cf. Levillain, Etat de redevances. Hilduin fit également construire un nouvel oratoire dans la crypte, cf. B.M. 918(889).
64 Cf. Oexle, Forschungen, p. 112 sqq.; Semmler, Saint-Denis, p. 109 sq.
65 Theganus, Vita, c. 36, p. 597.
66 Astronomus, Vita, c. 45, p. 633: *Imperator autem volens adhuc vires adversariorum tenuare, Hilduinum abbatem culpans interrogavit, cur, cum simpliciter venire iussus sit, hostiliter advenerit. Qui cum negare nequiret, continuo ex palatio exire iussus est, et cum paucissimis hominibus iuxta Patrisbrunnam in expeditionali hiemare tabernaculo.*
67 Translatio s. Viti, p. 46.
68 Annales Bertiniani, a. 831, p. 4; Astronomus, Vita, c. 46, p. 634.
69 Cf. le diplôme pour Saint-Denis d'octobre 833, Dipl. Karol. 3, n° 13, p. 78 sqq.

relatifs à saint Denis[70]. D'ailleurs, comme on l'a déjà vu, Hilduin ordonna en juillet 834 de procéder à l'établissement d'un diplôme pour Kempten[71], ce qui prouve que bien qu'il ne recouvrât point sa charge au Palais, il n'y avait nullement perdu toute influence. En 836, *cum voluntate et licentia piissimi imperatoris Ludowici,* l'abbé de Saint-Denis répondit à la demande de celui de Corvey et offrit à Warin les reliques de saint Guy[72]. En 838, Hilduin prêta serment de fidélité au jeune Charles (le Chauve)[73]. Un peu plus tard, Louis le Pieux confirma – sur la requête de Hilduin – un échange conclu entre les abbayes de Saint-Denis et de Jouarre[74]. Hilduin n'accompagna vraisemblablement pas Louis le Pieux lors de sa campagne en Aquitaine, durant l'hiver 839/840. En effet, il semble s'être trouvé en Parisis le 9 février 840: à cette date, un certain Lantfrid et son épouse donnèrent à Hilduin et à la communauté de Saint-Denis des *res proprietatis nostrae sitas in pago Parisiaco, in loco qui dicitur Bidolidi villam.* Or cette donation eut lieu en ce même endroit, *apud Bidolidum*[75]. Après la mort de Louis le Pieux, Hilduin passa au service de Lothaire. Le cours de sa carrière a déjà fait l'objet de recherches. L'on se reportera par conséquent à ces travaux[76].

158.   **HILIAND**[1]

Attesté en janvier 820

Un certain Hiliand[2] *ambasciavit* concernant la restitution de biens à l'église cathédrale de Wurzbourg, comme on l'apprend par les notes tironiennes d'un diplôme donné le 20 janvier 820 à Aix-la-Chapelle[3].

---

70 B.M. 951(920). Cf. Epistolae variorum 2, n° 19, 20 et 21, p. 325 sqq. Cf. McCormick, Byzantium's Role, p. 218 sq.
71 B.M. 929(900). Cf. Mentions tironiennes, p. 19.
72 Translatio s. Viti, p. 46 sq.
73 Nithardus, Historia, lib. I, c. 6, p. 26.
74 B.M. 986(955), éd. Recueil des hist. 6, n° 230, p. 623. Il y a un problème de datation (le texte est cité à la notice n° 121). En effet, l'*actum* (à Attigny – en fin d'année 838?) ne correspond pas au *datum* (en 839? à Francfort?).
75 De re dipl. 6, n° 73, p. 517: *Acta est donatio apud Bidolidum vicum publicum prope basilicam sancti Georgii martyris. Data mense Februario, die nono ipsius mensis, anno XXVII regnante domno nostro Hludowico serenissimo augusto in Dei nomine feliciter.* Il est cependant également possible que la donation ait été faite nommément à Hilduin, sans qu'il fût personnellement présent.
76 Cf. Lot, Hilduin; Lot, Hilduins; Levillain, Wandalbert, p. 22 sq.

1 Seule forme onomastique: *Hiliandus.*
2 Son nom veut dire »Sauveur«, cf. le poème du Heliand (= »Heiland«).
3 B.M. 711(688). Mentions tironiennes, p. 18: *Hiliandus ambasciavit et magister scribere iussit.*

159.   HINCMAR[1]

Futur archevêque de Reims[2], attesté à partir d'environ 822[3] –
mort le 21 ou 23 décembre 882[4]

Il n'est bien évidemment pas question de retracer ici la carrière de Hincmar, qui ne
devint archevêque de Reims que sous Charles le Chauve[5]. Dans le cadre de la présente étude, ce personnage ne nous intéresse qu'en tant que membre du Palais de Louis
le Pieux[6]. En effet, Hincmar, qui avait été élevé à Saint-Denis[7], fut chapelain de Louis le Pieux[8]: il vécut à la cour[9], où il fut initié tant aux affaires ecclésiastiques que relatives au Palais[10]. Il fut certainement à la cour entre 822 et 826, puisqu'il affirme avoir
vu l'abbé Adalhard dans son adolescence[11]. C'est fort probablement dans le sillage de
son abbé, Hilduin, que le jeune moine vint vivre à la cour[12]. Il demeura cependant lié
à son abbaye d'origine: d'après Flodoard, il travailla à la réforme de Saint-Denis, en
829/832[13], et il était toujours moine de cette abbaye vers la fin du règne de Louis le
Pieux[14]. Pendant l'hiver 830/831, Hincmar suivit volontairement son abbé pendant

---

1 Seule forme onomastique: *Hincmarus*.
2 Cf. DUCHESNE, Fastes, tome 3, p. 88.
3 SCHRÖRS, Hinkmar, p. 10: »Wann sein Geburtsjahr anzusetzen ist, bleibt ungewiß«.
4 Cf. DEVISSE, Hincmar, tome 2, p. 1054. SCHRÖRS, Hinkmar, p. 471 donne la date du 21 décembre
   882.
5 Sur Hincmar, cf. la thèse de DEVISSE, Hincmar. Sur l'administration du diocèse de Reims par Hincmar, cf. STRATMANN, Hinkmar. On trouvera dans ces deux ouvrages la bibliographie sur ce personnage.
6 Sur la jeunesse de Hincmar, cf. SCHRÖRS, Hinkmar, p. 9 sqq.
7 Flodoardus, Historia, lib. III, c. 1, p. 475: *Is siquidem Hincmarus a pueritia in monasterio sancti Dyonisii sub Hilduino abbate monasteriali religione nutritus et studiis litterarum imbutus …*
8 Cf. FLECKENSTEIN, Hofkapelle 1, p. 73.
9 Flodoardus, Historia, lib. III, c. 1, p. 475: *… indeque pro sui tam generis quam sensus nobiilitate in
   palatium Ludowici imperatoris deductus et familiarem ipsius noticiam adeptus fuerat.*
10 Hincmarus, De ordine palatii, l. 7 sqq., p. 32. Sur les lectures de Hincmar à la cour, cf. LÖWE, Hinkmar, p. 201 sq.
11 Hincmarus, De ordine palatii, l. 218 sqq., p. 54.
12 Th. Gross propose la date de 822 pour l'arrivée de Hincmar à la cour, sans cependant justifier son assertion (Hincmarus, De ordine palatii, p. 9). Il reprend en fait la date proposée par SCHRÖRS, Hinkmar, p. 10, qui s'appuyait sur un argument erroné, à savoir que Hilduin aurait été promu archichapelain en 822 (ibid., p. 12). Je conserve la date de 822 ou environ pour une autre raison. Dans une lettre
   à Charles le Chauve, l'archevêque de Reims affirme avoir vécu dans l'intimité de Louis le Pieux environ huit ans, une période allant justement de 822 à 830, époque à laquelle Hincmar suivit Hilduin
   dans son exil: *… pater vester in vita sua, qui mihi per octo circiter annos secreta sua indubitanter credidit …* (Hincmarus, Juramentum, col. 1128 C). SCHRÖRS, Hinkmar, p. 13, cite ce passage à d'autres
   fins, sans noter ses implications chronologiques.
13 Flodoardus, Historia, lib. III, c. 1, p. 475: *ibique* (c'est-à-dire à la cour), *prout potuit, cum imperatore et prefato abbate sub episcoporum auctoritate laboravit, ut ordo monasticus in predicto monasterio
   quorundam voluptuosa factione diu delapsus restauraretur.*
14 Dans l'acte d'association avec Saint-Remi de Reims, en 838, il figure dans la liste des moines de
   Saint-Denis: *Hincmarus diac. & monac.* (Doc. dipl. Saint-Denis, n° 77, p. 58 sq.). Il exerçait les fonctions de *custos sacrorum pignerum ecclesiaeque sanctorum martirum* (Flodoardus, Historia, lib. III,
   c. 1, p. 475).

son exil aux abords de Paderborn[15]; mais en 833, il préféra lui désobéir pour rester fidèle à Louis le Pieux[16]. En mars 835, Hincmar prit part à l'assemblée au cours de laquelle Ebbon fut déposé[17] – d'où la supposition de H. Schrörs, selon laquelle Louis aurait fait venir Hincmar de manière définitive au Palais[18]. Mais la participation de Hincmar au plaid de Thionville n'implique aucunement sa présence permanente à la cour[19]. Par ailleurs, H. Schrörs, qui manque d'argument solide, s'empêtre dans une chronologie complexe, supposant sans motif apparent le retour de Hincmar à Saint-Denis vers la fin du règne de Louis le Pieux[20], pour se conformer au récit de Flodoard qui présente alors Hincmar comme moine de ce monastère. Il semble beaucoup plus probable que Hincmar, bien qu'étant toujours resté en contact avec la cour par la suite, quittât définitivement le Palais avec son abbé, en 830[21]. A une date indéterminée, mais déjà sous le règne de Charles le Chauve, *dum in ipsius ante episcopatum moraretur servitio*[22], il reçut le *regimen* des monastères de Notre-Dame de Compiègne et de Saint-Germer de Flay[23].

160.   **HIRMINMARIS**[1]

Notaire, attesté du 31 juillet 816 au 1er septembre 839

Le diacre Hirminmaris[2], qui était vraisemblablement originaire de Saint-Martin de Tours[3], fit accompagner son nom de la mention de son grade ecclésiastique dans les formules de recognition avant de s'intituler *notarius*[4]. Il est attesté à la cour de l'em-

---

15 Flodoardus, Historia, lib. III, c. 1, p. 475: *Processu vero temporis cum prememoratus Hilduinus abbas, imperatoris Ludowici archicapellanus, offensam ipsius augusti adeo cum aliis regni primoribus incurrisset, ut, ablatis sibi abbatiis, in Saxoniam fuerit exilio religatus, iste per licentiam proprii episcopi cum benedictione fratrum illum secutus est in exilium.*

16 Ibid.: *Deinde quando Gregorius papa in Galliae venit regiones, et regnum Francorum a prefato defecit imperatore, voluit eum prememoratus abbas suus in obsequium suum contra fidelitatem imperatoris ducere; quod nequaquam potuit ab eo exigere.* Comme aucune (autre) source ne parle d'une défection de Hilduin, on a supposé que Hincmar avait dissuadé son abbé de se montrer de nouveau infidèle à Louis le Pieux, cf. SCHRÖRS, Hinkmar, p. 23 note 57.

17 Hincmarus, De divortio Lotharii, p. 125 (resp. 2): *... nos, qui in eodem concilio fuimus ...*

18 SCHRÖRS, Hinkmar, p. 23, supposait »daß Ludwig den alten Liebling, der seine Ergebenheit so glänzend erprobt hatte, in seine unmittelbare Nähe zog«.

19 SCHRÖRS, Hinkmar, p. 23, applique à l'année 835 l'allusion de Hincmar à son séjour au Palais (Hincmarus, Epistolae, n° 198, p. 210 l. 20 sqq.). Rien ne justifie cela.

20 SCHRÖRS, Hinkmar, p. 24 sq.

21 SCHRÖRS, Hinkmar, p. 23 note 59, s'était opposé à cette interprétation – mais, à mon sens, sans convaincre.

22 Hincmarus, Epistolae, n° 29, p. 10.

23 Flodoardus, Historia, lib. III, c. 1, p. 475: *regimen monasterii sanctae Dei genetricis Mariae et sancti Germani regali et episcopali atque abbatis sui Ludowici diaconi iussione suscepit.*

1 Formes onomastiques: *Hirminmaris, Herminmarus, Hirminmarus, Hirminhardus, Irmingerius, Hierminmarus, Irminmarius, Hirminmarius, Hirmenmarus, Erminmarus.*

2 Cf. SICKEL, Acta regum, tome 1, p. 91 sq.; BRESSLAU, Urkundenlehre, tome 1, p. 375 sq. et p. 386; DICKAU, Kanzlei, 2e partie, p. 38 sqq. et p. 104.

3 Cf. SICKEL, Kaiserurkunden in der Schweiz, p. 4.

4 Dans le diplôme du 25 décembre 822, B.M. 769(744), éd. M.B. 31, n° 20, p. 50 sq., Hirminmaris ne porte pas de titre. Dans celui du 12 juin 823, B.M. 772(747), éd. Recueil des hist. 6, n° 116, p. 534 sq.,

pereur Louis le Pieux presque tout au long de son règne: du 31 juillet 816[5] au 1er septembre 839[6]. Il fit la recognition d'environ 80 diplômes; ce sont autant de preuves qu'il fit partie de la suite accompagnant l'empereur dans ses déplacements[7]. Hirminmaris ne travailla cependant pas exclusivement pour l'empereur, puisqu'il écrivit, le 12 septembre 819, l'acte de donation de la *cella* de Michaelstadt à Lorsch par Eginhard[8]. D'autre part, plusieurs mentions en notes tironiennes permettent de cerner plus précisément les fonctions de Hirminmaris, que l'on voit s'étendre vers la fin du règne de Louis le Pieux[9]. La première mention que nous connaissions date du temps où l'orage politique grondait: Hirminmaris dicta et ordonna de munir des signes de validation un diplôme donné le 8 juin 833[10]. Il est d'ailleurs désigné comme *magister*[11], ce qui prouve sa position proéminente au sein de la »chancellerie«[12]. Rien ne peut d'ailleurs mieux l'illustrer que la garde du sceau dont il eut la charge: c'est ce que l'on doit conclure des mentions spécifiant qu'il procéda au scellement[13]. Hirminmaris fut peut-être à l'origine de la copie des Formulae imperiales[14]; le manuscrit[15] les contenant n'a cependant pas encore été étudié de manière satisfaisante et il est plus

---

il s'intitule *diaconus*. A partir du 21 août 823, éd. Doc. dipl. Wurtemberg, n° 86, p. 99 sq., Hirminmaris eut recours au titre de *notarius* pour se désigner. La formule *Ego Irmingerius cancellarius recognovi*, B.M. 891(862), éd. Doc. dipl. Fulda, n° 484, p. 213, est interpolée. Curieusement, en B.M. 932(903), éd. Doc. dipl. Nassau (bis), n° 56, p. 23 sq., Hirminmaris ne porte aucun titre.

5 B.M. 622(602).

6 B.M. 998(967).

7 J'ai fait l'inventaire des présences de Hirminmaris à la cour lors des plaids dans DEPREUX, Gouvernement, tome 1, p. 149 sqq. Elles sont attestées aux périodes suivantes (cette liste reprend celle établie ibid., p. 321): automne 821 (Thionville), été 822 (Attigny), fin de l'année 822 (Francfort), printemps 823 (Francfort), début de l'année 828 (Aix), début de l'année 831 (Aix), automne 831 (Thionville), automne 832 (Orléans), automne 834 (Attigny), début de l'année 835 (Thionville), été 835 (près de Lyon), printemps 837 (Nimègue), printemps 838 (Nimègue), été 839 (Chalon-sur-Saône).

8 Doc. dipl. Lorsch, tome 1, p. 301, n° 20: *Facta donatio in Laureshamo monasterio II idus sept. Anno VI° regni d(om)ni nostri Ludowici gloriosissimi imperatoris, in Dei nomine feliciter … Ego Hirmi(n)marus diaconus, et notarius imperialis, rogante Einhardo hoc testamentum scripsi et subscripsi.*

9 SICKEL, Acta regum, tome 1, p. 99: »Dass Hugo häufig vom Hofe abwesend war, mag dazu beigetragen haben, dass unter ihm Hirminmaris dieselbe hervorragende Stellung einnimmt wie unter Theoto«.

10 B.M. 923(894); Mentions tironiennes, p. 19: *Magister Hir(min)maris dictavit et mihi firmare jussit.* Formule semblable dans le diplôme du 17 février 839, B.M. 987(956); Mentions tironiennes, p. 20: *Hirminmaris dictavit et scribere jussit et firmare rogavit.*

11 De même dans B.M. 994(963), un diplôme qu'il scella: *Hir(minma)ris magister fieri jussit, qui et sigillavit* (Mentions tironiennes, p. 20).

12 Cf. JUSSELIN, Chancellerie, p. 5 sq. Cf. BRESSLAU, Urkundenlehre, tome 1, p. 376, à propos de Durand et de Hirminmaris: »Beide haben offenbar eine höhere Stellung eingenommen als ihre Kollegen und dürfen geradezu als zeitweilige Vertreter des Kanzleivorstehers bezeichnet werden«.

13 Cf. JUSSELIN, Garde du sceau, p. 37 sq.

14 Ceci est l'hypothèse de DICKAU, Kanzlei, 2e partie, p. 104, mais cet auteur ne prouve rien (cf. ibid., p. 39).

15 Cf. Formulae imperiales. Elles ont été reproduites en fac-similé par G. SCHMITZ, dans Monumenta Tachygraphica.

prudent pour l'instant d'en rester à l'hypothèse classique selon laquelle cette collection aurait été composée sous Fridugise[16].

161.   HITTO[1]

Evêque de Freising, attesté du 23 avril 812[2] au 13 avril 835[3]

C'est sous toute réserve que Hitto est admis dans cette prosopographie[4]: vers la fin de décembre 819, comme l'atteste une notice datée du 30 de ce mois à Aix-la-Chapelle, l'évêque de Freising[5] fut convoqué au Palais par Louis le Pieux[6]. Ce fut vraisemblablement à l'occasion du plaid de janvier 820, où la révolte de Liudévit était à l'ordre du jour[7]. Il y participa probablement à titre d'expert de la région. On peut également penser que Hitto participa, en 825, au plaid de printemps tenu à Aix-la-Chapelle[8], où il accompagna vraisemblablement la délégation bulgare se rendant auprès de Louis le Pieux[9]. D'autre part, Hitto présida bien quelques plaids en Bavière, mais les sources ne précisent pas à quel titre[10]. Toujours est-il que si l'on en

16 Cf. SICKEL, Acta regum, tome 1, p. 120; GANZ, Tironian Notes, p. 45. Th. Sickel datait cette collection des années 828/832. J'espère pouvoir entreprendre prochainement l'étude de ces Formulae imperiales.

1 Formes onomastiques: *Hitto, Hatto, Atto*.

2 Doc. dipl. Freising, n° 300, p. 259 sq. Son prédécesseur est attesté pour la dernière fois le 27 septembre 811 (ibid., n° 299, p. 258 sq.).

3 Ibid., n° 608, p. 521 sq. Son successeur est attesté pour la première fois le 25 janvier 836 (ibid., n° 609, p. 522 sq.).

4 Il est notamment étonnant que les deux seuls diplômes de Louis le Pieux concernant Freising (et délivrés sous le pontificat de Hitto) ne mentionnent aucunement une requête de sa part: B.M. 607(587), éd. M.B. 31, n° 13, p. 32 sq., fut établi sur la demande d'Arn (qualifié d'*episcopus*) et B.M. 625(605), éd. M.B. 31, n° 14, p. 34 sq., sur celle de Riphuin. Sur Hitto, cf. STÖRMER, Früher Adel.

5 Hitto faisait partie de la famille des Huosier, cf. STÖRMER, Früher Adel, p. 332. Sur la politique familiale de l'évêque de Freising, cf. STURM, Preysing, p. 216 sqq.; SCHMID, Gemeinschaftsbewußtsein, p. 42 sqq.

6 Doc. dipl. Freising, n° 397c, p. 338: *Pergenti vero pio pontifice Hittoni ad palacium iubente et vocante domino imperatore* ...

7 B.M. 709(659)a.

8 B.M. 794(769)c. Une charte de Hitto du 30 avril 825 est en effet datée du jour où il se mit en route pour le palais d'Aix: *Hoc factum est in ipso domo sancte Marie ad Frigisinga in II. kal. mai. Et in ipso die iter carpere coepimus ad Aquis palacio in Franciam anno incarnationis Domini DCCCXXV. indictione III., regnante Hludouuico imperatore anno XII.* (Doc. dipl. Freising, n° 522, p. 448).

9 On sait que les Bulgares attendirent en Bavière le moment d'être conduits à Aix-la-Chapelle, cf. Astronomus, Vita, c. 39, p. 628.

10 Le 14 avril 822, par exemple, il siégeait avec l'évêque de Ratisbonne et des *missi dominici* (Doc. dipl. Freising, n° 466, p. 398 sqq.). De même il siégea dans un plaid judiciaire présidé par un *missus dominicus* le 31 août 822 (ibid., n° 475, p. 406 sq.). Hitto tint également des synodes convoqués dans le cadre de son magistère spirituel, comme ce fut le cas en mai 827 (ibid., n° 543, p. 463 sq.).

juge par les datations des actes de Freising, Hitto ne fit pas preuve d'une fidélité inconditionnelle à Louis le Pieux[11].

162. HONIFRID[1]

Attesté en avril 816

Un certain Honifrid[2] donna l'ordre de rédiger un diplôme donné le 15 avril 816 à Aix-la-Chapelle en faveur de l'église cathédrale de Cambrai[3].

163. HUCBERT[1]

Evêque de Meaux[2], attesté de 823 à 853[3]

A deux reprises en juin 833, le 1er et le 8 de ce mois, un certain Hucbert introduisit la requête (*impetravit*) des moines de Corvey. Par le premier diplôme, Louis le Pieux accorda à ce monastère le droit de battre monnaie[4]; le second précepte est un diplôme de donation[5]. Comme pour la délivrance de B.M. 922(893) Hucbert agit de concert avec un certain Ebbon en qui l'on peut reconnaître l'archevêque de Reims, il ne serait pas étonnant que Hucbert fût lui aussi évêque: on aurait alors affaire à l'évêque de Meaux. L'identification du Hucbert qui *impetravit* avec l'évêque de Meaux est d'autant plus probable que ce dernier était à l'origine un membre du Palais[6]: il y fut *praecentor*[7]. L'époque à laquelle les deux diplômes en question furent délivrés était un temps de forte tension politique: Louis avait convoqué l'ost à Worms pour marcher contre ses fils[8]. A la différence de l'archevêque de Reims, Hucbert resta vrai-

---

11 En février 833, un acte est naturellement encore daté des règnes de Louis le Pieux et de son fils Louis (Doc. dipl. Freising, n° 605, p. 517 sq.), mais une donation du 24 septembre 833 est datée du seul règne de Louis le Germanique (ibid., n° 606, p. 518 sq.). Après la restauration de Louis le Pieux, les documents sont datés tantôt d'après les années de règne de l'empereur et du roi de Bavière, tantôt d'après les seules années de règne de ce dernier.

1 Seule forme onomastique: *Honifridus*.
2 On a voulu identifier Honifrid avec le comte de Rhétie, Hunfrid (CLAVADETSCHER, Einführung, p. 53), hypothèse qui a été à juste titre qualifiée de »sehr kühn« (BORGOLTE, Grafschaften Alemanniens, p. 221 note 21). Cette identification ne peut pas être retenue.
3 B.M. 612(592). Mentions tironiennes, p. 17: *Honifridus scribere iussit*.

1 Formes onomastiques: *Hucbertus, Hugbertus*.
2 Cf. DUCHESNE, Fastes, tome 2, p. 474.
3 Il est attesté pour la dernière fois en août 853, cf. Concilia 3, n° 31, p. 304.
4 B.M. 922(893). Mentions tironiennes, p. 19: *Hucbertus et Ebo impetraverunt*. »Il y avait d'abord *Hucbertus impetravit*; *et Ebo* fut ajouté et la terminaison *vit* fut corrigée en *verunt*«.
5 B.M. 923(894). Mentions tironiennes, p. 19: *Hucbertus impetravit*.
6 SEMMLER, Corvey und Herford, p. 291 note 25, a voulu identifier notre personnage avec le »Leiter« du groupe de moines de Corbie s'étant installés à Hethis, première tentative de fondation monastique avant le déplacement de la communauté jusqu'au site de la future Corvey. Mais I. Schmale-Ott a montré qu'il s'agit d'une »nicht mehr haltbare Hypothese« (Translatio s. Viti, p. 17 note 64).
7 Hincmarus, Epistolae (éd. P.L.), n° 23, col. 153 D. Cf. FLECKENSTEIN, Hofkapelle 1, p. 65 et p. 233.
8 B.M. 925(896)a.

semblablement fidèle à Louis, puisqu'on le voit siéger lors de l'assemblée qui jugea Ebbon, en mars 835 à Thionville[9]. La première assemblée pour laquelle on est certain de la participation de Hucbert est le concile tenu en juin 829 à Paris[10]. Toutefois, c'est en 823 que Hucbert fut promu à l'épiscopat, comme l'atteste une lettre de Hincmar de Reims à Charles le Chauve[11]. Les 20/21 mars 836, Hucbert se trouvait en sa cité de Meaux, où il accueillit le cortège transportant les reliques de saint Guy[12].

164.   HUGUES[1] (I)

Comte de Tours, attesté à partir d'avril 807 – mort à l'automne 837

Le personnage de Hugues, dont le destin est indissociable de celui de son collègue et beau-frère[2] Matfrid, comte d'Orléans[3], a fait l'objet d'une étude exhaustive à laquelle il convient de renvoyer et qui me dispensera de présenter le comte de Tours en détail[4]. Hugues apparaît pour la première fois dans les sources dès 807[5]. En 811, il fut envoyé à Constantinople en qualité de légat de Charlemagne[6]. Sous Louis le Pieux, on ne le rencontre pas avant l'année 820, quand en septembre il procéda à un échange avec l'évêque de Worms agissant comme abbé de Wissembourg[7]. Le comte de Tours participa par conséquent au plaid alors tenu à Quierzy[8]. L'année suivante, ce fut le coup d'éclat: en octobre, sa fille Ermengarde épousa Lothaire à Thionville[9]. Cet événement n'est en rien insignifiant pour l'histoire politique des années à venir, puisqu'il lia Hugues au destin de l'empereur associé[10]. Vers cette même époque, il semble avoir été à la tête du monastère Saint-Julien d'Auxerre, »que l'on sait qu'il possède en *beneficium* par le don de notre largesse«[11]. Le comte de Tours était alors au comble des

9 Concilium ad Theodonis villam, p. 703 n° 26.
10 Doc. dipl. Paris, n° 35, p. 49 sqq.
11 Hincmarus, Epistolae (éd. P.L.), n° 23, col. 153 D: *Nam quando Deo disponente in Franconofurth palatio nati estis, Hucberto praecentori palatii episcopium Meldensis urbis commissum est …*
12 Translatio s. Viti, p. 50 sq.

1 Formes onomastiques: *Hugo, Hug, Huc, Hugus, Ugo.*
2 Sur cette hypothèse, cf. KRÜGER, Ursprung, p. 7; VOLLMER, Etichonen, p. 167. L'épouse de Hugues s'appelait Ava, cf. Dipl. Karol. 3, n° 29, p. 104 sq.
3 Cf. la notice n° 199, et surtout DEPREUX, Matfrid.
4 Cf. WILSDORF, Etichonides, p. 7 sqq.
5 Dipl. Karol. 1, n° 205, p. 274 sq. J'admets l'identification proposée par HENNEBICQUE-LE JAN, Prosopographica Neustrica, p. 256 (n° 179).
6 Annales regni Franc., a. 811, p. 133.
7 Doc. dipl. Wissembourg, n° 69, p. 268 sqq.
8 B.M. 722(699)a.
9 Annales regni Franc., a. 821, p. 156; Astronomus, Vita, c. 34, p. 625; Theganus, Vita, c. 28, p. 597; Annales Xantenses, a. 821, p. 6. Par ailleurs, Hugues donna une autre de ses filles comme épouse à l'un des frères de Judith, cf. WILSDORF, Etichonides, p. 10.
10 Nithardus, Historia, lib. I, c. 3, p. 8, rend notamment Hugues responsable de l'opposition de Lothaire à l'attribution d'une part d'héritage au jeune Charles (le Chauve): *Instigante autem Hugone, cujus filiam in matrimonium Lodharius duxerat, ac Mathfrido ceterisque, sero se hoc fecisse penituit et quemadmodum illud quod fecerat annullare posset querebat.*
11 B.M. 744(719), éd. Doc. dipl. Yonne, tome 1, n° 15, p. 30 sq. (à la p. 30): *… quod ipse largitionis nostre munere in beneficium habere videtur.* A la demande du *vir illuster Hugo comes*, Louis le Pieux

honneurs, comme l'atteste son apparition aux côtés de Judith dans le cortège impérial décrit par Ermold le Noir à l'occasion du baptême du Danois Harold, en 826 à Ingelheim[12]: à l'instar de Matfrid, il était vêtu d'or et portait une couronne[13]. Vers la même époque, son influence est également prouvée par la mention de son nom parmi les *nomina amicorum viventium* de l'abbaye de la Reichenau[14].

Hugues fut également un chef de guerre. On le voit notamment en Bretagne à l'automne 824, aux côtés du roi Pépin d'Aquitaine[15]. Il fut également envoyé à la rescousse de Bernard de Barcelone en 827, après avoir vraisemblablement assisté au plaid tenu à Compiègne[16]. On sait la mauvaise volonté dont firent preuve Matfrid et Hugues[17]. En suite de quoi ils furent déposés en février 828, lors d'un plaid tenu à Aix-la-Chapelle[18]. Dès l'année 829, d'aucuns fomentaient une révolte contre Louis le Pieux[19]. Elle éclata en 830: Hugues fit partie des meneurs de la »révolte loyale«[20]. On perd la trace de l'ancien comte de Tours pendant les années de crise, mais il ne fait point de doute qu'il se trouvait auprès de Lothaire, qu'il devait conseiller[21], puisque c'est lui qui, en 834 devant Blois, fut le premier des partisans de Lothaire à demander pardon à Louis le Pieux, lorsque le fils rebelle se soumit[22]. Hugues suivit Lothaire dans son exil italien et il mourut à l'automne[23] 837[24]. Il fut inhumé à Monza[25]. Il reste toutefois un point à éclaircir. Dans un diplôme de Louis le Pieux du 24 août 835, il est dit que le comte Hugues, que j'identifie avec le comte de Tours, et l'évêque d'Orléans, Jonas, enquêtèrent en qualité de *missi* à propos de la restitution à l'abbaye de

confirma à Saint-Julien son privilège d'immunité. L'identité de ce comte avec celui de Tours est affirmée notamment par Louis, Girard, p. 33, mais il ne s'agit que d'une »hypothèse«, comme le rappelle Wilsdorf, Etichonides, p. 13 note 1.

12 Ermoldus, Elegiacum carmen, lib. IV, v. 2304 sqq., p. 176.

13 A ce propos, cf. Depreux, Matfrid, p. 345.

14 Verbrüderungsbuch Reichenau, pl. 99. A ce propos, cf. Geuenich, Gebetsgedenken, p. 90 sq.

15 Ermoldus, Elegiacum carmen, lib. IV, v. 2006 sq., p. 152: *Pippino regi Huc Helisacharque potentes/ Junguntur, numero cetera turba caret.*

16 Annales regni Franc., a. 827, p. 173: *Imperator autem duobus conventibus habitis (…) altero apud Compendium, in quo (…) his, qui ad marcam Hispanicam mittendi erant, quid vel qualiter agere deberent, imperavit …*

17 Annales regni Franc., a. 827, p. 173: *Contra quem imperator filium suum Pippinum Aquitaniae regem cum inmodicis Francorum copiis mittens regni sui terminos tueri praecepit. Quod ita factum esset, ni ducum desidia, quos Francorum exercitui praefecerat, tardius, quam rerum necessitas postulabat, si, quem ducebant, ad marcam venisset exercitus.* L'identité des deux comtes est livrée par Astronomus, Vita, c. 41, p. 630. On a récemment tenté de les disculper, cf. Collins, Pippin, p. 379. Je ne suis cependant pas convaincu par cette analyse, cf. Depreux, Matfrid, p. 356 sq.

18 Annales regni Franc., a. 828, p. 174; Astronomus, Vita, c. 42, p. 631.

19 Astronomus, Vita, c. 43, p. 632.

20 Theganus, Vita, c. 36, p. 597.

21 Nithardus, Historia, lib. I, c. 4, p. 16, affirme que Hugues était l'un de ceux qui cherchaient à s'assurer la deuxième place dans l'empire sous le gouvernement de Lothaire: *Insuper autem, dum Huc, Lambertus atque Mathfridus quis illorum secundus post Lodharium in imperio haberetur ambigerent, dissere ceperunt et, quoniam quisque eorum propria querebat, rem publicam penitus neglegebant.*

22 Theganus, Vita, c. 55, p. 602: *Tunc veniens Hlutharius cecidit ad pedes patris, et post eum socer eius Hug timidus. Tunc Matfridus, et ceteri omnes qui primi erant in facinore illo …*

23 Astronomus, Vita, c. 56, p. 642.

24 Annales Bertiniani, a. 837, p. 22; Annales Fuldenses, a. 837, p. 28 sq.

25 Cf. Wilsdorf, Etichonides, p. 20.

Fleury de la *villa* de Sonchamp et des *villae* en dépendant[26]. De par le contexte politique, j'exclus totalement l'hypothèse que cette mission fût confiée à Hugues l'année de l'expédition du diplôme[27]: au plus tard, l'enquête devait remonter à l'année 827 (l'impression d'antiquité est d'ailleurs confortée par le choix du temps employé pour la relation de la procédure). Ce diplôme est précieux en ce qu'il nous montre d'une part quels délais pouvait connaître le règlement d'une affaire[28], et d'autre part l'estime en laquelle Hugues était tenu même après sa déposition et sa persistance dans l'opposition à Louis le Pieux[29]: il était encore désigné comme *inlust(er) com(es)*...

165.   HUGUES[1] (II)

Abbé, archichancelier, né après juin 800 – mort le 14 juin 844

Après le décès, le 4 juin 800[2], de son épouse Liutgarde, Charlemagne ne se remaria plus, mais il eut plusieurs concubines, dont Régine, qui lui donna Drogon et Hugues[3]. En 813, lors de l'association de Louis le Pieux à l'empire, ce dernier reçut de Charlemagne l'ordre de veiller sur ses demi-frères, donc sur Hugues[4]. Louis obéit, puisqu'il les accueillit à sa table après la mort de son père[5]. C'est en 818, suite à la révolte et à la condamnation de Bernard d'Italie, que Louis les fit tondre et instruire dans des monastères[6]. Hugues fut envoyé à Charroux[7], où il est attesté comme diacre

---

26 B.M. 947(916), éd. Recueil des hist. 6, n° 204, p. 604: *Sed cum ad hanc causam investigandam nobisque renuntiandam missos nostros, Jonam videlicet venerabilem Aurelianensem episcopum, et Hugonem inlustrem comitem destinassemus, et tam ex eorum relatione, quam et ex memorati avi nostri praecepti lectione luce clarius nobis patefieret ...*

27 Contrairement à Hennebicque-Le Jan, Prosopographica Neustrica, p. 256.

28 En l'occurrence au minimum huit ans.

29 On peut y voir une confirmation du témoignage d'Astronomus, Vita, c. 56, p. 642, qui affirme que Louis le Pieux fut affligé par la disparition, lors de l'épidémie de 836/837, de ceux qui avaient accompagné Lothaire dans son exil.

1 Formes onomastiques: *Hugo, Hugus, Huh, Hug, Huggi, Ugo.*

2 Annales regni Franc., a. 800, p. 110.

3 Einhardus, Vita Karoli, c. 18, p. 56. Etant donné le caractère fantaisiste de la Vita Hugonis (B.H.L. 4032a) faisant d'un Hugues, bâtard que Charlemagne aurait eu d'une fille de Tassilon de Bavière, un évêque de Rouen, cette source est d'emblée écartée. Il y eut certes un Hugues sur le siège rouennais, mais il mourut en 730 (cf. Duchesne, Fastes, tome 2, p. 208), c'est-à-dire bien avant la naissance de Charlemagne (sans que le débat portant sur la date précise de cette dernière entre ici en jeu; à ce propos, cf. Werner, Geburtsdatum; Becher, Neue Überlegungen).

4 Chronicon Moissiacense, a. 813, p. 259 et p. 311.

5 Nithardus, Historia, lib. I, c. 2, p. 6: *Fratres quoque, adhuc tenera aetate, Drugonem, Hugonem et Teodericum participes mensae effecit, quos et in palatio una secum nutriri praecepit.*

6 Cf. Chronicon Moissiacense, a. 817 (en réalité 818), p. 313; Theganus, Vita, c. 24, p. 596. Hugues fit peut-être un séjour à Toul, à moins que ce ne fût au palais impérial que l'évêque Frothaire fit sa connaissance. Toujours est-il que ce dernier s'était lié d'amitié avec lui, cf. Frotharius, Epistolae, n° 4, p. 278 sq. C'est en s'appuyant sur cette lettre que Pfister, Drogon, p. 103, qui renvoie à son étude sur l'évêque de Toul (Pfister, Frothaire, p. 300), a supposé que Louis le Pieux exila ses demi-frères à Saint-Epvre de Toul. Au cas où cette hypothèse serait juste, force est de constater que Hugues ne resta pas longtemps à Toul (cf. infra). C'est pourquoi il me semble préférable de penser que c'est à la cour que Frothaire se lia d'amitié avec lui.

7 Sur ce qui suit, cf. Oexle, Charroux, p. 199 sqq.

dans la liste des *nomina fratrum Carrofensis monasterii* du livre de confraternité de l'abbaye de la Reichenau[8]. C'est également là qu'il reçut la prêtrise et c'est là que, selon ses voeux, il serait inhumé[9]. Louis le Pieux se réconcilia avec ses frères en 822, lors du plaid tenu à Attigny[10].

Il semblerait que Hugues ait alors obtenu l'abbatiat de Novalèse. La question est en réalité fort épineuse – à commencer par l'âge fort précoce de l'abbé! Il est cependant vraisemblable qu'à un moment de sa vie, Hugues fût l'abbé de Novalèse. Dans le nécrologe de Saint-André de Turin, il y a mention de la *Depositio domni Ugonis abbatis Novaliciensis* à la date des ides de juin, c'est-à-dire le 13 juin[11]. En fait, Hugues était mort lors de l'attaque de l'armée de Charles le Chauve par Pépin II d'Aquitaine[12], le 14 juin 844 en Angoumois[13]. La date de *depositio* coïncide donc presque; on peut vraisemblablement considérer ce décalage d'un jour comme un détail négligeable. Car l'identité de l'abbé Hugues mentionné dans le nécrologe de Saint-André avec le demi-frère de Louis le Pieux est affirmée par la Chronique de Novalèse[14], un texte dont on ne peut cependant croire toutes les assertions[15]. D'après la chronologie interne de ce document, Hugues aurait succédé à l'abbé Amblulfe, le successeur de Frodonius[16], et le successeur de Hugues aurait été Eldrade[17]. Or, ce dernier (Hildradus) est attesté dès le 14 février 825[18]. O. G. Oexle a affirmé que »les racontards de la chronique de Novalèse, selon lesquels Hugues aurait été novice et plus tard abbé de ce monastère (…,) sont dénués de fondement«[19], mais il ne semble pas connaître la confirmation apportée par le nécrologe de Saint-André: s'il est vrai que Hugues ne fut pas novice à Novalèse, il est en revanche vraisemblable qu'il en fût l'abbé. D'après l'auteur des Annales de Lobbes, ce sont les abbayes de Saint-Quentin et de Lobbes »et de nombreuses autres« que Hugues reçut lors de sa réconciliation avec Louis le Pieux[20]. On a cependant émis des doutes sur la véracité de ce témoignage: »Hugues n'est devenu abbé de Lobbes ni en 825 ni plus tard; il n'y a pas de place pour lui dans le catalogue des abbés de ce monastère«[21]. Il semble par conséquent préférable de ne

---

8 Verbrüderungsbuch Reichenau, pl. 89 A.

9 De obitu Hugonis, p. 140: *Karroff oneste collocetur tumulo,/ de quo sacerdos extitit ac monachus,/ et ubi vivens postulavit mortuum/ se sepeliri.*

10 Annales regni Franc., a. 822, p. 158; Astronomus, Vita, c. 35, p. 626.

11 Necrologium s. Andreae, p. 132.

12 Annales Bertiniani, a. 844, p. 46; Annales Xantenses, a. 844, p. 13.

13 Lot, Halphen, Charles le Chauve, p. 113 note 1.

14 Chronicon Novaliciense, lib. III, c. 25, p. 104 sq.

15 L'auteur fait notamment remonter le début de l'abbatiat de Hugues au temps de Charlemagne!

16 Chronicon Novaliciense, lib. III, c. 24, p. 104.

17 Ibid., lib. IV, c. 1, p. 107.

18 Dipl. Karol. 3, n° 4, p. 60 sqq.

19 Oexle, Charroux, p. 202 note 30.

20 Annales Lobienses, a. 825, p. 232: *Loduwicus imperator fratres suos de concubinis Drogonem et Hugonem in clericos totondit. Quibus liberalibus disciplinis imbutis, Drogoni dedit episcopium Mettensem, Hugoni coenobia sancti Quintini et Laubiense et plura alia.*

21 Oexle, Charroux, p. 202.

pas le compter parmi les abbés de Lobbes[22]. Hugues n'est attesté pour la première fois comme abbé de Saint-Quentin que le 25 octobre 835, à l'occasion de la translation des reliques de saint Quentin en présence des évêques de Noyon, Laon et Paderborn[23]. Comme cette translation eut lieu *anno … ipsius abbatis secundo*, »il en résulte qu'Hugues est devenu abbé de Saint-Quentin entre octobre 833 et octobre 834«[24]. Le 31 octobre 838, il invita Louis le Pieux à prendre part aux cérémonies de la fête du patron de son monastère[25]. Hugues fut également abbé de Saint-Bertin[26]. Il obtint cet abbatiat en 834[27] – son prédécesseur, Fridugise, étant mort le 10 août 833[28]. La deuxième année de son abbatiat[29], Hugues obtint de Louis le Pieux la confirmation des privilèges de son monastère, le 13 août 835[30] – ce qui signifie qu'il devint abbé avant le 13 août 834[31]. Le préambule de cet acte, tout à fait unique[32], montre le grand crédit dont Hugues jouissait auprès de Louis le Pieux[33]. Nous reviendrons sur le rôle de Hugues au Palais. Contrairement à Fridugise, Hugues s'avéra un ardent défenseur de la réforme bénédictine, comme le prouve la réforme de 839[34]. Bien que d'après les textes relatifs à l'abbatiat de Hugues à Saint-Quentin et à Saint-Bertin, il ne semble avoir été promu à cette dignité que suite au rétablissement de Louis le Pieux (et en récompense pour le dévouement dont il avait fait preuve envers ce dernier), le témoignage des Annales de Lobbes, selon lequel Hugues aurait été abbé avant la période de crise politique qu'on vient d'évoquer[35], trouve chez l'Astronome une confirmation, au cas où cet auteur ne rapporterait pas à Hugues le titre abbatial *ex eventu*, mais en restant fidèle à la situation de l'époque: il désignait Hugues comme *abbas* dès l'hiver 833/834[36]. Un point reste à éclaircir, qui concerne l'abbaye de Fulda. En juillet 839, Louis le Pieux fit établir un diplôme de confirmation d'un échange conclu entre Raban Maur et le comte Boppon. Cette confirmation eut lieu suite à la requête de Hu-

22 Cf. Warichez, Lobbes, p. 34 sqq.
23 Miracula s. Quintini, p. 270.
24 Oexle, Charroux, p. 201.
25 Annales Bertiniani, a. 838, p. 25.
26 Folquinus, Vita Folquini, c. 6, p. 428; Annales Blandinienses, a. 844, p. 23: *Obiit Hugo abbas Sithiu.*
27 Doc. dipl. Saint-Bertin, n° 1, p. 82.
28 Cf. Oexle, Charroux, p. 200 note 23.
29 Doc. dipl. Saint-Bertin, p. 82: *Qui anno regiminis sui II. predictum regem adiens …*
30 B.M. 946(915).
31 Cf. Oexle, Charroux, p. 200 note 23.
32 Arengenverzeichnis, n° 3416, p. 565.
33 B.M. 946(915), éd. Recueil des hist. 6, n° 203, p. 602 sq. (à la p. 602): *Si preces fidelium nostrorum devote nobis famulantium ad optatum effectum solitae benignitatis liberalitate pervenire concedimus, abundantius credimus oportere suggestiones dilectissimi fratris nostri Hugonis venerabilis abbatis, quas omnino ratione plenas esse non dubitamus, dignissimo honorificentiae propriae effectu perficere, easque praecipue quae manifesto suae devotionis fervore ad divinum cultum propensius exsequendum pertinere noscuntur.*
34 Doc. dipl. Saint-Bertin, n° 4, p. 85 sqq. et n° 5, p. 87 sq.
35 Annales Lobienses, a. 825, p. 232.
36 Astronomus, Vita, c. 49, p. 637.

gues, dont Raban est désigné comme le *predecessor*[37]. Hugues aurait-il été abbé de Fulda? Non[38]. Th. Sickel tenta d'expliquer cette mention étrange par une erreur de copiste et une confusion avec un abbé ultérieur de Fulda[39], Hugues n'étant alors que l'intermédiaire ayant présenté l'affaire à l'empereur. La critique de cet acte est à reprendre.

C'est à l'occasion de la crise politique de 833/834 que Hugues entra véritablement en scène. Pendant l'hiver durant lequel Louis le Pieux était retenu prisonnier par Lothaire, Louis le Germanique et Drogon envoyèrent leur oncle et frère auprès de Pépin d'Aquitaine pour le gagner à la cause de son père[40]. En février 834, Hugues fut parmi ceux que Lothaire désigna pour négocier la libération de Louis le Pieux[41] – cette réunion n'eut cependant pas lieu, puisque le fils rebelle s'enfuit en abandonnant son père à Saint-Denis. Lors du plaid tenu à Worms en septembre 836, Hugues fut de nouveau chargé d'une mission délicate: il fut envoyé par Louis le Pieux en Italie pour exhorter Lothaire à restituer leurs biens aux titulaires d'*honores* et de *beneficia* italiens s'étant montrés fidèles à l'empereur deux ans plus tôt[42]. Ce fut peine perdue. L'apothéose de la carrière de Hugues, c'est le rôle qu'il exerça à la cour dès que Louis le Pieux recouvra le pouvoir – sans doute possible en récompense de son dévouement à la cause de son demi-frère: il succéda à Théoton comme archichancelier[43]. Il est attesté pour la première fois avec ce titre le 3 juillet 834[44]. Hugues occupa ce poste jusqu'à la fin du règne de Louis le Pieux. Il pouvait introduire des causes auprès de l'empereur, comme c'est le cas pour les deux Juifs auxquels Louis le Pieux confirma le 22 février 839, à Francfort, la jouissance de leurs biens en pleine propriété[45]. Hugues étudia leur requête puisqu'il en fit le rapport à l'empereur (*sua ... relatione*). Deux mentions en notes tironiennes prouvent que Hugues veilla personnellement à l'expédition des diplômes. Ainsi peut-on lire sur un diplôme de donation au fidèle Fulbert, donné le 24 août 836 à Rambervilliers[46]: *Adalaardus seniscalcus ambasciavit et fieri*

---

37 B.M. 996(965), éd. Doc. dipl. Fulda, n° 655, p. 302 sq.: ... *qualiter venerabilis frater noster Huggi abbas sacrique palacii nostri notariorum summus nostre innotescere studuit majestati, quod predecessor suus Rabanus abbas Fuldensis monasterii* ... (la désignation comme *notariorum summus* est suspecte).

38 Raban est encore attesté comme abbé de Fulda le 6 mai 840, cf. B.M. 1004(973). Ce n'est qu'après la mort de Louis le Pieux qu'il renonça à son abbatiat, cf. HUSSONG, Fulda, 2e partie, p. 186.

39 SICKEL, Acta regum, tome 2, p. 355 (L. 374). Il s'agirait de l'abbé Huggi (891–915). Sur cet abbé, cf. Catalogus abbatum Fuldensium, p. 273.

40 Cf. Astronomus, Vita, c. 49, p. 637 – texte cité à la notice n° 75.

41 Astronomus, Vita, c. 51, p. 637 – texte cité à la notice n° 93.

42 Cf. Annales Bertiniani, a. 836, p. 19 – texte cité à la notice n° 6. L'identité de Hugues est assurée: il est dit »frère« de Louis le Pieux dans Astronomus, Vita, c. 55, p. 641.

43 Cf. PERRICHET, Grande Chancellerie, p. 470; SICKEL, Acta regum, tome 1, p. 96 sqq.; BRESSLAU, Urkundenlehre, tome 1, p. 386; TESSIER, Diplomatique, p. 44; FLECKENSTEIN, Hofkapelle 1, p. 83 sq.; DICKAU, Kanzlei, 2e partie, p. 103 et p. 120 sq.

44 B.M. 929(900). La nomination de Hugues eut lieu très rapidement après la mort de Théoton, ce dernier étant encore attesté le 15 mai 834, cf. B.M. 927(898).

45 B.M. 988(957), éd. Recueil des hist. 6, n° 232, p. 624: ... *dilectus frater noster Hugo venerabilis abba et sacri palatii nostri summus notarius quosdam Hebraeos ... in nostram introduxit praesentiam, eorumque querimonias tam sua quam illorum relatione didicimus.*

46 B.M. 963(932).

jussit. Hugo fieri et firmare jussit[47]. Sur un diplôme de confirmation d'échange en faveur de Fulda, donné le 17 février 839 à Francfort[48], on lit dans la ruche: *Magister Hugo scribere et firmare precepit*[49]. Les mentions de ce diplôme sont d'autant plus intéressantes qu'elles prouvent que le notaire Hirminmaris, qui avait la garde du sceau[50], demanda à l'archichancelier la permission d'apposer les signes de validation[51].

166.   HUNFRID[1]
Comte de Coire, attesté de 806 à 823[2]

Le comte de Coire, Hunfrid, apparaît pour la première fois en 806: il présidait alors un plaid dans le Vorarlberg[3]. Il régissait également l'Istrie[4]. En 823, il fut envoyé à Rome par Louis le Pieux en tant que son *missus*, pour enquêter sur l'assassinat de membres du Palais du pape qui étaient pro-Francs[5]. Une fois à Rome, les envoyés de Louis le Pieux ne purent rien tirer au clair, le pape s'étant purifié par serment. C'est à l'occasion du plaid tenu en novembre à Compiègne[6] que Hunfrid fit son rapport[7]. Hunfrid n'était pas étranger au monde romain: il avait déjà été envoyé à la cour de Léon III en 808, comme *missus* de Charlemagne[8]. E. Hlawitschka considère que toutes ces données se rapportent à un seul et même personnage[9], alors que M. Borgolte distingue le personnage de 806/808 de celui de 823[10] et en fait éventuellement un fils du premier[11]. Je me range ici à l'avis d'E. Hlawitschka.

47 Mentions tironiennes, p. 20.
48 B.M. 987(956).
49 Mentions tironiennes, p. 20.
50 Cf. JUSSELIN, Garde du sceau, p. 37 sq.
51 En effet, après le texte, il y a la mention: *Hirminmaris dictavit et scribere jussit et firmare rogavit* (Mentions tironiennes, p. 20).

1 Formes onomastiques: *Hunfridus, Unfredus.*
2 Vraisemblablement mort après 824, cf. la mise au point de K. SCHMID dans Verbrüderungsbuch Reichenau, p. LXXI sq.
3 Doc. dipl. Saint-Gall, tome 1, n° 187, p. 177: *Cum resideret Unfredus vir inluster Reciarum comis in curte ad Campos in mallo publico ad universorum causas audiendas vel recta judicia terminanda …*
4 Translatio sanguinis, c. 3, p. 447: *Hunfridus eo tempore totam Hystriam tenebat.*
5 Cf. Annales regni Franc., a. 823, p. 161 – texte cité à la notice n° 14. Cf. également Theganus, Vita, c. 30, p. 597; Astronomus, Vita, c. 37, p. 627 sq.
6 B.M. 783(758)a.
7 Annales regni Franc., a. 823, p. 162.
8 Leo, Epistolae, n° 1, p. 87 sq. et n° 2, p. 89 sqq.
9 Cf. HLAWITSCHKA, Franken, p. 206 sq.
10 BORGOLTE, Grafschaften Alemanniens, p. 219 sqq.
11 Ibid. Il faudrait alors l'identifier avec le personnage décrit par HLAWITSCHKA, Franken, p. 207.

167.   **IBBON**[1]

Notaire, attesté en 815 (peut-être dès 809)

Le notaire Ibbon[2], peut-être identique avec son homonyme en fonction sous Charlemagne[3], n'est attesté à la »chancellerie« de Louis le Pieux que par un seul diplôme, donné à Aix-la-Chapelle le 10 juin 815 en faveur de l'église cathédrale de Vienne, dont il fit la recognition[4].

168.   **IMMON**[1]

Comte, attesté en 794 – mort avant 823?

Immon[2] est l'un des membres de l'entourage de Louis le Pieux ayant souscrit le diplôme délivré le 3 août 794 au Palais (Haute-Vienne, arr. Limoges) en faveur de la *cellola* de Nouaillé[3]. Il fut vraisemblablement (ensuite?) comte de Périgord[4]. En effet, en 823 à Compiègne, Louis restitua sa liberté et ses biens à Lambert, un otage originaire du *castrum* de Turenne livré lors de la prise de l'Aquitaine par Pépin le Bref et qui, alors que les autres otages avaient été libérés, fut réduit en servitude par le comte Immon[5]. Peut-être Lambert ne put-il présenter sa requête à Louis le Pieux qu'une fois Immon décédé. Le *dux* Arnaud (Arnaldus), fils du comte de Périgord Immon[6], est attesté en Gascogne en 864: cet indice chronologique tend à prouver qu'Immon vivait sous le règne de Louis le Pieux.

---

1 Seule forme onomastique: *Ibbo*.
2 Cf. SICKEL, Acta regum, tome 1, p. 88; BRESSLAU, Urkundenlehre, tome 1, p. 386; DICKAU, Kanzlei, 1ère partie, p. 70 sqq. et 2e partie, p. 103.
3 O. Dickau identifie Ibbon avec le notaire homonyme de Charlemagne, comme l'avait déjà supposé BRESSLAU, Urkundenlehre, tome 1, p. 385. A la »chancellerie« de Charlemagne, Ibbon est attesté en 809/810.
4 B.M. 583(563).

1 Formes onomastiques: *Immo, Ymo*.
2 Sur les différents personnages ayant porté le nom d'Immon au IXe siècle, cf. CHAUME, Bourgogne, p. 254 note 2; AUZIAS, Aquitaine, p. 128 note 8.
3 B.M. 516(497), éd. Ch.L.A., n° 681. Sur les souscripteurs de ce diplôme, cf. DEPREUX, Kanzlei, p. 156 et supra, la partie d'analyse II A.
4 Signalons que le nom d'Immon apparaît dans plusieurs chartes de Saint-Gall, de 771 à 830. Rien ne permet cependant d'établir un lien avec le membre de l'entourage de Louis le Pieux.
5 B.M. 784(759), éd. Recueil des hist. 6, n° 44, p. 655 sq.: ... *inter caeteros seipsum in obsidium ab Ermenrico comite et patre suo, nomine Agano, datum fuisse: sed post non multum temporis spatium, caeteris obsidibus licentia redeundi adtributa, seipsum ab illo temporis spatio usque ad praesens tempus, propter hujusce rei occasionem ablatis rerum suarum facultatibus, ab Immone comite vinculo servitutis esse adstrictum*.
6 Translatio s. Faustae, c. 2, p. 727: *Hic etenim filius cujusdam comitis Petragoricensis vocabulo Ymonis fuerat*.

169.   **INGILFRID**[1]

Abbé

L'abbé de Saint-Jean-Baptiste d'Angers, Ingilfrid, fut envoyé par Louis le Pieux en mission en Bretagne, comme l'atteste un diplôme sans date de cet empereur en faveur de son monastère[2]. L'on ignore tout de cette mission. Or, étant donné que toute la communauté intervint pour présenter la requête à l'empereur, on a supposé que ce diplôme fut donné lors du passage de Louis à Angers[3]; d'où une datation (probable mais non certaine) de l'été 818. C'est pourquoi l'on peut supposer qu'Ingilfrid fut envoyé en mission auprès du chef breton Morman, qui voulait alors secouer le joug franc[4]. Mais ceci ne reste qu'une pure hypothèse.

170.   **INGOALD**[1]

Abbé de Farfa, attesté à partir de 816[2] – mort un 26 mars, entre 830 et 832

Ingoald[3], qui était prêtre[4], devint abbé de Farfa en 816[5]. Il est attesté pour la première fois le 21 juin de cette année, par un diplôme de Louis le Pieux[6]. L'abbé de Farfa participa peut-être au plaid tenu en avril 818 à Aix-la-Chapelle[7]. Toujours est-il qu'Ingoald fut vraisemblablement à Aix le 13 février 818[8]; il y fut également le 5 juin[9]. Il participa certainement au plaid tenu à l'automne 822 à Francfort[10], puisque sa présence est attestée le 6 novembre 822 à Worms[11]. L'abbatiat d'Ingoald, qui sut s'attirer la bienveillance tant de Louis le Pieux[12] que de Lothaire[13], fut marqué par une

1 Seule forme onomastique: *Ingilfridus*.
2 B.M. 671(657) = Formulae imperiales, n° 6, p. 291 sq. (à la p. 291): ... *dum esset Brittaniae partibus in Dei servitio et nostro vir venerabilis Ingilfridus abbas ex monasterio sancti Johannis Baptistae, quod est situm in suburbio civitatis Andicavinae* ...
3 Supposition faite par les auteurs des Regesta imperii.
4 Sur la révolte de Morman, cf. GUILLOTEL, Temps des rois, p. 211 sq. Un (autre) abbé, Witchaire, fut (également) envoyé par Louis le Pieux auprès du chef breton, cf. la notice n° 277.

1 Formes onomastiques: *Ingoaldus, Ingoald, Ingualdus*.
2 Le prédécesseur d'Ingoald mourut le 11 août 815, cf. SCHUSTER, Farfa, p. 421.
3 Sur cet abbé, cf. SCHUSTER, Farfa, p. 66 sqq. (à utiliser cependant avec prudence).
4 Catalogus abbatum Farfensium, p. 586.
5 Ibid.; Annales Farfenses, a. 816, p. 588.
6 B.M. 619(599).
7 B.M. 661(647)a.
8 B.M. 659(645). Louis le Pieux informa les agents de l'Etat en Italie qu'il avait accordé à Farfa le droit d'*inquisitio*.
9 B.M. 664(650) et B.M. 665(651).
10 B.M. 766(741)a.
11 B.M. 766(741).
12 Louis délivra de nombreux diplômes en faveur de Farfa. Outre ceux déjà mentionnés, cf. la série du 28 avril 820: B.M. 716(693) jusqu'à B.M. 719(696), et la donation du 22 juin 829, B.M. 865(836).
13 Ingoald obtint de ce dernier deux diplômes, en 822 et en 825: Dipl. Karol. 3, n° 1, p. 51 sq. et n° 5, p. 62 sqq.

importante querelle avec la papauté[14]. L'abbé de Farfa entretint peut-être des liens avec certains palatins; cela est plus que probable dans le cas de Hilduin: Ingoald lui fut en effet d'une grande aide, en 826, lors de la translation des reliques de saint Sébastien[15]. Reste à justifier la mention de l'abbé de Farfa dans cette prosopographie. En 820, Ingoald reçut une mission en *Francia*, comme cela appert d'une notice de plaid: *preterito anno* (par rapport à 821), *quando fui in servitio domni imperatoris in Francie, suggessi eius excellentie, eo quod …* [16] L'on ignore tout de la raison pour laquelle Ingoald fut appelé en *Francia* pour y exercer le *servitium* en question. Toujours est-il que la présence de l'abbé de Farfa à Aix-la-Chapelle est attestée au 28 avril 820[17]. Ingoald mourut un 26 mars[18], en 830, 831 ou 832[19].

171. INGOBERT[1]
Comte, attesté de 808 à 826

En 808 ou 810[2], Ingobert fut envoyé par Charlemagne auprès de Louis le Pieux pour conduire au nom de l'empereur et de son fils la seconde campagne militaire contre Tortosa[3]. K. F. Werner reconnaît en ce *missus* un proche parent de la première épouse de Louis le Pieux[4]. C'est vraisemblablement le même personnage qui, en 814, fut chargé de mettre de l'ordre à la cour d'Aix-la-Chapelle avant l'arrivée de Louis[5]. On retrouve notre personnage[6] environ trois ans plus tard: par un diplôme de Louis

14 Cf. B.M. 771(746) – un acte faux – et surtout le plaid tenu au Latran en janvier 829: Doc. dipl. Italie, n° 38, p. 118 sqq. Cf. SIMSON, Jahrbücher, tome 1, p. 194; VEHSE, Päpstliche Herrschaft, p. 127 sqq. Cf. également, en 821, un autre procès où Ingoald fut impliqué: Doc. dipl. Italie, n° 32, p. 98 sqq.
15 Odilo, Translatio s. Sebastiani, c. 7, 11 et 15, p. 382 sqq.
16 Doc. dipl. Italie, n° 32, p. 98 sqq. Ingoald soumit à l'empereur l'affaire de Farfa traitée au cours de ce plaid et Louis le Pieux ordonna une enquête.
17 B.M. 716(693) et suivants.
18 Constructio Farfensis, p. 529.
19 On considère généralement qu'Ingoald mourut le 26 mars 830, cf. SCHUSTER, Farfa, p. 421. C'est toutefois en 832 que lui succéda Sichard: Catalogus abbatum Farfensium, p. 586; Annales Farfenses, a. 832, p. 588. SCHUSTER, Farfa, p. 73, s'appuie sur un document faux, B.M. 771(746), pour prouver qu'Ingoald était encore en vie »verso la fine dell'829«. Ce document n'est pas daté, et au cas où il aurait un fondement sincère, il serait plutôt à dater de 823 que de 829, étant donné que Lothaire est censé agir *paternae concordans voluntati et optemperans iussis*, unanimité et concorde reflétant peu la situation de 829, cf. DEPREUX, Empereur, p. 901 sqq. Ingoald est donc attesté pour la dernière fois le 22 juin 829, cf. B.M. 865(836).

1 Seule forme onomastique: *Ingobertus*.
2 La première date est celle proposée par AUZIAS, Sièges, p. 21 sqq., suivi par WOLFF, Evénements de Catalogne, p. 457 sq. La seconde date est celle, classique, proposée par les auteurs des Regesta imperii.
3 Astronomus, Vita, c. 15, p. 614: *Attamen misit ei missum suum Ingobertum, qui filii praesentiam praeferret, et vice amborum contra hostes exercitum duceret.*
4 WERNER, Bedeutende Adelsfamilien, p. 119 note 133: »Ganz offenbar ein naher Verwandter der Irmgard …«
5 Cf. Astronomus, Vita, c. 21, p. 618 – texte cité à la notice n° 108.
6 B. Simson, qui avait proposé de faire des divers Ingobert un seul et même personnage (SIMSON, Jahrbücher, tome 1, p. 14 note 5), revint ensuite sur son interprétation et il jugea préférable de laisser la question ouverte (ABEL, Jahrbücher, tome 2, p. 448 note 2). Je préfère identifier les différents Ingobert avec le *missus* de 810 – mais ceci n'est qu'une hypothèse de travail. En faveur d'un unique

le Pieux du 20 novembre 817, nous apprenons qu'il fut envoyé en qualité de *missus* pour étudier la requête de l'évêque de Tournai concernant une donation visant à l'extension de la *claustra canonicorum*[7]. En 825, il est attesté comme *missus* dans la province ecclésiastique de Rouen[8]. L'année suivante, on le retrouve à Rome avec l'abbé Hilduin[9]. Il ne fait point de doute que notre comte fut un personnage de grand prestige, puisqu'il disposait d'une influence certaine sur le pape[10].

172.   IRMINON[1]

Abbé, attesté à partir de 811[2] et jusqu'en 823

L'abbé de Saint-Germain-des-Prés, Irminon[3], avant tout célèbre pour son polyptique[4], bénéficia sous Charlemagne d'un prestige certain: en 811, il fit partie des témoins cités dans le testament de l'empereur[5]. En 814, Irminon accueillit Louis le Pieux lors de son passage à Paris, alors qu'il se rendait à Aix-la-Chapelle suite à la mort de son père[6]. Le 30 août 816 à Aix, Louis le Pieux fit une donation à Saint-Germain-des-Prés[7]; l'on peut donc en conclure qu'Irminon participa au plaid réformateur de cet été[8]. Enfin, par un diplôme de Louis le Pieux du 20 novembre 817, nous apprenons qu'Irminon fut envoyé en qualité de *missus* pour étudier la requête de l'évêque de Tournai concernant une donation visant à l'extension de la *claustra cano-*

personnage, il y a le fait que le nom Ingobert (par exception toujours orthographié de la même façon dans les sources!) ne semble pas très courant. Il est par exemple absent du Liber memorialis de la Reichenau; on y compte en tout dix occurrences de noms de la même racine (Verbrüderungsbuch Reichenau, i68: ing-berht, p. 115). Il est également absent des sources de Fulda, cf. Klostergemeinschaft von Fulda, tome 3 (les occurrences de ce nom devraient se trouver à la p. 258). E. Mühlbacher, dans Dipl. inédits (Aquilée), p. 267 note 5, a rejeté toute possibilité d'une identité avec le fils du lombard Aio. Il ajoute, en se référant à E. Förstemann: »Der Name Ingobert kein seltener«. Certes Förstemann, Personennamen, col. 961, présente une dizaine de variantes de ce nom; mais comme je l'ai déjà dit, ce qui frappe (en dépit de la prudence dont on doit faire preuve à ce propos), c'est la constance avec laquelle, dans le cas présent, il est orthographié.

7 Cf. B.M. 658(644) – texte cité à la notice n° 139.

8 Commemoratio, c. 1, p. 308: *Rothomagum Willibertus archiepiscopus et Ingobertus comes.*

9 Cf. la notice n° 157.

10 Odilo, Translatio s. Sebastiani, c. 10, p. 384: *etenim erat praepotens et in omnibus apud summum antistitem valens, isque venerabili Hilduino abbati amicissimus existens.*

1 Formes onomastiques: *Irmino, Hirmino, Irmio.*

2 Son prédécesseur, Radbert, est attesté pour la dernière fois le 27 mai 794 (Doc. dipl. Saint-Germain [bis], n° 24, p. 38) et non en 790 (comme le croyait A. Longnon, Polyptique de Saint-Germain, tome 1, p. 2). Etant donné qu'il décéda peut-être un 22 février, si l'on accepte l'identification avec l'abbé Frotbert (Obituaires de Sens, tome 1, p. 252), Irminon ne peut pas être devenu abbé avant la fin de février 795.

3 Cf. Polyptique de Saint-Germain, Introduction, p. 2 sqq., qui cite B. Guérard; Brunner, Oppositionelle Gruppen, p. 78.

4 Polyptique de Saint-Germain, Texte. Cf. notamment Durliat, Impôt pour l'armée; contra: Devroey, Polyptiques et fiscalité. Cf. également: Durliat, Manse.

5 Einhardus, Vita Karoli, c. 33, p. 100.

6 Ermoldus, Elegiacum carmen, lib. II, v. 798 sq., p. 62.

7 B.M. 628(608), acte à l'authenticité douteuse.

8 B.M. 622(602)a.

nicorum[9]. D'après les Annales s. Germani à la chronologie cependant peu sûre, Hilduin aurait succédé à Irminon en 826 à la tête de Saint-Germain[10]; on peut donc éventuellement supposer qu'Irminon mourut vers cette époque[11].

173.   ISEMBARD[1]
Attesté de 801 à 809

En 801, Isembard participa au siège de Barcelone[2]. En 804 ou 809[3], il prit part à la première expédition militaire contre Tortosa (il fit partie de la troupe chargée de prendre Tortosa à revers et de piller le pays)[4] et en 809 ou 811, il participa également au siège de la cité[5]. Bien qu'il ne soit mentionné avec aucun titre, Isembard fut vraisemblablement comte[6]. On a voulu identifier ce personnage avec le comte de Thurgau[7], mais cela est peu vraisemblable[8]. Un vassal homonyme est attesté entre 814 et 825[9]. Rien ne permet cependant de l'identifier avec notre personnage.

174.   ISEMBERT[1]
Chapelain, attesté en 827

Le chapelain Isembert est attesté par la notice du plaid tenu à Contenasco en mai 827: il siégea en compagnie de l'évêque Claude de Turin au tribunal présidé par le comte Ratpert, agissant au nom du *missus* impérial, le comte Boson[2]. Rien ne permet de sa-

---

9 B.M. 658(644) – texte cité à la notice n° 139.
10 Annales s. Germani, p. 167. B.M. 683(663), qui attesterait de l'abbatiat de Hilduin à Saint-Germain dès le 25 février 819, est un faux. Ce n'est qu'à partir du 13 janvier 829 que Hilduin est attesté avec certitude comme abbé: B.M. 857(833). Comme le notait déjà B. GUÉRARD (Polyptique de Saint-Germain, Introduction, p. 4), Irminon est encore attesté en 823: *Regnante Ludovico serenissimo imperatore, anno X, tempore domni Irminonis abbatis sancti Germani* … (Fragmenta I, 2 = Polyptique de Saint-Germain, Texte, p. 363).
11 Quoi qu'il en soit, Irminon mourut un 30 avril, cf. Obituaires de Sens, tome 1, p. 259.

1 Formes onomastiques: *Isembardus, Hisimbard*.
2 Ermoldus, Elegiacum carmen, lib. I, v. 310, p. 28.
3 La première date est celle proposée par AUZIAS, Sièges, p. 21 sqq., suivi par WOLFF, Evénements de Catalogne, p. 457 sq. La seconde date est celle, classique, proposée par les auteurs des Regesta imperii.
4 Astronomus, Vita, c. 14, p. 613.
5 Astronomus, Vita, c. 16, p. 615.
6 Il est cité parmi les *duces* dans Ermoldus, Elegiacum carmen, lib. I, v. 307 sqq., p. 28.
7 Par exemple: AUZIAS, Aquitaine, p. 49 note 32 (à la p. 50).
8 BORGOLTE, Grafen Alemanniens, p. 156: »wegen der Altersverhältnisse erscheint diese Annahme unwahrscheinlich«. Sur ce personnage, cf. ibid., p. 150 sqq.
9 B.M. 800(776).

1 Seule forme onomastique: *Isemberto*.
2 Doc. dipl. Italie, n° 37, p. 113 sqq.: … *Isemberto capellanus domni imperatoris* …

voir précisément s'il s'agit d'un chapelain attaché à la cour de Pavie ou d'un chapelain de Louis le Pieux[3].

175.   JASTON[1]

Comte du Palais[2], attesté en 827

Le comte du Palais Jaston n'est attesté que par un seul diplôme de Louis le Pieux, datant du 25 mai 827: Jaston fut chargé d'enquêter concernant un différend entre l'abbé de Stavelot-Malmédy et l'*actor* du fisc impérial de Theux[3] (*Tectis*), Albric, concernant une forêt[4].

176.   JEAN[1]

Archevêque d'Arles[2], attesté de 811 à octobre 816[3]

L'archevêque d'Arles, Jean, qui figure parmi les témoins du testament de Charlemagne (811)[4], est attesté en 812 en tant que *missus* de cet empereur[5]: il jouait alors le rôle d'intermédiaire entre Charlemagne et son fils Louis[6]. En mai 813, il co-présida avec Nibride de Narbonne le concile tenu en Arles[7]. Sous Louis le Pieux, Jean jouit également d'un prestige certain, puisqu'il fut chargé, au début d'octobre 816, d'accueillir le pape lors de sa venue à Reims[8]. Quelque temps auparavant, Jean avait été envoyé

---

3 SIMSON, Jahrbücher, tome 2, p. 251 sq., semble le compter parmi les chapelains de Louis le Pieux. FLECKENSTEIN, Hofkapelle 1, p. 61, l'identifie explicitement comme chapelain de Louis le Pieux.

1 Seule forme onomastique: *Jasto*.
2 Cf. MEYER, Pfalzgrafen, p. 460.
3 Province de Liège, arr. Verviers.
4 B.M. 841(815), éd. Vet. script. ampl. collectio, tome 2, col. 24 sq. (à la col. 25): *Nos quoque hujus contentionis & seditionis qualitatem cognoscere volentes, misimus duos ex fidelibus nostris Jastonem videlicet comitem palatii nostri & Wirnium magistrum parvulorum nostrorum, ut eum locum de qua hujus contentionis intentio agebatur, inspicerent, & per circummanentes utriusque partis rei veritatem inquirerent, qui reversi renuntiaverunt nobis, quod ...*

1 Seule forme onomastique: *Iohannes*.
2 Cf. DUCHESNE, Fastes, tome 1, p. 253.
3 Son successeur est attesté pour la première fois au début de janvier 825, cf. DUCHESNE, Fastes, tome 1, p. 253 sq.
4 Einhardus, Vita Karoli, c. 33, p. 100.
5 Praeceptum pro Hispanis.
6 Ibid.: *Quamobrem iussimus Iohanne archiepiscopo misso nostro, ut ad dilectum filium nostrum Lodoicum regem veniret et hanc causam ei per ordinem recitaret.*
7 Concilium Arelatense, p. 249. Le mois suivant, il souscrivit le testament de Dadila, cf. Doc. dipl. Languedoc, n° 24, col. 81 sqq.
8 Cf. Astronomus, Vita, c. 26, p. 620 – texte cité à la notice n° 151.

par Louis le Pieux à Ravenne et à Rome, pour essayer, en tant que *missus* impérial, de régler un conflit entre le pape Léon III[9] et l'archevêque de Ravenne, Martin[10].

177. JÉRÉMIE[1]

Archevêque de Sens[2], attesté à partir de 822[3] – mort le 7 décembre 828

Jérémie est attesté pour la première fois comme archevêque de Sens par un diplôme de Louis le Pieux du 18 mai 822[4]. L'on considère qu'il s'agit de l'ancien (archi)chancelier de Charlemagne, attesté par un seul diplôme[5], le 9 mai 813[6]. On a quelques traces du rôle d'évêque métropolitain que remplit Jérémie, qui fut également consulté par Amalaire de Metz sur la manière d'orthographier le nom de Jésus[7]: ainsi le voiton procéder à l'ordination de l'évêque Angelelme d'Auxerre[8]; il donna également son accord à l'évêque d'Orléans, Jonas, concernant l'octroi du privilège de liberté d'élection abbatiale à Saint-Mesmin[9]. Une lettre illustre aussi son activité de gestionnaire[10]. En 825[11], Jérémie est attesté comme *missus* de l'empereur dans sa province de Sens; le comte Donat[12] lui était adjoint[13]. Peu après le début du mois de décem-

---

9 Cette mission date donc d'avant juin 816, cf. GAMS, Series, p. II. Quant à Martin, il fut archevêque de Ravenne de 810 à 817, cf. GAMS, Series, p. 717. SIMSON, Jahrbücher, tome 1, p. 61, signale cette mission à l'année 815.

10 Agnellus, Liber pont. eccl. Ravennatis, c. 169, p. 387: *Non post multum tempus iratus Leo papa cum Martinum antistitem, misit legatum suum Franciam ad Lodovicum imperatorem, volens cuntra praedictum Martinum agere pontificem. Tunc Lodovicus imperator cunsensit voluntati eius et misit Iohannem Arelatensem episcopum, praecipiens illi, ut iret cum Martino pontifice Romam et ageret cum Leone papa* ... Un peu plus loin dans le texte, Jean est qualifié de *legatus imperatoris* et sa mission est désignée comme une *legatio*. Etant donné la mauvaise volonté de Martin, qui refusa de se rendre à Rome en prétextant son état de santé, Jean ne put accomplir sa mission. Sur les rapports entre le pape et l'évêque de Ravenne, cf. BROWN, Ravenna Perspective.

1 Formes onomastiques: *Hieremias, Ieremias*.

2 Cf. DUCHESNE, Fastes, tome 2, p. 416 sq.

3 Son prédécesseur, Magne, est attesté pour la dernière fois en 817, cf. DUCHESNE, Fastes, tome 2, p. 416.

4 B.M. 756(731).

5 Dipl. Karol. 1, n° 218, p. 290 sqq.

6 Cf. SICKEL, Acta regum, tome 1, p. 85; BRESSLAU, Urkundenlehre, tome 1, p. 384; ABEL, Jahrbücher, tome 2, p. 547. Aucune preuve certaine de l'identité de l'(archi)chancelier et de l'archevêque ne peut cependant être alléguée.

7 Amalarius, Epistolae, n° 8, p. 259 sq.

8 Gesta episc. Autisiodorensium, c. 35, p. 396: *Sane, decedente Aaron pontifice, Ieremias Senonensis archiepiscopus iussu Karoli imperatoris Autissiodorum veniens, in aecclesia sancti Germani cleri et populi collegit cetum; ibi, generali consensu accedente, hic idem Angelelmus ab omnibus electus est et episcopus ordinatus.* Nous ne sommes bien évidemment pas sous le règne de Charlemagne, mais sous celui de Louis le Pieux. Cf. DUCHESNE, Fastes, tome 2, p. 445.

9 B.M. 825(800).

10 Frotharius, Epistolae, n° 8, p. 281 sq.

11 SIMSON, Jahrbücher, tome 1, p. 235, a voulu faire participer Jérémie au plaid tenu à Aix-la-Chapelle en mai 825, B.M. 794(769)c. La preuve qu'il cite à l'appui ne peut pas être prise en considération: en effet, il cite SICKEL, L. 213 = B.M. 829(770), un diplôme du 9 mai 826, et non de mai 825.

12 Cf. la notice n° 74.

13 Commemoratio, c. 1, p. 308.

bre de cette année[14], l'archevêque fut envoyé par Louis le Pieux auprès du pape pour lui soumettre les travaux des Pères du concile de Paris[15] sur le culte des images[16]. La lettre que l'empereur adressa à ses deux légats, Jérémie et Jonas[17], est de premier intérêt: elle montre en effet sur le vif comment le souverain pouvait recommander, en un cas bien concret, la diplomatie à ses envoyés[18]. Jérémie dut être de retour avant le 9 mai 826, jour où sa présence à la cour est attestée[19]. Il mourut le 7 décembre 828[20].

178. JONAS[1]
Evêque d'Orléans[2], attesté de 818 à 840/841[3]

Jonas est assurément l'une des figures les plus célèbres du règne de Louis le Pieux. L'évêque d'Orléans est avant tout connu pour ses traités[4] – miroir du prince, dédié au roi Pépin d'Aquitaine[5], et miroir des laïcs, dédié au comte Matfrid d'Orléans[6]. Jonas est attesté pour la première fois durant l'été 818, quand il accueillit Louis le Pieux en sa cité d'Orléans alors que l'empereur se rendait en Bretagne[7]. En décembre 825, Jonas fut envoyé par Louis le Pieux auprès du pape pour lui soumettre les travaux des Pères du concile de Paris sur le culte des images[8]. Il put certainement rendre compte

14 Après le 6 décembre 825, date à laquelle Halitgaire et Amalaire présentèrent à Louis le Pieux les travaux des Pères du concile de Paris.
15 Sur cette assemblée, cf. HARTMANN, Synoden, p. 168 sqq.
16 B.M. 819(795) = Concilium Parisiense, p. 534.
17 Cf. la notice n° 178.
18 B.M. 818(794) = Concilium Parisiense, p. 533.
19 B.M. 829(770).
20 L'auteur des Annales s. Columbae, p. 103, date sa mort de 829 (*Ieremias Senonicae ecclesiae archiepiscopus diem obiit 7. Idus Decemb.*), ce qui est impossible, puisque le siège de Sens était vacant à la fin de l'année 828 (Constitutio de synodis, p. 2). Il faut donc corriger 829 en 828.

1 Seule forme onomastique: *Ionas*.
2 Cf. DUCHESNE, Fastes, tome 2, p. 459; REVIRON, Jonas, p. 23 sqq.
3 Cf. la datation de la lettre n° 24 de Loup de Ferrières (Lupus, Correspondance, tome 1, p. 114 sqq.). »C'est sur cette lettre, et sur elle seule, que l'on se fondait pour faire vivre Jonas jusqu'en 843« (LEVILLAIN, Lettres, p. 499 note 2).
4 Cf. REVIRON, Jonas, p. 37 sqq.; SCHARF, Studien, p. 353 sqq.; ROUCHE, Miroirs des princes. Jonas composa, sur l'ordre de Louis le Pieux, un traité sur le culte des images, dédié à Charles (le Chauve), pour condamner les thèses de Claude de Turin. Cf. Epistolae variorum 2, n° 32, p. 353 sqq. A ce propos, cf. Hugo, Historia, lib. 6, p. 364. Il composa également une Vie de saint Hubert à la demande de Walcaud, l'évêque de Liège: Jonas, Vita sancti Huberti, p. 806 (= Epistolae variorum 2, n° 30 p. 347 sqq.). D'autre part, Amalaire le consulta sur la manière d'abréger le nom de Jésus: Amalarius, Epistolae, n° 8a, p. 260. Sur les convictions de Jonas, cf. DELARUELLE, En relisant.
5 Cf. Epistolae variorum 2, n° 31, p. 349 sqq. Jonas, De institutione regia. Sur les sources dont Jonas a pu disposer, cf. WILMART, Admonition.
6 Cf. Epistolae variorum 2, n° 29, p. 346 sq. Jonas, De institutione laicali.
7 Ermoldus, Elegiacum carmen, lib. III, v. 1532 sqq., p. 118.

de sa mission à l'empereur en février 826, comme le laisse penser un diplôme donné à Aix-la-Chapelle le 17 février[9] – à cette époque, Pépin se trouvait à la cour de son père[10]. En juin 829, Jonas participa au concile tenu à Paris[11]; de même, il prit part en 832 à l'assemblée chargée d'introduire la réforme monastique à Saint-Denis[12]. L'on ignore quelle fut l'attitude de Jonas lors de la déposition de Louis le Pieux. Il joua certainement la carte de la fidélité, puisqu'il recut l'ordre d'Eudes, comte d'Orléans, de participer au combat, en 834, contre Matfrid et Lambert[13]. Et en mars 835, il participa à l'assemblée de Thionville au cours de laquelle Ebbon fut déposé[14]. A une date indéterminée, Jonas reçut mission d'enquêter en tant que *missus* de l'empereur concernant une restitution à l'abbaye de Fleury[15]. Le diplôme qui nous apprend cela date de l'été 835, mais je suppose que l'action remontait à plusieurs années auparavant[16]. En 838, l'évêque d'Orléans dut veiller à ce que les ornements et livres que les moines de Saint-Calais avaient emportés lors de leur départ fussent restitués[17]. Il participa d'ailleurs tant à l'assemblée judiciaire tenue à la fin d'avril 838 à Aix-la-Chapelle[18] qu'au concile assemblé en septembre de la même année à Quierzy-sur-Oise[19]. Enfin, dans les Miracles de saint Benoît, il est fait mention de Jonas en tant que *missus a latere regis* à une date indéterminée[20], à propos d'un procès entre Saint-Denis et l'abbaye de Fleury[21]. Il faut reconnaître Louis le Pieux dans le »roi« en question.

8 Il fut envoyé avec l'archevêque de Sens, Jérémie. Cf. Concilium Parisiense, p. 533 = B.M. 818(794), et Concilium Parisiense, p. 534 sq. = B.M. 819(795). Sur la mission de Jonas, cf. McCormick, Textes, p. 148 sqq.

9 B.M. 825(800), éd. Recueil des hist. 6, n° 132, p. 544 sq. (à la p. 544) – diplôme pour Saint-Mesmin: … *postulavit nobis vir venerabilis Jonas Aurelianensis ecclesiae episcopus, ut privilegium, quod … circa cellam sancti Maximini quae est juris episcopii sui, cum conniventia metropolitani sui Iheremiae archiepiscopi et canonicorum ecclesiae, cui Deo largiente ministrat, nuper fecerat vel firmaverat, nostra auctoritate imperiali confirmaremus.*

10 B.M. 824(799)a.

11 Cf. Doc. dipl. Paris, n° 35, p. 49 sqq. On a même supposé que Jonas fut l'auteur des actes de ce concile, cf. Scharf, Studien, p. 371 sqq.

12 Constitutio de partitione, p. 694.

13 Adrevaldus, Miracula, c. 20, p. 48: *Coeperat, eo in tempore, expeditionem parare, viribus undecumque contractis, adversum Lambertum atque Matfdridum sociosque eorum, Neustriae partibus residentes, qui ab imperatore ad Lotharium defecerant.*

14 Concilium ad Theodonis villam, p. 703, n° 10.

15 B.M. 947(916), diplôme du 24 août 835 – texte cité à la notice n° 164.

16 Je m'en explique à la notice n° 164.

17 B.M. 975(944) – texte cité à la notice n° 144. D'autre part, le nom de Jonas apparaît parmi les souscripteurs de l'une des chartes d'Aldric du Mans du 1er avril 837, mais de manière curieuse, seulement dans une seule de ces chartes (Gesta Aldrici, p. 85 – et pas p. 95!).

18 Concilium Carisiacense (bis), p. 846, n° 18.

19 Ibid., p. 850, n° 17.

20 Cf. Adrevaldus, Miracula, c. 25, p. 56 sq. – texte cité à la notice n° 74.

21 Cf. Schmitz, Kapitulariengesetzgebung, p. 504 sqq.

179.   **JOSEPH**[1] **(I)**
                          Evêque[2], attesté en 829

L'évêque Joseph est attesté comme *missus* de Louis le Pieux en Italie en janvier 829: il présida un plaid à Rome en présence du pape, où il rendit un jugement en faveur de l'abbaye de Farfa[3]. Peut-être cet évêque était-il identique avec le Josippus que Lothaire envoya avec l'ex-huissier Richard auprès de Louis le Pieux, lors des négociations de mai 839 à Worms[4]. Au printemps 842, il était encore partisan de Lothaire[5].

180.   **JOSEPH**[1] **(II)**
                          Notaire, attesté en 816

Le notaire Joseph[2] n'est attesté que par un diplôme de Louis le Pieux donné à Aix-la-Chapelle le 1er janvier 816 en faveur d'un particulier et dont il fit la recognition[3]. Ce notaire n'est pas identique avec les autres personnages du même nom attestés à la cour sous d'autres règnes[4].

---

1 Seule forme onomastique: *Ioseph*.
2 L'on ignore son siège.
3 Doc. dipl. Italie, n° 38, p. 118 sqq.: *Dum a pietate domni et a Deo coronati Hludovici magni imperatoris a finibus Spoletanis seu Romania directi fuissemus nos Ioseph episcopus et Leo comes, missi ipsius augusti singulorum hominum causas audiendas et deliberandas, et coniunxissemus Rome, residentibus nobiscum ibidem in iudicio in palatio Lateranensi … + Ego Ioseph episcopus et missus domni imperatoris in his actis interfui et manu mea subscripsi.* Cf. SIMSON, Jahrbücher, tome 1, p. 227. C'est à tort que TOUBERT, Latium, tome 2, p. 1198, présente Joseph et Léon comme »les envoyés de Lothaire«.
4 Nithardus, Historia, lib. I, c. 7, p. 30.
5 Nithardus, Historia, lib. IV, c. 3, p. 124.

1 Seule forme onomastique: *Ioseph*.
2 SICKEL, Acta regum, tome 1, p. 88; BRESSLAU, Urkundenlehre, tome 1, p. 386.
3 B.M. 603(583). Louis le Pieux autorisa son *servus*, le prêtre Engilbert, à donner ses biens à la Reichenau. DICKAU, Kanzlei, 2ᵉ partie, p. 96 sqq. rejette ce document comme faux (sur la prudence avec laquelle on doit considérer cette analyse, cf. DEPREUX, Kanzlei, p. 154 sq.). O. Dickau ne prend donc pas en compte le notaire Joseph.
4 Il ne peut pas s'agir de l'élève d'Alcuin (sur ce personnage, cf. FLECKENSTEIN, Hofkapelle 1, p. 59 note 105) identifié avec le poète Joseph Scott (cf. BRUNHÖLZL, Geschichte, p. 286 sq.), puisqu'il mourut avant son maître (cf. Alcuinus, Epistolae, n° 14, p. 40, et surtout n° 77, p. 118 sq.), c'est-à-dire avant 804. D'autre part, la Revelatio et translatio corporis s. Austremonii connaît un Joseph dit *apocrisiarius* (!) de Pépin le Bref (Acta Sanctorum, Novembre, tome 1, p. 79 F), qui relève de la fiction, cf. LEVILLAIN, Translation. Il ne peut également pas être question du Joseph qui écrit de lui: *peccator sacerdos, omniumque servorum Christi ultimus, quondam autem Aquitanorum regis cancellarius, nunc inclytii regis Hludovici liberalium litterarum etsi immeritus praeceptor, atque ejus sacri palatii cancellariorum ministrio functus,* car il poursuit: *olim studiis litterarum Turonis sub eruditione Amalarici Turonensis archiepiscopi eruditus cum Paulo Rotomagensi archiepiscopo* … (Acta Sanctorum, Mai, tome 3, p. 615 C; cité par WAITZ, Verfassungsgeschichte, tome 3, p. 537 note 2 – à la p. 538); or, Amalric devint archevêque entre 850 et 853 et il est attesté jusqu'en 855 (DUCHESNE, Fastes, tome 2, p. 308).

181.   **JUDITH**[1]

Seconde épouse de Louis le Pieux, attestée à partir de 819 – morte en 843

Judith, la fille du comte Welf[2], fut la seconde épouse de Louis le Pieux. L'empereur la choisit à l'occasion d'un concours de beauté, adoptant ainsi un usage byzantin[3], et c'est en 819 que leur mariage eut lieu[4]; la nouvelle impératrice s'avérait une amie des lettres[5]. Le rôle de Judith jusqu'en 829 a été récemment analysé[6]. Il convient, dans le cadre de la présente enquête, de rappeler les grandes lignes de l'action de Judith et d'étudier dans le détail comment s'exerça son influence. Rappelons d'emblée qu'elle fit profiter les siens de sa promotion[7]; pour ce qui touche à la cour, elle y fit vraisemblablement venir ses frères, Conrad et Raoul, à l'occasion de son mariage ou peu après[8]. Judith donna deux enfants à Louis le Pieux: Gisèle et Charles (le Chauve)[9]. Charles naquit le 12 juin 823, à Francfort[10]. A cette occasion, Judith envoya un anneau à l'archevêque Ebbon, qu'il devrait lui retourner le jour où il aurait besoin de son aide[11]. On a plusieurs témoignages nous montrant Judith à la cour, notamment

1 Formes onomastiques: *Judith*, *Julitta*.
2 Sur sa famille, cf. FLECKENSTEIN, Herkunft der Welfen.
3 Cf. KONECNY, Eherecht, p. 14. Autre analyse – qui n'est d'ailleurs pas incompatible avec la première – chez WARD, Caesar's Wife, p. 208: »There may be a link here between Judith's eastern origins and the specific recruitment of Alammanians and Bavarians to fight Liudewit. The emperor may have sought an alliance with Welf's daughter in order to secure support for campaigns on the eastern frontier«.
4 Annales regni Franc., a. 819, p. 150: *Quo peracto imperator inspectis plerisque nobilium filiabus Huelpi comitis filiam nomine Iudith duxit uxorem*; Astronomus, Vita, c. 32, p. 624: *Qua tempestate monitu suorum uxoriam meditabatur inire copulam; timebatur enim a multis, ne regni vellet relinquere gubernacula. Tandemque eorum voluntati satisfaciens, et undecumque adductas procerum filias inspitiens, Iudith, filiam Welponis nobilissimi comitis, in matrimonium iunxit*; Theganus, Vita, c. 26, p. 596: *Sequenti vero anno accepit filiam Hwelfi ducis sui, qui erat de nobilissima progenie Bawariorum, et nomen virginis Iudith, quae erat ex parte matris, cuius nomen Eigilwi, nobilissimi, generis Saxonici, eamque reginam constituit. Erat enim pulchra valde.*
5 Walafrid Strabon, notamment, lui dédia plusieurs poèmes (cf. Walahfridus, Carmina, n° 23a, p. 378 sq.; n° 24, p. 379 sq.; n° 26, p. 382). A ce propos, cf. BEZOLD, Kaiserin. Cf. également Freculphus, Chronicon, col. 1115 B et col. 1258 B.
6 Cf. WARD, Caesar's Wife. Par la césure adoptée, l'auteur fausse l'image de Judith en voulant nous en présenter un portrait exclusivement avantageux, passant sous silence l'acharnement avec lequel la seconde épouse de Louis le Pieux défendit les intérêts de Charles (le Chauve).
7 Cf. WARD, Caesar's Wife, p. 214 sq. La mère de Judith devint abbesse de Chelles, cf. Translatio s. Baltechildis, lect. 1, p. 284. Sur le mariage de la soeur de Judith avec Louis le Germanique, cf. la notice n° 192.
8 Cf. les notices n° 67 et n° 224.
9 Cf. Witgerus, Genealogia Arnulfi, p. 303. Nithardus, Historia, lib. I, c. 2, p. 8, ne retient que la naissance d'importance: celle de Charles.
10 Cf. B.M. 773(748)a.
11 Ebbon en fit usage après le rétablissement de Louis le Pieux, au début de 834, alors que lui-même devait être jugé. Il attendait de Judith qu'elle intercédât pour qu'on ne le condamnât pas trop sévèrement. Cf. Carolus, De causa Ebbonis, p. 558: *Ebbo autem omni temporali privatus subsidio, omnique humano destitutus solatio, tempori consulens, accersito quodam recluso, nomine Framegaudo, misit per eum genitrici nostrae Judith gloriosae imperatrici annulum, quem ab ea quondam acceperat, quem etiam, quotiescunque aliquo tangebatur incommodo, mittere solebat, et ut sui misereretur flebiliter peroravit. Eumdem vero annulum genitrix nostra in ipso nostrae nativitatis articulo, quia archiepiscopus erat, pro sua religione et sanctitate, ut nostri jugiter in suis orationibus memor esset, ei*

en 826 à Ingelheim, lors du baptême du Danois Harold: Louis le Pieux fut son parrain et Judith, la marraine de sa femme[12]. L'épouse de Louis le Pieux était escortée, dans le cortège, par les comtes Hugues (I) et Matfrid[13]. Mais c'est un portrait plus intime qu'en présente, trois ans plus tard, Walafrid Strabon: la voici cette fois avec le jeune Charles à ses côtés, la mère et le fils étant comparés à Rachel et Benjamin[14]. On la voit également à Aix-la-Chapelle en avril 828, lorsque les reliques des saints Marcellin et Pierre furent offertes à sa vénération; elle fit alors don de sa ceinture[15]. En revanche, elle n'accompagnait pas Louis en campagne. Elle dut par exemple attendre à Rouen son retour de l'expédition bretonne de 824[16]. De même, elle resta à Aix-la-Chapelle lorsqu'en mars 830, Louis se mit de nouveau en route pour la Bretagne[17].

Judith fut l'une des principales cibles des instigateurs de la révolte de 830[18]. Elle chercha refuge à Laon[19], mais elle fut arrêtée. Après qu'on tenta de faire pression sur Judith afin qu'elle incitât Louis à abdiquer[20], on lui imposa le voile[21] et elle fut envoyée en résidence surveillée à Sainte-Croix de Poitiers[22], après avoir été jugée[23]. Il

miserat. Tunc ipsa horum reminiscens, ejusque lacrymabilia suspiria agnoscens, pio suasu apud episcopos, qui illuc convenerant, obtinere curavit, quatenus et imperatoris animum satisfaciendo lenirent, et leges divinas transgrediendo non violarent, ne forte vindictam severitatis exercentes in eum qui in eos deliquerat, non viderentur dignam Deo reddere vicissitudinem, qui eos tanto periculo misericorditer liberaverat. Statuerat enim animo, ut pro reverentia tanti ministerii nullatenus in depositionem cujusquam episcopi praeberet assensum. Et ob hoc apud pium imperatorem obtinuit ne in ejus depositionem amplius impelleret, quod et secundum moderatissimum ejusdem genitricis nostrae gloriosae imperatricis consilium satisfacerent piissimo imperatori, et in eumdem Ebbonem non aliam sententiam intulissent, nisi quam ipse scripto ediderat. Doit-on conclure du fait que Judith envoya cet anneau à Ebbon »parce qu'il était archevêque« qu'il en fut ainsi pour tous les évêques métropolitains?

12 Theganus, Vita, c. 33, p. 597.

13 Ermoldus, Elegiacum carmen, lib. IV, v. 2302 sqq., p. 176. Cf. les notices n° 164 et n° 199.

14 Walahfridus, Carmina, n° 23, p. 370 sqq., ici p. 375 v. 174 sqq. Le pseudonyme donné à Judith par Paschase Radbert, Justine, est beaucoup moins élogieux, cf. GANZ, Epitaphium, p. 541.

15 Einhardus, Translatio, II, 6, p. 247.

16 Annales regni Franc., a. 824, p. 165. Grâce à deux lettres, on voit les mesures prises à l'occasion des voyages de l'impératrice, en l'occurrence à Tours: cf. Einhardus, Epistolae, n° 21 et 22, p. 120 sq. (ces lettres sont datées habituellement de novembre 832).

17 Annales Bertiniani, a. 830, p. 1.

18 Theganus, Vita, c. 36, p. 597: *Dixerunt Iudith reginam violatam esse a quodam duce Bernhardo ... mentientes omnia; suscipientes reginam Iudith, eamque vi velantes et in monasterium mittentes, et fratres eius Chuonradum et Ruodolfum tondentes et in monasterio mittentes.*

19 Astronomus, Vita, c. 44, p. 633: *At vero imperator, ut eorum conspirationem contra se et uxorem Bernhardumque obstinatissime comperit feraliter armatam, Berhardum quidem fugae praesidio se committere permisit, uxorem autem Lauduni esse, et in monasterio sanctae Mariae consistere voluit; ipse autem Conpendium venit.*

20 Ibid.: *Porro hi qui cum Pippino Werimbriam venerunt, misso Werino et Lantberto aliisque quam plurimis, Iudith reginam, ex civitate monasteriique basilica eductam, ad se usque perduci fecerunt; quam adeo usque intentata post diversi generis poenas morte adegerunt, ut promitteret se, si copia daretur cum imperatore loquendi, persuasurum, quatenus imperator abiectis armis comisque recisis monasterio sese conferret; se etiam inposito velo capiti itidem facturam ...*

21 Outre les sources citées aux notes précédentes et à la note suivante, cf. Nithardus, Historia, lib. I, c. 3, p. 10.

22 Annales Bertiniani, a. 830, p. 2. Cf. LABANDE-MAILFERT, Débuts de Sainte-Croix, p. 84 sq.

23 En effet, à ce qu'il semble, Judith fut jugée lors du plaid de Compiègne et l'on força Louis le Pieux à confirmer la sentence s'il voulait conserver le trône. Cf. Paschasius, Epitaphium, p. 73: *Femine quoque huic, quam adiudicastis, quia mea est in illa ultio, iuxta communes leges, sicut deposcitis, vitam concedo, ita tamen ut sub sacro velamine deinceps degeat, et poenitentiam gerat.*

est inutile de s'appesantir ici sur les calomnies dont on usa contre Judith[24]. Notons cependant qu'on l'accusa d'adultère avec le chambrier, Bernard[25]. Or, l'on sait que par leurs fonctions, la reine et le chambrier devaient travailler en étroite collaboration[26]. Le retour de Judith à la cour fut décidé lors du plaid tenu en octobre 830 à Nimègue[27]. C'est à l'occasion du plaid tenu en février 831 à Aix-la-Chapelle qu'elle regagna la cour et se purifia des accusations portées contre elle[28]. En juin 833, Judith

24 Dans un tissu de fariboles, Odbertus, Passio Frederici, c. 9 à 12, p. 347 sqq., résume à merveille la fort mauvaise presse de Judith. Il me semble important de souligner ici l'intérêt de deux lettres de Raban Maur à Judith, par lesquelles il dédia et offrit à l'impératrice ses commentaires du Livre de Judith et du Livre d'Esther (Hrabanus, Epistolae, n° 17a et 17b, p. 420 sqq.). Ces lettres furent écrites peu après une victoire de l'impératrice Judith sur ses ennemis (lettre 17a, p. 421: *vestra nunc laudabilis prudentia, quae iam hostes suos non parva ex parte vicit*). L'éditeur date cette lettre de circa 834, mais il se pourrait que la victoire en question visât la purification de 831. Toujours est-il que Raban adressait sa première lettre *dominae electae et merito magnae pietatis ab omnibus venerandae atque amandae, Iudith Augustae* (lettre 17a, p. 420). Se pourrait-il qu'un homme de l'intégrité de l'abbé de Fulda encensât de la sorte une femme (réputée) adultère? Le début de la lettre est dithyrambique. Mais il faut peut-être lire ici entre les lignes. En effet, Raban écrivit qu'il dédiait à l'épouse de Lous le Pieux ses commentaires de l'histoire de Judith et de celle d'Esther parce qu'elle portait le même nom que la première et avait même rang que la seconde, qui était l'épouse du roi Assuérus, dont le territoire s'étendait de l'Inde à l'Ethiopie. En fait, à lire Raban, il semblerait que Judith fût plus proche d'Esther que de son homonyme. L'abbé de Fulda insistait sur le fait que l'impératrice devait imiter la reine biblique: *Hester quoque similiter reginam, regina, in omni pietatis et sanctitatis actione imitabilem vobis ante oculos cordis semper ponite, quatinus illius sanctitatis meritum adequantes, de terreno regno ad caelestis regni apicem conscendere valeatis* (lettre 17a, p. 421); *Deus omnipotens, qui illius regine mentem ad relevandas populi sui calamitates erexerat, te simili studio laborantem ad eterni regni gaudia perducere dignetur* (lettre 17b, p. 422). On a ainsi une confirmation indirecte de la grande influence de Judith sur Louis le Pieux: elle devait s'en servir pour, à l'instar d'Esther, éviter qu'il ne fût mal conseillé (cf. Est. V sqq.). Quant à Judith, l'impératrice devait essentiellement louer Dieu d'avoir donné à son homonyme une telle vertu qu'elle accomplit l'impossible: *Accipite ergo Iudith omonimam vestram, castitatis exemplar, et triumphali laude perpetuis eam preconiis declarate, ipsumque super omnia benedicite, qui ei talem virtutem tribuit, ut invictum omnibus hominibus vinceret, insuperabilem superaret* (lettre 17a, p. 421). Or, Raban, en incise, observe que Judith fut un modèle de chasteté (*castitatis exemplar*), vertu mise de fait en exergue dans les Ecritures (cf. Jd. X, 3; Jd. XIII, 16; Jd. XVI, 22), bien qu'elle fût *eleganti aspectu nimis* (Jd. VIII, 7) – les deux Judith ont ici un point commun. L'interprétation de cette incise est fort délicate. S'il s'avérait que Raban, en soulignant la chasteté de celle qui tua Holoferne, entendait présenter à l'impératrice un modèle auquel elle n'avait de commun que le nom, peut-être les accusations de 830 avaient-elles quelque fondement. Peut-être y avait-il alors un aspect très concret dans l'exhortation de Raban à imiter ces femmes de l'Histoire sainte: *Quae quidem ob insigne meritum virtutis tam viris quam etiam feminis sunt imitabiles, eo quod spiritales hostes animi vigore, et corporales consilii maturitate vicerunt. Sic et vestra nunc laudabilis prudentia, quae iam hostes suos non parva ex parte vicit, si in bono cepto perseverare atque semetipsam semper meliorare contenderit, cunctos adversarios suos feliciter superabit* (lettre 17a, p. 421). Force est cependant de reconnaître notre impuissance à trancher.
25 Cf. la notice n° 50. Cf. également BÜHRER-THIERRY, Reine adultère.
26 Hincmarus, De ordine palatii, l. 365 sqq., p. 74.
27 Annales Bertiniani, a. 830, p. 3.
28 Annales Bertiniani, a. 831, p. 4; Astronomus, Vita, c. 46, p. 634; Theganus, Vita, c. 37, p. 598.

était au Rotfeld[29]. Elle fut arrêtée[30] et exilée en Italie[31], à Tortone[32]. Les auteurs du coup d'Etat jurèrent cependant qu'ils n'attenteraient pas à la vie de l'impératrice[33]. Dès que Louis fut libéré, on fit également rappeler Judith. Les sources divergent quant à l'identité du responsable de cette décision: l'initiative reviendrait à Louis le Germanique[34], à Louis le Pieux lui-même[35], ou bien aux fidèles de l'empereur qui, spontanément, accompagnèrent Judith en *Francia*[36]. L'impératrice arriva entre le 15 mars et le 5 avril 834 au palais d'Aix-la-Chapelle[37]. On retrouve Judith avec Louis à plusieurs occasions: ainsi les 19–21 novembre 836 au monastère de *Confluentes* (Coblence), où la famille impériale assista à la célébration de l'octave de la translation des reliques de saint Castor[38]; ou encore à l'automne 839 lors de la campagne de Louis le Pieux en Aquitaine[39]. L'empereur célébra le début du carême de l'an 840 avec Judith et Charles, et il les laissa à Poitiers lorsque la nouvelle de la révolte de Louis le Germanique lui imposa son ultime voyage vers le Rhin[40]. Lors des dernières années du règne de Louis le Pieux, Judith oeuvra activement à assurer l'avenir de son fils Charles[41]. Dès 836, l'impératrice et certains conseillers de Louis étaient d'avis qu'en prévision du décès de l'empereur, seule une réconciliation avec Lothaire pouvait assurer l'avenir de Charles et de sa mère[42]. 836 fut donc l'année d'une tentative de rapprochement entre Louis le Pieux et Lothaire[43]. A l'automne 837, Louis le Pieux dota Charles d'une part du royaume[44]. On peut y voir le résultat de l'obstination de Judith et de certains membres du Palais[45]. De même, Judith – qui défendait toujours la même ligne politique – et certains grands furent pour beaucoup dans la réconciliation

29 Astronomus, Vita, c. 48, p. 636.
30 L'annaliste utilise une formule obscure: *Qui miserunt eum in custodiam publicam in Suessionis civitate similiterque coniugem illius* (Annales Xantenses, a. 833, p. 8).
31 Nithardus, Historia, lib. I, c. 4, p. 16; Andreas, Historia, c. 6, p. 225
32 Annales Bertiniani, a. 833, p. 9; Theganus, Vita, c. 42, p. 599.
33 Theganus, Vita, c. 42, p. 599: *Iam tunc separatam habebant uxorem suam ab eo, cum iuramento confirmantes, ut nec ad mortem nec ad debilitationem eam habere desiderarent.*
34 Annales Xantenses, a. 834, p. 9.
35 Theganus, Vita, c. 51, p. 601.
36 Cf. Annales Bertiniani, a. 834, p. 13 – texte cité à la notice n° 55.
37 C'est-à-dire entre le dimanche *Laetare* et la fête de Pâques, cf. Astronomus, Vita, c. 52, p. 638.
38 Theganus, Vita, continuation, p. 603.
39 Annales Bertiniani, a. 839, p. 34 sq.; Astronomus, Vita, c. 61, p. 646. Judith assistait au couronnement de la politique exposée infra (cf. Nithardus, Historia, Lib. I, c. 8, p. 34).
40 Annales Bertiniani, a. 840, p. 36; Astronomus, Vita, c. 62, p. 646.
41 Konecny, Frauen, p. 100 sqq., montre bien que ce désir formait le leitmotiv de l'action politique de Judith.
42 Astronomus, Vita, c. 54, p. 640: *Augusta Iudith cum consiliariis imperatoris initio consilio, eo quod valentia, ut videbatur, imperatoris corpus destitueret, et si mors ingrueret, et sibi et Karoli periculum immineret, nisi aliquem fratrum sibi adsciscerentur, coniectantesque nullum filiorum imperatoris tam convenientem huiusce rei sicut Hlotharium, ortati sunt imperatorem, ut ad eum missos pacificos mitteret, et ad hoc ipsum invitaret.*
43 Annales Bertiniani, a. 836, p. 18 sqq.; Astronomus, Vita, c. 54 sq., p. 640 sq.
44 Annales Bertiniani, a. 837, p. 22.
45 Astronomus, Vita, c. 59, p. 643: *Preterea insistente augusta et ministris palatinis, quandam partem imperii imperator filio suo dilectissimo Karolo Aquis tradidit; sed quia inofficiosa remansit, a nobis quoque silentio premitur.*

de Louis et de Lothaire[46] célébrée en 839 à Worms[47]. Judith ne survécut pas long-temps à Louis le Pieux; elle mourut en 843 et fut inhumée à Saint-Martin de Tours[48].

Jusqu'à présent, l'on s'est attaché à suivre la chronologie de la vie de Judith. Il convient maintenant d'analyser la manière dont elle participa au gouvernement. L'archevêque Ebbon fit appel à elle, en 834, pour qu'elle intercédât en sa faveur[49]. Ce n'est en rien la seule fois où son aide fut sollicitée. Ainsi, au printemps 830, Eginhard s'adres-sa – entre autres[50] – à Judith, qui l'avait convoqué à Compiègne après qu'il reçut de Louis le Pieux la permission de quitter les affaires[51]: Eginhard attendait de Judith qu'elle l'excusât auprès de l'empereur pour son absence[52]. De même, Theuthilde, l'abbesse de Remiremont, eut recours à Judith: elle demanda à l'impératrice d'ordon-ner qu'il ne fût pas exigé de droit de gîte sur les domaines de l'abbaye sis dans le *pagus* de Chalon-sur-Saône[53]. Il est délicat de discerner précisément à quel titre l'abbesse s'adressa à Judith. Bien que Hincmar exclût formellement toute responsabilité de la reine concernant la nourriture, la boisson et l'entretien des chevaux[54], l'on ne peut pas nier qu'elle fut compétente en ce qui concerne la gestion des droits de gîte, d'où l'expression *mansionarii vestri*: en effet, dans le capitulaire De villis, il est interdit à tout *missus* ou légat en mission d'exiger de se faire héberger sur les biens du fisc sans autorisation expresse du roi ou de la reine[55] – c'est, indirectement, la preuve que cet-

---

46 Astronomus, Vita, c. 59, p. 644: *Interea Iudith augusta, consilii quod pridem cum consiliariis aulicis ceterisque regni Francorum nobilibus inierat nequaquam immemor, persuaserunt imperatori, quatinus ad Hlotharium filium suum missos mitteret, qui eum ad patrem invitarent, ea conditione, ut si fratris sui Karoli dilector et adiutor, tutor atque protector esse vellet, veniret ad patrem, et sciret se ab eo omnium perperam gestorum indulgentiam adepturum; simul et medietatem imperii, excepta Baioaria, consecuturum. Quae res tam Hlothario quam suis per omnia utilis visa est.*

47 Annales Bertiniani, a. 839, p. 31 sq.

48 Chronicon Aquitanicum, a. 843, p. 253; Annales Xantenses, a. 843, p. 13; Annales Augienses, a. 843, p. 68.

49 Carolus, De causa Ebbonis, p. 558.

50 Einhardus, Epistolae, n° 14 (lettre à un destinataire inconnu), p. 117.

51 Einhardus, Epistolae, n° 15 (lettre à Louis le Pieux), p. 118: *Memorem esse dominum meum piissi-mum, quomodo mihi licentiam dedistis, ut, quando domina mea ad vos pergeret, tunc ego ad beatorum Christi martyrum servitium faciendum profiscerer. Sic facere volui, sed domina mea iussit me post se ad Compendium venire.*

52 Einhardus, Epistolae, n° 13 (lettre à Judith), p. 116 sq.: *Nunc autem umiliter deprecor pietatem vestram, ut me aput misericordissimum dominum meum, cum ad illum veneritis, excusare dignemini de eo, quod ad vos non veni.*

53 Indicularius Thiathildis, n° 3, p. 526: *Divina annuente gracia gloriosissime domine Iudit imperatrici, prosapie nobilissime progenite sancteque religionis defensatrici semper auguste, Teathildis omnesque relique famule ancti Romarici confessoris cenobio degentes, monasterio siquidem vestro, in Salvatore omnium praesentem mansuramque efflagitant vestre celsitudinis indefective manere gloriam. Denique, quasi vestris sacris vestigiis provolute, praesumimus auribus clemencie vestre necessitudinis nostre causas humiliter innotescere, ut in illis rebus, qui nobis adiacent in territorio Kabillonense, iubeat pietas vestra, ut nullus de mansionariis vestris ibi praesumant dari mansiones, quia valde nobis necesse est, ut mercimonia nostra hactenus ibi exerceantur… Sur les mansionarii*, cf. BRÜHL, Fodrum. Sur la nécessité pour les monastères de s'approvisionner au loin, cf. DEVROEY, Courants et réseaux d'échange; DEVROEY, Mobiles et préoccupations de gestion.

54 Hincmarus, De ordine palatii, l. 360 sqq., p. 74: *De honestate vero palatii seu specialiter ornamento regali nec non et de donis annuis militum, absque cibo et potu vel equis, ad reginam praecipue et sub ipsa ad camerarium pertinebat …*

55 Capitulare de villis, c. 27, p. 85: *Et quando missi vel legatio ad palatium veniunt vel redeunt, nullo modo in curtes dominicas mansionaticas prendant, nisi specialiter iussio nostra aut reginae fuerit.* Il

te dernière pouvait déterminer les limites d'application des *tractoriae*. Dans la lettre de Theuthilde à Judith, Remiremont est également dit *monasterium vestrum*. Il ne me semble pas que les chercheurs se soient intéressés à cette expression appliquée à la reine. Il semblerait cependant que ce fussent surtout les liens avec Louis le Pieux qui primèrent[56]. Le *vester* s'appliquerait-il alors au couple impérial, ou plutôt: à la dignité impériale, la référence à Louis primant sur celle concernant son épouse, qui agissait en son nom? Il me semble indispensable de verser ici une autre pièce au dossier, qui, à mon sens, permet d'éclairer la question sous un nouveau jour en mettant en évidence un aspect jusqu'ici négligé: Judith semble en effet avoir eu part au gouvernement. J'en veux pour preuve une lettre que l'évêque de Toul lui adressa[57]: »Moi, Frothaire, humble évêque, j'informe Votre Clémence, Sérénissime Impératrice, que vos *missi*, c'est-à-dire N.N., ont commis certaines injustices dans notre diocèse, parce qu'ils modifièrent l'ordonnance d'églises à laquelle nous avions procédé selon le règlement ecclésiastique et qu'ils retranchèrent de certaines églises ce qui leur appartenait de manière juste et raisonnable. Et de l'église de celui-là qui est votre prêtre[58], ils prirent la moitié d'un manse et la moitié de sa dîme pour en faire don à un laïc, en opposition aux statuts canoniques, à notre ministère et à notre volonté. Or, nous savons que votre ordre et votre volonté furent qu'ils (fissent preuve de) rectitude et rendissent justice, et n'entreprissent rien qui fût contre le ministère sacré. C'est pourquoi, si votre volonté est que cela soit amendé, donnez-nous mandat, et nous, selon votre précepte, nous corrigerons tout de telle manière qu'en conséquence (ceci vous soit compté comme) un accroissement d'aumône et que votre récompense éternelle soit plus grande. Défendez toujours l'Eglise de Dieu et exaltez la loi ecclésiastique pour que le Seigneur tout-puissant vous défende de tout mal et (vous) conduise dans la félicité à l'exaltation du royaume céleste. Amen«. Il me semble ici patent que les ordres venaient de Judith seule: elle avait pouvoir de dépêcher des *missi* investis de pouvoirs de justice et pouvait, par sa propre volonté, casser leurs décisions. Alors, l'accusation portée par Agobard contre Judith[59] prend une dimension nouvelle. Il n'y a pas lieu de revenir ici sur les accusations de luxure et d'adultère contre cette »Judith inassouvie cocufiant l'Empereur sous son toit« qui ouvrent ce »pamphlet vi-

me semble ici secondaire que la compétence de la reine soit attestée dans le cadre des biens du fisc, des *curtes dominicae*, alors que dans le cas de Remiremont, il s'agit des biens d'un monastère.

56 Cf. HLAWITSCHKA, Klosterverlegung.

57 Frotharius, Epistolae, n° 29, p. 295 sq.: *Innotesco claemenciae vestrae, serenissima imperatrix, ego Frotharius humilis episcopus, quod quasdam iniusticias fecerunt in nostra parrochia missi vestri, id est nom. illis, quia alias ecclaesias a nobis secundum ecclesiasticam dispositionem ordinatas aliter ordinaverunt et abstulerunt de quibusdam ecclesiis hoc, quod ad illas iuste et racionabiliter pertinebat. Sed et de ecclaesia istius presbiteri vestri tulerunt dimidium mansum et dimidiam suam decimam et dederunt homini laico contra canonica statuta et contra ministerium ac voluntatem nostram. Nos autem scimus, quod vestra iussio et vestra voluntas fuit, ut rectitudinem et iusticiam facerent et contra ministerium sacrum nihil praesumerent. Quamobrem si vestra voluntas est, ut emendetur, mandate nobis, et nos secundum vestrum praeceptum haec omnia ita emendabimus, ut vestra exinde crescat elymosina et merces augeatur aeterna. Semper ecclaesiam Dei defendite et ecclaesiasticam legem exaltate, et vos omnipotens Dominus ab omni malo defendat et ad exaltacionem caelestis regni feliciter perducat. Amen.*

58 C'est-à-dire de Frothaire lui-même, donc de l'église cathédrale de Toul.

59 Agobardus, Libri contra Iudith.

triolant«[60]; en revanche, il faut relever certains points beaucoup plus importants quant au mode de gouvernement sous Louis le Pieux. L'archevêque de Lyon observe qu'après sa réhabilitation en 831, Judith fut placée au-dessus des conseillers de l'empereur[61]. Elle est considérée comme la »maîtresse« du Palais impérial[62]. Or, un instant, l'archevêque abandonne la calomnie pour faire mention d'un trait institutionnel du rôle de la reine: elle devait aider le roi à régner en l'assistant dans le gouvernement du Palais et du royaume. En effet, Agobard explique de la sorte le remariage de Louis[63]: »Alors que le très-chrétien et très-pieux empereur, Monseigneur Louis, avait perdu la compagnie de sa bonne épouse, qui s'accordait avec lui par la foi et les moeurs, il fut nécessaire qu'il en reçût une autre qui pût lui servir d'auxiliaire dans le *regimen* et dans le gouvernement du Palais et du royaume«. L'on ne trouve pas meilleure définition dans le De ordine palatii.

Cette participation au gouvernement, on l'observe notamment dans les actes de la pratique: de nombreux diplômes font mention de l'intervention de Judith. Si, dans certains cas, elle était tout particulièrement intéressée à l'expédition du diplôme en vue de quoi elle présentait la requête[64], son rôle d'intermédiaire est prouvé – et l'on ne peut que souligner l'acuité de la remarque d'Agobard: les diplômes attestant cela se multiplient entre 831 et 833. Ainsi, le 19 octobre 831, on la voit présenter une requête en compagnie du sénéchal Adalhard (III), en faveur du monastère du Mont Sainte-Odile: il s'agissait d'une donation[65]. Le 9 mars 837, Louis le Pieux, à la requête de son épouse, confirmerait d'ailleurs le privilège d'immunité de ce monastère[66]. A Thionville, le 4 novembre 831, Judith et les plus vénérables des conseillers de l'empereur[67] obtinrent de Louis le Pieux le privilège d'exemption pour Saint-Martin de

60 Citations de ROUCHE, Miroirs des princes, p. 363.
61 Agobardus, Libri contra Iudith, I, c. 2, p. 275: ... *revocata est in palacium et prelata consiliis et consiliariis; cuius instigacionibus mutata est mens rectoris, et cepit duris cornibus ventilare filios et conturbare populos*. La distinction entre les *consilia* et les *consiliarii* semble signifier que l'avis de Judith eut plus de poids non seulement que celui des conseillers (*consiliarii*), mais également que celui qui pouvait être formulé lors des plaids (*consilium*).
62 Ibid., I, c. 5, p. 276: *domina palacii senioris*.
63 Ibid., II, c. 2, p. 277: *Igitur cum christianissimus et piissimus imperator domnus Ludwicus bonae coniugis fide et moribus sibi congruentis consorcium amisisset, necesse fuit, ut aliam sibi acciperet, quae ei posset esse adiutrix in regimine et gubernacione palacii et regni*.
64 Cf. B.M. 802(778), éd. Doc. dipl. Lombardie, n° 103, col. 188 sq. (à la col. 188), diplôme (sans date) par lequel Louis le Pieux, à la demande de Judith, confirma l'immunité du monastère Saint-Sauveur de Brescia dont elle était le *rector* (ceci ressort d'une mention faisant référence à Judith et à »ses successeurs«, les *rectores* du monastère) et qu'elle tenait en bénéfice; B.M. 815(791) = Formulae imperiales, n° 51, p. 324 sq., diplôme (sans date) par lequel Louis le Pieux, à la requête de Judith, confirma la liberté d'une femme du fisc d'Andernach attachée au service de l'impératrice; B.M. 919(890), éd. Doc. dipl. Belgique, p. 255 sq. (à la p. 255), diplôme du 31 janvier 833: ... *dilecta coniux nostra Iudith suggesserit serenitati nostrae pro quodam homine suo nomine Hildefrido, ut*...
65 B.M. 895(866) – texte cité à la notice n° 10.
66 B.M. 964(933).
67 Cette mention de l'intervention des grands est rarissime.

Tours et la liberté de l'élection abbatiale[68]. Le 19 novembre 832, Louis le Pieux, à la requête de Judith, confirma aux moines de Marmoutier la possession d'une *villa* dont les revenus servaient à leur fourniture en vêtements[69]. Enfin, à Worms le 10 juin 833, c'est sur la requête commune de Judith et de l'archichapelain Foulques que Louis le Pieux confirma le privilège d'immunité de Sainte-Colombe de Sens[70]. Des sources narratives confirment le rôle d'intercesseur joué par Judith[71] – notamment les lettres de Loup de Ferrières[72]. Un dernier acte – en fait le premier de la série, puisqu'il date du 4 mars 828 – est du plus haut intérêt puisqu'on sait par les notes tironiennes que *Domna regina Iudit ambasciavit*[73]. Judith exerça la même fonction lorsque Vézelay fut échangé avec le fisc, ainsi que nous l'apprend la charte de fondation par le comte Gérard[74]. Judith était également associée à certaines décisions: par exemple à l'agrément d'un candidat à l'épiscopat, comme on l'apprend par une lettre que le clergé de Sens adressa à l'impératrice[75]. Dans plusieurs sources, on la voit recevoir en audience avec Louis le Pieux[76].

---

68 B.M. 896(867), éd. Recueil des hist. 6, n° 171, p. 573 sq. (à la p. 573): ... *dilecta conjux nostra Judith augusta nobis suggessit ... Nos quoque ejusdem dilectae conjugis nostrae Judith salubri suggestione commoti simul et hortatu, atque interventu venerabilium nostrorum ad hoc perficiendum commoti* ... Sur cet acte, cf. Tessier, Chartrier de Saint-Martin, p. 686 sq. G. Tessier proposa de corriger *interventu venerabilium nostrorum* en *interventu venerabilium virorum*.

69 B.M. 910(881), éd. Recueil des hist. 6, n° 179, p. 583: ... *dilecta conjux nostra Judith augusta suggessit nobis ut* ...

70 B.M. 926(896). Cf. Mentions tironiennes, p. 19: *Domna regina et Fulco impetraverunt*. M. Jusselin observe: »Il y avait d'abord *Fulco impetravit*; on ajouta *Domna regina* et on corrigea *vi* en *verunt*«.

71 Catalogus abbatum Corbeiensium, p. 275: *Domnus Liudwicus imperator augustus, Karoli Magni filius, tradidit monasterii locum et Huxeri cum omnibus terminis suis, Eresburc et Meppiam abbatiolas et cetera predia in aquilone. Iuditha imperatrix ab eodem viro suo haec optinuit*. On n'en a toutefois aucune trace dans les diplômes connus.

72 Il s'agit de la donation de la celle de Saint-Josse à Ferrières. Lupus, Correspondance, tome 1, n° 42, p. 176: *Religiosissimus imperator Hludowicus, vestrae nobilitatis auctor, ad petitionem gloriosissimae memoriae Judith Augustae, matris vestrae, cellam sancti Judoci monasterio Ferrariensi contulit et suum donum praecepto firmavit* ... Lupus rappelle ailleurs cette donation faite *intercedente gloriosa matre vestra* (ibid., n° 49, p. 204); propos presque identiques ibid., n° 57, p. 222.

73 B.M. 849(823), diplôme de confirmation d'échange entre l'abbé de Schwarzach, Waldo, et le comte alsacien Erchangaire. Cf. Mentions tironiennes, p. 19.

74 Doc. dipl. Yonne, vol. 1, n° 43, p. 78 sqq. Je cite d'après l'extrait édité par Louis, Girart, p. 35 sq. note 8 (cet auteur a justifié son édition à la même note): ... *Vizeliacum, quam commutavimus, domina et gloriosa Judith regina agente et impetrante, apud piissimae memoriae dominum et seniorem nostrum Ludovicum imperatorem; quicquid idem clementissimus imperator, ad eandem villam respiciens, sub precepti sui confirmatione condonavit nobisque contulit* ...

75 Frotharius, Epistolae, n° 15, p. 286 sq.: *Presumpsimus, mi domina, auribus claementiae vestrae necessitatis nostrae causas humiliter innotescere, ut per vestram pietatem de his caeleriter mereamur consolationem recipere. (...) Unde vestram oramus benignitatem, ut ex hoc nobis in adiutorium esse dignemini, quatenus causa suspendatur, donec ipsum, de quo dicimus, ad praesentiam domni imperatoris et vestram nos ipsi deducamus, et qualiter iusseritis, discutiatur et probetur, si nobis prodesse valeat et in servitio vestro aptus esse possit, an minus*. Une lettre presque identique fut adressée à Eginhard. La lettre adressée à Hilduin est différente.

76 Lupus, Correspondance, tome 1, n° 11, p. 84; Odilo, Translatio s. Sebastiani, c. 4, p. 381.

182.   KYSALHARD[1]

Missus, attesté en 822 (peut-être de 802 à 827)

Le 14 avril 822, Kysalhard siégea en tant que *missus dominicus*[2] dans un plaid tenu à Föring[3]. Ce personnage apparaît souvent dans les chartes de Freising. L'on peut retracer sa carrière comme suit[4]: il est tout d'abord mentionné comme *iudex* entre juin 802 et avril 807[5]; en décembre 819, il est attesté comme *comes et iudex*[6]. Ensuite, il est désigné parfois comme *comes*[7], parfois comme *iudex*[8]. Son nom est mentionné pour la dernière fois en avril 827[9]; il semble avoir exercé ses fonctions à Freising[10] – il est cependant impossible de définir l'espace géographique dans lequel s'exerçait un pouvoir comtal[11] qui s'avérait en Bavière avant tout un »Personenverband«[12].

183.   LAIDRADE[1]

Archevêque de Lyon[2], attesté de 798[3] à 815

L'épiscopat de l'archevêque de Lyon Laidrade[4], un ami d'Alcuin[5], fut principalement marqué par la lutte contre l'hérésie adoptianiste[6]. Dans cette lutte, il eut notamment

1 Formes onomastiques: *Kysalhardus, Kisalhardus, Kisalhartus, Kisalhart, Kysalhart.*
2 Etant donné que Louis le Germanique, qui certes avait déjà reçu la Bavière comme royaume (Ordinatio imperii, c. 2, p. 271), n'avait pas encore commencé d'y gouverner (il fut envoyé en Bavière en 825, cf. Annales regni Franc. a. 825, p. 168), l'on peut considérer Kysalhard comme un *missus* de Louis le Pieux.
3 Doc. dipl. Freising, n° 466, p. 398 sqq.: *Cum sedisset Hitto videlicet et Baturicus episcopi, Hatto et Kisalhardus missi dominici in publico placito in loco qui vulgo dicitur Pheringa ibique multorum advenientium causas recte terminandas* ... Cf. STÖRMER, Früher Adel, tome 2, p. 398.
4 Ne sont prises ici en compte que les mentions de ce nom accompagnées d'un titre. Il faut toutefois reconnaître que rien ne permet d'être certain de l'identité des différents personnages portant ce nom. Le silence d'environ une dizaine d'années peut amener à douter de l'identité entre le *iudex* du temps de Charlemagne et le comte attesté sous Louis le Pieux.
5 Doc. dipl. Freising, n° 183, p. 174; n° 227, p. 210 sq.; n° 231, p. 213 sq.; n° 251, p. 226 sq.
6 Ibid., n° 397, p. 337 sq.
7 Ibid., n° 402, p. 346 sq.; n° 482, p. 412; n° 483, p. 413; n° 507, p. 432 sq.; n° 541, p. 461 sq.
8 Ibid., n° 463, p. 394 sq.; n° 475, p. 406 sq. (*publicus iudex*).
9 Ibid., n° 541, p. 461 sq.
10 Ibid.: *Actum est hoc coram Hittone episcopo et Kisalhardo comite ad Frigisingas* ... Certes, un peu plus haut dans le document, le comte Kysalhard est cité parmi les témoins (ce qui ne prouve rien quant au domaine géographique d'exercice de l'autorité de ce comte, comme l'a rappelé STÖRMER, Früher Adel, tome 2, p. 397), mais à mon sens, on n'a pas, dans la datation, affaire à une mention de même nature.
11 Cf. STÖRMER, Früher Adel, tome 2, p. 392 sqq.
12 Ibid., tome 2, p. 403.

1 Formes onomastiques: *Laidradus, Leidradus, Leidrardus, Liobradus.*
2 Cf. DUCHESNE, Fastes, tome 2, p. 171 sq.
3 Ibid.
4 Il était d'origine bavaroise, cf. Theodulfus, Carmina, n° 28, v. 117 sqq., p. 496: *Noricus hunc genuit.*
5 Alcuinus, Epistolae, n° 10, p. 36 et n° 141, p. 222 sq.
6 Alcuinus, Epistolae, n° 172, p. 284 sq., n° 194, p. 321 sq., n° 199, p. 329 sq., n° 200, p. 330 sqq., n° 201, p. 333 sq., n° 207, p. 343 sqq. et n° 208, p. 345 sq.

pour compagnon Benoît d'Aniane[7]. En 811, il fit partie des témoins du testament de Charlemagne[8]. L'empereur, vers la fin de son règne, le consulta sur la question du baptême[9]. Le 11 novembre 815 à Aix-la-Chapelle, Louis le Pieux accorda, sur la requête de Laidrade, le privilège d'immunité au monastère de l'Ile-Barbe, restauré par l'archevêque[10]. A une date indéterminée, suite à la plainte de l'évêque de Mâcon, Hildebaud, qui affirmait qu'un tiers des tonlieux dans la cité et le *pagus* et qu'un tiers des salines de Joux et Chamvers appartenaient à l'évêché, Louis le Pieux ordonna une enquête: elle fut menée par Laidrade en qualité de *missus* de l'empereur. Sur son rapport, positif, Louis accorda un diplôme à l'évêque de Mâcon[11]. Laidrade gouverna son diocèse de manière fort active, comme en témoigne son rapport à Charlemagne[12]. On comprend par conséquent l'éloge qu'Adon fit de lui[13]. C'est au début du règne de Louis le Pieux que Laidrade se retira à Saint-Médard de Soissons[14]. Il mourut un 28 décembre[15].

184. LAMBERT[1]

Comte de Nantes, attesté pour la première fois en 814 – mort en 837

Le comte Lambert est une personnalité marquante du règne de Louis le Pieux[2] qui appartenait à une famille »originaire du pays de Trêves, largement possessionnée dans le Bliesgau et en Alsace«[3]. Nous verrons plus loin que Lambert resta lié à sa ré-

7 Alcuinus, Epistolae, n° 200, p. 330 sqq. et n° 201, p. 333 sq.
8 Einhardus, Vita Karoli, c. 33, p. 100.
9 Epistolae variorum 1, n° 28, p. 539 sq. L'archevêque lui écrivit également à propos de la renonciation à Satan: ibid., n° 29, p. 540 sq.
10 B.M. 595(575).
11 B.M. 561(542), éd. Doc. dipl. Saint-Vincent, n° 539, p. 316 sq. (à la p. 316): *Nos interea missum nostrum venerabilem scilicet Leidrardum archiepiscopum ad hanc rem investigandam et diligenter inquirendam misimus, et invenit quod per justitiam predicte ecclesie, juxta divisionem que dudum facta est et esse debebat. Qui rediens nobis renunciavit hanc rem ita se habere sicut predictus episcopus asserebat, quod nostra excellentia presentialiter hoc ei in nostra heleemosina reddidit …*
12 Epistolae variorum 1, n° 30, p. 542 sqq.
13 Ado, Chronicon, p. 320: *Porro Lugdunensem Leidradus, vir seculari dignitati intentissimus et honori reipublicae utilis, rexit ecclesiam.*
14 Ibid.: *Qui initio imperii Ludovici imperatoris Suessionis monasterii locum petiit …*
15 Obituaires de Lyon, p. 137.

1 Formes onomastiques: *Lantbertus, Lantpertus, Lambertus, Lantpreht, Lancbertus, Landbertus.*
2 Sur ce personnage, cf. CASSARD, Lambert, p. 303 sqq.; HENNEBICQUE-LE JAN, Prosopographica Neustrica, n° 197, p. 258.
3 CASSARD, Lambert, p. 302. Cf. le tableau généalogique, ibid., p. 321, qui reprend en l'amplifiant celui publié par GUILLOTEL, Temps des rois, p. 204. RICHÉ, Carolingiens, tableau XVI (p. 362), fait du comte Gui le grand-père de notre Lambert – ce qui est faux. La généalogie présentée par H. Guillotel et reprise par J. Ch. Cassard repose sur des bases indiscutables: Lambert était le fils du comte Gui, comme l'atteste B.M. 699(678); il était d'autre part le neveu de Garnier, selon le témoignage de l'Astronome (Vita, c. 21, p. 618); le père de Gui, Garnier et Hrodold s'appelait Lambert, ainsi qu'il appert d'un diplôme de Charlemagne (Dipl. Karol. 1, n° 148, p. 200 sqq.). Un autre acte, resté à ma connaissance inaperçu, documente l'étendue des possessions du grand-père de Lambert en Alsace. Le 15 décembre 782, un certain Ermbaud (Ermbaldus) donna à l'abbaye de Wissembourg des biens sis dans la *villa* de Lembach, qu'il avait achetés à notre homme: *Hoc est quod dono in pago Alisacinse*

gion d'origine. Il entra en scène à l'avènement de Louis le Pieux: Lambert fut l'un des quatre grands chargés par le nouvel empereur, en février 814, de mettre de l'ordre au palais d'Aix-la-Chapelle avant l'arrivée du successeur de Charlemagne[4]. Ce palais fut alors le théâtre d'un drame: à l'insu de leurs compagnons, Garnier[5] et son neveu, Lambert, tendirent une embuscade au palatin Hodouin. Ce combat, jugé exemplaire pour les conflits de factions qui marqueraient le règne de Louis le Pieux[6], eut une fin tragique: Garnier et Hoduin y trouvèrent la mort et Lambert fut gravement blessé[7].

Ce n'est que quatre ans plus tard que Lambert est de nouveau mentionné dans les sources. Durant l'été 818, c'est lui qui accueillit Louis le Pieux à Nantes lors de l'expédition militaire que l'empereur conduisait alors contre les Bretons[8]. Lambert était par conséquent déjà comte de Nantes[9]. L'on reconnaît communément en lui le »préfet de la Marche«[10] bretonne, marche dont »l'existence … est explicitement attestée pendant une cinquantaine d'années, entre 778 et 830, par des sources contemporaines«[11]. Certes, Lambert exerça un rôle de première importance aux confins bretons; certes il fut confirmé, en 830, dans l'exercice de la *custodia finium sibi deputatorum*[12]; certes, le territoire dans lequel il résidait en 834, après le revers politique de Lothaire et de ses alliés, est désigné comme *marca Brittannica* par un contemporain[13]. Mais en aucun cas il n'est attesté comme *Brittanici limitis praefectus*[14] ou portant quelque autre titre soulignant un rang de *marchio*[15]. Quand il est désigné avec un titre dans les sources contemporaines, Lambert est, sans exception, qualifié de *comes*. Il semblerait d'ailleurs que la notion de »préfet de la Marche« de Bretagne ne soit pas appropriée: selon toute apparence, la sécurité des confins occidentaux était assurée, du moins en 826, de manière collégiale, puisque l'auteur des Annales royales parle pour cette année des *custodes illius limitis*[16]. Mais revenons à l'expédition de 818.

Quelque temps avant cette campagne[17], Lambert participa *ex officio*[18] (réserve faite des remarques formulées ci-dessus) à un plaid auquel avaient été convoqués les

---

in villa que dicitur Lonunbuah quicquid ibidem ad Lantberto et ad Unrocho de pretio meo comparaui … (Doc. dipl. Wissembourg, n° 76, p. 280 sq.).

4 Cf. Astronomus, Vita, c. 21, p. 618 – texte cité à la notice n° 108.

5 Cf. la notice n° 108.

6 Cf. BRUNNER, Oppositionelle Gruppen, p. 96 sq.

7 Astronomus, Vita, c. 21, p. 618.

8 Ermoldus, Elegiacum carmen, lib. III, v. 1550 sqq., p. 118 sqq.

9 A propos du rapport sur les Bretons fait par Lambert, qui décida Louis le Pieux à engager cette campagne après avoir essayé en vain de régler l'affaire par voie diplomatique, cf. GUILLOTEL, Temps des rois, p. 210: »… son intervention prouve qu'il était déjà en fonction au moins depuis l'année précédente et probablement depuis plus longtemps«.

10 GUILLOTEL, Temps des rois, p. 208; CASSARD, Lambert, p. 303.

11 GUILLOTEL, Temps des rois, p. 203.

12 Astronomus, Vita, c. 45, p. 633.

13 Nithardus, Historia, lib. I, c. 5, p. 20.

14 Tel est le titre donné à la célèbre victime de Roncevaux par Einhardus, Vita Karoli, c. 9, p. 30.

15 Sur ces titres et les fonctions y attachées, cf. WERNER, Missus, p. 213 sqq.; LEVILLAIN, Marche de Bretagne. Sur les termes de *marca* et de *marchio*, cf. SOUSA COSTA, Studien, p. 244 sqq.

16 Annales regni Franc., a. 826, p. 169: *Venerunt et ex Brittonum primoribus, quos illius limitis custodes adducere voluerunt.*

17 CASSARD, Lambert, p. 305, date cet événement des »derniers mois de 817«. En réalité, nous ignorons tout de l'époque à laquelle il eut lieu.

18 Ermoldus, Elegiacum carmen, lib. III, v. 1264, p. 99: *Praevidet hic fines …*

responsables des diverses frontières de l'empire[19]. A cette occasion, Louis le Pieux l'interrogea sur la situation bretonne, les questions d'ordre religieux entrant d'abord en ligne de compte[20]. Suite à la réponse de Lambert, l'empereur décida tout d'abord de négocier avec le chef breton, Morman[21]. Cette ambassade ayant échoué[22], Louis convoqua l'ost[23]. C'est alors qu'il arriva à Nantes et fut accueilli par Lambert. Là, un dialogue se serait engagé entre l'empereur et le comte de Nantes, qu'E. Faral traduisit ainsi – de manière à mon avis peu satisfaisante: »Lambert reçoit le roi qu'il désirait tant et lui offre de riches présents; César lui demande de marcher contre les odieux Bretons et de lui prêter son aide«[24]. Or voici le texte, où Ermold s'adresse directement au comte: *Jam, Lantberte, tuis optatum denique votis/ Suscipis en regem dasque potenter opes;/ Poscis ad invisos, Caesar, properare Britannos,/ Dignetur tibi se mittere in auxilium*[25]. Ce que je propose de traduire comme suit: »Voici, Lambert, que tu reçois enfin le roi que tu as appelé de tes voeux (c'est-à-dire: dont tu as souhaité la venue) et, puissamment, tu lui donnes les forces militaires. (Et) toi, César, tu demandes une expédition rapide contre les Bretons abhorrés. Qu'il (c'est-à-dire Lambert) daigne t'envoyer de l'aide!« On se rend alors mieux compte du rôle décisif du comte de Nantes. Ermold ne craignait pas de présenter Louis le Pieux dans une position de dépendance vis-à-vis de Lambert quant à la composition des troupes et à la bonne marche de l'expédition. Il est également à noter que Louis, qui avait consulté Lambert sur la situation en Bretagne, répondit au souhait du comte en décidant l'intervention: tel est le sens du *tuis optatus votis rex*. Ce rôle de conseiller persuasif justifie pleinement que Lambert soit retenu dans cette prosopographie.

Il ne convient pas ici de refaire l'histoire de la Marche bretonne[26]. Il faut toutefois rappeler que Lambert participa également (avec charge de commandement) à l'expédition de 824 conduite de nouveau contre les Bretons rebelles[27]. L'année suivante, ce furent »ses hommes« qui assassinèrent le chef breton parjure Wihomarc[28]. Dès lors et jusqu'à la mort de Louis le Pieux, »la guerre disparaît ... des confins bretons«, une »pacification« dont on a voulu reconnaître en Lambert l'artisan[29]. Entre-temps, le comte de Nantes avait participé à plusieurs plaids tenus par l'empereur: en juillet 819 à Ingelheim[30], comme l'atteste un diplôme de Louis donné le 7 août 819[31]; à l'été 820 à Quierzy-sur-Oise[32], comme il appert d'un acte d'échange entre le comte de Tours

---

19 Ibid., v. 1258 sqq., p. 99: *More tamen prisco regnorum limina Caesar/ Electosque duces adfore prima jubet./ Conveniunt omnes placito parentque jubenti,/ Partibus eque suis congrua verba sonant.*
20 Ibid., v. 1286 sqq., p. 100 sqq.
21 Ibid., v. 1314 sqq., p. 102 sqq.
22 Ibid., v. 1464 sqq., p. 112 sqq.
23 Ibid., v. 1502 sqq., p. 114 sqq.
24 Ibid., p. 121.
25 Ibid., v. 1552 sqq., p. 120.
26 Cf. GUILLOTEL, Temps des rois, p. 202 sqq.
27 Ermoldus, Elegiacum carmen, lib. IV, v. 1994 sqq., p. 152 sqq.
28 Annales regni Franc., a. 825, p. 167: *... ab hominibus Lantberti comitis* ... Cf. Astronomus, Vita, c. 39, p. 629.
29 Ainsi CASSARD, Lambert, p. 306.
30 B.M. 692(671)a.
31 B.M. 699(678).
32 B.M. 722(699)a.

et l'abbaye de Wissembourg souscrit notamment par Lambert[33]. En août 819, Louis le Pieux procéda à une restitution en faveur du monastère de Hornbach, *quod est proprium quibusdam fidelibus nostris Lantberti scilicet et Herardi*[34]. Lambert, par ailleurs, intercéda auprès de Louis le Pieux pour obtenir une autre restitution en faveur de son monastère, certes pourvu d'un propre abbé[35].

En 830, Lambert fit partie des révoltés aux côtés de Pépin d'Aquitaine: il fut de ceux qui allèrent chercher l'impératrice Judith, qui avait trouvé refuge à Laon[36]. Louis le Pieux semble néanmoins ne pas lui en avoir tenu rigueur: à l'occasion du plaid de l'automne 830 tenu à Nimègue[37], Lambert fut confirmé dans ses fonctions[38]. En revanche, aucune source ne mentionne avec précision son rôle en 833. Il est cependant certain qu'il travailla aux côtés de Lothaire à la chute de Louis le Pieux: il est désigné avec Matfrid comme l'un des *principes Lotharii consules*[39]. Il semble également avoir caressé l'espoir d'être au faîte du gouvernement une fois Louis renversé, si l'on en croit le témoignage de Nithard[40]. Après le rétablissement de l'empereur, Lambert et les partisans de Lothaire, réfugiés en Marche de Bretagne, furent attaqués par les grands de Neustrie fidèles à Louis le Pieux, mais ils en furent vainqueurs[41]. Néanmoins, ils suivirent Lothaire dans son exil en Italie[42]. Lambert, qui dans la mémoire restera le principal partisan de Lothaire (*fautorum Hlotharii maximus*[43]), mourut en 837[44]. On a supposé qu'il reçut de Lothaire le duché de Spolète[45]. A ma connaissance, aucune source ne permet de l'affirmer.

33 Doc. dipl. Wissembourg, n° 69, p. 268 sqq.

34 B.M. 699(678), éd. M.B. 31, n° 17, p. 43 sqq. (aux p. 43 sq.). Ce diplôme fut confirmé par Lothaire le 18 décembre 833: Dipl. Karol. 3, n° 16, p. 84 sq. Sur les liens de Lambert avec Hornbach, cf. METZ, Geschichte der Widonen, p. 3 et p. 18 sqq.; STOCLET, Fulrad, p. 125 sqq.

35 B.M. 770(745). Louis ordonna une enquête par Lothaire et Matfrid et, après une nouvelle requête de l'abbé Wyrund, une deuxième enquête par Matfrid. Le diplôme fut donné le 8 janvier 823. Cf. HANNIG, Zentrale Kontrolle, p. 24 sqq.

36 Astronomus, Vita, c. 44, p. 633: *Porro hi cum Pippino Werimbriam venerunt, misso Werino et Lantberto aliisque quam plurimis, Iudith reginam, ex civitate monasteriique basilica eductam, ad se usque perduci fecerunt.* Judith fut exilée à Poitiers.

37 B.M. 876(847)c.

38 Cf. Astronomus, Vita, c. 45, p. 633 – texte cité à la notice n° 143.

39 Annales Xantenses, a. 834, p. 9. Nithardus, Historia, lib. I, c. 5, p. 20, atteste également qu'il prit parti pour Lothaire.

40 Cf. Nithardus, Historia, lib. I, c. 4, p. 16 – texte cité à la notice n° 164. A ce propos, cf. HLAWITSCHKA, Widonen, p. 28 sq.

41 Cf. Annales Bertiniani, a. 834, p. 13; Astronomus, Vita, c. 52, p. 638; Nithardus, Historia, lib. I, c. 5, p. 20; Annales Xantenses, a. 834, p. 9; Adrevaldus, Miracula, c. 20, p. 48.

42 Astronomus, Vita, c. 56, p. 642: *Ea tempestate quanta lues mortalis populum qui Hlotharium secuti sunt, invaserit, mirabile est dictu.* Lambert fit partie du lot. Un acte de 836 documente le départ de Lambert: il s'agit de la donation par Hildelaic au monastère de Cormery de *mans(us) un(us) in villa Albiniaco, quem Lambertus olim sua habuit subditione* (Doc. dipl. Cormery, n° 10, p. 22 sq.). Le fils de Lambert, son homonyme qui devint comte de Nantes, épousa vraisemblablement Rotrude, la fille de Lothaire, comme l'a supposé HLAWITSCHKA, Kaiser Wido.

43 Annales Bertiniani, a. 837, p. 22.

44 Ibid. Cf. également Annales Fuldenses, a. 837, p. 28 sq.

45 GUILLOTEL, Temps des rois, p. 255: »Après l'échec du soulèvement il avait suivi en Italie Lothaire qui l'avait pourvu du duché de Spolète où il mourut en 837«. On trouve déjà la même hypothèse chez R. HIESTAND, Byzanz und das Regnum Italicum im 10. Jahrhundert, Thèse Zürich 1964, p. 22. Mais HLAWITSCHKA, Widonen, p. 29 note 27, juge que »das ist jedoch auszuschließen, da bis 841 die Vorgänger Widos I. (comme ducs de Spolète) lückenlos feststehen«.

185.   **LANDRAMNE**[1]

Archevêque de Tours[2], attesté de 816[3] à 835

En 825, Landramne est attesté comme *missus* dans sa province de Tours[4]. En juin 829, il assista au concile tenu à Paris[5], de même qu'à l'assemblée de mars 835 à Thionville, au cours de laquelle Ebbon fut déposé[6]. C'est tout ce que l'on sait de certain sur cet archevêque[7].

186.   **LAUNUS**[1]

Clerc, attesté en 794

Launus, désigné comme *clericus*, souscrivit le diplôme de Louis le Pieux délivré le 3 août 794 au Palais (Haute-Vienne, arr. Limoges) en faveur de la *cellola* de Nouaillé[2].

187.   **LEIBULF**[1]

Comte[2], attesté de 800/801 à mars 828

Leibulf est attesté pour la première fois durant l'hiver 800/801: il participa avec les autres *duces* de l'armée de Louis le Pieux au siège de Barcelone[3]. Il est fort vraisemblable qu'il faille l'identifier avec le comte dont on a trace à plusieurs reprises une décennie plus tard. Il était l'un des destinataires du Praeceptum pro Hispanis d'avril 812, un document adressé à huit comtes de la Marche d'Espagne[4]. Leibulf fut un *missus* de Louis le Pieux. A ce titre, il borna le terrain d'une saline sise dans le *pagus* de Narbonne, que Louis le Pieux donna au monastère d'Aniane, comme il appert dans

1 Formes onomastiques: *Landramnus, Lamdrannus, Lantramnus*.
2 Cf. DUCHESNE, Fastes, tome 2, p. 307.
3 En 816, il sacra Francon du Mans, cf. Actus pont. Cenom., p. 293.
4 Commemoratio, c. 1, p. 308: *Turones Landramnus archiepiscopus et Hruodbertus comes*.
5 Constitutio de synodis; Doc. dipl. Paris, n° 35, p. 49 sqq.
6 Concilium ad Theodonis villam, p. 703, n° 5.
7 Certes, il élut et sacra Aldric du Mans en 832 (Gesta Aldrici, p. 9 sq.), mais les lettres de Drogon (ibid., p. 160 sq. et p. 161 sq.) sont à rejeter comme fausses; ceci pour des raisons chronologiques: Drogon n'étant pas encore à la tête de la Chapelle impériale, il ne pouvait pas avoir envoyé ces lettres à Landramne et à Aldric. Certes, dans aucun document il ne porte le titre d'archichapelain (il n'est désigné ainsi que dans les rubriques introductives), mais il est supposé avoir agi en tant que tel. Cf. également Carmina Cenomanensia, n° 6, p. 627 sq.

1 Seule forme onomastique: *Launus*.
2 B.M. 516(497), éd. Ch.L.A., n° 681. Sur les souscripteurs de ce diplôme, cf. DEPREUX, Kanzlei, p. 156 et supra, la partie d'analyse II A.

1 Formes onomastiques: *Leibulfus, Laibulfus, Leybulfus, Libulfus, Liebulfus*.
2 Selon WOLFF, Aquitaine, Leibulf était comte de Béziers ou d'Agde.
3 Ermoldus, Elegiacum carmen, lib. I, v. 306 sqq., p. 28.
4 Praeceptum pro Hispanis.

un diplôme du 23 avril 814[5]. Peut-être accomplit-il d'ailleurs cette mission dès l'époque où Louis était roi d'Aquitaine. Le cas de Leibulf est en ceci intéressant qu'il montre que Louis ne fut pas entouré de personnages à l'action en tout point irréprochable. L'on sait en effet qu'il usurpa les biens de l'aprisionnaire Jean: les témoins appelés à déposer dans le cadre d'une enquête concernant les droits du fils de Jean affirmèrent que Jean posséda l'*aprisio* de Fontjoncouse *usque quod Liebulfus, comis, eum abstulit ad Johanne, sua fortia, injuste et absque judicio*[6]. L'on retrouve Leibulf en Arles le 7 novembre 824: il conclut alors un échange de biens sis en ce *pagus* entre lui et Noton, l'archevêque du lieu[7]. Cet échange fait *per licenciam domni imperatoris* fut confirmé par Louis le Pieux le 3 janvier 825, sur la requête de Noton[8]. Par rapport à l'acte d'échange, le diplôme impérial apporte un complément d'information de grand intérêt: c'est le comte qui avait demandé à l'empereur, par l'entremise de l'archichapelain Hilduin, la permission de procéder à cet échange. Louis confia ensuite à l'archevêque d'Arles le soin d'examiner la question et d'y consentir si l'affaire était profitable[9]. D'après le testament qu'il fit en faveur du monastère de Lérins le 16 mars 828, Leibulf avait pour épouse une certaine Odda[10]. C'est la dernière mention que l'on ait de ce comte. Toutefois, il était peut-être encore en vie en octobre 837[11].

188.   LÉON[1]

Comte, attesté de 801 à juillet 841 – mort avant 865[2]

Le personnage à qui cette notice est consacrée[3] a déjà fait l'objet d'un article fouillé dans lequel D. Bullough prouva notamment que les diverses mentions italiennes d'un certain Léon concernaient un seul et même individu[4], en qui il crut reconnaître

---

5 B.M. 522(503), éd. Recueil des hist. 6, n° 3, p. 456 sq. (à la p. 457): *In pago namque Agathensi fiscum nostrum qui nuncupatur Sita, et in pago Narbonensi salinas quae sunt in loco nuncupante Ad signa, quantumcumque eis noster missus Leibulfus comes designavit.* Rappel de ceci dans B.M. 752(726) du 20 mars 822 et dans B.M. 970(939) du 21 octobre 837.

6 Enquête de Fontjoncouse, p. 12 sqq.

7 Doc. dipl. Lérins, n° 247 p. 255 sqq.

8 B.M. 794(769). Le document est daté par erreur de 824 dans Doc. dipl. Lérins, n° 248 p. 259.

9 Ibid. (éd. Doc. dipl. Lérins, p. 259): ... *vir illustris Leibulfus comes, per Ilduinum, archicapellinum nostrum, nobis suggessit ut liceret ei de quibusdam rebus proprietatis sue commutacionem facere cum rebus episcopatus Arelatensis, ex beneficio videlicet suo. Nos itaque jussimus per nostras litteras Notoni, Arelatensi archiepiscopo, ut utrasque res prospiceret, et, si congruum atque utilissimum ambabus partibus esset, licentiam haberent inter se commutandi et cartulas, sicut moris est, inter se faciendi.*

10 Doc. dipl. Lérins, n° 249, p. 261 sqq. Le document a pour date: *Factum testamentum hoc sub die XVII kalendas aprilis, anno imperante XV domino nostro Ludovico imperatore.*

11 Il n'en est pas fait mention comme d'un défunt dans B.M. 970(939). Le poids du formulaire est ici probablement prépondérant, puisqu'il s'agit de la reprise de B.M. 522(503) et de B.M. 752(726).

1 Seule forme onomastique: *Leo.*

2 Cf. Doc. dipl. Lombardie, n° 235, col. 393 sq. (donation de *Sigeratus, vassus domni imperatoris, filius bone memorie Leoni comite*, à Saint-Ambroise de Milan). Sur cet acte, cf. BULLOUGH, Leo, p. 238.

3 Cf. HLAWITSCHKA, Franken, n° 106, p. 219 sq.

4 BULLOUGH, Leo.

un »Italien de naissance«[5] et un comte de Milan[6] – ce qui est discutable[7]. Il n'y a pas lieu de reprendre ici tout l'examen du dossier. Un simple rappel des faits suffira, qu'agrémentera un élément nouveau fourni par un diplôme de Louis le Pieux. Nous verrons cependant qu'il y a lieu de juger quelque peu différemment que D. Bullough le »gouvernement du *regnum Italiae*« tel que le laisse appréhender notre information sur Léon, en qui l'on a toutefois pu à juste titre reconnaître un »expert pour les affaires italiennes« à la cour carolingienne[8].

Léon est attesté pour la première fois en août 801, alors qu'il siégeait au plaid tenu sur le territoire de Spolète et présidé par le comte du Palais Hébroard[9]. Il siégeait également dans le plaid tenu en mars 812 à Pistoia que présida Adalhard (I). Il est alors désigné comme *iudex*[10]. C'est en cette même qualité qu'on le retrouve aux côtés de l'abbé de Corbie en février 814 à Spolète[11]. Ce n'est qu'environ six ans plus tard que nous avons de nouveau mention de Léon: il est cette fois attesté comme *missus* de Louis le Pieux. Il en avait la fonction lorsqu'il fut chargé, vraisemblablement durant l'été 820[12], avec les évêques de Vérone et de Reggio, d'enquêter sur une spoliation de biens de Farfa, suite à la requête de l'abbé Ingoald[13]. Il portait expressément le titre de *missus* de l'empereur en août 821, comme en témoigne la notice du plaid tenu alors à Nurcie où fut traité un procès de l'abbaye de Farfa[14]. On retrouve également Léon accompagnant Wala et le comte du Palais Adalhard (II) à l'occasion d'un jugement relatif aux droits de pêche de l'abbaye de Nonantola (Léon est alors désigné parmi les *iudices*)[15]. D. Bullough a raison de placer cet événement sous le règne de Louis le Pieux et non sous celui de Charlemagne; il date, à mon sens à juste titre, le procès d'après juin 823[16]. Léon fit également partie de la suite de Wala en décembre 824, comme en atteste sa participation au plaid tenu à Reggio lors du retour de Rome (où la Constitutio Romana venait d'être promulguée[17]) du conseiller de Lothaire[18]. Non seulement Léon cotoyait les proches de l'empereur associé, mais vers la même épo-

---

5 Ibid., p. 237 sq. Par contre, HLAWITSCHKA, Franken, p. 220, tend à y reconnaître un Franc.

6 Ibid., p. 235.

7 L'auteur, par récurrence, investit le père d'une charge comtale dont il suppose que le fils hérita. HLA-WITSCHKA, Franken, p. 219, veut faire de Léon un comte de Seprio. Il applique ici les mêmes principes déductifs que D. Bullough. Quant au territoire concerné, D. Bullough applique une méthode inductive alors qu'E. Hlawitschka préfère ne pas étendre les fonctions du territoire de Seprio à tout le Milanais.

8 BULLOUGH, Leo, p. 233.

9 Doc. dipl. Italie, n° 13, p. 36 sq.: + *Leo bassus domni regis concordans subscripsi*; ibid., n° 14, p. 38 sqq.: + *Leo bassus domni regis concordans subscripsi*. Par *bassus*, il faut comprendre *vassus*.

10 Doc. dipl. Italie, n° 25, p. 77 sqq.: ... *Poto et Leo iudices* ... *Leo vasso domini regi concordans subscripsi*.

11 Doc. dipl. Italie, n° 28, p. 85 sqq.: ... *cum* ... *Leone iudice domni regis* ... *Ego Leo bassus domni regis concordem me subscripsi*.

12 Je rejoins ici l'analyse de BULLOUGH, Leo, p. 230.

13 Doc. dipl. Italie, n° 32, p. 100: *Tunc precepit ipse princeps Rothald et Nortepert episcopis seu isti Leoni, ut causam ipsam inquirerent et legibus indicarent*.

14 Doc. dipl. Italie, n° 32, p. 98 sqq. – texte cité à la notice n° 9; ibid.: + *Leo missus domni imperatoris concordans subscripsi*.

15 Doc. dipl. Italie, n° 36, p. 111.

16 BULLOUGH, Leo, p. 224 et note 13.

17 B.M. 793(768)b et B.M. 1021(988).

18 Doc. dipl. Italie, n° 36, p. 109 sqq.: + *Leo c(omes con)cordans subscripsi*.

que, on le voit investi par ce dernier de l'avouerie de l'abbaye de Nonantola[19]. L'on comprend, au vu de ce dossier, l'affirmation de D. Bullough: »Lorsque Lothaire fut envoyé en Italie en 822, Leo rejoignit sa cour (et) devint le vassal du jeune empereur«[20]. Certes, »il est indubitablement signalé comme tel dans la *notitia* de Norcia de 823«[21], mais il convient quand même d'y regarder de plus près. Il souscrivit cette notice comme suit: + *Leo vassus domni imperatoris concordans subscripsi*[22]. L'empereur dont il se reconnaissait le vassal pouvait tout aussi bien être Louis le Pieux. Certes, Léon affirmait agir alors sur l'ordre de Lothaire[23] et se disait *vassus predicte potestatis*, mais justement, cette expression est insolite. S'il ne se disait pas *vassus predicti imperatoris*, ne serait-ce pas parce qu'il n'était pas »l'homme« de Lothaire, mais que sa fidélité se rapportait à l'autorité impériale, en l'occurrence représentée par Lothaire sur le territoire italien? Il me semble important de relever ce point, car Louis le Pieux n'abandonna aucunement à son fils aîné la souveraineté sur le *regnum Langobardorum*[24], et il semble par conséquent injuste de souligner un prétendu »manque de continuité« dans l'exercice de l'autorité souveraine en ce royaume[25]. En tout cas, l'accession de Léon au titre comtal date vraisemblablement de l'époque où Lothaire fut envoyé en Italie: il semblerait que Léon ne fût pas encore comte en avril 823[26]; il est attesté pour la première fois avec ce titre en décembre 824[27]. Quoi qu'il en soit, la continuité de la mainmise de Louis le Pieux sur l'Italie me semble patente au regard de deux documents. Avant que Lothaire ne fût envoyé en Italie, Léon était attesté comme *missus* de Louis le Pieux[28]; de même, par exemple, qu'en janvier 829, alors qu'en présence du pape, il présida un plaid au Latran et rendit un jugement favorable à l'abbaye de Farfa concernant le différend qui l'opposait au siège romain[29].

Peut-être notre comte était-il identique avec le *fidelis* de Louis le Pieux qui obtint de ce dernier, après enquête par un *vasallus* de l'empereur, la restitution à la *cellula* de Barisis[30], qu'il tenait d'ailleurs de Louis (*largitionis nostrae habens*), de la forêt de

19 Dipl. Karol. 3, n° 51, p. 148: ... (le bibliothécaire Serge, avoué du siège romain) *revestivit Leonem, qui de parte nostra* (c'est-à-dire de Lothaire) *eiusdemque monasterii* (Nonantola) *advocatus erat.*

20 Bullough, Leo, p. 233.

21 Ibid., note 45 p. 233.

22 Doc. dipl. Italie, n° 35, p. 108 sq.

23 Ibid.: *Dum in Dei nomine civitate Spoletana in palatio per iussionem domni Hlotharii piissimi imperatoris in iudicio resedissemus nos Leo vassus predicte potestatis cum Ingoaldo abbate monasterii sancte Marie siti Sabinis...*

24 Sur les relations institutionnelles entre les deux empereurs, cf. Depreux, Empereur.

25 Comme le fait Bullough, Leo, p. 240.

26 Doc. dipl. Italie, n° 35, p. 108 sq.

27 Doc. dipl. Italie, n° 36, p. 109 sqq. Bullough, Leo, p. 234: »Son accession à la dignité de comte en 823–824, après plus de vingt ans de service semble être une récompense entièrement justifiée et même tardive«.

28 B.M. 766(741), diplôme du 6 novembre 822 pour Farfa – texte cité à la notice n° 9.

29 Cf. Doc. dipl. Italie, n° 38, p. 118 sqq. – texte cité à la notice n° 179; ibid.: + *Ego Leo missus domni imperatoris concordans subscripsi.* C'est à tort que Toubert, Latium, tome 2, p. 1198, présente Léon et Joseph comme »les envoyés de Lothaire«. Il n'y a, pour notre propos, rien à tirer de la notice du plaid tenu à Milan, où le comte Léon est dit *missus domni imperatoris*, Doc. dipl. Italie, n° 45, p. 147 sqq. Cette notice n'est pas datée. Cf. Bullough, Leo, note 14 p. 225.

30 Vraisemblablement Barisis dans l'Aisne (arr. Laon, cant. Coucy-le-Château – Auffrique). En effet, au S-E. de Barisis, au coeur d'une zone aujourd'hui encore fort boisée, se trouve un lieu-dit appelé »L'Abbaye«.

Columbarias[31]. Le diplôme de restitution fut donné le 18 janvier 831 à Aix-la-Chapelle. Il serait alors probable que Léon ait assisté au plaid tenu au début du mois de février en ce palais[32]. Il semble par conséquent que ce ne soit qu'à la faveur de la crise politique de 833 que Léon choisit le camp de Lothaire[33]. On le voit en effet quelque temps plus tard servir ce dernier explicitement contre Louis le Pieux: en 837, il eut pour mission d'empêcher les légats du pape de franchir les Alpes pour exposer à Louis le comportement de son fils[34]. L'on a par ailleurs trace de la coopération de Léon et de son fils, Jean, avec Lothaire: à une date indéterminée, ils furent établis *missi* afin de défendre les biens de l'église cathédrale de Novara[35]; en juillet 841, ils étaient nommés avoués du monastère Sainte-Marie-Théodota de Pavie[36]. L'on ne connaît cependant que très mal la famille de Léon[37].

189.

LIUTARD[1]

Comte de Fezensac, attesté de 801 à 811[2]

Liutard[3] participa au siège de Barcelone, pendant l'hiver 800–801. Il est mentionné par Ermold le Noir parmi les *duces* de l'armée de Louis le Pieux[4]. Quelques mois plus tard, à l'été 801 à l'occasion du plaid tenu à Toulouse[5], il fut promu comte de Fezensac, nomination contre laquelle les Gascons protestèrent[6]. L'on retrouve notre personnage en 809[7]: il participa au siège de Tortosa[8]. Il se pourrait que le comte de

---

31 B.M. 881(852), éd. Recueil des hist. 6, n° 163, p. 569.
32 B.M. 881(852)a.
33 Ce revirement n'a pas été observé par BULLOUGH, Leo, p. 234.
34 Astronomus, Vita, c. 56, p. 641: *Hlotharius porro ut audivit memoratorum episcoporum ad domnum imperatorem adventum, misit Leonem – qui tum apud illum loci magni habebatur – Bononiam, qui magno intentato terrore ultra progredi episcopos prohibuit.*
35 Dipl. Karol. 3, n° 42, p. 129 sqq.
36 Dipl. Karol. 3, n° 59, p. 165 sq.
37 Cf. BULLOUGH, Leo, p. 236 sqq. et p. 243 sqq.

1 Formes onomastiques: *Liutardus, Liuthardus, Lihuthard, Leutadus* (?)
2 Cf. LEVILLAIN, Comtes de Paris, p. 195.
3 Il s'agit du fils du comte de Paris Gérard I. Liutard était le père de Gérard II, c'est-à-dire de Girard de Vienne. Cf. LEVILLAIN, Comtes de Paris, p. 190 sqq.; LOUIS, Girard, p. 13 sqq.; KASTEN, Adalhard, p. 87.
4 Ermoldus, Elegiacum carmen, lib. I, v. 306 sqq., p. 28. D'après Ermold, Liutard aurait mis à mort le sarrasin Uriz (ibid., v. 407, p. 34).
5 B.M. 516(497)e.
6 Astronomus, Vita, c. 13, p. 612: *Burgundione namque mortuo, comitatus eius Fedentiacus Liutardo est attributus. Quam rem Wascones moleste ferentes, in tantam erupere petulantiam, ut etiam homines illius alios ferro perimerent, alios igni combuerent.*
7 Il s'agit de la date proposée par AUZIAS, Sièges, p. 21 sqq., suivi par WOLFF, Evénements de Catalogne, p. 457 sq. Ces auteurs s'écartent de la date traditionnelle (retenue par les auteurs des Regesta imperii) de 811.
8 Astronomus, Vita, c. 16, p. 615.

Fezensac fût identique[9] avec le personnage ayant, en février 801, fait une importante donation de biens sis dans le *pagus* de Rodez au monastère de Conques[10].

190. LIUTHAIRE[1]

Comte[2], attesté en février 828

Comme l'atteste un diplôme de Louis le Pieux du 12 février 828, le comte Liuthaire fut chargé par l'empereur d'enquêter dans le Brisgau concernant une donation du roi Pépin le Bref au monastère de Saint-Gall, d'après laquelle certains hommes libres devaient verser le cens non au fisc, mais au monastère[3]. De ce fait, l'on peut conclure que Liuthaire participa au plaid tenu en février 828 à Aix-la-Chapelle[4]. Il est à remarquer que Liuthaire n'est aucunement désigné comme *missus*, mais la manière dont son action est décrite dans le diplôme permet d'affirmer avec vraisemblance qu'il le fut[5]: il procéda à une *inquisitio*. M. Borgolte a conclu de l'absence du titre de *missus* que Liuthaire était comte de Brisgau[6]. Or, cette identification fragile repose sur l'hypothèse selon laquelle la date d'une charte de Saint-Gall[7], établie lors de la quinzième année du règne de Louis le Pieux, aurait été calculée d'après le principe 813 = an I, ce qui est possible[8], mais aucunement certain dans ce cas. Etant donné qu'il ne me semble aucunement prouvé qu'Erchangaire était alors mort[9], comme le voudrait M. Borgolte[10], il faut se rendre à l'évidence que l'on ignore où Liuthaire exerçait ses fonctions comtales, et que c'est vraisemblablement hors de sa circonscription qu'il fut envoyé enquêter en Brisgau, peu avant février 828. On a par ailleurs la mention explicite, dans les documents de Saint-Gall, d'un personnage agissant en qualité de

---

9 Si l'on admet comme possible l'inflexion de Liutardus en Leutadus. Toutefois, si les préfixes Liud- et Leut- se rattachent à la même famille liut, qui signifie »peuple«, »famille« (cf. MORLET, Noms de personne, p. 158 et p. 160), les suffixes appartiennent à des groupes différents: -hadus signifie »lutte«, »guerre« (cf. ibid., p. 16, au nom Adalhaus) et -hardus signifie »dur«, »solide« (cf. ibid., p. 14, au nom Adehardus).

10 Doc. dipl. Conques, n° 1, p. 1 sqq.

1 Seule forme onomastique: *Liutharius*.

2 Cf. BORGOLTE, Grafen Alemanniens, p. 179 sq.

3 B.M. 845(819), éd. Doc. dipl. Saint-Gall, tome 1, n° 312, p. 289 sq. (à la p. 289): *Sed quia super hac concessione praeceptum avis nostri Pippini regis conscriptum non habebant, jussimus Liuthario comiti hanc causam diligentius, si ita esset, inquirere* ... Cf. BORGOLTE, Grafschaften Alemanniens, p. 112.

4 B.M. 844(818)a.

5 Cf. KRAUSE, Geschichte, p. 289 n° 91.

6 BORGOLTE, Grafen Alemanniens, p. 179.

7 Doc. dipl. Saint-Gall, tome 1, n° 313, p. 290 sq.

8 Cf. BORGOLTE, Chronologische Studien, p. 175 et note 542.

9 Cf. la notice n° 84.

10 BORGOLTE, Grafen Alemanniens, p. 108.

missus dans son *ministerium*[11]. Il s'agit peut-être du même personnage[12]. Mais ceci ne reste qu'une hypothèse.

191.   LOTHAIRE[1]

Fils de Louis le Pieux, empereur associé, né en 795[2] – mort le 29 septembre 855[3]

Bien qu'il n'existe pas de biographie de Lothaire Ier, il n'est pas question que cette notice prosopographique en fasse office. Ce ne sont par conséquent que les manifestations de la participation de Lothaire au pouvoir de son père, bien entendu resituées dans le contexte politique agité de l'époque, qui feront l'objet de cette étude. Par ailleurs, il ne sera pas ici question du règne de Lothaire après juin 840, c'est-à-dire après la mort de son père[4].

Dès son avènement, Louis le Pieux promut ses deux fils aînés (Lothaire était âgé d'environ 19 ans) à la tête des royaumes de Bavière, que reçut Lothaire, et d'Aquitaine, où Pépin, le puîné, succédait à son père. Quant à Louis (le Germanique), le cadet, il demeura à la cour. Le terme auquel les historiens ont recours pour définir le statut des fils de Louis le Pieux est généralement celui de »Unterkönig«[5], auquel K. F. Werner préfère celui de »roi-adjoint«[6]. Il faut souligner que le royaume de Bavière était une création de Louis le Pieux pour Lothaire: c'est »le premier royaume carolingien en Germanie«[7]. En effet, en 806, l'administration de la Bavière *sicut Tassilo tenuit* avait été confiée à Pépin d'Italie[8] (il y avait par conséquent préservation de l'entité administrative, mais la Bavière n'était plus administrée par un prince auquel les Bava-

---

11 Doc. dipl. Saint-Gall, tome 2, n° 19 p. 396: *Breve commemoratio de illis hominibus, qui in ministerio Liuderici cum sacramento testificati sunt tribus vicibus de causa sancti Gallonis ante missos domni regis, inprimis ante Sigibertum et Friuntonem, postea ante Hilteratum et Gerhardum, et tercia vice ante Liudericum, id est de Uzinacha, quod Lantolt et Pieta habuerunt, et Luzilunauia tota et Perolvesvillare.*

12 Les formes divergentes Liude- et Liutha- ne s'opposent pas à cette identification. Plus difficile serait cependant l'explication de la transformation de -ricus en -rius, ou inversement. Il est également à noter que les biens concernés ici sont sis dans les actuels cantons de Zürich et Saint-Gall.

1 Formes onomastiques: *Lotharius, Hlotharius, Clotarius, Hlutharius, Hludharius.*

2 L'on ignore la date exacte à laquelle Lothaire est né. Etant donné que Raban affirme dans son épitaphe qu'il est mort à l'âge de soixante ans (cf. la note suivante), l'on retient habituellement 795 comme année de naissance de Lothaire. Cf. B.M. 1014(-)d.

3 Annales Fuldenses, a. 855, p. 46: *Hlutharius imperator renuntians omnibus, quae habuit, Prumiense monasterium ingressus effectusque ibi monachus III. Kal. Octobr. mortalem hominem exuit et ad vitam perrexit aeternam.* Lothaire fut inhumé à Prüm, cf. Annales Bertiniani, a. 855, p. 71: … *atque in eodem monasterio sepulturam, ut desideraverat, consecutus est.* Lothaire mourut à l'âge de 60 ans, cf. Hrabanus, Carmina, n° 91, p. 241.

4 Il convient pour cela de se reporter aux manuels. Cf. HALPHEN, Charlemagne, p. 265 sqq.; SCHIEFFER, Karolinger, p. 139 sqq.

5 Cf. EITEN, Unterkönigtum; SCHIEFFER, Karolinger, p. 114.

6 WERNER, Hludovicus Augustus, p. 19.

7 WERNER, Origines, p. 400. Cf. également K. REINDEL, Bayern als karolingisches Teilregnum, dans: SPINDLER, Handbuch, p. 190 sq.

8 Divisio regnorum, c. 2, n° 45, p. 127.

rois pussent s'identifier[9]). La nomination de Lothaire eut lieu lors du plaid tenu en août 814 à Aix-la-Chapelle[10], c'est-à-dire lors de l'assemblée à laquelle Bernard d'Italie prit part – non sans risque – et au cours de laquelle il fit *commendatio* à Louis le Pieux[11]. L'on ignore le sort de la Bavière dans les années 810/814. Certes, Pépin d'Italie avait réellement reçu au moins une partie des territoires qui lui avaient été dévolus en 806 en vertu de la Divisio regnorum[12]. Mais comme on ignore dans quelle mesure exactement les dispositions prises par Charlemagne quant au partage du lot de Pépin à la mort de ce dernier[13] furent appliquées, et comme il n'est aucunement question, en 812/813, de l'administration de la Bavière par Bernard, l'on peut considérer que ce dernier ne perdit rien à la nomination de Lothaire en 814 – si ce n'est peut-être quelques illusions.

Arrêtons-nous à présent sur la manière dont la nomination de Lothaire est relatée dans les annales. Force est de constater que l'unanimité ne règne pas: si l'auteur de la Chronique de Moissac désigne Lothaire explicitement comme *rex*[14], ce n'est pas le cas pour l'auteur de celle de Lorsch: Lothaire y est appelé *dux*[15]. Dans les deux cas cependant, il est fait recours au verbe *constituere*, qui suppose une investiture. Il est par conséquent vraisemblable qu'à l'instar de Bernard d'Italie[16], Lothaire et son frère Pépin firent *commendatio* à Louis le Pieux. De fait, en 833, ce dernier leur reprocha leur félonie: »Rappelez-vous aussi que vous êtes mes vassaux et que vous m'avez par serment promis votre foi«[17]. Toutefois, ce n'est pas au titre qu'est sensible l'auteur des Annales royales: il ne le mentionne pas. En revanche, par la manière dont il décrit l'événement, il montre que l'élément auquel on accordait le plus d'importance à la cour, c'était la *mission*[18] – ceci s'avère particulièrement patent quelques années plus tard, lors de l'administration de l'Italie par Lothaire[19]. On a invoqué le silence du »Reichsannalist« pour mettre en doute que Lothaire jouît du titre royal, mais G. Ei-

---

9 L'administration de la Bavière par le roi d'Italie n'est cependant pas outre mesure étonnante, puisqu'au VIIIe siècle, l'on observe une tradition d'alliance entre le roi des Lombards et le duc des Bavarois, cf. JARNUT, Langobarden, p. 94 sq. et p. 118 sq.

10 B.M. 528(509)a.

11 Cf. DEPREUX, Königtum, p. 10 sqq.

12 Cela fut démontré par SCHMID, Historische Bestimmung, p. 517 sqq.

13 Divisio regnorum, c. 4, p. 127 sq.

14 Chronicon Moissiacense, a. 815, p. 311: *Et 3. Kalend. Augusti habuit consilium magnum in Aquis, et constituit duos filios suos reges Pippinum et Clotarium, Pippinum super Aquitaniam et Wasconiam, Clotarium super Baioariam.*

15 Chronicon Laurissense breve, p. 36: *Hludowicus imperator successit in imperium Francorum et constituit filios suos duces Pippinum in Aquitania, Hlutharium in Baioariam.*

16 Cf. DEPREUX, Königtum, p. 11 sqq.

17 Paschasius, Epitaphium, p. 85: *Mementote, inquit, etiam et quod mei vasalli estis, mihique cum iuramento fidem firmastis.* Traduction: GANSHOF, Féodalité, p. 54.

18 Annales regni Franc., a. 814, p. 141: *... tunc duos ex filiis suis, Hlotharium in Baioariam, Pippinum in Aquitaniam misit.* Astronomus, Vita, c. 24, p. 619: *Eodem etiam anno duorum filiorum suorum Lotharium in Baioariam, Pippinum vero in Aquitaniam, misit, tertium vero Hluduicum puerilibus adhuc consistentem in annis secum tenuit.*

19 Cf. DEPREUX, Empereur, p. 902.

ten a montré que cette hypothèse n'était pas fondée[20]. Son analyse est confirmée par le fait que la promotion de Bernard en 812 est relatée de façon similaire alors qu'il est établi que c'est à cette époque, et non l'année suivante, qu'il devint roi[21].

Lothaire se rendit effectivement en Bavière[22]. Exception faite de sa participation, en juillet 815, au plaid tenu à Paderborn[23], l'on ne sait rien de son action comme roi en Bavière. C'est en juillet 817 qu'il apparaît de nouveau, à l'occasion du plaid assemblé à Aix-la-Chapelle. Il n'y a pas lieu de rechercher ici les éventuels mobiles[24] à l'origine de la volonté de procéder à un partage exprimée par les *fideles* ou d'analyser l'attachement de Louis et de ceux *qui sanum sapiunt* à l'unité de l'empire[25]. Il convient cependant d'observer dans le détail la manière dont la promotion de Lothaire est décrite dans les sources. Le premier document à citer est l'Ordinatio imperii[26]. Le choix commun se porta sur Lothaire; en conséquence, Louis et son peuple, c'est-à-dire les *proceres*, décidèrent (*placuit et nobis et omni populo nostro*) de couronner Lothaire du diadème, de l'associer au pouvoir (*consors*) et de lui accorder l'héritage de l'empire si la volonté de Dieu devait être telle[27]. Cette dernière formule (*si Dominus ita voluerit*) est d'autant plus importante qu'elle implique un certain *statu quo* tant que vivrait Louis le Pieux: ce n'est pas dès 817 que les mesures signifiant le primat de Lothaire sur ses frères entrèrent en vigueur[28] et qu'il eut haute main sur l'Italie[29] –

---

20 Cf. EITEN, Unterkönigtum, p. 60 sq. De nombreux actes de Freising sont datés du règne de Louis le Pieux et de celui de Lothaire (à partir de 815). La formule la plus courante désigne ce dernier comme »roi en Bavière«; plus rares sont les actes où il est dit »roi des Bavarois«. Cf. Doc. dipl. Freising, n° 333 sqq., p. 284 sqq.

21 Cf. DEPREUX, Königtum, p. 7.

22 C'est ce que prouve la formule de datation d'un acte de Freising: ... *anno primo ex quo rex Hlodharius Baioaria feliciter intravit* (Doc. dipl. Freising, n° 335, p. 286).

23 Chronicon Laurissense breve, p. 38: *Hludowihus imperator suum placitum cum Francis in Saxonia ad Phaderzbrunnen habuit, et illuc venit filius eius Hludharius rex Baiororum et alius filius eius, id est Pippinus rex Aequitaniorum, Bernhartus quoque filius Pippini rex Langobardorum, et erat illud placitum Kal. Iulii mensis.*

24 Sur le contexte politique, cf. McKEON, Année désastreuse. Je ne suis cependant pas entièrement convaincu par cette démonstration, cf. DEPREUX, Louis le Pieux reconsidéré?, p. 186.

25 Ceci est exposé en détail dans le préambule de l'Ordinatio imperii, p. 270 sq. Il y est clairement dit qu'une atteinte à l'*unitas imperii*, par le fait d'une *divisio humana*, serait l'occasion d'un scandale au sein de l'Eglise, c'est-à-dire de la Chrétienté (latine). La dévolution de tout l'empire à un seul fils – en l'occurrence à Lothaire – est présentée par l'auteur de la Chronique de Moissac comme l'oeuvre propre de Louis le Pieux et de ses conseillers: ... *et manifestavit eis mysterium consilii sui, quod cogitaverat, ut constitueret unum de filiis suis imperatorem* (Chronicon Moissiacense, a. 817, p. 312).

26 Le titre donné à ce texte dans le seul manuscrit nous en ayant transmis le texte prouve que, sous Louis le Pieux, cette mesure fut comprise comme une *divisio imperii*. A ce propos, cf. DEPREUX, Louis le Pieux reconsidéré?, p. 190 note 73.

27 Ordinatio imperii, p. 271: (il fut décidé de jeûner, de prier et de faire des aumônes) *Quibus rite per triduum celebratis, nutu omnipotentis Dei, ut credimus, actum est, ut et nostra et totius populi nostri in dilecti primogeniti nostri Hlutharii electione vota concurrerent. Itaque taliter divina dispensatione manifestatum placuit et nobis et omni populo nostro, more solemni imperiali diademate coronatum nobis et consortem et successorem imperii, si Dominus ita voluerit, communi voto constitui.*

28 Ordinatio imperii, c. 5 sqq., p. 271 sq.

29 Ordinatio imperii, c. 17, p. 273: *Regnum vero Italiae eo modo praedicto filio nostro, si Deus voluerit ut successor noster existat, per omnia subiectum sit, sicut et patri nostro fuit et nobis Deo volente praesenti tempore subiectum manet.*

Bernard d'Italie n'était par conséquent pas menacé dans l'immédiat[30]. Pour les Francs, en 817, il importait de régler l'avenir[31]. C'était bien l'objet de l'Ordinatio: définir qui succéderait à Louis. En un certain sens, bien que les circonstances fussent totalement différentes de celles de 813 lorsque Louis fut associé à l'empire[32], l'auteur de la Chronique de Moissac a peut-être raison quand il inscrit cette mesure dans le sillon de la politique de Charlemagne[33]. Certaines sources insistent sur l'institution de Lothaire comme empereur[34], c'est-à-dire comme *consors regni*[35]. A ce titre, l'on comprend la hiérarchie entre Lothaire et ses frères décrite par d'autres annalistes, dont l'auteur des Annales royales[36]. Quant à l'Astronome, il s'inspire à un tel point des Annales royales que son témoignage mérite une attention toute particulière quand il s'en distingue[37]. C'est ici le cas. En effet, l'Astronome ne s'en tient pas aux titres: il met en relief l'envoi des rois en Aquitaine et en Bavière – ce qui contraste avec le sort de Lothaire, à qui Louis confère le nom et la qualité d'empereur sans lui donner un quelconque territoire à administrer[38]. L'analyse de Thégan prend alors tout son sens: la cérémonie de 817 est réduite à une désignation de celui qui succéderait à Louis le Pieux après sa mort[39]. Tout semble nous porter à considérer qu'en 817, Lothaire était

---

30 C'est uniquement la création d'une lignée royale indépendante (et concurrente) qui lui était refusée; seul le silence de Louis le Pieux sur son cas – bien qu'il y soit fait allusion par la stipulation que tout devait demeurer comme sous Charlemagne et lui-même, cf. note précédente – pouvait donner lieu à quelque inquiétude. Cf. DEPREUX, Königtum, p. 15.

31 DELOGU, Consors regni, insiste sur le fait que la »coreggenza« de Louis le Pieux et de Lothaire était selon lui »limitata in sostanza alla partecipazione al *nomen imperatoris* e a diritti successori« (p. 91). Certes, cet auteur montre bien qu'il s'agissait, par l'association à l'empire (présentation générale dans OHNSORGE, Mitkaisertum), essentiellement de la désignation du successeur, mais son étude est trop théorique. Le »Mitkaisertum« de Lothaire ne se confine pas à l'histoire des idées politiques: je montrerai infra qu'à l'occasion, le fils de Louis le Pieux participa au gouvernement; il y eut parfois délégation de pouvoir.

32 Cf. WENDLING, Erhebung, p. 223 sqq.

33 Chronicon Moissiacense, a. 817, p. 312: *Tunc omni populo placuit, ut ipse se vivente constitueret unum ex filiis suis imperatorem, sicut Karolus pater eius fecerat ipsum* ... WENDLING, Erhebung, p. 234 sqq. est également d'avis qu'il y a continuité entre 813 et 817.

34 Annales Xantenses, a. 817, p. 5: *Imperator Lotharium filium imperatorem constituit*; Andreas, Historia, c. 6, p. 225: *Quidam predicto imperator Hludowicus suum filium Lothario sub se sedem imperialis constituit, vivente patre.*

35 Chronicon Laurissense breve, p. 39: ... *ordinatus est filius eius Hludharius in imperatorem, ut consors regni fieret cum patre.*

36 Annales regni Franc., a. 817, p. 146: ... *generalem populi sui conventum Aquisgrani more solito habuit, in quo filium suum primogenitum Hlotharium coronavit et nominis atque imperii sui socium sibi constituit, caeteros reges appellatos unum Aquitaniae, alterum Baioariae praefecit.* Emprunt textuel dans Annales Fuldenses, a. 817, p. 20.

37 Cf. DEPREUX, Poètes, p. 319 sqq.

38 Astronomus, Vita, c. 29, p. 622: *Nam his rite ordinatis, postquam imperator in eodem placito filium primogenitum Hlotharium coimperatorem appellari et esse voluit, et duorum filiorum suorum Pippinum in Aquitaniam, Hluduicum in Baioariam misit, ut scilicet sciret populus, cui deberet potestati parere* ...

39 Theganus, Vita, c. 21, p. 596: *Supradictus vero imperator denominavit filium suum Hlutharium, ut post obitum suum omnia regna quae tradidit ei Deus per manum patris susciperet, atque nomen haberet et imperium patris*...

en réserve de l'empire. De fait: l'empereur associé demeura dans l'ombre pendant quatre ans[40]; c'est à l'occasion de son mariage qu'il réapparaît dans les sources.

En octobre 821, lors du plaid réuni à Thionville, Lothaire épousa Ermengarde[41], la fille du comte de Tours, Hugues[42]. Ce mariage avait été décidé par Louis le Pieux[43]. Ensuite, Lothaire fut envoyé par son père à Worms[44]. L'on ignore si Lothaire exerça quelque fonction particulière avant l'été 822. Il est certain qu'il reçut une mission d'enquête avant janvier 823, date du diplôme de Louis le Pieux qui nous la fait connaître[45], mais on en ignore le moment exact. Il est cependant vraisemblable, étant donné l'itinéraire de Lothaire, qu'il en fût investi avant l'été 822. Il s'agissait de l'examen de la plainte du comte Lambert[46] contre l'*actor* du fisc de Francfort, accusé d'avoir usurpé des biens du monastère de Hornbach. Louis le Pieux en confia l'examen à Lothaire et à Matfrid[47]. Force est cependant de constater que l'affaire n'aboutit pas, puisqu'une nouvelle plainte fut présentée à l'empereur; son examen fut cette fois confié à Matfrid seul.

C'est à l'occasion de l'assemblée d'Attigny d'août 822 – ou plutôt à l'issue de ce plaid – que Lothaire reçut une mission particulière, la première que nous puissions dater précisément depuis son association à l'empire: Louis le Pieux l'envoya en Italie en compagnie de deux auxiliaires, Wala[48] et Gérung[49], pour le conseiller[50]. Il me semble inutile d'analyser de nouveau les arguments de ceux qui veulent faire de Lothaire un roi d'Italie[51] – j'ai montré ailleurs que la chose était impossible[52]. En revanche, il est nécessaire d'examiner en détail la manière dont la mission de Lothaire est décri-

---

40 L'on sait cependant que Lothaire reçut en donation de Louis le Pieux la *villa* d'Erstein en Alsace, entre 817 et 821, cf. B.M. 733(709) = Formulae imperiales, n° 10, p. 294. La datation de cette donation est justifiée, pour le *terminus a quo*, parce qu'elle fut faite *dilecto filio nostro Hlothario caesari et consorti imperii nostri*, et, pour le *terminus ante quem*, parce que cette *villa* fut reçue en dot (*nomine dotis*) par Ermengarde, l'épouse de Lothaire, cf. Dipl. Karol. 3, n° 106, p. 231 sqq.

41 Annales regni Franc., a. 821, p. 156: *Medio mense Octobrio conventus generalis apud Theodonis villam magna populi Francorum frequentia celebratur, in quo domnus Hlotharius, primogenitus domni imperatoris Hludowici, Irmingardam Hugonis comitis filiam solemni more duxit uxorem.* Cf. également le texte acerbe de Theganus, Vita, c. 28, p. 597.

42 Cf. la notice n° 164.

43 Astronomus, Vita, c. 34, p. 625: *Eodem anno medio Octobrio conventus publicus in Theodonis villa est celebratus; ibique domnus imperator primogenito filio suo Hlothario Hirmengardam, filiam Hugonis comitis, uxorem cum solempni iunxit apparatu*; Annales Xantenses, a. 821, p. 6: *Ludewicus imperator dedit filio suo Lothario regi ad coniugium Ermingardam filiam Hugonis comitis Turonicorum...*

44 Annales regni Franc., a. 821, p. 156: *... filium autem Hlotharium post nuptias ritu solemni celebratas ad hiemandum Wormatiam misit.* Cf. également Astronomus, Vita, c. 34, p. 626; Theganus, Vita, c. 28, p. 597.

45 B.M. 770(745).

46 Cf. la notice n° 184.

47 B.M. 770(745), éd. P.L. 104, col. 1107 sq. (à la col. 1107): *Nos vero hanc rem jussimus investigari dilecto filio nostro Lothario imperatori necnon et Mantfredo illustri viro.* Sur Matfrid, cf. la notice n° 199.

48 Cf. la notice n° 269.

49 Cf. la notice n° 115.

50 Cf. Annales regni Franc., a. 822, p. 159; Astronomus, Vita, c. 35, p. 626; Theganus, Vita, c. 29, p. 597.

51 Cf. JARNUT, Regnum Italiae.

52 Cf. DEPREUX, Empereur, p. 901 sqq.

te[53]. L'auteur des Annales royales, à l'année 822, dit simplement que Louis »envoya« (*misit*) son fils en Italie[54], mais à l'année suivante, il est plus précis: Lothaire avait eu pour mission de »rendre la justice«[55]. Cette expression, qui à mon sens ne peut viser ici une mission de nature fiscale[56], est à son tour explicitée par la description du rôle des auxiliaires accompagnant Lothaire. Le »Reichsannalist« dit qu'ils furent adjoints à Lothaire »(pour qu') il se servît de leur conseil tant pour son propre compte que pour les questions touchant aux intérêts du royaume«[57]. Quant à l'Astronome, il affirme que Wala et Gérung accompagnèrent Lothaire »(pour que), sur leur conseil, il disposât, redressât, surveillât les affaires du royaume d'Italie, tant publiques que privées«[58]. Il semble qu'on doive donc comprendre que Lothaire avait à régler en Italie des »affaires privées« dont on a grand mal à cerner la nature. Il est vraisemblable qu'il faille ici se référer d'abord au texte de l'annaliste, qui dit que le conseil s'appliquait également *in re familiari*, c'est-à-dire dans la conduite de la vie privée, et que le remaniement de l'Astronome ne s'avère qu'une tentative infructueuse d'améliorer le style de son modèle[59]. En revanche, le sens général de ces deux textes est clair: il s'agissait de remettre de l'ordre dans l'administration de l'Italie, que la révolte de Bernard en 817 avait certainement ébranlée. Que ce fût une entreprise de longue haleine, cela semble confirmé par l'annaliste dans son récit relatif à l'année 823, lorsqu'il relate le rapport de Lothaire à son père, en juin: une partie seulement des »justices« avait été accomplie[60]. La nature essentiellement »judiciaire« de la mission de Lothaire est prouvée et illustrée par les capitulaires promulgués lors de son premier séjour en Italie: il y est avant tout question de procédure[61]. Par ailleurs, au printemps 823, il coprésida avec le pape un plaid à Rome[62]. La mission de Lothaire n'était cependant pas réservée à un roi: elle pouvait être menée par d'autres *missi*. De fait, en 823, après le

---

53 Elle est notamment évoquée dans B.M. 771(746). Malheureusement, ce diplôme pour Farfa est faux.

54 Cf. Annales regni Franc., a. 822, p. 159 – texte cité à la notice n° 115.

55 Annales regni Franc., a. 823, p. 160: *Hlotharius vero, cum secundum patris iussionem in Italia iusticias faceret ...*

56 C'est le sens proposé par MAGNOU-NORTIER, Iusticiam facere.

57 Annales regni Franc., a. 822, p. 159: *... quorum consilio et in re familiari et in negotiis ad regni commoda pertinentibus uteretur.*

58 Astronomus, Vita, c. 35, p. 626: *... quorum consilio res Italici regni componeret, erigeret, tueretur, tam publicas quam privatas.*

59 C'est le reproche classique fait à l'Astronome, cf. TENBERKEN, Vita. A ce propos, cf. DEPREUX, Poètes, p. 319 sqq.

60 Annales regni Franc., a. 823, p. 161: *Qui cum imperatori de iusticiis in Italia a se partim factis partim inchoatis fecisset indicium ...*

61 Capitulare Olonnense; Memoria Olonnae comitibus data; Concessio generalis.

62 Dipl. Karol. 3, n° 51, p. 147 (diplôme de Lothaire pour Farfa du 15 décembre 840): *... vir venerabilis Sichardus Sabinensis monasterii abbas ... ostendit serenitatis nostre optutibus domni recolende memorie genitoris nostri Hludovici prestantissimi imperatoris auctoritatem, in qua continebatur, qualiter, postquam nos divino sibi nutu favente consortes fecit imperii, ab eo in Hitaliam directi sumus et a summo invitati pontifice et universali papa ac spirituali patre nostro Paschali quondam apostolico Romam venimus. Quo dum in presentia eiusdem domni apostolici ac nostra procerumque Romanorum sive optimatum nostrorum atque multorum utrisque partis nobilium virorum questiones accitarentur, inter ceteras altercationes iubente eodem domno apostolico advocatus suus nomine Sergius eiusdemque sancte sedis Romane ecclesie bibliotecarius interpellavit virum venerabilem Ingoaldum abbatem et memorati Sichardi predecessorem dicens, quod ...*

retour de Lothaire à Aix-la-Chapelle, le comte du Palais Adalhard[63] et le comte Mauring[64] furent nommés pour poursuivre l'oeuvre entreprise[65].

A l'occasion du séjour de Lothaire en Italie, il se déroula un fait qui n'avait apparemment pas été prévu par la cour franque; du moins, l'initiative semble être revenue au pape: comme il s'apprêtait à rejoindre son père à Aix-la-Chapelle, Lothaire fut invité par Pascal Ier à venir fêter Pâques (5 avril 823) auprès de ce dernier. Alors, en la basilique Saint-Pierre, le pape couronna Lothaire empereur[66] et il lui conféra également l'onction[67]. Cette cérémonie fait par conséquent pendant à celle de 816 à Reims[68]. Mais il me semble que c'est la dimension spirituelle qui prime ici. A la différence d'Etienne IV, qui avait semble-t-il ainsi désigné clairement celui qu'il avait choisi pour protecteur[69], l'on ne peut pas prêter telle intention à Pascal Ier: il est en effet réputé avoir sinon ordonné, du moins approuvé l'assassinat de deux hauts dignitaires romains particulièrement fidèles à Lothaire[70]. Toutefois, cette affaire est fort obscure[71] et seul un point est certain: il y avait deux partis à Rome, dont l'un favorable aux Francs[72] – ce qui n'était pas nouveau[73].

Suite à l'annonce de l'avènement du pape Eugène II, Louis le Pieux décida, au début de l'été 824[74], d'envoyer Lothaire à Rome[75]. Louis était empêché de s'y rendre personnellement en raison de la campagne militaire en Bretagne qu'il devait conduire. C'est donc en sa qualité d'associé à l'empire (*imperii socius*) que Lothaire fut »envoyé« par son père »afin qu'agissant à sa place, il déterminât et confirmât avec le nouveau pontife et le *populus* romain ce que les circonstances semblaient exiger impérieusement«[76]. Lothaire se rendit en Italie dans la seconde moitié du mois d'a-

---

63 Cf. la notice n° 9.

64 Cf. la notice n° 200.

65 Annales regni Franc., a. 823, p. 161.

66 Annales regni Franc., a. 823, p. 160 sq.: *Hlotharius vero, cum secundum patris iussionem in Italia iusticias faceret et iam se ad revertendum de Italia praepararet, rogante Paschale papa Romam venit et honorifice ab illo susceptus in sancto paschali die apud sanctum Petrum et regni coronam et imperatoris atque augusti nomen accepit; inde Papiam regressus mense Iunio ad imperatorem venit*; Astronomus, Vita, c. 36, p. 627: *... ipso sancto die apud beatum Petrum diadema imperiale cum nomine suscepit augusti.*

67 Cf. Papstbriefe, p. 391 (n° 38): lettres de Léon IV à Lothaire.

68 A ce propos, cf. DEPREUX, Saint Remi, p. 236 sqq.

69 Cf. DEPREUX, Königtum, p. 21 sqq.

70 Annales regni Franc., a. 823, p. 161.

71 Analyse juridique dans: HAGENEDER, Crimen maiestatis, p. 74 sq.

72 Cf. l'enquête de Lothaire en 824 décrite par Astronomus, Vita, c. 38, p. 628, où il est question de *hi qui imperatori sibique et Francis fideles fuerant.*

73 FOLZ, Couronnement, p. 147, doute, à propos des événements de 799, qu'il y eût »dans la noblesse romaine un parti pro-byzantin qui se proposait de détourner Léon III de son alliance avec les Francs«. CLASSEN, Karl der Große, p. 42 sqq. ne se prononce pas. Un point aussi brûlant que l'alliance avec les Francs suscita cependant forcément des dissensions dans l'aristocratie romaine de la fin du VIIIe siècle.

74 La décision fut prise à l'occasion du plaid tenu à Compiègne le 24 juin, cf. Annales regni Franc., a. 824, p. 164.

75 Sur la politique pontificale jusqu'au lendemain de la Constitutio Romana, cf. NOBLE, Republic. L'auteur a consacré ses travaux de doctorat aux rapports entre Louis le Pieux et l'Eglise romaine: NOBLE, Papacy.

76 Annales regni Franc., a. 824, p. 164 sq.: *... ipse (Louis) ad Brittanicam expeditionem per se faciendam animo intento Hlotharium filium imperii socium Romam mittere decrevit, ut vice sua functus ea,*

oût[77], ce qui laisse supposer une longue phase préparatoire (environ deux mois) lors de laquelle les mesures à prendre à Rome furent discutées puis arrêtées – par Louis le Pieux: en effet, ce n'est que vers la fin de l'été que l'expédition bretonne eut lieu; Louis et son fils passèrent donc tout l'été ensemble[78]. Conformément au mandat que lui avait confié son père, Lothaire révéla au pape les ordres de Louis le Pieux visant au statut du *populus* romain qui avait été altéré par la dépravation de certains papes. Avec l'accord d'Eugène II, il corrigea la situation pour que chacun rentrât dans ses droits[79]. L'Astronome, qui fait également part d'une enquête que Lothaire mena concernant l'attentat contre certains *fideles* de l'empereur[80], est plus explicite quant à l'injustice qui sévissait à Rome et aux mesures prises pour y parer[81]. La teneur de la Constitutio Romana[82] y est résumée. Lothaire avait agi en tant que représentant de Louis le Pieux. Néanmoins, le serment de fidélité exigé de la part des Romains visait tant le père que le fils[83]. On a ici l'illustration de l'association de Lothaire au pouvoir impérial, exprimée avec éclat l'année suivante[84].

J'ai affirmé plus haut que la mission de Lothaire n'était pas, par essence, royale: ce qu'il accomplit, un autre *missus* aurait vraisemblablement pu le faire. Ceci n'enlève rien au fait que celui à qui était confié ce *missaticum*[85] avait qualité de roi – et même

---

    quae rerum necessitas flagitare videbatur, cum novo pontifice populoque Romano statueret atque firmaret.

77 Ibid., p. 165: *Et ille quidem ad haec exsequenda post medium Augustum in Italiam profectus est …*

78 La présence de Lothaire à la cour de son père est attestée au début de janvier 824 (à Compiègne), cf. Dipl. Karol. 3, n° 3 p. 54 sqq. La présence de Lothaire au plaid de Compiègne n'est en rien prouvée, mais bien qu'elle ne soit que probable, je la juge assez vraisemblable pour supposer que Lothaire passa l'été avec son père. La présence de Louis le Pieux à Compiègne est encore attestée le 16 août 824, cf. B.M. 789(764).

79 Annales regni Franc., a. 824, p. 166: *Hlotharius vero iuxta patris mandatum Romam profectus ab Eugenio pontifice honorifice suscipitur. Cui cum iniuncta sibi patefeceret, statum populi Romani iam dudum quorundam praesulum perversitate depravatum, memorati pontificis benivola adsensione ita correxit, ut omnes, qui rerum suarum direptione graviter fuerant desolati, de receptione bonorum suorum, quae per illius adventum Deo donante provenerat, magnifice sunt consolati.*

80 Astronomus, Vita, c. 38, p. 628: *Interea cum Hlotharius, ut praedictum est, a patre missus Romam venisset, libentissime atque clarissime ab Eugenio papa susceptus est. Cumque de his quae accesserant queretur, quare scilicet hi qui imperatori sibique et Francis fideles fuerant, iniqua nece perempti fuerint, et qui super viverent ludibrio reliquis haberentur …* (suite du texte à la note suivante).

81 Ibid.: *… quare etiam tantae querellae adversus Romanorum pontifices iudicesque sonarent; repertum est, quod quorumdam pontificum vel ignorantia vel desidia, sed et iudicum caeca et inexplebili cupiditate, multorum praedia iniuste fuerint confiscata. Ideoque reddendo quae iniuste sublata erant, Hlotharius magnam populo Romano creavit laetitiam. Statutum etiam iuxta antiquum morem, ut ex latere imperatoris mitterentur, qui iudiciariam exercentes potestatem, iusticiam omni populo, tempore quo visum foret imperatori, aequa lance penderent.*

82 Constitutio Romana. A ce propos, cf. BERTOLINI, Osservazioni.

83 Serment annexé à la Constitutio Romana, p. 324: *Promitto ego … quod ab hac die in futurum fidelis ero dominis nostris imperatoribus Hludowico et Hlothario diebus vitae meae, iuxta vires et intellectum meum, sine fraude atque malo ingenio, salva fide quam repromisi domno apostolico …*

84 Cf. infra.

85 J'ai conscience de l'audace avec laquelle j'use de ce terme en ce contexte, mais, somme toute, il me semble préférable, par mesure préventive, de le substituer au mot *regnum* (certes, également, en un certain sens, une unité administrative, cf. WERNER, Genèse; GOETZ, Regnum), qui pourrait laisser penser que Lothaire était roi d'Italie, ce qu'il ne fut pas. Ses diplômes étaient datés de son règne *in Italia*: cela veut dire qu'il régissait – qu'il gouvernait – l'Italie, mais pas qu'il portait le titre de *rex Italiae* ou *rex Langobardorum*, ce qui avait été le cas de Bernard.

d'empereur: à ce titre, il délivra des diplômes[86]. Il convient cependant de les étudier en détail. Certes, avec Th. Schieffer, on peut observer que Lothaire continuait d'avoir compétence concernant les affaires italiennes même lorsqu'il ne résidait pas dans la péninsule[87], puisque l'évêque de Côme demanda au fils de Louis le Pieux de confirmer les biens de son église cathédrale alors que celui-ci se trouvait à Compiègne[88]. Mais il semble que le partage des responsabilités fût plus compliqué qu'il n'y paraît au premier abord. En effet, l'on observe une entorse à la compétence de Lothaire concernant l'abbaye de Farfa, dont les déboires avec l'évêque de Rome font certes un cas particulier[89]: alors que Lothaire avait, en décembre 822, accordé un diplôme d'exemption de tonlieu à l'abbaye sabine, l'an suivant, quand il s'agissait de garantir la liberté du monastère par rapport à l'évêque romain, c'est à Louis le Pieux que l'on eut recours pour confirmer le jugement prononcé lors du plaid tenu à Rome à l'occasion du couronnement de Lothaire. C'est d'ailleurs ce dernier qui transmit la demande de confirmation à son père[90]. En conséquence, la compétence de Lothaire ne serait-elle effective que dans certains cas … mineurs?

Un rappel de la teneur des diplômes de Lothaire s'avère nécessaire. En voici une courte analyse[91]:

	année	destinataire	teneur de l'acte
n° 1	822	Farfa	tonlieu[92]
n° 2	823	Côme	pancarte[93]
n° 3	824	Côme	confirmation[94]
n° 4	825	Novalèse	donation[95]

---

86 Cf. les diplômes n° 1 à 5, Dipl. Karol. 3, p. 51 sqq. Le diplôme n° 6 (mars 830) date d'une autre période: celle de l'exil en Italie. Cf. infra.

87 Introduction au diplôme de Lothaire n° 3 du 3 janvier 824, Dipl. Karol. 3, p. 55: »Lothars Zuständigkeit für Italien weitergalt, auch ohne daß er dort residierte«.

88 Dipl. Karol. 3, n° 3, p. 58 sq. Il y est relaté que Louis le Pieux avait déjà expédié un tel diplôme.

89 Sur les relations difficiles entre Farfa et l'Eglise romaine, cf. VEHSE, Päpstliche Herrschaft, p. 123 sqq.

90 Dipl. Karol. 3, n° 51, p. 148 (diplôme de Lothaire pour Farfa, 15 décembre 840): (il est fait part de la présence de Lothaire lors du plaid romain) *Sed cum nos ad domnum et genitorem nostrum Hludovicum augustum reversi fuissemus et ita per ordinem, sicut superius comprehensum est, narrassemus, placuit illi non solum idem monasterium rectoresque eius specialiter sub sua sucessorumque suorum tuitione ac defensione constituere …. sed etiam omnes res, quas presenti tempore predictum monasterium … possidet … inserere.* C'est également vers Louis le Pieux que le pape voulut se tourner en 829, en niant la compétence de ses *missi*, cf. DEPREUX, Empereur, p. 898.

91 Les n° sont ceux de l'édition de Th. SCHIEFFER, Dipl. Karol. 3.

92 Exemption de tonlieu pour un navire.

93 Pancarte confirmant les actes brûlés.

94 Confirmation des possessions et de la protection royale. Dipl. Karol. 3, n° 3, p. 59: *Decernimus insuper atque sanctimus, ut omnes res predicte ecclesie Cumensis sub defensione et mundio palatii nostri, sicut tempore patris et avi nostri fuerunt, perhenniter consistant.* En conséquence de quoi Lothaire réserva à son Palais la connaissance des conflits relatifs aux biens de cette église: *Et si aliqua altercatio de rebus predicte ecclesie, que per hoc nostrum preceptum et pro mercedis nostre augmento confirmavimus, orta fuerit, que ibi minime definiri valuerit, ad sacrum palatium nostrum reserventur, quatinus ibi secundum rectitudinis tramitem terminum accipiat.*

| n° 5 | 825 | Farfacon | firmation[96] |
| n° 6 | 830 | Sesto | immunité[97] |

Une conclusion s'impose à l'examen de ce tableau: bien que, dans les faits, nous n'ayons pas affaire à des préceptes mineurs en ce qui concerne les diplômes 1 à 5, puisqu'ils sont munis de corroboration par la *manus propria*, il s'agit, quant à leur nature, d'actes dont la forme devrait être celle de préceptes mineurs[98]. La compétence de Lothaire semble avoir été réduite à deux fonctions: gérer le fisc et assurer l'exercice de la justice. Ce n'est en revanche vraisemblablement pas par hasard que le premier diplôme connu datant d'après la première crise entre Louis le Pieux et Lothaire (le n° 6), lorsque Lothaire fut renvoyé en Italie[99], est un diplôme manifestant de façon classique la puissance souveraine[100]: certes, Lothaire, avant 829 comme après, s'intitulait *augustus invictissimi domni imperatoris Hludowici filius*, ce qui marque tout à la fois sa qualité impériale et le lien qui l'unissait à Louis le Pieux[101] dont il était en quelque sorte le représentant[102]; mais, pour ce qui concerne la façon de gouverner de Lothaire, c'est bien la date de 829 qui marque la césure[103].

A partir de 825, ou plus exactement à compter d'une date qui se situe dans la seconde moitié de cette année, Lothaire fut associé à son père dans la suscription des diplômes de ce dernier. Les actes étaient désormais expédiés au nom de *Hludowicus et Hlotharius divina ordinante providentia imperatores augusti*[104]. Je tends à interpréter cette mesure comme une conséquence de la volonté de Louis le Pieux de faire entrer dans les institutions ce »partage des responsabilités« (O. Guillot) exposé dans un capitulaire capital pour la compréhension du règne de cet empereur[105]. Il me semble par conséquent que l'on peut dater du mois d'août 825 l'Admonitio ad omnes regni ordines[106]. Il convient maintenant d'étudier quelle était, concrètement, l'action de Lothaire non plus en Italie, mais à la cour de son père. En effet, Lothaire rentra en

95 Lothaire dut obéir à l'ordre de son père, qui désirait doter l'hospice des pèlerins du Mont-Cenis, en donnant des biens de son monastère de Novalèse (*ex monasterio nostrae proprietatis*, Dipl. Karol. 3, n° 4, p. 62). En compensation, Lothaire donna un monastère à l'abbaye de Novalèse.

96 Confirmation d'une donation.

97 Privilège d'immunité, protection royale, liberté d'élection abbatiale.

98 Cf. la typologie établie par BAUTIER, Chancellerie, p. 49 sq.

99 Avec JARNUT, Regnum Italiae, p. 356, l'on peut parler de »dégradation« au rang d'un »Unterkönig«, cf. DEPREUX, Empereur, p. 902.

100 Sur ce type d'acte, cf. SEMMLER, Iussit Princeps.

101 Cf. WOLFRAM, Lateinische Herrschertitel, p. 59 et p. 86 sq.

102 Les diplômes de Lothaire étaient alors datés d'après les années de règne de son père et de lui-même. C'est à l'occasion de la déposition de Louis le Pieux en octobre 833 que Lothaire prit le titre impérial seul (*divina ordinante providentia imperator augustus*), cf. Dipl. Karol. 3, n° 13, p. 78. Les diplômes étaient alors datés d'après ses années de règne *in Francia* et *in Italia*. A la faveur de son exil en Italie (834), après quelque hésitation (cf. Dipl. Karol. 3, n° 22, p. 93, où il est encore fait mention de son règne *in Francia* et *in Italia*), Lothaire data ses actes de son seul règne impérial, sans mention du règne de Louis le Pieux, mais également sans restriction géographique (cf. Dipl. Karol. 3, n° 23 sqq.).

103 Cf. JARNUT, Regnum Italiae, p. 356 sqq.

104 Cf. WOLFRAM, Lateinische Herrschertitel, p. 87. Je ne suis pas d'accord avec l'analyse de l'auteur, ibid., p. 60.

105 Cf. GUILLOT, Exhortation; GUILLOT, Ordinatio.

106 Cf. DEPREUX, Empereur, p. 903 note 80.

Francia en 825, vers le début de l'été[107], et il accompagna dès lors son père dans ses déplacements[108].

Lothaire était, on l'a vu, déjà revenu à la cour de Louis le Pieux en 823. Il était de retour au début du mois juin (le 4, il se trouvait dans le Vorarlberg[109]) et, si l'on ignore s'il put se trouver à la cour lors de la naissance de Charles (le Chauve) le 13 juin[110], il est certain qu'il prit part à son baptême: en effet, il fut le parrain de son jeune demi-frère[111]. C'est probablement à cette occasion qu'il s'engagea, par serment, à garantir les droits de Charles sur la part du *regnum* que lui attribuerait Louis[112]. Il semble également que ce soit à l'occasion de son retour vers Francfort que l'évêque de Coire, Victor, s'adressa à Lothaire pour qu'il intercédât auprès de Louis le Pieux, comme nous l'apprend une lettre de cet évêque à l'empereur[113]. Ce n'est vraisemblablement pas par hasard que Victor se tourna vers Lothaire pour lui demander d'être son *intercessor*. La partie méridionale de l'Alémanie et le *ducatus* de Coire faisaient depuis 806 partie du royaume d'Italie[114]. Or, Lothaire devait en hériter *si Deus voluerit ut successor noster existat*[115]: par conséquent, Victor s'adressait à qui de droit. Lothaire participa à l'un des événements les plus glorieux du règne de Louis le Pieux, qui devait couronner la politique d'évangélisation et d'intégration des contrées septentrionales, mais dont les retombées politiques furent, pour le premier intéressé, éphémères: il s'agit du baptême du Danois Harold[116]. Non seulement Lothaire figurait dans le cortège impérial[117], mais il participa activement à la cérémonie baptismale puisqu'il devint le parrain du fils de Harold[118]. Au début de l'été 828, Lothaire fut nommé à la tête d'une armée envoyée en Marche d'Espagne pour faire face à une attaque des Sarra-

---

107 Cf. Annales regni Franc., a. 825, p. 167 sq.
108 Cf. par exemple ibid., p. 168; Astronomus, Vita, c. 39, p. 629.
109 Cf. Dipl. Karol. 3, n° 2, p. 52 sqq.
110 Cf. B.M. 773(748)a.
111 Astronomus, Vita, c. 60, p. 644: (en 839, Louis désirait que) *Hlotharius … iunioris fratris* (c'est-à-dire Charles) *curam gereret, cuius se spiritalem esse patrem meminisse deberet.* Cf. également, à propos de l'année 840, le récit de Nithardus, Historia, II, c. 1, p. 38: (il s'agit de Lothaire) *Interea ad Karolum in Aquitaniam legatos callide dirigens mandat ut erga illum, sicut pater statuerat et sicut erga filiolum ex baptismate oportebat, benivolum esse …*
112 Nithardus, Historia, I, c. 3, p. 8: … *Karolo quidem nato, quoniam omne imperium inter reliquos filios pater diviserat, quid huic faceret ignorabat; cumque anxius pater pro filio filios rogaret, tandem Lodharius consensit ac sacramento testatus est ut portionem regni quam vellet eidem pater daret tutoremque ac defensorem illius se fore contra omnes inimicos ejus in futuro jurando firmavit.*
113 Doc. dipl. Conféd. suisse, n° 49, p. 42: *Ad ultimum vero cum Hlotharius dilectus filius vester per fines illos transiret, omnium sacerdotum clericorum atque sanctimonialium turba ad eum cucurrit distructionem tocius sacri ordinis ei nuntiantes, ut ipse apud clementiam vestram intercessor existeret et cum ipso Franchonofurt ad vestigia vestra pervenimus, quatenus pietas vestra per fideles Deo et vobis missos hoc emendaret …* Cette démarche est traditionnellement datée de juin 823, la seule fois où le séjour de Lothaire, qui était passé par le Vorarlberg, cf. B.M. 1019(986), soit attesté à Francfort, cf. B.M. 773(748)a. CLAVADETSCHER, Einführung, p. 60 sq., a voulu dater cette démarche de 825. Ceci ne change rien à sa portée.
114 Divisio regnorum, c. 2, p. 127. SCHMID, Historische Bestimmung, a prouvé que ce partage entra réellement en vigueur et il a esquissé un tracé de frontière (carte p. 524).
115 Ordinatio imperii, c. 17, p. 273.
116 A ce propos, cf. ANGENENDT, Kaiserherrschaft und Königstaufe, p. 215 sqq.
117 Ermoldus, Elegiacum carmen, IV, v. 2298 sq.
118 Ibid., v. 2244 sq. Après le baptême, Lothaire vêtit son filleul d'habits brodés d'or (ibid., v. 2276 sq.).

sins. Ayant appris qu'elle n'avait finalement pas lieu, Lothaire et Pépin d'Aquitaine, qui se trouvaient alors à Lyon, rebroussèrent chemin[119].

Avant de nous tourner vers la période de crise du règne de Louis le Pieux, il faut rappeler que les relations entre Lothaire et son père semblent avoir été bonnes juste avant le conflit. Un diplôme illustre le rôle d'intermédiaire entre Louis et certains sujets que jouait Lothaire l'atteste: le 27 janvier 829, Louis le Pieux confirma un échange concernant l'église cathédrale d'Angers, dont son fils avait introduit la cause auprès de lui[120]. D'ailleurs, Walafrid Strabon, dans son De imagine Tetrici, se fit le témoin de cette apparente harmonie, puisque vers la même époque, il désignait Lothaire comme la *spes optima regni*: il était le Josué qui devait mener à son terme l'œuvre du nouveau Moïse qu'était Louis le Pieux[121].

Pour les contemporains, le revirement du mois d'août 829 dut faire l'effet d'une bombe[122]: à l'occasion du plaid tenu à Worms, Louis le Pieux nomma son filleul, le comte de Barcelone, chambrier[123]; il dota Charles (le Chauve) d'un territoire[124] et il renvoya Lothaire en Italie[125]. Il n'y a pas lieu de retracer ici en détail l'histoire événementielle des années de crise. Il est cependant un point que je mettrai en exergue, parce qu'il me semble fondamental pour la compréhension des révoltes de 830 et 833, qui eurent des résultats différents: à l'occasion de la première, Louis le Pieux fut contraint de partager le pouvoir; quant à la seconde, elle eut pour effet sa déposition. En effet, ce qui primait, dans et malgré l'opposition, c'était le souci de légitimité. Il est à cet égard significatif que, dans les deux cas, l'on fît appel à Lothaire ou que ce dernier s'imposât – parce qu'il était empereur. Il me semble que l'attitude légaliste des acteurs de ces révoltes prouve que l'association au *nomen imperatoris* n'était pas une vaine mesure: Paschase Radbert, certes le chantre d'un tenant de Lothaire, l'exprimait sans détour[126]. Il n'y a pas lieu de discuter le fait que Lothaire eut à se faire pardonner sa rébellion de 830[127] ni que sa démarche fut jugée par d'aucuns (en l'occurrence par

119 Annales regni Franc., a. 828, p. 174 sq.; Astronomus, Vita, c. 42, p. 631; Annales Fuldenses, a. 828, p. 25.
120 B.M. 858(834), éd. Recueil des hist. 6, n° 152, p. 560 sq. (à la p. 560): ... *dilectus filius noster augustus Hlotharius innotuit mansuetudini nostrae quod* ...
121 Walahfridus, Carmina, n° 23, p. 375, v. 158 sqq.
122 L'on ne dispose toujours pas d'une étude satisfaisante sur les années 829 et suivantes. J'ai supposé (cf. DEPREUX, Matfrid, p. 357) que Bernard (II) devint, malgré lui, la cible du mécontentement à l'encontre de Louis le Pieux. Sa nomination par ce dernier, accompagnée du renvoi de Lothaire, fit alors figure de bras de fer.
123 Cf. la notice n° 50.
124 Theganus, Vita, c. 35, p. 597: *Alio anno venit Wormatiam, ubi et Karolo filio suo, qui erat ex Judith augusta natus, terram Alamannicam, et Redicam, et partem aliquam Burgundiae, coram filiis suis Hluthario et aequivoco suo tradidit; et illi inde indignati sunt una cum Pippino germano eorum.*
125 Annales regni Franc., a. 829, p. 177: *Hlotharium quoque filium suum finito illo conventu in Italiam direxit;* cf. Astronomus, Vita, c. 43, p. 632. Lothaire fut accusé par Nithardus, Historia, c. 3, p. 10, d'avoir voulu s'opposer par des moyens détournés à la dotation de Charles.
126 Paschasius, Epitaphium, p. 74: *Tunc tamen eum quasi liberatorem omnium omnes magnificabant, et extollebant ubique laudibus, maxime cum cesar augustus Honorius ab Italis evocatus venisset, eo quod consortem imperii Iustinianus sibi olim et successorem totius monarchiae cum voluntate et consensu omnium eum fecerat...*
127 Cf. la description de la réconciliation avec Louis le Pieux dans Astronomus, Vita, c. 45, p. 633 sq.

Eginhard) comme contraire au devoir moral d'un fils à l'égard de son père[128] – ce qui n'empêcha pas le même Eginhard de se réjouir du succès de Lothaire une fois qu'il était assuré[129]. Néanmoins, Lothaire avait mal agi: à Nimègue à l'automne 830, il dut jurer fidélité à Louis le Pieux et promettre de ne pas récidiver[130]. Ces faits maintenant précisés, nous pouvons nous tourner vers les sources présentant le cours de la révolte de 830; la primauté de Lothaire y est manifeste. A Compiègne, Pépin était censé agir avec l'accord de son frère aîné quand il priva Louis et du pouvoir et de son épouse[131]. Lorsque Lothaire arriva d'Italie, l'ensemble des opposants à Louis le Pieux se tournèrent vers lui: c'était à lui, qui semble d'ailleurs en cette occasion avoir traité son père avec respect, d'apprécier la situation[132].

L'on ne possède malheureusement pas de diplôme de Lothaire datant de 830, pendant son séjour en *Francia*. Par conséquent, on ignore si les événements eurent quelque incidence sur le formulaire de ses actes. Il est cependant probable que ce ne fût pas le cas, puisqu'on n'en trouve aucune séquelle dans les actes ultérieurs[133]. Il en fut différemment pour les actes de Louis le Pieux. En effet, suite au renvoi de Lothaire en Italie vers la fin de l'été 829, son nom avait été supprimé de la suscription des diplômes de son père. Il existe une petite incertitude quant à la date exacte de cette mesure[134]; quoi qu'il en soit, cette dernière est incontestable à partir du 14 octobre[135]. La révolte de 830 eut notamment pour effet le retour aux usages d'avant 829: l'associati-

---

128 Einhardus, Epistolae, n° 11, p. 114 sq. Eginhard exhortait Lothaire à observer l'*honor* dû envers ses parents. Pour lui, la venue de Lothaire en *Francia* était un acte de désobéissance: ... *quidam homines, sua potius quam vestra commoda querentes, mansuetudinem vestram sollicitent vobisque persuadere conentur, ut postposito paterno consilio et oboedientia debita derelicta locum vobis ad regendum atque custodiendum a piissimo genitore vestro commissum dimittatis, et ad illum ipso invito et neque volente neque iubente veniatis, et apud eum, quamvis illi non placeat, permaneatis.*

129 Einhardus, Epistola, n° 16, p. 118 (lettre à un évêque de l'entourage de Lothaire): *Omnipotenti Deo et domino nostro Iesu Christo quantas valeo gratias agere non cesso, quia gloriosissimum et a Deo conservatum semperque conservandum dominum meum Hl(otharium) augustum salvum et incolomem ac te mihi karissimum una cum illo de Italia venisse cognovi; et opto atque oro, ut ille me cito permittat illo venire, ubi vestra corporali presentia perfrui merear.*

130 Theganus, Vita, c. 37, p. 598: *Et Hlutharius filius eius cum iuramento fidelitatem promisit, ut post hoc nunquam talia commitere debuisset.*

131 Annales Bertiniani, a. 830, p. 2: *Ibique veniens Pippinus cum multitudine populi, consensu Hlotharii omnem potestatem regiam uxoremque eius tulerunt.*

132 Astronomus, Vita, c. 45, p. 633: *Circa Maium porro mensem filius imperatoris Hlotharius ex Italia venit, eumque in Compendio repperit. Ad quem venientem tota se illa contulit factio imperatoris inimica; ipse tamen nihil tunc temporis patri intulisse visus est dedecoris; probavit autem quae gesta erant.*

133 Dans la suscription, Lothaire était toujours dit »auguste, fils du très invincible seigneur empereur Louis«, et la date était calculée d'après les années de règne de Louis le Pieux et celles du règne en Italie de son fils.

134 En effet, le 6 septembre, le diplôme B.M. 869(840), éd. Teutscher Regierungsspiegel, p. 83, et Gallus Öhem, Chronik, p. 49, fut expédié au nom seul de Louis le Pieux, mais la suscription du diplôme B.M. 871(842), éd. Doc. dipl. Worms, n° 5, p. 5, expédié le 11 du même mois porte les noms de Louis et de Lothaire. Au cas où cette incohérence ne serait pas imputable à la tradition manuscrite, il faudrait supposer que le diplôme du 11 septembre fut rédigé avant celui du 6, mais muni des signes de validation après ce dernier, quand les usages de la chancellerie, dont on aurait ici l'illustration des lenteurs, avaient déjà changé.

135 En effet, le 14 octobre 829 fut expédié un diplôme que l'on conserve en original, B.M. 872(843), éd. Recueil des hist. 6, n° 153, p. 561: la suscription porte le seul nom de Louis.

on du nom de Lothaire à celui de Louis le Pieux dans les diplômes de ce dernier[136]. Elle traduit en fait plus que le rappel de Lothaire aux affaires: si l'on ne peut pas parler d'une déposition de Louis le Pieux[137], le pouvoir de décision était passé aux mains de Lothaire. Ce dernier s'était emparé de la *res publica* et gardait son père en sa puissance[138]: Louis n'était plus empereur que de nom[139]. Pour garder son trône, il avait dû accepter de gouverner désormais en accord avec ses grands[140], de ne pas revenir sur les dispositions de l'Ordinatio imperii[141] et, enfin, de renoncer à sa femme[142]. C'est par le partage du pouvoir de Louis avec Lothaire que se justifie l'affirmation de l'annaliste, qui écrit que le plaid devant se tenir à Nimègue à l'automne 830 fut convoqué par Louis le Pieux et Lothaire[143], qui eut cependant alors à rentrer dans le rang. L'on a, enfin, une belle illustration de l'emprise de Lothaire sur son père pendant l'été 830: il s'agit du diplôme par lequel Louis le Pieux fit une donation au monastère de Charroux[144], dont l'abbé n'était autre que Gombaud, qui briguait alors de hautes fonctions[145]. En effet, Louis est réputé avoir agi »sur la requête de notre cher fils susnommé, Lothaire, auguste et associé à notre *imperium*, d'une volonté commune et d'un accord égal«[146].

---

136 On observe ceci du 2 août 830 au 11 novembre de la même année. Cf. B.M. 875(846), éd. Recueil des hist. 6, n° 156, p. 563 sqq., et B.M. 877(848), éd. PL 104, col. 1190.

137 L'auteur des Annales de Saint-Bertin dit que Pépin, à Compiègne, priva Louis de son pouvoir, mais il faut comprendre qu'il l'empêcha d'exercer son pouvoir (en le faisant prisonnier), car on serait bien en peine de trouver une source décrivant une cérémonie de déposition à l'instar de celle de 833. En effet, Paschase Radbert est formel: la révolte eut lieu *non ut augustus imperio privaretur* (Paschasius, Epitaphium, p. 72). Et l'auteur de présenter l'assemblée de Compiègne, après que Louis le Pieux eut promis de s'amender, comme une nouvelle intronisation de ce dernier: *Quibus ita pacifice in eadem concione dispositis, relevatur in throno gloriosus imperator, et erigitur cum laudibus, et subditur ei omnis populus in fide amplius fidelis, si posset fieri, quam prius* (ibid.). En ce sens, l'expression *recuperato imperio* qu'utilise l'auteur des Annales de Saint-Bertin à propos de l'assemblée d'automne à Nimègue (Annales Bertiniani, a. 830, p. 3), n'est pas tout à fait juste: Louis n'avait officiellement pas perdu son *imperium*; ce qu'il recouvra à Nimègue, c'était l'exercice du pouvoir par lui seul. Cette expression n'en est cependant que plus intéressante: pour un membre de la cour, il n'y avait pas de doute sur le fait que Louis, au printemps 830, avait réellement perdu le pouvoir.

138 Nithardus, Historia, I, c. 3, p. 10: *Et Lodharius quidem, eo tenore re publica adepta, patrem et Karolum sub libera custodia servabat.*

139 Astronomus, Vita, c. 45, p. 633: *In talibus ergo consistens, solo nomine imperator aestatem transegit.*

140 Paschasius, Epitaphium, p. 73: *Porro deinceps nihil tale, nihil sine vestro consilio me acturum ulterius profiteor.* Sur les idées de Paschase Radbert, cf. HANNIG, Consensus fidelium, p. 276 sqq.

141 Paschasius, Epitaphium, p. 73: *Imperium namque a me, ut olim ordinatum est una vobiscum et constitutum, ita manere decerno et volo.*

142 Ibid.: *Femine quoque huic, quam adiudicastis, quia mea est in illa ultio, iuxta communes leges, sicut deposcitis, vitam concedo, ita tamen ut sub sacro velamine deinceps degeat, et poenitentiam gerat.*

143 Annales Bertiniani, a. 830, p. 2: *His omnibus ita peractis, alium conventum domnus imperator cum filio suo Hlothario circa kalendas octobris Noviomago condixit, ubi Saxones et orientales Franci convenire potuissent.*

144 B.M. 876(847), diplôme donné à Samoussy le 13 août 830.

145 Cf. la notice n° 123.

146 B.M. 876(847), éd. Recueil des hist. 6, n° 158, p. 566: *... suggerente supradicto filio dilecto nostro Lothario augusto et consorte imperii nostri, communi voluntate parique consensu, pro mercedis nostrae augmento et aeternae retributionis fructu, concedimus ...*

Ce »concensus« entre le père et le fils et l'association du second au nom de son père dans les diplômes de ce dernier prirent fin à Nimègue[147]. Louis le Pieux passa néanmoins l'hiver 830/831 avec Lothaire[148], qui participa au plaid de février 831, à Aix-la-Chapelle, où il dut lui-même juger ses complices[149]. Aussitôt après, il fut renvoyé en Italie[150]. Il s'agit d'une sorte de bannissement[151]: il fut permis à Lothaire de s'y rendre à condition qu'il n'entreprît plus rien contre son père[152]. Lothaire franchit de nouveau les Alpes pour se rendre, en mai 831, à l'assemblée d'Ingelheim: Louis le Pieux l'accueillit alors avec égard[153]. En suite de quoi il fut renvoyé en Italie[154]. Il participa vraisemblablement aussi, à l'automne de la même année, au plaid tenu à Thionville[155]. L'an suivant, Lothaire fut suspecté d'avoir trempé dans la révolte de Louis le Germanique[156] et il vint à Mayence (ou à Francfort), devant son père, pour se disculper[157].

Il n'y a pas lieu de traiter ici du coup d'Etat de 833, car Lothaire n'agit plus sous le prétexte de son association à l'empire: il confisqua pour lui le pouvoir[158]. Le fils en

---

147 Dans le diplôme B.M. 877(848) donné à Nimègue le 11 novembre 830, les noms de Louis et de Lothaire étaient associés dans la suscription. Ce fut le dernier diplôme de ce type. En effet, le diplôme suivant, B.M. 880(851), éd. Doc. dipl. Rhin moyen, n° 59, p. 66 sq., du 7 janvier 831, fut expédié au seul nom de Louis.

148 Theganus, Vita, c. 46, p. 634: *His peractis, ad hiemandum imperator Aquisgrani secessit. Habuit autem per idem tempus secum semper Hlotharium filium suum.* Il s'agissait vraisemblablement pour Louis de garder son fils en sa puissance tant que la situation d'avant la révolte (que l'on pense notamment au retour de Judith) n'aurait pas été rétablie.

149 Nithardus, Historia, I, c. 3, p. 12: *Hinc hi qui cum Lodhario senserunt in concilium deducti et ab ipso Lodhario ad mortem dijudicati aut, vita donata, in exilium retrusi sunt*; Annales Bertiniani, a. 831, p. 3 sq.: *Nam circa kalendas februarii, sicut condictum fuerat, generale placitum habuit, eosque qui anno superiori propter seditionem, prius in Compendio et postea in Niumago, domnum imperatorem offenderant venire iussit ut illorum causa discuteretur et diiudicaretur. Primumque a filiis eius ac deinde a cuncto qui aderat populo iudicatum est ut capitalem subirent sententiam. Tunc domnus imperator solita pietate vitam et membra illis indulsit ipsosque per diversa loca ad custodiendum commendavit. Hlotharius vero, propter quod magis illis consenserat quam debuisset, genitoris pium commovit animum.*

150 Annales Bertiniani, a. 831, p. 4; Theganus, Vita, c. 46, p. 634.

151 Il est à noter que Lothaire n'est pas mentionné dans le partage de 831, comme si, pour Louis le Pieux, l'Italie ne faisait déjà plus partie du *regn(um) nobis a Deo commiss(um)*. Cf. Regni divisio.

152 Nithardus, Historia, I, c. 3, p. 12: *Lodharium quoque, sola Italia contentum, ea pactione abire permisit ut extra patris voluntatem nihil deinceps moliri in regno temptaret.*

153 Annales Bertiniani, a. 831, p. 4: *Ipse autem circa kalendas mai ad Ingulehem veniens Hlotharium illic ad se venientem honorifice suscepit; hi quoque qui in exilium missi fuerant adducti et absoluti gratiamque domni imperatoris adepti sunt.*

154 Theganus, Vita, c. 46, p. 634: *... et filium Hlotharium in Italiam direxit.*

155 En effet, l'annaliste écrit que Louis renvoya *ad sua* les fils ayant participé à ce plaid, puis il évoque le cas spécial de Pépin d'Aquitaine. Comme Charles (le Chauve) était trop jeune pour être renvoyé »chez lui«, c'est-à-dire ailleurs qu'au palais de son père, il faut admettre que les »fils« en question étaient Lothaire et Louis (le Germanique). Cf. Annales Bertiniani, a. 831, p. 4 sq.

156 Theganus, Vita, c. 39, p. 598.

157 Annales Bertiniani, a. 832, p. 7 (Mayence); Theganus, Vita, c. 40, p. 598 (Francfort).

158 Annales Bertiniani, a. 833, p. 9: *... arrepta potestate regia ...* En octobre 833, à Compiègne, les grands se soumirent à lui, cf. ibid., p. 10: *Ibique episcopi, abbates, comites et universus populus convenientes, dona annualia ei praesentaverunt fidelitatemque promiserunt.* Cf. également Annales Xantenses, a. 833, p. 8. Même ses frères (en l'occurrence Louis le Germanique) durent jurer fidélité (cf. ibid., p. 9). Pour Nithardus, Historia, I, c. 4, p. 14, il s'agissait cette fois véritablement d'un coup d'Etat: certains incitaient Lothaire *ut rem publicam invadat.* Dès octobre 833, la suscription des di-

qui Louis reconnaissait son *consors* ne faisait plus partie de son entourage: au contraire, il était devenu son geôlier[159]. Une présentation détaillée des événements n'apporterait pas grand-chose à notre propos[160]. Je voudrais juste souligner un paradoxe: son rang impérial conférait certainement à Lothaire un certain prestige, qui explique vraisemblablement pourquoi il exerça la présidence de l'assemblée qui devait juger Louis le Pieux[161]; mais c'en était également fini du primat de Lothaire, car l'une des raisons de la défection de ses frères, qui dès l'hiver 833/834 allaient travailler à la libération de leur père, fut précisément son désir de garder le pouvoir pour lui seul[162]. D'une certaine manière, on peut dire que l'empire avait vécu[163].

De même qu'il n'y avait pas lieu de retracer en détail la révolte de 833, il n'entre pas dans notre propos d'étudier comment elle prit fin, ni de rappeler de quels combats l'année 834 fut entachée. Ici encore, je ne retiendrai qu'un point: lors de l'entrevue près de Blois, quand Lothaire se soumit à son père, il lui jura fidélité et il lui promit d'obéir à ses ordres et de ne pas sortir sans sa permission du royaume d'Italie[164], royaume que Louis le Pieux lui accorda aux mêmes termes que l'avait tenu Pépin du temps de Charlemagne[165]. La référence à Pépin d'Italie, et non à son fils Bernard, pour définir les droits de Lothaire en Italie me semble d'importance: il s'agit, à mon sens, tant du rétablissement pour le roi d'Italie du droit d'avoir une descendance légitime[166] que de l'affirmation pour ce dernier d'un certain droit de regard – qu'impliquait un devoir de protection – sur l'Eglise romaine[167]. D'ailleurs, Louis le Pieux rap-

---

plômes de Lothaire changea, cf. Dipl. Karol. 3, n° 13, p. 78 sqq.: il s'intitulait désormais *Hlotharius divina ordinante providentia imperator augustus*, sans référence à son père, dont les années de règne disparurent des formules de datation. Dès lors, Lothaire data ses actes de ses propres années de règne *in Francia* et *in Italia*.

159 Il s'agit d'une conséquence de la *poenitentia publica solemnis*, qui supposait alors la réclusion du pénitent. Cf. VOGEL, Pénitence; VOGEL, Discipline pénitentielle.

160 Il existe quelques études récentes sur certains aspects de la pénitence de Louis (cf. DEPREUX, Louis le Pieux reconsidéré?, p. 185), mais pas sur le déroulement de la crise de 833/834 dans son ensemble. On doit par conséquent se reporter aux manuels. Cf. notamment HALPHEN, Charlemagne, p. 240 sqq.; ULLMANN, Carolingian Renaissance, p. 64 sqq.

161 Agobardus, Carta de poenitentia, p. 56: *Qui utique conventus extitit ex reverentissimis episcopis et magnificentissimis viris illustribus, collegio quoque abbatum et comitum promiscuaeque aetatis et dignitatis populo, praesidente serenissimo et gloriosissimo Hlothario imperatore et Christi domini amatore …*

162 Nithardus, Historia, I, c. 4, p. 16: *Et Lodharius quidem iterum eo tenore imperium adeptum, quod injuste tam facile iteratus obtinuit, iterato facilius juste amisit. Nam Pippinus et Lodhuwicus, videntes quod Lodharius universum imperium sibi vindicare illosque deteriores efficere vellet, graviter ferebant.*

163 Du moins, pour Nithard, la notion de *res publica* disparut à cette époque, cf. DEPREUX, Nithard.

164 Theganus, Vita, c. 55, p. 602: *Post haec iuravit Hlutharius patri suo fidelitatem, ut omnibus imperiis suis obedire debuisset, et ut iret in Italiam et ibi maneret, et inde non exiret nisi per iussionem patris.*

165 Annales Bertiniani, a. 834, p. 15: *… et Hlothario quidem Italiam, sicut tempore domni Karoli Pippinus, germanus domni imperatoris, habuerat, concessit…*

166 Il semblerait que les dispositions de 817 fussent contraires à cela, cf. DEPREUX, Königtum, p. 15 sq.

167 Suivant l'analyse de SCHLESINGER, Kaisertum, p. 24 sqq., qui considérait que sous Charlemagne, la protection de l'Eglise romaine était l'affaire de la famille carolingienne (et non du seul empereur), j'ai montré qu'il était vraisemblable qu'Etienne IV eût notamment pour dessein, par la cérémonie rémoise de 816, de priver Bernard d'Italie de cette prérogative, cf. DEPREUX, Königtum, p. 18 sqq.

pela son fils à l'ordre sur ce point[168]. Certes, dans les années qui suivent 834, Louis s'efforça de susciter une véritable réconciliation, et l'on multiplia les ambassades à cet effet[169]. Mais un pas décisif était désormais franchi: Lothaire, qui ne prenait plus part aux plaids de son père[170], régnait de manière autonome[171]. En 837, au souhait de Louis le Pieux de se rendre à Rome[172], Lothaire répondit d'ailleurs agressivement[173].

C'est grâce à Judith et à certains conseillers de Louis le Pieux que ce dernier pardonna définitivement à Lothaire, qui vint se réconcilier avec son père au début de l'été 839, à Worms[174]. A cette occasion, Louis le Pieux partagea son empire entre Lothaire et Charles (le Chauve)[175]. En effet, Judith et certains conseillers étaient d'avis qu'une alliance avec Lothaire serait le meilleur moyen de garantir les droits de Charles[176]. Cette réconciliation semble avoir eu pour conséquence l'obligation, pour Lothaire, de fréquenter de nouveau les plaids de son père[177]. Mais il manqua au père et à son fils le temps de renouer des relations normales. Alors qu'il se trouvait à l'agonie, Louis le Pieux fit envoyer à Lothaire une couronne, afin qu'il se souvînt de ses engagements vis-à-vis de Charles[178] – en vain. Les guerres fratricides ne détournèrent cependant pas complètement Lothaire de sa piété filiale: il fit ériger un autel devant le sarcophage de son père[179].

168 Astronomus, Vita, c. 55, p. 641: ... *nuntiatum est imperatori, eo quod conditiones sacramentorum dudum promissas inrumperet, maximeque ecclesiam sancti Petri, quam tam avus eius Pippinus, quamque pater eius Karolus, necnon et ipse in tutelam susceperant, homines eius crudelissima clade vexarent. Quae res adeo animum illius mitissimum asperavit, ut quodammodo extraordinarie, ut videbatur, missos dirigeret ... Misit ad Hlotharium, commonens ne talia fieri permitteret; monens ut memor esset, quia quando ei regnum Italiae donavit, etiam curam sanctae aecclesiae Romanae simul commisit, et quam ab adversariis defensandam susceperat, nequaquam a suis diripi permitteret.*
169 Ce fut le cas en 835 (Theganus, Vita, c. 57, p. 603) et en 836 (Annales Bertiniani, a. 836, p. 18 sq.; Theganus, Vita, continuation, p. 603; Astronomus, Vita, c. 54 sqq., p. 640 sq.).
170 Cf. par exemple Astronomus, Vita, c. 57, p. 642.
171 Lothaire ne revint pas sur la formule de suscription de ses diplômes adoptée à l'occasion de la déposition de Louis le Pieux (cf. supra). Mais une fois de retour dans l'Italie de son exil, à part une exception (cf. Dipl. Karol. 3, n° 22, p. 91 sqq.), il data ses actes d'après les années de son règne impérial, sans restriction géographique (cf. Dipl. Karol. 3, n° 23 sqq., p. 93 sqq.).
172 Annales Bertiniani, a. 837, p. 21.
173 Ibid., p. 22: *Hlotharius autem clusas in Alpibus muris firmissimis arceri praecepit.*
174 Annales Bertiniani, a. 839, p. 31. Cette réconciliation profita également à certains membres de l'entourage de Lothaire, cf. B.M. 995(964) – à ce propos, cf. la notice n° 232.
175 Annales Bertiniani, a. 839, p. 31 sq.; Astronomus, Vita, c. 60, p. 644 sq.; Nithardus, Historia, I, c. 7, p. 30 sqq.; Annales Fuldenses, a. 839, p. 30.
176 Astronomus, Vita, c. 59, p. 644; Nithardus, Historia, I, c. 6, p. 28.
177 Astronomus, Vita, c. 62, p. 646 – il s'agissait certes d'une période de crise (printemps 840): ... *imperator ad filium suum Hlotharium in Italiam misit, iubens ut eidem placito* (il s'agissait d'un plaid prévu à Worms) *interesset, quatinus cum eo de hac re et de aliis deliberaret.*
178 Astronomus, Vita, c. 63, p. 647: *Et Hlothario quidem coronam, ensem auro gemmisque redimitum, eo tenore habendum misit, ut fidem Karolo et Iudith servaret, et portionem regni totam illi consentiret et tueretur, quam Deo teste et proceribus palatii ille secum et ante se largitus ei fuerat.*
179 Carmina varia, n° 6, p. 654.

192. **LOUIS**[1] (le Germanique)

Fils de Louis le Pieux, roi, né vers 806[2] – mort le 28 août 876[3]

Il n'existe pas d'étude récente sur le règne de Louis le Germanique: c'est toujours à la magistrale présentation générale d'E. Dümmler que l'on doit se reporter[4]. Bien que l'analyse n'ait, pour mainte question, pas été renouvelée depuis[5], je dois renoncer à présenter dans cette notice une recherche exhaustive sur Louis, bien évidemment pour la période après 840, mais également pour celle précédant cette date: comme ce fut le cas pour Lothaire, je restreindrai l'analyse à l'essentiel, en portant mon intérêt principalement sur l'association du fils homonyme au gouvernement de son père. Lorsqu'il succéda à Charlemagne, Louis le Pieux confia l'administration de la Bavière à Lothaire et celle de l'Aquitaine à Pépin, mais il garda Louis auprès de lui en raison de sa jeunesse[6]. Ce n'est qu'en juillet 817 que ce dernier fut »distingué par (l'octroi) du nom de roi«[7] et reçut un territoire à administrer: la Bavière et le sud-est de l'empire[8]. Louis ne gagna cependant pas immédiatement son royaume[9]: ce n'est

1 Formes onomastiques: *Hludowicus, Ludowicus, Hluduicus.*
2 Sur cette hypothèse de datation, cf. B.M. 1338(1300)b.
3 Annales Fuldenses, a. 876, p. 86: ... *Hludowicus aegrotare coepit et crescente cotidie infirmitate V. Kal. Septembr. in palatio Franconofurt diem ultimum clausit; cuius corpus transtulit aequivocus illius et in monasterio sancti Nazarii, quod dicitur Lauresham, honorifice sepelivit.* Cf. également Regino, Chronicon, a. 876, p. 110. C'est le lendemain de son décès, le 29 août, que Louis fut inhumé à Lorsch, cf. Annales Bertiniani, a. 876, p. 206: ... *imperatori in Carisiaco nuntiatum est praefatum Hludouuicum regem in Franconofurth palatio V kalendas septembris obisse et IIII kalendas eiusdem mensis in monasterio sancti Nazarii sepultum fuisse.* Sur la générosité particulière dont Louis le Germanique avait fait preuve envers Lorsch, cf. WEHLT, Reichsabtei, p. 33 sq.
4 Cf. DÜMMLER, Geschichte, notamment tome 1, p. 15 sqq.
5 Il y a une exception de taille: l'étude de diplomatique menée par KEHR, Kanzlei.
6 Cf. Astronomus, Vita, c. 24, p. 619 – texte cité à la notice n° 191.
7 Ordinatio imperii, préambule, p. 271: *Ceteros vero fratres eius, Pippinum videlicet et Hludowicum aequivocum nostrum, communi consilio placuit regiis insigniri nominibus, et loca inferius denominata constituere, in quibus post decessum nostrum sub seniore fratre regali potestate potiantur iuxta inferius adnotata capitula, quibus, quam inter eos constituimus, conditio continetur.* Dès 814, Pépin portait le titre royal (cf. EITEN, Unterkönigtum, p. 96 sq.). Cette disposition de l'Ordinatio imperii, en laquelle on a voulu voir une »gesetzliche Sanktifikation« (EITEN, Unterkönigtum, p. 69 note 2), c'est-à-dire vraisemblablement une sanction juridique de la nomination de 814 (cf. ibid., p. 98), s'explique certainement par l'assimilation, à l'égard de la situation nouvelle de Lothaire, du cas de Pépin à celui de Louis, qui n'avait pas reçu la dignité royale en 814. Sur l'événement de juillet 817, cf. également Annales regni Franc., a. 817, p. 146; Astronomus, Vita, c. 29, p. 622. Theganus, Vita, c. 21, p. 596, affirme, à propos de l'association de Lothaire à l'empire, que *ceteri filii ob hoc indignati sunt.* Rien ne permet de confirmer l'assertion de Thégan, qui faisait vraisemblablement erreur en imputant aux fils de Louis le Pieux des sentiments datant de la crise de 833.
8 Ordinatio imperii, c. 2, p. 271: *Item Hludowicus volumus ut habeat Baioariam et Carentanos et Beheimos et Avaros atque Sclavos qui ab orientali parte Baioariae sunt, et insuper duas villas dominicales ad suum servitium in pago Nortgaoe Luttraof et Ingoldesstat.* Sur le règne de Louis en Bavière, cf. EITEN, Unterkönigtum, p. 114 sqq.
9 Astronomus, Vita, c. 29, p. 622, affirme qu'en juillet 817, Louis le Pieux »envoya« (*misit*) Pépin en Aquitaine et Louis en Bavière. Mais l'annaliste ne prétend rien de tel; il dit que l'empereur les y préposa: *caeteros reges appellatos unum Aquitaniae, alterum Baioariae praefecit* (Annales regni Franc., a. 817, p. 146). Il s'agit par conséquent d'une interprétation abusive de la part de l'Astronome, à moins qu'il ne faille comprendre *mittere* dans le sens de »nommer«. EITEN, Unterkönigtum, p. 116, tire argument de la mention d'Egilolf, le précepteur de Louis, comme témoin d'une donation à

qu'en 825 ou en 826 que son père l'y envoya[10]. Auparavant, Louis eut néanmoins l'occasion de s'initier au métier de roi, que ce soit dans l'art de la diplomatie[11] ou dans la conduite des armées[12]. Une fois en Bavière, il disposa d'un propre Palais, que nous connaissons cependant fort mal[13].

Les liens entre Louis et son père demeurèrent bons au cours des années suivantes. Le jeune roi fut plus spécialement attaché à la famille de Judith, puisqu'en 827, il en épousa la soeur[14], Hemma[15]. Fort vraisemblablement, le mariage eut lieu à la cour de Louis le Pieux[16]. Toujours est-il que Louis (le Germanique) s'était rendu en *Francia*[17] et qu'il en revint en 828 accompagné de son épouse[18]. Son séjour à la cour de son pè-

l'église de Freising, pour supposer que Louis se rendit en Bavière avant son »envoi« officiel. Mais cette mention ne prouve rien de cela, cf. la notice n° 81.

10 Cf. Annales regni Francorum, a. 825, p. 168: (Après le plaid tenu en août) *minorem vero filium suum Hludowicum in Baioariam direxit*. Cf. également Astronomus, Vita, c. 39, p. 629. Ceci est confirmé par une source salzbourgeoise, les Annales s. Rudberti, a. 825, p. 770: *Ludwicus in Bawariam venit*. Certains éléments permettent cependant de penser que c'est seulement en 826 que Louis vint en Bavière, cf. B.M. 1338(1300)d et EITEN, Unterkönigtum, p. 117. La date à partir de laquelle les années de règne de Louis furent comptées tomberait entre le 27 mars et le 27 mai, cf. EITEN, Unterkönigtum, p. 118.

11 Le pacte de 817 entre Louis le Pieux et le pape Pascal fut souscrit par les trois fils de l'empereur, cf. HAHN, Hludowicianum, p. 135.

12 Louis participa à l'expédition militaire contre la Bretagne en 824: *Tum demum adunatis undique omnibus copiis Redonas civitatem terminis Brittaniae contiguam venit et inde diviso in tres partes exercitu duabusque partibus filiis suis Pippino et Hludowico traditis tertiasque secum retenta Brittaniam ingressus totam ferro et igni devastavit* (Annales regni Franc., a. 824, p. 165). Le comte Matfrid (cf. la notice n° 199) lui fut adjoint pour l'assister dans le commandement de son armée: *Partem unam aequivoco belli committit, et una/ Matfridum sociat, milia multa simul* (Ermoldus, Elegiacum carmen, IV, v. 2004 sq., p. 152).

13 Cf. EITEN, Unterkönigtum, p. 120 et p. 122 sq.

14 Annales Xantenses, a. 827, p. 7: *Venerunt corpora sanctorum Marcellini et Petri de Roma, et Ludewicus rex accepit in coniugium sororem Iudith imperatricis.*

15 Regino, Chronicon, a. 876, p. 110: *Habuit autem hic gloriosissimus rex … reginam nomine Hemmam sibi in matrimonium iunctam, quae nobilis genere fuit, sed, quod magis laudandum, nobilitate mentis multo prestantior …* Le nom de Hemma est cité à plusieurs reprises dans les diplômes de Louis le Germanique (elle est dite *dilecta coniunx nostra* dans un diplôme de 863, cf. Dipl. regum Germ. 1, n° 110, p. 159). Son nom apparaît également parmi les Welfides dans le livre de fraternité de Pfäfers, cf. notamment TELLENBACH, Älteste Welfen. Hemma était »schön, tugendhaft und edel« (DÜMMLER, Geschichte, tome 2, p. 424).

16 On sait que Louis le Germanique ne se maria pas en Bavière, cf. infra. On peut par conséquent difficilement concevoir qu'il se mariât ailleurs qu'à la cour de son père.

17 Doc. dipl. Freising, n° 553, p. 476: *Actum est hoc in III. id. mar. indictione V. anno Hludowici imperatoris XV. in ipso anno, quando filius eius Hludowicus rex de Baiouuaria rediit in Francia*. L'éditeur date avec raison cet acte du 12 mars 828, qui se réfère cependant pour l'essentiel à l'année 827. En effet, le notaire avait recours au style de l'Annonciation pour dater cet acte, comme je pense l'avoir montré dans DEPREUX, Gouvernement, tome 2, vol. 2, p. 1333 sqq., et plus particulièrement p. 1342 sq. J'explique la datation apparemment incohérente de certains actes de Freising par le recours aux styles de l'Annonciation, tant le pisan que le florentin; mon analyse modifie quelque peu nos connaissances sur la géographie et la date des premières traces (le début du IXe siècle et non la fin) du recours au style pisan (à ce propos, cf. HIGOUNET, Style pisan). Je publierai ailleurs une étude sur la datation des actes de Freising.

18 C'est ce qu'attestent plusieurs datations de diplômes de Freising, où il est dit que l'acte fut établi *in ipso anno quo filius eius Hludouuicus rex in Baiouuaria cum coniuge venit*, ainsi qu'on le trouve dans une donation du 29 mars 828 (Doc. dipl. Freising, n° 554, p. 477), le premier document où cette expression apparaît. Cf. également les actes suivants de l'édition de Th. Bitterauf. Il semblerait que ce

re fut l'occasion pour Louis de présenter une requête en faveur de l'abbaye de Kremsmünster, pour laquelle Louis le Pieux fit expédier un diplôme de donation le 22 mars 828; il y est rappelé que l'empereur fit cette donation *ad deprecationem dilecti filii nostri Ludowici regis Waioariorum et Geroldi comitis*[19]. La présence conjointe de Louis et du comte Gérold[20] date vraisemblablement du plaid de février 828 tenu à Aix-la-Chapelle, au cours duquel Baudry fut déposé[21]: le devenir de la situation au sud-est de l'empire et l'état des relations avec les »Bulgares« les concernaient tous deux[22]. En 828, Louis mena d'ailleurs une campagne militaire *contra Bulgaros*, explicitement sur l'ordre de son père[23].

Louis participa également, en août 829, au plaid tenu à Worms[24], au cours duquel Louis le Pieux dota d'un territoire son jeune fils Charles[25]. Peut-être Louis reçut-il alors, en reconnaissance de sa bonne volonté, un surcroît de pouvoir; c'est ce qu'incite à penser la datation d'un acte de Freising: il fut établi »la dix-septième année (du règne) de l'empereur Louis, en cette même année où son fils Louis, roi des Bavarois, reçut le pouvoir«[26] – à moins que ceci ne fût le prix de la fidélité que Louis manifesta envers son père l'année suivante[27]: c'est en effet à partir de ce moment que Louis expédia des diplômes[28]. Si l'on en croit Thégan, c'est à son fils homonyme que Louis le Pieux dut de ne pas être déposé au début de l'été 830, à Compiègne[29], de même qu'il lui aurait manifesté son soutien au plaid suivant, à Nimègue[30]. Selon Nithard, Louis le Pieux aurait tenté d'acheter ce soutien en promettant à Louis et à son frère Pépin

retour eût lieu en mai, comme cela est affirmé dans un acte du 9 de ce mois: *in ipso anno et mense quo filius eius Hludouuicus rex in Baiouuaria cum coniuge rediit* (Doc. dipl. Freising, n° 559, p. 481). Le fait que ce retour est mentionné dès mars (cf. supra) a gêné les historiens, cf. B.M. 1338(1300)h. Il se peut, étant donné que les actes de Freising ne nous sont pas connus en originaux, mais par un cartulaire, que la formule de datation des actes antérieurs à celui du 9 mai ait été retouchée.

19 B.M. 850(824), éd. Doc. dipl. Enns, n° 7, p. 11 sq. (à la p. 11). Ce diplôme fut donné à Aix-la-Chapelle.

20 Cf. la notice n° 112.

21 B.M. 844(818)a. Cf. la notice n° 41.

22 Cf. Annales regni Franc., a. 828, p. 174 – texte cité à la notice n° 41. A ce propos, cf. MITTERAUER, Markgrafen, p. 85 sqq. Sur la présence de Louis aux plaids de son père, cf. EITEN, Unterkönigtum, p. 121 note 4.

23 Annales Fuldenses, a. 828, p. 25: *Hlotharius cum exercitu ad marcam Hispanicam missus est, similiter et Hludowicus iuvenis contra Bulgaros.*

24 Cf. B.M. 865(836)c.

25 Cf. Theganus, Vita, c. 35, p. 597 – texte cité à la notice n° 191.

26 Doc. dipl. Freising, n° 588a, p. 504: *Actum est hoc in XIII. kal. ian. anno incarnationis Domini DCCCXXVIII. indictione VI. Hludouuici imperatoris anno XVII. in ipso anno quo filius eius Hludouuicus rex Baiouuariorum potestatem accepit.*

27 La datation de l'acte de Freising est en effet insoluble: l'année de l'Incarnation est la 829e, mais l'année du règne de Louis le Pieux correspond à l'an 830 alors que l'indiction est celle de la fin de 827. Si l'on néglige cette dernière, on peut dater cet acte soit du 20 décembre 829 (choix de Th. Bitterauf), soit du 20 décembre 830. Dans les deux cas, une »récompense« de Louis le Germanique serait compréhensible.

28 Cf. EITEN, Unterkönigtum, p. 122. Avant cette époque, les actes privés étaient rarement datés d'après les années de règne de Louis le Germanique, cf. ibid., p. 119.

29 Theganus, Vita, c. 36, p. 597: *... domnus imperator ... pervenit ad Compendium, ibique venit obviam ei Pippinus filis eius cum magnis primis patris sui ... et voluerunt domnum imperatorem de regno expellere; quod prohibuit dilectus aequivocus filius eius.*

30 Theganus, Vita, c. 37, p. 598: *Ibi fuit aequivocus filius eius, qui in omnibus laboribus adiutor eius extitit.*

une augmentation de leur territoire[31]. Quel que soit le degré de vérité de cette assertion, un élément me semble prouver la haute estime en laquelle, vers 829, Louis le Pieux tenait son fils homonyme; cela ne fut d'ailleurs peut-être pas sans influence sur l'étiquette: dans son De imagine Tetrici, le poète Walafrid, avant l'évocation de Judith et de Charles, mentionne les fils de premier lit de Louis le Pieux: Lothaire, Louis et Pépin[32]. L'ordre dans lequel ils sont cités ne correspond pas à celui de leur naissance: Pépin n'est que »la troisième gemme« après son cadet Louis. N'aurait-on pas ici le reflet de la manière dont les fils de Louis le Pieux étaient considérés à la cour de ce dernier?

Comme pour ses autres frères, la période de crise marqua pour Louis une césure. Elle fut l'occasion d'un changement radical de sa titulature: il abandonna le titre de »roi des Bavarois« pour celui de »roi« par excellence, c'est-à-dire sans restriction nationale[33]. Ce changement s'accompagna d'une modification de la datation de ses diplômes: ils ne furent plus datés d'après les années de règne de son père et de lui-même, mais seulement d'après ses propres années de règne *in orientali Francia*[34]. Cette évolution ne demeura pas sans répercussion sur la datation des actes privés[35]. Il semble par ailleurs que ce bouleversement ne fût pas que de façade, mais qu'il s'avérât l'expression d'une modification des pouvoirs de Louis. Comme je l'ai dit plus haut, on ne possède pas de diplôme de Louis le Germanique antérieur à l'année 830[36] – d'où le besoin, de la part des historiens, d'expliquer ceci par la permission d'expédier des diplômes que, vers cette date, Louis le Pieux lui aurait accordée. Si tant est qu'il y eût octroi du »droit d'instrumenter« (»Recht der Urkundenausfertigung«)[37], force est de reconnaître que ces diplômes étaient, de par leur teneur, essentiellement des actes privés[38]. Sur onze diplômes, on compte six donations[39], trois confirmations de propriété[40], et deux autres étant l'un, une confirmation de précaire, l'autre, un acte d'affranchissement accompagné d'une donation[41]. Or, cette situation changea, précisément en 833: le diplôme donné à Francfort le 19 octobre, qui marque la césure quant à la forme, présente la même particularité concernant le fond, puisqu'il s'agit

31 Nithardus, Historia, I, c. 3, p. 12: *Quod quia facile confessum, in restauratione ejus otius consensum est; assumptoque Guntbaldo quodam monacho, sub specie religionis in hoc negotio ad Pippinum Ludovicumque filios ejus occulte direxit, promittens, si in sua restitutione una cum his qui hoc cupiebant adesse voluissent, regnum utrisque se ampliare velle. Ac per hoc perfacile cupideque paruere …*

32 Walahfridus, Carmina, n° 23, v. 158 sqq., p. 375.

33 Cf. Eɪᴛᴇɴ, Unterkönigtum, p. 126. Le changement se fit entre le 27 mai 833 (Dipl. regum Germ. 1, n° 11, p. 13: *Hludouuicus divina largiente gratia rex Baioariorum*) et le 19 octobre de la même année (Dipl. regum Germ. 1, n° 13, p. 15: *Hludouuicus divina favente gratia rex*). Entre ces deux dates eut lieu la déposition de Louis le Pieux, cf. B.M. 926(897)a. Sur le changement de titulature, cf. Wᴏʟꜰʀᴀᴍ, Lateinische Herrschertitel, p. 110.

34 Cette césure est également marquée par les deux diplômes mentionnés à la note précédente.

35 Cf. Eɪᴛᴇɴ, Unterkönigtum, p. 127.

36 Le premier acte, de 829, édité par P. Kᴇʜʀ (Dipl. regum Germ. 1, n° 1, p. 1) n'est pas un diplôme royal, mais une notice de donation. Cette donation donna lieu, ultérieurement, à la confection d'un faux, cf. B.M. 1339(1301). On se doit à ce propos de rappeler que toute donation par le roi ne donnait pas forcément lieu à l'expédition d'un diplôme.

37 Eɪᴛᴇɴ, Unterkönigtum, p. 122.

38 A ce propos, cf. Folia Caesaraugustana 1, p. 116, n° 8.

39 Il s'agit des actes n° 4, 5, 7, 8, 9 et 12 de l'édition de P. Kᴇʜʀ (Dipl. regum Germ. 1).

40 Il s'agit des diplômes n° 2, 3 et 11.

41 Ce sont, respectivement, les diplômes n° 6 et 10.

du premier diplôme par lequel Louis le Germanique exerça pleinement les prérogatives royales en confirmant à un monastère la protection royale et les privilèges d'immunité et de liberté d'élection abbatiale. Ce diplôme était d'autant plus insolent qu'il niait le partage de 831. En effet, le bénéficiaire n'était autre que l'abbaye de Saint-Gall, qui se trouvait dans la partie qui, en 829, avait été donnée à Charles[42] et que Louis venait de se faire attribuer[43].

L'histoire de Louis le Germanique dans les années trente est tout à fait représentative des renversements d'alliance et autres revirements chroniques qui marquèrent la fin du règne de Louis le Pieux. Ce n'est pas ici le lieu d'en étudier le détail; je me restreindrai à en rappeler la trame. Un point me semble cependant particulièrement intéressant: quand Louis était proche de son père, il intervenait auprès de lui en faveur de tiers. Trois diplômes jalonnent l'histoire des relations entre le père et le fils, en 829, 834 et 838. Le 6 septembre 829 à Worms, un diplôme fut expédié en faveur du monastère de la Reichenau, sur l'entremise de Louis le Germanique[44]. Ceci ne manque pas de sel puisqu'à cette époque, l'Alémanie venait d'être attribuée à Charles[45]: les moines de la Reichenau s'étaient adressés à Louis le Germanique et il acccomplit la démarche qu'ils l'avaient prié de faire, alors qu'ils devaient passer sous l'autorité de Charles[46]. De même, le 3 juillet 834, un diplôme fut donné à Aix-la-Chapelle en faveur du monastère de Kempten; Louis présenta la requête[47]. C'est en faveur du même bénéficiaire qu'il sollicita de son père la confirmation d'un échange, en 838 lors du plaid tenu à Nimègue[48].

Voici donc pour finir un rappel de l'évolution des relations entre Louis le Pieux et son fils homonyme au cours des années trente. L'empereur tint les promesses faites par l'intermédiaire du moine Gombaud: lors du partage de février 831, à Aix-la-Chapelle, il fut prévu l'annexion à la Bavière de nombreux territoires[49] – mais cette mesure ne devait entrer en vigueur qu'après la mort de Louis le Pieux[50]. La teneur de ce partage explique cependant pourquoi Louis, en 833, prétendit régner sur la *Francia*

---

42 Cf. la carte publiée par Zatschek, Reichsteilungen, p. 193. En 832, Louis le Germanique avait déjà tenté de s'emparer de l'Alémanie, cf. Annales Bertiniani, a. 832, p. 5 sq.

43 Sur la tri-partition du royaume (Annales Xantenses, a. 833, p. 8: *tripertitum est regnum Francorum*), cf. B.M. 925(896)d.

44 B.M. 869(840), éd. Teutscher Regierungsspiegel, p. 83: ... *dilectus filius noster Ludovicus rex Bavariorum innotuit mansuetudini nostrae, qualiter dum ad nos Wormatiam ad generale placitum nostrum venisset, adiit eum vir venerabilis Erleboldus monasterii Augensis abbas ... & quidam ex monachis suis suggerentes ei, ut nostrae clementiae innotesceret, qualiter* ... Cf. également Gallus Öhem, Chronik, p. 49.

45 Cf. B.M. 868(839)a.

46 Alors que certains actes de Saint-Gall sont datés d'après le règne de Charles, on ne possède pour la Reichenau qu'un poème en l'honneur du jeune fils de Louis le Pieux, attestant cependant son autorité sur ce monastère, cf. Simson, Jahrbücher, tome 1, p. 328.

47 B.M. 929(900), éd. M.B. 28, n° 17, p. 26 sq. (à la p. 26): ... *petente atque suggerente dilecto filio nostro Hludowico gloriosissimo rege* ... Cf. également Mentions tironiennes, p. 19: *Hilduinus abba fieri* ...

48 B.M. 978(947), éd. P.L. 104, col. 1300 sq. (à la col. 1300) – diplôme donné à Nimègue le 14 juin 838: ... *dilectus filius et aequivocus noster Ludovicus gloriosus rex nobis innotuit, eo quod* ... Cette démarche eut lieu juste avant la grave crise entre Louis le Pieux et son fils, cf. infra.

49 Regni divisio, p. 24. Cf. Eiten, Unterkönigtum, p. 123 sq.

50 Regni divisio, p. 21: *post nostrum ab hac mortalitate discessum.*

orientalis. Le roi des Bavarois fut renvoyé dans son royaume à l'issue du plaid[51], ce qui ne l'empêcha pas de prendre part à l'assemblée tenue à l'automne de la même année à Thionville[52]. Il n'en demeure pas moins que l'Alémanie attirait toujours les convoitises[53]. C'est elle que Louis tenta d'envahir en 832. Son père l'en empêcha et le força à se soumettre à lui, à Augsbourg[54]. Il s'agit d'un tournant dans le règne de Louis le Pieux: désormais, même le fils qui semblait le plus fidèle avait cessé d'être fiable. L'on ne s'étonnera donc pas de le voir, en juin 833, au Rotfeld[55]: c'est lui qui se chargea temporairement de la garde de Judith[56]. Ensuite, il reçut de Lothaire la permission de s'en retourner dans son royaume[57] après qu'il lui eut promis fidélité[58]. Certains expliquent son attitude ultérieure par la volonté de contrer l'ambition de Lothaire[59], d'autres par l'indignation devant le sort réservé à son père[60]; toujours est-il que Louis, dès l'hiver 833/834, s'efforça de faire mieux traiter Louis le Pieux[61], et, finalement, il travailla à sa libération[62]. C'est d'ailleurs lui qui raccompagna son père à Aix-la-Chapelle et veilla à sa restauration[63]. En 834, il aida également son père à poursuivre Lothaire, jusqu'à la rencontre près de Blois[64]. En suite de quoi, il reçut congé[65].

La participation de Louis aux plaids de son père demeura assidue au cours des années suivantes. En 835, il prit part à l'assemblée tenue près de Lyon[66]; en 836, il était à Worms[67]. Il se trouvait également à Aix-la-Chapelle à l'automne 837: il est ré-

---

51 Annales Bertiniani, a. 831, p. 4; Astronomus, Vita, c. 46, p. 634.
52 Theganus, Vita, c. 38, p. 598.
53 Sur les avantages que présentait le contrôle de cette région, cf. Ewig, Teilungen, p. 245 sq.
54 Annales Xantenses, a. 832, p. 8; Annales Bertiniani, a. 832, p. 5 sqq.; Theganus, Vita, c. 39, p. 598; Astronomus, Vita, c. 47, p. 634. Ce qui devait être une marche contre l'Alémanie (cf. les Annales de Saint-Bertin) est explicitement présenté par l'auteur des Annales de Xanten comme une révolte contre Louis le Pieux. Le comte Matfrid trempa dans cette affaire, cf. Depreux, Matfrid, p. 366.
55 Annales Bertiniani, a. 833, p. 9; Annales Xantenses, a. 833, p. 8.
56 Astronomus, Vita, c. 48, p. 636.
57 Annales Bertiniani, a. 833, p. 9; Astronomus, Vita, c. 48, p. 636.
58 Annales Xantenses, a. 834, p. 9: l'année précédente (donc en 833) Louis *omnem fidem promiserat* à Lothaire.
59 Nithardus, Historia, I, c. 4, p. 16.
60 Theganus, Vita, c. 45, p. 600. Ceci est également évoqué par Nithard, mais, d'après lui, ce n'était pas le mobile premier.
61 Annales Bertiniani, a. 833, p. 11; Theganus, Vita, c. 45, p. 600.
62 Annales Bertiniani, a. 833, p. 11; Astronomus, Vita, c. 49, p. 637. Sur le revirement de Louis, cf. Theganus, Vita, c. 46, p. 600. Sur la libération de Louis le Pieux, cf. Annales Bertiniani, a. 834, p. 11 sq.
63 Theganus, Vita, c. 48, p. 600: *Aequivocus vero filius eius pervenit ad eum, et honorifice suscepit eum, et reduxit iterum ad Aquis ad sedem suam, et Deo iubente restituit eum in regnum et in locum suum. Et ibi pariter sanctum pascha Domini celebraverunt.*
64 Annales Bertiniani, a. 834, p. 14.
65 Ibid., p. 15.
66 Annales Fuldenses, a. 835, p. 27; Theganus, Vita, c. 57, p. 603; Astronomus, Vita, c. 57, p. 642.
67 Theganus, Vita, continuation, p. 603; Astronomus, Vita, c. 54, p. 640.

puté avoir alors donné son accord concernant l'attribution à Charles de nouveaux territoires[68] – faute de pouvoir s'y opposer, si l'on en croit l'Astronome. En effet, au printemps suivant[69], il rencontra son frère Lothaire, mais ils ne trouvèrent aucun moyen, ni aucun motif, de s'opposer à la politique de Louis le Pieux[70]. Conscient du danger, ce dernier lui fit jurer, à la mi-avril, de ne rien fomenter à son encontre[71]. En gage de sa bonne volonté, Louis prit part au plaid tenu par son père au début de l'été 838 à Nimègue: il obéissait ainsi à l'ordre qui lui avait été intimé[72]. Ce plaid fut néanmoins le théâtre d'un conflit d'importance: Louis le Pieux reprit à son fils les territoires qu'il avait usurpés à la faveur de sa déposition, cinq ans plus tôt[73]. D'après l'auteur des Annales de Fulda, Louis le Pieux aurait agi sur les conseils de certains *primores*[74]. C'était certes jeter de l'huile sur le feu, mais la mesure avait certainement pour objet d'éviter que Charles et Louis ne fussent voisins. D'où la révolte de ce dernier, en fin d'année: il s'empara de Francfort et voulut empêcher son père de franchir le Rhin[75]. Au printemps suivant, l'empereur eut cependant raison de cette opposition, son fils ayant pris la fuite[76]. Le feu couvait néanmoins, et l'empereur en avait conscience[77]: tenu à l'écart de la réconciliation de l'été 839 entre Louis le Pieux et Lothaire ainsi que du partage exécuté entre ce dernier et Charles[78], Louis reprit les armes

---

68 Annales Bertiniani, a. 837, p. 22: *Post haec adueniente atque annuente Hlodouuico et missis Pippini omnique populo qui praesentes in Aquis palatio adesse iussi fuerant, dedit filio suo Karolo maximam Belgarum partem …*

69 B.M. 971(940)d.

70 Astronomus, Vita, c. 59, p. 643; Nithardus, Historia, I, c. 6, p. 26.

71 Annales Bertiniani, a. 838, p. 23 sq.: *… octavarum sancte Pasche ebdomata iubente patre advenit, subtiliterque discussus, tandem sacramento cum sibi maxime credulis, nihil fidelitati patris atque honori adversum illo colloquio meditatum firmavit.*

72 Cf. le texte des Annales de Saint-Bertin à la note suivante. La présence de Louis le Germanique à Nimègue est confirmée par Doc. dipl. Fulda, n° 513, p. 226.

73 Annales Bertiniani, a. 838, p. 24: *Hlodowicus autem patris praesentiae secundum quod iussum fuerat sese offere non distulit, habitaque secus quam oportuerat conflictatione verborum, quicquid ultra citraque Renum paterni iuris usurpaverat, recipiente patre, amisit, Helisatiam videlicet, Saxoniam, Toringiam, Austriam atque Alamanniam.*

74 Annales Fuldenses, a. 838, p. 29: *Imperator vero mense Iunio Noviomagi conventu generali habito consiliis quorundam ex primoribus Francorum adquiescens pacti conscriptione Hludowico filio suo regnum orientalium Francorum, quod prius cum favore eius tenuit, interdixit.* On a supposé que les *primores* en question furent Otgaire et Adalbert (II), qui selon les dires de Nithardus, Historia, II, c. 7, p. 58, nourrissaient une haine mortelle à l'égard de Louis, cf. B.M. 978(947)a.

75 Annales Bertiniani, a. 838, p. 26.

76 Annales Bertiniani, a. 839, p. 26 sq. D'après Astronomus, Vita, c. 61, p. 645, Louis serait ensuite venu implorer le pardon de son père.

77 Suite au partage de juin 839, Louis le Pieux interdit à son fils de quitter la Bavière, cf. Annales Bertiniani, a. 839, p. 33: *Imperator autem, indicto generali placito kalendis septembribus erga Cavallonem, legatos ad Hludowicum direxit, praecipiens ut fines Baioariae nullatenus egredi nisi sese iubente presumeret idque sacramento firmari iuberet; sin alias, circa initia septembris ad Augustburg hostiliter sibi occursum minime dubitaret.*

78 Cf. Astronomus, Vita, c. 60, p. 644: *At vero Ludowici animum non parum haec gesta laeserunt.*

l'hiver suivant[79]. C'est lors de la campagne visant à réprimer cette révolte que Louis le Pieux mourut, peu après avoir renoncé à poursuivre son fils[80].

193.   LOUP[1]

Futur abbé de Ferrières, attesté à partir de 829/830[2] – mort après 860[3]

Il est hors de question de retracer ici la carrière de Loup[4], qui devint abbé de Ferrières au début du règne de Charles le Chauve[5]. De ce disciple d'Aldric de Sens, qui poursuivit sa formation à Fulda[6] et entretint des relations d'amitié privilégiées avec Eginhard[7], J. Fleckenstein[8], à la suite de L. Levillain[9], fit un chapelain de Louis le Pieux[10]. L'extrait d'une de ses lettres, cité comme élément de preuve[11], ne permet en rien de conclure sur le statut du jeune clerc: il est certain qu'à l'automne 836[12], Loup

79 Il s'agit toujours du même scénario, toujours des mêmes revendications. Cf. Astronomus, Vita, c. 62, p. 646: ... *nuntius illi* (c'est-à-dire Louis le Pieux) *advenit, dicens Hludowicum filium suum, assumptis quibusdam Saxonibus atque Turingis secum, Alamaniam invasisse*; Annales Bertiniani, a. 840, p. 36: ... *illi nuntiatum est, Hlodowicus videlicet, filium suum, consueta iam dudum insolentia usque ad Rhenum regni gubernacula usurpare*; Nithardus, Historia, I, c. 8, p. 34: *Per idem tempus Lodhuwicus a Baioaria solito more egressus Alamanniam invasit cum quibusdam Toringis et Saxonibus sollicitatis*; Annales Fuldenses, a. 840, p. 30: *Hludowicus filius imperatoris partem regni trans Rhenum quasi iure sibi debitam affectans per Alamanniam facto itinere venit ad Franconofurt, multorum ad se orientalium Francorum animis prudenti concilio conversis*.
80 Annales Bertiniani, a. 840, p. 36.

 1 Seule forme onomastique: *Lupus*.
 2 Cf. Lupus, Correspondance, tome 1, n° 1, p. 2 sqq. Il était à Ferrières dans la troisième décennie du IXe siècle, cf. SEVERUS, Lupus, p. 29.
 3 SEVERUS, Lupus, p. 39.
 4 Cf. à ce propos l'ouvrage de SEVERUS, Lupus, p. 27 sqq. Le dernier travail sur Loup est la thèse de NUSBAUM, Lupus, qui cite la bibliographie parue depuis le livre d'E. von Severus. Cf. également DEPREUX, Büchersuche.
 5 Lupus, Correspondance, tome 1, p. VIII: »Après la mort de l'empereur (Louis le Pieux) ... il attacha sa fortune à celle de Charles le Chauve et dut à la faveur de ce prince de succéder à son abbé Odon déposé: élu par les moines de Ferrières le 22 novembre 840, il ne prit possession du monastère que le 13 décembre suivant«.
 6 Cf. Lupus, Correspondance, tome 1, n° 1, p. 2 sqq.
 7 Cf. ibid., n° 3, 4 et 5, p. 12 sqq., 18 sqq. et 40 sqq. (ces lettres datent de 836).
 8 FLECKENSTEIN, Hofkapelle 1, p. 72: »... Lupus von Ferrières ... wurde von Ludwig d. Frommen und der Kaiserin Judith an den Hof gezogen, wo er wahrscheinlich der Kapelle angehörte«.
 9 Lupus, Correspondance, tome 1, p. VIII: »En 838 ou 839, il fut appelé à prendre rang dans le clergé palatin«.
10 En revanche, NELSON, Charles the Bald, p. 93, le compte parmi les membres de l'entourage de Judith, mais pas explicitement parmi les membres de la Chapelle.
11 Outre la lettre n° 11, J. Fleckenstein cite la lettre n° 57 (Lupus, Correspondance, tome 1, p. 220 sqq.), alors que ce document n'est d'aucun intérêt pour notre propos. Comme le remarque L. Levillain en note, un passage fournit la »preuve que la requête fut remise au roi (Charles le Chauve) pendant le séjour de Loup à la cour«, vers 846/847, mais il ne prouve aucunement que Loup fût chapelain. Voici le texte en question: *Quae beatae memoriae pater vester, intercedente gloriosa matre, peregrinis et Dei servis largiti sunt ob redemptionem animarum suarum, haec afflicti variis necessitatibus quattuor annorum spatio, quia omnes adesse non possunt, per me reposcunt a vobis*.
12 Sur cette date, cf. Lupus, Correspondance, tome 1, p. 82 note 1. Louis le Pieux est attesté à Francfort après le plaid tenu à Worms en septembre. Il s'adonnait alors à la chasse, cf. B.M. 963(932)b.

fut reçu à Francfort[13] par Louis le Pieux et Judith[14] et qu'un an plus tard, comme l'atteste une lettre du 22 septembre 837, il fut convoqué à la cour par l'impératrice[15]; la rumeur courait alors qu'il devait recevoir une charge. Force est cependant de reconnaître notre impuissance à percer ce dont il s'agit. J. Fleckenstein avait appliqué à Loup le principe ayant dirigé ses recherches: tout clerc attesté au Palais était censé faire partie de la Chapelle. Il faut cependant souligner que nous ignorons tout de la fonction que Loup y aurait occupée[16]. D'autre part, l'appartenance de Loup au Palais n'est pas explicitement prouvée. Tout repose sur le sens du terme *promovere*[17]. L. Levillain l'a compris dans celui de »se mettre en route«[18]; néanmoins ce verbe, pour des personnes, signifie plutôt »faire monter en grade«[19]: par conséquent, il serait peut-être préférable de comprendre que Loup fut promu au Palais. J'incline donc à penser que Loup fut appelé à la cour par l'impératrice et qu'elle l'accueillit éventuellement dans son propre entourage[20] – ceci, bien entendu, sous toute réserve.

194.   LOUP SANCHE[1]

Attesté à partir de 801 – mort en 816[2]

Loup Sanche, chef basque[3] installé par Charlemagne après avoir vraisemblablement été nourri au Palais carolingien[4], participa au plaid tenu à Toulouse au printemps 801

---

13 Hildegarius, Vita s. Faronis, p. 622: ... *accidit aliquando abbati praefato* (il s'agit d'Eudes) *itinere eum* (il s'agit de Loup) *sibi sociari, quo palatium quod vulgo dicitur Franghenecurt attingeret.*

14 Lupus, Correspondance, tome 1, n° 11, p. 82 sqq., ici p. 84: *Superiore anno, annitentibus amicis, in praesentiam imperatoris deductus sum et ab eo atque regina benigne omnino exceptus ...*

15 Ibid.: ... *et nunc, hoc est X kalendas octobrium, indictione I, ad palatium, regina, quae plurimum valet, evocante, promoveo, multique existimant fore ut cito mihi gradus dignitatis aliquis conferatur.*

16 Il est en tout cas certain que la charge que d'aucuns promettaient au jeune Loup était, à l'époque de la lettre, évoquée de manière fort vague (*gradus dignitatis aliquis*). Il me semble exclu d'y reconnaître une allusion à un quelconque office palatin.

17 Dans le membre de phrase: ... *ad palatium ... promoveo ...*

18 Lupus, Correspondance, tome 1, p. 85: »... je me rends au palais ...«

19 Cf. GAFFIOT, Dictionnaire, p. 1254.

20 En effet, Loup ne répondit pas à un ordre que l'empereur lui aurait donné sur la proposition de son épouse, mais à la propre convocation de l'impératrice: *regina evocante*. A noter que SEVERUS, Lupus, p. 33, qui observe que Loup fut »von der Kaiserin an den Hof gerufen«, est d'avis que rien n'aboutit alors pour lui: »Zwar hatten sich die Hoffnungen für seine eigene Person, mit denen Lupus zu Hofe gereist war, damals nicht erfüllt, aber es war vorausgesehen, daß Karl d. K., in allem dem Einfluß seiner Mutter unterstehend, früher oder später die Treue derjenigen suchen mußte, die sich Judiths Gunst erfreut hatten« (ibid., p. 33 sq.).

1 Seule forme onomastique: *Lupus Santio.*

2 »Sanche, le meilleur cavalier de Pampelune« mourut lors de combats frontaliers en 816, cf. MUSSOT-GOULARD, Princes de Gascogne, p. 85 sq. WOLFF, Aquitaine, p. 286, s'avère fort réservé sur la véracité des faits relatés le concernant.

3 Sur ce personnage, cf. MUSSOT-GOULARD, Princes de Gascogne, p. 76 sqq. Transposant le titre de *princeps* que lui attribue Ermold, l'auteur désigne Loup Sanche comme »prince« (ibid., p. 76) titulaire d'un *ducatus* (ibid., p. 78 et p. 86). Or, ce n'est pas parce qu'Ermold le cite parmi les *duces*, c'est-à-dire les chefs, de l'expédition contre Barcelone (ibid., p. 85), qu'il était *dux* au sens institutionnel, duc, à la tête d'un *ducatus*, comme le comte de Toulouse.

4 Cf. la longue note d'E. FARAL dans: Ermoldus, Elegiacum carmen, p. 16 note 1.

par Louis le Pieux, auquel il déconseilla d'engager une campagne militaire[5]. Néanmoins, on le retrouve parmi les chefs de l'armée franque lors du siège de Barcelone[6].

195.   MACÉDON[1]

Notaire, puis abbé, attesté d'avril 820 à février 840

Le notaire Macédon[2], qui est mentionné sans titre, apparaît dans trois diplômes de Louis le Pieux pour l'abbaye de Farfa, donnés tous trois le 28 avril 820 à Aix-la-Chapelle, et dont il fit la recognition[3]. Depuis l'édition des diplômes de Lothaire par Th. Schieffer, il convient de l'identifier avec deux autres personnages italiens[4]: avec le notaire Maredo ayant procédé à la recognition du diplôme que donna l'empereur associé en faveur de l'église cathédrale de Côme, le 4 juin 823 à Rankweil[5], et du diplôme délivré pour cette même église le 3 janvier 824 à Compiègne[6] – l'on en conclut que le notaire accompagna Lothaire lors de son retour à la cour franque après son couronnement à Rome. Avec l'abbé Macédon également, qui assista au plaid réuni en février 840 à Lucques et présidé par le comte du Palais Maurin, alors *missus* de Lothaire[7]. De par le caractère spécifique des préambules des diplômes de Louis le Pieux dont Macédon fit la recognition, phénomène dont on trouve d'ailleurs confirmation dans les deux diplômes de Lothaire[8], j'ai conclu à l'originalité de Macédon au sein de la »chancellerie« de Louis le Pieux[9]: il semble vraisemblablement italien et il n'exerça éventuellement ses fonctions de notaire à la cour de Louis que concernant des actes en faveur de son abbaye d'origine. L'hypothèse de l'établissement du diplôme par les soins du destinataire[10] – en l'occurrence Farfa – est par conséquent à poser ici[11].

---

5 Ermoldus, Elegiacum carmen, lib. I, v. 164 sqq., p. 16 sqq.: ... *atque Lupus fatur sic Santio contra,/ Santio, qui propriae gentis agebat opus,/ Wasconum princeps, Caroli nutrimine fretus,/ Ingenio atque fide qui superabat avos:/ »Rex, censura tibi, nobis parere necesse est,/ Haustus consilii cujus ab ore fluit./ Si tamen a nostris agitur modo partibus haec res,/ Parte mea, testor, pax erit atque quies«.* Guillaume de Toulouse, au contraire, préconisa le recours aux armes.

6 Ibid., v. 310, p. 28.

1 Formes onomastiques: *Macedo, Machedo, Maredo.*

2 Cf. Sickel, Acta regum, tome 1, p. 91; Bresslau, Urkundenlehre, tome 1, p. 386; Dickau, Kanzlei, 2ᵉ partie, p. 106; Depreux, Kanzlei, p. 153 sq.

3 B.M. 716(993), B.M. 717(694) et B.M. 719(696).

4 Cf. Dipl. Karol. 3, p. 15.

5 Dipl. Karol. 3, n° 2, p. 52 sqq. Sur le passage de Macédon dans la chancellerie de Lothaire, cf. déjà Bresslau, Urkundenlehre, tome 1, p. 400.

6 Dipl. Karol. 3, n° 3, p. 54 sqq.

7 Doc. dipl. Italie, n° 44, p. 144 sqq.: + *Macedo abba interfui.*

8 Ces deux préambules sont uniques, cf. Arengenverzeichnis, n° 710 et n° 3440.

9 Cf. Depreux, Kanzlei, p. 153 sq.

10 Ceci est possible dès le règne de Louis le Pieux, cf. Tessier, Diplomatique, p. 110.

11 La question ne peut pas être tranchée puisque ces trois diplômes ne sont pas conservés en original.

196.   MAGNAIRE[1]

                    Attesté en 794

Le comte Magnaire est un personnage qu'il est bien difficile de cerner[2]. K. Brunner a mélangé l'étude des noms Meginhard[3] et Meginhari[4], ce qui me semble peu souhaitable[5]: il est donc à exclure que le personnage qui nous intéresse ici fût identique avec le Meginhardus nommé, en 811, parmi les témoins du testament de Charlemagne[6]; ce personnage fit partie des Francs députés pour conclure la paix avec les Danois la même année[7]. En revanche, Magnaire était éventuellement identique avec le comte Meginheri cité également parmi les témoins du testament de Charlemagne[8]. L'Astronome relate que Charlemagne envoya en Aquitaine auprès de Louis le Pieux un conseiller du nom de Magnaire[9]. Il est presque certain[10] que c'est le même personnage qui, le 3 août 794[11], souscrivit en seconde position le diplôme délivré par le roi Louis le

1 Formes onomastiques: *Magnarius, Meginarius, Meginheri* (?), *Magenharius* (?), *Meginharius* (?).
2 Je ne retiens pas ici le comte Magnaire ayant procédé sur l'ordre de Louis le Pieux à un échange entre l'abbaye de Corbie et le fisc, qui reçut à cette occasion la *villa Audriaca* (Orville), comme il appert du diplôme B.M. 821(797). Ce comte est désigné comme *actor noster* dans le diplôme de Louis le Pieux, et c'est à ce titre que SIMSON, Jahrbücher, tome 2, p. 245, le compte au nombre des »Hofbeamte«, parmi les »Amtleute der Krongüter«. La gestion de biens du fisc par un comte ne suppose cependant pas que ce dernier fût membre du Palais, ce qui ne signifie pas qu'il ne fût point important (sur l'importance de certains administrateurs des fiscs, cf. METZ, Karolingisches Reichsgut, p. 149). Quant à l'identification de ce comte, elle est à mon sens impossible à établir (SIMSON, ibid., note 6, est revenu sur l'identification avec le comte de Sens, proposée par lui au tome 1 de ses »Jahrbücher«, la jugeant, à la réflexion, »mindestens zweifelhaft«). On a supposé que c'est ce personnage qui eut un différend avec Hélisachar et Heimin nécessitant l'arbitrage des *missi* de l'empereur, mais ceci n'est en rien assuré (Responsa, c. 9, p. 315: *Querelam quam Helisachar et Heiminus contra Maginarium habent: volumus ut missi nostri secundum iustitiam et aequitatem definiant*). Sur ce personnage, cf. METZ, Karolingisches Reichsgut, p. 15O sq.
3 J'en profite ici pour signaler que je ne retiens pas dans cette prosopographie le Meginhardus attesté en 819 en Pannonie comme *vassus dominici* (Doc. dipl. Freising, n° 419, p. 359 sq.). On a éventuellement affaire à un parent avec le Meginhart ayant donné son *hereditas* à l'église cathédrale de Passau en 791 ou 796 (Doc. dipl. Passau, n° 34, p. 31 sq.). A noter qu'un homonyme est attesté vers le milieu du IXe s. comme comte du Palais en Bavière. Cf. STÖRMER, Früher Adel, tome 2, p. 419 sq.
4 BRUNNER, Oppositionelle Gruppen, p. 79.
5 J'en veux pour preuve que le nom du notaire Méginaire (voir la notice n° 201) n'apparaît dans aucun des diplômes de Louis le Pieux dont il fit la recognition (un peu plus d'une quinzaine) sous la forme Meginhardus. L'on ne peut pas confondre les suffixes -harius et -hardus. La transformation du nom de Magnarius/Meginarius en »Meginhard« qu'opère BRUNNER, Oppositionelle Gruppen, p. 79, est à proscrire. D'ailleurs, MENKE, Namengut, p. 151, distingue bien Meginhardus (dont il renvoie l'explication du suffixe -hardus à Adalhardus, p. 77) de Meginarius (dont l'explication du suffixe -(h)arius est donnée au nom Bern(h)arius, p. 89).
6 Einhardus, Vita Karoli, c. 33, p. 100.
7 Annales regni Franc., a. 811, p. 134.
8 Einhardus, Vita Karoli, c. 33, p. 100.
9 Astronomus, Vita, c. 7, p. 611: *Habebat autem tunc temporis Meginarium secum, missum sibi a patre, virum sapientiem et strenuum, gnarumque utilitatis et honestatis regiae.*
10 Je rejoins ici BRUNNER, Oppositionelle Gruppen, p. 67 sq. DICKAU, Kanzlei, 1ère partie, p. 35, a cherché à identifier avec l'abbé de Saint-Denis le personnage ayant souscrit le diplôme de Louis. Cette hypothèse ne tient pas, cf. DEPREUX, Kanzlei, p. 156.
11 Cette année coïncide d'ailleurs avec la chronologie interne du récit de l'Astronome.

Pieux en faveur de la *cellola* de Nouaillé[12]. K. Brunner a vu en ce Magnaire non pas vraiment un *bajulus* du roi Louis, mais plutôt un collaborateur[13]. L'identification de ce personnage pose quelque difficulté. Il est communément admis que le *missus* de Charlemagne, que K. Brunner fait mourir de façon totalement arbitraire »vers 800«[14], ne fut autre que le comte de Sens, son homonyme mort avant le 16 novembre 835[15], en qui l'on reconnaît également le père de Rainier, qui trempa dans la conjuration de Bernard d'Italie[16]. Ces identifications, d'ailleurs indépendantes l'une de l'autre, sont possibles, mais en aucun cas assurées[17]. On a, à mon avis à tort, complètement négligé qu'en 791, un certain comte Magnaire est attesté en Narbonnais[18]. Il n'est pas à exclure que ce fût ce dernier que Charlemagne plaça aux côtés du roi d'Aquitaine.

197.   MAGNE[1]

Chapelain, attesté de 822/823 à 824

Le chapelain Magne[2] était avec Wala en 823[3] en Italie et il rendit un jugement concernant le droit de pêche de l'abbaye de Nonantola[4]. En décembre 824 à Reggio, il siégea lors du plaid tenu par Wala lors de son retour de Rome[5]. J. Fleckenstein a considéré que Magne, détaché par Louis de sa propre Chapelle, faisait partie de celle de

---

12 B.M. 516(497), éd. Ch.L.A., n° 681. Sur les souscripteurs de ce diplôme, cf. DEPREUX, Kanzlei, p. 156 et supra, la partie d'analyse II A.

13 BRUNNER, Oppositionelle Gruppen, p. 30: »Als Meginhar zum ersten Mal in der Umgebung Ludwigs des Frommen erwähnt wurde, war der König bereits sechzehn Jahre alt. Man wird also nicht mehr an ein Baiulat im engeren Sinn denken, sondern annehmen, daß Meginhar bei den damals anstehenden Reformen in Aquitanien mitarbeiten sollte«.

14 Ibid., p. 79. En revanche, le comte de Narbonne Magnaire eut dès environ 800 un successeur, cf. WOLFF, Aquitaine, p. 290. C'est ce comte que je tends à reconnaître dans le conseiller de Louis le Pieux, cf. infra.

15 C'est ce qui appert de B.M. 949(918).

16 Cf. SIMSON, Jahrbücher, tome 1, p. 113 note 9. Il est suivi par BRUNNER, Oppositionelle Gruppen, p. 49.

17 On sait juste que Rainier était le fils d'un certain comte Maginaire, dont le grand-père maternel, Hardrad, s'était révolté contre Charlemagne: ... *et Reginharius Meginharii comitis filius, cuius maternus avus Hardradus olim in Germania cum multis ex ea provincia nobilibus contra Karolum imperatorem coniuravit* (Annales regni Franc., a. 817, p. 148). Theganus, Vita, c. 29, p. 623, n'est pas aussi précis quant à l'origine du conjuré.

18 Doc. dipl. Languedoc, n° 10, col. 57 sq. Cf. WOLFF, Aquitaine, p. 290 et p. 292 note 176.

1 Seule forme onomastique: *Magnus*.

2 Cf. FLECKENSTEIN, Hofkapelle 1, p. 61.

3 Cf. BULLOUGH, Leo, p. 224 note 13. La date de 823 (ou plutôt, pour ce qui concerne Wala, d'après 822) est plus vraisemblable que celle de 812, car contrairement à son premier envoi en Italie (WEINRICH, Wala, p. 26) les attributions de Wala étaient alors plus étendues (ibid., p. 43 sqq.)

4 Doc. dipl. Italie, n° 36, p. 109 sqq.: (il s'agit du texte d'une notice présentée lors du plaid de 824) ... *(qu)aliter presentia Adalhardi comitis p(alatii), missi domni imperatoris, et nostra* (il s'agit de Wala) *Magni seu Leonis* ...

5 Doc. dipl. Italie, n° 36, p. 109 sqq.: ... *cum ... Magno capellano* ...

Lothaire[6] – ce qui reste à prouver. Mais qu'il ait accompli sa mission en Italie en restant attaché au Palais de Louis le Pieux ou qu'il en ait été détaché pour servir Lothaire, toujours est-il qu'il dut, pour le moins avant son activité en Italie, appartenir à la Chapelle de Louis le Pieux.

<table>
<tr><td>198.</td><td style="text-align:center">MARCWARD[1]</td></tr>
</table>

198. MARCWARD[1]

Abbé de Prüm, attesté à partir de 826/829 – mort avant 859/860

C'est entre 826 et 829 que Marcward, que le diacre Wandalbert qualifia en ses Miracles de saint Goar de *sanct(us) et amantissim(us) pater*[2], succéda à l'abbé Tancrade à la tête de l'abbaye de Prüm[3]. Il est attesté pour la première fois le 7 janvier 831: par un diplôme donné à Aix-la-Chapelle et sur la requête de l'abbé, Louis le Pieux confirma alors un échange concernant les biens de l'abbaye de Prüm[4]. Etant donné la proximité géographique de cette abbaye et du palais d'Aix-la-Chapelle, l'on ne peut pas en conclure que Marcward participa au plaid réuni le 2 février de cette année en ce lieu[5]. De même, l'on ignore s'il prit part au plaid convoqué en mai 831 à Ingelheim[6]; toujours est-il que la cour s'arrêta à Prüm alors qu'elle se rendait à cette assemblée[7].

---

6 FLECKENSTEIN, Hofkapelle 1, p. 114: »Wenn uns z. B. im Jahre 824 der Kapellan Magnus in der Begleitung des Königsboten Wala in der Nähe von Reggio begegnen, so dürfen wir daraus schließen, daß Magnus ebenso wie Wala, der *paedagogus augusti Caesaris*, von Ludwig d. Frommen seinem Sohn Lothar beigegeben worden ist«. Cf. également ibid., p. 126.

1 Formes onomastiques: *Marcwardus, Marcuardus, Marcoardus, Marquardus, Marachwardus, Marchohardus.*

2 Wandalbertus, Miracula s. Goaris, Prologue, p. 362.

3 Annales Stabulenses, a. 826, p. 42: *Tancradus abbas obiit, et Marcuardus ei successit.* Regino, Chronicon, a. 829, p. 73: *Tancradus secundus abba monasterii Prumiensis obiit, et Marcwardus ei in regimine successit, vir prudens et sacrae religioni deditus.* Les Annales de Prüm situent l'événement en 828: *Tancradus abba obiit et Marcuuardus eius successit* (Annales Prumienses, p. 80).

4 B.M. 880(851).

5 B.M. 881(852)a.

6 B.M. 888(859)a.

7 Un acte d'échange entre l'abbé de Fulda et celui de Prüm fut établi en ce dernier monastère le 1er mai 831, en présence de Louis le Pieux (Doc. dipl. Fulda, n° 483, p. 212 sq.): (…) *Actum publice in monasterio Prumie, anno ab incarnatione dominica DCCCXXXI, indictione VIIII, regnante et mediante atque presente domno Ludewico serenissimo imperatore, anno regni eius XVIII, mense maio prima die mensis. Ego Marquardus abbas hanc commutationem a me facta describi iussi pariterque manu mea propria hoc signo subscripsi +. Sign. domni Ludowici serenissimi imperatoris. Sign. Rabani abbatis +.* (…) SICKEL, Acta regum, tome 1, p. 190 note 4, a mis en doute la souscription de Louis le Pieux – à juste titre: il est fort probable qu'elle ne soit qu'invention de copiste. En revanche, je ne suis pas Th. Sickel et les auteurs des Regesta imperii, B.M. 888(859)a, quand ils font de la date et du lieu un obstacle à l'authenticité du document. Louis le Pieux était le 19 avril 831 à Herstal, B.M. 888(859). Or Prüm pouvait constituer une étape sur le chemin vers Ingelheim, où devait se tenir le plaid. L'auteur des Annales de Saint-Bertin signale qu'il fut ouvert *circa kalendas mai* (Annales Bertiniani, a. 831, p. 4), sans plus de précision: l'assemblée fut par conséquent réunie »vers le 1er mai«, et non exactement le premier jour du mois. Il y a environ 90 km à vol d'oiseau entre Prüm et Ingelheim. C'est une distance que la cour, en se hâtant, pouvait couvrir en un ou deux jours, cf. REINKE, Reisegeschwindigkeit, p. 235 note 38.

L'important est que nous observons la faveur dont jouissait l'abbé de Prüm durant l'année qui suivit la »révolte loyale«: il n'y prit donc vraisemblablement pas part.

C'est en 834 qu'éclata au grand jour la fidélité qu'entretenait l'abbé de Prüm pour Louis le Pieux. Après le sac de Chalon-sur-Saône, l'empereur envoya des légats auprès de son fils Lothaire pour le ramener à la raison: Marcward était à leur tête[8]. Or, que ce fût peu avant sa mission ou au retour[9], nous voyons l'abbé de Prüm dans l'entourage de Louis le Pieux: Marcward et une délégation de moines demandèrent à l'empereur de confirmer la donation faite par l'un de ses *vasalli* au monastère de Prüm où il voulait se faire moine, ce qui leur fut accordé le 20 juillet 834 à Thionville[10]. En revanche, bien qu'il fût tenu au courant par l'abbé de Fulda des conditions de la détention de l'archevêque de Reims[11], Marcward ne participa pas au plaid réuni le 2 février 835 à Metz[12] au cours duquel Ebbon fut jugé et à la suite duquel Louis le Pieux fut solennellement réconcilié avec l'Eglise. En effet, le 6 février 835, l'abbé de Prüm était à Ingelheim, où il procédait à un échange[13]. Il est cependant vraiment étonnant que Marcward n'ait pas participé à ce procès, puisqu'il semblerait qu'il ait été incité par l'abbé de Fulda à intervenir auprès du jeune Charles (le Chauve), alors âgé d'une douzaine d'années, en faveur d'Ebbon. D'après l'indication trop laconique que nous fournit la compilation des lettres de Fulda, il semblerait donc que d'aucuns aient tenté, par l'intermédiaire du prince cadet, de rendre Louis le Pieux clément[14]. Cette compilation est par ailleurs fort précieuse: par elle, nous savons que l'abbé de Prüm était (vers 835) le précepteur du jeune Charles[15]. L'on ne s'étonnera donc pas de rencontrer fréquemment Marcward à la cour.

Il me semble que la mention d'une éventuelle intervention de Marcward auprès de Charles pour la réhabilitation d'Ebbon, démarche qui ne peut se situer chronologiquement qu'en 835, prouve que l'abbé de Prüm était bien alors son précepteur. Ceci prouve également que Marcward continua de s'occuper du jeune prince bien après le temps où ce dernier lui fut confié par Lothaire. En effet, suite à la déposition de Louis le Pieux en 833, Charles avait été séparé de son père et mis en résidence surveillée à Prüm[16]. Etait-ce malveillance de la part de Lothaire? Pas forcément. Si rien ne permet

---

8 Theganus, Vita, c. 53, p. 601: *Post hoc misit legatos suos imperator ad illum, Marachwardum venerabilem abbatem, cum ceteris fidelibus suis, cum epistolis exortatoriis ...* Theganus, Vita, c. 54, p. 602: *Postquam Hlutharius locutus fuisset cum supradictis missis, legationem eorum grave ac dure suscepit, et minas eis promisit, quod adhuc non est impletum, neque postmodum fiet. Illi revertentes ab eo, venerunt ad imperatorem, nuntiantes ei omnia quae audierant.*

9 La date du siège de Chalon n'est pas connue avec précision, cf. B.M. 1045(1011)a.

10 B.M. 930(901). La présence de l'abbé de Prüm hors des *transrhenan(es) part(es)* à cette époque est confirmée par une lettre de Loup de Ferrières (Lupus, Correspondance, tome 1, n° 11, p. 82).

11 Cf. Epistolarum Fuldensium fragmenta, p. 520.

12 B.M. 938(909)a.

13 Doc. dipl. Rhin moyen, n° 62, p. 70: *Placuit atque convenit inter venerabilem virum Aganonem exactorem palatii Ingilenheim et egregium virum Marcuardum abbatem Prumiensis monasterii quasdam res per licenciam et iussu domni imperatoris commutare inter se pro communi et utilitatis compendio, quod ita est et fecerunt.*

14 Epistolarum Fuldensium fragmenta, p. 520 sq.: *Abbas Fuldensis in epistola ad Marquardum Prumiensem petit, ut pro Ebbone restituendo ad Carolum imperatoris filium intercedat.*

15 Ibid., p. 521: *Marcwardus, vir astutia et hypocrisi clarus, successit (Tancrado) praeceptor Caroli, Ludovici filii, ut patet ex epistola abbatis Fuldensis ad eundem.*

16 Annales Bertiniani, a. 833, p. 9 sq.: *... et filium eius Karolum illi auferens, ad monasterium Pronee transmisit, unde patrem nimium contristauit.* A ce sujet, cf. NELSON, Charles the Bald, p. 91 sq. L'au-

d'affirmer que Marcward était déjà le précepteur de Charles[17], force est de reconnaître que son comportement donna satisfaction, puisqu'il continua de s'occuper du jeune Charles après la restauration de Louis le Pieux. Le 25 mai 835 à Albisheim, Marcward est de nouveau attesté dans l'entourage de Louis le Pieux, qui fit une donation à son monastère[18]. Peut-être l'abbé de Prüm prit-il part à l'assemblée convoquée en juin de la même année dans le *pagus* de Lyon[19]. Le 10 septembre 835, Louis le Pieux était à Prüm et, sur la requête de l'abbé, il confirma un acte d'échange conclu par ce dernier[20]. A une date indéterminée, mais vers la fin du règne de Louis[21], le passage de l'empereur à Saint-Goar est attesté. Il y rencontra l'abbé Marcward[22]. Au début de l'année 836, l'abbé de Prüm fut, cette fois en Italie, de nouveau envoyé par Louis le Pieux auprès de Lothaire pour exhorter le fils à s'entendre avec son père[23], comme en témoigne une lettre de Loup de Ferrières[24]. C'est la dernière mention que nous ayons de l'activité de Marcward sous Louis le Pieux. Il est encore attesté en 843[25]; il mourut avant 859/860[26].

199. MATFRID[1]

Comte d'Orléans, attesté à partir de mars 815[2] – mort à l'automne 836

On n'étudiera pas ici en détail la vie et l'action du comte d'Orléans Matfrid[3]. Etant donné que je viens de lui consacrer une étude, je me permets d'y renvoyer[4] et je n'en présenterai ici qu'un résumé. L'influence de Matfrid à la cour est notamment attestée par une lettre de l'archevêque Agobard[5] et par un poème de l'évêque Modouin[6]. On trouve d'ailleurs le nom de Matfrid dans la formule *N. ambasciavit* de plusieurs diplômes de Louis le Pieux: en 817 pour l'abbaye de Saint-Gall[7] et en 823 pour l'église

---

teur semble ignorer le passage de la compilation des lettres de Fulda prouvant les liens entre l'abbé de Prüm et Charles après 834.

17 NELSON, Charles the Bald, p. 91, exclut formellement cette hypothèse: »Separated from his tutor...«
18 B.M. 941(910).
19 B.M. 941(910)a.
20 B.M. 948(917).
21 Cf. la notice n° 115.
22 Wandalbertus, Miracula s. Goaris, c. 30, p. 371.
23 Sur cette mission, cf. Annales Bertiniani, a. 836, p. 18: (après la Noël 835) *missos iterum ad Hlotharium direxit, monentes eum oboedientiae ac reuerentiae paternae pacisque illi concordiam multiplicenter inculcantes.*
24 Lupus, Correspondance, tome 1, n° 5, p. 42: *Namque venerabili viro Marcwardo ... cum in Italiam legatus mitteretur ...* (la lettre date de mai 836).
25 Lupus, Correspondance, tome 1, n° 28, p. 130 sqq. et n° 30 p. 136 sqq.
26 Lupus, Correspondance, tome 2, n° 110, p. 150: l'abbé Marcward est mentionné *beatae memoriae.*

1 Formes onomastiques: *Matfridus, Mathfridus, Matfredus, Mathfredus, Mahtfridus, Mantfredus.*
2 B.M. 579(559).
3 Cf. KRÜGER, Ursprung, p. 6 sq.; KIMPEN, Anfänge, p. 45; HLAWITSCHKA, Anfänge, p. 157.
4 Cf. DEPREUX, Matfrid.
5 Agobardus, Epistolae, n° 10, p. 201 sqq.
6 Theodulfus, Carmina, n° 73, p. 569 sqq. (ici v. 109 sqq., p. 572).
7 B.M. 648(626).

cathédrale de Strasbourg[8]. Dans un diplôme de 821 pour Saint-Gall, Matfrid est cité avec l'archichapelain Hilduin[9]. Dans d'autres diplômes, on voit également Matfrid intervenir: en 815 pour que Louis le Pieux confirmât la précaire d'un comte[10]; à une date inconnue, il intercéda concernant la restitution de biens au vassal Richard[11]. En 823, à Francfort, Matfrid présenta aussi une requête en lieu et place du requérant, dont il avait probablement étudié la demande auparavant[12].

Le prestige de Matfrid à la cour est d'autre part attesté par Ermold le Noir, qui le montre accueillant Harold en 826[13] et accompagnant Judith lorsque le cortège impérial entra dans l'église après le baptême du prince danois[14]. A cette occasion, le comte d'Orléans portait une couronne[15]. De l'examen des diplômes mentionnés plus haut, l'on peut conclure que Matfrid participa au plaid de juillet 817 au cours duquel l'Ordinatio imperii fut promulguée; il était également à Attigny en août 822, quand l'empereur confessa ses erreurs en public; sa présence est d'autre part attestée à Francfort en juin 823, pour la naissance de Charles (le Chauve). Matfrid est également attesté comme *missus dominicus*[16]. On a supposé que c'était le comte d'Orléans, vraisemblablement originaire de l'Eifel[17], qui était à l'origine de la déposition de Théodulf, l'évêque de cette cité accusé d'avoir trempé dans le complot de Bernard d'Italie. Un revirement politique est en effet difficilement compréhensible, et il est plus vraisemblable que Matfrid ait cherché à évincer un rival à son pouvoir dans la région de la Loire moyenne[18]. Il ne semble cependant pas qu'il y gagnât grand-chose[19]. Le seul établissement religieux dont on sait que Matfrid était à la tête est l'abbaye de Meung-sur-Loire[20].

Le comte d'Orléans commanda aussi des armées. Lors de l'expédition de 824 en Bretagne, il était à la tête de celle menée officiellement par le jeune Louis (le Germanique)[21]. Il fut également dépêché en 827 dans la Marche d'Espagne, pour venir au secours du comte de Barcelone, Bernard[22]. Matfrid et son collègue de Tours (vrai-

---

8 B.M. 773(748).
9 B.M. 735(711).
10 B.M. 579(559).
11 B.M. 813(789) = Formulae imperiales, n° 49, p. 323 sq. A ce propos, cf. DEPREUX, Matfrid, p. 341 note 66.
12 B.M. 775(750).
13 Ermoldus, Elegiacum carmen, lib. IV, v. 2174 sqq., p. 166.
14 Ibid., v. 2302 sqq., p. 176.
15 A ce propos, cf. DEPREUX, Matfrid, p. 344 sq.
16 B.M. 770(745).
17 Cf. HLAWITSCHKA, Anfänge, p. 158 sq.
18 Sur cette nouvelle explication fournie par les historiens ayant dernièrement travaillé sur ce problème, cf. DEPREUX, Poètes, p. 313.
19 Je montre ceci dans DEPREUX, Matfrid, p. 347 sqq.
20 B.M. 760(735).
21 Ermoldus, Elegiacum carmen, lib. IV, v. 2004 sqq., p. 152.
22 Astronomus, Vita, c. 41, p. 630.

semblablement son beau-frère[23]), qui se déplacèrent trop lentement[24], furent déposés en février de l'année suivante[25]. Dès lors, Matfrid passa dans l'opposition à Louis le Pieux, une opposition qui naquit probablement du refus de prendre en compte le destin du jeune Charles (le Chauve) pour modifier le *statu quo* politique[26]. Matfrid fut l'un des meneurs de la »révolte loyale« de 830[27]; Eudes fut d'ailleurs chassé du comté d'Orléans au profit de son ancien titulaire[28]. Matfrid était désormais de tous les complots. Partisan de Lothaire en 833/834, il combattit les troupes fidèles à Louis le Pieux envoyées pour le déloger de Neustrie[29] et il ne se soumit qu'à la fin de l'été 834, à l'occasion de l'entrevue de l'empereur et de Lothaire devant Blois[30]. Matfrid suivit Lothaire dans son exil en Italie et il y mourut pendant l'automne 836[31].

200.   MAURING[1]
            Comte de Brescia, attesté à partir de l'été 823 – mort en 824[2]

Suite au retour de Lothaire à la cour de Louis le Pieux en juin 823, le comte de Brescia, Mauring[3], fut adjoint au *missus* de l'empereur, Adalhard, afin d'assurer le gouvernement en Italie[4]. A la mort d'Adalhard (II), qui avait été promu duc de Spolète, Mauring lui succéda à cet *honor*, vraisemblablement à l'automne 824[5], et il mourut lui aussi quelques jours plus tard[6].

23 On suppose en effet que Hugues épousa la soeur de Matfrid, cf. KRÜGER, Ursprung, p. 7; VOLLMER, Etichonen, p. 167. Arbre généalogique dans DEPREUX, Matfrid, p. 361.
24 Annales regni Franc., a. 827, p. 173.
25 Annales regni Franc., a. 828, p. 174.
26 J'évoque cette hypothèse dans DEPREUX, Matfrid, p. 359 sq.
27 Theganus, Vita, c. 36, p. 597.
28 Astronomus, Vita, c. 44, p. 633. Sur Eudes, cf. la notice n° 93.
29 Nithardus, Historia, lib. I, c. 5, p. 20; Astronomus, Vita, c. 52, p. 638.
30 Theganus, Vita, c. 55, p. 602.
31 Astronomus, Vita, c. 56, p. 642. Sur la date, cf. TREMP, Studien, p. 20.

 1 Formes onomastiques: *Mauringus, Moringus*.
 2 On doit distinguer le comte Mauring du comte du Palais de Lothaire Maurin, attesté de 835 à 840. Sur ce personnage, cf. MEYER, Pfalzgrafen, p. 461.
 3 HLAWITSCHKA, Franken, n° 117, p. 236: »Mauringus wurde nach dem Abgang des Grafen Suppo I. nach Spoleto (822) der Nachfolger in der Grafschaft Brescia«. Il s'agit d'un Supponide (cf. ibid., p. 299 sqq.).
 4 Cf. Annales regni Franc., a. 823, p. 161 – texte cité à la notice n° 9. Astronomus, Vita, c. 36, p. 627: *Ad supplenda autem quae minus perfecta erant missus est Adalhardus comes palatii, adhibito sibi sotio* (comprendre: *socio*) *Mauringo*.
 5 Cf. la notice n° 9.
 6 Annales regni Franc., a. 824, p. 166: *Cui cum Moringus Brixiae comes successor esset electus, nuntio honoris sibi deputati accepto decubuit et paucis interpositis diebus vitam finivit*.

201. **MÉGINAIRE**[1]

Notaire, attesté du 26 janvier 826 au 25 juin 849[2]

Méginaire[3], toujours désigné dans le texte des actes par le titre de *notarius* et en réalité diacre[4], fit la recognition d'un peu plus d'une quinzaine de diplômes de Louis le Pieux. Il est attesté pour la première fois le 26 janvier 826, dans un acte pour l'abbaye de Prüm donné à Aix-la-Chapelle[5]. Il prit part aux divers déplacements de la cour dans les années suivantes[6]. Notons qu'il était dans l'entourage de Louis le Pieux juste avant l'orage du début de l'été 833: en juin, il était à Worms[7], alors que l'empereur cherchait à rassembler des troupes contre ses fils[8]. On retrouve Méginaire en décembre 834 à Attigny, où il fit la recognition d'un diplôme pour l'église cathédrale de Gérone[9]. Mais ensuite, c'est le silence pour environ cinq ans. Méginaire est attesté à Poitiers, 16 novembre 839, dans un diplôme pour l'église cathédrale du Mans[10]. Il passa l'hiver en Poitou avec Louis le Pieux[11] et il accompagna l'empereur lors de son ultime déplacement: quelques diplômes dont il fit la recognition jalonnent la marche de Louis contre son fils rebelle, les étapes étant Salz[12], Ketzicha[13] et Francfort[14]. Puisque cette nouvelle apparition de Méginaire dans l'entourage de Louis le Pieux correspond à l'époque de sa réconciliation avec Lothaire[15], accompagnée d'ailleurs de la réconciliation avec certains de ses anciens serviteurs[16], l'on pourrait se demander si le notaire de Louis le Pieux n'aurait pas, au coeur du froid entre le père et le fils, quitté le premier pour se rendre auprès du second. Ceci n'est rien de plus qu'une hypothèse[17]. Quoi qu'il en soit, Méginaire avait, à la fin du règne de Louis le Pieux, incontestablement monté en grade puisqu'on sait qu'il scella un acte[18], fait qui prouve

1 Formes onomastiques: *Meginarius, Meginharius, Maginarius.*
2 Actes de Charles le Chauve, tome 1, n° 115, p. 306 sq.
3 Cf. SICKEL, Acta regum, tome 1, p. 92; BRESSLAU, Urkundenlehre, tome 1, p. 386; DICKAU, Kanzlei, 2e partie, p. 72 sqq. et p. 105.
4 B.M. 1006(975). Cf. Mentions tironiennes, p. 21: *Meginarius notarius atque diaconus advicem Hugonis recognovi et subscripsi, et ego sigillavi.* Cf. Actes de Charles le Chauve, tome 3, p. 54 note 3.
5 B.M. 824(799).
6 B.M. 834(808), 844(818), 858(834), 872(843), 895(866), 902(873) et 919(890).
7 B.M. 923(894) et 925(896).
8 B.M. 925(896)a.
9 B.M. 934(905).
10 B.M. 999(968), éd. Gesta Aldrici, p. 192 sqq. (à la p. 194). Contrairement à ce qu'affirment les auteurs des Regesta imperii, ce n'est pas Hirminmaris qui fit la recognition de ce diplôme. Méginaire est également attesté à Poitiers le 27 novembre, B.M. 1000(969).
11 Cf. B.M. 1002(971), du 15 février 840.
12 B.M. 1005(974), du 8 mai 840.
13 B.M. 1006(975), du 12 mai 840.
14 B.M. 1007(976), du 8 juin 840.
15 Celle-ci survint à la fin de juin 839, cf. B.M. 993(962)c et B.M. 995(964)a.
16 Ainsi avec l'ancien huissier Richard, cf. B.M. 995(964). Sur ce personnage, cf. la notice n° 232.
17 Force est cependant de reconnaître que ce choix serait intervenu en quelque sorte »à retardement«, puisqu'il faut conclure de B.M. 934(905) que Méginaire resta fidèle à Louis le Pieux lors de la tourmente de 833.
18 B.M. 1006(975). Cf. Mentions tironiennes, p. 21: *Meginarius notarius atque diaconus advicem Hugonis recognovi et subscripsi, et ego sigillavi.*

sa position éminente au sein de la »chancellerie«[19]. Il passa ensuite au service de Charles le Chauve[20].

202.   MODOUIN[1]

Evêque d'Autun[2], attesté de 815 à décembre 840[3]

L'évêque d'Autun Modouin[4], qui fut lié d'amitié avec Théodulf d'Orléans même durant l'exil de ce dernier[5], est attesté pour la première fois en 815: le 22 juillet à Paderborn, il obtint de Louis le Pieux la confirmation du privilège d'immunité de son église cathédrale[6]. Il s'ensuit qu'il participa alors au plaid tenu par l'empereur[7]. Nous le retrouvons quinze ans plus tard à Langres où il participa à l'assemblée synodale qui y fut tenue le 20 novembre 830[8]. A une date inconnue, mais antérieure au 10 octobre 836[9], l'évêque d'Autun fut l'un des *missi* envoyés par Louis le Pieux à Flavigny pour y procéder au partage des menses abbatiale et conventuelle[10]. Modouin mérite d'autant plus d'être étudié ici qu'il se montra toujours fidèle à Louis le Pieux, même au coeur de la tourmente de juin 833, si l'on en croit l'auteur d'une adjonction aux Annales de Saint-Bertin sur le ms. 706 de la Bibliothèque de Saint-Omer (écrite vers l'an mil): au »Champ du mensonge«, il demeura fidèle à l'empereur[11]. D'autre part, un détail prouve que Modouin jouissait de la confiance de Louis le Pieux: il fut l'un des juges d'Ebbon, en mars 835 à Thionville[12]. Il semble donc que l'on doive compter Modouin parmi les évêques influents auprès de Louis. Que l'évêque d'Autun ait joui d'un prestige certain, c'est ce que laisse supposer le fait que les Pères du concile de

19 Cf. JUSSELIN, Garde du sceau, notamment p. 38; JUSSELIN, Chancellerie, p. 7.
20 Actes de Charles le Chauve, tome 3, p. 54 sqq. Méginaire est attesté à la »chancellerie« de Charles le Chauve dès le 10 mai 841 (Actes de Charles le Chauve, tome 1, n° 3, p. 9 sqq.) et non le 10 mai 840, comme l'écrit DICKAU, Kanzlei, 2ᵉ partie, p. 76.

1   Formes onomastiques: *Modoinus, Moduinus, Niodoinus.*
2   Cf. DUCHESNE, Fastes, tome 2, p. 181.
3   Modouin est cité comme une personne encore en vie – à la différence d'Aldric de Sens – dans un diplôme de Lothaire du 4 décembre 840 (Dipl. Karol. 3, n° 50, p. 145). Son successeur est attesté dès 843 (DUCHESNE, Fastes, tome 2, p. 181).
4   Pour un exemple de la politique de Modouin vis-à-vis des chanoines de Saint-Nazaire d'Autun, cf. Actes de Charles le Chauve, tome 1, n° 205, p. 518 sqq.
5   C'est ce dont témoigne leur échange de poèmes: Theodulfus, Carmina, n° 72, p. 563 sqq. et n° 73, p. 569 sqq. Modouin était d'autre part lié d'amitié avec Florus de Lyon, cf. Florus, Carmina, n° 25, p. 553 sq. et n° 27, p. 555 sq.
6   B.M. 589(569).
7   B.M. 587(567)b.
8   Concilium Lingonense, p. 682.
9   Date de la mort de son compagnon de mission, Aldric de Sens. Cf. la notice n° 25.
10 Dipl. Karol. 3, n° 50, p. 144 sq. (diplôme de Lothaire du 4 décembre 840) – texte cité à la notice n° 20.
11 Annales Bertiniani, a. 833, p. 9 note g: *Drogo vero, frater imperatoris, et Niodoinus* (lire: *Modoinus*) *ac Vuiliricus atque praefatus Aldricus episcopi, cum nonnullis episcopis aliis, abbatibus, comitibus ac reliquis suis fidelibus cum illo remanserunt.*
12 Concilium ad Theodonis villam, p. 702. Cf. également Flodoardus, Historia, lib. II, c. 20, p. 473. Certes, c'est Ebbon qui choisit ses juges (*constitui mihi iudices*), mais il ne fait de doute que Louis le Pieux dut donner son accord.

Paris, en 825, jugèrent nécessaire d'informer l'empereur de son absence, Modouin étant alors empêché pour cause de maladie[13].

203.   **MONOGOLD**[1]

Comte, attesté vers 825/826

Le comte Monogold est attesté vers 825 comme *missus* de l'empereur dans la province ecclésiastique de Besançon[2]. Il est par ailleurs attesté avec l'évêque qui partageait cette charge avec lui – on voit à cet égard le rôle d'enquête joué par les *missi* lors d'affaires déférées devant l'empereur[3].

204.   **NIDHART**[1]

Attesté en avril 822

Le 3 avril 822 lors d'un plaid tenu à Ergolding, en Bavière, Nidhart intervint en tant que *missus dominicus* et il interpela l'évêque de Freising au sujet du statut de l'église d'Oberföhring[2]. Bien que la Bavière fût depuis 817 attribuée à Louis le Germanique[3], nous avons la preuve que ce *regnum* était sous l'administration directe de l'empereur avant qu'il n'y envoyât son fils, à l'automne 825 d'après le témoignage de l'annaliste[4], puisque ce *missus dominicus* et son compagnon[5] agirent sur l'ordre de l'empereur (*a domno imperatore eis iniunctum fuisse*). On retrouve le nom de Nidhart dans de nombreux actes privés et notices de plaid en Bavière. Peut-être s'agit-il à chaque fois du même personnage, mais rien ne permet cependant de prouver l'identité du *missus* avec son/ses homonyme(s) cité(s) comme *fidei iussor* en 822[6] et comme témoin(s) en 814, en 817 et 818, en 821 et 822, en 824 et 825, en 828 et les deux années suivantes, en 836 et en 841[7]. Nidhart ne semble pas avoir porté de titre comtal – ceci vaut également pour les autres personnages au cas où il n'y aurait pas identité. Deux documents se rapportant à un même Nidhart, vraisemblablement identique avec le *missus* de Louis le Pieux, permettent néanmoins de cerner ce personnage d'un peu plus près. En 816, il reçut de l'évêque Hitto l'église de *Pirhtilindorf* que son père avait

---

13 Concilium Parisiense, p. 483.

1 Formes onomastiques: *Monogoldus, Monoaldus*.
2 Cf. Commemoratio, c. 1, p. 308 – texte cité à la notice n° 141.
3 Cf. Responsa, c. 5, p. 314 – texte cité à la notice n° 141.

1 Formes onomastiques: *Nidhart, Nidhardus*.
2 Doc. dipl. Freising, n° 463, p. 394 sq. – texte cité à la notice n° 103.
3 Ordinatio imperii, c. 2, p. 271.
4 Annales regni Franc., a. 825, p. 168.
5 Cf. la notice n° 103.
6 Doc. dipl. Ratisbonne, n° 20, p. 25 sqq.
7 Doc. dipl. Freising, n° 319, p. 273 et n° 329, p. 281 sq.; n° 375, p. 319 sq. et n° 376, p. 320 sq.; n° 391, p. 331 sq. et n° 397b, p. 337 sq.; n° 442, p. 379 sq.; n° 459, p. 391; n° 507, p. 432 sq.; n° 511, p. 436; n° 577, p. 495; n° 579, p. 495 sqq. et n° 602, p. 515; n° 614, p. 525 sq. et n° 622, p. 531; n° 641b, p. 544 sq.

offerte à Freising[8], et en 836, il fut de nouveau investi du bienfait de *Pirhtilinchirihun* (proche de l'église mentionnée en 816?), également donné à Freising par son père du temps de Charlemagne[9]. Il était vraisemblablement le comte attesté en 802[10].

205.   **NOMINOÉ**[1]

Comte de Vannes[2], *missus* en Bretagne, attesté à partir de juin 832[3] – mort en 851[4]

Il n'est pas question ici de traiter en détail de Nominoé, ce qui consisterait à para-phraser l'étude approfondie de H. Guillotel[5]. Ce Breton qui reçut un pouvoir non seulement sur le comté de Vannes mais sur toute la Bretagne organisée en *missaticum*, ce qui appert des diverses datations du Cartulaire de Redon[6], resta fidèle à la cause

---

8 Doc. dipl. Freising, n° 364, p. 311.
9 Ibid., n° 620, p. 530.
10 Doc. dipl. Freising, n° 183, p. 174 sq. Un Nidhart, mentionné sans titre comtal, est également attesté comme témoin en 791 (Doc. dipl. Ratisbonne, n° 6, p. 5) et en 804/809 (Doc. dipl. Freising, n° 216, p. 203 sq.).

1 Formes onomastiques: *Nominoe, Nominoius.*
2 C'est ce qu'attestent les datations de deux actes de vente: Doc. dipl. Redon, n° 250, p. 201 sq. (*Nominoe princeps Venetice civitatis*) et n° 252, p. 204 (*Nominoe comite Venetice civitatis*). La détermination de ces datations selon le calendrier moderne pose problème. L'éditeur des documents les a inter-prétées comme étant respectivement juin 820 et le 6 juin 827. Mais GUILLOTEL, Temps des rois, p. 233, a proposé respectivement le 29 juin 834 et le 6 juin 832. DAVIS, Composition, p. 88, propose les dates du vendredi 29 juin 820 ou mercredi 29 juin 830 pour le document n° 250 et s'en tient à la date du jeudi 6 juin 827 pour le n° 252. GUILLOTEL, Temps des rois, p. 227, a exposé pourquoi il rejette la date du 6 juin 827 pour l'acte n° 252, si tant est que ce soit bien de cet acte qu'il est question dans le passage relatif à l'acte »n° 152«, vraisemblablement une coquille puisque cette donation (Doc. dipl. Redon, p. 116 sq.) est datée du temps du comte Gui. H. Guillotel rejette cette datation car »les données chronologiques de l'acte sont contradictoires; il n'y a pas coïncidence entre le quantième du mois, un 6 juin, le jour de la semaine, un mardi, et l'année du règne impérial, la quatorzième, c'est-à-dire 827«. Il convient ici de citer cette datation: *Factum est hoc VIII idus jun. V feria, in loco nuncu-pante Ran Ronhoiarn et Ran Hoccretan, regnante domno et gloriosissimo Ludovico imperatore, an-no XIIII imperii ejus, Nominoe comite venetice civitatis, Reginario episcopo, Portiote machtiern* (Doc. dipl. Redon, n° 252, p. 203 sq.). Or le 6 juin 827 tombait bien un jeudi (*V. feria*). La datation est parfaitement cohérente et ce n'est donc pas parce que »les données chronologiques de l'acte sont contradictoires« qu'il faut la rejeter, mais parce que Gui est attesté comme comte du Vannetais jus-qu'à l'été 830 (cf. GUILLOTEL, Temps des rois, p. 227). Bien qu'elle fasse violence au texte (il faut cor-riger *anno XIIII imperii ejus* en *anno XVIIII*), je me range toutefois à l'analyse d'H. Guillotel parce qu'elle règle un problème sinon difficilement soluble. Quant à la datation de l'acte n° 250 proposée par H. Guillotel (29 juin 834), elle présente l'avantage de prendre en compte que ce jour tombait un lundi (*II. feria*). Ce problème de datation est d'autant plus fâcheux qu'il a donné lieu à des affirmati-ons déconcertantes, cf. LEVILLAIN, Marche de Bretagne, p. 93 sq.: »il n'est donc pas douteux que, pendant dix ans au moins, il y eut en Vannetais simultanément deux comtes, le comte franc Gui et le comte breton Nominoë«.
3 D'après la datation de Doc. dipl. Redon, n° 252, proposée par H. Guillotel, cf. note précédente. Cf. également SMITH, Province and Empire, p. 80 note 81.
4 Annales Bertiniani, a. 851, p. 60.
5 Cf. GUILLOTEL, Temps des rois, p. 229 sqq.
6 Ibid., p. 233 sqq. Nominoé s'intitulait *missus imperatoris Lodouici* (Doc. dipl. Redon, n° 2, p. 1 sq.).

carolingienne du moins pendant tout le règne de Louis le Pieux[7]. On sait les déboires que connut Conwoion pour faire confirmer par Louis le Pieux la fondation de son abbaye de Redon[8]. L'intervention de Nominoé fut décisive pour débloquer la situation. La donation qu'il fit à Redon le 18 juin 834, c'est-à-dire en pleine crise politico-militaire dans la région[9], est un document fort précieux qui prouve l'attachement de Nominoé à Louis le Pieux puisque celui qui s'intitulait son *missus* déclarait faire cette donation *in elemosine Hlodouici imperatoris* en motivant notamment sa décision ainsi: *considerans querelam ac tribulationem quam habet domnus noster imperator Lodouicus*[10]. Quelques mois plus tard, Louis le Pieux confirma cette donation, d'après la requête de Conwoion et sur l'intervention de Nominoé[11], qui avait dépêché auprès de l'empereur son légat, Worworet[12]. A cette occasion, Louis le Pieux adressa d'ailleurs éventuellement un mandement à Nominoé[13]. Un peu plus tard, à une date difficile à établir[14], Louis le Pieux fit de nouveau une donation à Redon *simul et hortatu atque interventu fidelis nostri Nominoe commoniti*[15]. Certes, l'auteur décrivant Nominoé comme un *intimus secretorum … regalium*[16] avait tendance à enjoliver, car

---

7 Gesta s. Rotonensium, p. 109: *Nominoe princ(eps), qui regebat illo tempore paene totam Britanniam, primitus ex iussione Ludouici imperatoris; postea uero suo arbitrio omnem prouinciam inuaserat.* Sur la situation après Louis le Pieux, cf. GUILLOTEL, Temps des rois, p. 251 sqq.

8 Cf. SMITH, Culte impérial; GUILLOTEL, Temps des rois, p. 241 sq.

9 Cf. B.M. 928(899)b.

10 Doc. dipl. Redon, n° 2, p. 1 sq.

11 Attigny, 27 novembre 834. B.M. 933(904), éd. Doc. dipl. Redon, n° 6, p. 355 sq. (à la p. 355): *Cujus precatu permoti, simul et oratu atque interventu fidelis nostri Nominoe commoniti, complacuit serenitati nostrae …*

12 Gesta s. Rotonensium, p. 139.

13 Ibid.: *Fecit ei* (il s'agit de Conwoion) *praeceptionem de sancto loco Rotonensi et de plebibus supradictis, atque annulo suo signare iussit, uidentibus cunctis qui in palatio commorabantur, et mandauit hoc factum Nominoe principi per Uuoruuoret legatum suum …* Il y eut éventuellement établissement d'un acte (sur ce type de document, cf. TESSIER, Diplomatique, p. 70 sq.), dont B.M. 553(534) présente un exemple concernant Saint-Denis.

14 Ce diplôme est daté de 836 par DAVIS, Composition, p. 89, du 27 août 837 par BRUNTERC'H, Duché du Maine, p. 62 et du 30 août 838 dans les Regesta imperii et par POULIN, Dossier hagiographique, p. 147. Je m'en tiens à cette dernière date. Les auteurs des Regesta imperii et J.-Cl. Poulin privilégient la mention de l'*actum* (il faut retenir une année pendant laquelle Louis le Pieux se trouvait à Quierzy vers la fin du mois d'août). Or, l'acte est daté de la vingt-troisième année du règne de Louis le Pieux, ce qui correspond à l'année 836 (année retenue par W. Davis), et de la quinzième indiction, ce qui incite à dater cet acte de 837. C'est ce que proposa SICKEL, Acta regum, p. 348 sq. (à propos de L. 324, l'acte en question étant L. 353). En effet, à cette époque, le style grec était abandonné au profit de celui du 25 décembre – 1er janvier, cf. SICKEL, Acta regum, tome 1, p. 276; TESSIER, Diplomatique, p. 99. BRUNTERC'H, Duché du Maine, p. 62 note 197, retient également cette année 837. Comme il le note à juste titre, le diplôme ne peut pas dater de 836. En revanche, la date qu'il propose (27 août 837) doit être revue en ce sens que le troisième jour des calendes de septembre est le 30 août, non le 27. Quant à l'année, si l'on peut proposer d'amender le *datum* pour établir une datation en 837, la mention de l'*actum* ne se comprend que si l'on juge »possible« le »retour« de Louis »de Nimègue à (Aix-la-Chapelle via) Quierzy« (cf. SICKEL, Acta regum, tome 2, p. 349), ce à quoi se refusèrent les auteurs des Regesta imperii. Quoi que l'on propose, il faut donc soit amender la datation, soit inventer un nouvel itinéraire pour Louis: eu égard à cette situation insoluble, je me range à la proposition de datation des auteurs des Regesta imperii. En effet, qui plus est, les sources, apparemment, se contredisent, car selon l'auteur des Gesta sanctorum Rotonensium, c'est à Aix que Conwoion présenta sa requête et que Louis y répondit favorablement (cf. Gesta s. Rotonensium, p. 141 sqq.).

15 B.M. 979(948), éd. Doc. dipl. Redon, n° 9, p. 357.

16 Vita Conuuoionis, p. 237.

l'on n'a aucune preuve de la participation du Breton au conseil restreint de l'empereur. Il n'en demeure pas moins que celui qui fut nommé au lendemain de la révolte de 830[17] fut pour Louis le Pieux un soutien certain[18].

206.   NORBERT[1]

Evêque de Reggio[2], attesté de 814 à 835[3]

L'évêque de Reggio, Norbert, fut envoyé par Louis le Pieux en 814 à la cour byzantine[4]. Il en revint durant l'été de l'année suivante et il fit son rapport à l'empereur[5]. Quelques années plus tard (avant le mois d'août 821), suite à la requête de l'abbé de Farfa, Ingoald, Louis le Pieux l'envoya enquêter concernant une spolation de biens[6]. En décembre 824 à Reggio, Norbert siégea au plaid tenu par Wala à son retour de Rome[7] et en juin 827, il participa au concile de Mantoue[8]. A Parme, le 15 juin 835, il souscrivit la donation que Cunégonde, la veuve de Bernard d'Italie, fit au monastère Saint-Alexandre de cette cité[9]. Enfin, à une date indéterminée et en un lieu incertain mais situé en Italie du nord[10], il est attesté comme *missus domni regis*[11] – peut-être faut-il comprendre *imperatoris*[12].

---

17 GUILLOTEL, Temps des rois, p. 232: »une certitude demeure: l'empereur avait fait appel à un Breton pour remplacer un membre de la haute aristocratie carolingienne (,) ce qui constituait une innovation de taille dans la conduite des affaires bretonnes. Ce choix en dit long sur l'ampleur de la révolte de 830; il n'était plus question en 831 d'expédition en Bretagne mais au contraire d'obtenir de ce côté-ci de l'empire la tranquilité afin de faire face à la conspiration latente«.

18 Sur la Bretagne de Nominoé sous le règne de Louis le Pieux, cf. SMITH, Province and Empire, p. 77 sqq.

1 Formes onomastiques: *Nordbertus, Nordpertus, Northbertus, Nortbertus, Nortpertus, Nortepert.*

2 Evêque inconnu de GAMS, Series, p. 916!

3 Ce sont également les dates retenues par BALLETTI, Reggio nell'Emilia, p. 44.

4 Annales regni Franc., a. 814, p. 140 sq.: (Louis le Pieux reçut l'ambassade de l'empereur byzantin) *Quibus susceptis atque dimissis domnus Hludowicus legatos suos, Nordbertum Regiensem episcopum et Richoinum Patavinum comitem, ad Leonem imperatorem ob renovandam secum amicitiam et praedictum pactum confirmandum direxit.* D'après la chronologie du récit, l'envoi se fit certainement vers le printemps. Cf. également Astronomus, Vita, c. 23, p. 619.

5 Annales regni Franc., a. 815, p. 143: *Nordbertus episcopus et Richoinus comes de Constantinopoli regressi descriptionem pacti, quam Leo imperator eis dederat, detulerunt* ... Cf. également Astronomus, Vita, c. 25, p. 620.

6 Cf. Doc. dipl. Italie, n° 32, p. 98 sqq. – texte cité à la notice n° 188.

7 Doc. dipl. Italie, n° 36, p. 109 sqq.: + *Ego Nordbertus episcopus interfui.*

8 Concilium Mantuanum, p. 585, n° 11.

9 Annales O.S.B. 2, n° 58, p. 689 sq.: + *Ego Nordbertus episcopus rogatus ad Cunicunda, manu mea subs.*

10 Cf. le commentaire de H. Wartmann (en note infrapaginale).

11 Doc. dipl. Saint-Gall, tome 2, n° 15, p. 393 sq.: *Haec est inquisitio de curtis, qui fuerunt traditi ad monasterium sancti Galli in fine Clusina ab Erchanboldo Alamanno, qualiterque nuper misso nostro praesenti requisierunt Nordpertus episcopus et Folhroh comes, missi domini regis, et qualiter isti, qui hic subterscripti, testificaverunt* ...

12 Par mesure de prudence, je ne retiens cependant pas le comte Folhroh dans cette prosopographie, cf. l'annexe n° 3 P.

207.   **ODILON**[1]

Comte, attesté à partir d'avril 812 – mort avant le 11 septembre 822[2]

Le comte Odilon[3], l'un des personnages auxquels fut adressé le Praeceptum pro Hispanis du 2 avril 812[4] et en qui l'on a proposé de reconnaître un comte de Gérone[5], n'est retenu dans cette prosopographie qu'à un seul titre: il siégea, vraisemblablement peu avant le 1er janvier 815[6], dans le tribunal réuni au palais d'Aix-la-Chapelle sous la présidence du comte du Palais Warengaud et composé de comtes de la Marche d'Espagne; ce tribunal eut connaissance du différend entre l'aprisionnaire Jean et le comte Adhémar[7].

208.   **OSTORIC**[1]

Comte, attesté en 814

La notice du plaid présidé par le comte Ostoric en tant que *missus* de l'empereur Louis le Pieux quelques jours seulement après la mort de Charlemagne pose de graves problèmes de critique[2]. Le texte en est fort confus et la date impossible à établir avec certitude. Toujours est-il que ce plaid fut tenu durant la première année du règne de Louis[3], vraisemblablement le lundi 6 février 814[4]. Il est également difficile de discerner qui, exactement, siégeait en qualité de *missus* de Louis le Pieux[5]. Par commodité, seul le comte a par conséquent été retenu, un personnage dont on ne sait rien par ailleurs. A vrai dire, ce n'est pas tant l'affaire traitée que le mobile ayant présidé à

---

1 Formes onomastiques: *Odilo, Ogdilo* (?).
2 C'est ce qui appert de B.M. 759(734), éd. Doc. dipl. Catalogne, vol. 1, p. 45 sqq. (à la p. 46), où il est rappelé que le *vir religiosus nomine Bonitus* avait reçu le lieu appelé *Baniolas* (Banyoles, province de Gérone) *per licentiam Odilonis quondam comitis*.
3 A noter que le 13 octobre 817, un certain Ogdilo/Odilo fit, avec deux autres personnes, don à Saint-Cyr de biens sis dans le *pagus* de Nevers (Doc. dipl. Saint-Cyr, n° 28, p. 58 sq.). Il ne semble pas que cet individu, qui ne porte d'ailleurs pas le titre comtal, fût identique avec le comte qui nous intéresse ici.
4 Praeceptum pro Hispanis.
5 Wolff, Aquitaine, p. 290.
6 Cf. l'annexe n° 1.
7 Enquête de Fontjoncouse, n° 3, p. 112 sqq.

1 Seule forme onomastique: *Ostoricus*.
2 Doc. dipl. Cluny, n° 3, p. 6 sqq.
3 Ibid., p. 7: *Facta noticia, die lunis, primo quodam menses febroarius, in anno, Christo propitio, primo imperante gloriosissimi domni nostri Ludovici imperatoris.*
4 Cf. Depreux, Wann begann?, p. 262 sq. note 68.
5 Doc. dipl. Cluny, n° 3, p. 6: *Noticia qualiter vel quibus presentibus bonis hominibus qui subterfirmaverunt, dum resideret Ostoricus comes, missi gloriosissimi domni nostri Ludovici imperatoris, in Tortone castro, in mallo publico, una cum Stilligon, Droctado et Betelino, missos Leydradi archiepiscopo, atque missos domni imperatoris, necnon Ariberno, Amalbert, Malberto, missis dominicis; Vualdierio, Ansmundo, Ragamberto, Bertardo, Landoynus vel aliis compluris bonis hominibus qui cum eos ibidem aderant, pro multorum hominum altercationes audienda et negocia causarum derimenda, atque juxta vel recta judicia terminanda sunt.*

l'envoi de ce *missus* qui s'avère ici d'un intérêt particulier[6]. On y voit en effet une confirmation du témoignage de Thégan, qui affirmait que peu après son avènement, Louis fit partout enquêter sur les exactions commises du temps de son prédécesseur et rétablir le droit[7]. Le nouvel empereur et son entourage ne perdirent donc pas de temps à lancer la *Renovatio regni Francorum*.

209.   OTGAIRE[1]

Archevêque de Mayence[2], attesté à partir de 826 – mort le 21 avril 847

L'archevêque de Mayence, Otgaire[3], qui fut sacré en 826[4], était issu de la Chapelle de Louis le Pieux[5]: il est en effet désigné comme *capellanus dominicus* dans les Annales Xantenses[6]. L'archevêque Otgaire fut certainement un *missus* de Louis le Pieux puisqu'il est question de sa *legatio* dans un capitulaire[7] – peut-être sa *legatio* s'étendait-elle à toute sa province ecclésiastique[8]. Otgaire participa au concile tenu en juin 829 en sa cité[9], de même qu'à l'assemblée chargée en janvier 832 de restaurer la règle bénédictine à Saint-Denis[10]. Il assista également, vers la fin de 831, au sacre du nouvel

---

6 Doc. dipl. Cluny, n° 3, p. 6: *Aliter piissimus domnus imperator per immensam suam clementiam precepit per predictos suos missos partibus Borgundiae ac Septimaniae, imperante in eo divina clementia, ut omnes homines, in quoscumque invenire potuissent, qui partibus fisci, sive etiam ecclesie partibus, vel qualibet homini a me, in quacumque homines, aut vicarios vel centenarios, sive etiam ante missos dominicos, vel in quacumque judiceria potestate vel qualibet ingenio, injuste res abstractas fuerunt, temporibus domni hac genitoris sui piissimi Karoli imperatoris, ut omnes, anime sue salute, ad pristinum in ejus dominacione revocarentur, legitima debeat esse possessio.*

7 Theganus, Vita, c. 13, p. 593: *Eodem tempore supradictus princeps misit legatos suos super omnia regna sua inquirere et investigare, si alicui aliqua iniustitia perpetrata fuisset, et si aliquem invenissent qui haec dicere voluisset, et cum verissimis testibus hoc comprobare potuisset, statim cum eis in praesentiam eius venire praecepit. Qui egressi, invenerunt innumeram multitudinem oppressorum aut ablatione patrimonii, aut expoliatione libertatis; quod iniqui ministri, comites, et locopositi per malum ingenium exercebant …*

---

1 Formes onomastiques: *Otgarius, Otgerus, Autcarius, Autcharius, Autgarius, Otkerus, Othgarius.*

2 Cf. GERLICH, Otgar von Mainz; DUCHESNE, Fastes, tome 3, p. 160; Régestes Mayence, p. 55 sqq.

3 Sur ce personnage, cf. Hrabanus, Carmina, n° 18, p. 182 sqq.; ibid., n° 87, p. 238 sq. De nombreux documents datant du règne de Louis le Pieux permettent de cerner l'activité d'Otgaire d'un peu plus près; ils ne seront cependant pas pris en compte ici: Rodulfus, Miracula Fuld., p. 332; Lamberti Annales, a. 836, p. 45; Einhardus, Epistolae, n° 10, p. 113 sq., n° 43, p. 131, n° 44 p. 132; Epistolae variorum 2, n° 24, p. 338 sq.; Epistolae selectae, n° 13, p. 71 sq. Cf. également Hrabanus, Epistolae, n° 20, p. 425 sq. et n° 21, p. 426 sqq. D'autre part, la souscription d'Otgaire apparaît au bas de deux chartes de l'évêque Aldric du Mans datant du 1er avril 837 (Gesta Aldrici, p. 85 et p. 95).

4 Les annales mentionnent dans la même rubrique le décès de son prédécesseur et son avènement: Annales Xantenses, a. 825, p. 6; Annales Quedlinburgenses, a. 825, p. 44; Lamberti Annales, a. 825, p. 45; Annales Wirziburgenses, a. 824, p. 240. L'avènement en 826 se déduit de la Series episc. Moguntinensium, p. 139: *Otgarius ann. XXII, ob. DCCCXLVII.*

5 Cf. LÜDERS, Capella, p. 61; FLECKENSTEIN, Hofkapelle 1, p. 58.

6 Annales Xantenses, a. 825, p. 6.

7 Capitula tractanda, c. 3, p. 7: *Similiter de monasteriolis puellarum in legatione Autgarii, in quibus nullus ordo bonae conversationis tenetur.*

8 Comparer avec la Commemoratio, c. 1, p. 308.

9 Constitutio de synodis, p. 2; Epistolarum Fuldensium fragmenta, p. 529.

10 Constitutio de partitione, p. 694.

archevêque de Hambourg, Anschaire[11]. L'on ignore quelle fut l'attitude d'Otgaire lors de la révolte des fils de Louis le Pieux en juin 833, mais il est certain qu'il se rallia sinon alors, du moins peu après, au parti de Lothaire, puisqu'il fut l'un des deux traitres (*insidiatores*) chargés par ce dernier d'espionner l'entrevue entre les légats de Louis le Germanique et Louis le Pieux, en janvier 834 à Aix-la-Chapelle[12]. Lors du rétablissement de Louis le Pieux sur le trône, Otgaire fut certainement mis au banc des accusés; c'est grâce à l'intervention du clergé de Mayence qu'il recouvra son siège: en effet, l'ensemble du clergé et du peuple (*totus clerus omnisque plebs*), assurant l'empereur de la fidélité de l'archevêque, lui demanda de rendre ce pasteur à son Eglise[13].

Dès mars 835, la situation semble être redevenue normale, puisque l'archevêque Otgaire prit part à l'assemblée de Thionville au cours de laquelle Ebbon fut déposé[14]. Otgaire participa également à l'assemblée judiciaire tenue à Aix-la-Chapelle à la fin du mois d'avril 838[15], au plaid de Nimègue en juin[16] (comme l'atteste la mention de son nom parmi les témoins d'une procédure de restitution en faveur de Fulda[17]), et au concile de Quierzy-sur-Oise en septembre de la même année[18]. Mais c'est un événement survenu deux ans plus tôt, en 836, qui montre clairement qu'Otgaire comptait de nouveau parmi les fidèles de Louis le Pieux: il fit partie des légats envoyés par ce dernier auprès de Lothaire »pour restaurer la paix et l'amitié« entre eux[19]. Vers la fin de son règne, Louis le Pieux lui témoigna sa confiance en lui donnant l'abbatiat de Wissembourg[20]. L'archevêque de Mayence assista d'ailleurs Louis lors de son agonie[21]. Ce n'est pas ici le lieu de retracer la carrière d'Otgaire après 840[22]. Il mourut le 21 avril 847[23].

---

11 Rimbertus, Vita s. Anskarii, c. 12, p. 698. Drogon fut le consécrateur. Les archevêques Ebbon et Hetti étaient également présents. Sur la date, cf. SCHMEIDLER, Hamburg-Bremen, p. 235, et la notice n° 75.

12 Theganus, Vita, c. 47, p. 600: ... *Qui venientes Aquis, consensit eis Hlutharius, ut viderent patrem cum insidiatoribus, quorum unus vocabatur Othgarius episcopus, alter vero Righardus perfidus ... Secreta vero verba noluerunt ei indicare propter insidiatores praesentes ...*

13 Epistolae variorum 2, n° 18, p. 324 sq. (à la p. 325): *Scimus enim eum vobis esse in omnibus fidelem, benivolum, himiliter subiectum, riteque benignum, et in eo maxime libenterque laboraturum ...*

14 Concilium ad Theodonis villam, p. 703, n° 3.

15 Concilium Carisiacense (bis), p. 846, n° 4.

16 B.M. 977(946)a.

17 Doc. dipl. Fulda, n° 513, p. 226.

18 Concilium Carisiacense (bis), p. 850, n° 2.

19 Liutolfus, Translatio s. Severi, c. 2, p. 292 – texte cité à la notice n° 7.

20 Otgaire y est attesté pour la première fois comme abbé le 23 janvier 840 (Doc. dipl. Wissembourg, n° 151, p. 352 sqq.). Son prédécesseur, Grimald, est attesté pour la dernière fois à l'automne 838 (ibid., n° 273, p. 516 sq.).

21 Astronomus, Vita, c. 63, p. 647 – texte cité à la notice n° 75.

22 Cf. GERLICH, Otgar von Mainz, p. 305 sqq.

23 Annales Fuldenses, a. 847, p. 36: *Otgarius Mogontiacensis episcopus XI. Kal. Mai. obiit ...* Cf. également Annales Xantenses, a. 847, p. 16; Annales Wirziburgenses, a. 846, p. 240.

210.   PAUL[1]

Notaire italien[2], attesté de mars 812 à avril 844[3]

Le notaire Paul, déjà en fonction vers la fin du règne de Charlemagne[4], est attesté à plusieurs reprises dans la suite des *missi* de Louis le Pieux, ainsi en 821 à Nurcie[5], ou huit ans plus tard à Rome, lorsqu'il accompagnait Joseph[6] et Léon[7] et qu'il rédigea la notice du plaid qu'ils tinrent en janvier 829 au Latran[8]. A une date indéterminée, Paul participa également à un plaid tenu à Milan par le comte Léon[9]; de même, en février 840, il siégea à Lucques aux côtés du comte du Palais Maurin, agissant alors comme *missus* de Lothaire[10].

211.   PÉPIN[1]

Fils de Louis le Pieux, roi d'Aquitaine, né à une date inconnue[2] –
mort le 13 décembre 838[3]

Le royaume d'Aquitaine a depuis longtemps fait l'objet d'un examen approfondi[4], et le règne de Pépin Ier, le dédicataire du De institutione regia de Jonas d'Orléans[5], a été étudié tout récemment[6]. Ce sont cependant, pour notre propos, les pages que G. Eiten lui a consacrées qui s'avèrent les plus pertinentes. Cet historien montra en effet fort bien que Louis le Pieux ne fit aucunement abandon de son pouvoir sur l'Aquitaine, ce qu'attestent ses diplômes[7] et que ce n'est qu'une huitaine d'années après

1 Seule forme onomastique: *Paulus*.
2 Sur les notaires italiens, cf. l'annexe n° 3 Q.
3 Paul participait alors à un plaid tenu à Milan par des *missi* de l'empereur Lothaire. Il est désigné comme *notarius domni imperatoris* (Doc. dipl. Italie, n° 48, p. 156 sqq.).
4 Paul rédigea la notice du plaid tenu par Adalhard en mars 812 à Pistoia (Doc. dipl. Italie, n° 25, p. 77 sqq.): *Quidem et ego Paulus notarius ex dictato Bonifridi scripsi …*
5 Cf. Doc. dipl. Italie, n° 32, p. 98 sqq. (il s'agit d'un jugement ayant eu lieu sous la présidence de trois *missi* de Louis le Pieux): *Et ego quidem Paulus notarius domni regis scripsi …*
6 Cf. la notice n° 179.
7 Cf. la notice n° 188.
8 Doc. dipl. Italie, n° 38, p. 118 sqq.: *Quam quidem et ego Paulus notarius scripsi.*
9 Doc. dipl. Italie, n° 45, p. 147 sqq.: *(S) Paulus notarius domni imperatoris ibi fui.* La fourchette chronologique s'étend d'avril 823 à juin 840. A ce propos, cf. BULLOUGH, Leo, p. 225 note 14.
10 Doc. dipl. Italie, n° 44, p. 144 sqq.: *… residentibus nobiscum Paulo, Martino iudicibus … (S) Paulus notarius domni imperatoris interfui.*

1 Seule forme onomastique: *Pippinus*.
2 Elle se situe entre c. 795 et c. 806, puisque Pépin était le cadet de Lothaire, mais l'aîné de Louis. SCHIEFFER, Karolinger, p. 114, donne comme date »um 797« et reprend ainsi la datation proposée par WERNER, Nachkommen, dans son tableau généalogique. K. F. Werner est d'avis que »Pippins Geburtsdatum … ist dem Lothars I. näherzurücken als dem des jüngeren Bruders Ludwig« (ibid., p. 446).
3 Cf. SIMSON, Jahrbücher, tome 2, p. 191.
4 AUZIAS, Aquitaine. Sur le règne de Pépin, cf. ibid., p. 77 sqq.
5 Cf. Epistolae variorum 2, n° 31, p. 349 sqq.
6 Cf. COLLINS, Pippin.
7 Cf. EITEN, Unterkönigtum, p. 101.

avoir reçu son royaume que Pépin commença à affirmer son autorité[8], bien qu'il disposât dès le début de son règne de la plénitude du pouvoir royal, comme ses diplômes le montrent[9]: il disposait d'un Palais[10], battait monnaie[11], tenait des plaids[12], en-
voyait des *missi*[13]. Il n'en demeure pas moins que, tout au long de son règne impérial,
Louis le Pieux intervint dans les affaires du royaume d'Aquitaine[14]: il est vraisemblable que cette pratique de gouvernement fût due non pas à la mauvaise réputation de
Pépin[15], mais simplement aux habitudes que Louis et ses sujets avaient contractées
pendant la trentaine d'années durant lesquelles il fut roi d'Aquitaine[16]. Les datations
d'actes privés aquitains sont l'illustration de cette fidélité à l'ancien roi[17].

Comme pour ses frères, il ne s'agit pas ici de présenter une monographie exhaustive sur Pépin Ier et son gouvernement, mais de replacer ce dernier dans le contexte du
règne de Louis le Pieux, pour montrer la dépendance du roi d'Aquitaine à l'égard de
l'empereur, son père. C'est, à l'instar de Lothaire, à l'occasion du plaid tenu en août
814 à Aix-la-Chapelle que Pépin reçut son royaume, l'Aquitaine[18]. Il était dès lors
roi[19]. En juillet 817, le royaume de Pépin, confirmé dans son titre royal[20], fut quelque

8 Ibid., p. 101 sq. G. Eiten voit dans le mariage de Pépin la cause de cette évolution. Il veut dater le retrait (relatif) de Louis le Pieux de 825, cf. ibid., p. 102.
9 Ibid., p. 102.
10 Ibid., p. 105 sq. L'on ne connaît que fort mal ce Palais.
11 Ibid., p. 103.
12 Ibid., p. 104. Pour un exemple, cf. Ermentarius, Miracula s. Filiberti, p. 299.
13 Cf. EITEN, Unterkönigtum, p. 105.
14 Ibid., p. 106 sqq.
15 Selon une tradition quelque peu postérieure, il se serait adonné à la boisson, cf. SIMSON, Jahrbücher,
   tome 2, p. 191 et note 4.
16 Il convient d'élargir à l'ensemble de la période les observations de COLLINS, Pippin, p. 387: »Pippin's
   actions during the crises of 829–34 may have been conditioned not only by the dictates of self-inte-
   rest and political fluctuations outside the borders of his kingdom but also by the existence within the
   realm of a fundamental body of loyalty towards an emperor who himself for over thirty years had
   been king of Aquitaine«.
17 Cf. EITEN, Unterkönigtum, p. 112 sq.
18 Cf. Annales regni Franc., a. 814, p. 141; Chronicon Moissiacense, a. 815, p. 311 – textes cités à la notice n° 191. Cf. également Astronomus, Vita, c. 24, p. 619; Chronicon Laurissense breve, p. 36. Il s'a-
   git vraisemblablement du royaume tel que l'avait reçu Louis le Pieux, cf. AUZIAS, Aquitaine, p. 79.
19 C'est ce qu'a tenté de prouver EITEN, Unterkönigtum, p. 96 sq. Les arguments annalistiques ne peuvent pas être écartés (cf. ibid., p. 96 note 5). Cependant, le principal argument de G. Eiten était d'ordre diplomatique: or, le diplôme sur lequel il s'appuie n'est qu'un faux (cf. Actes de Pépin, n° 62, p.
   269 sqq.). La thèse défendue par G. Eiten garde néanmoins toujours sa valeur, en raison d'un autre
   élément que je désire verser au dossier. L. Levillain était d'avis que Pépin n'avait pas reçu le titre royal avant juillet 817 (cf. Actes de Pépin, p. 3 et note 4), ce qui n'est pas sans incidence sur la manière
   dont il proposait de corriger la datation, aberrante, du n° 1 de son édition. La manière dont sont
   datés les actes de Pépin est pourtant explicite sur le fait, d'une part, que le roi d'Aquitaine ne commença à régner qu'après le début du règne impérial de son père et, d'autre part, que le début du règne de ce même roi était bien antérieur aux dispositions de l'Ordinatio imperii de 817 (qu'on en juge
   par la datation du diplôme du 1er avril 825, Actes de Pépin, n° 3, p. 12: ... *anno XII imperii domni
   Hludowici serenissimi augusti et XI regni nostri* – si le règne de Pépin n'avait commencé qu'en juillet
   817, l'acte du 1er avril 825 daterait de la huitième année de ce règne, et non de la onzième): »les
   années du règne de Pépin Ier sont toujours inférieures d'une unité à celles de l'empire de Louis le
   Pieux, jour pour jour« (Actes de Pépin, p. CLV). La question me semble par conséquent réglée:
   Pépin fut roi dès avant 817, autrement dit dès l'année 814, quand *imperator constituit filium suum regem super Equitaniam* (Annales Xantenses, a. 814, p. 5). EITEN, Unterkönigtum, p. 100, date la prise
   de pouvoir de la fin de l'année 814.

peu élargi[21]. En cette même année, Pépin souscrivit ainsi que ses frères le pacte conclu entre leur père et le pape[22]. Plusieurs sources concordent, qui nous présentent un Pépin soumis aux ordres de son père, comme c'était notamment le cas pour la conduite d'opérations militaires dans son royaume[23] – c'est d'ailleurs à Aix-la-Chapelle que la politique »espagnole« était arrêtée[24]. Le roi d'Aquitaine participa également à la campagne de Louis le Pieux en Bretagne, en 824: il conduisit l'une des trois armées[25].

L'influence de l'empereur dans les affaires internes du royaume d'Aquitaine est également patente[26]. C'est Louis le Pieux qui, en 822 à Attigny, maria son fils Pépin:

20 Cf. Annales regni Franc., a. 817, p. 146 – texte cité à la notice n° 191; Ordinatio imperii, préambule, p. 271 – texte cité à la notice n° 192. De cette disposition, il appert que la nouvelle nomination (en fait: la confirmation) de Pépin comme roi avait pour principal objet de définir précisément son rang par rapport à Lothaire (elle ne remettait pas en cause le fait qu'il fut investi de la dignité royale dès 814). Cf. également Astronomus, Vita, c. 29, p. 622.

21 Ordinatio imperii, c. 1, p. 271: *Volumus ut Pippinus habeat Aquitaniam et Wasconiam et markam Tolosanam totam et insuper comitatos quatuor, id est in Septimania Carcassensem et in Burgundia Augustudunensem et Avalensem et Nivernensem.* A ce propos, cf. EITEN, Unterkönigtum, p. 98; COLLINS, Pippin, p. 373 sqq.

22 Cf. HAHN, Hludowicianum, p. 135.

23 L'annaliste spécifie que c'est »sur l'ordre de son père« que Pépin, en 819, mata l'opposition gasconne: *At in partibus occiduis Pippinus imperatoris filius iussu patris Wasconiam cum exercitu ingressus sublatis ex ea seditiosis totam eam provinciam ita pacavit, ut nullus in ea rebellis aut inoboediens remansisse videretur* (Annales regni Franc., a. 819, p. 151 sq.). La soumission des Gascons à Pépin est mentionnée dans les Annales Fuldenses, a. 819, p. 21; et Astronomus, Vita, c. 32, p. 625, de souligner: *pater enim eum ad hoc destinaverat.* En 827, Louis le Pieux envoya également Pépin empêcher la progression des renforts sarrasins lors du siège de Barcelone: *Contra quem imperator filium suum Pippinum Aquitaniae regem cum inmodicis Francorum copiis mittens regni sui terminos tueri praecepit* (Annales regni Franc., a. 827, p. 173). Les comtes Hugues et Matfrid lui furent adjoints: *Porro imperator Pippinum filium suum Aquitaniae contra eos misit regem, simulque missos ex latere suo Hugonem et Mathfridum comites* (Astronomus, Vita, c. 41, p. 630). On sait la mauvaise volonté dont ils firent alors preuve (cf. les notices n° 164 et n° 199).

24 En février 826, Pépin, ses *optimates* et les comtes de la frontière espagnole furent convoqués à la cour de Louis le Pieux, pour définir le moyen de contenir les Sarrasins: *Interea Pippinus rex, filius imperatoris, ut iussus erat, cum suis optimatibus et Hispanici limitis custodibus circa Kal. Febr. Aquasgrani ... venit; cum quibus cum de tuendis contra Sarracenos occidentalium partium finibus esset tractatum atque dispositum, Pippinus in Aquitaniam regressus aestatem in deputato sibi loco transegit* (Annales regni Franc., a. 826, p. 169). Cf. également Astronomus, Vita, c. 40, p. 629. En juin 828, lors du plaid tenu à Ingelheim, Louis décida avec Lothaire et Pépin d'une nouvelle expédition contre les Sarrasins, cf. Annales regni Franc., a. 828, p. 174 sq. Pépin était depuis longtemps à la cour de son père: il avait fort vraisemblablement pris part au plaid de février, à l'occasion duquel les comtes de Tours et d'Orléans furent déposés, cf. B.M. 844(818)a, puisque sa présence à Aix-la-Chapelle est attestée le 10 mars 828 (cf. Actes de Pépin, n° 10, p. 31 sqq.). Ayant appris que l'attaque des Sarrasins n'avait pas eu lieu, Lothaire et Pépin annulèrent la campagne militaire, cf. Annales regni Franc., a. 828, p. 175.

25 Cf. Annales regni Franc., a. 824, p. 165. Pépin était assisté de Hugues (I) et de Hélisachar, cf. Ermoldus, Elegiacum carmen, IV, v. 2006 sq., p. 152.

26 Capitulare de monasterio s. Crucis. Il n'y a pas lieu de s'attacher à la lettre du titre sous lequel ce document fut publié dans l'édition de J. MABILLON, mais à l'esprit: *Capitulare de monasterio sanctae Crucis, quod est situm intra Pictavensem urbem, quod piissimus imperator Lugdovicus fieri praecepit atque ut idem ab omnibus observaretur glorioso filio suo Pippino commisit* (cf. l'introduction à ce capitulaire dans l'édition d'A. BORETIUS). Rien, dans le document, n'indique expressément que ce capitulaire émanait de Louis le Pieux. Cependant, il ne fait pas de doute que Pépin reçut l'ordre de veiller sur le monastère de Sainte-Croix, ainsi que l'atteste le c. 1: *Ut a nemine praedictae sanctimoniales opprimantur iniuste vel condemnentur, ab ipso domno Pippino rege provideatur.* Or, qui pouvait

ce dernier épousa la fille du comte Théotbert[27]. L'Astronome affirme qu'en conséquence, le roi d'Aquitaine fut envoyé dans son royaume »pour, enfin, le régir«[28]: il est vraisemblable que ce mariage fût l'occasion d'un renouvellement du Palais de Pépin[29]. Ce fut peut-être à ce moment que les conseillers que Louis avait placés auprès de Pépin furent évincés[30]. La question de la date n'est pas primordiale; plus important est le fait que Louis, par l'intermédiaire d'hommes qui lui étaient attachés, conserva néanmoins la haute main sur l'Aquitaine. Trois diplômes de Pépin sont à ce propos très intéressants, car ils illustrent de manière explicite comment Louis pouvait intervenir dans les affaires du royaume d'Aquitaine. Le premier diplôme date du 29 mai 821; il fut donné à Nimègue[31], autrement dit alors que Pépin assistait au plaid tenu par son père[32]. Pépin procéda »par la volonté et l'ordre du seigneur Louis, le sérénissime seigneur empereur, notre père« à un échange des biens du fisc avec l'évêque de Cahors[33]. Plus significative encore est la démarche de Fridugise, l'abbé de Saint-Martin, telle que la relate le diplôme de Pépin du 10 mars 828 donné à Aix-la-Chapelle[34], ce qui nous autorise à penser que Pépin participa au plaid de février, où Hugues et Matfrid furent déposés[35]. Fridugise s'adressa à Louis le Pieux pour recouvrer, quand celui qui la tenait serait mort, une *villa* de Saint-Martin sise en Auvergne, qui avait été cédée en précaire à Erlaud, le sénéchal de Louis lorsqu'il était en Aqui-

donner des ordres à Pépin, si ce n'est son père? Ce capitulaire est d'autant plus précieux qu'il explicite comment, pratiquement, devait s'exercer la protection en question – la *tuitio* royale, selon LABANDE-MAILFERT, Débuts de Sainte-Croix, p. 82. Particulièrement intéressant est le c. 3, où il est stipulé que le tribunal royal (présidé par le roi ou par le comte du Palais) aurait connaissance de toute atteinte aux possessions du monastère: *Similiter ut res monasterii, quas modo habent, non prius ab ullo auferantur quam aut ante domnum Pippinum aut ante comitem palatii illius praefata ratio reddatur.*

27 Annales regni Franc., a. 822, p. 159: *Pippinum autem in Aquitaniam ire praecepit, quem tamen prius filiam Theotberti comitis Matricensis* (sur l'Eure) *in coniugium fecit accipere et post nuptias celabratas ad occiduas partes proficisci.* Cf. également Annales Colon. maximi, a. 822, p. 737. Sur l'origine d'Ingeltrude (ou plutôt Hringart, selon WERNER, Nachkommen, p. 446 sq.), l'épouse de Pépin, cf. SIMSON, Jahrbücher, tome 1, p. 186.

28 Astronomus, Vita, c. 35, p. 626: *Pippinum autem filium cum in Aquitaniam mittere statuisset, prius illi coniugem filiam Theotberti comitis iunxit, et sic demum ad memoratas partes direxit regendas.*

29 Cf. HELLMANN, Heiraten, p. 86/378 sq.; EITEN, Unterkönigtum, p. 101. Sur l'influence de la famille de l'épouse de Pépin à sa cour, cf. SIMSON, Jahrbücher, tome 1, p. 186 et note 8.

30 Cf. Astronomus, Vita, c. 61, p. 645: (Louis le Pieux connaissait les mauvaises moeurs des Aquitains) *et ut talem Pippinum patrem eius* (il est en effet question de Pépin II) *facere possent, pene omnes qui ob custodelam illius missi erant, sicut sibi olim a patre Karolo dati fuerant, ab Aquitaniae finibus eliminarunt.* A ce propos, cf. EITEN, Unterkönigtum, p. 100.

31 Actes de Pépin, n° 2, p. 5 sqq. et p. 296 sqq.

32 B.M. 735(711)c.

33 Actes de Pépin, n° 2, p. 298: *Cedimus igitur, per voluntatem et jussionem domini Ludovici, domini serenissimi imperatoris genitoris nostri, praefatae ecclesiae Cadurcensi seu canonicis per tempora ibi degentibus res quasdam proprietatis nostrae, quas dudum Autricus comes, per instrumenta chartarum praedicto domino nostro imperatori, genitori nostro, tradidit, id est ...* Cf. également ibid., p. 299.

34 Actes de Pépin, n° 10, p. 31 sqq.

35 B.M. 844(818)a.

taine[36]. Louis consentit à cette restitution et donna à Pépin l'ordre d'y procéder[37], ce qu'il fit par l'intermédiaire de *missi* une fois Erlaud mort[38]. Mais pour garantir cette restitution, Fridugise préféra demander à Pépin un diplôme en sus[39]. Les deux cas que je viens de citer sembleraient induire l'hypothèse selon laquelle Louis ne serait intervenu, n'aurait ordonné de procéder à tel ou tel acte juridique que lorsque ce dernier se rapportait à une mesure qu'il avait prise lorsqu'il était roi d'Aquitaine. Un troisième diplôme dément formellement cette hypothèse. En nous faisant faire un bond dans le temps, il est en cela précieux qu'il montre que même après la crise de 833/834, Louis n'avait pas perdu la haute main sur l'Aquitaine.

En effet, le 24 novembre 835, Pépin, sur la requête de son archichapelain, Fridebert, abbé de Saint-Hilaire de Poitiers, accorda à ce monastère sa protection et le privilège d'immunité. Or, Louis le Pieux avait donné son consentement et ordonné cet octroi[40]. Il n'y a pas lieu d'assimiler cette mesure au rappel à l'ordre adressé à Pépin en raison des usurpations de biens ecclésiastiques auxquelles il s'était livré[41]. Le diplôme de 835, en revanche, aide à comprendre pourquoi Pépin obtempéra et restitua les biens confisqués: il en avait l'habitude. Ainsi, en février 836, à l'occasion de l'assemblée réunie à Aix-la-Chapelle, les évêques adressèrent au roi d'Aquitaine une lettre de remontrances dans laquelle ils se plaignaient de ses nombreuses usurpations et, forts de l'appui de Louis le Pieux[42], l'adjuraient de restituer aux établissements ecclésiastiques les biens dissipés – ce que Pépin fit en expédiant des diplômes à cet effet[43]. Le roi d'Aquitaine prit néanmoins son temps: deux ans plus tard, il donnait en-

36 Actes de Pépin, n° 10, p. 34: *Fridigisus ... suggessit serenitati genitoris nostri domni Hludowici serenissimi augusti pro quadam villa ...*

37 Ibid., p. 35: *Cujus suggestioni genitor noster libenter annuens praecepit nobis ut jam dictae res post decessum memorati Erlaldi per illius et nostram auctoritatem secundum praescriptam conditionem in potestatem sancti Martini reducerentur.*

38 Ibid.: *Sed, dum haec agerentur, saepedictus Erlaldus finem vivendi fecit, et nos praedictas res per missos nostros ad partem sancti Martini coram multis, sicuti et factum est, reddere jussimus.*

39 Ibid.: *Sed superius nominatus Fridigisus abba petiit celsitudini nostrae ut pro firmitatis studio nostram praeceptionem super hoc ei fieri juberemus ...*

40 Actes de Pépin, n° 24, p. 91: *... adiens nostri culminis serenitatem Fridebertus ... ex verbis senioris nostri gloriosissimi Ludovici augusti, praeceptione atque consensu, petiit ut omnes res ad suprascriptum monasterium cum omnibus supra degentibus pertinentes sub nostro mundeburdo vel immunitatis tuitione reciperemus ...*

41 Un premier rappel à l'ordre eut lieu à l'occasion du plaid tenu à Attigny en novembre 834, cf. Astronomus, Vita, c. 53, p. 639 – texte cité à la notice n° 148. SIMSON, Jahrbücher, tome 2, p. 151 note 4, a supposé que l'Astronome avait fait une confusion avec l'assemblée de février 836, mais rien n'interdit de penser qu'il y eut d'abord exhortation sur l'initiative de Louis (une exhortation de ce type entre d'ailleurs tout à fait dans le cadre des mesures de réformes que, selon Astronomus, Vita, c. 53, p. 639, Louis est censé avoir prises lors du plaid d'Attigny), et que, suite à une éventuelle négligeance de Pépin, les évêques lui envoyèrent leur propre lettre d'exhortation en 836.

42 L'Astronome insiste sur ce fait; il évoque notamment l'*imperialis auctoritas*. Cf. le texte à la note suivante.

43 Annales Bertiniani, a. 837, p. 21: *Epistola etiam ab eodem venerabilium episcoporum conventu ad Pippinum directa est, in qua eum salutis suae magnopere monuerunt, et insuper ut memor moris progenitorum suorum ac precipue piissimi genitoris sui, res aecclesiarum Dei pridem a suis invasas atque direptas integritati earum restitueret, ne tali etiam occasione divinam contra se iracundiam ardentius incitaret. Qui tantorum patrum adsensus consilio cuncta restituit ac singulis aecclesiis eisdem rescriptionibus anulo suo roboratis proprie designavit.* Il s'agit d'une erreur de datation: cette assemblée eut lieu non en 837, mais en 836, cf. SIMSON, Jahrbücher, tome 2, p. 148 note 2. Cf. également Astronomus, Vita, c. 56, p. 642: *In ipsis etiam diebus in quibus purificatio beatissimae semper virginis Mariae*

core un diplôme, par lequel il restituait des biens au monastère de Jumièges. Dans le préambule, il est fait référence à l'admonition à »revenir à la norme de droiture initiale« que lui avait faite son père[44].

Les diplômes de Pépin sont l'expression de la dépendance dans laquelle le roi d'Aquitaine se trouvait vis-à-vis de son père: à la différence de Louis le Germanique, Pépin n'expédia jamais de diplômes hors du royaume qui lui avait été attribué par son père, si ce n'est lorsqu'il se trouvait à la cour de ce dernier[45]. A la différence de ses frères, la déposition de 834 n'eut pas d'influence sur sa titulature[46]; avant comme après ce drame, ses diplômes étaient datés d'après les années du règne de son père et celles de son propre règne[47]. Pourtant, malgré l'autorité que Louis le Pieux avait gardée sur l'Aquitaine et en dépit de la soumission dans laquelle se tenait Pépin, c'est lui qui, le premier, voulut le déposer. D'après Thégan, Pépin fut indigné du partage effectué durant l'été 829 à Worms, en faveur du jeune Charles[48]. Il est d'ailleurs présenté comme le meneur de la révolte de 830, à Compiègne[49]; c'est lui qui fut le geôlier des frères de Judith[50]. Outre les raisons avouées de cette révolte[51], Pépin eut peut-être quelque motif plus personnel à vouloir renverser son père[52] – mais force est de

celebrabatur, conventus quidem magnus, sed praecipue episcoporum, Aquisgrani convenit, in quo cum de aliis utilitatibus ecclesiae necessariis, tum praecipue de his rebus questum est, quas Pippinus et sui multis intulerunt aecclesiis. Ob quam rem imperialis auctoritas et commonitorium communis ordinatur concilii, quibus commoneretur Pippinus et sui, cum quanto sui periculo res ecclesiasticas pervaserint. Quae res prosperum suscepit exitum. Nam Pippinus monita pii patris sanctorumque virorum libenter suscipiens, oboedienter paruit, et omnia invasa restitui etiam per anuli sui inpressionem constituit. A ce propos, cf. COLLINS, Pippin, p. 370 sqq.

44 Actes de Pépin, n° 29, p. 126: *Si enim res Deo sanctisque ejus devotas quam jam dudum, nobis instruentibus hinc inde casibus et necessitatibus conpellentibus, ab aecclesiis Christi subtraximus nostrisque solacii gratia contra fas contulimus, nunc hinc ob indulgentiam divine repropitiationis et genitoris nostri Hludovici serenissimi augusti debitam ammonitionem ad pristinam rectitudinis normam reducere omnimodis satagimus, dum* (proposition de correction: *Deum*) *nobis ob id angelosque ejus et intercessiones eorumdem sanctorum anime ad gloriam regnique a Deo nobis commissi ad diuturnam stabilitatem propitiari minime dubitamus.*

45 Cf. Actes de Pépin, n° 10, n° 13 et n° 17.

46 Pépin porta toujours le titre de *rex Aquitanorum*. A la différence de Louis le Germanique, il n'abandonna pas la restriction nationale du titre royal en 833. Vers cette époque, les diplômes Pépin trahissent quelque hésitation, quant à la formule de suscription, qui n'a cependant pas grande incidence. En effet, avant la période de crise, Pépin était *gratia Dei Aquitanorum rex* (Actes de Pépin, n° 1, p. 3). Dans un diplôme du 6 octobre 833, il était *annuente divinae majestatis gratia Aquitanorum rex* (ibid., n° 18, p. 64). Le 24 octobre 834 ou 835, il se dit *gratia praeordinante divinae majestatis Aquitanorum rex* (ibid., n° 21, p. 79), et le 26 octobre 835, il était réputé *ordinante divinae majestatis gratia Aquitanorum rex* (ibid., n° 22, p. 82). Il s'agit désormais de la formule de suscription classique jusqu'à la mort de Pépin. Dans le diplôme n° 30 de l'édition de L. LEVILLAIN, Pépin porte simplement le titre de *rex* (ibid., p. 131), mais ce diplôme est un faux (cf. ibid., p. 129 sq.).

47 Le diplôme n° 22 de l'édition de L. LEVILLAIN est daté d'après le seul règne de Pépin. Il fut expédié à une époque où régnait quelque incertitude quant à la forme des actes de Pépin, cf. la note précédente. Tous les autres actes sont datés à la fois d'après le règne impérial de Louis le Pieux et le règne de Pépin.

48 Theganus, Vita, c. 35, p. 597 – texte cité à la notice n° 191.

49 Theganus, Vita, c. 36, p. 597.

50 Nithardus, Historia, I, c. 3, p. 10. Ils furent enfermés dans des monastères aquitains. Cf. les notices n° 67 et n° 224.

51 Annales Bertiniani, a. 830, p. 2; Astronomus, Vita, c. 44, p. 632.

52 Thégan affirme que Louis donna à Charles »une certaine partie de la Bourgogne«, sans préciser exactement de quoi il s'agissait. Or, Pépin avait été doté, en 817, de comtés bourguignons. Le roi d'Aqui-

reconnaître notre impuissance à formuler un jugement clair à ce sujet. Pour acheter le soutien de Pépin, Louis lui promit un élargissement de ses territoires[53] et il tint parole[54]: à la fin du plaid de février 831, Pépin quitta son père en étant réconcilié avec lui[55]. Néanmoins, Pépin, pour une raison qu'on ignore, négligea de venir à l'automne au plaid de Thionville, où il avait pourtant été convoqué[56]. Ce n'est que peu avant Noël que le roi d'Aquitaine se présenta à la cour de son père, qui le reçut mal en raison de sa désobéissance[57] et l'astreint à résidence à Aix-la-Chapelle[58]. En conséquence, le 27 décembre 831, Pépin choisit la fuite[59]. Au cours de l'année 832, on apprit à la cour de Louis le Pieux que Pépin voulait se révolter contre son père[60]. Il n'y a pas lieu de retracer le détail des mesures prises par Louis le Pieux eu égard à l'opposition de Pépin[61]. Je veux seulement souligner l'association de Pépin et de Bernard, l'ancien chambrier de Louis le Pieux, que Louis n'avait aucunement soutenu en 830: vers la fin de l'été 832, ils durent jurer fidélité à l'empereur[62]. Bernard fut privé de ses *honores* et Pépin exilé à Trèves[63] après avoir été déposé[64], mais il parvint de nouveau à s'échapper avant même d'avoir quitté l'Aquitaine[65].

A la différence que cette fois, c'est Lothaire qui, d'emblée, mena le jeu, on observe en 833 un scénario similaire à celui qui s'était déroulé trois ans plus tôt: Pépin fit partie des opposants à son père[66], puis il retourna en Aquitaine[67]. L. Levillain a supposé que Pépin rôdait aux alentours de Compiègne au mois d'octobre, mais rien n'autorise une certitude à cet égard[68], d'autant que Louis le Germanique semble avoir alors

---

taine fut-il lésé au profit de Charles? Il pouvait tout au moins craindre que les largesses de Louis le Pieux pour son cadet n'empiétassent un jour sur son territoire. D'autre part, l'on sait que Pépin avait conduit la campagne de 827 avec Hugues (I) et Matfrid, qui en négligeant de secourir le comte de Barcelone voulaient probablement toucher son parrain, Louis le Pieux (à ce propos et sur leurs raisons, cf. DEPREUX, Matfrid, p. 357 sqq.). L'ex-comte d'Orléans profita de la révolte de 830 pour chasser de son poste son successeur (cf. la notice n° 199). On peut par conséquent supposer que Pépin fut incité à l'opposition par ses relations.

53 Nithardus, Historia, c. 3, p. 12.
54 Regni divisio, p. 24.
55 Astronomus, Vita, c. 46, p. 634.
56 Ibid.
57 Annales Bertiniani, a. 831, p. 5.
58 Astronomus, Vita, c. 46, p. 634.
59 Annales Bertiniani, a. 832, p. 5.
60 Theganus, Vita, c. 41, p. 598: ... *auditum est, quod Pippinus filius eius commotionem patri facere voluisset.*
61 Cf. B.M. 896(867)c à B.M. 910(881)a; SIMSON, Jahrbücher, tome 2, p. 15 sqq.
62 Annales Xantenses, a. 831 (!), p. 7 sq.
63 Astronomus, Vita, c. 47, p. 635. Cet exil devait durer jusqu'à ce que Pépin s'amendât, cf. Annales Bertiniani, a. 832, p. 8: *Paterno illum affectu corripere cupiens, in Franciam ire praecepit, ut in loco quo eum iniunxit moram faceret, quousque sua emendatione patris animum mitigaret.*
64 Annales Fuldenses, a. 832, p. 26: ... *Pippinum filium regno privavit.* Louis le Pieux attribua son royaume à Charles, cf. Nithardus, Historia, I, c. 4, p. 14.
65 Astronomus, Vita, c. 47, p. 635.
66 Il se trouvait au Rotfeld, cf. Annales Bertiniani, a. 833, p. 8; Annales Xantenses, a. 833, p. 8.
67 Astronomus, Vita, c. 48, p. 636, Theganus, Vita, c. 42, p. 599. Pépin et Louis le Germanique reçurent congé de Lothaire, cf. Annales Bertiniani, a. 833, p. 9.
68 Le diplôme n° 18 de Pépin fut donné le 6 octobre 833 à Pierrefitte (*in Petraficta*). L. LEVILLAIN écrit à ce propos: »si le Pierrefitte où réside Pépin Ier est bien celui de l'Oise, nous pouvons croire que le roi d'Aquitaine était venu à l'assemblée de Compiègne« (Actes de Pépin, p. 63 sq.). Or, il existe de nombreuses localités du nom de Pierrefitte, cf. Actes de Pépin, p. 19.

été absent: je pense que le drame de Compiègne et de Soissons fut l'oeuvre de Lothaire seul[69]. Pendant l'hiver 833/834, Pépin se laissa convaincre de travailler à la libération de Louis le Pieux[70]: il prit les armes pour cela et Louis le Pieux l'accueillit joyeuse-
ment (*gaudenter*)[71] lorsqu'il le vit le 15 mars 834 à Quierzy[72]. Selon le voeu de Pépin,
son père lui permit de regagner l'Aquitaine[73]. Néanmoins, il fut à ses côtés lors de la
capitulation de Lothaire, vers la fin de l'été[74]. De même, l'année suivante, il participa
au plaid tenu par Louis le Pieux, près de Lyon[75], ainsi qu'à celui assemblé en septembre 836 à Worms[76].

La réconciliation entre Louis le Pieux et Pépin fut telle que ce dernier, lors du plaid
tenu à Aix-la-Chapelle vers la fin de l'automne 837, fit savoir par l'intermédiaire de
missi qu'il consentait à ce que Charles reçût un territoire plus vaste[77]: il s'agissait
pour partie de régions qui lui avaient été attribuées en 831, comme on peut s'en rendre compte en comparant l'énumération faite par l'auteur des Annales de Saint-Bertin et les dispositions de la Regni divisio. Pépin assita à la remise d'armes à Charles et
à son investiture du *ducatus* manceau qui eut lieu l'an suivant à Quierzy[78]. La concorde entre Charles et Pépin ne fut pas altérée, puisque ce dernier mourut à la fin de
la même année[79]; il fut inhumé à Poitiers[80]. Charles avait cependant un nouveau con-
current, soutenu par une partie des Aquitains: Pépin, le fils homonyme du roi défunt[81].

212.   **PÉPON**[1]

Vasallus de Louis le Pieux, attesté peu avant février 839

Pépon, un vassal de Louis le Pieux, n'est pas attesté comme *missus* de l'empereur,
mais il dut en exercer la fonction. En effet, comme il appert d'un diplôme donné le 17
février 839, il reçut l'ordre d'enquêter concernant un échange que l'abbé de Fulda

69 Agobardus, Cartula de poenitentia, p. 56.
70 Annales Bertiniani, a. 834, p. 11; Theganus, Vita, c. 49, p. 637. Nithardus, Historia, I, c. 4, p. 16, affirme crûment que Pépin et Louis voulaient contrer les ambitions de leur frère aîné.
71 Annales Bertiniani, a. 834, p. 11 sq.
72 Astronomus, Vita, c. 52, p. 638.
73 Nithardus, Historia, I, c. 4, p. 18: *Pippinum ad se venientem benigne excepit, gratias in eo quod pro
   sua restitutione laboraverat egit ac reverti eum in Aquitaniam, uti petiverat, permisit.*
74 Annales Bertiniani, a. 834, p. 14 sq.; Astronomus, Vita, c. 53, p. 639.
75 Annales Fuldenses, a. 835, p. 27; Annales Xantenses, a. 835, p. 9; Astronomus, Vita, c. 57, p. 642;
   Theganus, Vita, c. 57, p. 603.
76 Astronomus, Vita, c. 54, p. 640; Theganus, Vita, continuation, p. 603.
77 Annales Bertiniani, a. 837, p. 22.
78 Annales Bertiniani, a. 838, p. 24; Astronomus, Vita, c. 59, p. 643; Nithardus, Historia, I, c. 6, p. 26.
79 Annales Bertiniani, a. 838, p. 26: *Pippinus, filius imperatoris, rex Aquitaniae, idus decembris defunctus est, relictis duobus filiis Pippino et Karolo.*
80 Chronicon Aquitanicum, a. 838, p. 252: *Pipinus Aquitaniae rex obiit, Pictavis apud sanctam Rade-
   gundem sepultus.*
81 Nithardus, Historia, I, c. 8, p. 32.

1 Seule forme onomastique: *Peppo*.

voulait faire avec un autre vassal de l'empereur et qui portait sur un bien que ce dernier tenait en bénéfice[2].

213.   PIERRE[1]

Chef des panetiers du Palais, attesté d'environ 820 à 826

C'est à Ermold le Noir que l'on doit de connaître la fonction de Pierre[2], que le poète décrit s'affairant à préparer les tables du banquet donné à Ingelheim en 826, à l'occasion du baptême du Danois Harold. Pierre est alors appelé »chef des panetiers«, *pistorum princeps*[3]. C'était très vraisemblablement le même personnage à qui, dans le capitulaire relatif à l'organisation de la vie au palais d'Aix-la-Chapelle, il revenait d'inspecter l'habitation de certains *actores*[4]. Là également, il agissait de concert avec Gunzo, dont Ermold avait évoqué la charge de »chef des cuisiniers«, c'est-à-dire de sénéchal[5], en même temps que la sienne.

214.   PRUDENCE[1]

Chapelain, attesté vers la fin de la deuxième décennie du IXe siècle – mort en 861[2]

L'*Hispanus*[3] connu sous le nom de Prudence, qui devint évêque de Troyes peu après la mort de Louis le Pieux[4], appartint fort vraisemblablement à la Chapelle de cet empereur[5]. A vrai dire, l'on n'a pas de preuve décisive à ce propos, mais tout un faisceau d'indices font de cette présomption presque une certitude. Tout d'abord, le fait qu'il soit l'auteur de la seconde partie (835–861) des Annales de Saint-Bertin, la continuation des Annales royales, est un élément de poids en faveur de l'appartenance à la

---

2 B.M. 987(956), éd. Doc. dipl. Fulda, n° 523, p. 230 sq. (à la p. 231): ... *praecepimus Pepponi vassallo nostro ut cum missis praedicti venerabilis Rabban abbatis adhibitis etiam aliis pluribus hominibus in eadem vicinia conmanentibus perspiceret easdem res petitas earumque qualitatem et quantitatem hinc et inde diligenter inspiceret et consideraret et inbreviatam ad nostam deferret notitiam quod ita et fecit simulque nobis retulit quod ambabus partibus huiuscemodi commutatio utilis et profectuosa esse potuisset et ideo nostra decrevit voluntas ut ita fieret.*

1 Seule forme onomastique: *Petrus*.
2 Cf. SIMSON, Jahrbücher, tome 2, p. 243.
3 Cf. Ermoldus, Elegiacum carmen, lib. IV, v. 2338 sqq., p. 178 – texte cité à la notice n° 133.
4 Cf. Capitulare de disciplina palatii, c. 2, p. 298 – texte cité à la notice n° 133.
5 Cf. SIMSON, Jahrbücher, tome 2, p. 241.

1 Formes onomastiques: *Prudentius, Prudencius, Prudens*.
2 Annales Bertiniani, a. 861, p. 84.
3 Cf. RICHÉ, Réfugiés, p. 181 sq.
4 Cf. DUCHESNE, Fastes, tome 2, p. 452. Le prédécesseur de Prudence, l'évêque Adalbert, est encore attesté en 843 (cf. ibid.). Prudence est attesté pour la première fois en 846.
5 Toutefois FLECKENSTEIN, Hofkapelle 1, ne le cite pas comme chapelain.

Chapelle[6]. D'autre part, un poème décrivant certains érudits de la cour de Louis le Pieux fait mention d'un Prudens/Galindo[7] en qui l'on doit reconnaître le futur évêque de Troyes. En outre, Walafrid Strabon dédia l'un de ses poèmes à Prudence en le désignant comme *magister*[8]. Enfin, il y a la vingt-septième et dernière des Formules de Murbach, qui prouve que notre personnage devait accomplir un service précis à la cour: il s'agit d'une lettre de Prudence, *famulorum Christi humillimus*, par laquelle il annonçait à son correspondant[9] qu'il avait récemment été déchargé de son service de garde au Palais[10]. Durant la grave crise politique du règne de Louis le Pieux, Prudence demeura fidèle à l'empereur: c'est à lui que Judith eut recours quand elle chercha consolation[11].

215.   RABAN MAUR[1]

Abbé de Fulda, futur archevêque de Mayence[2], attesté dès la fin du VIIIᵉ siècle – mort le 4 février 856[3]

C'était un érudit d'envergure que le *magister* devenu en 822 abbé de Fulda[4]. Formé notamment à Tours auprès d'Alcuin[5] qui lui fit fréquenter la cour de Charlemagne[6], il reçut une charge d'enseignement à Fulda, son monastère d'origine[7]. Il faut reconnaître en ce Raban, fils du comte Waluramne et de Waltrat qui souscrivit le 25 mai

---

6 Cf. l'introduction de L. LEVILLAIN aux Annales Bertiniani, notamment p. XII. Cet historien compte Prudence parmi les »palatins« (ibid., p. XIII). LÖWE, Karolinger, p. 349, reconnaît également en Prudence »ein Kaplan Ludwigs des Frommen«.

7 Theodulfus, Carmina, n° 79, p. 579 sqq.

8 Walahfridus, Carmina, n° 61, p. 403 sq.

9 DÜMMLER, Formelsammlungen, p. 402, a supposé qu'il s'agissait de l'abbé de la Reichenau, Walafrid. Son hypothèse a été réfutée par ZEUMER, Formelsammlungen, p. 480. Cet auteur est d'avis que cette lettre fut rédigée au plutôt vers le milieu du IXᵉ siècle.

10 Formulae Alsaticae, p. 336 (= Formulae Morbacenses, n° 27): ... *cum repente, vix tandem a palatinis excubiis, quibus diu inservire coactus fueram, absolutus* ...

11 Cf. le prologue du traité de Prudence sur les psaumes: *Cum quedam nobilis matrona* (il s'agit fort probablement de Judith) *in civitatibus vel oppidis a pluribus fuisset oppressa atque ex accidentibus variis tribulationibus, ut plerique noverunt, adesset angustiata nimiisque tediis afflicta, direxit ad me, rogans obnixe, ut aliquid ex laude psalmorum ad consolationem compassionis suae brevissimis scriptarem versiculis* (Epistolae variorum 2, n° 17, p. 323 sq.).

1 Formes onomastiques: *Hrabanus, Rhabanus, Rabanus, Rabban, Raban.*

2 Cf. DUCHESNE, Fastes, tome 3, p. 160.

3 Annales Fuldenses, a. 856, p. 46; Catalogus abbatum Fuldensium, p. 273.

4 Annales Fuldenses, a. 822, p. 22; Annales Fuldenses ant., p. 117*. Raban fut le successeur d'Eigil. Il est attesté pour la première fois dans un acte du 28 octobre 822 (Doc. dipl. Fulda, n° 400, p. 181). L'abbé Eigil est mentionné pour la dernière fois le 24 mai 822 (Doc. dipl. Fulda, n° 396, p. 179).

5 Catalogus abbatum Fuldensium, p. 273 (à propos de l'abbé Ratger): *Eo quoque tempore Hrabanum et Hatton Turonis direxit ad Albinum magistrum liberales discendi gratia artes* ...

6 Cf. SCHALLER, Rabe.

7 C'est ce qu'atteste une lettre d'Alcuin à Raban adressée en fait *Benedicto sancti Benedicti puero Mauro* et où Alcuin formulait le voeu: *feliciter vive cum pueris tuis* ... (Alcuinus, Epistolae, n° 142, p. 223 sq.). L'activité de Raban comme maître des études est attestée sous l'abbatiat d'Eigil: *Disputationem quoque saepius cum Hrabano magistro, qui ei erat speciali familiaritate connexus, excepit* (Candidus, Vita Eigilis, c. 20, p. 231).

788 deux donations de ses parents au monastère de Fulda[8], le futur abbé de ce monastère[9]. La datation de la naissance de Raban en 780, admise depuis les travaux de P. Lehmann[10], a récemment été réfutée[11]. Toujours est-il que Raban reçut la prêtrise le 23 décembre 814[12]. Etant donné la richesse de la production littéraire de Raban[13] et du fait que ce personnage est bien connu, seuls les éléments significatifs quant à son action auprès de Louis le Pieux seront pris en compte. Pour le reste, qu'il s'agisse de son oeuvre, de son action proprement pastorale[14] ou de ses orientations politiques notamment après la mort de Louis le Pieux, on se reportera aux nombreuses études disponibles[15].

Raban est désigné comme *fidelis secretarius noster* dans un acte faux attribué à Louis le Pieux[16]. Bien qu'il n'y ait pas lieu de s'attarder sur ce titre fantaisiste, il convient d'en faire mention car il reflète la manière dont, au XIIᵉ siècle, on s'imaginait l'influence exercée par l'abbé de Fulda. S'il ne fut pas »secrétaire« de Louis le Pieux, Raban était cependant du nombre des conseillers consultés par ce dernier. On en a la preuve irréfutable en ce qui concerne le traité composé en 834 et relatif aux devoirs des enfants vis-à-vis de leurs parents[17] – en clair: aux devoirs de Lothaire et de ses frères à l'égard de Louis le Pieux, exhorté par l'abbé de Fulda à la clémence[18]. Ce traité fut composé sur l'ordre de Louis (*secundum iussum vestrum*)[19]. Raban était d'ailleurs consulté par toute la cour[20]. Les visites de l'abbé de Fulda au Palais étaient notamment l'occasion d'entretiens sur des questions théologiques[21].

Au printemps 836, une *legatio* fut confiée par Louis le Pieux à l'abbé de Fulda[22], mais on ne sait rien de sa nature. En tout cas, il semble que Raban fît partie de la commission chargée d'étudier le cas de l'archevêque Agobard concernant sa déposition en 835, puisque c'est entre autres à lui que le diacre Florus présenta son mémoire ac-

8 Doc. dipl. Fulda, n° 90, p. 55 et n° 91, p. 56.
9 Cf. STAAB, Wann wurde?
10 LEHMANN, Fuldaer Studien, p. 25.
11 FREISE, Geburtsjahr.
12 Chronicon Laurissense breve, p. 38 (année 814).
13 Cf. les dédicaces de ses ouvrages, dans Hrabanus, Epistolae.
14 Cf. notamment Annales Hildesheimenses, a. 831, p. 44, et Lamberti Annales, a. 831, p. 45; Rudolfus, Miracula Fuld., c. 9 sqq., p. 336 sqq.
15 Une bibliographie jusqu'à l'année 1983 a été établie par SPELSBERG, Hrabanus. L'ouvrage fondamental demeure KOTTJE, ZIMMERMANN, Hrabanus. La biographie politique de l'abbé de Fulda a été retracée par ALBERT, Raban.
16 B.M. 1009(977), éd. Doc. dipl. Fulda, n° 527, p. 233 sq. (à la p. 234).
17 Hrabanus, Epistolae, n° 15 p. 403 sqq.
18 Ibid., c. XII, p. 414 sq.
19 Hrabanus, Epistolae, n° 16, p. 416.
20 Hrabanus, Epistolae, n° 18 (lettre adressée à Louis le Germanique), p. 423: *Ante annos enim aliquot rogatu Hildoini abbatis in Regum libros secundum sensum catholicorum patrum quattuor commentariorum libros edidi, quos et sacratissimo genitori vestro Hludowico imperatori presentialiter in nostro monasterio tradidi…* L'abbé Raban écrivit également pour Judith, cf. Hrabanus, Epistolae, n° 17a et 17b, p. 420 sqq., ou pour l'archidiacre du Palais Gérold, cf. Hrabanus, Epistolae, n° 19, p. 424 sq.
21 Hrabanus, Epistolae, n° 19, p. 424: *Memini me in palatio Wangionum civitatis constitutum tecum habere sermonem de eminentia sanctarum scripturarum et de difficultate divinarum historiarum …*
22 Lupus, Correspondance, tome 1, n° 5, p. 42: *Verum illustris abbas Rhabanus postmodum regressus a palatio, foret necne per id temporis istic, propter legationem sibi commissam, ad liquidum scire non potuit.*

cusant d'hérésie Amalaire, qui administrait le diocèse de Lyon[23]. De fait, on voit souvent Raban auprès de Louis le Pieux dans la seconde partie du règne de ce dernier. Il se trouvait à Worms durant l'été 829[24], lors d'un plaid fort important[25]. Peu de temps auparavant, il avait participé au concile tenu en juin à Mayence[26]. Il semble s'être tenu à l'écart de la révolte de 830[27] – du moins le 22 juillet était-il à Fulda[28]. Il se trouvait à Prüm avec Louis le Pieux le 1er mai 831, comme l'atteste un acte d'échange entre l'abbé de ce monastère et Raban[29]. Je ne suis pas Th. Sickel et les auteurs des Regesta imperii quand ils font de la date et du lieu un obstacle à l'authenticité du document[30]. Louis le Pieux était le 19 avril 831 à Herstal[31]; or Prüm pouvait constituer une étape sur le chemin vers Ingelheim. L'auteur des Annales de Saint-Bertin affirme qu'un plaid y fut tenu *circa kal. mai*[32], mais n'en précise pas la date au jour près (il ne s'agit en tout cas pas obligatoirement du 1er mai). Il y a environ 90 km à vol d'oiseau entre Prüm et Ingelheim. C'est une distance que la cour, en se hâtant, pouvait couvrir en un ou deux jours[33]. Raban participa à ce plaid: sa présence à Ingelheim est attestée le 8 juin[34]. Au début de février 836, il était au palais d'Aix-la-Chapelle[35]. La présence de Raban au plaid tenu en juin 838 à Nimègue[36] est également attestée[37], ainsi que son séjour à la cour en février 839 à Francfort[38]. Enfin, Raban participa à l'expédition menée par Louis le Pieux contre Louis le Germanique au printemps 840[39] – c'est alors que l'empereur trouva la mort. Son opposition au roi de Bavière conduisit Raban à renoncer à son abbatiat à la mort de Louis le Pieux[40]. Néanmoins, en 847, il fut placé à la tête de l'archevêché de Mayence[41].

23 Cf. Amalarius, Epistolae, n° 13, p. 267 sqq.: l'affaire fut soumise au jugement (*ad vestrum iam olim iudicium examinanda perferretur*) de l'archichapelain Drogon, de l'archevêque de Trèves Hetti, de l'évêque du Mans Aldric, de Raban et de l'évêque de Langres Albéric, qui étaient réputés *Lugdunensi ecclesiae quidam familiarius obstricti*.

24 Hrabanus, Epistolae, n° 19, p. 424 – cité supra.

25 Cf. B.M. 865(836)c jusque B.M. 868(839)a.

26 Epistolarum Fuldensium fragmenta, p. 530.

27 Cf. Hussong, Fulda, 2e partie, p. 176.

28 Une donation eut alors lieu *praesente Hrabano abbate* (Doc. dipl. Fulda, n° 481, p. 211 sq.).

29 Doc. dipl. Fulda, n° 483, p. 212 sq.

30 B.M. 888(859)a. En revanche, Sickel, Acta regum, tome 1, p. 190 note 4, avait probablement raison lorsqu'il doutait de l'authenticité de la souscription du document par l'empereur; il s'agit vraisemblablement d'une invention du copiste.

31 B.M. 888(859).

32 Annales Bertiniani, a. 831, p. 4.

33 Cf. Reinke, Reisegeschwindigkeit, p. 235 note 38.

34 B.M. 891(862). Louis le Pieux fit une donation à l'abbé de Fulda.

35 B.M. 954(923), diplôme du 4 février. C'est Drogon qui *ambasciavit*.

36 B.M. 977(946)a.

37 Doc. dipl. Fulda, n° 513, p. 226.

38 B.M. 987(956), diplôme du 17 février. Le diplôme B.M. 989(958) est douteux.

39 B.M. 1004(973); Hrabanus, Epistolae, n° 22, p. 428.

40 Annalista Saxo, a. 840, p. 575; cf. Hussong, Fulda, 2e partie, p. 186.

41 Annales Fuldenses, a. 847, p. 36.

216.   **RAGAMBAUD**[1]

                               Missus

Par un diplôme du 21 octobre 837, Louis le Pieux confirma au monastère d'Aniane la possession de pâturages à la limite des *pagi* du Nîmois et du Rouergue, qu'il avait donnés à cet établissement par les *missi* Ragambaud et Fulcoald, ce dernier étant seul désigné comme comte[2]. L'on ignore tout de Ragambaud[3].

217.   **RAGANAIRE**[1]

                               Moine

A une date qui n'est pas précisée[2], Raganaire, ensuite attesté comme moine de l'abbaye de Fleury, fut envoyé par Louis le Pieux en ambassade à Jérusalem[3].

218.   **RAGANFRED**[1]

                          Attesté en août 794

Raganfred fit partie des souscripteurs du diplôme de Louis le Pieux donné au Palais (Haute-Vienne, arr. Limoges) le 3 août 794 en faveur de la *cellola* de Nouaillé[2]. Il s'agissait peut-être d'un membre de l'aristocratie locale, puisqu'en mars 837, un certain Raganfred souscrivit un acte d'échange concernant le monastère de Nouaillé[3], mais on trouve également des homonymes ailleurs[4]. Au cas où il aurait été parent avec le Guigon ayant fait en 856 une donation à Saint-Martial de Limoges, l'on aurait des précisions sur sa famille[5] – mais notre personnage ne peut avoir été le frère de ce do-

---

1 Seule forme onomastique: *Ragambaldus*.
2 B.M. 970(939) – texte cité à la notice n° 107.
3 Il ne peut pas s'agir du *Ragambaldus presbiter in Gallia civitate ortus* devenu abbé de Farfa puisque son abbatiat commença en 780 ou 781, c'est-à-dire juste avant que Louis ne devînt roi d'Aquitaine. L'abbé Ragambaud mourut vers 785. Cf. Constructio Farfensis, 14, p. 529.

1 Seule forme onomastique: *Raganarius*.
2 Borgolte, Gesandtenaustausch, p. 111, tend à dater cette ambassade des années 30 du IXe siècle.
3 Adrevaldus, Miracula, c. 38, p. 81: *Raganarius monachus, magnae religionis vir, qui olim ab imperatore Ludovico cum aliis Hierosolimam missus fuerat …*

1 Formes onomastiques: *Raganfredus, Ragamfredus* (?), *Reginfrid* (?).
2 B.M. 516(497), éd. Ch.L.A., n° 681. Sur les souscripteurs de ce diplôme, cf. Depreux, Kanzlei, p. 156 et supra, la partie d'analyse II A.
3 Doc. dipl. Nouaillé, n° 15, p. 27 sqq.
4 Ainsi en 787 dans un acte de Prüm (Doc. dipl. Rhin moyen, n° 34, p. 38 sq.). Le 12 janvier 831, un prêtre du nom de Jean donna à Aniane des biens qu'il avait achetés à un certain Ragamfred (Doc. dipl. Aniane, n° 319, p. 437 sq.).
5 Doc. dipl. Paunat, n° 7, p. 21 sqq. Ce Guigon avait un frère du nom de Ragamfred et un autre du nom d'Arnaud. Son père s'appelait Frodin et sa mère, Volusiane.

nateur[6]. Il est à noter qu'un certain Reginfrid souscrivit l'acte d'échange passé en septembre 820 entre le comte de Tours et l'évêque de Worms, abbé de Wissembourg[7]. Ce personnage, peut-être identique avec le souscripteur de l'acte pour Nouaillé, participa donc au plaid alors tenu par Louis le Pieux à Quierzy-sur-Oise[8].

219. RAINIER[1] (I)

Evêque de Vannes[2], attesté du 1er avril 821[3] au 24 janvier 838[4]

En 832, Rainier est attesté parmi les conseillers de Louis le Pieux: il incita l'empereur à refuser d'accorder à Conwoion la permission de fonder le monastère de Redon[5].

220. RAINIER[1] (II)

Comte du Palais[2], attesté du printemps 838 à janvier 840

Le comte du Palais Rainier participa à l'assemblée réunie au palais d'Aix-la-Chapelle vers la fin du mois d'avril 838, qui eut connaissance du différend entre l'évêque du Mans et les moines de Saint-Calais[3]. On s'accorde à retenir la liste des participants

6 Ceci pour des raisons chronologiques: en 856, Raganfred serait encore vivant puisque Guigon agit *consentiente fratre meo Ragamfredo*.
7 Doc. dipl. Wissembourg, n° 69, p. 268 sqq.
8 B.M. 722(699)a.

1 Formes onomastiques: *Raginarius, Rainarius*.
2 Cf. Duchesne, Fastes, tome 2, p. 374.
3 Doc. dipl. Redon, n° 131, p. 99 sq.
4 Cf. Duchesne, Fastes, tome 2, p. 374, qui se réfère à Doc. dipl. Bretagne, col. 272.
5 Gesta s. Rotonensium, p. 133: *His sermonibus exhortatus est uenerabilis Conuuoion, perrexit ad palatium Ludouici imperatoris, qui tunc temporis exercitum ducebat in prouincia Aquitaniae, in territorio Limodiae, qui tunc consistebat in palatio in Cadrio monte* (Charmont-en-Beauce, département du Loiret, arr. Pithiviers; cf. Brunterc'h, Duché du Maine, p. 51 note 119; à ce propos, cf. Poulin, Dossier hagiographique, p. 150 note 58). *Cum ante imperatorem exstitisset, rogauit eum pro Dei misericordia, ut daret ei adiutorium et locum commemoratum sanctum nomine Rotonum, et quomodo in eodem loco uitam posset propagare cum sanctis fratribus ibidem Deo mancipantibus. Ad haec uerba respondit Ricouuinus comes, nec non et Rainarius pontifex, qui in illis diebus erant contrarii atque aduersarii sanctis monachis qui uolebant in sancto supradicto loco animas suas immaculatas Deo reddere, dixeruntque ad imperatorem: 'Quaesumus te, domine Auguste, ne attendas et ne audias sermonem eorum, quia locum quem quaerunt, in eo potest regnum uestrum confortari et roborari'. Cumque ille audisset, indignatus est uehementer, et coepit dicere: 'Eiicite eos a praesentia nostra, nam hodie quod petunt a nobis nullo pacto recipient'. Statim sanctus Dei Conuuoion cum suis eiectus est a conspectu imperatoris.* En 834, l'évêque changea d'avis, puisqu'il souscrivit la donation faite par Nominoé à Redon le 18 juin (Doc. dipl. Redon, n° 2, p. 1 sq.). Sur la fondation de Redon, cf. Smith, Culte impérial.

1 Seule forme onomastique: *Ragenarius*.
2 Cf. Meyer, Pfalzgrafen, p. 461; Simson, Jahrbücher, tome 2, p. 243.
3 Concilium Carisiacense (bis), p. 847 (n° 65): *Ragenarius vassus dominicus et comes palatii*.

comme authentique[4]. D'autre part, Rainier souscrivit un acte privé concernant l'évêché du Mans, acte conclu le 24 janvier 840 à Poitiers[5]. Il avait donc accompagné Louis le Pieux en Poitou[6].

221. RAMPON[1]

Comte, attesté de janvier 814 à septembre 822

Le peu que l'on sache sur Rampon a déjà été présenté par J. Calmette, de manière cependant assez confuse[2]. Il convient ici d'en rappeler l'essentiel et de corriger quelques erreurs. A la mort de Charlemagne, Rampon fut envoyé auprès de Louis le Pieux pour lui annoncer la mort de son père[3]. Il fit le trajet d'Aix-la-Chapelle à Doué-la-Fontaine en grande hâte[4]. On le retrouve comte en 822, comme l'atteste un diplôme de Louis le Pieux délivré à Attigny le 11 septembre: sur la requête du *vir illustris Rampo comes*, Louis le Pieux accorda au monastère de Banyoles et à Mercoral, son nouvel abbé, *quem in nostra praesentia adducens in manibus nostris eum commendavit*, le privilège d'immunité[5]. On a conclu de ceci que Rampon était comte de Gérone[6] – il ne peut toutefois l'être devenu qu'après 817[7]. On peut également déduire du diplôme de Louis le Pieux que Rampon était présent au plaid d'été tenu par l'empereur à Attigny[8].

J. Calmette a également voulu faire de Rampon un »marquis de Gothie« et il fut suivi par L. Auzias[9], la pièce à conviction étant un diplôme de Charles le Chauve du 11 mai 844 délivré à l'abbé Donnule en faveur du monastère de Saint-Pierre *quod ip-*

---

4 Cf. GOFFART, Le Mans Forgeries, p. 152, qui parle d' »authentic signatures«.
5 Gesta Aldrici, p. 192: *S. Ragenarii comitis palatii.*
6 Cf. B.M. 998(967)a jusqu'à B.M. 1003(972)a.

1 Formes onomastiques: *Rampo, Rampho.*
2 Cf. CALMETTE, Rampon.
3 Astronomus, Vita, c. 21, p. 618: *Defuncto autem patre piae recordationis, missus est Rampo ad eum ab eis qui sepulturam eius curarunt, liberis scilicet et proceribus palatinis, ut et mortem eius mature cognosceret, adventumque suum nullo modo conperhendinaret.*
4 Outre le texte cité à la note précédente, cf. Ermoldus, Elegiacum carmen, lib. II, v. 741 sqq., p. 58: ... *adest Rampho, qui celer ire parat./ Nocte dieque volat, terras perlabitur amplas,/ Pervenit tandem quo Hludowicus erat.* Sur la rapidité avec laquelle la nouvelle de la mort de Charlemagne fut diffusée, cf. DEPREUX, Wann begann?, p. 263 sqq.
5 B.M. 759(734), éd. Doc. dipl. Catalogne, vol. 1, p. 45 sqq. (à la p. 46). Le diplôme date de 822 et non de 823, comme l'affirme J. Calmette dans son étude sur Rampon.
6 CALMETTE, Rampon, p. 401 sq.
7 Ibid., p. 403 sq.
8 B.M. 758(733)a.
9 AUZIAS, Aquitaine, p. 91 sq. et p. 95.

se in pago Bisuldunense super fluvium Sambuga una per licentiam Ramponi marchionis propriis manibus construxit[10]. Puisque tout comme le monastère de Banyoles, dédié à saint Etienne, le monastère de Saint-Pierre était sis *in pago Bisuldunense* et que ce dernier »était, comme on sait, au IXᵉ siècle, une dépendance du comté de Gerona«[11], il s'ensuit, d'après la même logique, que ce *marchio* devait être le comte de Gérone. On a proposé d'y reconnaître un fils du Rampon de 822[12], hypothèse que J. Calmette qualifia d' »inacceptable«[13]. Le seul argument de cet historien pour prouver l'identité entre le personnage attesté en 822 et celui mentionné dans l'acte de 844 est le suivant: du passage *Postulans ... et rationabiliter possidere videntur*, il ressortirait: »1) qu'un certain temps s'est écoulé entre la construction du monastère et la rédaction du diplôme, puisque, dans l'intervalle, les moines ont eu le temps de cultiver et d'acquérir *per aprisionem* des domaines; 2) que dans ce même intervalle, Rampon eut plusieurs successeurs dans le comté de Gerona, puisqu'il est question des donations postérieures que *les comtes* ont faites au monastère«[14]. Cette analyse est tout à fait juste. Le seul problème, c'est que le texte invoqué ne se trouve pas dans le diplôme de 844 pour Saint-Pierre, mais dans celui de 822 pour Saint-Etienne! Par conséquent, la démonstration de J. Calmette s'écroule. D'après le texte du diplôme de Charles le Chauve, il ne semble pas que le *marchio* en question fût décédé[15]; or, le comté de Gérone fut pourvu par d'autres entre 822 et 844[16]. Il semble donc plus que probable que le Rampon de 822 et celui de 844 fussent deux personnages différents. L'hypothèse de B. Simson serait à prendre de nouveau en considération. La raison pour laquelle Rampon fut nommé à Gérone nous échappe. Toujours est-il que cette nomination s'avérait une preuve de confiance de Louis le Pieux envers celui qui, en 814, était »un débutant«[17] et qui avait »peut-être une fonction dans le palais« de Charlemagne[18]. Rampon était vraisemblablement un Widonide[19].

10 Actes de Charles le Chauve, tome 1, n° 36, p. 96 sqq.

11 CALMETTE, Rampon, p. 401.

12 SIMSON, Jahrbücher, tome 1, p. 11 note 4.

13 CALMETTE, Rampon, p. 405.

14 Ibid., p. 402. L'auteur cite, en note 2, *de donatione comitum*. D'après l'édition critique de Doc. dipl. Catalogne, vol. 1, p. 46 et note 21, on trouve la leçon *comitum* dans une copie du XVIIIᵉ s. (ms. C), mais on trouve également la leçon *comitis* (que R. d'Abadal préfère) dans un autre manuscrit du XVIIIᵉ s. (ms. D) et dans des éditions indépendantes dont les auteurs purent, selon le schéma proposé par R. D'ABADAL (ibid., p. 45), fonder la collation de leur texte sur une copie ancienne aujourd'hui perdue.

15 Rampo n'est par exemple pas dit »de bienheureuse mémoire« ou bien »autrefois« marquis.

16 Cf. CALMETTE, De Bernardo, p. 84 sq.

17 CALMETTE, Rampon, p. 405.

18 Ibid., p. 406.

19 Le nom, peu courant, de Rampon est cité avec des membres de la famille des Widonides dans le Liber memorialis de Remiremont (cf. HLAWITSCHKA, Kaiser Wido, p. 373). Ce nom fut également celui d'un frère de l'archevêque de Reims Foulques (cf. Flodoardus, Historia, lib. IV, c. 1, p. 555), que l'on sait avoir été lié de parenté avec les Widonides (cf. SCHNEIDER, Fulco, p. 7 sqq.).

222.   **RANNOUX**[1]

Comte du Palais, attesté en janvier 840

Le comte du Palais Rannoux[2] souscrivit un acte privé concernant l'évêché du Mans, le 24 janvier 840 à Poitiers[3]. Il accompagnait Louis le Pieux alors dans la région[4]. Peut-être s'agissait-il d'un parent du comte de Poitou[5].

223.   **RANTGAIRE**[1]

Evêque de Noyon[2], attesté de 825[3] à 829

L'évêque Rantgaire est attesté en 825 pour remplacer l'archevêque de Reims comme *missus* dans les diocèses de Noyon, Amiens, Thérouanne et Cambrai[4]. Rantgaire, qui est attesté comme évêque de Noyon grâce à l'adresse d'une lettre d'Amalaire[5], participa en 829 au concile de Paris[6].

1 Seule forme onomastique: *Ramnulfus*.
2 Cf. Meyer, Pfalzgrafen, p. 461. L'auteur, ibid., p. 439 note 1, établit un parallèle – mais rejette une éventuelle identification – avec l'un des conseillers de Louis le Pieux mentionnés dans le diplôme B.M. 669(655), un acte de 818 qui, outre qu'il est interpolé, pose de graves problèmes de tradition. Il convient par conséquent de l'écarter, cf. l'annexe n° 2.
3 Gesta Aldrici, p. 192: *S. Ramnulfi comitis palatii*.
4 Cf. B.M. 998(967)a jusqu'à B.M. 1003(972)a.
5 En effet, d'après une source certes tardive, puisqu'il s'agit d'une addition du copiste du ms. Paris, B. N., lat. 5926 (= ms. C de l'éd. de J. Chavanon, XIIe s.), le comte de Poitou institué par Louis le Pieux vers la fin de son règne s'appelait Rannoux: *Idem imperator, audita morte Pipini, filii sui, decrevit filium ejus Pipinum parvum educari penes se in Francia. Emeno vero, comes Pictavinus, contra voluntatem imperatoris voluit elevare in regem Aquitanie filium Pipini. Hac de causa imperator, motus ira, Pictavis venit, et inde Emenonem expulit et fratrem ejus Bernardum. Et Ramnulfum, filium Girardi, comitis Arvernis, nepotem Willelmi fratris Girardi, comitem Pictavis praefecit* (Ademarus, Historiae, III, c. 16, p. 132 note e*). Cf. Auzias, Aquitaine, tome 1, p. 149. Sur le comte Rannoux, cf. Richard, Histoire, p. 14 sqq.

1 Formes onomastiques: *Rantgarius, Ragnarius*.
2 Cf. Duchesne, Fastes, tome 3, p. 105.
3 Son prédécesseur est attesté pour la dernière fois en 817 (ibid., p. 105).
4 Commemoratio, c. 1, p. 308: *... et quando ei non licuerit ... super quatuor vero episcopatus qui ad eandem diocesim pertinent, id est Noviomacensem, Ambianensem, Tarvanensem et Camaracensem, Ragnarius episcopus et Berengarius comes*. Cf. Simson, Jahrbücher, tome 1, p. 247.
5 Amalarius, Epistolae, n° 9, p. 260 sqq.: *Amalarius Rantgario reverentissimo episcopo civitatis Noviomensis*.
6 Doc. dipl. Paris, n° 35, p. 49 sqq.

224. RAOUL[1]

Attesté en 830 – mort en 866[2]

Le frère de Judith, Raoul[3], résidait (ainsi d'ailleurs que son autre frère, Conrad) à la cour de Louis le Pieux, vraisemblablement depuis le remariage de l'empereur. C'est néanmoins à l'occasion de la révolte de 830 que ce fait est prouvé, puisque les opposants à Judith s'en prirent également à Raoul: ils le firent tonsurer[4] et le confièrent à Pépin pour qu'il fût gardé dans un monastère aquitain[5]. Lors du rétablissement de Judith, Raoul fut rappelé à la cour[6]. Bien qu'il fût comblé d'honneurs par Louis le Pieux, son influence s'exerça surtout pendant le règne de Charles le Chauve[7], comme l'atteste son épitaphe[8]. Celui qui fut à la fois comte et abbé en Neustrie[9] reçut de Charles l'abbatiat de Saint-Riquier[10].

225. RATAUD[1]

Evêque de Vérone, attesté de 806 à 838

Rataud[2] était membre de la Chapelle de Pépin d'Italie: il en fut d'ailleurs le responsable[3]. Il est attesté pour la première fois comme évêque de Vérone en avril 806[4]. Le

1 Formes onomastiques: *Rodulfus, Ruodulfus, Ruodolfus, Hruodulphus, Rhodulfus.*
2 Annales Floriacenses, p. 254: *Avunculus quoque eius* (i. e. Charles le Chauve) *Rhodulfus, consiliarius primasque palatii, hominem exit.*
3 Aucun titre (par exemple le titre comtal) n'est attesté pour ce personnage sous le règne de Louis le Pieux.
4 Theganus, Vita, c. 36, p. 597; Annales Bertiniani, a. 830, p. 2.
5 Nithardus, Historia, lib. I, c. 3, p. 10.
6 Astronomus, Vita, c. 46, p. 634: *Misit interea in Aquitaniam, coniugemque revocavit fratresque illius Chonradum et Rodulfum iamdudum attonsos* ... Cf. Nithardus, Historia, lib. I, c. 3, p. 12.
7 Il fut notamment l'un des *missi* chargés de promulguer le capitulaire du 7 juillet 856 (Capitula ad Francos, préambule, p. 279). Sur Raoul, cf. NELSON, Charles the Bald, notamment p. 177 sq.
8 Carmina Centulensia, n° 141, p. 352 sq.: *Tempore sub magno Hludowici vixit honore/ Ipsius auletis Caesaris egregiis./ Nec minus in sceptro Karoli regis decoratus/ Mansit consilio pace fideque bono,/ Illius inter primates nullus prior illo,/ Cuius diversa regna genus decorat* ... Cf. également Annales Floriacenses, p. 254.
9 Hariulfus, Chronicon Centulense, p. 116: *Hruodulfus igitur venerabilis abbas et comes, postquam per aliquos annos coenobium cum provinciis maritimis gubernavit* ... Cf. HENNEBICQUE-LE JAN, Prosopographica Neustrica, p. 710 sq.
10 Il est désigné à la fois comme et *rector* et *abbas* dans un diplôme de 856 (Actes de Charles le Chauve, tome 1, n° 183, p. 485 sqq.) et figure dans le Catalogus abbatum Centulensium.

1 Formes onomastiques: *Rataldus, Ratoldus, Rathaldus, Radoltus, Rothald, Ratoltus, Rattoldus, Ratholdus, Ratolfus, Retoldus, Rotaldus.*
2 SIMSON, Jahrbücher, tome 1, p. 116: »von Geburt ein Alemanne«.
3 Miracula s. Genesii, c. 2, p. 171: ... *Pippinus rex Langabardorum Ratoldum, tunc principem palatii sui sacerdotem, veritatem rei diligenter perquirendae Darvisiam misit.* Cf. FLECKENSTEIN, Hofkapelle 1, p. 65.
4 Doc. dipl. Italie, n° 18, p. 57 sqq.

24 juin 813, il établit son testament[5]. On rencontre Rataud pour la première fois sous le règne de Louis le Pieux en novembre 815 à Aix-la-Chapelle: il présenta avec l'abbé de Saint-Zénon une requête visant à la confirmation des biens de ce monastère[6]. En 817, il dénonça la révolte de Bernard d'Italie[7].

En qualité de *missus* de Louis le Pieux, Rataud présida un plaid en sa cité épiscopale le 31 mars 820[8]. Le 13 juin 820 à Aix-la-Chapelle, il obtint un diplôme de Louis le Pieux pour l'école des clercs de Vérone[9]. A peu près vers la même époque (avant août 821), suite à la requête de l'abbé de Farfa, Ingoald, Louis le Pieux l'envoya enquêter concernant une spoliation de biens qui touchait le patrimoine de l'abbaye[10]. Le 31 juillet 823, toujours en Italie, le *vassus domni imperatoris* du nom de Hernust et son épouse se firent donation mutuelle de leurs biens en *presencia Rataldi presbiter et misso domni imperatoris*. Peut-être s'agit-il en réalité de l'évêque de Vérone[11]. En juin 827, il participa au concile tenu à Mantoue[12]. Trois ans plus tard, il est censé avoir fait venir les reliques de saint Marc et de saint Genès à la Reichenau[13]. Vers 832, il fut désigné pour accompagner le nouvel archevêque de Hambourg, Anschaire, à Rome, afin que le pape lui remît le pallium[14]. Entre le 15 mars et le 5 avril 834 à Aix-la-Chapelle, l'évêque de Vérone ramena Judith d'exil[15]; d'après Thégan, il aurait agit sur ordre de Louis le Pieux[16] – du texte du chorévêque de Trèves, l'on peut déduire que Rataud se trouvait en *Francia* pendant l'hiver 834/835. En revanche, l'auteur des Annales de Saint-Bertin présente les faits comme si le retour de Judith avait eu lieu à la faveur de la propre initiative de quelques grands, fidèles à Louis le Pieux[17]. En mars 835, Rataud participa à l'assemblée de Thionville où Ebbon fut déposé.

L'évêque de Vérone partagea certainement le sort des grands d'Italie ayant joué la carte de la fidélité envers Louis le Pieux: Lothaire le priva vraisemblablement de son

5 Doc. dipl. Lombardie, n° 89, col. 166 sqq.

6 B.M. 597(577).

7 Astronomus, Vita, c. 29, p. 623: *Quod cum certis nuntiis referentibus, maximeque Rathaldo episcopo et Suppone certissime cognovisset …*

8 Doc. dipl. Italie, n° 31, p. 95 sqq.: *Dum in Dei nomine civitate Verona in judicio ressedissemus nos Retoldus episcopus misso domni imperatoris ad singulorum hominum deliverandas intentiones … Ego Rataldus episcopus misso domni imperatoris manu mea subscripsi.*

9 B.M. 722(699).

10 Doc. dipl. Italie, n° 32, p. 98 sqq. – texte cité à la notice n° 188.

11 Doc. dipl. Lombardie, n° 102, col. 186 sq. Par contre, FLECKENSTEIN, Hofkapelle 1, p. 61, en fait un personnage distinct, en qui il reconnaît un chapelain.

12 Concilium Mantuanum, p. 585, n° 23.

13 Catalogus abbatum Augiensium, p. 38; Herimannus, Chronicon, p. 103.

14 Rimbertus, Vita s. Anskarii, c. 13, p. 699 – texte cité à la notice n° 51. L'éditeur du texte a voulu identifier Ratoldus avec l'évêque de Soissons, Rothade – à mon avis à tort, car cette forme onomastique n'est jamais attestée pour ce personnage. Je rejoins ici l'opinion de SIMSON, Jahrbücher, tome 2, p. 282. Sur la date, cf. SEEGRÜN, Erzbistum Hamburg, p. 33.

15 Astronomus, Vita, c. 52, p. 638: *… ibique Iudith Augustam ab Italia reducentibus Rataldo episcopo et Bonefatio …*

16 Theganus, Vita, c. 51, p. 601.

17 Cf. Annales Bertiniani, a. 834, p. 13 – texte cité à la notice n° 55.

siège[18]. De fait, on retrouve Rataud à la cour de Louis le Pieux en janvier 836: il intervint en faveur de l'évêque de Coire, Vérendaire, qui était resté fidèle en 834 et fut pour cela exilé par les ennemis de Louis le Pieux pendant le temps de sa déposition[19]. Rataud participa également à l'assemblée judiciaire tenue à la fin du mois d'avril 838 à Aix-la-Chapelle[20] et au plaid de Nimègue en juin de la même année[21], comme on peut le conclure d'un document de Fulda[22]. En revanche, il ne participa pas au concile de septembre 838 à Quierzy-sur-Oise[23]. Peut-être était-il décédé entre-temps.

226. RATBERT[1]

Actor, attesté vers 820

Ratbert, attesté comme *actor* du palais d'Aix-la-Chapelle, était chargé d'inspecter les habitations des *servi* attachés à ce domaine[2].

227. RATULF[1]

Chapelain, attesté en 839

Le prêtre Ratulf est attesté comme membre de la Chapelle de Louis le Pieux par un acte de ce dernier du 18 avril 839: sur la requête de l'archichapelain Drogon, l'empereur donna au monastère de Kempten la *cella Aldrici* sise dans l'Albgau. En échange, l'abbé Tatton céda en bénéfice viager au chapelain Ratulf, qui tenait cette *cella* de

18 Annales Bertiniani, a. 836, p. 19: En septembre 836, suite à l'absence de Lothaire au plaid tenu à Worms, Louis le Pieux envoya une ambassade pour négocier ... *verum et de episcopis atque comitibus qui dudum cum augusta fideli devotione de Italia venerant, ut eis et sedes propriae et comitatus ac beneficia seu res proprie redderentur.* Lothaire ne céda pas sur ce point. Sur la perte du diocèse de Vérone, cf. SIMSON, Jahrbücher, tome 2, p. 159.
19 B.M. 952(921) – texte cité à la notice n° 75.
20 Concilium Carisiacense (bis), p. 846 (n° 8).
21 B.M. 977(946)a.
22 Doc. dipl. Fulda, n° 513, p. 226.
23 Concilium Carisiacense (bis), p. 850.

1 Seule forme onomastique: *Ratbertus*.
2 Capitulare de disciplina palatii, c. 2, p. 298: *Ut Ratbertus actor per suum ministerium, id est per domos servorum nostrorum, tam in Aquis quam in proximis villulis nostris ad Aquis pertinentibus similem inquisitionem faciat.*

1 Seule forme onomastique: *Ratulfus*.

Louis le Pieux[2], des biens dans le *pagus* de Keltenstein et la *cella* de Hirschzell dans celui d'Augsbourg[3].

228.   RÉGIMPERT[1]

Evêque de Limoges[2], chapelain de Louis le Pieux, attesté d'août 794 à juillet 817

L'évêque Régimpert souscrivit le diplôme de Louis le Pieux donné le 3 août 794 au Palais (Haute-Vienne, arr. Limoges) en faveur de la *cellola* de Nouaillé: *In Dei nomine Reginpertus seu indignus vocatus episcopi sive cappalanus Hlodouuico regis Aequitaniorum*[3]. Son titre a quelque peu gêné J. Fleckenstein, qui ne reconnaît en lui qu'un »chapelain«[4], alors qu'il est vraisemblable qu'il fût en réalité responsable de la Chapelle du roi d'Aquitaine[5]. D'autre part, J. Fleckenstein a établi une opposition entre *vocatus episcop(us)* et évêque sacré (»geweihter Bischof«), affirmant que ce dernier n'était plus attesté à la Chapelle après qu'il eut reçu un siège[6]. Absolument rien ne permet d'affirmer que Régimpert n'était pas déjà titulaire d'un siège épiscopal en 794, alors qu'il était chapelain. On ne voit d'ailleurs pas pourquoi ce qui était possible à la cour de Charlemagne ne l'aurait pas été à celle de son fils[7]. Je comprends plutôt l'expression *vocatus episcop(us)* comme une formule d'humilité. L'on ne connaît rien de l'origine de Régimpert, si ce n'est ce qu'une étude paléographique de sa souscription en révèle: »La souscription autographe de Reginpertus présente des caractères insulaires très nets, notamment la forme de *r* dans le nom *Aequitaniorum* et celle des *g*. La manière de tracer avec des caractères de taille décroissante les trois premiers mots: *In d(e)i nomine*, est aussi insulaire«[8]. On retrouve notre personnage attesté comme évêque de Limoges le 16 juillet 817, quand il reçut de Louis le Pieux un diplôme d'immunité pour l'église cathédrale et un diplôme pour le chapitre de Limoges[9]. On peut conclure de ceci que Régimpert participa au plaid tenu en juillet 817 à Aix-la-Chapelle[10].

2 A ce propos, cf. FLECKENSTEIN, Hofkapelle 1, p. 61.
3 B.M. 990(959), éd. P.L. 104, col. 1304: *Pro hoc itaque nostre favore atque licentia dedit jam dictus venerabilis abbas Tatto ex ratione monasterii sui Ratulfo presbytero atque capellano nostro, qui jam pridem eamdem cellulam nostra largitione tenuit, ad habendum in beneficium diebus vitae suae ...*

1 Formes onomastiques: *Reginpertus, Regimpertus*.
2 Cf. DUCHESNE, Fastes, tome 2, p. 53.
3 B.M. 516(497), éd. Ch.L.A., n° 681. Sur les souscripteurs de ce diplôme, cf. DEPREUX, Kanzlei, p. 156 et supra, la partie d'analyse II A.
4 FLECKENSTEIN, Hofkapelle 1, notamment p. 113.
5 Cf. DICKAU, Kanzlei, 1ère partie, p. 63 sq., qui situe implicitement Régimpert dans ce rôle puisque, partant du principe que la »chancellerie« devait n'être qu'un organe de la Chapelle, il suppose que notre personnage souscrivit en tant que »Kanzleivorsteher«.
6 FLECKENSTEIN, Hofkapelle 1, p. 103 note 382.
7 Sur Hildebaud, cf. DUCHESNE, Fastes, tome 3, p. 181; FLECKENSTEIN, Hofkapelle 1, p. 49.
8 Ch.L.A., n° 681, p. 36.
9 B.M. 652(638) et B.M. 653(639).
10 B.M. 649(627)a.

229. ## RÉTHAIRE[1]

Comte, attesté en 831

Comme l'atteste un diplôme de Louis le Pieux du 9 juin 831, le comte Réthaire fut envoyé enquêter en qualité de *missus* sur la perte d'autorité de l'abbé de Pfävers[2].

230. ## RICHARD[1] (I)

Comte, attesté de 787 à 794

Le comte Richard, présenté par l'Astronome comme *provisor* des *villae* de Charlemagne[2], fut envoyé par ce dernier au printemps 794 en Aquitaine pour aider Louis le Pieux à restaurer le fisc[3]. Il s'agissait peut-être du parent d'Angilbert évoqué par Nithard[4]. En 787/788, Charlemagne avait ordonné l'inventaire des biens du monastère de Saint-Wandrille par l'abbé de Jumièges et un certain comte Richard[5]. Il n'est pas exclu qu'il s'agît de notre personnage[6].

231. ## RICHARD[1] (II)

Comte, attesté de 825 à 836

Le comte Richard, que pour des raisons chronologiques l'on doit distinguer de Richard (I) dont on a trace trente ans plus tôt[2], est attesté vers 825 comme *missus* avec l'évêque de Langres dans les provinces ecclésiastiques de Lyon, de Tarentaise et de

---

1 Seule forme onomastique: *Retharius*.
2 B.M. 892(863) – texte cité à la notice n° 51.

1 Seule forme onomastique: *Richardus*.
2 Brühl, Fodrum, p. 78 sq., suppose qu'il s'agit d'un fonctionnaire subordonné au sénéchal.
3 Astronomus, Vita, c. 6, p. 610: *Volens autem huic obviare necessitati, sed cavens ne filii dilectio apud optimates aliquam pateretur iacturam, si illis aliquid per prudentiam demeret quod per inscentiam contulerat, misit illi missos suos, Willebertum scilicet Rotomagae postea urbis archiepiscopum, et Richardum comitem villarum suarum provisorem, praecipiens ut villae quae eatenus usui servierant regio, obsequio restituerentur publico; quod et factum est.* A ce propos, cf. Verhein, Studien, 1ère partie, p. 355 sqq.
4 Nithardus, Historia, lib. IV, c. 5, p. 138.
5 Gesta patrum Font., p. 82: *Haec vero est summa de rebus eiusdem coenobii quae praecepto invinctissimi Karoli regis adnumerata est a Landrico abbate Gemmetico ac Richardo comite anno XX regni sui.*
6 Cf. Verhein, Studien, 2e partie, p. 378 note 217.

1 Formes onomastiques: *Richardus, Rihhardus*.
2 Cf. la notice n° 230. Poupardin, Provence, p. 42, a voulu identifier Richard (II) avec l'huissier homonyme, cf. la notice n° 232.

Vienne[3]. Il était peut-être identique avec le comte envoyé en 837 auprès de Lothaire[4] – mais ceci n'est qu'une hypothèse qui ne peut pas être vérifiée[5].

232.   RICHARD[1] (III)

Huissier, attesté à partir d'avril 831 – mort avant le 17 août 839

Bien que ce ne soit que par un document datant de la fin du règne de Louis le Pieux que nous apprenons qu'avant sa trahison, Richard était huissier de l'empereur[2], il est fort vraisemblable[3] que ce fût lui qui introduisit la cause de l'évêque de Liège à l'origine de l'établissement du diplôme délivré le 19 avril 831 à Herstal[4], ainsi que celle du chambrier Tanculf: Richard informa l'empereur, pour qu'il confirmât l'accord, que Tanculf avait conclu un échange avec l'abbé de Hasenried[5]. Cette démarche n'est pas surprenante, puisqu'on voit également Gérung, le collègue de Richard, assumer à plusieurs reprises la fonction d'intermédiaire[6]. La chose est ici d'autant moins étonnante que les requérants avaient recours à un personnage également lié avec l'Austrasie[7]. Lors de la crise politique de 833/834, Richard abandonna Louis le Pieux et passa dans le camp de Lothaire, qu'il soutint lors de la préparation du coup d'Etat[8]. C'est à cette trahison qu'il doit l'épithète dont Thégan orna son nom: *perfidus*. Il est en effet plus que probable que c'est l'ancien huissier de Louis le Pieux qui assista à l'entrevue organisée peu après le 6 janvier 834 à Aix-la-Chapelle entre les envoyés de Louis le Germanique et l'empereur prisonnier: avec l'évêque de Mayence, Richard devait y espionner pour le compte de Lothaire[9]. Suite au renversement politique de 834, Richard suivit Lothaire en Italie, puisqu'on le retrouve comme légat de ce dernier au

3 Cf. Commemoratio, c. 1, p. 308 – texte cité à la notice n° 20.
4 Astronomus, Vita, c. 55, p. 641 – texte cité à la notice n° 18.
5 SIMSON, Jahrbücher, tome 1, p. 247 et tome 2, p. 164, semble considérer les deux mentions comme se rapportant à deux personnages différents.

1 Formes onomastiques: *Richardus, Righardus, Rihhardus*.
2 B.M. 995(964), éd. Doc. dipl. Rhin moyen, n° 66, p. 74 sq. (à la p. 74): ... *olim famulante nobis Richardo tunc temporis ostiario nostro* ...
3 Ainsi POUPARDIN, Provence, p. 42. En revanche, je ne suis pas cet auteur quand il identifie l'huissier avec le comte attesté comme *missus* en 825, cf. la notice n° 231.
4 B.M. 888(859), éd. Doc. dipl. Saint-Lambert, n° 2, p. 3 sq. (à la p. 3). Sur l'entremise de Richard, Louis le Pieux confirma un échange conclu par l'évêque de Liège: *Richardus, fidelis noster, inotuit nobis qualiter* ...
5 B.M. 902(873), éd. M.B. 31, n° 28, p. 65 sq. (à la p. 65) – diplôme donné à Francfort, 13 juillet 832: ... *fidelis noster Richardus innotuit nobis qualiter* ...
6 Cf. la notice n° 115.
7 Richard avait des biens dans les Ardennes (cf. infra).
8 B.M. 995(964), éd. citée supra: *Sed quia aemergentibus malis ob horeis contra nos factionibus in nostrum regnum et honorem quidam malivoli conspiraverunt et eiusdem partis memoratus Richardus fauctor extiterat atque cum filio nostro Hlothario relictis nobis abcesserat* ...
9 Cf. Theganus, Vita, c. 47, p. 600 – texte cité à la notice n° 209.

plaid tenu par Louis le Pieux en mai 836 à Thionville[10] et que l'Astronome affirme qu'il faillit mourir de l'épidémie qui sévissait alors dans la péninsule[11]. En Italie, Lothaire dédommagea Richard de sa déchéance à la cour de Louis le Pieux par l'attribution en bienfait de biens appartenant à l'église cathédrale de Reggio[12] et en le faisant vraisemblablement comte[13].

Richard participa également à l'assemblée tenue pendant l'été 839 à Worms, au cours de laquelle Louis le Pieux et Lothaire se réconcilièrent[14]. C'est lui qui annonça à Louis le Pieux que Lothaire renonçait à définir les parts entre lui-même et Charles (le Chauve) et qu'il invitait son père à le faire[15]. A l'occasion de cette réconciliation, Louis le Pieux, sur la requête de Lothaire, rendit à Richard la *villa* de Villance dans les Ardennes, qu'il lui avait autrefois donnée mais qui fut confisquée suite à sa trahison[16]. A l'article de la mort, Richard confia cette *villa* à son frère Bivin[17] et à quelques autres personnes[18] afin qu'ils la donnassent à l'abbaye de Prüm, pour le repos de son âme[19]. La présence de Richard à Worms est le dernier témoignage que nous ayons de son activité. Il mourut avant le 17 août 839, puisqu'à cette date, Lothaire restitua à l'église cathédrale de Reggio *migrante autem predicto Richardo de hoc seculo* les biens de cette église qu'il avait attribués en bienfait à son *fidelis*[20]. D'après Th. Schieffer,

10 Theganus, Vita, continuatio, p. 603: *Anno vero regni sui 23. habuit imperator colloquium cum fidelibus suis in praedio regali Theodonis mense Maio. Et ibi venerunt legati Hlutharii a partibus Italiae, Walach qui erat abbas, et Rihhardus perfidus, et Ebarhardus fidelis cum ceteris nonnullis, nunciantes eum libenter venire ad patrem, si pacifice potuisset.*

11 Astronomus, Vita, c. 56, p. 642.

12 Dipl. Karol. 3, n° 40, p. 121 sqq.: *inter que ex predicta Regensi ecclesia duas cortes, unam que vocatur Maxenciatica cum capella in honore sancti Domnini (et alteram que nominatur Luciaria cum capella sancti Georgii), cuidam fideli nostro Richardo nomine in beneficium aliquandiu concessimus.* Ce qui est cité entre parenthèses est, d'après l'éditeur du document, dû à une interpolation.

13 Il est dit *Richardus quondam comes illuster* dans le diplôme de Lothaire Ier confirmant la donation de la *villa* de Villance à Prüm (Dipl. Karol. 3, n° 68, p. 181 sq.). Comme ce titre n'apparaît pas dans les documents illustrant l'activité de Richard comme huissier, il faut supposer qu'il obtint cet *honor* non de Louis, mais de Lothaire. Je rappelle cependant qu'il était possible qu'un huissier fût comte, comme le prouve le cas d'Agbert (cf. la notice n° 19).

14 B.M. 993(962)c.

15 Nithardus, Historia, lib. I, c. 7, p. 30: *Quod idem cum per triduum dividere vellet, sed minime posset, Josippum atque Richardum ad patrem direxit, deprecans ut ille et sui regnum dividerent parciumque electio sibi concederetur.*

16 B.M. 995(964).

17 Sa fille devint la seconde épouse de Charles le Chauve. Le fait que la nièce de Richard épousa le roi de *Francia occidentalis* illustre le prestige de la lignée de l'huissier de Louis le Pieux.

18 Sur ces dernières, cf. Dipl. Karol. 3, p. 181, et Louis, Girard, p. 44.

19 Dipl. Karol. 3, n° 68, p. 181 sq.; ibid. (diplôme de Lothaire II), n° 23 (Aix-la-Chapelle, 7 mars 865), p. 420 sq.: *Isdem postmodum Richardus iam circa finem obitus sui ob divinum amorem et anime suae remedium villam ipsam seu alias res suae proprietatis germano suo Biuino nec non et Gerardo tunc temporis comiti palatii atque Basino qui et Tancradus ea conditione tradidit, quatinus illi vicem complentes ipsius ecclesie sancti Salvatoris, coenobio scilicet Prumiacensi, ob retributionis aeternae commertium funditus a die praesenti traderent, sicuti egisse illos traditio testamenti nec non et praeceptum patris nostri super hoc rescriptum apertissime declarat.* Ce diplôme est précieux car il relate de manière précise l'histoire de Richard.

20 Dipl. Karol. 3, Diplôme de Lothaire, n° 40, p. 121 sqq.

qui édita ce diplôme, le document a été interpolé. Il n'y a cependant pas lieu de remettre la date en doute, puisque Richard était déjà mort lorsque l'Astronome composa sa Vita Hludowici[21]. De ce fait, l'on a la confirmation que Richard mourut avant l'hiver 840/841, au plus tard avant le printemps 841[22]. Il reste à rappeler que vers le début de son règne, Louis le Pieux restitua à un *quidam vasallus noster nomine Richardus* les biens qui avaient été confisqués à son grand-père Hostlaic, mis à mort en présence de la reine Fastrade, épouse de Charlemagne, parce qu'il avait tué un homme du nom de Rodmond. C'est Matfrid qui traita l'affaire[23]. Rien ne permet de savoir si le vassal en question était identique avec l'huissier de Louis le Pieux.

233. RICOUIN[1] (I)

Comte, attesté en 814/815

En 814, Louis le Pieux reçut une ambassade de l'empereur byzantin, qu'il fit raccompagner par ses propres légats, l'évêque de Reggio, Norbert[2], et le comte Ricouin, pour confirmer l'*amicitia* entre les deux empires[3]. Ces légats rentrèrent durant l'été 815, leur mission ayant été couronnée de succès[4]. Les chercheurs se heurtent depuis longtemps à un important problème de tradition manuscrite: Ricouin apparaît comme comte de Padoue dans certaines familles de manuscrits des Annales royales; comme comte de Poitiers dans une autre famille de manuscrits ainsi que dans des sources un peu plus tardives, dont la Vita Hludowici de l'Astronome. E. Hlawitschka a exposé le problème en détail; il tend à opter pour la thèse poitevine[5]. Etant donné le nombre de personnages portant ce nom[6], et puisque je ne suis pas en mesure d'apporter un nouvel élément au dossier, je préfère laisser la question en suspens[7].

---

21 Astronomus, Vita, c. 56, p. 642: *… sed et Richardus vix evasit: non post multum et ipse moritur.*
22 Cf. TENBERKEN, Vita, p. 42 sq., repris par DEPREUX, Poètes, p. 314 sq.
23 B.M. 813(789) = Formulae imperiales, n° 49, p. 323 sq. (à la p. 323).

1 Formes onomastiques: *Richoinus, Ricoinus.*
2 Cf. la notice n° 206.
3 Cf. Annales regni Franc., a. 814, p. 140 sq. – texte cité à la notice n° 206. Cf. également Astronomus, Vita, c. 23, p. 619.
4 Cf. Annales regni Franc., a. 815, p. 143 – texte cité à la notice n° 206. Cf. également Astronomus, Vita, c. 25, p. 620.
5 HLAWITSCHKA, Franken, p. 296 sq.
6 Cf. la notice n° 234 et cf. BORGOLTE, Grafen Alemanniens, p. 206 sqq. Cf. également BRUNNER, Oppositionelle Gruppen, p. 81.
7 J'ai bien conscience de l'aspect arbitraire que revêt l'isolement de ce légat dont la prosopographie est peut-être réduite à l'excès, mais une autre interprétation serait tout aussi arbitraire. On peut en effet se demander si le parti adopté par TELLENBACH, Großfränkischer Adel, p. 65 sq., est adéquat.

234. ## RICOUIN[1] (II)

Comte de Nantes, attesté à partir de l'été 832 – mort le 25 juin 841[2]

En 832, Ricouin est attesté parmi les conseillers de Louis le Pieux: il incita l'empereur à refuser d'accorder à Conwoion la permission de fonder le monastère de Redon[3]. C'est en s'appuyant sur ce fait que J.-P. Brunterc'h juge qu'il est »certain que Ricouin … est comte de Nantes dès la fin d'août 832«[4]. On l'y retrouve au lendemain de la grave crise politique du règne de Louis le Pieux: »un acte du cartulaire de Redon dressé entre le 28 janvier 834 et le 27 janvier 835 prouve d'ailleurs que Ricouin a récupéré le comté de Nantes dès la restauration de l'Empereur ou, tout au moins, dès l'élimination de Lambert«[5]. Le comte Ricouin mourut vraisemblablement en 841, lors de la bataille de Fontenoy-en-Puisaye[6].

235. ## ROBERT[1] (I)

Comte, attesté à partir de 812 – vraisemblablement mort avant 834[2]

Le comte Robert[3] est attesté en 825 comme *missus* dans la province ecclésiastique de Mayence[4]. Il s'agit certainement d'un comte de la région[5]. Il se pourrait qu'il fût identique avec le comte, son homonyme, ayant à l'occasion siégé au tribunal du Palais sous Charlemagne, comme l'atteste un diplôme de ce dernier daté du 8 mars 812[6]. Un certain Robert (Ruadbert) apposa son *signum* parmi ceux d'autres comtes sur la charte d'échange conclue entre le comte de Tours, Hugues, et l'abbé de Wissembourg, également évêque de Worms[7] – ce qui prouve qu'il participa au plaid tenu à l'été 820 à Quierzy-sur-Oise[8]. Le 29 mai 819, un comte homonyme (Ruadperahtus) souscrivit également une charte pour Fulda[9]. Mais retournons en Alsace. Le 8 janvier 823, Louis le Pieux délivra un diplôme en faveur du monastère de Hornbach. Ce diplôme fut établi suite au rapport de Matfrid, qui avait interrogé le comte Robert

---

1 Seule forme onomastique: *Ricowinus*.
2 Cf. Brunterc'h, Duché du Maine, p. 63.
3 Cf. Gesta s. Rotonensium, p. 133 – texte cité à la notice n° 219. Sur la fondation de Redon, cf. Smith, Culte impérial.
4 Brunterc'h, Duché du Maine, p. 51 note 119.
5 Ibid., p. 61. La source est indiquée ibid., note 192. Toutefois, il faut vraisemblablement déplacer la fourchette chronologique aux alentours du 2 février, cf. Depreux, Wann begann?
6 Tel est le récit des événements dans la Chronique de Nantes. Cf. Guillotel, Temps des rois, p. 257.

1 Formes onomastiques: *Ruodbertus, Ruadbertus, Ruadperahtus, Hruotbertus, Rotbertus*.
2 Selon Glöckner, Lorsch und Lothringen, p. 306.
3 Sa carrière a été retracée par Glöckner, Lorsch und Lothringen, p. 305 sq.
4 Cf. Commemoratio, c. 1, p. 308 – texte cité à la notice n° 136.
5 Glöckner, Lorsch und Lothringen, p. 305, observe sa »bedeutende Wirksamkeit … im Wormsgau«.
6 Dipl. Karol. 1, n° 216, p. 288 sq.
7 Doc. dipl. Wissembourg, n° 69, p. 268 sqq. (document du 2 septembre 820).
8 B.M. 722(699)a.
9 Doc. dipl. Fulda, n° 387, p. 175.

(Hruotbertus)[10]. Je signale enfin que Louis le Pieux, en janvier 836, récompensa la fidélité d'un vassal du nom de Robert en lui faisant une donation[11]; rien ne permet d'identifier ce personnage. Quant au comte Robert auquel Eginhard demanda de rendre justice à son *homo*, un certain Alahfrid[12], il était peut-être identique avec le *missus* attesté dans la province de Mayence; nous n'avons toutefois aucune certitude à ce propos.

236. ROBERT[1] (II)

Comte, attesté en 825

Ce comte est attesté en 825 comme *missus* dans la province ecclésiastique de Tours[2]. L'on se doit bien évidemment de remarquer que ce personnage exerçait les fonctions de *missus* dans une région dans laquelle, une génération plus tard, l'un de ses homonymes serait tout puissant[3]. L'identification des différents personnages homonymes mentionnés sous le règne de Louis le Pieux n'est pas chose évidente: dans le même document de 825, la Commemoratio missis data, il est fait mention d'un autre comte Robert. Les diverses mentions dignes d'intérêt sont étudiées dans la notice consacrée à ce personnage[4].

237. RODMOND[1]

Comte, attesté de 823 à 826

Suite à la demande d'aide formulée par le Danois Harold lors du plaid tenu en novembre 823 à Compiègne[2], Louis le Pieux envoya sur place deux comtes pour apprécier la situation politique. L'un de ces *missi* fut le comte Rodmond[3]. Notre personna-

---

10 B.M. 770(745), éd. P.L. 104, col. 1107 sq. (à la col. 1107): *Nos iterum jussimus Matfredo et alios fideles nostros hanc rem diligenter inquirere. Qui, sicut nobis renuntiaverunt, invenerunt per Hruotbertur* (lire: *Hruotbertum*) *comitem et caeteros nobiles ac veraces homines circa manentes, quod ...* A ce propos, cf. DEPREUX, Matfrid, p. 346 (et plus spécialement note 97).
11 B.M. 953(922).
12 Einhardus, Epistolae, n° 7, p. 112. Cf. la notice n° 111.

1 Seule forme onomastique: *Hruodbertus*.
2 Commemoratio, c. 1, p. 308: *Turones Landramnus archiepiscopus et Hruodbertus comes.*
3 Sur Robert le Fort, cf. WERNER, Untersuchungen, 2e partie, p. 150 sqq. K. Glöckner situe l'arrivée de Robert (Rutpert IV.) dans l'Ouest vers la fin du règne de Louis le Pieux, »infolge der Wirren, die mit der Empörung Ludwigs d. D. begannen« (GLÖCKNER, Lorsch und Lothringen, p. 348). A ce qu'il me semble, la présence d'un Robert à Tours en 825 n'a pas vraiment retenu l'attention des chercheurs.
4 Cf. la notice n° 235.

1 Formes onomastiques: *Hruodmundus, Hruotmundus.*
2 B.M. 783(758)a.
3 Annales regni Franc., a. 823, p. 162 sq.: *Venerat et Harioldus de Nordmannia, auxilium petens contra filios Godofridi, qui eum patria pellere minabantur; ob cuius causam diligentius explorandam ad eosdem filios Godofridi Theotharius et Hruodmundus comites missi fuerunt, qui et causam filiorum Go-*

ge était peut-être le comte dont il est question dans la Responsa missis data de 826: ce comte n'avait pas pu se rendre au plaid où il avait été convoqué, en raison du service qu'il accomplissait alors pour l'empereur (*propter nostrum servitium*[4]). Ceci prouverait que Louis l'employa également pour d'autres missions qui nous sont inconnues, à moins que cette mesure visant à lui permettre de se justifier par serment ne soit à mettre en rapport avec la mission chez les Danois.

238.   **RORGON**[1]

Comte du Maine, attesté de 819/820 à 839[2]

Rorgon fut comte de Porhoët[3] de 819/820 jusqu'en 828/829 au moins. A partir de novembre 832 au plus tard, il fut comte du Maine. Etant donné la complexité de l'étude de ce personnage et puisqu'elle a été récemment menée, je me permets de renvoyer aux travaux en question[4]. Rorgon participa au plaid tenu par Louis le Pieux en septembre 820 à Quierzy-sur-Oise[5]. Il est attesté, douze ans plus tard, comme comte du Maine par un fait significatif: il appuya la candidature d'Aldric au siège épiscopal du Mans[6]. J.-P. Brunterc'h a montré qu'en 834, Rorgon avait certainement perdu momentanément ses *honores* après qu'il eut trahi Louis le Pieux pour le parti de Lothaire[7]. Le comte Rorgon est attesté comme *missus* de Louis le Pieux vers 838: il fit partie de ceux que l'empereur chargea d'examiner le différend entre l'évêque du Mans, Aldric, et l'abbé de Saint-Calais, Sigimond[8]. C'est la seule action comme agent

---

dofridi et statum totius regni Nordmannorum diligenter explorantes adventum Harioldi praecesserunt et imperatori omnia, quae in illis partibus comperire potuerunt, patefecerunt. Cum quibus et Ebo Remorum archiepiscopus, qui consilio imperatoris et auctoritate Romani pontificis praedicandi gratia ad terminos Danorum accesserat et aestate praeterita multos ex eis ad fidem venientes baptizaverat, regressus est.

4 Responsa, c. 4, p. 314: *De causa Hruotmundi comitis: ut ei liceat hic in palatio sacramentum suum iurare, quia propter nostrum servitium sibi constitutum placitum intra patriam observare non licuit.*

1 Formes onomastiques: *Rorigo, Rorgo, Rorio, Morigo.*
2 La date du décès de Rorgon n'est pas connue précisément. Il mourut peu après Louis le Pieux, cf. WERNER, Nachkommen, p. 443 (2e génération, n° 4).
3 LEVILLAIN, Marche de Bretagne, p. 92, considérait qu'il s'agissait du comté de Rennes. Sur la situation du Porhoët, cf. la carte dans GUILLOTEL, Temps des rois, p. 87.
4 WERNER, Bedeutende Adelsfamilien, p. 138 sq.; BRUNTERC'H, Duché du Maine, p. 55 sq. note 146.
5 Doc. dipl. Wissembourg, n° 69, p. 268 sqq.: *signum Rorione comitis.*
6 Actus pont. Cenom., p. 299 sq.
7 BRUNTERC'H, Duché du Maine, p. 59 sqq.
8 Cf. Concilium Carisiacense (bis), p. 837 – texte cité à la notice n° 28. L'évêque de Poitiers, Ebroin, que Rorgon accompagna dans cette mission, était son parent, cf. la donation de Rorgon à l'abbaye de Glanfeuil faite le 1er mars 839 (Doc. dipl. Anjou, p. 378 sq.: *Ebroini Pictavensis episcopi, nostrique consanguinei*). Cf. LEVILLAIN, Ebroin, p. 177 sq.

du roi attestée pour Rorgon[9], bien que l'on ait ici affaire à un personnage prestigieux – il fut l'amant d'une des filles de Charlemagne[10] – sur la famille duquel il suffit de renvoyer à l'étude fondamentale de K. F. Werner[11].

239.   ROSTAING[1]

Comte de Gérone, attesté de 782 à 801

Le comte de Gérone, Rostaing[2], conduisit l'une des trois armées de la campagne de 801, à savoir celle chargée directement de faire le siège de Barcelone[3]. En juin 782, le *vassus dominicus* Rostaing (Rodestagnus) avait assisté les *missi* de Charlemagne lors du plaid qu'ils tinrent à Narbonne[4]. Il est vraisemblable que l'on doive reconnaître en ce personnage le futur comte de Gérone[5].

240.   ROTFRID[1] (I)

Comte, attesté en 825

Le comte Rotfrid est attesté comme *missus* de l'empereur en 825 dans la province ecclésiastique de Reims, où les diocèses de Reims, Châlons, Soissons, Senlis, Beauvais et Laon lui étaient confiés[2]. L'on retrouve notre comte dans un diplôme (non daté) de Louis le Pieux: il fut chargé d'enquêter sur le statut d'un quidam[3]. C'est tout

---

9 Hennebicque-Le Jan, Prosopographica Neustrica, p. 263, passe néanmoins ce fait sous silence dans sa notice. On n'a par contre pas à prendre en compte l'action de Rorgon telle qu'elle apparaît dans le diplôme B.M. 926(897), puisqu'il s'agit d'un faux.

10 Annales Bertiniani, a. 867, p. 134: *Hludouuicus, abbas monasterii sancti Dyonisii, et nepos Karoli imperatoris ex filia maiori natu Rohtrude, V idus ianuarii obiit*. Il eut pour frère Gauzlin (ibid., a. 858, p. 77), attesté comme fils de Rorgon dans la donation du 1er mars 839 mentionnée supra.

11 Werner, Bedeutende Adelsfamilien, p. 137 sqq.

1 Formes onomastiques: *Rotstagnus, Rodestagnus*.

2 Cf. Wolff, Aquitaine, p. 290.

3 Astronomus, Vita, c. 13, p. 612 (dans ce récit, Rostaing est dit *comes Gerundae*).

4 Doc. dipl. Languedoc, n° 6, col. 47 sqq.

5 Cf. Wolff, Aquitaine, p. 292.

1 Formes onomastiques: *Hruotfridus, Rotfridus*.

2 Commemoratio, c. 1, p. 308: *In Remis Ebo archiepiscopus, quando potuerit; et quando ei non licuerit, Ruothadus episcopus eius vice et Hruotfridus comes sint super sex videlicet comitatus, id est Remis, Catolonis, Suessionis, Silvanectis, Belvacus et Laudunum* …

3 B.M. 822(-) – texte cité à la notice n° 78.

ce que l'on sait de ce comte[4], à moins qu'il ne fût identique avec le Rotfrid mentionné dans les notes tironiennes d'un diplôme de Louis le Pieux[5].

241. ROTFRID[1] (II)

Attesté en décembre 825

Le 1er décembre 825 à Aix-la-Chapelle, Louis le Pieux délivra un diplôme de donation en faveur de l'abbaye de Nonantola. Avec l'huissier Gérung[2], un certain Rotfrid donna l'ordre de rédiger le diplôme et de le munir des signes de validation[3]. Rien ne permet d'identifier ce personnage avec certitude. Peut-être s'agit-il du comte Rotfrid[4] (I), peut-être de l'abbé de Saint-Amand[5], ou peut-être d'une tierce personne. Toutefois, l'on peut éventuellement tendre à identifier ce Rotfrid avec l'abbé de Saint-Amand: en effet, ce dernier semble avoir appartenu au Palais de Charlemagne en qualité de notaire[6]. Il aurait alors éventuellement ou bien gardé sa charge sous Louis le Pieux, ou bien tout au moins son influence à la cour.

242. ROTGAIRE[1]

Scribe, vers 825

Rotgaire[2] fut l'un des scribes ayant écrit le ms. 3868 de la Biblioteca Apostolica Vaticana[3], produit vers 825 à la cour de Louis le Pieux[4].

---

4 C'est peut-être du *tabellarius* de ce personnage (il s'agit d'un *tabellarius quidam Rotfridi comitis*) qu'il est question dans Odilo, Translatio s. Sebastiani, c. 29, p. 385.
5 Cf. la notice n° 241.

1 Seule forme onomastique: *Rotfridus*.
2 Cf. la notice n° 115.
3 B.M. 816(792). Mentions tironiennes, p. 17: *Gerungus et Rotfridus preceperunt scribere et firmare*.
4 Cf. la notice n° 240.
5 L'abbé Rotfrid fut envoyé par Charlemagne en 808 en Northumbrie (Annales regni Franc., a. 808, p. 126 sq.). Rotfrid est désigné dans le texte comme *abbas*. Il ne pouvait cependant pas être déjà abbé de Saint-Amand, puisque son prédécesseur, Arn de Salzbourg, mourut en 821 (cf. Th. Schieffer, Arn, L.Th.K., tome 1, col. 887). Il doit par conséquent (s'il s'agit bien du même personnage, comme le supposent B. Simson, dans Abel, Jahrbücher, tome 2, p. 398 note 5, à la p. 399, F. Kurze, dans son édition des Annales, et Fleckenstein, Hofkapelle 1, p. 88 note 303) avoir été auparavant abbé d'un autre établissement. Il mourut en 827: *Obiit Rotfridus abbas de sancto Amando* (Annales Elnon. maiores, a. 827, p. 11).
6 Annales regni Franc., a. 808, p. 126 sq.: *Praeerat tunc temporis ecclesiae Romanae Leo tertius, cuius legatus ad Brittaniam directus est Aldulfus diaconus de ipsa Brittania, natione Saxo, et cum eo ab imperatore missi abbates duo, Hruotfridus notarius et Nantharius de sancto Otmaro.*

1 Seule forme onomastique: *Hrodgarius*.
2 Cf. Koehler, Karolingische Miniaturen, tome 4, p. 75 sqq.
3 Ibid., p. 89 et planche 28d (fol. 92r): *Hrodgarius scripsit*.
4 Mütherich, Book illumination, p. 597.

243.   **ROTHADE**[1] **(I)**

Evêque de Soissons[2], attesté de 814 à 829

L'évêque de Soissons, Rothade[3], participa au synode convoqué en 814 à Noyon par l'archevêque de Reims, Vulfaire: là fut tranché un différend qui l'opposait à l'évêque Wendilmar concernant les limites des diocèses de Soissons et de Noyon[4]. En 825, Rothade était désigné comme *missus* pour remplacer l'archevêque Ebbon lorsque ce dernier serait empêché[5]. L'évêque de Soissons participa au concile tenu en juin 829 à Paris[6].

244.   **ROTHADE**[1] **(II)**

Evêque de Soissons[2], attesté de 832 environ jusqu'à 869[3]

Rothade, qui devint évêque de Soissons vers 832[4], fut, en 834, chargé par Louis le Pieux de rattraper l'archevêque Ebbon, qui avait tenté de chercher refuge chez les Danois, et de le conduire à Fulda[5]. Rothade participa d'ailleurs à l'assemblée de mars 835 à Thionville, au cours de laquelle Ebbon fut déposé[6].

245.   **RUADBERN**[1]

Attesté en 833/834

Ruadbern est un personnage sur lequel on aimerait avoir de plus amples renseignements que ceux fournis par Walafrid Strabon, dans le poème qu'il lui dédia[2]. On ignore quel était l'état de Ruadbern: Walafrid nous permet juste de savoir qu'il était

1 Formes onomastiques: *Rothadus, Ruothadus.*
2 Cf. Duchesne, Fastes, tome 3, p. 91.
3 Rothade est explicitement attesté comme évêque de Soissons dans: Odilo, Translatio s. Sebastiani, c. 22, p. 385; Flodoardus, Historia, lib. II, c. 20, p. 472.
4 Flodoardus, Historia, lib. II, c. 18, p. 466.
5 Cf. Commemoratio, c. 1, p. 308 – texte cité à la notice n° 240.
6 Doc. dipl. Paris, n° 35, p. 49 sqq.

1 Seule forme onomastique: *Rothadus.*
2 Cf. Duchesne, Fastes, tome 3, p. 91.
3 Ibid.: »Evêque depuis 832 environ, il figure en un très grand nombre de documents conciliaires et autres jusqu'à l'année 869«. La dernière mention date du synode de Verberie, en avril 869.
4 On déduit cela d'une lettre du pape Nicolas Ier évoquant la durée du pontificat de l'évêque de Soissons *per triginta circiter annos* (Nicolas, Epistolae, n° 38, p. 309 sqq., ici p. 312). Or, Rothade fut excommunié en 861 par l'archevêque de Reims (Annales Bertiniani, a. 861, p. 86 sq.). A ce propos, cf. Hartmann, Synoden, p. 313 sq.
5 Cf. Flodoardus, Historia, lib. II, c. 20, p. 472 – texte cité à la notice n° 85.
6 Concilium ad Theodonis villam, p. 703, n° 17.

1 Formes onomastiques: *Ruadbern, Rodbernus.*
2 Walahfridus, Carmina, n° 38, p. 388 sqq.: *Ad Ruadbernum laicum.*

jeune et peu fortuné[3] à l'époque où il s'illustra par sa fidélité à Louis le Pieux et à son épouse; néanmoins, ce devait être un membre de l'aristocratie[4]. Walafrid semble lui attribuer la propre initiative de l'action qu'il relate dans ce poème[5], puisqu'il attribue son zèle à une fidélité à toute épreuve[6]. Pour concilier ses liens personnels avec le souverain et la jeunesse de Ruadbern, l'on peut supposer qu'il comptait parmi les *nutriti* du Palais. Mais que fit-il au juste[7]?

Alors que Judith était retenue prisonnière en Italie[8] et que les cols alpins étaient tenus par les partisans de Lothaire[9], Ruadbern entreprit de se rendre dans la péninsule au prix de grands périls[10]. Là, il s'efforça, de manière épistolaire et de vive voix, de gagner les *potentes* à la cause de Judith[11]. Celle-ci une fois délivrée, il fut conduit auprès d'elle et il en reçut un message pour Louis le Pieux[12], qu'il lui porta au prix d'autres dangers[13]. C'est pourquoi Walafrid invitait Ruadbern à accueillir la récompense qui lui était due[14]. Notre personnage devint peut-être le *cubicularius* de Charles le Chauve attesté une vingtaine d'années plus tard[15], mais rien ne permet de l'affirmer[16].

246.   **RUADHART**[1]
                Comte du Palais, attesté en juin 838

Le comte du Palais Ruadhart[2] n'est attesté que par un seul document: il est cité parmi les témoins de la restitution faite au profit de l'abbaye de Fulda le 14 juin 838, au palais de Nimègue[3]. On peut donc en conclure que ce personnage participa au plaid alors tenu par Louis le Pieux[4].

3 Ibid., v. 64 sqq. p. 390.
4 Il n'était en tout cas pas un serviteur: ibid., v. 31 sq., p. 389.
5 Ibid., v. 12 sqq., p. 388.
6 Ibid., v. 27 sq., p. 389.
7 SIMSON, Jahrbücher, tome 2, p. 99 sq. a résumé le poème de Walafrid.
8 Walahfridus, Carmina, n° 38, v. 10 sq., p. 388.
9 Ibid., v. 19 sq., p. 388.
10 Ibid., v. 21 sqq., p. 389.
11 Ibid., v. 34 sqq., p. 389: *Sed mens plena fide, nullo defessa labore,/ Non ante assumptum quavis formidine munus/ Deseruit, requiemve habuit, quam prima potentum/ Corda per Hesperiam scriptis verboque coegit/ Sacrilegium gemuisse nefas ...*
12 Ibid., v. 38 sqq., p. 389: *... his deinde peractum est/ Consiliis, ut fessa diu et compressa malorum/ Ponderibus regina, feris educta tenebris/ Non sine honore foret; tandemque occultus, et arte/ Usus adumbrata, venisti et dulcia coram/ Suscipiens mandata pio celer ipse libensque/ Caesari, et adiunctis portasti primus amicis.*
13 Ibid., v. 45 sqq., p. 389.
14 Ibid., v. 76 sqq., p. 390: *Ergo age, fer domino grates, et munera laudum/ Iustitiamque simul dominorum attende, merentum/ Tristia deserere, et rursus in laeta redire.*
15 Cf. Audradi revelationes, c. IX, éd. Bibl. hist. Yonne, p. 253 (ce *cubicularius* s'appelait Rothbern).
16 Cf. SIMSON, Jahrbücher, tome 2, p. 99 note 4.

1 Seule forme onomastique: *Ruadhartus*.
2 Cf. MEYER, Pfalzgrafen, p. 461.
3 Doc. dipl. Fulda, n° 513, p. 226: *... coram his testibus ... Gebauuino comite palatii, Ruadharto similiter comite palatii ...*
4 B.M. 977(946)a.

247.   **RUADPERT**[1]

Vassal de Louis le Pieux

A une date indéterminée, mais sous le règne de Louis le Pieux, un certain Ruadpert procéda à une *inquisitio* – vraisemblablement en tant que *missus* – concernant des biens de Saint-Gall[2]. Ce personnage est désigné comme *vasallus regis*, mais en fait, il s'agit vraisemblablement d'un vassal de Louis le Pieux[3]. C'est en tout cas explicitement en tant que tel qu'on retrouve notre personnage dans une autre source, mais toujours dans la même région: il avait dépossédé le comte Adalbert[4]. Celui-ci l'expulsa après être allé chercher du renfort; le vassal de Louis le Pieux mourut lors de sa fuite[5]. On a voulu reconnaître en ce personnage le comte d'Argengau et Linzgau, Ruadbert (II)[6].

248.   **SCAHAFÈS**[1]

Attesté en mai 840

Le personnage dont il est écrit dans les notes tironiennes d'un diplôme de Louis le Pieux délivré à Kissingen le 12 mai 840[2] qu'il *impetravit* pose de graves problèmes d'identification, tout d'abord en raison de la difficulté de lecture que pose son nom[3].

1 Formes onomastiques: *Ruadpertus, Ruodpertus.*
2 Doc. dipl. Saint-Gall, tome 2, n° 18, p. 395: *Notitia testium de rebus in Sconiunbirih* (Schöneberg) *sitis … Nam cum pro eisdem rebus Cozbertus abba ad domnum Hludowicum regem se reclamasset, jus(s)um est Waningo comitii et Ruadperto vassallo regis inquisitionem de hac re fieri.*
3 Il se peut en effet que le *rex Hludowicus* en question soit Louis le Pieux, et non Louis le Germanique. D'ailleurs, dans le même document, Charlemagne est aussi désigné comme *rex.*
4 Sur ce personnage, cf. BORGOLTE, Grafen Alemanniens, p. 18 sqq.
5 Translatio sanguinis, c. 15, p. 448: *Denique Adalberto paternas res haereditario iure, ut dictum est, possidente, contigit ut Ruodpertus quidam nomine, Ludowici imperatoris vassallus, dolosa circumventione apud seniorem suum impetraret, ut Reciam Curiensem in proprietatem sibi contraderet, pulsoque Adalberto, possessionem illius sibi usurparet. Ille vero cunctis rebus a patre relictis spoliatus, quasi nudus evadens, sola tantum crucicula arrepta, ad fratrem, qui tunc temporis Hystriam tenebat, confugiens, ipsius tandem auxilio collecta virorum multitudine, Ruodpertum invadit, illis forte diebus apud villam Cizuris commorantem. Qui fugam iniens, eo quod facultatem cum eo congrediendi non haberet, dum foras villam devenisset, a quodam cavallo, qui ante se capistro ducebatur, qui et nigri coloris esse ferebatur, genu percussus, confestim equo cui insidebat depositus, moxque in ipso campo supra clypeum reclinatus, funeris officio festinanter expleto, praesenti vita miserabiliter decessit.*
6 BORGOLTE, Grafen Alemanniens, p. 220 sqq. L'auteur a résumé ainsi son interprétation (ibid., p. 223): »Adalbert von Rätien hätte demnach bald nach 806/8 die Nachfolge Hunfrids (d. Ä.), seines Vaters, angetreten. Der Linz- und Argengaugraf R. wäre 816/7 von Ludwig dem Frommen mit dem Gerichtsvorsitz im Nibelgau beauftragt worden und danach – mit Billigung des Kaisers – nach Rätien eingefallen. Er hätte Adalbert vertrieben, der zu seinem Bruder nach Istrien floh. Als Bernhard nach der Ordinatio Imperii vom Juli 817 seine Rebellion bis in den Bodenseeraum hinein vortrug, zog Adalbert gegen R. nach Rätien zurück, und bei dem Konflikt um Zizers kam R. ums Leben. Dies muß noch 817 geschehen sein, da der Aufstand schon Ende des Jahres erstickt war. Adalbert hätte die Leiche R.s in Lindau bestattet und danach seine Herrschaft in Rätien erneuert«.

1 Seule forme onomastique: *Scahafes.*
2 B.M. 1006(975).
3 Cf. TANGL, Tironische Noten, p. 132 sqq. et fig. 23.

La lecture *Scahafes* est celle de M. Jusselin[4]. Ce personnage – si tant est que son nom fût lu correctement – est par ailleurs inconnu.

249. SICARD[1] (I)
Comte, attesté de 812 à une date postérieure à 814

Le comte Sicard fut l'un des *missi* de Louis le Pieux ayant enquêté en raison d'une plainte relative à une usurpation de biens par l'abbé du Mont-Joux. Suite au rapport des *missi*, les plaignants eurent gain de cause[2]. Le document nous apprenant cela, qui figure parmi les Formulae imperiales, est d'autant plus intéressant qu'il est l'une des rares pièces prouvant qu'un abbé pouvait perdre un procès, ce que la documentation – essentiellement ecclésiastique – passe le plus souvent sous silence. Il est probable que le comte Sicard fût celui qui siégea au tribunal du Palais de Charlemagne réuni en mars 812 à Aix-la-Chapelle[3].

250. SICARD[1] (II)
Chapelain, attesté de juin 827 à 833/834

Au synode tenu à Mantoue le 6 juin 827, l'un des deux envoyés de l'empereur (Louis le Pieux), fut un certain Sicard, désigné comme *palatinus presbiter*[2]. C'est à juste titre que J. Fleckenstein a reconnu en lui un chapelain[3]. En revanche, on ne peut pas le suivre lorsqu'il identifie ce personnage avec l'abbé homonyme de Farfa[4], qui fut promu

---

4 Cf. Mentions tironiennes, p. 21.

1 Seule forme onomastique: *Sicardus*.
2 B.M. 812(788) = Formulae imperiales, n° 50, p. 324: ... *quidam homines ... questi sunt coram missis nostris Sicardo scilicet et Teutardo comitibus, eo quod ... Quae causa dum ab eisdem missis diligenter perscrutata et per homines bone fidei veraciter esset inquisita, inventum est, sicut idem missi nostri nobis renuntiaverunt, ita verum esse.*
3 Dipl. Karol. 1, n° 216, p. 288 sq.

1 Formes onomastiques: *Sychardus, Sichardus.*
2 Concilium Mantuanum, p. 585: sous le règne de Louis (le Pieux) et de Lothaire se réunit un synode dont firent partie *Sychardus palatinus presbyter et vir spectabilis Theoto, a praefatis augustis directi.* Cf. KRAHWINKLER, Friaul, p. 175.
3 FLECKENSTEIN, Hofkapelle 1, p. 60. SIMSON, Jahrbücher, tome 2, p. 251, ne se prononce pas sur la question de l'appartenance de Sicard au Palais de Louis ou de Lothaire. En raison de la lettre de Frothaire (cf. infra), il me semble vraisemblable de compter Sicard parmi les membres du Palais de Louis le Pieux.
4 FLECKENSTEIN, Hofkapelle 1, p. 107. Hypothèse reprise par FISCHER, Königtum, p. 143.

à l'abbatiat en 832[5]: en effet, nous savons par son épitaphe que ce dernier fut donné à l'abbaye encore tout nourrisson. Si »le monde ne le connut point après qu'il fut venu au jour«, l'on voit difficilement comment il aurait pu faire carrière à la cour impériale[6] – carrière que taisent les sources de Farfa (un fait surprenant au cas où l'hypothèse de J. Fleckenstein serait juste). D'ailleurs le chapelain Sicard est attesté à la cour vers 833/834, si la datation d'une lettre de Frothaire de Toul proposée par son éditeur d'après le contexte s'avère exacte: l'évêque s'adressait à celui qu'il appelait *divina provitione venerabil(is) magist(er)* pour lui demander d'introduire auprès de Lothaire le fils d'un comte dont l'éducation lui avait été confiée (il s'agissait par conséquent très vraisemblablement d'un *nutritus* du Palais)[7]. Si ce n'est qu'après que Lothaire se fut emparé du pouvoir[8] que le chapelain dut présenter son jeune élève au fils de Louis le Pieux (alors que rien n'indique que l'éducation du *puer* venait de lui être confiée), il faut conclure que Sicard n'était pas à l'origine au service de Lothaire. Il est par conséquent logique de le compter parmi les membres du Palais de Louis le Pieux.

251.   # SIGISBERT[1]
Notaire, attesté en 821

Le notaire Sigisbert[2] n'est attesté que par un seul diplôme, d'ailleurs conservé en original, donné le 28 juillet 821 à Prüm en faveur du monastère de Niederalteich. La formule de recognition n'est pas conforme aux normes habituelles, puisque l'archichancelier est désigné en tant qu'abbé: *Sigisbertus ad vicem Fredegisi abbatis*[3]. Aurait-on affaire à un notaire occasionnel?

---

5   Catalogus abbatum Farfensium, p. 586; Annales Farfenses, p. 588.

6   Constructio Farfensis, p. 530: *Hunc Deus adscivit materno viscere septum,/ Hieremiae consors vatis ut esse queat./ Nam genitum mundus necdum cognoverat illum,/ Spondet huic templo iam sed uterque parens.* La comparaison avec le prophète Jérémie se rapporte à la vocation de ce dernier (cf. Jer. I, 5).

7   Frotharius, Epistolae, n° 25 p. 293: *Nobilissimo viro et nimie dilectionis affectu colendo Sichardo divina provitione venerabili magistro Frotharius episcopus humilissimus et praesentis et perpetuae felicitatis in Domino opto salutem. (...) Ceterum obsecramus vestrae pietatis clemenciam, ut hunc puerum, famulum vestrum, Haudulfi comitis filium, ante seniorem nostrum domnum Lotharium introducatis et causas necessitatis eius, quas vobis innotuerit, apud eum digna inpetracione obtineatis, ut quemadmodum de multis aliis, et de isto vestra amplificetur elymosina et merces, et in praesenti tempore de nobis et de ipso habeatis servitium et a Deo sempiterne reconpensationis accipiatis praemium.*

8   HAMPE, Datierung, p. 758: »als Lothar die kaiserliche Gewalt an sich gerissen hatte«.

1   Seule forme onomastique: *Sigisbertus.*

2   Cf. BRESSLAU, Urkundenlehre, tome 1, p. 386; SICKEL, Acta regum, tome 1, p. 91; DICKAU, Kanzlei, 2e partie, p. 106.

3   B.M. 740(716), éd. M.B. 11, n° 4, p. 103 sq. (à la p. 104).

252.   SIMÉON[1] (I)

                       Notaire, attesté en 823 et 824

Le diacre Siméon[2] assura la recognition de trois diplômes de Louis le Pieux: deux
en juin 823 à Francfort (pour Lorsch[3] et pour Passau[4]) et un autre le 30 juin 824 à
Compiègne, en faveur de Saint-Florent[5].

253.   SIMÉON[1] (II)

                  Prêtre et abbé, attesté peu avant janvier 833

Le prêtre Siméon, abbé d'un monastère dont on ignore le nom, enquêta en qualité de
missus, concernant une restitution à l'église cathédrale du Mans[2].

254.   SMARAGDE[1]

           Abbé de Saint-Mihiel, attesté à partir de 809[2] – mort un 29 octobre,
                              au plus tôt en 827

Smaragde, vraisemblablement d'origine wisigothique[3], est attesté comme abbé de
Saint-Mihiel[4] par une série de diplômes de Louis le Pieux, le premier datant du 2 juin
816; il s'agit de la confirmation du privilège d'immunité du monastère[5]. Un mois plus
tard, Louis le Pieux ordonna à tous ceux qui tenaient des biens de l'abbaye en bienfait de payer à Saint-Mihiel dîme et none[6]; le 2 septembre à Aix-la-Chapelle, l'empereur accorda à cet établissement une exemption de paiement de tonlieu[7]. On peut en

1 Formes onomastiques: *Simeon, Symeon.*
2 Cf. BRESSLAU, Urkundenlehre, tome 1, p. 386; SICKEL, Acta regum, tome 1, p. 92; DICKAU, Kanzlei, 2ᵉ
  partie, p. 106.
3 B.M. 777(752), donné le 22 juin 823.
4 B.M. 778(753), éd. ERKENS, Passau, p. 112 sqq. Dans la version longue, Siméon est désigné comme
  diaconus et cancellarius. Il n'y a pas lieu de tenir compte de cette dernière désignation, due à une interpolation de la fin du Xᵉ s., cf. ERKENS, Passau, p. 97.
5 B.M. 786(762).

1 Seule forme onomastique: *Simeon.*
2 B.M. 917(888), diplôme donné le 8 janvier 833 – texte cité à la notice n° 154.

1 Formes onomastiques: *Smaragdus, Smaracdus, Zmaragdus.*
2 Smaragdus, De processione.
3 Cf. EBERHARDT, Via regia, p. 31 sq.
4 Sur l'action de Smaragde à Saint-Mihiel, cf. Chronicon s. Michaelis, c. 5, p. 80 sq. = Doc. dipl. Saint-
  Mihiel, p. 7 sqq. Sur le transfert du monastère, cf. RÄDLE, Smaragd, p. 19 note 42.
5 B.M. 615(595), diplôme donné à Aix-la-Chapelle.
6 B.M. 621(601), diplôme donné à Thionville le 13 juillet 816.
7 B.M. 633(613).

conclure que Smaragde participa au concile réformateur tenu à Aix-la-Chapelle en août 816[8]. Puisqu'il est attesté auprès de l'empereur dans les temps qui précédèrent cette assemblée, on peut éventuellement penser qu'il participa à sa préparation. Smaragde s'intéressait d'ailleurs tout particulièrement aux questions alors d'actualité: c'est de cette époque que date son Expositio in regulam s. Benedicti[9].

Il est également vraisemblable que Smaragde fût parmi les *missi* que Louis le Pieux envoya vers 817 réformer les monastères de l'empire[10]. Toujours est-il que l'abbé de Saint-Mihiel procéda au partage de la mense conventuelle et de la mense abbatiale du monastère de Moyenmoutier, dans le diocèse de Toul, comme l'atteste une lettre commune de l'évêque Frothaire et de Smaragde à Louis le Pieux: *per iussionem ve-stram Smaracdus ipsius monasterii monachis portionem de abbatia dedit, ut regulari-ter viverent.* Vers 825/830, cette réforme ayant été mise en péril par le nouvel abbé, les moines de Moyenmoutier en appelèrent à leur Ordinaire et à Smaragde, qui, après examen, permirent à ces derniers de demander l'appui de l'empereur[11]. Vers 819, l'abbé de Saint-Mihiel est également attesté comme *missus* au monastère de Saint-Claude, où il procéda à un inventaire des biens de l'établissement[12].

Le 16 août 824 à Compiègne, Louis le Pieux confirma un échange concernant Saint-Mihiel, l'affaire ayant été introduite par Hilduin[13]. Enfin, le 2 décembre 826 à Aix-la-Chapelle, Louis le Pieux accorda aux moines de Saint-Mihiel la liberté de l'élection abbatiale[14]. Rappelons pour mémoire l'activité littéraire de Smaragde[15], en matière de règle monastique, avec le Diadema monachorum, ou d'éthique politique, avec la Via regia, un traité composé vraisemblablement vers la fin du règne de Charlemagne; toutefois, les historiens ne savent se mettre d'accord ni sur la date de composition de ce texte, ni sur l'identité de son destinataire[16]. Au cas où ce dernier serait Louis le Pieux, la collaboration de Smaragde à l'oeuvre réformatrice de ce prince ne s'en expliquerait que mieux: des liens d'amitié les unissaient[17]. On ignore la date du

8   B.M. 622(602)a.

9   Cf. Smaragdus, Expositio, p. XXIX.

10 Cf. Astronomus, Vita, c. 28, p. 622 – texte cité à la notice n° 1.

11 Frotharius, Epistolae, n° 21, p. 290 sq. (citation dans le texte: ibid., p. 290). Sur le contexte dans le-quel Smaragde procéda au partage de la mense conventuelle et de la mense abbatiale de Moyenmou-tier, cf. PFISTER, Frothaire, p. 286 sqq.

12 Catalogus abbatum s. Eugendi, p. 744: *Zmaragdus abbas et Teutbertuis capellanus, missi domni no-stri Ludovici imperatoris, in anno 6. imperii eius inbreviarunt res monasterii sancti Eugendi et inve-nerunt colonicas vestitas 840, absas 17.*

13 B.M. 789(764). Smaragde avait peut-être participé au plaid tenu fin juin 824 à Compiègne, B.M. 785(761)c. Néanmoins, le temps écoulé entre la réunion de cette assemblée et l'expédition du diplô-me est trop long pour que l'on puisse affirmer cela.

14 B.M. 837(811).

15 Cf. MANITIUS, Geschichte, p. 461 sqq. A compléter par SCHMALE-OTT, Gedicht.

16 Cf. DEPREUX, Poètes, p. 314 note 14.

17 Epistolae variorum 1, n° 23, p. 532 sq.: *Sed non, ut prefati sumus, nos ad hoc peragendum opus pre-sumptionis commovit audacia, sed dilectionis et caritatis excitavit fiducia.*

décès de Smaragde. Il mourut un 29 octobre[18], au plus tôt en 827[19]; il n'était en tout cas plus en vie en janvier 841[20].

255.   **STABLE**[1]

Evêque de Clermont[2], attesté de 823 à 860[3]

C'est par un document diplomatique de nature peu ordinaire[4] que l'évêque Stable est attesté comme *missus* de Louis le Pieux. En 823[5], il fut désigné par l'empereur pour présider à un échange entre l'abbé de Conques, Anastase, et le vassal impérial Bertrand[6].

256.   **STURMION**[1]

Comte, attesté sous le règne de Louis en Aquitaine, vraisemblablement vers 795

A une date inconnue, mais qui se situe probablement vers 795[2], le comte Sturmion, sur l'ordre du roi Louis, procéda à l'investiture de l'aprisionnaire Jean[3] et il borna

18 Cf. EBERHARDT, Via regia, p. 46, qui se réfère à Charles AIMOND, Les nécrologes de l'abbaye de Saint-Mihiel, Mémoires de la Société des Lettres, Sciences et Arts de Bar-le-Duc 44 (1922/1923) p. 1–206, à la p. 112. Le fait que Smaragde mourut en octobre est confirmé par son épitaphe, cf. Doc. dipl. Saint-Mihiel, p. 9 note 6.
19 Cf. EBERHARDT, Via regia, p. 46.
20 Cf. Dipl. Karol. 3, n° 54, p. 155 (Diplôme de Lothaire de janvier 841, donné en faveur du successeur de Smaragde à Saint-Mihiel).

1 Seule forme onomastique: *Stabilis.*
2 Cf. DUCHESNE, Fastes, tome 2, p. 39.
3 Ibid.: »Assista, en 860, au concile de Thusey. – Obit, le 1er janvier«.
4 Le document, qui commence comme un jugement, est en fait une notice d'échange; il n'est pas revêtu du *signum* des contactants, mais seulement de celui du *missus.*
5 C'est en septembre 823 qu'il fut procédé à l'échange.
6 Doc. dipl. Conques, n° 460, p. 332 sq.: ... *et missum venerabilem virum Stabilem episcopum dedit ... Stabilis indignus episcopus jubente domno Lodohici imperatoris signavit.* A noter que Bertrand est une fois nommé *missus*, mais sans que le contexte permette d'expliquer pourquoi. Par conséquent, je suppose qu'il s'agit d'une erreur de copie et qu'il faut remplacer ce terme par le titre que Bertrand porte plus haut dans le texte: *vassus.* Sur ce document, cf. B.M. 782(757)a.

1 Formes onomastiques: *Sturmio, Sturminio, Sturbius* (?), *Sturminius* (?).
2 En effet, c'est vraisemblablement en cette année que fut donné le diplôme par lequel Charlemagne accorda la *villa* de Fontjoncouse à Jean, après que ce dernier lui eut montré la lettre (*epistola*) que Louis le Pieux lui avait confiée à cet effet, cf. Dipl. Karol. 1, n° 179, p. 241 sq.
3 Cf. Enquête de Fontjoncouse, p. 10 sq.: ... *et vidimus quando venit Sturmio, comes ad eo tempore, super ipsum villare, dum eremus fuiset, et ibidem ostendit jamdictus Iohannes epistolam scriptam ad relegendum, quod domnus Ludtiwichus, dum rex fuisset, ad Sturmioni comiti direxit, quod revestisset ipsum Johanne ... villare Fontes ab omne integritatem cum omnes suos terminos et ajacentias et pertinentias ipsius villare ut Johannes et habuisset per suam adprisionem, absque ullo socio vel erede et per adictum domni imperatoris; et sic nos presentes, Sturmio comes, per ipsam epistolam domni imperatoris et per suum verbum, de ipsum villare ab omnem integritatem Johanne revestivit qualiter superius scriptum est.*

son bien[4]. Le comte Sturmion a été retenu dans cette prosopographie car, bien qu'il ne soit pas désigné comme *missus*, la mission qu'il reçut semble permettre de le compter dans cette catégorie d'agents de l'Etat. Reste à préciser son identité. On a voulu reconnaître en Sturmion un comte de Narbonne[5]. La chose est possible, mais rien, dans l'enquête où son action fut évoquée, ne permet d'acquérir une certitude en la matière. Il est simplement dit que les *judices* de Sturmion, c'est-à-dire ceux qui l'assistèrent dans sa mission, étaient de Narbonne. En revanche, l'objet du mandat de Louis le Pieux tel qu'il est évoqué dans un diplôme de Charles le Chauve du 5 juin 844 tend à faire penser que Sturmion était le comte dont dépendait ce lieu, bien qu'il ne soit pas fait mention explicite de la circonscription où ce comte exerçait son pouvoir[6]. Or, il existe une autre piste. En effet, l'Astronome relate qu'à l'occasion du renouvellement du personnel administratif survenu vers 778, le comté de Bourges fut confié à Humbert, auquel Sturbe (*Sturbius*) succéda peu de temps après[7]. Aurait-on affaire à la même personne? Rien ne permet de l'affirmer. Cependant, la chose est possible. Dans une source composée vers le milieu du IXe siècle, le comte de Bourges, Sturbe, est en effet réputé s'appeler *Sturminius*[8]. On sait par ailleurs que Sturmion était également appelé *Sturminio*[9].

257. **SUIZGAIRE**[1]

Attesté en octobre 822

Un certain Suizgaire *ambasciavit* concernant un diplôme pour les forestiers des Vosges[2]. L'on ne sait rien d'autre de ce personnage.

---

4 Ibid., p. 11: *Et dum Sturmio comis cum suos judices Narbonenses in ipsum villare fuisset, sic inter jamdicto villare et villare que vocant Gurgos terminos et limites misit ...*
5 WOLFF, Aquitaine, p. 290. Cet auteur se fonde sur l'enquête de Fontjoncouse.
6 Cf. Actes de Charles le Chauve, tome 1, n° 43, p. 120: *... vassus noster, nomine Teodtfredus, nostris obtulit obtutibus auctoritatem avi nostri Karoli, qua continebatur qualiter patri suo, nomine Johanni, praescriptus bonae memoriae avus noster Karolus concesserat villarem ad laborandum, qui vocatur Fontes, cum omni sua integritate et quantumcumque ille in Fontejoncosa de heremi vastitate traxit cum suis hominibus. Ostendit etiam nobis epistolam domni et genitoris nostri Hludowici piissimi augusti ad Sturminionem comitem directam, ut praedictam villam, id est Fontes, memorato Johanni absque ullo censu et inquietudine habere dimitteret, propter quam epistolam avus noster Karolus, ut in sua auctoritate continetur, illi fieri jussit hoc.*
7 Astronomus, Vita, c. 3, p. 608 – texte cité à la notice n° 2: *Et Biturigae civitati primo Humbertum, paulo post Sturbium praefecit comitem ...*
8 Cf. Adrevaldus, Miracula, I, c. 18, p. 43: *... quibusdam servorum suorum, fisci debito sublevatis, curam tradidit, regni; atque in primis Rahonem Aurelianensibus comitem praefecit, Biturigensibus Sturminium ...* Cf. WERNER, Bedeutende Adelsfamilien, p. 126 note 155. Sur l'époque à laquelle vécut Adrevald, cf. VIDIER, Historiographie, p. 157 sq.
9 Cf. le diplôme de Charles le Chauve cité supra.

1 Seule forme onomastique: *Suizgarius*.
2 B.M. 764(739) = Formulae imperiales, n° 43, p. 319 sq. (à la p. 320) – diplôme donné le 27 octobre 822 à Völkingen s/ Sarre.

258.   TANCULF[1]

Trésorier du Palais, puis chambrier[2], attesté de 821 à 832

Tanculf est attesté pour la première fois en février 821[3]: l'ordre donné par Louis le Pieux de faire porter l'abbé Benoît, alors à l'article de la mort, jusqu'à Inden fut transmis par Tanculf, désigné comme *camerarius*, c'est-à-dire comme chambrier[4]. Tanculf est également attesté à Ingelheim en 826, puisque c'est lui qui conduisit à Aix-la-Chapelle le facteur d'orgues amené par Baudry[5]. Tanculf est alors désigné comme *sacellarius*, c'est-à-dire comme trésorier, un subordonné du chambrier[6]. Etant donné que l'on peut difficilement envisager une rétrogradation et que l'on préférera le témoignage de l'annaliste, il faut conclure à une imprécision d'Ardon[7]: en 821, Tanculf était bien attaché à la gestion du Trésor, mais pas comme chambrier; plutôt en tant que son assistant. L'Astronome le désigne comme *sacrorum scriniarum praelato*[8] et prouve ainsi que le personnage en charge des *scrinia* avait compétence en matière de finances[9]. Le 13 juillet 832, Tanculf est une nouvelle fois attesté comme *camerarius*. L'on ne peut pas douter ici de la véracité de l'information et de la rigueur dans la désignation, puisqu'il s'agit d'un diplôme de Louis le Pieux: l'empereur confirma l'échange conclu entre l'abbé de Hasenried et le chambrier Tanculf[10]. La promotion de Tanculf intervint fort vraisemblablement suite au renvoi de Bernard[11], en 830.

Etant donné que l'Astronome comprend manifestement *scrinium* comme coffre à trésor (comme coffre où étaient placées les finances), et non comme coffret à docu-

1 Formes onomastiques: *Tanculfus, Thancolfus.*
2 Cf. SIMSON, Jahrbücher, tome 2, p. 240 sq.
3 Soit dit en passant qu'en 815, un certain Tancolf est mentionné comme témoin dans un acte de Saint-Gall (Doc. dipl. Saint-Gall, tome 1, n° 214, p. 203 sq.).
4 Ardo, Vita Benedicti, c. 42, p. 219: ... *in sexta autem feria nocte misit imperator Tanculfum camararium, iubens, ut eum in ipsa nocte ad monasterium fereremus ...*
5 Annales regni Franc., a. 826, p. 170: *Venit cum Baldrico presbyter quidam de Venetia nomine Georgius, qui se organum facere posse adserebat; quem imperator Aquasgrani cum Thancolfo sacellario misit et, ut ei omnia ad id instrumentum efficiendum necessaria praeberentur, imperavit.*
6 Hincmarus, De ordine palatii, l. 280, p. 64: le *sacellarius* est cité parmi les officiers subalternes. Sur sa situation par rapport au chambrier, cf. ibid., note 143.
7 C'est en effet à une imprécision d'Ardon qu'il faut songer, et non à l'attribution rétrospective d'un titre que Tanculf porta certes postérieurement, puisque la Vita Benedicti fut composée vers 822/823, cf. GRÉGOIRE, Benedetto, p. 573 – ou à l'imprécision de l'auteur de cette lettre.
8 Astronomus, Vita, c. 40, p. 629: *Quem (i. e. Georgium) gratanter suscepit ... ac Tanculfo sacrorum scriniorum praelato commendavit ...*
9 Ibid.: (suite immédiate du membre de phrase cité à la note précédente) ... *publicisque stipendiis curare iussit, et ea quae huic opore necessaria forent, praeparare mandavit.*
10 B.M. 902(873), éd. M.B. 31, n° 28, p. 65 sq. (à la p. 65): ... *venerabilis Teuhtgarius abbas ex monasterio quod dicitur Hasenrida quandam paginam terre cum Tanculfo camerario fidelique nostro pro amborum partium oportunitate commutasset.* Un peu plus loin, Tanculf est dit *camerari(us) nost(er)*. L'affaire avait été introduite par Richard, cf. la notice n° 232.
11 Cf. la notice n° 50.

ments (à moins que ce coffret ne contînt les titres du roi, les documents prouvant ses possessions[12]), l'on peut supposer que la fonction de *sacellarius* dont parle l'annaliste (dont le nom vient de *saccellus*, sacoche[13]) et celle de *scriniarius* (dont le nom vient de *scrinium*, coffret[14]), office du personnage auquel écrivait Alcuin[15], étaient identiques et que celui que les historiens ont pris pour un archiviste était en réalité un trésorier. Mais peut-être la différence entre les deux fonctions n'était-elle pas si stricte[16]. De l'ami d'Alcuin, ce *scriniarius* en qui l'on reconnaît un archiviste[17], J. Fleckenstein fait un chapelain[18]. Il s'agit d'une pétition de principe: rien dans le texte ne nous permet d'affirmer telle chose. F.-L. Ganshof était plus prudent[19]. Pour des raisons onomastiques, on ne peut pas identifier l'ami d'Alcuin avec le trésorier de Louis le Pieux[20].

12 Cf. infra la note 16.

13 Cf. GAFFIOT, Dictionnaire, p. 1378.

14 Cf. ibid., p. 1406.

15 Alcuinus, Epistolae, n° 73, p. 115: *Dilecto amico Dogvulfo scriniario Albinus salutem.*

16 Par exemple, un extrait des Gesta Dagoberti prouve que le testament du roi était, au Palais, conservé dans le Trésor. Cette disposition est censée avoir été stipulée par Dagobert lui-même, le roi ordonnant l'expédition de quatre exemplaires, l'un conservé à Lyon, l'autre à Paris, le troisième à Metz et le dernier au Palais, cf. Gesta Dagoberti, c. 39, p. 417: ... *devotio animae admonuit pro aeterna retributione testamentum condere ... et pro immutabili beneficio quatuor uno tenore unoque temporis memento, vobis omnibus consentientibus, firmare decrevimus ... ex quibus unum Lucduno Galliae dirigimus; alium vero Parisius in archivo ecclesiae commendamus; tertium Mettis ad custodiendum domno Abboni donamus; quartum autem, quem et in manibus tenemus, in thesauro nostro reponi iubemus.* Ce testament ne nous est pas transmis sous une forme diplomatique: il s'agit d'un discours. Dans son édition des diplômes mérovingiens (Diplomata regum Francorum e stirpe Merowingica), Karl PERTZ publia ce testament parmi les diplomata spuria (n° 39, p. 156 sqq.). En conséquence, NONN, Testamente, ignore ce document. Il faut cependant attendre la nouvelle édition préparée par MM. Carlrichard Brühl et Theo Kölzer. Mais à vrai dire, ici, l'authenticité de ce testament importe peu: ce qui compte, c'est que pour l'auteur des Gesta Dagoberti, la conservation d'un testament dans le Trésor semblait chose normale. L'auteur note qu'à son époque, cet exemplaire était conservé à Saint-Denis, cf. Gesta Dagoberti, c. 39, p. 418 sq.: *Illud vero testamentum, quod in thesauro suo responi iusserat, usque hodie in archivo ecclesiae beatorum Christi martirum Dyonisii ac sociorum eius venerabiliter custoditur.* L'exemplaire de Saint-Denis ne doit pas être confondu avec celui de l'église de Paris, c'est-à-dire de la cathédrale. Il faut en conclure qu'après sa mort, les archives de Dagobert furent versées à l'abbaye pour laquelle il avait tant oeuvré. Sur les liens entre Dagobert et Saint-Denis, cf. THÉIS, Dagobert.

17 GANSHOF, Usage de l'écrit, p. 21; sur les archives du Palais, cf. FICHTENAU, Archive, p. 21 sqq. Cet auteur s'est montré réservé quant à l'analyse de F.-L. Ganshof: »Hier scheint doch der römische 'scriniarius' Pate gestanden zu haben, wenn das Wort auch – da 'scrinium' auch in der Hofsprache für das Palastarchiv gebraucht wurde – auf archivarische Tätigkeit verweist« (ibid., p. 23 note 38).

18 FLECKENSTEIN, Hofkapelle 1, p. 74.

19 GANSHOF, Usage de l'écrit, p. 21: »C'était l'*archivum palatii*; il semble qu'il ait été placé sous l'autorité du chancelier, sans qu'il soit possible de dire si ce dépôt dépendait de la 'chapelle'. De son organisation, on ne sait rien; le *Dogvulfus, scriniarius* à qui Alcuin adresse une lettre était-il attaché au dépôt? On ne peut répondre à la question«.

20 Le nom du premier personnage dérive de la racine Dug- (MORLET, Noms de personne, tome 1, p. 76), celui du second, de la racine Thanc- (ibid., p. 65).

382

259.   TEUTARD[1]
                                    Comte

Le comte Teutard enquêta avec Sicard en qualité de *missus* de Louis le Pieux, sur une usurpation de biens par le monastère du Petit-Saint-Bernard. L'on ignore la date de cette enquête[2].

260.   TEUTBERT[1]
                          Chapelain, attesté vers 819

Vers 819, le chapelain Teutbert[2] est, ainsi que Smaragde, l'abbé de Saint-Mihiel, attesté comme *missus* au monastère de Saint-Claude, où il procéda à un inventaire des biens de cet établissement[3].

261.   THÉODÉRIC[1]
             Fils naturel de Charlemagne, né en 807 – attesté jusqu'en 818

Théodéric, né en 807[2] d'une concubine du nom d'Adallinde[3], était l'un des fils naturels de Charlemagne que ce dernier confia à Louis le Pieux en 813, lorsqu'il l'associa au titre impérial[4]. Suite à la révolte de Bernard d'Italie, Théodéric fut, en 818, tonsuré et envoyé dans un monastère[5] – éventuellement à Saint-Epvre de Toul[6]. Ensuite, nous perdons sa trace. Il devint peut-être abbé de Moyenmoutier[7] – c'est là pure hy-

---

1 Seule forme onomastique: *Teutardus*.
2 B.M. 812(788) – texte cité à la notice n° 249.

1 Seule forme onomastique: *Teutbertus*.
2 Cf. FLECKENSTEIN, Hofkapelle 1, p. 61.
3 Cf. Catalogus abbatum s. Eugendi, p. 744 – texte cité à la notice n° 254.

1 Formes onomastiques: *Theodericus, Theudericus, Teodericus, Theodoricus*.
2 Annales Lobienses, p. 231: *807. Natus est imperatori filius nomine Theodericus*.
3 Einhardus, Vita Karoli, c. 18, p. 56.
4 Chronicon Moissiacense, a. 813, p. 311: *... commendavitque ei filios suos Drogonem, Theodericum et Hugonem* (cf. également ibid., p. 259). La portée de cette mesure est explicitée par le témoignage de Nithardus, Historia, lib. I, c. 2, p. 6, qui décrit cependant l'accueil des fils naturels de Charlemagne à la table de son successeur comme une décision propre à Louis le Pieux (texte cité à la notice n° 165).
5 Chronicon Moissiacense, a. 817 (en réalité en 818, puisque le procès de Bernard était déjà passé), p. 313; Theganus, Vita, c. 24, p. 596.
6 PFISTER, Drogon, p. 103 (et déjà PFISTER, Frothaire, p. 300), a formulé cette hypothèse en se fondant sur Frotharius, Epistolae, n° 4, p. 278 sq. Dans cette lettre à Hugues, l'évêque de Toul se plaignait d'être séparé de lui. L'hypothèse de Chr. Pfister n'est cependant, précisément dans le cas de Hugues, pas tout à fait satisfaisante. Cf. la notice n° 165.
7 Cf. HAMPE, Datierung, p. 759. On a le texte d'une lettre de l'évêque de Toul à un certain Teutdéric et à un Ragenard qualifiés de *venerabil(es) vir(i)*, cf. Frotharius, Epistolae, n° 32, p. 297 sq. Or, la chronique du monastère de Moyenmoutier signale l'abbatiat d'un certain Théodéric, à une date indéterminée (Liber de sancti Hildulfi successoribus in Mediano monasterio, c. 5, M.G.H. SS. 4, p. 89), mais

pothèse. Il se peut également qu'il mourût peu de temps après 818, ce qui expliquerait pourquoi Thégan ne fit aucune mention d'une promotion le concernant[8].

262. THÉODULF[1]

Evêque d'Orléans[2] (avec le titre d'archevêque), attesté de 791[3]/798[4] à février 820

Il est hors de propos de présenter ici une étude détaillée sur le lettré d'origine wisigothique[5] qui fut l'un des principaux *doctor(es) et magist(ri)*[6] du règne de Charlemagne et de sa cour, puisque l'on dispose d'une fort bonne étude sur son oeuvre[7]. Il suffira de rappeler que Théodulf mena une carrière prestigieuse, ce qu'attestent non seulement son activité comme »conseiller théologique de Charlemagne«[8], mais aussi une mission dans la Gaule du Sud qu'il relate dans son poème *contra iudices*[9]: *Praefectura mihi fuerat peragenda tributa/ Resque actu grandes officium potens*[10]. Vers 811, la citation de l'évêque d'Orléans parmi les témoins du testament de Charlemagne prouve son crédit politique[11]. Le seul fait qui justifie la présence de Théodulf dans cette prosopographie est le suivant: au début d'octobre 816, l'évêque d'Orléans fut chargé par Louis le Pieux d'accueillir le pape lors de sa visite à Reims[12] – ce qui montre le prestige dont il jouissait du temps du successeur de Charlemagne, en dépit de ce que l'on a pu dire sur leurs relations au début du règne. En effet, d'aucuns ont interprété sa démarche de février 814 comme un premier signe de tension[13] (en lequel on ne peut toutefois qu'avec peine voir un prodrome d'opposition): lorsque Théodulf comprit quelle nouvelle Rampon portait à Louis le Pieux, il fit demander au nouvel empereur

qui correspond à la fourchette chronologique définie pour la rédaction de la lettre de Frothaire, cf. HAMPE, Datierung, p. 759 sq.

8 Theganus, Vita, c. 24, p. 596.

1 Formes onomastiques: *Theodulfus, Teodulphus, Teudulfus, Teodulfus, Theudulphus, Teotulfus, Thedulfus.*
2 Cf. DUCHESNE, Fastes, tome 2, p. 458 sq.
3 La présence de Théodulf à la cour est attestée avant 791, cf. DAHLHAUS-BERG, Nova antiquitas, p. 182.
4 C'est la date de la première mission de Théodulf, cf. l'introduction d'E. DÜMMLER à Theodulfus, Carmina, p. 437 sqq.
5 Cf. RICHÉ, Réfugiés, p. 179: »Né vers 760, peut-être dans les environs de Saragosse, il se trouve à vingt ans à la cour carolingienne«. Sur l'origine de Théodulf, cf. Catalogus abbatum Floriacensium, p. 500: *ex Hesperia*. L'origine espagnole a été contestée par BRUNNER, Oppositionelle Gruppen, p. 75, qui parle plutôt de »Südfrankreich«.
6 Alcuinus, Epistolae, n° 149, p. 241 sqq. (ici p. 244). De nombreuses lettres d'Alcuin témoignent de son amitié pour Théodulf. Il n'en sera pas fait détail ici.
7 DAHLHAUS-BERG, Nova antiquitas (sur la vie de Théodulf: p. 1 sqq.). Cf. aussi tout récemment: FREEMAN, Theodulf. Sur l'oeuvre poétique de l'évêque, cf. GODMAN, Louis, p. 243 sqq.; GODMAN, Poets, p. 94 sqq.
8 DAHLHAUS-BERG, Nova antiquitas, p. 180 sqq.
9 Cf. MONOD, Moeurs judiciaires; MAGNOU-NORTIER, Mission financière.
10 Theodulfus, Carmina, n° 28, p. 493 sqq., ici p. 496 v. 99 sq.
11 Einhardus, Vita Karoli, c. 33, p. 100.
12 Cf. Astronomus, Vita, c. 26, p. 620 – texte cité à la notice n° 151.
13 Cf. BRUNNER, Oppositionelle Gruppen, p. 96.

où il devait l'accueillir[14]. Il me semble que Théodulf fut, comme les autres grands, informé de la mort de Charlemagne[15]. Le diplôme expédié à Aix-la-Chapelle le 11 septembre 814 en faveur de Sainte-Croix d'Orléans[16] prouve en tout cas que Louis le Pieux et Théodulf n'étaient alors aucunement en froid.

Suite à la révolte de Bernard d'Italie, dans laquelle il fut accusé d'avoir trempé[17], une assemblée d'évêques, en 818, déposa, entre autres, Théodulf[18], qui fut incarcéré à Angers[19]. Selon une tradition fausse[20], Louis le Pieux aurait, le jour des Rameaux 818 à Angers[21], entendu des vers composés par Théodulf[22] et, attendri, aurait fait libérer et rétablir l'évêque d'Orléans dans ses fonctions, que ce dernier n'aurait néanmoins pas pu reprendre car il aurait entre-temps été empoisonné[23]. Cette fable est à rejeter. Les raisons pour lesquelles Théodulf aurait fait partie des instigateurs de la révolte de Bernard d'Italie sont loin d'être évidentes[24], et, ainsi qu'E. Dahlhaus-Berg en a émis l'hypothèse[25], il est fort probable que l'on doive chercher le motif de l'accusation et de la condamnation de l'évêque d'Orléans dans une rivalité entretenue par le puissant comte de cette cité, Matfrid[26]. L'on doit cependant convenir que ce dernier ne gagna pas grand-chose à l'évincement de Théodulf[27]. L'évêque d'Orléans était également abbé de plusieurs établissements[28]: de Saint-Aignan[29], de Fleury[30], de Meung-sur-Loire[31], dont Matfrid serait ensuite à la tête[32] mais qui comptait bien initialement parmi les possessions de l'évêché d'Orléans[33]. Théodulf procéda aussi à la réforme de

---

14 Astronomus, Vita, c. 21, p. 618: *Qui* (il s'agit de Rampon) *cum Aurelianam devenisset ad urbem, Theodulfus eiusdem urbis episcopus, vir undecumque doctissimus, causam eius adventus persensit, et velocissime misso perlatore imperatori innotescere studuit, hoc tantummodo ei suggerendum iubens, utrum praestolaretur venientem in urbem, an in itinere aliquo sibi occurreret venturo ad urbem. Quam protinus causam ille commentatus agnovit, et ipsum venire ad se iussit.*

15 A ce propos, cf. DEPREUX, Wann begann?, p. 263 sq.

16 B.M. 541(522), diplôme de confirmation du privilège d'immunité.

17 Annales regni Franc., a. 817, p. 148; Astronomus, Vita, c. 29, p. 623.

18 Annales regni Franc., a. 818, p. 148; Theganus, Vita, c. 22, p. 596; Astronomus, Vita, c. 30, p. 623; Chronicon Moissiacense, a. 817, p. 313; Annales Fuldenses, a. 818, p. 21; Annales Xantenses, a. 818, p. 6. Tous les évêques compromis furent relégués dans des monastères.

19 Catalogus abbatum Floriacensium, p. 501. Même pendant son exil, il resta lié d'amitié avec Modouin, l'évêque d'Autun. Cf. Theodulfus, Carmina, n° 72, p. 563 sqq. et n° 73, p. 569 sqq.

20 Cf. SIMSON, Jahrbücher, tome 1, p. 169 sq.

21 Catalogus abbatum Floriacensium, p. 501.

22 Theodulfus, Carmina, n° 69, p. 558 sq.

23 Hugo, Historia, Lib. VI, p. 364.

24 Cf. GODMAN, Louis, p. 243.

25 DAHLHAUS-BERG, Nova antiquitas, p. 17 sq.

26 Hypothèse reprise dans DEPREUX, Poètes, p. 313.

27 Cf. DEPREUX, Matfrid, p. 348 sqq.

28 Cf. DAHLHAUS-BERG, Nova antiquitas, p. 2 sq. et p. 9 sq. Les monastères de Saint-Aignan, Fleury et Meung-sur-Loire sont mentionnés comme établissements *quae nobis ad regendum concessa sunt* (Capitula episcoporum, p. 115 sq. = 1er capitulaire de Théodulf, c. 19).

29 B.M. 543(524) et B.M. 544(525).

30 Catalogus abbatum Floriacensium, p. 500 sq.

31 Capitula episcoporum, p. 115 sq.

32 B.M. 760(735).

33 Actes de Charles le Chauve, tome 1, n° 25, p. 62 sqq.

Saint-Mesmin-de-Micy[34]. La date du décès de Théodulf n'est pas connue. On a prétendu que l'évêque exilé »mourut à Angers, en 821, le 18 septembre«[35]. En fait, aucune source n'indique l'année. Il est par conséquent préférable de s'en tenir aux conclusions d'E. Dahlhaus-Berg: Théodulf mourut après le 8 février 820 (*terminus a quo* déterminé par l'un de ses poèmes[36]) mais avant le mois d'octobre 821[37]. Quant au mois et au quantième (18 septembre), ils sont vraisemblables[38].

263.   THÉOTHAIRE[1]
                  Comte, attesté de 811 à novembre 823

Suite à la demande d'aide du Danois Harold, Louis le Pieux avait envoyé, entre autres, le comte Théothaire en tant que *missus* de l'empereur auprès des rivaux du prince danois, les fils de Gotfrid. Les *missi* revinrent en 823, vraisemblablement lors du plaid tenu en novembre à Compiègne[2]. Théothaire était un spécialiste des affaires danoises: déjà en 811, on le trouve parmi les *primores de parte Francorum* qui conclurent la paix avec les Danois[3].

---

34 Letaldus, Liber miraculorum, p. 582 sq. La réforme de Micy a été décrite par Jarossay, Micy, p. 55 sqq.
35 Duchesne, Fastes, tome 2, p. 459.
36 Theodulfus, Carmina, n° 72, p. 566, v. 111 sqq.
37 Dahlhaus-Berg, Nova antiquitas, p. 21: »Nach dem 8. Februar 820, einer seinem Carmen LXXII zu entnehmenden Datierung, und vor dem Oktober 821, als in Diedenhofen eine allgemeine Amnestie für die Teilnehmer am Aufstand Bernhards erlassen wurde, die er nicht mehr erlebte, starb er zu einem unbekannten Zeitpunkt in der Haft«.
38 L. Duchesne se réfère au nécrologe de Saint-Germain-des-Prés, qui porte la mention: *XIIII. Kl. Oct. Dep. Theodulfi episcopi* (cité d'après Doc. dipl. Saint-Germain, pièces justificatives, p. CXVIII). Cette date est confirmée par l'obituaire du prieuré d'Argenteuil (Obituaires de Sens, tome 1, p. 349). A. Molinier (ibid., p. 273) est d'avis qu'il s'agit de l'évêque de Paris qui régna de 911 à 922 (ces dates sont celles données dans la Gallia Christiana …, tome 7, Paris 1744, col. 39 sq.). Cette identification n'est pas recevable, étant donné que l'obituaire de la cathédrale de Paris fait mention de la mort de cet évêque le 24 avril (Obituaires de Sens, tome 1, p. 124: *VIII kal. De domo sancte Marie, obiit Albericus, decanus atque sacerdos et Theodulphus episcopus, qui primus firmavit claustrum nostrum, sub Karolo rege*). Il n'y a pas de doute possible sur l'identité de ce Théodulphe avec l'évêque de Paris du temps de Charles le Simple. En effet, l'information donnée dans la notice chronologique est confirmée par un diplôme de 910/911: cf. Ph. Lauer (éd.), Recueil des actes de Charles III le Simple, roi de France (893–923), Paris 1949, n° 64, p. 144 sqq. On peut par conséquent penser que la mention du nécrologe de Saint-Germain-des-Prés relative au 18 septembre se rapporte à l'évêque d'Orléans.

1 Formes onomastiques: *Theotharius, Theotheri*.
2 Cf. Annales regni Franc., a. 823, p. 162 sq. – texte cité à la notice n° 237. Cf. Simson, Jahrbücher, tome 1, p. 207.
3 Annales regni Franc., a. 811, p. 134: *Theotheri comes*.

264. THÉOTHARD[1]

Archiviste (*cartolarius*), mort entre janvier 820 et juillet 821

Le *cartolarius* impérial Théothard[2] nous est connu par un diplôme de Louis le Pieux du 16 juillet 821. Un certain Fulquin lui avait confié ses biens avant de partir en expédition contre les Slaves; il s'agit vraisemblablement de l'expédition de janvier 820. Fulquin étant revenu sain et sauf de la campagne militaire, il désira récupérer ses biens. Or, entre-temps, Théothard était décédé. C'est pourquoi Fulquin s'adressa à Louis le Pieux pour qu'il lui rendît ses biens alors intégrés au fisc, ce que l'empereur fit après avoir ordonné une enquête[3]. Le titre de *cartolarius* porté par Théothard révèle fort probablement une influence du système aulique byzantin sur la cour franque[4]. On connaît les nombreux échanges épistolaires et diplomatiques entre les deux cours impériales[5]. Néanmoins, il est fort difficile d'apprécier quelles étaient les attributions exactes du *cartolarius*, car les chartulaires byzantins avaient des fonctions fort variées[6]. La prudence s'impose par conséquent et, sous toute réserve, je propose de voir en Théothard un archiviste[7] préposé à la gestion du Trésor[8]. C'est également

1 Formes onomastiques: *Theuthardus, Teuthardus*.

2 SIMSON, Jahrbücher, tome 2, p. 232 sqq., ignore ce personnage dans sa description de la cour.

3 B.M. 739(715), éd. Doc. dipl. Rhin moyen, n° 53, p. 59 sq.: ... *notum sit vobis quia quidam homo nomine Fulquinus de pago Engrisgoe et de villa Meineburo nostram adiit clementiam innotuit mansuetudini nostrae, qualiter dum in Dei et nostra utilitate contra Sclavos pergere deberet res suas proprias quas habeat Theuthardum quondam cartolarium nostrum tradidit, ea videlicet condicione, ut si Domno auxiliante de illo itinere reverteretur, easdem res suas illi redderet, et si vitam presentem in illo exercitu amitteret, pro eius anima iam dictas res daret, sed dum ipse de eadem expeditione fuisset reversus defunctum invenit eundem Theuthardum etiam omnes res illas quas idem Fulquinus modo superius comprehenso illi delegaverat in iuris nostri vestituram habere acceptam.* Le texte de ce diplôme est fautif. Pour qu'il ait un sens, il faut mettre la première mention de Théothard au datif, et non à l'accusatif.

4 Pour un exemple d'influence byzantine sur les usages de l'administration franque, cf. OHNSORGE, Legimus. On a par ailleurs la certitude qu'à une époque certes un peu postérieure à l'affaire qui nous occupe ici, en l'occurrence vers 840, on connaissait un *chartoularios* byzantin à la cour franque, cf. SHEPARD, Rhos guests, p. 55 sqq.

5 Cf. LOUNGHIS, Ambassades.

6 Cf. GUILLAND, Chartulaire.

7 NIERMEYER, Lexicon Minus, p. 175, donne également le sens de »fonctionnaire préposé aux registres de l'armée«, ce qui, étant donné le contexte dans lequel on connaît Théothard, est assez séduisant. Je préfère cependant m'en tenir à une description assez générale de cette fonction. Il y a néanmoins un problème de taille. F. Niermeyer a cité le diplôme de Louis le Pieux ici en question pour illustrer le sens d'un »ancien serf qui a été affranchi au moyen d'une charte«. Cette interprétation est totalement à rejeter. En effet, rien dans le texte de ce diplôme ne laisse supposer cela. Je traduis *cartolarius* par »archiviste« (cf. GAFFIOT, Dictionnaire, p. 299, art. »chartularius«) car c'est par ce terme que l'on peut, d'une manière générale, désigner l'activité des chartulaires byzantins, cf. GUILLAND, Chartulaire, p. 405. Sur les archives du Palais, cf. FICHTENAU, Archive, p. 21 sqq.

8 En effet, Paul Diacre fit de Narsès, qui commandait l'armée impériale dans la guerre que Justinien mena contre les Ostrogoths, un *chartolarius imperialis* (Paulus, Historia Langobardorum, II, c. 1, p. 72). Or, l'on sait que Narsès fut *sacellarius* (cf. JONES, Later Roman Empire, vol. 1, p. 276) avant de devenir *praepositus sacri cubiculi* (ibid., p. 290). Il semble donc que Paul Diacre considérât les termes de *sacellarius* (trésorier) et de *chartolarius* comme synonymes. Notons qu'au Bas-Empire, la fonction de *chartularius* était assumée par un fonctionnaire attaché au service du *cubiculum* de l'empereur (cf. JONES, Later Roman Empire, vol. 1, p. 567). Il semble dès lors peut-être permis de considérer Théothard comme un collègue de Tanculf (cf. la notice n° 258).

sous toute réserve que je compte Théothard parmi les officiers auliques: rien ne nous donne l'assurance absolue qu'il n'était pas, au niveau local, chargé de la gestion des terres du fisc[9].

265. ### THÉOTON[1]

Archichancelier, attesté à partir de 826 – mort en juin 834

Théoton[2] est attesté à la tête de la »chancellerie« à partir du 13 juillet 832[3] – sa nomination eut lieu entre le 28 mars 832[4] et cette date – et il assuma cette fonction jusqu'à sa mort[5], au début de l'été 834, lors des combats contre les partisans de Lothaire en Neustrie[6]. L'on ne possède pas de document illustrant de manière concrète l'activité de Théoton comme archichancelier[7]. Dans les sources relatant la mort de Théoton, ce dernier est dit *monasterii sancti Martini abbas*[8] ou *abbas sancti Martini Turonensis*[9]. L'on a proposé d'identifier ce monastère avec Saint-Martin de Tours et non avec Marmoutier[10], où Théoton était assurément abbé: en effet, à la requête de Judith, Louis le Pieux confirma, le 19 novembre 832, une possession aux religieux de Marmoutier, *ubi praesenti tempore venerabilis Theoto abba Deo deservientis congregationis pastor et rector esse cognoscitur*[11]. Mais rien n'empêche que Théoton fût abbé des deux monastères[12]: les expressions choisies par les annalistes pour désigner

---

9 Sur ce point, cf. METZ, Karolingisches Reichsgut, p. 144 sqq.

1 Formes onomastiques: *Theoto, Theuto, Theodo, Teuto*.
2 Cf. PERRICHET, Grande Chancellerie, p. 470; SICKEL, Acta regum, tome 1, p. 95 sq.; BRESSLAU, Urkundenlehre, tome 1, p. 386; TESSIER, Diplomatique, p. 44; FLECKENSTEIN, Hofkapelle 1, p. 83; DICKAU, Kanzlei, 2e partie, p. 103 et p. 120.
3 C'est la date du premier diplôme établi *ad vicem Theotonis*, B.M. 901(872), le diplôme B.M. 900(871) du 16 juin étant un faux.
4 C'est la date du dernier diplôme dont la recognition fut faite *ad vicem Fridugisi*, B.M. 899(870).
5 Il est encore attesté comme archichancelier le 15 mai 834, cf. B.M. 927(898).
6 Annales Bertiniani, a. 834, p. 13; Annales Fuldenses, a. 834, p. 27; Adrevaldus, Miracula, c. 21, p. 51. Le successeur de Théoton est attesté pour la première fois le 3 juillet 834, cf. B.M. 929(900).
7 L'on n'a peut-être pas à tenir compte de B.M. 907(878), diplôme du 4 octobre 832 expédié »auf fürsprache des magister Theoto« d'après les auteurs des Regesta imperii, qui s'appuient sur SICKEL, Acta regum, tome 1, p. 96 note 3. Or »Sickel las *impetravit* statt *dictavit*« (TANGL, Tironische Noten, p. 123). D'autre part, la mention en notes tironiennes est: *magister dictavit et scribere jussit* (Mentions tironiennes, p. 19). Le titre de *magister* ne s'appliquait pas uniquement à l'archichancelier, cf. JUSSELIN, Chancellerie, p. 6.
8 Annales Bertiniani.
9 Annales Fuldenses.
10 C'est ce que fit par exemple L. LEVILLAIN dans sa recension de KEHR, Kanzlei, dans: M.A. 45 (1935) p. 37 note 1. Au contraire, VOIGT, Klosterpolitik, p. 84 note 1, avait tenu pour »nicht glaubhaft« l'hypothèse selon laquelle Théoton aurait été abbé de Saint-Martin.
11 B.M. 910(881), éd. Recueil des hist. 6, n° 179, p. 583. Cf. en outre Doc. dipl. Marmoutier, Appendix n° 1, p. 273 sqq. Vers la même époque, Fridugise était attesté comme abbé de Saint-Martin, cf. B.M. 909(880).
12 Il se peut en effet que Théoton ait succédé à Fridugise, mort le 10 août 833, non seulement à l'office d'archichancelier (ce dès avant la mort de son prédécesseur), mais également à l'abbatiat de Saint-Martin de Tours. Sur Fridugise, cf. la notice n° 104.

Théoton lorsqu'ils font mention de sa mort se rapportent en effet habituellement au monastère de Saint-Martin[13]. L'origine de Théoton nous est inconnue. Il faut vraisemblablement identifier notre personnage avec le chapelain[14] Theuto attesté à la cour en 826[15]: à l'occasion du baptême de Harold, il dirigeait le choeur des chantres[16]. En revanche, rien ne permet de déterminer si le *vir spectabilis* Théoton qui, ainsi que le prêtre du Palais Sicard, assista en juin 827 au synode de Mantoue en tant que légat impérial[17] était le chapelain du même nom[18]. Il serait d'autre part fort séduisant d'identifier l'archichancelier avec le fils de Tassilon, qui fut tonsuré en 788[19] et qui aurait été retenu au monastère de Saint-Maximin de Trèves[20], ce que la rareté du nom, qui n'était pourtant pas porté exclusivement par les membres de la famille ducale bavaroise[21], laisserait présager. Mais étant donné que rien ne permet d'étayer cette hypothèse[22], il me semble préférable de l'abandonner[23].

13 Ainsi que l'a souligné M. J.-P. Brunterc'h lors de ma soutenance de thèse.
14 Cf. FLECKENSTEIN, Hofkapelle 1, p. 65.
15 Cf. TESSIER, Diplomatique, p. 44 note 7.
16 Ermoldus, Elegiacum carmen, lib. IV, v. 2286, p. 174: *Theuto chorum cleri disponit rite canentum*; ibid., v. 2316 sq., p. 176 sqq.: *Mox tuba Theutonis clare dat rite boatum,/ Quam sequitur clerus protinus atque chori.*
17 Concilium Mantuanum, p. 585. Cf. KRAHWINKLER, Friaul, p. 175.
18 Cf. SIMSON, Jahrbücher, tome 1, p. 283 note 4. W. Hartmann pense qu'il s'agit d'un laïc: »Da bei allen übrigen Teilnehmern der geistliche Rang genannt ist, dürfte es sich bei Theoto mit ziemlicher Sicherheit um einen Laien gehandelt haben« (HARTMANN, Laien, p. 262).
19 Annales regni Franc., a. 788, p. 80 sqq. En 787, le fils de Tassilon avait été livré à Charlemagne comme otage, ce qui est attesté par mainte source.
20 Cf. WOLF, Bemerkungen, p. 364.
21 Cf. KLEBEL, Theodo, p. 201 sq.
22 Il n'existe à ma connaissance qu'un indice fort ténu. Dans la Vita Hugonis, il est question d'un Hugues, bâtard que Charlemagne aurait eu de la fille de Tassilon de Bavière: *Beatus igitur homo Dei strenuus et Karoli magni regis filius ex matre nobili Anstrudi fuit progenitus. Quae Anstrudis, ut in gestis domni et magni regis Karoli invenitur, filia fuit cuiusdam Tassilonis nobilissimi Baioariae ducis, et Hunoldus eius filius vir magnae strenuitatis* (c. 1, p. 235). Ceci n'est qu'un tissu de fables. Il est ensuite relaté comment Hugues fut éduqué à Saint-Denis, puis à la cour. Ensuite, il entreprit un voyage à Rome, où il se fit ordonner diacre par le pape. A son retour, il fut accueilli par son frère Drogon, et Charlemagne lui donna l'évêché de Rouen. J. van der Straeten, l'éditeur de cette Vita, qui »ne saurait être antérieure au dernier tiers du IXe siècle« (ibid., p. 226), est d'avis que son auteur, qui composa son récit »dans des conditions peu favorables: en exil, sans bibliothèque, laissé à ses propres souvenirs ou à ceux de quelques confrères plus âgés« (ibid., p. 226), »a bénéficié d'une tradition orale« et qu'il n'y a, dans le texte, »pas trace de documents écrits« (ibid., p. 223). On peut par conséquent supposer une confusion dans l'esprit de l'auteur de cette Vita: il aurait cru qu'un descendant de Tassilon – qui fut justement interné près de Rouen, à Jumièges – avait fait carrière et il lui aurait associé quelques traits de Hugues, le véritable bâtard de Charlemagne. J'ai bien conscience du caractère assez osé de cette construction et ne la cite que comme élément pouvant sinon justifier cette hypothèse, du moins insinuer qu'elle n'est pas invraisemblable.
23 A noter qu'à une date indéterminée, Louis le Pieux, *suggerente atque petente Teodoni, vasallo dilecti filii nostri Lotharii caesaris*, fit une donation à ce personnage dont on ne sait sinon rien, B.M. 810(786) = Formulae imperiales, n° 42, p. 319.

266.   **THOMAS**[1]
                          Précepteur du Palais

C'est par un poème que Walafrid Strabon dédia à Thomas, désigné comme *praecep-tor palatii*, que ce personnage, auquel Walafrid donnait de l'*alm(us) pater*, nous est connu[2]. J. Fleckenstein suppose que ce précepteur du Palais, c'est-à-dire ce »Lehrer an der Hofschule«[3], comptait parmi les chapelains[4].

267.   **URSINIAN**[1]
                Notaire impérial en Italie, attesté de mai 798 à mars 830

Le notaire Ursinian[2] était dans l'entourage de l'abbé Adalhard lors de son séjour en Italie vers la fin du règne de Charlemagne: il dicta la notice d'un plaid tenu en février 814 par l'abbé de Corbie[3]. Déjà, Ursinian était dans l'entourage des *missi domni regis* en mai 798 à Spolète, puisqu'il fut le rédacteur de la notice du plaid alors tenu en ce lieu[4]. L'on retrouve Ursinian à Reggio avec Wala en décembre 824 où il siégea com-me *iud(ex) domni imperatoris*[5] et à Parme en mars 830, où il présida lui-même le plaid[6].

268.   **WADON**[1]
                           Attesté en août 794

Wadon fut l'un des souscripteurs du diplôme de Louis le Pieux délivré le 3 août 794 en faveur de la *cellola* de Nouaillé[2].

1 Seule forme onomastique: *Thomas*.
2 Walahfridus, Carmina, n° 36, p. 387. Il est également question d'un Thomas, vraisemblablement iden-tique avec notre personnage, dans Theodulfus, Carmina, n° 79, p. 581 v. 57.
3 Simson, Jahrbücher, tome 2, p. 260. Il n'y a pas à prendre en compte l'analyse présentée par B. Sim-son, ibid., p. 260 sq. note 10, concernant les comtes du Palais désignés comme *in palatiis praeceptores* par Walafrid, car la leçon *praetores* est à préférer (cf. Walahfridus, Libellus de exordiis, c. 32, p. 515 l. 26).
4 Fleckenstein, Hofkapelle 1, p. 74.

1 Seule forme onomastique: *Ursinianus*.
2 Cf. Bresslau, Urkundenlehre, tome 1, p. 622 sq. Cf. également l'appendice n° 3 Q.
3 Doc. dipl. Italie, n° 28, p. 85 sqq.
4 Doc. dipl. Italie, n° 10, p. 28 sqq. Ursinian rédigea cet acte sous la dictée de Bonifrid (cf. la notice n° 56).
5 Doc. dipl. Italie, n° 36, p. 109 sqq.: (plaid tenu par Wala lors de son retour de Rome) ... *erantque no-biscum Garipertus, Ursinianus et Maurus iudices domni imperatoris ... (+ Ego Ur)sinianus notarius domni imperatoris interfui.*
6 Doc. dipl. Italie, n° 40, p. 126 sqq.: *Dum in Dei nomine resedissimus nos Ursinianus notarius domnus imperatoris infra claustra sancte Parmense ecclesie ad singulorum hominum causas audiendum et deli-berandum ...*

1 Seule forme onomastique: *Wado*.

269.   **WALA**[1]

Comte, puis abbé de Corbie, vraisemblablement né entre 772 et 780[2] –
                        mort le 31 août 836[3]

Etant donné que l'on dispose d'une très bonne étude biographique sur Wala, c'est à
ce travail qu'il convient de se reporter[4]. Il sera par conséquent ici avant tout question
des sources montrant explicitement la participation du célèbre »comte, moine et rebelle« à l'exercice du pouvoir sous Louis le Pieux. Paschase Radbert, dans son Epitaphium Arsenii[5], n'hésite pas à affirmer que Wala fut, en son temps, apprécié comme
nul autre[6]. Ceci est confirmé par l'auteur de la Translation de saint Guy, qui dit de
lui: ... *in diebus Karoli imperatoris magnae fuerat potestatis, omnibus qui erant in palatio venerabilior*[7]. De fait, Wala apparaît comme l'une des principales personnalités
de la fin du règne de Charlemagne: en 811, il fut le premier des comtes cités comme
témoins de son testament[8]; en cette même année, il était également le premier des *primores ... de parte Francorum* ayant conclu la paix avec les Danois[9]. C'est d'ailleurs
en raison du grand prestige dont jouissait Wala que, selon l'Astronome, Louis le
Pieux craignait qu'il ne s'opposât à sa prise de pouvoir après la mort de Charlemagne. Au contraire, sa soumission semble avoir provoqué l'adhésion des autres *proceres*[10]. Il est à remarquer que Wala compta parmi les quelques grands que Louis le
Pieux envoya au palais d'Aix-la-Chapelle pour y assurer l'ordre en prévision de sa
venue[11]. Cette mission relevait de la stratégie politique, si l'on observe avec K. Brunner que ceux qui en étaient chargés s'avéraient les »représentants des principales factions de l'aristocratie en concurrence les unes avec les autres«[12]. Au début du règne
de Louis le Pieux, Wala semble avoir joui pour quelque temps encore de son grand
prestige[13]. Ensuite, et dans des circonstances (retrait volontaire[14] ou forcé des affai-

2 B.M. 516(497), éd. Ch.L.A., n° 681. Sur les souscripteurs de ce diplôme, cf. DEPREUX, Kanzlei, p. 156
   et supra, la partie d'analyse II A.

1 Formes onomastiques: *Wala, Walah, Walach, Walo, Walh, Walahus.*
2 Cf. WEINRICH, Wala, p. 13.
3 Cf. ibid., p. 88 et note 139.
4 WEINRICH, Wala.
5 Sur cette source, cf. GANZ, Epitaphium.
6 Paschasius, Epitaphium, p. 59: *Verumtamen constat nostrum Arsenium tantum nunc temporis dilectum fuisse atque famosum, quantum nullus eo in regno.*
7 Translatio s. Viti, p. 40. Cf. Paschasius, Epitaphium, p. 29: ... *constituitur ab augusto echonomus totius domus, et venerabatur passim secundus a cesare, quasi putares alium Ioseph sceptra regni movere.*
8 Einhardus, Vita Karoli, c. 33, p. 100. Cf. BRUNNER, Oppositionelle Gruppen, p. 78.
9 Annales regni Franc., a. 811, p. 134.
10 Astronomus, Vita, c. 21, p. 618: ... *et cum quanto passa est angustia temporis populo iter arripuit.
   Timebatur enim quammaxime Wala, summi apud Karolum imperatorem habitus loci, ne forte
   aliquid sinistri contra imperatorem moliretur. Qui tamen citissime ad eum venit, et humillima
   subiectione se eius nutui secundum consuetudinem Francorum commendans subdidit. Post cuius
   ad imperatorem adventum aemulati eum omnes Francorum proceres, certatim gregatimque ei obviam ire certabant ...*
11 Astronomus, Vita, c. 21, p. 618 – texte cité à la notice n° 108.
12 BRUNNER, Oppositionelle Gruppen, p. 96.
13 Paschasius, Vita Adalhardi, c. 32, p. 527: ... *deinde Wala virorum clarissimus, qui ei successit postea
   monachorum pater eximius, tunc temporis* (il vient d'être question de l'exil d'Adalhard en 814) *pri-*

res) qui n'ont toujours pas été absolument éclaircies[15], il devint moine à Corbie[16]. C'est vraisemblablement dès 814 que Wala entra dans la voie monastique[17] où, selon Paschase Radbert, il parvint presque à la perfection[18]. En août 822, lors du plaid tenu à Attigny, Louis le Pieux avoua ses fautes publiquement (*publicam confessionem fecit*) et il se réconcilia en particulier avec Wala[19]. Très vite, Adalhard (I) et Wala recouvrèrent le prestige dont ils jouissaient à la fin du règne de Charlemagne, comme l'atteste une lettre qu'Agobard leur adressa, ainsi qu'à Hélisachar[20]. Tous trois entendirent la plainte que l'archevêque de Lyon présenta lors de sa venue à la cour[21], concernant le baptême des *mancipia* de Juifs. Ensuite, ils en informèrent l'empereur[22].

En 822, Wala fut envoyé en Italie, pour assister Lothaire dans sa mission outre-Alpes[23], ce qui donne à Paschase Radbert l'occasion d'appeler *procurator regni et magister imperatoris* le moine de Corbie[24]. La notice d'un plaid qu'il présida en décembre 824 concernant le droit de pêche de l'abbaye de Nonantola (et qui nous renseigne aussi sur un plaid semblable tenu en 822) illustre l'activité de Wala, qui revenait de

mus inter primos, et cunctis amabilior unus; nimia familiaritate regi inhaerens, et maxima praefecturae dignitate subvectus; in senatu clarior cunctis, in militia vero prudenti animo fortior universis, quem tanta laus sequebatur in omni vitae negotio, ut longe plus censeretur amore posse, quam omnium fastus etiam et tyrannis reliquorum. Erat enim iustitiae custos et decus honestatis, oppressorum quoque iustus oppressor. Un autre passage – semblable – est significatif (Paschasius, Epitaphium, p. 22): *Verum quod prioris Arsenii a puero ex militia et dignitate gloriam ampliavit. Fuit enim consobrinus maximi augustorum, eique pre cunctis acceptior, in sermone verax, … in iudicio iustus, providus in consilio, et in commisso fidelissimus. In senatu quidem pre cunctis pollebat ingenio; ut si interrogaretur de quibuslibet rerum negotiis, quicquid melius dici aut inveniri poterat, mox in eodem momento sine ulla dilatione quasi de fonte manabat consilii…*

14 Paschasius, Epitaphium, p. 23: *Qui cum esset divino amore succensus, relictis omnibus, coenobium petiit monastice discipline, ne suis, sed Christi legibus, et spiritu ageretur divino.*

15 Cf. WEINRICH, Wala, p. 31.

16 Paschasius, Vita Adalhardi, c. 35, p. 528.

17 Annales Iuvav. maiores, a. 814, p. 738: *Walh tonsus est.* Il est fort difficile, voire impossible, de déterminer si le Walh en question était le demi-frère d'Adalhard. E. DÜMMLER, dans: Karol. Miscellen, p. 120, a voulu en faire un »Geistlicher« de Wurzbourg. Bien qu'il fût en partie suivi par SIMSON, Jahrbücher, tome 1, p. 21 note 4 (l'auteur note seulement que cette mention »scheint sich nicht auf ihn zu beziehen«), BRESSLAU, Salzburger Annalistik, p. 15 note 1, et WEINRICH, Wala, p. 31 note 121, ont avec raison rejeté son interprétation; mais alors que L. Weinrich veut à tout prix reconnaître en Walh le personnage auquel il a consacré une biographie, H. Bresslau, plus prudent, a noté: »Aus der Notiz … ist … nichts Sicheres zu folgern«. Quoi qu'il en soit, il ressort du texte de Paschase Radbert (Vita Adalhardi, c. 35, p. 528) que l'entrée de Wala dans l'état monastique était contemporaine de l'exil d'Adalhard, qui date de 814.

18 Paschasius, Epitaphium, p. 35.

19 Annales regni Franc., a. 822, p. 158.

20 Agobardus, Epistolae, n° 4, p. 164 sqq.: *Reverentissimis ac beatissimis domnis et domnis et patribus sanctis Adalardo, Walae et Helisacharo.*

21 En août 822, cf. SIMSON, Jahrbücher, tome 1, p. 393.

22 Cf. Agobardus, Epistolae, n° 4, p. 164 – texte cité à la notice n° 8.

23 Cf. Annales regni Franc., a. 822, p. 159 – texte cité à la notice n° 115. Cf. Astronomus, Vita, c. 35, p. 626. Un exemple concret de l'action de Wala est présenté par Paschasius, Epitaphium, p. 55 sqq.

24 Paschasius, Epitaphium, p. 58. Cf. également ibid., p. 55: *… cum pedagogus esset augusti cesaris ultra Penninas Alpes, quid egerit in iudiciis, quidve in dispositione rerum et iustitiae disciplina … et un peu plus loin (ibid.): … qui tunc una cum augusto filio eius ob institutionem et dispositionem regni a patre quasi fidissimus mittebatur et propinquus.* Wala profita de son séjour à Rome pour augmenter les fonds de la bibliothèque de Corbie, cf. Amalarius, Prologus, c. 2, p. 361.

Rome *in servitio d(omni imperat)oris* [25]. Wala n'aurait pas séjourné toujours en Italie, puisque l'auteur de la Translation de saint Guy affirme qu'il fut envoyé par Adalhard présenter à Louis le Pieux une requête pour Corbie [26], mais il s'agit peut-être d'une confusion [27]. En 826, peu après la mort d'Adalhard [28], Wala devint abbé de Corbie [29] et de Corvey [30]. Vers la même époque, on le revoit paraître à la cour de Louis le Pieux. Agobard s'adressa à lui et à l'archichapelain pour se plaindre de l'interdiction prononcée concernant le baptême des *mancipia* de Juifs [31]. L'archevêque de Lyon eut une nouvelle fois recours à Wala – en vain [32] – car il était d'avis que Hilduin et l'abbé de Corbie s'avéraient »les principaux et presque les seuls aides de l'empereur très-chrétien à être dans la voie de Dieu« et que Wala, pour cette raison, séjournait »fréquemment« à la cour [33], ce qui – outre le jugement de valeur – prouve le prestige de Wala et son influence auprès de Louis le Pieux. On a d'ailleurs un autre exemple du déplacement de Wala avec la cour, en l'occurrence au début de l'été 826, à l'occasion du plaid tenu à Ingelheim au cours duquel le Danois Harold fut baptisé: Wala fréquentait le palais chaque jour [34]. Harold avait demandé à Louis le Pieux de le renvoyer accompagné d'un missionnaire. Lorsque l'empereur en discuta avec ses grands, c'est Wala qui fut en mesure de proposer une solution [35].

L'abbé de Corbie profitait de son autorité pour faire entendre son avis: en 829, suite à la demande de Louis le Pieux qui proposait de réfléchir sur la raison des maux de l'époque [36], Wala composa un mémoire où il dénonçait les vices des divers organes de l'Etat et il en présenta la teneur au plaid de Worms [37]. Jusqu'alors, la critique ne s'était pas exercée contre Louis le Pieux. Il n'en fut plus de même par la suite, à cause de la politique qu'il menait désormais [38], bien que Wala s'y opposât précisément (et paradoxalement) *pro fide regni et regis* [39]. Thégan ne mentionne pas l'abbé de Corbie parmi les meneurs de la révolte de 830, mais il y prit part [40]. C'est pourquoi il fut exilé

25 Doc. dipl. Italie, n° 36, p. 109 sqq.
26 Translatio s. Viti, p. 44.
27 Cf. WEINRICH, Wala, p. 53 sq.
28 Paschasius, Epitaphium, p. 39: ... *defuncto Antonio paulo post substituitur pater eximius eius in loco.*
29 Cf. WEINRICH, Wala, p. 55 sq.
30 C'est la conclusion à laquelle parvient KRÜGER, Nachfolgeregelung. Cf. la notice n° 272.
31 Agobardus, Epistola, n° 6, p. 179 sqq.: *Dominis et sanctissimis beatissimis viris inlustribus Hilduino sacri palatii antistiti et Wale abbati Agobardus servulus.*
32 Cf. WEINRICH, Wala, p. 58.
33 Cf. Agobardus, Epistola, n° 6, p. 179 – texte cité à la notice n° 157.
34 Rimbertus, Vita s. Anskarii, c. 7, p. 694: ... *cum abbas per dies singulos ad palatium iret* ...
35 Ibid. A ce propos, cf. la notice n° 29.
36 Constitutio de synodis.
37 Paschasius, Epitaphium, p. 61: *Qua de causa parvam edidit scedulam, siquidem sibi ad memoriam, in qua litteris depinxit universa regni huius efficaciter vitia, sicque circumspecte, ut nullus adversariorum omnia ita non esse negare posset. Inde ad comitatum rediens, omnia coram augusto et coram cunctis ecclesiarum presulibus et senatoribus proposuit singillatim diversorum ordinum officia, excrescentibus malis, et ostendit cuncta esse corrupta vel depravata.*
38 Cf. WEINRICH, Wala, p. 70 sqq.
39 Paschasius, Epitaphium, p. 68: *Verum, frater, quia videbat mala, quae cotidie surgebant innumera et immensa, sed prenoscere non valuit quae futura erant. Quibus, quantum ex se fuit, obviare voluit, et resistere pro fide regni et regis, pro amore patriae ac populi, pro religione ecclesiarum et salute civium, que omnia cariora illi erant, quam sua vita.*
40 Cf. WEINRICH, Wala, p. 72 sqq.

lors du plaid tenu durant l'automne 830 à Nimègue[41]. Ce n'est toutefois que bon gré, mal gré qu'en 833, Wala se rangea dans le camp de Lothaire[42]. Il le suivit également dans son exil italien[43] et il demeura un homme de confiance, cette fois pour le jeune empereur: Lothaire l'envoya négocier en mai 836, lors du plaid tenu par Louis le Pieux à Thionville[44]. A cette occasion, Louis se réconcilia avec lui[45]. Ce fut la dernière mission politique de Wala, qui décéda vers la fin de l'été, le 31 août 836[46].

270.   WALAFRID[1] STRABON

Futur abbé de la Reichenau, né vers 808/809[2] – mort le 18 août 849[3]

Walafrid[4], moine de la Reichenau remarqué à la cour pour sa version poétique de la Visio Wettini[5], fut peut-être chapelain de l'impératrice Judith[6]. Toujours est-il qu'il entretenait avec elle des rapports privilégiés[7]. C'est en connaisseur du milieu palatin

---

41 Astronomus, Vita, c. 45, p. 633: *Walach abbas iussus est ad monasterium redire Corbeiae, ibique regulariter obversari.* Cf. Translatio s. Viti, p. 46: *His itaque gestis post aliquod temporis spatium accidit quaedam disceptatio inter Ludowicum imperatorem et principes qui erant in regno. Pro qua re in tantum indignatio principis excrevit, ut et Walonem, quem olim ante omnes dilexerat, in exilium mitteret* … Contrairement à ce qu'affirme l'Astronome, ce n'est qu'après un long périple d'un monastère-prison à l'autre (périple décrit et analysé par WEINRICH, Wala, p. 75 sqq.) que Wala revint à Corbie comme simple moine, en 832. Il ne semble donc pas avoir bénéficié de la grâce prononcée au printemps 831 (cf. Astronomus, Vita, c. 46, p. 634; Annales Bertiniani, a. 831, p. 4).

42 Cf. WEINRICH, Wala, p. 79 sqq.

43 Wala devint abbé de Bobbio, cf. WEINRICH, Wala, p. 85 sqq.

44 Cf. Theganus, Vita, continuatio, p. 603 – texte cité à la notice n° 232. Cf. Annales Bertiniani, a. 836, p. 18 sq.

45 Astronomus, Vita, c. 55, p. 640: *In condicta porro villa et tempore praefinito adfuere missi a filio, quos ipse praecepit, plurimi; inter quos etiam Wala primus adfuit. Causa autem supradicta ventilata atque ad calcem perducta, imperator cum coniuge reconciliari voluit, primum ipsi Walae, dimissis, quaecumque in eos commiserat, delictis multa alacritate et benignitate cordis* … Dans le texte précédant ce chapitre, le récit de l'Astronome souffre d'une confusion concernant les plaids de 835 (cf. SIMSON, Jahrbücher, tome 2, p. 139 note 5), mais il n'y a ici pas d'erreur: il s'agit du plaid tenu à Thionville en mai 836.

46 Annales Bertiniani, a. 836, p. 20: *Tunc etiam Walo abba, cuius consiliis Lotharius plurimum utebatur, in Italia obiit.* Cf. Theganus, Vita, continuatio, p. 603. Pour ce qui est du mois et du quantième, cf. WEINRICH, Wala, p. 88 et note 139. L'auteur se range à une *communis opinio*, cf. SIMSON, Jahrbücher, tome 2, p. 156 sq. note 5. Louis le Pieux porta le deuil de Wala, cf. Astronomus, Vita, c. 56, p. 642.

1 Formes onomastiques: *Walafridus, Walahfridus*.

2 Cf. l'introduction d'E. DÜMMLER à Walahfridus, Carmina, p. 259.

3 Cf. l'épitaphe publiée dans Walahfridus, Carmina, p. 423 (appendice, n° 1).

4 Cf. l'introduction d'E. DÜMMLER à Walahfridus, Carmina, p. 259 sqq.; MANITIUS, Geschichte, p. 302 sqq.

5 BEZOLD, Kaiserin, p. 379.

6 Cf. FLECKENSTEIN, Hofkapelle 1, p. 73. Nous sommes ici dans le domaine des pures hypothèses. Le fait est que l'on a le texte d'une lettre adressée à un chapelain de l'impératrice dont on ignore le nom (Einhardus, Epistolae, n° 69, p. 143: *Honorando atque sublimato et spiritu sapientiae repleto … magistro atque precipue capellano domne imperatricis*). DÜMMLER, Formelsammlungen, p. 402 note 3, a non pas »montré« (comme l'affirme J. Fleckenstein), mais seulement supposé qu'il s'agissait de Walafrid.

7 Cf. BEZOLD, Kaiserin. Cf. notamment Walahfridus, Carmina, n° 23 a, p. 378 sq.

qu'il composa son poème fondamental De imagine Tetrici[8]. On s'accorde à reconnaître en lui le précepteur de Charles (le Chauve)[9]. En 838, Walafrid devint abbé de la Reichenau[10]. A ce titre, il obtint des donations de Louis le Pieux[11]. Il assista au plaid de Worms, au début de l'été 839, réunion au cours de laquelle l'empire fut partagé entre Lothaire et Charles[12].

271.   **WARENGAUD**[1]

Comte du Palais, attesté en 814/815

Warengaud était le comte du Palais[2] qui présida, vraisemblablement vers la fin de 814, le tribunal, composé en partie de comtes de la Marche d'Espagne et réuni en l'église Saint-Martin d'Aix-la-Chapelle, qui eut connaissance du différend entre l'aprisionnaire Jean et le comte Adhémar[3].

272.   **WARIN**[1] **(I)**

Abbé de Corvey, attesté avant 826 – mort le 20 septembre 856[2]

D'après l'auteur de la Translation de saint Guy, Warin, d'origine noble à la fois franque[3] et saxonne, aurait joui d'une grande influence étant jeune: il aurait même été l'un des principaux personnages du Palais de Louis le Pieux. Mais préférant le service

8 Sur le jugement des historiens concernant ce poème, cf. DEPREUX, Poètes, p. 313 sq.
9 Cf. NELSON, Charles the Bald, p. 82 sqq. MANITIUS, Geschichte, p. 303: »Im Jahr 829 wurde er durch den Erzkapellan Hilduin an den Hof empfohlen und hier wurde er Lehrer des jüngsten Kaisersohnes Karl und trat zu Ludwig und Judith in ein näheres Verhältnis«. Sur la reconnaissance de Walafrid envers Hilduin, cf. Walahfridus, Carmina, n° 29, p. 383.
10 Annales Augienses, a. 838, p. 68. L'indication du Catalogus abbatum Augiensium, p. 38, selon laquelle Walafrid aurait exercé les fonctions abbatiales durant sept ans, est erronée.
11 B.M. 991(960) et B.M. 994(963).
12 En effet, le diplôme B.M. 994(963) fut donné à Worms le 20 juin 839. Concernant la fin de la vie de Walafrid (après la mort de Louis le Pieux), cf. MANITIUS, Geschichte, p. 304, et l'introduction d'E. DÜMMLER à Walahfridus, Carmina, p. 260 sq.

1 Seule forme onomastique: *Warengaudis*.
2 Ce personnage est compté parmi les comtes du Palais de Charlemagne par MEYER, Pfalzgrafen, p. 459, sans que l'auteur justifie la datation qu'il adopte. Ceci est probablement dû au fait que HALBEDEL, Fränkische Studien, p. 43 et note 14, voulait reconnaître en Archibaldus le notaire Ercambaldus, responsable de la chancellerie de Charlemagne de 797 à 812. Je suis d'accord avec cette identification, cf. la notice n° 32. Néanmoins, le procès en question eut lieu plus vraisemblablement sous Louis le Pieux (je propose de le dater de la fin de l'année 814), cf. l'annexe n° 1.
3 Enquête de Fontjoncouse, n° 3, p. 112 sqq.

1 Formes onomastiques: *Warinus, Werinus*.
2 Catalogus abbatum Corbeiensium, p. 275: *Domnus Warinus abbas prefuit annis 30, menses 4, dies 25; obiit 12. Kalend. Octobr.*
3 Warin est d'ailleurs appelé *propinquus noster* dans certains diplômes de Louis le Pieux, mais il s'agit de faux. Cf. B.M. 900(871), éd. Doc. dipl. Westphalie, n° 7, p. 8, et B.M. 983(952), éd. ibid., n° 12, p. 10 sq. (à la p. 11) – à ce propos, cf. Dipl. Karol. 3, n° 143, p. 320 sqq.

de Dieu à sa belle et très noble épouse, il se serait fait moine à Corbie. C'est Warin que le vieil Adalhard voulait avoir pour successeur à Corvey[4]. Son voeu fut accompli: Warin est attesté pour la première fois comme abbé le 8 juin 833, dans un diplôme de donation de Louis le Pieux à Corvey. Il dut sa charge abbatiale à l'empereur: *Warinus, quem in eodem monasterio abbatem praefecimus*[5]. L'auteur de la Translation de saint Guy laisse entendre que Warin fut élu par les moines peu après la mort d'Adalhard[6] et il affirme d'ailleurs qu'il gagna en prestige[7] lorsqu'il eut la garde d'un des meneurs de la »révolte loyale« de 830, Hilduin, pendant son exil à Corvey[8]. Mais Warin était-il déjà à la tête de cette abbaye? D'après le catalogue des abbés de Corbie[9], l'abbatiat de Warin dut commencer en 826 (le 26 avril). Cette date a été largement acceptée par les chercheurs[10], même si elle pose quelques problèmes chronologiques par rapport au témoignage d'autres sources[11]. K. Krüger a par conséquent proposé une nouvelle hypothèse fort séduisante: Warin ne serait devenu abbé qu'au printemps 833[12]. Auparavant, il aurait néanmoins assumé une charge prestigieuse en cette abbaye: Paschase Radbert reconnaissait en effet en lui un *magist(er) monasticae disciplinae*[13].

Quoi qu'il en soit, Warin, désormais abbé de Corbie, se trouva aux côtés de Louis le Pieux dans les moments critiques: alors que l'orage s'annonçait, il était avec l'empereur à Worms au printemps 833[14]; on le retrouve près de lui à Aix-la-Chapelle au printemps 834. Ce n'est d'ailleurs peut-être pas un hasard si c'est en faveur de l'abbaye de Corvey que Louis le Pieux fit expédier ce qui semble être le premier diplôme donné après qu'il reprit les rênes du pouvoir[15]. Warin accompagna l'empereur dans la grande campagne qu'il mena au cours de cette année pour restaurer son autorité, puisqu'il est attesté à la cour en décembre 834[16]. Un événement marquant de l'abbati-

---

4 Translatio s. Viti, p. 44: *Erat eo tempore in Corbeiensi monasterio quidam adolescens monachus, qui ex nobilissimo Francorum atque Saxonum genere fuerat ortus nomine Warinus. Hic a tanta perfectione cepit, ut cum esset iuvenis atque magna potestate praedictus haberet sibi desponsatam virginem pulchram atque nobilissimam et iam iamque inter primos palatii consisteret, elegit potius servire Deo aeterno quam regi mortali relectisque omnibus portum monasterii petiit. Hunc venerabilis pater in nova Corbeia iuvenem abbatem facere cogitabat confidens scilicet de Dei misericordia, ut qui a tanta perfectionne cepisset, perfectius consummaret.*

5 B.M. 923(894), éd. Doc. dipl. Westphalie, n° 9, p. 9. Cf. également B.M. 935(906).

6 Translatio s. Viti, p. 44.

7 Warin aurait également reçu d'autres abbayes, cf. SEMMLER, Corvey und Herford, p. 303.

8 Translatio s. Viti, p. 46.

9 Catalogus abbatum Corbeiensium, p. 275.

10 Cf. WEINRICH, Wala, p. 56; cette date est admise de manière implicite par SEMMLER, Corvey und Herford, p. 302.

11 On était jusqu'alors contraint de supposer que »wie es Adalhard getan hatte, so hielt auch Wala seine schützende Hand über das Kloster in Sachsen und übte, wie es scheint, noch gewisse Aufsichtsrechte über den jungen Abt Warin aus« (SEMMLER, Corvey und Herford, p. 302).

12 KRÜGER, Nachfolgeregelung.

13 Epistolae variorum 4, n° 3, p. 132 sqq.

14 B.M. 923(894).

15 B.M. 927(898).

16 B.M. 935(906). Un autre diplôme n'est malheureusement pas daté: B.M. 924(895).

at de Warin du temps de Louis le Pieux[17] fut assurément, en 836, la translation des reliques de saint Guy qu'il avait obtenues de l'abbé de Saint-Denis, Hilduin[18]. Le récit de cette translation permet de suivre le cortège dans le détail de son périple qui le fit passer par Meaux (20/21 mars 836), Rebais (jusqu'au 21 mai 836) et Aix-la-Chapelle (28/29 mai 836). L'arrivée à Corvey eut lieu le 13 juin 836.

273.   **WARIN**[1] **(II)**
                   Comte, attesté de 818 jusque vers 850

Le comte Warin[2] est mentionné pour la première fois en 818[3]: aux côtés du comte de Toulouse, Bérenger (I), il combattit le rebelle gascon Loup Centulle[4]. Il est alors désigné comme comte auvergnat - *comes Arverni* selon l'auteur des Annales royales et *Arvernorum com(es)* selon l'Astronome. En 825, Warin conclut un échange avec l'évêque de Mâcon, Hildebaud[5]. Les deux parties échangèrent des biens sis en Mâconnais et en Nivernais et leur accord fut confirmé par Louis le Pieux le 3 juin 825[6]. L'échange portait notamment sur la *villa* de Cluny[7], dont le comte reçut la propriété le 4 juillet 825[8]. On considère par conséquent Warin comme comte de Mâcon. C'est lors de la crise du règne de Louis le Pieux que Warin joua un rôle privilégié. Bien qu'il fît partie des opposants lors de la »révolte loyale« de 830, puisqu'il fut envoyé par les partisans de Pépin d'Aquitaine chercher Judith qui s'était réfugiée à Laon[9], il se rangea ensuite dans le camp de Louis le Pieux. En effet, durant l'hiver 833/834, il travailla en Bourgogne, avec Bernard[10], à rallier les esprits à la cause de Louis[11]. Ayant rassemblé des forces armées, Warin et Bernard firent marche sur la Marne et, peu avant le 19 février 834, ils envoyèrent deux légats auprès de Lothaire (Adrevald[12]

17 SEMMLER, Corvey und Herford, p. 303 note 133, affirme que »am 30. April 838 fungierte er … als Beisitzer des *placitum* Ludwigs des Frommen betr. das Kloster Saint-Calais« et remarque que LOT, Jugements, ne l'a pas identifié – à juste titre! Il n'y a pas d'abbé Warin parmi les témoins, mais un abbé (par ailleurs inconnu) Waringaire, cf. Concilium Carisiacense (bis), p. 847.
18 Translatio s. Viti, p. 46 sqq.

1 Formes onomastiques: *Warinus, Werinus, Garinus*.
2 Ce nom fut également porté par un comte d'Alémanie pendant le troisième quart du VIIIe siècle, cf. BORGOLTE, Grafen Alemanniens, p. 282 sqq. Il s'agit peut-être d'un parent, cf. BRUNNER, Oppositionelle Gruppen, p. 115.
3 CHAUME, Bourgogne, p. 155, distingue toutefois ce personnage du comte de Chalon, dont il retrace l'histoire, ibid., p. 154 sqq.
4 Cf. Annales regni Franc., a. 819, p. 150 – texte cité à la notice n° 45. Le fait est rapporté à l'année 819, mais il eut lieu l'année précédente. Cf. également Astronomus, Vita, c. 32, p. 624.
5 Doc. dipl. Saint-Vincent, n° 55, p. 42 sqq.
6 B.M. 796(772).
7 Doc. dipl. Saint-Vincent, n° 52, p. 40.
8 Doc. dipl. Saint-Vincent, n° 55, p. 43 sq.
9 Cf. Astronomus, Vita, c. 44, p. 633 – texte cité à la notice n° 184.
10 Cf. la notice n° 50.
11 Astronomus, Vita, c. 49, p. 637: *Porro Bernhardus et Werinus in Burgundia consistentem populum suasionibus accendebant, promissionibus alliciebant, iuramentis adstringebant, et in unum velle foederabant.*
12 Cf. la notice n° 18.

et Gauselme[13]) pour demander la libération de Louis le Pieux. Warin fut d'ailleurs désigné pour venir traiter avec le fils rebelle, mais cette démarche n'eut pas lieu étant donné la fuite de ce dernier[14].

Quand Lothaire apprit que Warin s'était retranché dans le *castrum* de Chalon-sur-Saône, il vint y mettre le siège[15]. Après avoir laissé y commettre nombre de cruautés, il laissa à Warin la vie sauve, à condition qu'il jurât de l'assister par le futur[16]. Ce dernier n'en demeura pas moins fidèle à Louis le Pieux. Comment expliquer sinon le diplôme du 27 juillet 835 par lequel l'empereur confirma aux chanoines de Saint-Marcel de Chalon la possession des biens sis dans les *pagi* de Mémontois et de Chalon dont le comte et ses ancêtres avaient fait donation? Cette confirmation fut accordée sur la requête de Warin, sous le *regim(en)* de qui se trouvait Saint-Marcel. Celui en qui on reconnaît le comte de Chalon était par conséquent l'abbé laïc de cet établissement – charge qu'il devait à Louis lui-même[17]. Par la suite, Warin eut encore affaire à Lothaire: en 836, Louis le Pieux l'envoya en compagnie de deux évêques et d'un autre comte à la cour de Pavie pour exhorter son fils à une véritable réconciliation[18]. Warin fut l'un des principaux grands de Charles le Chauve[19]. Ce comte est attesté pour la dernière fois dans une donation pour Flavigny que l'on date des environs de 850[20]. Son épouse s'appelait Albane[21].

274.   WIGFRED[1]
Attesté de 794 à 830

Wigfred fut l'un des souscripteurs du diplôme de Louis le Pieux du 3 août 794 en faveur de la *cellola* de Nouaillé[2]. Il faut vraisemblablement reconnaître en lui le futur

---

13 Cf. la notice n° 109.
14 Cf. Astronomus, Vita, c. 51, p. 637 – texte cité à la notice n° 93.
15 Astronomus, Vita, c. 52, p. 638.
16 Nithardus, Historia, lib. I, c. 5, p. 22: ... *Warino autem vitam donavit et ut se deinceps pro viribus juvaret jurejurando constrinxit.*
17 B.M. 944(913), éd. Recueil des hist. 6, n° 201, p. 601: ... *Garinus comes, sub cujus cura atque regimine monasterium S. Marcelli, quod constat esse constructum in vico qui dicitur Hubiliacus, commissum habemus, nostram adiens celsitudinem, indicavit mansuetudini nostrae qualiter ...*
18 Cf. Liutolfus, Translatio s. Severi, c. 2, p. 292 – texte cité à la notice n° 7.
19 Cf. NELSON, Intellectual in Politics, p. 2 sq.; NELSON, Charles the Bald.
20 Doc. dipl. Yonne, vol. 2, n° 3, p. 3.
21 Cf. B.M. 796(772), éd. Recueil des hist. 6, n° 134, p. 546.

1 Formes onomastiques: *Wigfredus, Wifredus.*
2 B.M. 516(497), éd. Ch.L.A., n° 681. Sur les souscripteurs de ce diplôme, cf. DEPREUX, Kanzlei, p. 156 et supra, la partie d'analyse II A.

comte de Bourges, qui en 830 demanda à Pépin Ier d'Aquitaine d'approuver la fondation du monastère de Saint-Genou[3].

275.   **WILLIBERT**[1]

Archevêque de Rouen[2], attesté de 794 à 825[3]

Vers le printemps 794[4], avant qu'il ne reçût l'archevêché de Rouen, Willibert était au service de Charlemagne: il fut envoyé par ce dernier en Aquitaine pour y restaurer le fisc[5]. A une date indéterminée, il obtint, en tant qu'archevêque de Rouen[6], une donation de Louis le Pieux devenu entre-temps empereur[7]. En 825, il est attesté comme *missus* dans sa province ecclésiastique[8].

276.   **WIRNIT**[1]

Magister parvulorum du Palais, attesté en mai 827

Le *magister parvulorum* de Louis le Pieux, Wirnit, qui devait probablement être chargé de l'éducation des enfants au Palais (»Lehrer der Kleinen«[2]), à moins qu'il ne fût spécialement responsable de celle des tout jeunes enfants que Louis le Pieux venait d'avoir de Judith[3], est attesté comme *missus* de l'empereur chargé d'enquêter à propos d'un différend entre l'abbé de Stavelot-Malmédy et l'*actor* du fisc impérial de Theux[4], Albric, concernant une forêt. Sa mission, menée avec un comte du Palais, est attestée par un diplôme en date du 25 mai 827[5].

---

3 Cf. Actes de Pépin, n° 16, p. 58 sq.

1 Formes onomastiques: *Willibertus, Willebertus*.
2 Cf. DUCHESNE, Fastes, tome 2, p. 209.
3 Son successeur est attesté dès fin 828, cf. ibid., p. 209.
4 D'après la chronologie du texte de l'Astronome.
5 Astronomus, Vita, c. 6, p. 610 – texte cité à la notice n° 230.
6 Son prédécesseur est attesté pour la dernière fois en 802, cf. DUCHESNE, Fastes, tome 2, p. 209.
7 B.M. 761(736).
8 Cf. Commemoratio, c. 1, p. 308 – texte cité à la notice n° 171.

1 Seule forme onomastique: *Wirnitus*.
2 SIMSON, Jahrbücher, tome 2, p. 261.
3 B. Simson fait observer (ibid., note 1): »Sehr möglich übrigens, daß der Kaiser unter *parvulorum nostrorum* hier lediglich seine eigenen noch unerwachsenen Kinder zweiter Ehe, Karl und Gisla, verstand«. On notera cependant que, par exemple, le chapitre de Barcelone, vers 1020, comptait parmi ses membres un *doctor parvulorum*, cf. RUCQUOI, Péninsule, p. 145. Par ailleurs, grâce à Ermold le Noir, nous savons qu'un *pedagogus* avait, en commun avec Judith, la charge du jeune Charles, cf. Ermoldus, Elegiacum carmen, IV, v. 2406 sq., p. 182 sqq.
4 Liège, arr. Verviers.
5 Cf. B.M. 841(815) – texte cité à la notice n° 175.

277.   **WITCHAIRE**[1]
                  Abbé, attesté à l'automne 818

Vers la fin de l'été 818, l'abbé Witchaire[2] fut envoyé comme émissaire de l'empereur
auprès de Morman, le chef breton en révolte contre la tutelle franque[3]. L'on ignore de
quel établissement il était l'abbé, mais Ermold le Noir affirme que Witchaire connaissait et le chef breton et la région, car il avait reçu des biens de l'empereur (biens
du fisc cédés en bénéfice?) dans les environs[4] – c'est d'ailleurs certainement pour cela
qu'il fut choisi pour cette mission.

278.   **WITHAIRE**[1] (I)
        Notaire, attesté d'avril 812[2] à mai 813[3], peut-être jusqu'en juin 815[4]

Le notaire Withaire[5], attesté à la »chancellerie« de Charlemagne[6], a été compté parmi
les notaires de celle de Louis le Pieux par O. Dickau[7]. Les éléments de preuve sont
cependant fort ténus[8].

279.   **WITHAIRE**[1] (II)
                  Missus, attesté avant novembre 816

Suite à la plainte des moines de Prüm concernant l'aliénation d'une forêt au profit du
fisc et suite à une enquête ayant prouvé le bien-fondé de cette plainte, Louis le Pieux
envoya Withaire, son *missus*, pour effectuer le bornage de cette forêt avant qu'elle ne
fût rendue au monastère, comme l'atteste le diplôme du 8 novembre 816[2].

1 Formes onomastiques: *Witcharius, Wiccharius.*
2 Cf. SIMSON, Jahrbücher, tome 1, p. 130 sq.
3 Ermoldus, Elegiacum carmen, lib. III, v. 1324 sqq., p. 104 sqq.
4 Ibid., v. 1343 sqq., p. 104: *Notus erat sibimet rex, domus atque locus;/ Illius ast propter fines Wicchari*
   us abba/ Regis habebat opes munere Caesareo. Cf. GUILLOTEL, Temps des rois, p. 211 et p. 220.

1 Seule forme onomastique: *Witherius.*
2 Dipl. Karol. 1, n° 217, p. 289 sq. (Guidbertus).
3 Dipl. Karol. 1, n° 218, p. 290 sqq.
4 Selon DICKAU, Kanzlei, 1ère partie, p. 75, et 2ᵉ partie, p. 135, le diplôme B.M. 582(562) serait de la
   main de Withaire.
5 DICKAU, Kanzlei, 1ère partie, p. 74 sq., a tenu pour possible une identification avec Withaire, le *missus*
   attesté en 816; il fait également mention de l'abbé Witchaire. Comme l'a noté Th. Schieffer dans Dipl.
   Karol. 3, p. 15 (à propos du responsable de la »chancellerie« de Lothaire, Vitgaire), il n'existe aucun
   indice permettant d'identifier ces personnages d'une manière plus précise.
6 Cf. BRESSLAU, Urkundenlehre, tome 1, p. 385.
7 DICKAU, Kanzlei, 1ère partie, p. 70 sqq.; 2ᵉ partie, p. 103.
8 Cf. DEPREUX, Kanzlei, p. 150 sq. et note 44.

1 Seule forme onomastique: *Witharius.*
2 B.M. 638(618), éd. Doc. dipl. Rhin moyen, n° 51, p. 57 sq. (à la p. 57): ... *Sed dum hec nobis relata fo*
   rent, ut merces parentum nostrorum inviolabiliter conservaretur, misimus alium missum nostrum Wit-

280.

WOLMOD[1]

Missus de Louis le Pieux, attesté jusque vers 841

L'on ne sait rien sur Wolmod ni sur son état, si ce n'est qu'il fut, à une date indéterminée, envoyé par Louis le Pieux au monastère de Saint-Mihiel en qualité de *missus* de l'empereur, pour enquêter concernant la restitution au monastère de biens usurpés[2]. Sa mission ne fut pas ponctuelle: au contraire, il reçut en permanence compétence à connaître des conflits relatifs à Saint-Mihiel. Le changement de souverain ne modifia en rien son statut, puisque Lothaire, vers 841, le désignait également comme son *missus*[3].

---

harium scilicet, ut ipse predictum waldum per latis signisque certis designaret et partem exinde predicti monasterii revestiret. Quod ita et fecit. DICKAU, Kanzlei, 1ère partie, p. 74, est d'avis qu'une identité entre le *missus* et le notaire Withaire n'est pas à exclure. En réalité, rien ne permet de prouver cette identité qui du reste me semble improbable.

1 Seule forme onomastique: *Wolmodus.*
2 Dipl. Karol. 3, n° 54, p. 156: ... *ostendit serenitatis nostre obtutibus quandam beate memorie genitoris nostri Ludouuici augusti auctoritatem, in qua continebatur insertum, qualiter ipse quondam predecessori suo Smaragdo scilicet cunctisque fratribus in eodem cenobio degentibus concessisset missum suum Vuolmodus scilicet, qui de iusticiis memorate ecclesie una cum advocatis ipsius loci comites et ministros illorum, in quorum ministeria predicta ecclesia res habere disnoscitur, ex verbo domni et genitoris nostri moneret, ut ubicumque iam dicta ecclesia alicuius instinctu res iniuste perdidisset, per iusticiam recipere valeret.*
3 Ibid., p. 156 l. 30.

ANNEXE 1

LA DATE DU PROCÈS DU COMTE ADHÉMAR
CONTRE L'APRISIONNAIRE JEAN
DEVANT LE TRIBUNAL DU PALAIS

Il est impossible de déterminer avec précision la date à laquelle le comte Adhémar[1] traduisit l'aprisionnaire Jean[2] devant le tribunal du Palais[3]. Néanmoins, certains éléments convergents permettent de situer avec quelque vraisemblance cet événement vers la fin de l'année 814.

En effet, on sait que le 1er janvier 815, un diplôme fut expédié en faveur de Jean[4]. L'on pourrait tenir l'examen du différend entre ce dernier et le comte Adhémar, d'une part, et l'expédition de ce diplôme, d'autre part, pour deux faits indépendants, mais ils peuvent également être liés. Un élément rend en effet cette hypothèse vraisemblable: ce même 1er janvier, un diplôme fut expédié en faveur de tous les *Hispani* s'étant réfugiés en Septimanie[5]. A cette occasion, une délégation d'*Hispani*[6], dont Jean faisait partie, s'était rendue à la cour de Louis le Pieux vers la fin de l'année 814 pour faire *commendatio* à l'empereur[7] et obtenir de ce dernier sa protection[8]: le diplôme du 10 février 816 (Constitutio Hludowici de Hispanis secunda) l'atteste[9]. Ces *Hispani* auraient été accompagnés des comtes des marges méridionales de l'Aquitaine et d'autres personnes importantes de la région, tel l'archevêque de Narbonne[10] ou

---

1 Sur ce personnage, cf. la notice n° 17.
2 Sur ce personnage, cf. SALRACH, Défrichement, p. 143; DUHAMEL-AMADO, Poids de l'aristocratie, p. 94 sq.
3 Ce procès est relaté dans Enquête de Fontjoncouse.
4 B.M. 567(547), éd. Recueil des hist. 6, n° 22, p. 472.
5 B.M. 566(546), éd. Recueil des hist. 6, n° 21, p. 470 sq.
6 Une délégation semblable s'était déjà rendue au Palais de Charlemagne en 812, cf. Praeceptum pro Hispanis.
7 C'est explicitement le cas en ce qui concerne Jean, cf. B.M. 567(547), éd. citée supra: ... *quidam homo fidelis noster, nomine Johannes, veniens in nostra praesentia, in manibus nostris se commendavit* ...
8 C'est l'objet de B.M. 566(546).
9 B.M. 608(588), éd. Recueil des hist. 6, n° 43, p. 486 sq. (à la p. 487): ... *querimoniam aliqui ex ipsis Hispanis nostris auribus detulerunt duo capitula continentem. Quorum unum est, quod, quando iidem Hispani in nostrum regnum venerunt et locum desertum, quem ad habitandum occupaverunt, per praeceptum domni & genitoris nostri ac nostrum sibi ac successoribus suis ad possidendum adepti sunt, hi qui inter eos majores et potentiores erant ad palatium venientes, ipsi praecepta regalia susceperunt* ... Cette allusion à une visite des plus puissants des *Hispani* à la cour pourrait se rapporter à la requête de 812, mais puisqu'il est également fait référence au diplôme de Louis le Pieux (*ac nostrum*), il est vraisemblable que la visite à l'occasion de laquelle le diplôme du 1er janvier 815 fut donné soit également visée par cette expression. Dans le diplôme de 815, il n'est pas fait explicitement référence à une demande des *Hispani*. Mais outre Jean, d'autres personnes importantes de la région se trouvaient alors à la cour (cf. les notes suivantes). On peut par conséquent admettre la venue d'une délégation d'*Hispani* à cette occasion.
10 Le 29 décembre 814 à Aix-la-Chapelle, un diplôme d'immunité fut donné en faveur de l'église cathédrale de Narbonne: B.M. 557(538), éd. Recueil des hist. 6, n° 19, p. 469 sq. L'archevêque Nibride

le vassal Wimar[11]. On en aurait alors profité pour régler certaines questions au Palais, et le comte Adhémar aurait alors évoqué son différend avec Jean devant le tribunal du Palais qui fut à cette occasion composé pour partie de ses collègues, mieux au courant que quiconque de la situation dans cette région. On s'en convaincra à l'examen de la déposition que firent certains témoins lors du procès de 833, par lequel nous connaissons le détail de l'affaire: »Et (nous avons vu que) pendant que Jean tenait cette *villa* en toute intégrité en raison de son aprision[12], alors, le comte Adhémar, (prétextant) qu'il devait (tenir) sa *villa* en bénéfice, le convoqua en justice au palais d'Aix-la-Chapelle, devant Warengaud[13], comte du Palais, et devant les comtes Gauselme[14], Béra[15], Gisclafred[16], Odilon[17] et Ermengaire[18], ainsi que devant les *judices* Xixila, Jonathan, Vincent et Angenaud, qui faisaient dans cette affaire fonction de *judices dominici*, et devant le notaire Archambaud[19] ainsi que de nombreuses autres personnes. Dans ce procès, Jean fournit comme témoins les personnes dont les noms suivent ... Et de la sorte, ils déposèrent leur témoignage dans ce procès, selon cette teneur: dans l'église de saint Martin dont la basilique se situe dans le palais d'Aix-la-Chapelle, ils jurèrent (qu') ils (furent témoins) oculaires lorsque cette *villa* fut remise à Jean par la main du comte Sturmion, comme ceci est écrit plus haut«[20].

Certes, rien ne permet véritablement d'affirmer que le procès devant le tribunal du Palais eut lieu à l'occasion de la première visite que les *Hispani* firent à Louis le Pieux à Aix-la-Chapelle, c'est-à-dire à l'occasion de la présentation de la requête de Jean ayant donné lieu à l'expédition du diplôme du 1er janver 815. Cette hypothèse a cependant pour elle la vraisemblance, car la fin de l'année 814 est précisément un moment où, comme nous l'avons vu, on observe une grande concentration de personnes venant des marges méridionales de l'Aquitaine. A l'inverse du diplôme du 1er janvier 815, celui du 10 février 816 est isolé: dans les jours précédents ou suivants, il ne fut, à notre connaissance, donné aucun diplôme pour un bénéficiaire de la région. Certes,

s'était déplacé lui-même à cette fin (... *vir venerabilis Nifridius Narbonensis urbis archiepiscopus adiens obtutibus nostris* ...).

11 Le même jour, Louis le Pieux fit une donation à son vassal Wimar, dont les biens tenus jusqu'alors en bénéfice et désormais cédés en pleine propriété étaient sis en Septimanie: B.M. 558(539), éd. Doc. dipl. Catalogne, p. 318 sq. (n° 6). Wimar s'était rendu auprès de Louis le Pieux »pour accomplir (les devoirs auxquels l'obligeait) sa fidélité« (*suam exequendo fidelitatem ad nos veniens*).

12 A ce propos, cf. DUPONT, Aprision.

13 Sur ce personnage, cf. la notice n° 271.

14 Cf. la notice n° 109.

15 Cf. la notice n° 44.

16 Cf. la notice n° 119.

17 Cf. la notice n° 207.

18 Cf. la notice n° 89.

19 Cf. la notice n° 32.

20 Enquête de Fontjoncouse, p. 11 sq.: *Et dum Johannes ipsum villare a bone integritate abuisset per suam adprisionem, sic Ademares, comis, eum mallavit quod ipse villares suus beneficius esse debebat, in Aquis palatii, ante Vvarengaude, comiti platii, vel ante Gauselmo, Berane, Giscafredo, Odilone et Ermengario, comites, seu etiam judices Xixilane, Jonatan, Vincentio et Angenaldo, qui erant ad tunc judices dominici, seu etiam Archibaldo, notario, et alios plures; et a tunc Johannes in supra dictorum judicio sua dedit testimonia, his nominibus: Hiricilane, Calapodius, Offilo, Ilianus, Recesindus, Sidmorivus, Tremirus et Ermegildus, et sic testificaverunt in supra dictorum judicio et serie condiciones. Hoc juraverunt in ecclesia sancti Martini cujus baselica sita est in Aquis palatii, et viderunt quando fuit ipse villares traditus ad Johanne per manus Sturmioni, comiti, sicut superius scriptum est.*

rien n'atteste explicitement que le procès en question se déroula sous Louis le Pieux. S'il avait eu lieu sous Charlemagne, l'on pourrait proposer de le situer au printemps 812, à l'époque où le Praeceptum pro Hispanis fut donné. Outre Jean, cité parmi les *Hispani* venus se plaindre auprès de Charlemagne qu'ils souffraient de nombreuses oppressions de la part des comtes auxquels est adressé cet acte[21], on trouve dans le Praeceptum le nom de deux des témoins produits par l'aprisionnaire dans le procès qui nous intéresse[22]. Mais deux éléments sont propres à montrer le caractère improbable de la tenue du procès d'Adhémar contre Jean pendant l'année 812: d'une part, cela suppose que les comtes siégeant dans le tribunal, dont les noms figurent dans l'adresse du diplôme de Charlemagne, aient accompagné les *Hispani* – or, ils sont au contraire informés de la démarche de ces derniers dont rien, dans le texte, ne permet de dire qu'elle se fit avec leur aval. D'autre part, si l'on veut bien considérer comme exhaustive la liste des *Hispani* s'étant rendus en 812 auprès de Charlemagne[23], force est de constater que six des huit témoins produits par Jean n'y figurent pas.

Il faut par ailleurs rappeler que parmi les actes établis au nom de Louis le Pieux, pas un n'entre dans la catégorie des jugements[24], un domaine d'étude d'ailleurs encore relativement vierge dans la diplomatique carolingienne[25]. On ne s'étonnera par conséquent pas de ne pas posséder le texte d'un document établi – si tant est qu'on en établît un – à l'issue du procès entre Adhémar et Jean, procès que je propose de dater de la fin de 814. Néanmoins, si l'on veut bien considérer cette carence documentaire d'une part, et, d'autre part, le fait que le diplôme du 1er janvier 815, bien qu'il n'y soit fait aucune allusion à ce procès, asseyait en réalité les droits de Jean contestés par le comte Adhémar, on peut en venir à l'hypothèse selon laquelle l'existence de ce diplôme expliquerait l'absence d'un acte délivré par les services du comte du Palais[26]. En considération des divers éléments dont je viens de faire état, il me semble que la fin de l'année 814 s'avère la date la plus vraisemblable pour la tenue du procès entre le comte Adhémar et l'aprisionnaire Jean. Ceci ne demeure cependant qu'une hypothèse: il faut avouer notre impuissance à trancher définitivement.

---

21 Praeceptum pro Hispanis: ... *ad nos venientes suggesserint quod multas obpressiones sustineant de parte vestra et iuniorum vestrorum.*

22 Il s'agit de Calapodius et de Of(f)ilo.

23 Cette liste comprend une quarantaine de noms.

24 Cf. SICKEL, Acta regum, tome 1, p. 358; Actes de Charles le Chauve, tome 3, p. 195; BAUTIER, Chancellerie, p. 68. Sur le Iudicium concilii Carisiacensis de 838, cf. GOFFART, Le Mans Forgeries, p. 316.

25 On ne dispose que d'analyses générales sur les premiers Carolingiens (SICKEL, Acta regum, tome 1, p. 356 sqq.) ou sur l'ensemble de la période (BAUTIER, Chancellerie, p. 68 sqq.), ou de présentations restreintes aux actes de tel ou tel souverain (en introduction à l'édition critique de ceux-ci). A ma connaissance, il n'existe pas d'étude similaire à celle entreprise par BERGMANN, Gerichtsurkunden. Pour l'étude des jugements, les régestes établis par R. HÜBNER (Gerichtsurkunden) s'avèrent un instrument de travail fort utile. Dans certains cas, il me semble possible d'expliquer l'absence de jugement, comme j'ai tenté de le démontrer dans ma thèse (DEPREUX, Gouvernement, tome 1, p. 431 sqq.). Je publierai ailleurs une étude consacrée à cette question.

26 Cf. par exemple BAUTIER, Chancellerie, p. 68 (à propos de l'absence de jugement datant du règne de Louis le Pieux): »C'est sans doute qu'on considéra alors les sentences de jugement comme des titres de valeur inférieure qu'il convenait d'incorporer dans des préceptes validés par la main royale et expédiés sous le grand sceau«.

ANNEXE 2

À PROPOS DE QUELQUES DIPLÔMES POUR LE MONASTÈRE DE SAINT-ANTONIN EN ROUERGUE

En dépit d'une entreprise à présent séculaire, nous ne disposons toujours pas d'une édition critique des diplômes de Louis le Pieux[1]. Bien qu'il soit souvent nécessaire de soumettre à un nouvel examen les documents douteux, je n'ai, de manière générale, pas jugé utile, avant la parution des résultats de l'étude approfondie de tous les actes que suppose l'édition critique attendue[2], de revenir sur les jugements émis par Th. Sickel et les auteurs des Regesta imperii. Il va de soi que les personnages mentionnés dans des diplômes faux n'ont pas été pris en compte dans la prosopographie. Toutefois, il me semble opportun d'évoquer ici brièvement un cas particulier.

Le diplôme B.M. 669(655) est en cela intéressant qu'il contient une liste de personnes censées avoir conseillé Louis le Pieux[3], terminée par les noms de Benjamin et Jean, qui sont désignés de la sorte: *isti sunt comites palatii nostri*. Au cas où la liste serait authentique, elle serait du plus haut intérêt. Le fait que les comtes du Palais (la mention conjointe de deux de ces fonctionnaires du Palais se retrouve ailleurs[4]) sont cités en fin de liste[5] et la mention d'un certain Jean, comte du Palais de Pépin Ier, dans un jugement de ce roi[6] semblent plaider en ce sens. Néanmoins, le caractère unique d'une telle liste au sein des diplômes de Louis le Pieux[7] et surtout le caractère douteux de la tradition des textes nous imposent de rejeter ce document. C'est sur cette tradition fort complexe qu'il convient en effet de s'arrêter[8].

L'étude du diplôme B.M. 669(655) est indissociable de celle du diplôme B.M. 670(656), jugé authentique[9]. Il faut également prendre en compte une donation de Pépin Ier d'Aquitaine[10], concernant également le monastère de Saint-Antonin en Rouergue en faveur duquel sont établis les deux diplômes de Louis le Pieux. Le diplôme B.M. 669(655) est transmis par une »feuille de parchemin« dont l'écriture a été

---

1 Cf. JOHANEK, Probleme.
2 Le Professeur P. Johanek (Münster) prépare cette édition pour le compte des M.G.H. On ne dispose jusqu'à présent que d'analyses ponctuelles. Cf. MAGNOU-NORTIER, Brioude; ERKENS, Passau; BAUTIER, Langres; MORELLE, Corbie; DEPREUX, Zur Echtheit; DICKAU, Kanzlei, 2e partie, p. 95 sqq. – à ce propos, cf. DEPREUX, Kanzlei, p. 154 sq. Sur les diplômes de Louis, roi d'Aquitaine, cf. DICKAU, Kanzlei, 1ère partie, p. 24 sqq. – à ce propos, cf. DEPREUX, Kanzlei, p. 155 sqq. Il faut en outre signaler qu'un faux longtemps demeuré inédit, B.M. 660(646), vient d'être publié dans Doc. dipl. Mont-Cassin, p. 144 sqq.
3 Doc. dipl. Languedoc, n° 48, col. 122: ... *ego & conjux nostra consilio nostrorum fidelium virorum quorum nomina haec sunt* ...
4 Cf. par exemple Doc. dipl. Fulda, n° 513, p. 226. Il faut cependant se méfier, cf. Dipl. Karol. 1, n° 316 (faux du XIIIe siècle): *Fridericus comes palatinus cum fratribus suis* (p. 477 l. 24 sq.) deviennent par exemple *qui predicti comites palatini* (p. 478 l. 19 sq.).
5 Cf. Dipl. Karol. 1, n° 102, p. 146 sq.; Actes de Pépin, n° 12, p. 44 sqq.
6 Actes de Pépin, n° 12, p. 44 sqq. (notice de l'année 828).
7 Cette liste n'est en rien à comparer avec les souscriptions portées au bas de B.M. 516(497).
8 Pour un autre exemple de dossier falsifié dans la région, cf. WOLFF, Figeac.
9 Cf. SICKEL, Acta regum, tome 2, L. 126 p. 316 sq. Toutefois, les auteurs des Regesta imperii étaient d'avis que ce diplôme s'avérait douteux (»verdächtig«), alors qu'ils jugeaient B.M. 669(655) interpolé.
10 Actes de Pépin, n° 4, p. 12 sqq. Donation du 31 octobre 825. Le document est connu par une »copie figurée du Xe s.«.

datée »du commencement du treizième siècle«[11] comportant également, à la suite du diplôme de Louis le Pieux[12], une notice de donation par Pépin (le Bref)[13]. Les deux documents sont également transmis, avec des leçons différentes, par la Collection Dupuy de la Bibliothèque Nationale[14]. Le diplôme B.M. 669(655) a été édité dans les preuves de l'Histoire du Languedoc[15]. Le diplôme B.M. 670(656), imprimé dans le Recueil des historiens de la Gaule et de la France[16], est transmis par une copie de la Collection Doat de la Bibliothèque Nationale[17] et par un recueil de pièces contenant la fondation et l'histoire de plusieurs maisons de l'ordre de saint Augustin confectionné au XVIIe siècle[18]. Dans la Collection Doat comme dans l'Histoire conservée à la Bibliothèque Sainte-Geneviève, on trouve la transcription d'un diplôme de Pépin le Bref[19].

Ce n'est qu'au prix de quelques compromis peu satisfaisants que L. Levillain a pu retenir comme sincère l'acte de Pépin Ier d'Aquitaine du 31 octobre 825[20]. Un examen attentif de la question devrait faire revenir sur cette opinion[21]: une présentation succincte des différents documents montre en effet que l'on ne peut pas sauver la donation de Pépin Ier d'Aquitaine, qui fait partie des faux de Saint-Antonin.

Voici l'analyse sommaire des actes en question:

* Acte de Pépin Ier d'Aquitaine:

Donation à Saint-Antonin du *monasterium sancti Audardi*, sis en Quercy, sur le Tarn, sous l'abbatiat de Fedantius.

* Notice se rapportant à un diplôme de Pépin le Bref[22]:

Donation à Saint-Antonin du *monasterium sancti Petri* = *Mormacus*[23]/*Morniacus*[24], sis en Quercy, sur l'Aveyron, (déjà) sous l'abbatiat de Fedancius; la notice comporte une liste de témoins[25] et une clause comminatoire (excommunication).

11 Layettes, p. 8 note 1. Le diplôme B.M. 669(655) est édité sous le n° 6, p. 8.
12 Cf. Layettes, p. 8 note 1.
13 Layettes, n° 2, p. 3 sq.
14 Paris, Bibliothèque Nationale, Coll. Dupuy n° 635, fol. 5r/v (notice de Pépin) et fol. 6r/v (diplôme de Louis).
15 Doc. dipl. Languedoc, n° 48, col. 122 sq.
16 Recueil des hist. 6, n° 76, p. 511.
17 Paris, Bibliothèque Nationale, Coll. Doat n° 124, fol. 275r sqq. Il s'agit d'une copie de l'huissier Gratian Capot authentifiée à Foix le 18 novembre 1667: »Extrait et collationné sur une copie escrite en parchemin trouvée au prieuré de Saint Antonin au dioceze de Rodez en un coffre fermant a une clef tenue par le Père Claude Dossier, par l'ordre et en la présence de messire Jean de Doat ...« (fol. 276r).
18 Paris, Bibliothèque Sainte-Geneviève, ms. 608, fol. 893r sqq. Le document est introduit ainsi: *Extractum ex vetusta membrana, servata in archivis Sti Anthonini Ruthensis*.
19 Paris, Bibliothèque Nationale, Coll. Doat n° 124, fol. 273r sqq.; Paris, Bibliothèque Sainte-Geneviève, ms. 608, fol. 892r sq.
20 Cf. l'introduction à ce diplôme: Actes de Pépin, p. 13 sq.
21 L. Levillain ne semble pas avoir eu connaissance du diplôme et de la notice se rapportant à un diplôme de Pépin le Bref.
22 Pépin y est dit à la fois *rex Francorum et Aquitanorum* et *imperator*.
23 Leçon de Layettes.
24 Leçon de la Coll. Dupuy.
25 A. Teulet montra que cette liste était fantaisiste. Etant donné que c'est avec cette notice qu'est transmis le diplôme B.M. 669(655), l'on peut élever des doutes également sur la liste de témoins qu'il contient.

* Diplôme de Pépin le Bref[26]:

Donation à Saint-Antonin de l'*abbatia sancti Audardi*; le diplôme comporte une clause comminatoire (excommunication) et son formulaire est peu clair.

En conséquence, je n'ai pas pris en compte dans ma prosopographie les noms cités dans le diplôme B.M. 669(655). Il conviendra de tirer au clair le dossier diplomatique de l'abbaye de Saint-Antonin en Rouergue à l'occasion de l'édition des actes de Louis le Pieux.

ANNEXE 3

EXEMPLES DE PERSONNES N'AYANT PAS ÉTÉ RETENUES DANS LA PROSOPOGRAPHIE

A. L'archevêque de Lyon, Agobard

L'archevêque de Lyon Agobard[1] est l'une des personnalités les mieux connues de son époque, ses interventions dans la vie politique de l'empire carolingien sont notoires[2]. Pourtant, le chef d'une des provinces ecclésiastiques les plus prestigieuses ne peut, à ce qu'il semble, pas être compté au nombre des membres de l'entourage de Louis le Pieux, au nombre de ceux qui avaient sa confiance. On doit à Agobard ce fameux traité prônant la suppression des lois nationales eu égard à l'unité de la Foi[3]; on le voit soucieux de la bonne gestion du royaume et préoccupé par le bon fonctionnement de la justice[4]; par ailleurs, Agobard est célèbre pour son opposition aux Juifs[5]. Malgré sa participation aux plaids, où il prit parfois la parole (comme en août 822 à Attigny[6]), malgré le fait qu'il siégea en septembre 838 au plaid tenu à Qierzy-sur-Oise[7], l'on ne peut pas reconnaître à l'archevêque de Lyon une place exceptionnelle dans l'administration de l'empire. Ses avis ne semblent pas avoir eu grande influence

26 La titulature (fausse) est la même que celle de la notice: *rex Francorum et Aquitanorum*.

1 Cf. DUCHESNE, Fastes, tome 2, p. 172.
2 Cf. l'étude exhaustive de BOSHOF, Agobard. Cf. également MÜLLER, Kirche von Lyon, p. 244 sqq.
3 Agobardus, Epistolae, n° 3, p. 158 sqq. Cf. BOSHOF, Agobard, p. 41 sqq.
4 Agobardus, Epistolae, n° 10, p. 201 sqq. Il s'agit d'une lettre à Matfrid, à qui Agobard s'adressait étant donné la confiance dont joussait le comte d'Orléans auprès de Louis le Pieux.
5 Agobardus, Epistolae, n° 6, p. 179 sqq. (lettre à Hilduin et à Wala); ibid., n° 7 et 8, p. 182 sqq. et 185 sqq. (lettres à Louis le Pieux). Sur le conflit entre Agobard et la communauté juive de Lyon, cf. BOSHOF, Agobard, p. 102 sqq. En plus de la bibliographie citée par l'auteur, cf. PARKES, Jew; VERLINDEN, Place des Juifs.
6 B.M. 758(733)a. Cf. Agobardus, Epistolae, n° 5, p. 166 sqq. (ici c. 4, p. 167 sq.). Cf. BOSHOF, Agobard, p. 84 sqq.
7 B.M. 982(951)a. Cf. Concilium Carisiacense (bis), p. 850. BOSHOF, Agobard, p. 294, a nié la possibilité de la présence d'Agobard à ce plaid: »Trotz einer gewissen Unsicherheit in dieser Frage können wir mit Bestimmtheit annehmen, daß Agobard in Quierzy nicht anwesend war ... Zum Zeitpunkt der Synode war Agobard noch nicht auf seinen Bischofssitz restituiert«. Par contre, LOT, Jugements, p. 299 juge la souscription sincère et émet l'hypothèse – à mon sens plus vraisemblable – que l'archevêque de Lyon était alors tout récemment rétabli sur son siège épiscopal.

sur les décisions de l'empereur[8]. Outre le fait qu'Agobard eut recours à deux personnages influents pour se faire entendre de Louis le Pieux quant au sort des *mancipia* de Juifs[9], un détail extrait de sa correspondance prouve bien qu'il n'avait alors pas accès direct auprès de l'empereur[10]. L'action pastorale d'Agobard semble avoir été consciencieuse[11], même hors de sa province ecclésiastique[12]; l'on n'observe cependant rien qui n'entre dans les attributions normales d'un archevêque. Un poème dédié à l'archevêque de Lyon porte en acrostiche le voeu: *Agobardo pax*[13]. »Paix« n'est cependant pas le mot qui convient, car l'archevêque de Lyon ne fut en rien un pacificateur lors de la crise politique que traversa Louis le Pieux, comme l'illustre son »pamphlet vitriolant«[14] contre Judith[15]. Agobard, chaud partisan de Lothaire[16], après avoir exhorté Louis le Pieux à obéir au pape Grégoire IV venu au Rothfeld[17], fit partie des évêques qui, en octobre 833 à Compiègne[18], condamnèrent l'empereur à la pénitence[19]. En 835, Agobard ne comparut ni au plaid réuni à Thionville en février[20], ni à celui de juin, tenu dans le *pagus* de Lyon[21]: il s'était réfugié en Italie, auprès de Lothaire[22]. Ce n'est que vers la fin du règne de Louis le Pieux – en 839, selon l'hypo-

8 Ainsi, vers 817, il s'opposa, dans une lettre adressée à Louis le Pieux, aux ordalies – notamment au duel judiciaire (Agobardus, Epistolae, n° 3, c. 9, p. 162). Or Louis le Pieux, vers 818/819, recommanda le recours à ce mode de preuve (Capitula legibus addenda, c. 10, p. 283). A ce propos, cf. GANSHOF, Réformes judiciaires, p. 421 sq. Sur l'échec d'Agobard, cf. MÜLLER, Kirche von Lyon, p. 245 sq., qui n'hésite pas à écrire: »Agobards Geschichte ist die eines Scheiterns in Größe« (ibid., p. 247).

9 Agobardus, Epistolae, n° 6, p. 179 sqq. (lettre à Hilduin et à Wala).

10 Cf. Agobardus, Epistolae, n° 4, p. 164 – texte cité à la notice n° 8.

11 En 829, Louis le Pieux convoqua l'un des quatre conciles à Lyon, cf. Constitutio de synodis, p. 2. Cf. BOSHOF, Agobard, p. 195 sqq. Le 20 novembre 830, Agobard donna son accord concernant la restauration du monastère de Bèze, cf. Concilium Lingonense. Cf. BOSHOF, Agobard, p. 214 sq. Cf. d'autre part Agobardus, Epistolae, n° 1, 11 et 13, p. 153, p. 203 sqq. et p. 210 sqq. Cf. BOSHOF, Agobard, p. 55 sqq. et p. 188 sqq.

12 B.M. 743(718), éd. Doc. dipl. Languedoc, n° 59, col. 136 sqq. (à la col. 136), lettre de Louis le Pieux aux moines d'Aniane et de Saint-Guilhem-du-Désert, datable de 821: *Proxime accidit Agobardum archiepiscopum ad nostram devenisse praesentiam, indicans nobis, quomodo eo praesente & Nibridio archiepiscopo, sine mora omnes pari consensu Tructesindum super vos elegissetis abbatem.* BOSHOF, Agobard, p. 82, pose la question: »Ist die Anwesenheit der beiden Erzbischöfe in Aniane nun so zu deuten, daß der Kaiser sie mit der Aufgabe betraut hat, die ordnungsgemässe Abtswahl ... zu überwachen?«, mais il montre (ibid., p. 83) que l'on peut expliquer la présence d'Agobard sans prétendre que l'empereur l'ait en quoi que ce soit mandaté, ce dont on aurait grand mal à trouver la preuve définitive.

13 Carmen ad Agobardum.

14 L'expression est de ROUCHE, Miroirs des princes, p. 363.

15 Agobardus, Libri contra Iudith.

16 Agobardus, Epistolae, n° 15, p. 223 sqq.

17 Agobardus, Epistolae, n° 16, p. 226 sqq.

18 B.M. 926(897)a et b.

19 Agobardus, Cartula de poenitentia; Flodoardus, Historia, lib. II, c. 20, p. 471 sq. l. 52 sqq. Agobard était lié d'amitié avec l'archevêque de Reims, Ebbon. Cf. Agobardus, Epistolae, n° 14, p. 221 sqq.

20 B.M. 938(909)a. Cf. Astronomus, Vita, c. 54, p. 640 l. 12 sqq.

21 B.M. 941(910)a. Cf. Astronomus, Vita, c. 57, p. 642 l. 31 sqq.

22 Ado, Chronicon, p. 321.

thèse d'E. Boshof, ou dès la fin de l'été 838 selon F. Lot – qu'il recouvra son siège lyonnais[23]. Agobard mourut le 6 juin 840, à Saintes[24].

B. Le comte Suppo

Suppo[25] est attesté comme comte du Palais à la fin du règne de Charlemagne[26]. Il appartenait vraisemblablement au Palais du roi d'Italie, Bernard[27]. C'est d'ailleurs par ce comte, qui avait entre-temps quitté le Palais et reçu l'administration du comté de Brescia, qu'en 817, Bernard fut dénoncé à Louis le Pieux[28]. En 822, Suppo fut promu au duché de Spolète[29] et il mourut au début de l'année 824[30].

C. L'évêque d'Amiens, Jessé

Jessé[31] fit partie des évêques que Charlemagne chargea d'accompagner Léon III en 799 lors de son retour à Rome[32] – ce ne fut d'ailleurs pas sa dernière mission dans la Ville[33]. En 802/803, il fut également envoyé à Constantinople comme légat de Charlemagne[34]. Enfin, pour ce qui est du rôle politique de Jessé[35]: en 811, il fut cité parmi les témoins du testament de Charlemagne[36]. On voit l'évêque d'Amiens participer au synode de Noyon tenu en 814[37], de même qu'au concile – autrement plus important – tenu en juin 829 à Paris[38]. Mais, sous Louis le Pieux, nous n'avons plus trace d'une

23 Cf. Boshof, Agobard, p. 304 sq.; Lot, Jugements, p. 299.
24 Annales Lugdunenses (sur ces brèves annales, cf. Boshof, Agobard, p. 24 sqq. et Vezin, Manuscrits présentant des traces, p. 168); Annales s. Benigni, p. 39. Agobard mourut à Saintes, *in expeditione regia positus* (Ado, Chronicon, p. 321), ce que Duchesne, Fastes, tome 2, p. 172, interprète comme la simple indication qu'il »était arrivé dans l'entourage de l'empereur«. En réalité, on doit y voir la preuve que l'archevêque de Lyon participa à l'expédition militaire de Louis le Pieux en Aquitaine (cf. Boshof, Agobard, p. 307 sq.) durant l'automne 839, cf. B.M. 998(967)a. L'empereur demeura à Poitiers jusqu'en février 840, puis, se dirigeant contre Louis le Germanique, il y laissa Judith et Charles (le Chauve), cf. B.M. 1003(972)a.
25 Cf. Hlawitschka, Franken, p. 268 sq.
26 Il intervint dans un procès présidé par Adalhard en février 814, concernant l'abbaye de Farfa: *Et dum coniungeremur cum Suppone comite palatii, Guinichis et Hecideo ducibus, et pertractaremus, quomodo aut qualiter finem inter eos fecissemus ... Signum + manus Supponis comitis palatii, qui interfuit* (Doc. dipl. Italie, n° 28, p. 85 sqq.). A cette époque, Adalhard et son entourage devaient encore ignorer la mort de Charlemagne, cf. la notice n° 8.
27 Cf. Meyer, Pfalzgrafen, p. 460.
28 Cf. Astronomus, Vita, c. 29, p. 623: *Quod cum certis nuntiis referentibus, maximeque Rathaldo episcopo et Suppone certissime cognovisset...* C'est grâce aux Annales royales (a. 822) que l'on sait que Suppo était comte de Brescia, cf. la note suivante.
29 Annales regni Franc., a. 822, p. 157 sq.: *Winigisus dux Spolitinus iam senio confectus habitu saeculari deposito monasticae conversationi se mancipavit ac non multo post tactus corporis infirmitate decessit; in cuius locum Suppo Brixiae civitatis comes substitutus est.*
30 Annales regni Franc., a. 824, p. 164: *Suppo dux Spolitinus decessisse nuntiatur.*
31 Cf. Duchesne, Fastes, tome 3, p. 129.
32 Liber pontificalis, tome 2, p. 6.
33 Cf. Hartmann, Synoden, p. 127; Leo, Epistolae, n° 2, p. 91.
34 Annales regni Franc., a. 802, p. 117; ibid., a. 803, p. 118.
35 Pour quelques exemples de son action purement pastorale, cf. Hariulfus, Chronicon Centulense, c. 8, p. 60; Epistolae variorum 2, n° 1, p. 300.
36 Einhardus, Vita Karoli, c. 33, p. 100.
37 Flodoardus, Historia, lib. II, c. 18, p. 466.
38 Doc. dipl. Paris, n° 35, p. 49 sqq.

quelconque participation de Jessé au pouvoir. La seule action d'éclat que nous lui connaissions, c'est l'opposition à l'empereur: il fit partie des meneurs de la révolte de 830[39] et il fut vraisemblablement le célébrant de la prise de voile forcée de l'impératrice Judith[40]. La roue de la fortune tournant, une assemblée d'évêques présidée par l'archevêque de Reims déposa Jessé lors du plaid tenu à l'automne 830 à Nimègue[41]. Au printemps 831, une grâce générale fut promulguée[42]. On peut néanmoins douter que Jessé en bénéficiât. Il semble en effet que ce ne fût qu'en 833, après la déposition de Louis le Pieux[43], que l'archevêque de Reims le rétablit sur son siège d'Amiens[44]. Lorsqu'au début de 834 Louis le Pieux fut libéré, Jessé abandonna son siège nouvellement recouvré pour se réfugier auprès de Lothaire[45]. C'est en Italie qu'il mourut, durant l'automne 836 ou 837[46].

D. L'évêque de Coire, Vérendaire

La fidélité à la cause de l'empereur Louis le Pieux n'est en aucun cas un gage de l'appartenance à son entourage. Ainsi en est-il de l'évêque de Coire, Vérendaire. On ignore quand son pontificat commença[47]. Toujours est-il que Vérendaire était en fonction lorsque la crise politique de 833 éclata: il perdit son siège à cette occasion – le prix de sa fidélité à Louis le Pieux. Vérendaire fut exilé. Par un diplôme du 8 janvier 836, l'empereur, sur l'entremise de Drogon[48] et de Rataud[49], confirma la teneur d'un

39 Theganus, Vita, c. 36, p. 597: ... *ibique venit obviam ei Pippinus filius eius cum magnatis primis patris sui, Hilduino archicapellano, et Iesse Ambianensi episcopo, Hug et Matfrido, Elisachar abbate, Gotefrido, et multis aliis perfidis, et voluerunt domnum imperatorem de regno expellere* ... Certes, Thégan désigne Jessé comme l'un des grands de Louis, mais il me semble qu'il faille comprendre que l'évêque d'Amiens était l'un des grands de l'empire. Ce n'est pas sur cette simple assertion d'ailleurs fort vague que l'on peut retenir Jessé parmi les membres de l'entourage de Louis le Pieux: qu'à la différence de son action sous le règne de Charlemagne, l'on ne trouve sous le successeur de ce dernier aucune mention d'une mission confiée à l'évêque d'Amiens ne me semble pas dû au hasard.

40 Odbertus, Passio Frederici, c. 17, p. 352: *Quo facto, reginam, iam a pontifice Iesse velatam, miserunt ad civitatem Tartunam.* C'est en 833 que Judith fut envoyée à Tortone (cf. SIMSON, Jahrbücher, tome 2, p. 53), mais c'est pour l'année 830 que l'on a explicitement la mention de sa prise de voile (ibid., tome 1, p. 350 sq.). Il est d'autant plus vraisemblable que l'auteur de la Passio de Frédéric d'Utrecht – d'ailleurs toute légendaire – ait fait ici une confusion que Jessé n'était vraisemblablement pas encore rétabli sur le siège d'Orléans lors de la déposition de Louis le Pieux en 833.

41 Theganus, Vita, c. 37, p. 598: *Et ibi Iesse iusto iudicio episcoporum depositus est*; ibid., c. 44, p. 600: *Tu* (il s'agit d'une apostrophe à Ebbon de Reims) *cum ceterorum iudicio Iesse a sacerdotio deposuisti; nunc iterum revocasti eum in gradum pristinum.*

42 Annales Bertiniani, a. 831, p. 4; Astronomus, Vita, c. 46, p. 634.

43 Flodoardus, Historia, lib. II, c. 20, p. 471: *Itaque postquam Ludowicus ab aequivoco filio suo restitutus est in regnum et honorem suum, Ebo propter huiuscemodi factum depositus est ab episcopatu pro infidelitate imperatoris. Pro qua re iam ipse Iesse Ambianensium presulem dudum deposuisse traditur, sed nunc eum revocasse fertur in gradum priorem.* Dans ce contexte assez flou, je suis l'interprétation présentée par DUCHESNE, Fastes, tome 3, p. 129.

44 Theganus, Vita, c. 44, p. 600.

45 Flodoardus, Historia, lib. II, c. 20, p. 471 sq.: *Cum quo inter alios etiam quidam episcopi, fautores ipsius in adversitate patris sui, relictis conta sacras regulas sedibus suis, perrexerunt, Iesse videlicet Ambianensis et Hereboldus Autisiodorensis, Agobardus Lugdunensis et Bartholomeus Narbonensis episcopus.*

46 Astronomus, Vita, c. 56, p. 642. Sur l'incertitude concernant l'année, cf. TREMP, Studien, p. 20.

47 Son prédécesseur, Victor, était encore attesté le 9 juin 831, cf. B.M. 894(865).

48 Cf. la notice n° 75.

49 Cf. la notice n° 225.

diplôme de Charlemagne perdu lors des troubles ayant accompagné sa déposition[50]. Vérendaire était encore attesté comme évêque de Coire en 841[51].

E. L'évêque de Liège, Walcaud

L'évêque de Liège Walcaud[52] est surtout célèbre pour sa réforme du monastère d'Andage et la translation des reliques de saint Hubert qu'il y célébra, ainsi que l'atteste encore vers le milieu du XIVe siècle l'auteur des Gesta abbatum Trudonensium[53]. Walcaud accéda à l'épiscopat en 810[54], et dès 811 il eut l'honneur de figurer parmi les témoins du testament de Charlemagne[55]. Il prit part au concile tenu en juin 829 à Mayence[56]. Le 19 avril 831 à Herstal, Louis le Pieux confirma un échange conclu entre Walcaud et un tiers[57]. Walcaud mourut cette même année[58]. Les actions les plus éclatantes de son épiscopat furent la réforme d'Andage le 10 août 817, quand la communauté des chanoines fut transformée en abbaye bénédictine[59], et la translation des reliques de saint Hubert, du 21 au 30 septembre 825[60]. Ces deux événements montrent combien l'évêque de Liège oeuvra dans l'esprit de la politique religieuse menée par Louis le Pieux et travailla à la christianisation des campagnes, pour reprendre l'expression d'A. Dierkens, qui a récemment étudié la question de manière exhaustive[61]. De même, le capitulaire que Walcaud promulgua[62] reflète la manière dont il comprit et exerça son magistère[63]. Mais venons-en à l'élément décisif qui nous occupe ici: malgré l'accord entre la politique de Louis le Pieux et l'action de Walcaud, rien dans ce que nous savons de la vie de ce dernier ne nous autorise à le compter parmi les membres de l'entourage impérial.

50 B.M. 952(921), éd. Doc. dipl. Alsace, n° 96, p. 77 sq. (à la p. 77): ... *dum divino iudicio quorundam malevolentia & factione honoribus coelitus nobis collatis dilati fuissemus & Verendarius venerabilis Curiae episcopus causa fidelitatis nobis conservatae honoribus propriis privatus exilioque trusus consistere ... Sed quoniam nostri causa memoratum episcopum exilio deportatum constat ...*

51 Dipl. Karol. 3, n° 55, p. 157 sqq. (21 janvier 841) et n° 63, p. 172 sq. (17 octobre 841).

52 Cf. Duchesne, Fastes, tome 3, p. 192 sq.

53 Gesta abbatum Trudonensium, c. 10, p. 372.

54 Annales Leodienses, a. 810, p. 13; Annales Lobienses, a. 810, p. 231. Ce fait est confirmé par Anselmus, Gesta episc. Leodiensium, c. 18, p. 198, qui date la mort de Charlemagne de la quatrième année du pontificat de Walcaud. Cf. Dierkens, Christianisation, p. 311 note 10.

55 Einhardus, Vita Karoli, c. 33, p. 100.

56 Epistolarum Fuldensium fragmenta, p. 530.

57 B.M. 888(859).

58 Annales Lobienses, a. 831, p. 232. Cf. Dierkens, Christianisation, p. 311 et note 15.

59 Jonas, Vita sancti Huberti, c. c. 30, p. 817: *Namque hac paene a fundamentis restaurata, in melioremque statum denuo renovata, posthabita avaritia, nobiliter ejus statum composuit, aedificiis honestis nobilitavit et exceptis praediis quae olim religiosorum virorum largitate possedit, alia de episcopio suo superaddidit, incolasque loci illius monachos esse voluit.* Cantatorium, c. 3, p. 7: *Nam commutato ordine clericali, anno Dominice Incarnationis 817, IIII idus augusti, in die sancti Laurentii martiris, monachorum ibi religionem constituit, dispositis eis possessionibus et legaliter confirmatis in posterum que sufficerent usibus ibi Deo deservientium.*

60 Jonas, Vita sancti Huberti, c. 32 sq., p. 818; Annales Leodienses, a. 825, p. 13: *Translatio sancti Hugberti episcopi in Andagio.*

61 Dierkens, Christianisation, p. 319 sqq.

62 Capitularia episcoporum, p. 43 sqq.

63 Cf. Dierkens, Christianisation, p. 314 sqq.

F. Les comtes Oliba et Sunifred

Certains comtes se montraient particulièrement fidèles à l'empereur et ils reconnurent leur dette à son égard. Si la loyauté du comte Oliba fut reconnue par l'empereur[64], le comte Sunifred, pour sa part, reconnut qu'il devait tout à Louis le Pieux. Ce comte Sunifred, attesté à la fin du règne de Louis[65] et désigné par Charles le Chauve comme *marchio*[66], n'était vraisemblablement autre que le *fidelis* à qui Louis le Pieux, en 829, avait donné la *villa* de Foncouverte déjà donnée par Charlemagne à son père, Borel[67], en qui l'on peut reconnaître le comte d'Ausone[68].

G. Les *fideles* récompensés par Louis le Pieux

Les *fideles* auxquels Louis le Pieux fit des donations[69] – tel cet Odilbert que nous connaissons par un acte de janvier 839[70] – n'ont pas été retenus dans la présente prosopographie. Mais à titre d'exemple, voyons un peu plus en détail le diplôme de donation en faveur de Betton[71]. Il y est d'abord affirmé les devoirs moraux de l'empereur vis-à-vis de fidèles serviteurs: »c'est l'usage de (notre) altesse d'honorer et d'exalter par des dons multiples et des *honores* plus grands que de mesure ceux qui la (c'est-à-dire: nous) servent fidèlement«[72]. En conséquence, Louis le Pieux fit une donation[73] à Betton, »notre fidèle« (*fideli nostro Bettoni*), lui dont il est dit qu'il »s'applique de tous ses efforts à se soumettre fidèlement à notre service et à nos ordres, en

---

64 Cf. le diplôme du 19 octobre 834, éd. ABADAL, Diplôme inconnu, p. 345 sq.: ... *Beringarius fidelis comes noster pro quodam fidele nostro Oliba comiti fidele nostro, nostrae suggessit serenitati ut, quia ille fidem suam in perturbationis tempore fideliter et inviolabiliter circa partes nostras conservare studuit, aliquod remunerationis debitum ei contulissemus* ... Sur Oliba, comte de Carcassonne, cf. ibid., p. 352 sqq. A une date indéterminée, mais que je tends à situer vers 827, il procéda en compagnie de Hélisachar à la délimitation des dépendances du monastère de Notre-Dame-sur-Orbieu. Cf. Actes de Pépin, n° 34, p. 152 sqq.: ... *concedimusque predicto monasterio Orobioni omnes fines vel terminia cum appendiciis suis, sicut Elisachar fidelis genitoris nostri et Oliba comes terminaverunt* ... Nous ignorons si Oliba agissait en qualité de *missus* (cf. par exemple la notice n° 109), auquel cas, il aurait fallu compter Oliba dans la prosopographie. Cf. également la notice n° 143.

65 Le 3 janvier 840, Sunifred fit une donation à l'église d'Urgel: *Ego Suniefredus umillimus et pusillus omnium serviencium Deo, ob Domini amore et helemosina jamdicti pissimi augusti et clementissimi piissime et clementissime gubernans imperium, ab illo accepta potestate qualem in hoc habere videor, propter illum et refrigerium animae meae do et concedo* ... Plus loin, Sunifred est dit *comis* (Doc. dipl. Languedoc, n° 98, col. 212 sq.).

66 Cf. Actes de Charles le Chauve, tome 1, n° 40, p. 108 sqq. (diplôme du 19 mai 844).

67 B.M. 872(843). Le *judex* cité dans un jugement de 821 du vidame de Narbonne n'était vraisemblablement autre que notre personnage (Doc. dipl. Languedoc, n° 57, col. 134 sq.).

68 Cf. la notice n° 57.

69 Sur les largesse de Louis le Pieux, cf. GANSHOF, Concession d'alleux.

70 B.M. 985(954). Cf. GANSHOF, Concession d'alleux, p. 596.

71 B.M. 564(545) = Formulae imperiales, n° 27, p. 305 sq. Cf. GANSHOF, Concession d'alleux, p. 591.

72 *Celsitudinis moris est fideliter sibi famulantes donis multiplicibus atque honoribus ingentibus honorare atque sublimare* = Arengenverzeichnis, n° 1076, p. 184.

73 Il s'agit d'une église *quam defuncta ejus avia nomine illa et avunculus nomine ille domino et genitori nostro Karolo bonae memoriae piissimo augusto per strumenta chartarum tradiderunt.* Sur ce genre de biens versés au fisc et dont Louis le Pieux abandonna la propriété, cf. DEPREUX, Louis le Pieux reconsidéré?, p. 205, note 213.

toute occasion«[74]. Mais ce dévouement, l'empereur était en droit de l'attendre de la part de chaque sujet... On a par exemple supposé que les *fideles* qui, en Espagne wisigothique, reçurent du roi des donations en récompense de leur fidélité faisaient partie de sa garde[75]. Certes, pour ce qui concerne la période carolingienne, »on peut se demander si les membres de l'aristocratie entrant en vassalité n'y ont pas transporté le serment que prêtaient les hommes de leur milieu quand ils entraient dans l'antrustionat royal«[76] des temps mérovingiens. En effet, »les antrustions disparaissent au moment où les gens de qualité deviennent en grand nombre les vassaux du chef de l'Etat franc«[77]. Rien cependant ne permet d'étayer cette hypothèse[78]. D'autre part, l'examen de la variation du nombre d'expéditions d'actes de nature privée (essentiellement des donations) au cours du règne de Louis le Pieux[79] montre clairement que les donations furent multipliées lors de la phase critique 831/833 et après: il s'agissait

74 B.M. 564(545): *Qui totis nisibus usquequaque nostro servitio nostrisque jussionibus fideliter parere studet.*

75 Cf. CLAUDE, Untertaneneid, p. 368.

76 GANSHOF, Féodalité, p. 56.

77 Ibid.

78 Les *antrustiones* formaient la garde personnelle du roi (cf. ZÖLLNER, Geschichte der Franken, p. 137 sq.). On ne sait pas exactement ce que cette garde rapprochée devint à l'époque carolingienne (les quelques éléments nous permettant de connaître les *satellites regis* ont été exposés par WAITZ, Verfassungsgeschichte, tome 3, p. 545 sqq.). Il semblerait que certains vassaux aient accompli ce service, cf. GANSHOF, Institutions, p. 363: »Eu égard au caractère militaire de la vassalité carolingienne, on doit admettre (que les *vassi dominici*) constituaient une troupe permanente de cavalerie à la disposition du roi ... Il y eut cependant, sous (le) règne (de Charlemagne) des vassaux royaux 'chasés' ... qui faisaient au moins temporairement du service au Palais«. Encore faut-il que les termes *servire* ou *servitium* que l'on rencontre dans les capitulaires désignent expressément et systématiquement le service armé, ce dont on peut douter. Cf. par exemple le Capitulare missorum de exercitu promovendo, c. 9, M.G.H. Capit. 1, n° 50, p. 138: *Volumus ut homines fidelium nostrorum, quos nobiscum vel ad servitium nostrum domi remanere iussimus, in exercitum ire non compellantur, sed et ipsi domi remaneant vel in servitio dominorum suorum.* Cf. également la notice n° 237. Il ne fait cependant pas de doute que »le roi, qu'il partît en campagne ou qu'il séjournât dans l'un ou dans l'autre de ses *palatia*, disposait ... d'une escorte« (GANSHOF, Armée, p. 120). L'auteur de la Continuatio Ratisbonensis des Annales de Fulda fait en effet mention des *palatin(i) milit(es)*, des gardes du roi, à l'occasion de la prise de Bergame (Annales Fuldenses, a. 894, p. 123: *... maximis cum laboribus palatinis militibus coram rege certantibus tandem ad murum usque perventum est*). Sur ce siège, cf. JARNUT, Eroberung Bergamos. Cet auteur n'est pas sensible à la singularité de l'expression *palatin(i) milit(es)*, et il n'évoque que »die königlichen Truppen« (ibid., p. 209). GANSHOF, Armée, p. 120, était d'avis que l'escorte du roi »comprenait surtout des vassaux«. Or, il cite à l'appui trois capitulaires, notamment celui que j'ai cité plus haut et Capitula missorum, c. 4: *De vassis nostris, qui ad marcam nostram constituti sunt custodiendam aut in longinquis regionibus sua habent beneficia vel res proprias vel etiam nobis assidue in palatio nostro serviunt et ideo non possunt assidua custodire placita: quam rem volumus ut missi nostri vel comes nobis notam faciant, et nos faciemus, ut ad eorum placita veniant.* On n'y voit aucunement la preuve que le service de ceux *qui nobis assidue in palatio nostro serviunt* consistait à assurer la garde du roi. Certes, le *servitium regis*, dans les capitulaires, semble très souvent désigner le service par les armes, mais le service du vassal n'y était pas limité, bien que »le caractère militaire (... l'ait ...) emporté sur les autres«, comme le signale GANSHOF, Féodalité, p. 59 sq. En effet, le terme *servitium* a un champ sémantique fort large, cf. NIERMEYER, Lexicon minus, p. 964 sqq. (en l'occurrence, cf. notamment le sens désigné sous le n° 5: »service aulique«).

79 Cf. DEPREUX, Nithard, p. 152. Cf. également GANSHOF, Concession d'alleux. Cet inventaire ne porte que sur les concessions d'alleux à des vassaux, ce qui ne reflète à mon avis qu'un pan de l'effort déployé par Louis pour s'assurer les fidélités et les récompenser. Il faut également prendre en compte, par exemple, les donations aux établissements religieux.

par conséquent d'abord d'acheter ou de récompenser la loyauté en général, et non un service particulier – l'un n'excluant bien entendu pas l'autre. La vie était d'ailleurs parfois le prix de la loyauté, comme ce fut le cas pour Madalelme, ce *vasallus dominicus* exécuté en 834 par les hommes de Lothaire lors de la prise de Chalon-sur-Saône par ce dernier[80].

H. Le prêtre Georges

Le prêtre Georges, originaire de Venise, était facteur d'orgues (hydroliques[81]) *more Graecorum*[82]. C'est Baudry qui l'avait amené à la cour de Louis le Pieux, en 826 à Ingelheim. L'empereur confia le prêtre Georges à Tanculf et il les envoya au palais d'Aix-la-Chapelle pour que Georges y construisît un orgue[83], dont la cour franque s'enorgueillit (vis-à-vis de la cour byzantine)[84]. Il ne fait point de doute que c'est pour ce service ayant contribué au prestige de la cour de Louis le Pieux que Georges fut nommé *rector* du monastère de Saint-Saulve, par *beneficium* du prince[85].

I. Pépin, le fils de Bernard d'Italie

Pépin présente un cas pour le moins original de fidélité à Louis le Pieux, puisqu'il ne s'agit de personne d'autre que du fils du roi Bernard d'Italie[86]. L'on ne sait presque rien de Pépin, si ce n'est qu'il se montra fidèle à Louis le Pieux et à son épouse au printemps 834, puisqu'il fit partie de ceux qui libérèrent Judith et la ramenèrent d'Italie[87]. Pépin perdit vraisemblablement ce qu'il avait en Italie[88], mais sa mère, Cunégonde, ne semble pas avoir été touchée par la mesure qui frappa certainement son fils[89]. Lorsque Lothaire passa la Meuse et marcha vers la Seine à l'automne 840, Pépin fut de ceux qui se rallièrent à lui[90]. Louis le Pieux avait selon toute vraisemblance récompensé le fils de Bernard d'Italie pour sa fidélité en 834 en lui attribuant un *honor* en la région que traversa Lothaire en octobre 840: le comté de Vermandois vient à l'es-

---

80 Astronomus, Vita, c. 52, p. 639: *Adclamatione porro militari post captam urbem Gotselmus comes, itemque Sanila comes, necnon et Madalelmus vassallus dominicus, capite plexi sunt. Sed et Gerberga, filia quondam Willelmi comitis, tamquam venefica, aquis praefocata est.*

81 Annales Fuldenses, a. 826, p. 24; Einhardus, Translatio, IV, c. 11, p. 260.

82 Astronomus, Vita, c. 40, p. 629. Sur les orgues altimédiévales, cf. BITTERMANN, Organ.

83 Annales regni Franc., a. 826, p. 170 – texte cité à la notice n° 258. Cf. également Astronomus, Vita, c. 40, p. 629.

84 Ermoldus, Elegiacum carmen, lib. IV, v. 2520 sqq., p. 192.

85 Il est attesté en tant que tel en 828, cf. Einhardus, Translatio, IV, c. 8 à 11, p. 258 sqq.

86 Regino, Chronicon, a. 818, p. 73.

87 Cf. Annales Bertiniani, a. 834, p. 13 – texte cité à la notice n° 55.

88 Il fut probablement de ceux dont on traita du sort en septembre 836: ... *verum et de episcopis atque comitibus qui dudum cum augusta fideli devotione de Italia venerant, ut eis et sedes propriae et comitatus ac beneficia seu res proprie redderentur* (Annales Bertiniani, a. 836, p. 19). Lothaire refusa. HLAWITSCHKA, Franken, p. 246, tient pour possible qu'il fût comte de Parme, mais cela n'est en rien prouvé.

89 Cf. la donation qu'elle fit au monastère Saint-Alexandre de Parme, le 15 juin 835 (Annales O.S.B. 2, n° 58, p. 689 sq.).

90 Nithardus, Historia, lib. II, c. 3, p. 44.

prit[91], puisque ses descendants tiendraient ce dernier[92]; K. F. Werner est plus prudent, qui tient seulement pour vraisemblable que Pépin tînt »un comté dans la région parisienne«[93].

J. Le comte Eckard

Le comte Eckard ne fut à notre connaissance investi d'aucune mission particulière, mais la fidélité qu'il montra lors de la période de crise politique ayant marqué le règne de Louis le Pieux justifie qu'on s'intéresse à lui. Pendant l'hiver 833/834, Eckard[94] travailla à la libération de Louis le Pieux: »en tout cas, en *Francia*, le comte Eckard et le connétable Guillaume rassemblaient autour d'eux ceux qu'ils pouvaient, (c'est-à-dire ceux qu'unissait) la même volonté de rétablir l'empereur (sur son trône)«[95]. Alors qu'il avait appris que Lothaire (et Louis le Pieux), traversant le *pagus* de Hesbaye, se dirigeaient vers Paris, le comte et les autres *proceres* de ce *pagus* se mirent en marche à la tête de troupes armées, pour libérer Louis[96]. Il semble donc qu'il faille reconnaître en notre personnage le comte de Hesbaye. Un élément rend cette identification vraisemblable: le 8 mai 840, Louis le Pieux fit donation à son fidèle Eckard[97] des *villae* de Pont-de-Loup[98] et de Marchienne-au-Pont[99] dans le Lommois[100], sur la Sambre[101], c'est-à-dire dans le *pagus* voisin de celui de Hesbaye[102]. On a d'autre part ici un nouveau témoignage de la fidélité de ce personnage, puisqu'il accompagna Louis le Pieux dans sa campagne contre Louis le Germanique. Cette fidélité fut d'ailleurs louée dans le préambule de l'acte, du même type que celui observé dans le diplôme en faveur de Betton[103]. Il est fort possible que le bénéficiaire du diplôme du 23 avril 839 fût également notre homme[104]. Adalhard (III) *ambasciavit* pour la délivran-

---

91 Cf. Simson, Jahrbücher, tome 1, p. 126 note 5. Je ne pense pas, comme le fait l'auteur, que Pépin reçut le Vermandois aussitôt après la mort de son père. Hlawitschka, Franken, p. 246 sq., suppose également que Pépin administra le Vermandois.

92 Sur la maison de Vermandois, cf. Werner, Untersuchungen, p. 87 sqq.

93 Ibid., p. 93: »eine Grafschaft im Pariser Raum«.

94 G. H. Pertz avait retenu la leçon fautive d'*Eggebardus*. Il s'agit vraisemblablement d'une erreur de lecture, le scribe ayant probablement confondu *h* et *b*. Plusieurs manuscrits du texte donnent des leçons plus correctes, comme *Aggardus* (ms. Wien, Ö.N.B. ms. 667, de la fin du IXe siècle) ou *Eggardus* (Biblioteca Apostolica Vaticana, ms. Reine Christine 692, du XIIe siècle).

95 Astronomus, Vita, c. 49, p. 637: *Et quidem in Franciam Eggebardus comes, et Willelmus comes stabuli, quos poterant sibi in unione voluntatis restituendum imperatorem coadunabant.*

96 Ibid., c. 50, p. 637: *Hieme autem exacta et vere iam roseam fatiem praetendente, Hlotharius patre assumpto per pagum Hasbaniensem iter arripuit, et Parisius urbem petivit, ubi obviam fore cunctos sibi fideles praecepit. Cui Eggebardus comes et alii illius proceres pagi cum magna coacta manu obviam pro liberatione imperatoris pugnaturi processerunt ...*

97 L'identification est en cela possible que certains manuscrits de la Vita de l'Astronome portent les leçons *Aggardus* ou *Eggardus*. Cf. Astronomus, Vita, p. 637 l. 46 note k.

98 Arr. Charleroi. Cf. Carnoy, Origines, tome 2, p. 551.

99 Arr. Charleroi. Cf. Carnoy, Origines, tome 2, p. 437.

100 Cf. Moreau, Dictionnaire, p. 160 sq.

101 B.M. 1005(974), éd. Doc. dipl. Saint-Lambert, n° 3, p. 4 sq. (à la p. 5): *... concessimus eidem fideli nostro Ekkhardo ad proprium quasdam res nostre proprietatis que sunt site in pago Coniense (= Lomense) super fluvium Samera, hoc est villas duas que vocantur Funderlo et Marcinas.*

102 Cf. Moreau, Dictionnaire, p. 142 sq.

103 Arengenverzeichnis, n° 1076; cf. la rubrique G. de cette même annexe.

104 B.M. 993(962). D'autre part, la présence à Poitiers d'un certain Eckard, *fidelis* de l'empereur, est attestée par B.M. 1001(970), diplôme du 29 décembre 839 par lequel Louis le Pieux donna à ce *fidelis*

ce de ce diplôme[105]. Tout comme il est difficile de préciser les liens rattachant ce personnage à la famille des Nibelungen »historiques«[106], l'on ignore quand Eckard mourut[107].

K. L'abbesse de Remiremont, Teuthilde

Alors qu'aucun élément ne permet d'affirmer que l'abbesse Teuthilde[108] fut une personnalité de particulière importance, nous avons le texte de plusieurs de ses lettres, dont deux à Louis le Pieux[109]; dans l'un des documents, l'abbesse remerciait l'empereur pour ses bienfaits et l'assurait de la prière de ses soeurs[110]. On y a vu l'expression de la reconnaissance de la communauté pour l'aide que l'empereur aurait apportée lors du transfert du monastère du Saint-Mont dans la plaine[111], mais on doit également y reconnaître la soumission au devoir de prière pour le souverain auquel étaient astreints moines et moniales[112]. Teuthilde écrivit également à Judith – il s'agit d'une requête[113] – et à un membre du Palais du nom d'Adalhard[114], vraisemblablement Adalhard (III) le sénéchal[115], qu'elle remerciait pour son appui. Elle était aussi en contact avec un autre personnage dont nous ignorons le nom – un autre membre du

la villa de Perrecy dans le pagus d'Autun. Cette villa avait déjà été donnée environ un an et demi plus tôt par le roi Pépin Ier d'Aquitaine (Actes de Pépin, n° 38, p. 166 sqq.). Ces deux actes sont introduits par un préambule identique – à la différence que l'imperialis celsitudo devient chez Pépin regalis, ce préambule est également repris dans l'acte du 8 mai 840, cf. Arengenverzeichnis, n° 1076. En janvier 876, ce personnage fit donation de Perrecy à l'abbaye de Fleury (cf. Doc. dipl. Saint-Benoît, n° 25, 26, 27 et 28, p. 59 sqq.). Il ne s'agit toutefois pas du comte de Hesbaye (Eckard est appelé fidelis noster par Pépin Ier), mais du futur comte de Chalon étudié en détail par LEVILLAIN, Nibelungen, 1ère partie.

105 Mentions tironiennes, p. 20.
106 Sur cette famille, cf. LEVILLAIN, Nibelungen.
107 LEVILLAIN, Nibelungen, 1ère partie, p. 395 note 1, n'a pas 'osé' identifier Eckard avec le comte du même nom tombé en Aquitaine en 844. D'autres ont d'ailleurs proposé de reconnaître en ce personnage le comte d'Amiens (cf. Annales Bertiniani, a. 844, p. 47 note 2). Ainsi que l'a également noté L. LEVILLAIN, ibid., p. 396 note 1, il ne peut s'agir de notre personnage dans la mention de la mort en 837 sur l'île de Walcheren d'Eggihardus, dit ejusdem loci comes (Annales Fuldenses, a. 837, p. 28), comme cela était l'hypothèse de CHAUME, Bourgogne, p. 540.
108 Sur ce personnage, cf. HLAWITSCHKA, Äbtissinnenreihe, p. 36 sqq.
109 Indicularius Thiathildis, n° 1 et 2, p. 525 sq. La lettre n° 1 date indéniablement des années antérieures à la crise de 833, puisque l'adresse est forgée sur la première titulature de Louis le Pieux: Domino Ludwico divina ordinante providentia imperatori semper augusto. L'on ne peut pas dater la seconde lettre, adressée domino gloriosissimo, summe nobilitatis sapientieque diademate redimito regnique gubernacula strenue regenti, Ludowico imperatori semper augusto.
110 Indicularius Thiathildis, n° 1, p. 525 sq.: Scire igitur obtamus vestram inianter excellentiam, quod, quasi reconpensantes ineffabilibus clementie vestre muneribus, huius volvente anni circulo praesentique hoc in tempore pro vestra incolomitate dignissimeque regine ac dulcissime diu servande regie prolis cecinimus psalteria mille, missas 800 cum oblationibus ac letaniis creberrimis ...
111 Cf. HLAWITSCHKA, Klosterverlegung, p. 267.
112 Cf. les travaux d'Eugen Ewig sur le sujet. Orientations bibliographiques dans DEPREUX, Louis le Pieux reconsidéré?, p. 211.
113 Indicularius Thiathildis, n° 3, p. 526.
114 Ibid., n° 4, p. 526 sq.
115 Telle est l'interprétation de HLAWITSCHKA, Äbtissinnenreihe, p. 37.

Palais? – qu'elle pria de lui préciser par écrit la volonté de Louis le Pieux sur un point que l'on ne connaît malheureusement pas[116].

L. Le comte Aznar

Qu'une mission militaire, même importante, fût confiée à un personnage dont on ne sait rien par ailleurs, cela ne semble pas un critère prouvant que cette personne jouissait d'une confiance hors norme auprès du prince, lui conférant un relief particulier. C'est pourquoi le comte Aznar[117], qui fut envoyé à Pampelune à la tête d'une armée de Gascons[118], ne peut pas être retenu, bien que son personnage soit d'un intérêt certain en ce sens qu'il était de sang gascon (c'est la raison pour laquelle il fut relâché par ses ravisseurs, qui l'avaient capturé lors de l'embuscade tendue en 824 sur le chemin du retour[119]) – il est ainsi l'illustration de l'association par le pouvoir franc de l'aristocratie locale au gouvernement[120].

M. Le bâtard Arnoul

Ce n'est pas parce qu'un personnage était parent de l'empereur qu'il comptait parmi les membres de son entourage; cela fut vraisemblablement le cas du fils bâtard de Louis le Pieux, Arnoul. La seule chose que nous sachions sur lui est que son père lui confia le comté de Sens[121], comme nous l'apprend l'auteur de la Chronique de Mois-

---

116 Indicularius Thiathildis, n° 5, p. 527: *... subplico piam magnanimitatem vestram, ut per epistolam vestram certam me faciatis, qualiter domni piissimi imperatoris semper augusti seu inclite adque magnificentissime domne imperatricis sit voluntas ...* A noter que LEVILLAIN, Wandalbert, p. 20 note 3, tient également pour possible que cette lettre date d'après la mort de Louis le Pieux et concerne l'empereur Lothaire.

117 Il était *citerioris Vuasconiae comes* (Annales Bertiniani, a. 836, p. 20). MUSSOT-GOULARD, Princes de Gascogne, p. 89 sq., en fait un comte de Fezensac, sans justifier son affirmation. Déjà HIGOUNET, Aznar, p. 9, avait relevé l'existence d'une charte pour l'abbaye de Pessan indiquant »que le *pagus Ausciensis*, comté de Fezensac, faisait partie de son *comitatus* gascon«. Or MUSSOT-GOULARD, Princes de Gascogne, p. 90 note 166, rejette cette charte: »elle ne fait rien connaître sur Aznar-Sanche«.

118 Annales regni Franc., a. 824, p. 166: *Aeblus et Asinarius comites cum copiis Wasconum ad Pampilonam missi, cum peracto iam sibi iniuncto negotio reverterentur, in ipso Pirinei iugo perfidia montanorum in insidias deducti ac circumventi capti sunt, et copiae, quas secum habuere, pene usque ad internicionem deletae; et Aeblus quidem Cordubam missus, Asinarius vero misericordia eorum, qui eum ceperant, quasi qui consanguineus eorum esset, domum redire permissus est.* Cf. également Astronomus, Vita c. 37, p. 628. Sur l'apparente divergence de datation, cf. DEPREUX, Poètes, p. 323. Ce comte mourut en 836 (*horribili morte interiit*, Annales Bertiniani, a. 836, p. 20) – MUSSOT-GOULARD, Princes de Gascogne, p. 90, suppose qu'il »fut mis à mort« pour le compte de Pépin Ier d'Aquitaine – après s'être détaché de ce roi (*qui ante aliquot annos a Pippino desciverat*, Annales Bertiniani, a. 836, p. 20) – »c'est sans doute à partir de 833 qu'Aznar se détacha de Pépin« (MUSSOT-GOULARD, Princes de Gascogne, p. 90).

119 A ce propos, cf. GURRUCHAGA, Segunda batalla.

120 Cf. HIGOUNET, Aznar. L'auteur a résumé son opinion dans: HIGOUNET, Bordeaux, p. 34. Contre l'origine aragonaise d'Aznar: MUSSOT-GOULARD, Princes de Gascogne, p. 90 note 166.

121 Chronicon Moissiacense, a. 817, p. 312: *Quartum vero filium habuit ex concubina, nomine Arnulphum, cui pater Senonas civitatem in comitatum dedit.* Cf. SIMSON, Jahrbücher, tome 1, p. 110 et note 4. »Soviel ich sehe, die einzige Erwähnung dieses Bastards« (ibid., p. 35 note 7). On a voulu reconnaître en lui le partisan de Lothaire dont parle Nithardus, Historia, lib. II, c. 6, p. 54 et 56, cf. WERNER, Nachkommen, p. 446 n° 9. Rien ne permet de confirmer ou d'infirmer cette proposition d'identification.

sac à l'occasion de la description qu'il fait du partage de l'été 817 habituellement désigné sous le nom d'*Ordinatio imperii*[122].

N. Le comte de Lyon, Bermond

Le 15 avril 818[123], le comte de Lyon, Bermond, exécuta la sentence d'aveuglement prononcée à Aix-la-Chapelle contre le roi Bernard d'Italie, qui s'était rebellé contre Louis le Pieux[124]. Nithard, à qui nous devons cette information, ne précise malheureusement pas à quel titre Bermond aveugla Bernard: exerçait-il, au Palais, les fonctions de bourreau? Dans le doute, il est préférable écarter ce personnage, plutôt que de le compter à tort parmi les fonctionnaires auliques. Il n'est cependant pas inopportun de rappeler que d'après Adrevald de Fleury, Charlemagne aurait promu comte d'Auvergne un certain Bermond, qui était de basse extraction[125]. Notre homme était-il le futur comte de Lyon attesté sous Louis le Pieux, ou bien son parent[126]? Toujours est-il que, si l'information et son interprétation[127] s'avèrent exactes, le fils de Charlemagne ne fut pas le premier à attribuer de hautes fonctions à des individus d'origine médiocre.

O. Le vicomte Blitgaire

La nature de la fonction de *missus* dont le vicomte Blitgaire[128] fut investi en une occasion qu'il convient d'exposer pose un grave problème d'analyse. Ce *vicecomes* souscrivit la notice d'un plaid tenu en décembre 815 par le comte d'Autun, Théodéric[129]. En avril 817, le même *vicecomes* présida une assemblée judiciaire à Autun et il en souscrivit la notice[130]. Or, en octobre 819 à Autun, il présida un autre plaid judiciaire en qualité de *missus*, alors que le comte était présent[131]. Certes, il se pourrait

122 B.M. 649(627) a et b.
123 B.M. 515(496)o.
124 Nithardus, Historia, lib. I, c. 2, p. 6 sqq.: ... *a Bertmundo, Lugdunensis provincie praefecto, luminibus et vita pariter privatur.* Bermond était, comme l'affirmait Nithard, comte de Lyon. On en a la confirmation grâce à une lettre de l'archevêque de cette cité, où il est question de Bermond en tant que *com(es) nost(er)*, cf. Agobardus, Epistolae, n° 10, p. 202.
125 Cf. Adrevaldus, Miracula, I, c. 18, p. 43: ... *quibusdam servorum suorum, fisci debito sublevatis, curam tradidit regni; atque in primis Rahonem Aurelianensibus comitem praefecit, Biturigensibus Sturminium, Arvernis Bertmundum, aliisque, ut ei visum est, locis alios praeposuit.* A ce propos, cf. FUSTEL DE COULANGES, Transformations, p. 424. Cf. aussi WERNER, Bedeutende Adelsfamilien, p. 126 note 155.
126 Il se peut que le père du comte de Lyon fût un certain Evrard (Ebrardus), cf. la notice consacrée à Evrard (n° 94).
127 Contre l'analyse classique relative à la basse extraction de Bermond, cf. DURLIAT, Loi, p. 83 sq., qui fait état dans la recherche récente d'éléments »apport(ant) de l'eau au puissant moulin qui, actuellement, voit dans le *servus* public une personne exerçant un *servitium* public, un 'serviteur de l'Etat' plus qu'un esclave« (ibid., p. 83).
128 Sur ce personnage, cf. SICKEL, Vicecomitat, p. 13 – il s'agit de l'un des premiers *vicecomites* connus.
129 Doc. dipl. Saint-Benoît, n° 10, p. 26.
130 Doc. dipl. Saint-Benoît, n° 11, p. 26 sq.
131 Doc. dipl. Saint-Benoît, n° 16, p. 36 sq.: *Noticia sacramentale qualiter veniens Fredelus, die jovis, Augustiduno civitate in ecclesia sancti Johannis ubi alia sacramenta procurrunt ante Blitgario misso, vir illuster Theoderico comite vel quam pluris, dum ipse comes in ipsa civitate residebat, novem testes ad jurandum dedit his nominibus ...*

que Blitgaire fût *missus* du comte[132] – on a supposé que ce *vicecomes* était en l'occurrence investi d'une mission n'entrant pas dans le cadre habituel de ses attributions[133]. Un point est cependant gênant: pourquoi, dans la notice, Blitgaire est-il nommé avant le comte dont il est supposé être le *missus*? N'aurait-il pas été plutôt *missus dominicus*, c'est-à-dire *missus* de l'empereur? En l'absence d'une désignation explicite, comme c'est par exemple le cas pour un certain Nidhart attesté en Bavière[134], je préfère laisser la question en suspens.

P. Quelques *missi* difficilement identifiables

Parfois, la chronologie est trop imprécise pour que l'on puisse trancher: en retenant certains *missi*, par exemple, l'on risquerait d'attribuer à Louis le Pieux des agents de Charlemagne. Tel est le cas du *missus dominicus nomine Hartuni*[135], attesté du temps de l'évêque d'Augsbourg Hanto (809–815)[136]. On observe le même problème à propos des *missi* Sigibert, Friunto, Hilterat, Gérard et Liudéric[137], qui nous sont connus par un document de Saint-Gall[138]. Le comte Waning et un *vasallus regis* du nom de Radbert sont attestés avec un rôle correspondant à celui de *missi*, puisqu'il reçurent l'ordre de mener une *inquisitio* concernant certains biens de cette abbaye[139], suite à la requête de l'abbé Gozbert[140]. Le fait qu'il est question d'un »roi« Louis ne suffit pas à rejeter l'hypothèse qu'il s'agisse de Louis le Pieux[141]; l'on ne peut toutefois pas trancher entre lui et son fils, car Louis le Germanique exerça aussi un pouvoir de tutelle sur Saint-Gall, comme l'atteste le diplôme du 19 octobre 833, par lequel ce dernier confirma les privilèges de l'abbaye[142]. De même, l'imprécision concernant le comte Folhroh qui, avec l'évêque Norbert, est attesté comme *missus domni regis* dans un acte de Saint-Gall non daté[143], mais remontant certainement au temps de Louis le Pieux[144], impose le rejet de ce personnage. Mais ici aussi, le fait que Folhroh soit désigné comme *missus domni regis* n'empêche aucunement qu'il s'agisse en réalité d'un *missus* de l'empereur. L'on ne peut également pas savoir si Ansbert et Am-

---

132 Ceci est attesté pour d'autres *vicecomites*, cf. SICKEL, Vicecomitat, p. 27 sq. Sur Blitgaire, cf. également ibid., p. 53.
133 SICKEL, Vicecomitat, p. 28 sq.: »ein Auftrag außerhalb der amtlichen Zuständigkeit, so daß der Vicecomes nicht als Vicecomes handelte«.
134 Cf. la notice n° 204.
135 Doc. dipl. Freising, n° 475, p. 406 sq. Ce nom apparaît sans titre – ce qui interdit une identification certaine – dans des listes de témoins en 816 et 824, ibid., n° 355, p. 304 et n° 509, p. 434 sq.
136 GAMS, Series, p. 258.
137 Cf. cependant la notice n° 190.
138 Doc. dipl. Saint-Gall, tome 2, n° 19, p. 396. A ce propos, cf. BORGOLTE, Grafschaften Alemanniens, p. 90 sq.
139 Cf. Doc. dipl. Saint-Gall, tome 2, n° 18, p. 395 sq. – texte cité à la notice n° 247.
140 Son abbatiat (816–837) tombe entièrement sous le règne de Louis le Pieux, cf. DUFT, GÖSSI, VOGLER, Abtei St. Gallen, p. 102 sq.
141 Cf. la notice n° 247, consacrée à Ruadpert. Occasionnellement, Louis fut en effet désigné comme »roi«. D'ailleurs, c'est le cas pour Charlemagne dans ce même acte: *temporibus Caroli regis*.
142 Dipl. regum Germ. 1, n° 13, p. 15 sq.
143 Doc. dipl. Saint-Gall, tome 2, n° 15, p. 393.
144 Ibid., p. 394.

broise, les *missi* qui enquêtèrent avant le 25 janvier 835[145] sur le statut des biens dépendant de la *curtis* de Limonta[146], étaient au service de Louis le Pieux ou d'un autre souverain ayant exercé son autorité sur l'Italie.

Q. Les notaires italiens[147]

Le cas des membres de cours 'nationales', à savoir les membres de l'entourage des »Unterkönige« pose problème: il s'agit d'individus en fait au service indirect de l'empereur; toutefois, ils ne peuvent être retenus dans la prosopographie que lorsque l'on peut prouver qu'ils reçurent directement une mission de l'empereur ou qu'ils travaillèrent en collaboration avec des *missi* de Louis le Pieux. C'est pourquoi les notaires italiens Bonifrid et Ursinian ont par exemple été retenus, alors que Théodald fut écarté[148]. Les titres de »chancelier« ou »notaire« en Italie sont d'ailleurs assez difficiles à évaluer à leur juste mesure[149]. A ce propos, Hildebrand, qualifié de *cancellarius*, n'a pas été retenu étant donné le flou qui règne autour de sa personne[150].

R. Les comtes du Palais Mohard et Rainier

Le comte du Palais Mohard, que Louis le Germanique dépêcha auprès de Lothaire vers la fin de l'année 833 pour lui demander de mieux traiter Louis le Pieux, est traditionnellement considéré comme un membre du Palais du roi de Bavière[151]. Certes, son compagnon de mission était encore l'archichapelain de Louis le Germanique quelques mois plus tôt[152], mais rien dans la source nous apprenant le fait n'autorise une quelconque certitude sur le Palais dont Mohard était membre[153]. Quant au com-

---

145 A cette date, Lothaire donna la *curtis* de Limonta à Saint-Ambroise de Milan. Cf. Dipl. Karol. 3, n° 23, p. 93 sqq.

146 Cf. Doc. dipl. Italie, n° III, p. 568 sqq.

147 Sur le notariat italien pendant le haut Moyen-Age, cf. M. AMELOTTI, COSTAMAGNA, Origini, p. 147 sqq.; NICOLAJ, Origini; et surtout PRATESI, Appunti.

148 Le notaire du Palais Théodald écrivit, à Brescia en mai 824, la charte par laquelle le prêtre Amizon donna sa maison à son neveu. Cf. Doc. dipl. Lombardie, n° 106, col. 192 sq.: *Ego Teodaldus notarius sacri palatii rogatus scripsi, post tradita complevi et dedi.*

149 BRESSLAU, Urkundenlehre, tome 1, p. 622 sqq., décrit ainsi les compétences des notaires italiens: »Von den Notaren, deren Kompetenz auf den Bezirk einer Grafschaft beschränkt ist, unterscheiden sich sehr bestimmt seit dem Anfang des 9. Jahrhundert (sic) andere, die sich teils als königliche, teils als Pfalznotare bezeichnen« (p. 622), et H. Bresslau de remarquer ensuite: »wir haben hier Notare vor uns, deren Kompetenz örtlich nicht beschränkt ist, die aber wesentlich nur im Gericht der wandernden Königsboten tätig sind und sich durch ihren Titel von den gewöhnlichen Ortsnotaren bestimmt sondern« (ibid., p. 623). La limitation géographique de l'action des notaires est attestée depuis l'époque qui nous intéresse ici – en fait, depuis le gouvernement de Lothaire Ier en Italie, cf. BAUTIER, Authentification, p. 708. Selon PRATESI, Appunti, p. 763, cette époque fut celle d'une modification majeure du statut des notaires.

150 Doc. dipl. Italie, n° 36, p. 109 sqq. Ce personnage siégea, en décembre 824 à Reggio, au plaid tenu par Wala lors de son retour de Rome.

151 Cf. MEYER, Pfalzgrafen, p. 461.

152 Cf. FLECKENSTEIN, Hofkapelle 1, p. 168.

153 Theganus, Vita, c. 45, p. 600: *Qui veniens ad palatium Franchonofurt, statim inde direxit legatos suos Gozbaldum abbatem et presbyterum et Mohardum palatinum comitem, postulans et imperans, ut erga patrem humaniorem exhibere sententiam.*

te du Palais Rainier[154], qui fut l'un des instigateurs de la révolte de Bernard d'Italie[155], on ignore au service de qui il était avant de rejoindre Bernard. L'Astronome le dit en effet *olim comes palatii imperatoris*[156]. On a reconnu en Rainier un comte du Palais de Louis le Pieux lorsqu'il était roi d'Aquitaine[157], »mais cette supposition repose sur un fondement très faible«[158]. Rainier peut tout autant avoir été au service de Charlemagne[159], ce qui serait d'ailleurs plus logique[160]. Rien ne permet cependant de trancher. Rainier fut condamné à mort au printemps 818, mais gracié par Louis le Pieux: en conséquence de quoi il fut aveuglé[161]. Néanmoins, il préféra, à l'instar de Bernard, se donner la mort[162].

S. Ermold le Noir

On a voulu reconnaître en Ermold le Noir un »membre de la cour impériale«[163]. Cette appellation est à rejeter vigoureusement: rien, dans l'oeuvre d'Ermold, ne permet d'affirmer qu'il fit partie du Palais impérial, ne serait-ce qu'en tant que membre »temporaire«. Sa connaissance précise de l'Aquitaine sous Louis le Pieux s'explique par son appartenance à l'entourage de Pépin Ier d'Aquitaine, et à ce titre, il participa en 824 à l'expédition militaire de l'empereur en Bretagne[164]. Peut-être fit-il, avant 814, partie de l'entourage de Louis le Pieux, mais rien ne permet de l'établir. Quant à sa description des cérémonies auliques de 826, elles ne prouvent rien concernant son statut: l'on peut supposer qu'Ermold écrivit en témoin oculaire venu prendre part au *convent(us) non modic(us)* convoqué à cette époque[165]. En outre, l'on ne peut pas trancher quant à la question suivante: fut-il le légat envoyé par Louis auprès de son fils huit ans plus tard[166]?

154 Il s'agit d'un descendant du comte Hardrad qui se révolta sous Charlemagne (cf. BRUNNER, Oppositionelle Gruppen, p. 48), fait que l'auteur des Annales royales et Thégan se complaisent à rappeler.

155 Annales regni Franc., a. 817, p. 148; Astronomus, Vita, c. 29, p. 623.

156 Astronomus, Vita, c. 29, p. 623.

157 SIMSON, Jahrbücher, tome 1, p. 113.

158 MEYER, Pfalzgrafen, p. 455.

159 Ibid., p. 460 note 3: l'auteur juge »möglich, daß er noch unter Karl (dem Großen) Pfalzgraf war«. Mais c'est à tort que H. Meyer range Rainier parmi les comtes du Palais de Bernard d'Italie.

160 Il me semble en effet plus simple d'imaginer que Rainier passa de la cour de Charlemagne à celle de Bernard, plutôt qu'il rejoignît ce dernier après avoir été au service du roi d'Aquitaine.

161 Annales regni Franc., a. 818, p. 148; Theganus, Vita, c. 22, p. 596.

162 Astronomus, Vita, c. 30, p. 623: *Etenim Bernardus et Reginherius, dum inpatientius oculorum ablationem tulerunt, mortis sibi consciverunt acerbitatem.* Contrairement à certains historiens, j'admets l'hypothèse du suicide, cf. DEPREUX, Königtum, p. 23 sq. note 117.

163 ANGENENDT, Geistliches Bündnis, p. 7.

164 Ermoldus, Elegiacum Carmen, IV, v. 2016 sqq., p. 154.

165 Annales regni Franc., a. 826, p. 169; B.M. 829(770)b.

166 Cf. la notice n° 148.

T. Le liturgiste Amalaire et Paschase Radbert

Amalaire n'a pas été retenu dans la présente prosopographie. Cette mesure est discutable. Cependant, puisque son personnage a fait l'objet d'études exhaustives, on trouvera ailleurs ce qui n'aurait pu qu'être résumé dans une notice[167]. Il est fort vraisemblable que celui qui, à l'occasion de l'assemblée de 816, reçut de l'empereur l'ordre de composer une collection de sentences sur la vie des clercs[168] fût l'un de ses chapelains, mais aucun élément n'est décisif, ni une lettre d'Eginhard relative à une *legatio* dont on ne sait rien[169], ni l'envoi à Rome[170]. Aussi faut-il en rester au »peut-être« de J. Fleckenstein[171]. Certes, une distinction entre un acte politique ou administratif au sens contemporain et une mission d'ordre liturgique est un anachronisme: au moyen-âge, l'adoption d'une liturgie était un acte de portée politique[172]. Il semble toutefois que cette seule mission romaine à caractère liturgique ne motive pas la mention d'Amalaire parmi les membres de l'entourage de Louis le Pieux, car bien qu'il contribuât ainsi à un processus d'ordre politique, il n'exerça aucunement un pouvoir. J'ai mentionné plus haut une *legatio* dont on ignore tout. Il ne s'agit également pas d'un argument de poids pour retenir Amalaire: encore une fois, rien n'indique qu'il exerçât un pouvoir. On se trouve dans la même incertitude concernant Paschase Radbert, qui, évoquant la situation politique au début de l'été 831, écrivait: »alors que, jadis, je fus envoyé par l'empereur en raison de l'affaire que vous savez«[173]... On a compris que Radbert »vint en Bourgogne avec les pouvoirs d'un *missus*«[174]. Peut-être Paschase Radbert fut-il *missus dominicus*, mais rien ne permet de l'affirmer. Tout ce que l'on sait concerne l'objet de sa mission: il s'agissait d'affaires ecclésiastiques et monastiques[175]. Dans le doute, il est par conséquent prudent d'écarter ce personnage.

---

167 Cf. l'étude de I. M. Hansses en introduction à Amalarius, Opera liturgica, t. 1, p. 58–82. Cf. également DUCKETT, Portraits, p. 92–120. A propos de l'envoi d'Amalaire en ambassade à Constantinople en 813 (cf. Annales regni Franc., p. 137), je me permets de signaler qu'il se considérait lui-même comme *apocrisiarius* (cf. Amalarius, Epistolae, n° 6, p. 247), ce qui renforce l'isolement de Hincmar quant à l'acception qu'il donnait à ce terme dans son traité De ordine palatii (cf. LÖWE, Hinkmar). Sur le liturgiste qu'était Amalaire, cf. PALAZZO, Moyen Age.

168 Ademarus, Historiae, lib. III, c. 2, p. 119. Sur le grade de »diacre« par lequel Adémar de Chabannes désigne Amalaire, cf. les remarques d'I. M. Hansses dans Amalarius, Opera liturgica, t. 1, p. 73.

169 Einhardus, Epistolae, n° 4, p. 111.

170 Cf. Amalarius, Prologus, c. 2, p. 361: *Nam quando fui missus Romam a sancto et christianissimo imperatore Hludovico ad sanctum et reverentissimum papam Gregorium de memoratis voluminibus retulit mihi ita idem papa: Antiphonarium non habeo quem possim mittere filio meo domino imperatori ...*

171 FLECKENSTEIN, Hofkapelle 1, p. 60.

172 Cf. la bibliographie dans FRIED, Papsttum, p. 236 sqq. Je ne suis cependant pas d'accord avec l'auteur quant à son interprétation des faits, cf. DEPREUX, Empereur, p. 895 sq.

173 Paschasius, Epitaphium, p. 33: *cum olim ab augusto directus causa negotii quod nostis.*

174 WEINRICH, Wala, p. 77.

175 Paschasius, Epitaphium, p. 74 sq.: *Ubi cum non post diu ab augusto directus ob ecclesiasticarum rerum et monastica negotia devenissem, quanquam non sine periculo, ob suum solamen ad eum visitandum ascendi.*

SOURCES

Parmi les sources, sont également comptés les régestes utilisés. Les divers cartulaires et autres recueils de chartes et diplômes relatifs à un établissement ou à une région sont regroupés sous un même titre de »documents diplomatiques« (Doc. dipl.) que suit le nom du lieu qu'ils concernent. Mon étude s'appuie essentiellement sur les sources publiées. La consultation des manuscrits suivants s'est néanmoins avérée nécessaire: Paris, B. N., lat. 2718; Paris, B. N., lat. 5456A; Paris, B. N., lat. 13890; Paris, B. N., nouv. acq. lat. 1930; Paris, B. N., coll. Doat, n° 124; Paris, B. N., coll. Dupuy, n° 635; Paris, Bibl. Ste-Geneviève, ms 608.

Date et lieu d'édition des volumes publiés par les M.G.H.:

M.G.H. Capit. 1	1883, rééd. Hannover 1984
M.G.H. Capit. 2	1890/1897, rééd. Hannover 1980/1984
M.G.H. Conc. 2/1	1906, rééd. Hannover 1979
M.G.H. Conc. 2/2	1908, rééd. Hannover 1979
M.G.H. Epistolae 3	1892, rééd. München 1978
M.G.H. Epistolae 4	1895, rééd. München 1978
M.G.H. Epistolae 5	1898/1899, rééd. München 1978
M.G.H. Epistolae 6	1902/1925, rééd. München 1978
M.G.H. Formulae	1882/1886, rééd. Hannover 1963
M.G.H. Necrol. 1	1886/1888, rééd. München 1983
M.G.H. Poetae 1	1881, rééd. München 1978
M.G.H. Poetae 2	1884, rééd. München 1978
M.G.H. Poetae 3	1886/1896, rééd. München 1978
M.G.H. SS. 1	1826, rééd. Stuttgart 1976
M.G.H. SS. 2	1829, rééd. Stuttgart 1976
M.G.H. SS. 3	1839, rééd. Stuttgart 1986
M.G.H. SS. 4	1841, rééd. Stuttgart 1982
M.G.H. SS. 5	1844, rééd. Stuttgart 1985
M.G.H. SS. 6	1844, rééd. Stuttgart 1980
M.G.H. SS. 7	Hannover 1846
M.G.H. SS. 8	1848, rééd. Stuttgart 1992
M.G.H. SS. 9	1851, rééd. Stuttgart 1983
M.G.H. SS. 10	1852, rééd. Stuttgart 1987
M.G.H. SS. 11	Hannover 1854
M.G.H. SS. 13	1881, rééd. Stuttgart 1985
M.G.H. SS. 15/1	1887, rééd. Stuttgart 1992
M.G.H. SS. 15/2	1888, rééd. Stuttgart 1991
M.G.H. SS. 16	Hannover 1859
M.G.H. SS. 17	1861, rééd. Stuttgart 1990
M.G.H. SS. 30/2	1926/1934, rééd. Stuttgart 1976
M.G.H. SS. rer. Lang.	1878, rééd. Hannover 1988
M.G.H. SS. rer. Merov. 2	1888, rééd. Hannover 1984
M.G.H. SS. rer. Merov. 7	1919/1920, rééd. Hannover 1979

Actes de Charles le Chauve
  G. Tessier et alii (éd.), Recueil des actes de Charles II le Chauve, roi de France, 3 tomes, Paris 1943–1955 (Académie des Inscriptions et Belles Lettres, Chartes et diplômes).
Actes de Pépin
  L. Levillain (éd.), Recueil des actes de Pépin Ier et de Pépin II, rois d'Aquitaine (814–848), Paris 1926 (Académie des Inscriptions et Belles Lettres, Chartes et diplômes).
Actes des rois de Provence
  R. Poupardin (éd.), Recueil des actes des rois de Provence (855–928), Paris 1920 (Académie des Inscriptions et Belles Lettres, Chartes et diplômes).
Actus pont. Cenom.
  G. Busson, A. Ledru (éd.), Actus pontificum Cenomannis in urbe degentium, Le Mans 1901.

Adam, Gesta Hammaburg. eccl. pont.
Adam, Gesta Hammaburgensis ecclesiae pontificum, éd. B. SCHMEIDLER, M.G.H. SS. rer. Germ. 2, Hannover, Leipzig 1917, rééd. Hannover 1977.
Ademarus, Historiae
Adémar de Chabannes, Chronique, éd. J. CHAVANON, Paris 1897.
Admonitio
Admonitio ad omnes regni ordines (823–825), éd. A. BORETIUS, M.G.H. Capit. 1, n° 150, p. 303–307.
Ado, Chronicon
Adon, Chronicon, éd. G. H. PERTZ, M.G.H. SS. 2, p. 315–323.
Adrevaldus, Miracula
Adrevald de Fleury, Miracula sancti Benedicti, éd. E. DE CERTAIN, Les Miracles de saint Benoît, Paris 1858.
Agnellus, Liber pont. eccl. Ravennatis
Agnellus, Liber pontificalis ecclesiae Ravennatis, éd. O. HOLDER-EGGER, M.G.H. SS. rer. Lang., p. 265–391.
Agobardus, Cartula de poenitentia
Agobard, Cartula de poenitentia ab imperatore acta (oct. 833), éd. A. BORETIUS, V. KRAUSE, M.G.H. Capit. 2, n° 198, p. 56 sq.
Agobardus, Epistolae
Agobard, Epistolae, éd. E. DÜMMLER, M.G.H. Epistolae 5, p. 150–239.
Agobardus, Libri contra Iudith
Agobard, Libri duo pro filiis contra Iudith uxorem Ludovici Pii, éd. G. WAITZ, M.G.H. SS. 15/1, p. 274–279.
Alcuinus, Carmina
Alcuin, Carmina, éd. E. DÜMMLER, M.G.H. Poetae 1, p. 160–351.
Alcuinus, Epistolae
Alcuin, Epistolae, éd. E. DÜMMLER, M.G.H. Epistolae 4, p. 1–493.
Altfridus, Vita s. Liudgeri
Altfrid, Vita sancti Liudgeri episcopi Mimigardefordensis, éd. G. H. PERTZ, M.G.H. SS. 2, p. 403–419.
Amalarius, De ordine antiphonarii
Amalaire, Liber de ordine antiphonarii, dans: Amalarius, Opera liturgica, tome 3, p. 9–224.
Amalarius, Epistolae
Amalaire, Epistolae, éd. E. DÜMMLER, M.G.H. Epistolae 5, p. 240–274.
Amalarius, Liber officialis
Amalaire, Liber officialis, dans: Amalarius, Opera liturgica, tome 2.
Amalarius, Opera liturgica
I. M. HANSSENS (éd.), Amalarii episcopi opera liturgica omnia, 3 tomes, Città del Vaticano 1948–1950 (Studi e Testi, 138–140).
Amalarius, Prologus
Amalaire, Prologus antiphonarii, dans: Amalarius, Opera liturgica, tome 1, p. 361–363.
Andreas, Historia
André de Bergame, Historia, éd. G. WAITZ, M.G.H. SS. rer. Lang., p. 220–230.
Annales Alamannici
Annales Alamannici, éd. G. H. PERTZ, M.G.H. SS. 1, p. 22–30 et p. 40–60.
Annales angevines
L. HALPHEN, Recueil d'Annales angevines et vendômoises, Paris 1903.
Annales Augienses
Annales Augienses, éd. G. H. PERTZ, M.G.H. SS. 1, p. 67–69.
Annales Bertiniani
Annales de Saint-Bertin publiées ... par F. GRAT, J. VIELLARD et S. CLÉMENCET, avec une introduction et des notes par L. LEVILLAIN, Paris 1964.
Annales Besuenses
Annales Besuenses, éd. G. H. PERTZ, M.G.H. SS. 2, p. 247–250.
Annales Blandinienses
Annales Blandinienses, éd. L. BETHMANN, M.G.H. SS. 5, p. 20–34.

Annales Colon. maximi
    Annales Colonienses maximi, éd. K. Pertz, M.G.H. SS. 17, p. 723–847.
Annales Corbeienses
    Annales Corbeienses, éd. G. H. Pertz, M.G.H. SS. 3, p. 1–18.
Annales eccl. Franc.
    Ch. Le Cointe, Annales ecclesiastici Francorum, 8 vol., Paris 1665–1683.
Annales Einsidlenses
    Annales Einsidlenses, éd. G. H. Pertz, M.G.H. SS. 3, p. 137–149.
Annales Elnon. maiores
    Annales Elnonenses maiores, éd. G. H. Pertz, M.G.H. SS. 5, p. 11–17.
Annales Engolismenses
    Annales Engolismenses, éd. G. H. Pertz, M.G.H. SS. 16, p. 485–487.
Annales Farfenses
    Annales Farfenses, éd. L. Bethmann, M.G.H. SS. 11, p. 587–590.
Annales Floriacenses
    Annales Floriacenses, éd. G. H. Pertz, M.G.H. SS. 2, p. 254 sq.
Annales Fuldenses
    Annales Fuldenses sive Annales regni Francorum orientalis, éd. F. Kurze, M.G.H. SS. rer. Germ. 7,
    Hannover 1891, rééd. Hannover 1978.
Annales Fuldenses ant.
    Annales Fuldenses antiqui, éd. G. H. Pertz, M.G.H. SS. 3, p. 116* sq.
Annales Guelferbytani
    Annales Guelferbytani, éd. G. H. Pertz, M.G.H. SS. 1, p. 23–31 et 40–46.
Annales Heremi
    Annales Heremi, éd. G. H. Pertz, M.G.H. SS. 3, p. 138–145.
Annales Hildesheimenses
    Annales Hildesheimenses, éd. G. H. Pertz, M.G.H. SS. 3, p. 42–70.
Annales Iuvav. maiores
    Annales Iuvavenses maiores, éd. H. Bresslau, M.G.H. SS. 30/2, p. 727–744.
Annales Iuvav. maximi
    Annales Iuvavenses maximi, éd. H. Bresslau, M.G.H. SS. 30/2, p. 727–744.
Annales Leodienses
    Annales Leodienses, éd. G. H. Pertz, M.G.H. SS. 4, p. 2–20.
Annales Lobienses
    Annales Lobienses, éd. G. Waitz, M.G.H. SS. 13, p. 224–235.
Annales Lugdunenses
    Annales Lugdunenses, éd. G. H. Pertz, M.G.H. SS. 1, p. 110.
Annales Mettenses
    Annales Mettenses, éd. G. H. Pertz, M.G.H. SS. 1, p. 314–336.
Annales Nazariani
    Annales Nazariani, éd. G. H. Pertz, M.G.H. SS. 1, p. 23–31 et 40–44.
Annales O.S.B. 2
    J. Mabillon, Annales ordinis sancti Benedicti, tome 2, 2e éd. Lucca 1739.
Annales Ottenburani
    Annales Ottenburani, éd. G. H. Pertz, M.G.H. SS. 5, p. 1–6.
Annales Prumienses
    Annales Prumienses, dans: L. Boeschen, Die Annales Prumienses, Düsseldorf 1972, p. 78 sqq.
Annales Quedlinburgenses
    Annales Quedlinburgenses, éd. G. H. Pertz, M.G.H. SS. 3, p. 22–69.
Annales regni Franc.
    Annales regni Francorum inde ab a. 741 usque ad a. 829 qui dicuntur annales Laurissenses maiores et
    Einhardi, éd. F. Kurze, M.G.H. SS. rer. Germ. 6, Hannover 1895, rééd. Hannover 1950.
Annales s. Bavonis
    Annales Sancti Bavonis Gandensis, éd. G. H. Pertz, M.G.H. SS. 2, p. 185–191.
Annales s. Benigni
    Annales Sancti Benigni Divionensis, éd. G. Waitz, M.G.H. SS. 5, p. 37–50.

Annales s. Columbae
  Annales Sanctae Columbae Senonensis, éd. G. H. Pertz, M.G.H. SS. 1, p. 102–109.
Annales s. Emmerammi
  Annales Sancti Emmerammi maiores, éd. H. Bresslau, M.G.H. SS. 30/2, p. 727–744.
Annales s. Germani
  Annales Sancti Germani Parisiensis, éd. G. H. Pertz, M.G.H. SS. 3, p. 166–168.
Annales s. Petri Colonienses
  Annales sancti Petri Colonienses, éd. G. H. Pertz, M.G.H. SS. 16, p. 730.
Annales s. Rudberti
  Annales Sancti Rudberti Salisburgenses, éd. W. Wattenbach, M.G.H. SS. 9, p. 758–810.
Annales s. Vincentii
  Annales Sancti Vincentii Mettensis, éd. G. H. Pertz, M.G.H. SS. 3, p. 156–158.
Annales Sangallenses
  Annales Sangallenses maiores, éd. I. von Arx, M.G.H. SS. 1, p. 73–78.
Annales Sithienses
  Annales Sithienses, éd. G. Waitz, M.G.H. SS. 13, p. 34–38.
Annales Stabulenses
  Annales Stabulenses, éd. G. Waitz, M.G.H. SS. 13, p. 39–43.
Annales Tiliani
  Annales Tiliani, éd. G. H. Pertz, M.G.H. SS. 1, p. 6–8 et 219–224.
Annales Vedastini
  Annales Xantenses et Annales Vedastini, éd. B. von Simson, M.G.H. SS. rer. Germ. 12, Hannover, Leipzig 1909, rééd. Hannover 1979.
Annales Virdunenses
  Annales Virdunenses, éd. G. Waitz, M.G.H. SS. 4, p. 7 sq.
Annales Weingartenses
  Annales Weingartenses, éd. G. H. Pertz, M.G.H. SS. 1, p. 65–67.
Annales Wirziburgenses
  Annales Wirziburgenses, éd. G. H. Pertz, M.G.H. SS. 2, p. 238–247.
Annales Xantenses
  Cf. Annales Vedastini.
Annalista Saxo
  Annalista Saxo, éd. G. Waitz, M.G.H. SS. 6, p. 542–777.
Ansegisus, Capitularium collectio
  Ansegisi abbatis capitularium collectio, éd. A. Boretius, M.G.H. Capit. 1, p. 382–450.
Anselmus, Gesta episc. Leodiensium
  Anselme, Liber secundus gestorum episcoporum Tungrensium, Traiectensium et Leodiensium, éd. R. Koepke, M.G.H. SS. 7, p. 189–234.
Ardo, Vita Benedicti
  Ardon, Vita Benedicti abbatis Anianensis et Indensis, éd. G. Waitz, M.G.H. SS. 15/1, p. 198–220.
Arengenverzeichnis
  Fr. Hausmann, A. Gawlik, Arengenverzeichnis zu den Königs- und Kaiserurkunden von den Merowingern bis Heinrich VI., München 1987 (M.G.H. Hilfsmittel, 8).
Astronomus, Vita
  Astronome (auteur anonyme, dit l'), Vita Hludowici imperatoris, éd. G. H. Pertz, M.G.H. SS. 2, p. 604–648.
Bertarius, Gesta episc. Virdunensium
  Bertaire, Gesta episcoporum Virdunensium, éd. G. Waitz, M.G.H. SS. 4, p. 36–51.
Bibl. hist. Yonne
  L.-M. Duru, Bibliothèque historique de l'Yonne ou collection de légendes, chroniques et documents divers pour servir à l'histoire des différentes contrées qui forment aujourd'hui ce département, tome 1, Auxerre, Paris 1850.
B.M.
  J. Fr. Böhmer, Regesta imperii, tome 1: Die Regesten des Kaiserreichs unter den Karolingern, 751–918, neubearbeitet von E. Mühlbacher, … vollendet von J. Lechner, mit einem Geleitwort

von L. Santifaller, mit einem Vorwort, Konkordanztabellen und Ergänzungen von C. Brühl und H. H. Kaminsky, Hildesheim 1966.

Bovo, Inventio
   Bovon, De inventione et elevatione s. Bertini, éd. O. Holder-Egger, M.G.H. SS. 15/1, p. 524–534.

Candidus, De vita Aeigili
   Candide, De vita Aeigili, éd. E. Dümmler, M.G.H. Poetae 2, p. 94–117.

Candidus, Vita Eigilis
   Candide, Vita Eigilis abbatis Fuldensis, éd. G. Waitz, M.G.H. SS. 15/1, p. 221–233.

Cantatorium
   K. Hanquet (éd.), La chronique de Saint-Hubert dite Cantatorium, Bruxelles 1906.

Capitula ab episcopis Attiniaci data
   Capitula ab episcopis Attiniaci data (août 822), éd. A. Boretius, M.G.H. Capit. 1, n° 174, p. 357 sq.

Capitula ad Francos
   Capitula ad Francos et Aquitanos missa de Carisiaco (7 juillet 856), éd. A. Boretius, V. Krause, M.G.H. Capit. 2, n° 262, p. 279–282.

Capitula de iustitiis faciendis
   Capitula de iustitiis faciendis (vers 820), éd. A. Boretius, M.G.H. Capit. 1, n° 144, p. 295 sq.

Capitula episcoporum
   P. Brommer (éd.), Capitula episcoporum, M.G.H. Capitula episcoporum 1, Hannover 1984.

Capitula legibus addenda
   Capitula legibus addenda (818/819), éd. A. Boretius, M.G.H. Capit. 1, n° 139, p. 280–285.

Capitula missorum
   Capitula missorum (821), éd. A. Boretius, M.G.H. Capit. 1, n° 148, p. 300 sq.

Capitula tractanda
   Capitula ab episcopis in placito tractanda (début 829), éd. A. Boretius, V. Krause, M.G.H. Capit. 2, n° 186, p. 6 sq.

Capitulare de clericorum percussoribus
   Concilium et capitulare de clericorum percussoribus, éd. A. Boretius, M.G.H. Capit. 1, n° 176, p. 359–362.

Capitulare de disciplina palatii
   Capitulare de disciplina palatii Aquisgranensis (vers 820), éd. A. Boretius, M.G.H. Capit. 1, n° 146, p. 297 sq.

Capitulare de iustitiis faciendis
   Capitulare de iustitiis faciendis (811–813), éd. A. Boretius, M.G.H. Capit. 1, n° 80, p. 176 sq.

Capitulare de monasterio s. Crucis
   Capitulare de monasterio Sanctae Crucis Pictavensi (822–824), éd. A. Boretius, M.G.H. Capit. 1, n° 149, p. 302.

Capitulare de villis
   Capitulare de villis, éd. A. Boretius, M.G.H. Capit. 1, n° 32, p. 82–91.

Capitulare ecclesiasticum
   Capitulare ecclesiasticum (818/819), éd. A. Boretius, M.G.H. Capit. 1, n° 138, p. 275–280.

Capitulare Franconofurtense
   Capitulare Franconofurtense, publié parmi les actes du Concilium Francofurtense (juillet 794), éd. A. Werminghoff, M.G.H. Conc. 2/1, n° 19/G, p. 165–171. Cf. également Synodus Franconofurtensis.

Capitulare missorum
   Capitulare missorum (819), éd. A. Boretius, M.G.H. Capit. 1, n° 141, p. 288–291.

Capitulare missorum (bis)
   Capitulare missorum (début 829), éd. A. Boretius, V. Krause, M.G.H. Capit. 2, n° 188, p. 9–11.

Capitulare missorum generale
   Capitulare missorum generale (802), éd. A. Boretius, M.G.H. Capit. 1, n° 33, p. 91–99.

Capitulare missorum Silvacense
   Capitulare missorum Silvacense (nov. 853), éd. A. Boretius, V. Krause, M.G.H. Capit. 2, n° 260, p. 270–276.

Capitulare missorum Wormatiense
   Capitulare missorum Wormatiense (août 829), éd. A. Boretius, V. Krause, M.G.H. Capit. 2, n° 192, p. 14–17.

Capitulare monasticum
Capitulare monasticum (10 juillet 817), éd. A. Boretius, M.G.H. Capit. 1, n° 170, p. 343–349.
Capitulare Olonnense
Capitulare Olonnense (822–823), éd. A. Boretius, M.G.H. Capit. 1, n° 157, p. 316 sq.
Capitulare Wormatiense
Capitulare Wormatiense (août 829), éd. A. Boretius, V. Krause, M.G.H. Capit. 2, n° 191, p. 11–14.
Carmen ad Agobardum
Carmen ad Agobardum archiepiscopum missum, éd. E. Dümmler, M.G.H. Poetae 2, p. 118 sq.
Carmina Cenomanensia
Carmina Cenomanensia, éd. E. Dümmler, M.G.H. Poetae 2, p. 623–636.
Carmina Centulensia
Carmina Centulensia, éd. L. Traube, M.G.H. Poetae 3, p. 265–368.
Carmina varia
Carmina varia, éd. E. Dümmler, M.G.H. Poetae 2, p. 649–686.
Carolus, De causa Ebbonis
Charles le Chauve, Ad Nicolaum I papam de causa Ebbonis, éd. M. Bouquet, Recueil des historiens des Gaules et de la France, tome 7, 2e éd. Paris 1870, p. 556–559.
Cartae Senonicae
Cartae Senonicae, éd. K. Zeumer, M.G.H. Formulae, p. 185–207.
Catalogi abbatum Nonantulanorum
Catalogi abbatum Nonantulanorum, éd. G. Waitz, M.G.H. SS. rer Lang., p. 570–573.
Catalogi episc. Argentinensium
Catalogi episcoporum Argentinensium, éd. O. Holder-Egger, M.G.H. SS. 13, p. 321–324.
Catalogi regum Italiae
Catalogi regum Italiae, éd. G. H. Pertz, M.G.H. SS. 3, p. 215–219.
Catalogus abbatum Augiensium
Catalogus abbatum Augiensium, éd. I. von Arx, M.G.H. SS. 2, p. 37–39.
Catalogus abbatum Centulensium
Catalogus abbatum Centulensium, éd. G. Waitz, M.G.H. SS. 15/1, p. 181.
Catalogus abbatum Corbeiensium
Catalogus abbatum Corbeiensium, éd. O. Holder-Egger, M.G.H. SS. 13, p. 274–277.
Catalogus abbatum Epternacensium
Catalogus abbatum Epternacensium, éd. G. Waitz, M.G.H. SS. 13, p. 737–742.
Catalogus abbatum Farfensium
Catalogus abbatum Farfensium, éd. L. Bethmann, M.G.H. SS. 11, p. 585–587.
Catalogus abbatum Floriacensium
Catalogus abbatus Floriacensium, éd. O. Holder-Egger, M.G.H. SS. 15/1, p. 500 sq.
Catalogus abbatum Fuldensium
Catalogus abbatum Fuldensium, éd. G. Waitz, M.G.H. SS. 13, p. 272–274.
Catalogus abbatum s. Eugendi
Catalogus abbatum Sancti Eugendii Iurensis, éd. G. Waitz, M.G.H. SS. 13, p. 743–747.
Catalogus episc. Hildesheimensium
Catalogus episcoporum Hildesheimensium, éd. G. Waitz, M.G.H. SS. 13, p. 747–749.
Catalogus episc. Mettensium
Catalogus episcoporum Mettensium, éd. G. H. Pertz, M.G.H. SS. 2, p. 268–270.
Catalogus regum Langobardorum
Catalogus regum Langobardorum, éd. G. H. Pertz, M.G.H. SS. 5, p. 64.
C.C.Monast. 1
Corpus Consuetudinum Monasticarum, éd. K. Hallinger, tome 1, Siegburg 1963.
Ch.L.A.
Hartmut Atsma, Jean Vezin (éd.), Chartae Latinae Antiquiores, tome 19, Zürich 1987.
Chronicon Aquitanicum
Chronicon Aquitanicum, éd. G. H. Pertz, M.G.H. SS. 2, p. 252 sq.
Chronicon breve Bremense
Chronicon breve Bremense, éd. I. M. Lappenberg, M.G.H. SS. 7, p. 389–392.

Chronicon Font.
  Fragmentum chronici Fontanellensis, éd. G. H. Pertz, M.G.H. SS. 2, p. 301–304.
Chronicon Hildesheimense
  Chronicon Hildesheimense, éd. G. H. Pertz, M.G.H. SS. 7, p. 850–854.
Chronicon Laurissense breve
  H. Schnorr von Carosfeld (éd.), Chronicon Laurissense breve, N. A. 36 (1911) p. 13–39.
Chronicon Luxoviense breve
  Chronicon Luxoviense breve, éd. G. H. Pertz, M.G.H. SS. 3, p. 219–221.
Chronicon Mediani monast.
  Liber de sancti Hildulfi successoribus in Mediano monasterio, éd. G. Waitz, M.G.H. SS. 4, p. 86–92.
Chronicon Moissiacense
  Chronicon Moissiacense, éd. G. H. Pertz, M.G.H. SS. 1, p. 280–313 et M.G.H. SS. 2, p. 257–259.
Chronicon Novalicense
  Chronicon Novalicense, éd. L. Bethmann, M.G.H. SS. 7, p. 73–128.
Chronicon s. Maxentii
  La Chronique de Saint-Maixent, éd. J. Verdon, Paris 1979.
Chronicon s. Michaelis
  Chronicon Sancti Michaelis in pago Virdunensi, éd. G. Waitz, M.G.H. SS. 4, p. 78–86.
Chronicon Vedastinum
  Chronicon Vedastinum, éd. G. Waitz, M.G.H. SS. 13, p. 674–709.
Claudius, Epistolae
  Claude de Turin, Epistolae, éd. E. Dümmler, M.G.H. Epistolae 4, p. 586–613.
Codex Carolinus
  Codex Carolinus, éd. W. Gundlach, M.G.H. Epistolae 3, p. 469–657.
Commemoratio
  Commemoratio missis data (avant nov. 825?), éd. A. Boretius, M.G.H. Capit. 1, n° 151, p. 308 sq.
Concessio generalis
  Concessio generalis (823?), éd. A. Boretius, M.G.H. Capit. 1, n° 159, p. 320 sq.
Concilia 3
  W. Hartmann (éd.), Die Konzilien der karolingischen Teilreiche 843–859, M.G.H. Concilia 3, Hannover 1984.
Concilium ad Theodonis villam
  Concilium ad Theodonis villam congregatum (fév.-mars 835), éd. A. Werminghoff, M.G.H. Conc. 2/2, n° 55, p. 696–703.
Concilium Aquisgranense
  Concilium Aquisgranense (816), éd. A. Werminghoff, M.G.H. Conc. 2/1, n° 39, p. 307–464.
Concilium Aquisgranense (bis)
  Concilium Aquisgranense (février 836), éd. A. Werminghoff, M.G.H. Conc. 2/2, n° 56, p. 704–767.
Concilium Arelatense
  Concilium Arelatense (813), éd. A. Werminghoff, M.G.H. Conc. 2/1, n° 34, p. 248–253.
Concilium Carisiacense
  Concilium Carisiacense (sept. 838), éd. A. Werminghoff, M.G.H. Conc. 2/2, n° 57, p. 768–782.
Concilium Carisiacense (bis)
  Acta spuria ad concilium Carisiacense spectantia, éd. A. Werminghoff, M.G.H. Conc. 2/2, Appendix n° 9, p. 835–853.
Concilium Cenomannicum
  Concilium Cenomannicum (12 mai 840), éd. A. Werminghoff, M.G.H. Conc. 2/2, n° 59, p. 784–788.
Concilium Ingelheimense
  Concilium Ingelheimense (août 840), éd. A. Werminghoff, M.G.H. Conc. 2/2, n° 61, p. 791–814.
Concilium Lingonense
  Concilium Lingonense (20 nov. 830), éd. A. Werminghoff, M.G.H. Conc. 2/2, n° 51, p. 681 sq.
Concilium Mantuanum
  Concilium Mantuanum (6 juin 827), éd. A. Werminghoff, M.G.H. Conc. 2/2, n° 47, p. 583–589.
Concilium Moguntinense
  Concilium Moguntinense (813), éd. A. Werminghoff, M.G.H. Conc. 2/1, n° 36, p. 258–273.

Concilium Parisiense
  Concilium Parisiense (nov. 825), éd. A. WERMINGHOFF, M.G.H. Conc. 2/1, n° 44, p. 473–551.
Concilium Parisiense (bis)
  Concilium Parisiense (juin 829), éd. A. WERMINGHOFF, M.G.H. Conc. 2/2, n° 50 D, p. 605–680.
Concilium Romanum
  Concilium Romanum (nov. 826), éd. A. WERMINGHOFF, M.G.H. Conc. 2/2, n° 46, p. 552–583.
Concilium Tullense
  Concilium Tullense (15 oct. 838), éd. A. WERMINGHOFF, M.G.H. Conc. 2/2, n° 58, p. 782 sq.
Constitutio de partitione
  Concilia in monasterio sancti Dyonisii habita, Constitutio de partitione bonorum monasterii s. Dyonisii (22 janv. 832), éd. A. WERMINGHOFF, M.G.H. Conc. 2/2, n° 53, p. 688–694.
Constitutio de synodis
  Constitutio de synodis anno 829 in regno Francorum habendis (déc. 828), éd. A. BORETIUS, V. KRAUSE, M.G.H. Capit. 2, n° 184, p. 2 sq.
Constitutio Romana
  Constitutio Romana (novembre 824), éd. A. BORETIUS, M.G.H. Capit. 1, n° 161, p. 322–324.
Constructio Farfensis
  Constructio Farfensis, éd. L. BETHMANN, M.G.H. SS. 11, p. 520–530.
Conversio Carant.
  H. WOLFRAM, Conversio Bagoariorum et Carantanorum. Das Weißbuch der Salzburger Kirche über die erfolgreiche Mission in Karantanien und Pannonien, Graz 1979.
Corpus inscr. Fr. méd.
  R. FAVREAU, J. MICHAUD, Corpus des inscriptions de la France médiévale, tome 1/1, Poitiers 1974.
De obitu Hugonis
  Rhythmi de pugna Fontanetica et de obitu Hugonis abbatis, éd. E. DÜMMLER, M.G.H. Poetae 2, p. 137–140.
De re dipl. 6
  J. MABILLON, De re diplomatica liber sextus, Paris 1681, rééd. Paris 1709.
Dhuoda, Liber manualis
  Dhuoda, Manuel pour mon fils, éd. P. RICHÉ, Paris 1975 (Sources chrétiennes, 225).
Dicuil, De Astronomia
  Dicuil, Liber de Astronomia, éd. M. ESPOSITO (texte publié sous le titre: »An unpublished astronomical treatise by the Irish monk Dicuil«), Proceedings of the Royal Irish Academy, tome 26, section C, n° 15, p. 378–446, Dublin 1907.
Dicuil, De mensura
  Dicuil, Liber de mensura orbis terrae, éd. J.-J. TIERNEY, Dublin 1967 (Scriptores Latini Hiberniae, 6).
Dipl. Berengar.
  L. SCHIAPARELLI (éd.), I diplomi di Berengario I., Roma 1903.
Dipl. inédit
  Ph. LAUER, Diplôme inédit de Louis le Pieux, B.E.Ch. 61 (1900) p. 83 sq.
Dipl. inédits (Aquilée)
  V. JOPPI, Unedirte Diplome aus Aquileja (799–1082), M.I.Ö.G. 1 (1880) p. 259–297.
Dipl. inédits (Arezzo)
  A. VON JAKSCH, Unedirte Diplome aus Arezzo und Novara, M.I.Ö.G. 2 (1881) p. 442–454.
Dipl. inédits (Fr.)
  A. DOPSCH, Unedierte Karolinger-Diplome aus französischen Handschriften, M.I.Ö.G. 16 (1895) p. 193–221.
Dipl. Karol. 1
  E. MÜHLBACHER (éd.), Die Urkunden Pippins, Karlmanns und Karls des Großen, M.G.H. Dipl. Karol. 1, Hannover 1906, rééd. München 1979.
Dipl. Karol. 3
  Th. SCHIEFFER (éd.), Die Urkunden Lothars I. und Lothars II., M.G.H. Dipl. Karol. 3, Berlin, Zürich 1966.
Dipl. Karol. (France)
  F. LOT, Ph. LAUER (éd.), Diplomata Karolinorum. Recueil de reproductions en fac-similé des actes

originaux des souverains carolingiens conservés dans les archives et bibliothèques de France, tome 2 (2 vol.): Louis le Pieux, Toulouse, Paris 1946.

Dipl. Karol. (Suisse)

A. Bruckner (éd.), Diplomata Karolinorum. Faksimile-Ausgabe der in der Schweiz liegenden originalen Karolinger und Rudolfinger Diplome, Basel 1974.

Dipl. regum Germ. 1

P. Kehr (éd.), Die Urkunden Ludwigs des Deutschen, M.G.H. Dipl. regum Germ. 1, Berlin 1932/1934, rééd. München 1980.

Dipl. regum Germ. 2

P. Kehr (éd.), Die Urkunden Karls III., M.G.H. Dipl. regum Germ. 2, 1936–1937, rééd. München 1984.

Divisio regnorum

Divisio regnorum (6 février 806), éd. A. Boretius, M.G.H. Capit. 1, n° 45, p. 126–130.

Doc. dipl. Alsace

J.-D. Schöpflin, Alsatia aevi merovingici, carolingici ... diplomatica, tome 1, Mannheim 1772.

Doc. dipl. Aniane

L. Cassan, E. Meynial (éd.), Cartulaires des abbayes d'Aniane et de Gellone publiés d'après les manuscrits originaux. Cartulaire d'Aniane, Montpellier 1900.

Doc. dipl. Anjou

P. Marchegay, Archives d'Anjou. Recueil de documents et mémoires inédits sur cette province, Angers 1843.

Doc. dipl. Belgique

A. Miraeus, Diplomatum Belgicorum libri duo ..., Bruxelles 1627.

Doc. dipl. Belgique (bis)

M. Gysseling, A. C. F. Koch, Diplomata belgica ante annum millesimum centesimum scripta, 2 vol., Belgisch Inter-Universitair Centrum voor Neerlandistiek 1950 (Bouwstoffen en studiën voor de geschiedenis en de lexicografie van het Nederlands, 1).

Doc. dipl. Bonn

W. Levison, Die Bonner Urkunden des frühen Mittelalters, Bonner Jahrbücher 136/137 (1932) p. 217–270.

Doc. dipl. Bretagne

H. Morice, Mémoires pour servir de preuves à l'histoire ecclésiastique et civile de Bretagne, tome 1, Paris 1742.

Doc. dipl. Brioude

H. Doniol (éd.), Cartulaire de Brioude, Clermont-Ferrand, Paris 1863.

Doc. dipl. Brioude (bis)

A.-M. et M. Baudot (éd.), Grand cartulaire du chapitre de Saint-Julien de Brioude, Clermont-Ferrand 1935.

Doc. dipl. Catalogne

R. d'Abadal i de Vinyals, Catalunya Carolingis, tome 2: Els diplomes Carolingis a Catalunya, 2 vol., Barcelona 1926–1952 (Institut d'Estudis Catalans; Memories de la seccio historico-arqueologica, 2).

Doc. dipl. Chapelle-aux-Planches

Ch. Lalore (éd.), Cartulaire de l'abbaye de la Chapelle-aux-Planches, chartes de Montiérender, de Saint-Etienne et de Toussaints de Châlons, d'Andecy, de Beaulieu et de Rethel, Paris, Troyes 1878.

Doc. dipl. Cluny

A. Bernard, A. Bruel (éd.), Recueil des chartes de l'abbaye de Cluny, tome 1 (802–954), Paris 1876.

Doc. dipl. Conféd. suisse

E. Meyer-Marthaler, F. Perret (éd.), Bündner Urkundenbuch, tome 1 (390–1199), Chur 1955.

Doc. dipl. Conques

G. Desjardins (éd.), Cartulaire de l'abbaye de Conques en Rouergue, Paris 1879.

Doc. dipl. Cormery

J. Bourassé (éd.), Cartulaire de Cormery, Tours, Paris 1861.

Doc. dipl. Enns

Urkundenbuch des Landes ob der Enns, tome 2, Wien 1856.

Doc. dipl. Farfa
Il Regesto di Farfa di Gregorio di Catino, éd. I. Giorgi, U. Balzani, tome 2, Roma 1879 (Biblioteca della Societa Romana di storia patria).

Doc. dipl. Freising
Th. Bitterauf (éd.), Die Traditionen des Hochstifts Freising, tome 1, München 1905 (Quellen und Erörterungen zur bayerischen Geschichte, N.F. 4).

Doc. dipl. Fulda
E. F. J. Dronke (éd.), Codex diplomaticus Fuldensis, Kassel 1850.

Doc. dipl. Gorze
A. d'Herbomez, Cartulaire de l'abbaye de Gorze, Paris 1898 (Mettensia, 2/1).

Doc. dipl. Grenoble
J. Marion (éd.), Cartulaires de l'église cathédrale de Grenoble, dits Cartulaires de Saint-Hugues, Paris 1869.

Doc. dipl. Istrie
P. Kandler (éd.), Codice diplomatico Istriano, vol. 1 (50–1192), s.l.n.d. (1862), rééd. 1986 s.l.

Doc. dipl. Italie
C. Manaresi (éd.), I placiti del regnum Italiae, tome 1, Roma 1955 (Fonti per la storia d'Italia, 92).

Doc. dipl. Languedoc
C. Devic, J. Vaissète (éd.), Histoire Générale de Languedoc, tome 2, Toulouse 1875.

Doc. dipl. Lérins
H. Moris, E. Blanc (éd.), Cartulaire de l'abbaye de Lérins, Première Partie, Paris 1883.

Doc. dipl. Lombardie
G. P. Lambertenghi (éd.), Codex diplomaticus Langobardiae, Torino 1873 (Historiae Patriae Monumenta, 13).

Doc. dipl. Lorraine
A. Calmet, Histoire ecclésiastique et civile de Lorraine, tome 1, Nancy 1728.

Doc. dipl. Lorsch
K. Glöckner (éd.), Codex Laureshamensis, 3 tomes, Darmstadt 1929/1936.

Doc. dipl. Lucques
Memorie e documenti per servire all'istoria di Lucca, tome 4, 2e partie, Lucca 1836.

Doc. dipl. Marmoutier
Ch. A. de Trémault (éd.), Cartulaire de Marmoutier pour le Vendômois, Paris, Vendome 1893.

Doc. dipl. Mont-Blandin
A. van Lokeren, Chartes et documents de l'abbaye de Saint-Pierre au Mont-Blandin à Gand depuis sa fondation jusqu'à sa suppression, tome 1, Gand 1868.

Doc. dipl. Mont-Blandin (bis)
A. Fayen (éd.), Liber traditionum sancti Petri Blandiniensis, Gand 1906.

Doc. dipl. Mont-Cassin
E. Cuozzo, J.-M. Martin, Documents inédits ou peu connus des archives du Mont-Cassin (VIIIe-Xe siècles), Mélanges de l'Ecole française de Rome, Moyen Age, 103/1 (1991) p. 115–210.

Doc. Dipl. Montiéramey
Ch. Lalore (éd.), Cartulaire de l'abbaye de Montiéramey, Troyes 1890.

Doc. dipl. Nassau
J. M. Kremer, Originum Nassoicarum pars altera diplomatica, Wiesbaden 1779.

Doc. dipl. Nassau (bis)
K. Menzel, W. Sauer (éd.), Codex diplomaticus Nassoicus / Nassauisches Urkundenbuch, tome 1, Wiesbaden 1885.

Doc. dipl. Nonantola
G. Tiraboschi, Storia dell'augusta Badia di S. Silvestro di Nonantola, 2 tomes, Modena 1784/1785.

Doc. dipl. Nouaillé
P. de Monsabert (éd.), Chartes de l'abbaye de Nouaillé de 678 à 1200, Poitiers 1936.

Doc. dipl. Nouaillé (bis)
L. Redet, Chartes des huitième et neuvième siècles provenant de l'ancienne abbaye de Noaillé, près Poitiers, B. E. Ch. 2 (1840/41) p. 75–82.

Doc. dipl. Paris
R. DE LASTEYRIE, Cartulaire général de Paris ou Recueil de documents relatifs à l'histoire et à la topographie de Paris, tome 1 (528–1180), Paris 1887.

Doc. dipl. Passau
M. HEUWIÉD, Die Traditionen des Hochstifts Passau, München 1930 (Quellen und Erörterungen zur bayerischen Geschichte, NF 6).

Doc. dipl. Paunat
R. POUPARDIN, A. THOMAS, Fragments de cartulaire du monastère de Paunat (Dordogne), A.M. 18 (1906) p. 5–39.

Doc. dipl. Ratisbonne
J. WIDEMANN (éd.), Die Traditionen des Hochstifts Regensburg und des Klosters St. Emmeram (Quellen und Erörterungen zur bayerischen Geschichte, N.F. 8), München 1943.

Doc. dipl. Redon
A. DE COURSON (éd.), Cartulaire de l'abbaye de Redon en Bretagne, Paris 1863.

Doc. dipl. Rhétie
Th. VON MOHR, Codex diplomaticus. Sammlung der Urkunden zur Geschichte Cur-Rätiens und der Republik Graubünden, tome 1, Chur 1848/1852.

Doc. dipl. Rhin moyen
H. BEYER (éd.), Urkundenbuch zur Geschichte der ... mittel-rheinischen Territorien, tome 1, Koblenz 1860.

Doc. dipl. Saint-Aubin
A. BERTRAND DE BROUSSILLON (éd.), Cartulaire de l'abbaye de Saint-Aubin d'Angers, 3 tomes, Paris 1903.

Doc. dipl. Saint-Bénigne
G. CHEVRIER, M. CHAUME (dir.), Chartes et documents de Saint-Bénigne de Dijon, prieurés et dépendances des origines à 1300, tome 1: VIe-Xe s., publié par R. FOLZ, J. MARILIER, Dijon 1986.

Doc. dipl. Saint-Benoît
M. PROU, A. VIDIER (éd.), Recueil des chartes de l'abbaye de Saint-Benoît-sur-Loire, tome 1, Paris, Orléans 1900.

Doc. dipl. Saint-Bertin
B. GUÉRARD (éd.), Cartulaire de l'abbaye de Saint-Bertin, Paris 1840.

Doc. dipl. Saint-Calais
L. FROGER (éd.), Cartulaire de l'abbaye de Saint-Calais, Mamers, Le Mans 1888.

Doc. dipl. Saint-Chaffre
U. CHEVALIER (éd.), Cartulaire de l'abbaye de St-Chaffre du Monastier ..., Paris, Montbéliard 1891.

Doc. dipl. Saint-Cyr
R. DE LESPINASSE (éd.), Cartulaire de Saint-Cyr de Nevers, Nevers, Paris 1916.

Doc. dipl. Saint-Denis
M. FÉLIBIEN, Histoire de l'abbaye Saint-Denis, Paris 1706.

Doc. dipl. Saint-Etienne
J. COURTOIS (éd.), Chartes de l'abbaye de Saint-Etienne de Dijon (VIIIe, IXe, Xe et XIe siècles), Paris, Dijon 1908.

Doc. dipl. Saint-Gall
H. WARTMANN (éd.), Urkundenbuch der Abtei Sanct-Gallen, tomes 1 (700–840) et 2 (840–920), Zürich 1863/1866.

Doc. dipl. Saint-Germain
J. BOUILLARD, Histoire de l'abbaye royale de Saint-Germain des Prez ..., Paris 1724.

Doc. dipl. Saint-Germain (bis)
R. POUPARDIN (éd.), Recueil des chartes de l'abbaye de Saint-Germain des Prés des origines au début du XIIIe siècle, tome 1, Paris 1909.

Doc. dipl. Saint-Lambert
S. BORMANS, E. SCHOOLMEESTERS (éd.), Cartulaire de l'église Saint-Lambert de Liège, tome 1, Bruxelles 1893.

Doc. dipl. Saint-Martin
E. MABILLE, La pancarte noire de Saint-Martin de Tours, brûlée en 1793, restituée d'après les textes imprimés et manuscrits, Paris, Tours 1866.

Doc. dipl. Saint-Mihiel
  A. LESORT (éd.), Chronique et chartes de Saint-Mihiel, Paris 1909/1912 (Mettensia, 6).
Doc. dipl. Saint-Vincent
  M.-C. RAGUT (éd.), Cartulaire de Saint-Vincent de Mâcon connu sous le nom de livre enchaîné, Mâcon 1864.
Doc. dipl. Saint-Wandrille
  F. LOT, Etudes critiques sur l'abbaye de Saint-Wandrille, Paris 1913.
Doc. dipl. Salzbourg
  W. HAUTHALER (éd.), Salzburger Urkundenbuch, tome 1, Salzburg 1910.
Doc. dipl. Schäftlarn
  A. WEISSTHANNER (éd.), Die Traditionen des Klosters Schäftlarn 760–1305, München 1953 (Quellen und Erörterungen zur bayerischen Geschichte, N.F. 10).
Doc. dipl. Strasbourg
  Ph. A. GRANDIDIER, Histoire de l'Eglise et des Evêques-princes de Strasbourg depuis la fondation de l'Evêché jusqu'à nos jours, tome 2: Depuis l'an 817 jusqu'à l'an 965, Strasbourg 1778.
Doc. dipl. Utrecht
  S. MULLER, Het oudste cartularium van het Sticht Utrecht, 's-Gravenhage 1872.
Doc. dipl. Westphalie
  H. A. ERHARD, Regesta Historiae Westfaliae accedit codex diplomaticus, tome 1, Münster 1847.
Doc. dipl. Westphalie (bis)
  W. DIEKAMP, Supplement zum Westfälischen Urkundenbuch, 1er vol., Münster 1885.
Doc. dipl. Westphalie (ter)
  J. G. SEIBERTS, Urkundenbuch zur Landes- und Rechtsgeschichte des Herzogthums Westfalen, tome 1 (799–1300), Arnsberg 1839.
Doc. dipl. Westphalie (quarto)
  R. WILMANS, Die Kaiserurkunden der Provinz Westfalen (777–1313), tome 1: Die Urkunden des karolingischen Zeitalters (777–900), Münster 1867.
Doc. dipl. Wissembourg
  K. GLÖCKNER, A. DOLL (éd.), Traditiones Wizenburgenses. Die Urkunden des Klosters Weissenburg, 661–864, Darmstadt 1979.
Doc. dipl. Worms
  J. F. SCHANNAT, Historiae episcopatus Wormatiensis tomus secundus codicem probationum exhibens, Frankfurt a. M. 1734.
Doc. dipl. Wurtemberg
  Wirtembergisches Urkundenbuch, tome 1, Stuttgart 1849.
Doc. dipl. Yonne
  M. QUANTIN, Cartulaire général de l'Yonne, 2 vol., Auxerre 1854/1860.
Dungalus, Epistolae
  Dungal Scot, Epistolae, éd. E. DÜMMLER, M.G.H. Epistolae 4, p. 568–585.
Ebbonis apologeticum
  Ebbonis apologeticum, P.L. 116, col. 11–16.
Ebo, De ministris ecclesiae
  Ebbon, De ministris Remensium ecclesiae, P.L. 135, col. 407–410.
Einhardus, Epistolae
  Eginhard, Epistolae, éd. K. HAMPE, M.G.H. Epistolae 5, p. 105–145.
Einhardus, Oeuvres complètes
  A. TEULET (éd.), Oeuvres complètes d'Eginhard ..., 2 tomes, Paris 1840/1843.
Einhardus, Translatio
  Eginhard, Translatio et miracula sanctorum Marcellini et Petri, éd. G. WAITZ, M.G.H. SS. 15/1, p. 238–264.
Einhardus, Vita Karoli
  Eginhard, Vie de Charlemagne, éd. L. HALPHEN, 5e éd. Paris 1981.
Enquête de Fontjoncouse
  G. MOUYNÈS, Enquête de Fontjoncouse, dans: Musée des archives départementales. Recueil de facsimilé héliographiques de documents tirés des archives des préfectures, mairies et hospices, Paris 1878, n° 5 p. 10–13 (planche IV); cf. également: G. MOUYNÈS, Cartulaire de la seigneurie de Fontjon-

couse, Bulletin de la Commission archéologique et littéraire de l'arrondissement de Narbonne 1 (1877) p. 109–315.

Episcoporum relatio
Episcoporum ad Hludowicum imperatorem relatio (août 829), éd. A. Boretius, V. Krause, M.G.H. Capit. 2, n° 196, p. 26–51.

Epistola generalis
Hludowici et Hlotharii epistola generalis (décembre 828), éd. A. Boretius, V. Krause, M.G.H. Capit. 2, n° 185, p. 3–6.

Epistolae ad archiepiscopos
Epistolae ad archiepiscopos (816–817), éd. A. Boretius, M.G.H. Capit. 1, n° 169, p. 338–342.

Epistolae selectae
Epistolae selectae pontificum Romanorum Carolo Magno et Ludowico Pio regnantibus scriptae, éd. K. Hampe, M.G.H. Epistolae 5, p. 1–84.

Epistolae variorum 1
Epistolae variorum Carolo Magno regnante scriptae, éd. E. Dümmler, M.G.H. Epistolae 4, p. 494–567.

Epistolae variorum 2
Epistolae variorum inde a morte Caroli Magni usque ad divisionem imperii collectae, éd. E. Dümmler, M.G.H. Epistolae 5, p. 299–360.

Epistolae variorum 3
Ad epistolas variorum supplementum, éd. E. Dümmler, M.G.H. Epistolae 5, p. 615–640.

Epistolae variorum 4
Epistolae variorum inde a saeculo nono medio usque ad mortem Karoli II (Calvi) imperatoris collectae, éd. E. Dümmler, M.G.H. Epistolae 6, p. 127–206.

Epistolarum Fuldensium fragmenta
Epistolarum Fuldensium fragmenta, éd. E. Dümmler, M.G.H. Epistolae 5, p. 517–533.

Erlebnisbericht
K. Honselmann, Initia Corbeia. Der Erlebnisbericht der Gründung Corveys eines aus dem Sollingkloster Hetha gekommenen Mönches von 822, A.f.D. 36 (1990) p. 1–9.

Ermenricus, Epistola ad Grimaldum
Ermenric, Epistola ad Grimaldum abbatem, éd. E. Dümmler, M.G.H. Epistolae 5, n° X, p. 534–579.

Ermentarius, Miracula s. Filiberti
Ermentaire, Miracula sancti Filiberti, éd. O. Holder-Egger, M.G.H. SS. 15/1, p. 297–303.

Ermoldus, Ad Pippinum
Carmen Nigelli Ermoldi exulis in honorem gloriosissimi Pippini regis, dans: Ermoldus, Poème, p. 202–217.

Ermoldus, Elegiacum carmen
In honorem Hludowici christianissimi caesaris augusti Ermoldi Nigelli exulis elegiacum carmen, dans: Ermoldus, Poème, p. 1–201.

Ermoldus, Poème
Ermold le Noir, Poème sur Louis le Pieux et épîtres au roi Pépin, éd. E. Faral, Paris 1932, rééd. 1964.

Flodoardus, Historia
Flodoardus, Historia Remensis Ecclesiae, éd. I. Heller, G. Waitz, M.G.H. SS. 13, p. 405–599.

Florus, Carmina
Florus, Carmina, éd. E. Dümmler, M.G.H. Poetae 2, p. 507–566.

Folcuinus, Gesta abbatum Lobiensium
Folcuin, Gesta abbatum Lobiensium, éd. G. H. Pertz, M.G.H. SS. 4, p. 52–74.

Folquinus, Vita Folquini
Folcuin, Vita Folquini episcopi Moriensis, éd. O. Holder-Egger, M.G.H. SS. 15/1, p. 423–430.

Formulae Alsaticae
Formulae Alsaticae, éd. K. Zeumer, M.G.H. Formulae, p. 329–338.

Formulae imperiales
Formulae imperiales e curia Ludovici Pii, éd. K. Zeumer, M.G.H. Formulae, p. 285–327.

Formulae Marculfinae
Formulae Marculfinae aevi Karolini, éd. K. Zeumer, M.G.H. Formulae, p. 113–127.

Fragmenta hist. Foss.
    Fragmenta historiae Fossatensis, éd. G. Waitz, M.G.H. SS. 9, p. 370–374.
Freculphus, Chronicon
    Fréculf, Chronicorum tomi duo, P.L. 106, col. 918–1258.
Frotharius, Epistolae
    Frothaire, Epistolae, éd. K. Hampe, M.G.H. Epistolae 5, p. 275–298.
Gallia christ. nov. 2
    Gallia christiana novissima. Histoire des archevêchés, évêchés et abbayes de France ..., éd. J.-H. Albanès, tome 2, Marseille, Valence 1899.
Gallus Öhem, Chronik
    K. Brandi (éd.), Die Chronik des Gallus Öhem, Heidelberg 1893 (Quellen und Forschungen zur Geschichte der Abtei Reichenau, 2).
Gerichtsurkunden
    R. Hübner, Gerichtsurkunden der fränkischen Zeit, 1ère partie: Die Gerichtsurkunden aus Deutschland und Frankreich bis zum Jahre 1000, Z.R.G., Germ. Abt. 12 (1891) Anhang p. 1–118; 2e partie: Die Gerichtsurkunden aus Italien bis zum Jahre 1150, ibid. 14 (1893) Anhang p. 1–258.
Gesta abbatum Trudonensium
    Gestorum abbatum Trudonensium continuatio tertia, pars prior, éd. R. Koepke, M.G.H. SS. 10, p. 361–381.
Gesta Aldrici
    R. Charles, L. Froger (éd.), Gesta domni Aldrici Cenomannicae urbis episcopi a discipulis suis, Mamers 1889.
Gesta Dagoberti
    Gesta Dagoberti I. regis Francorum, éd. B. Krusch, M.G.H. SS. rer. Merov. 2, p. 396–425.
Gesta episc. Autisiodorensium
    Gesta episcoporum Autisiodorensium, éd. G. Waitz, M.G.H. SS. 13, p. 393–400.
Gesta episc. Cameracensium
    Gesta episcoporum Cameracensium, éd. L. Bethmann, M.G.H. SS. 7, p. 402–489.
Gesta episc. Mettensium
    Gesta episcoporum Mettensium, éd. G. Waitz, M.G.H. SS. 10, p. 531–551.
Gesta episc. Tullensium
    Gesta episcoporum Tullensium, éd. G. Waitz, M.G.H. SS. 8, p. 631–648.
Gesta Karoli
    Monachi Sangallensis de gestis Karoli imperatoris libri duo, éd. G. H. Pertz, M.G.H. SS. 2, p. 726–763.
Gesta patrum Font.
    Gesta sanctorum patrum Fontanellensis coenobii, éd. F. Lohier, J. Laporte, Rouen, Paris 1936.
Gesta s. Rotonensium
    Gesta sanctorum Rotonensium, dans: C. Brett (éd.), The Monks of Redon. Gesta sanctorum Rotonensium and Vita Conuuoionis, Woodbridge 1989, p. 101–219.
Gesta Treverorum
    Gesta Treverorum, éd. G. Waitz, M.G.H. SS. 8, p. 130–174.
Gosbertus, Carmen acrostichum
    Gosbertus, Carmen acrostichum. Ad Guillelmum Blesensium comitem, éd. E. Dümmler, M.G.H. Poetae 1, p. 620–622.
Guido, Chronica
    Guy, Chronica, éd. G. H. Pertz, M.G.H. SS. 5, p. 64 sq.
Halitgarius, De vitiis
    Halitgaire, De vitiis et virtutibus et de ordine poenitentium libri quinque, P.L. 105, col. 651–694.
Hariulfus, Chronicon Centulense
    Hariulf, Chronique de l'abbaye de Saint-Riquier, éd. F. Lot, Paris 1894.
Heiricus, Miracula
    Ex Heirici Miraculorum Sancti Germani libro II., éd. G. Waitz, M.G.H. SS. 13, p. 401–404.
Herimannus, Chronicon
    Hermann de la Reichenau, Chronicon, éd. G. H. Pertz, M.G.H. SS. 5, p. 67–133.

Hildegarius, Vita s. Faronis
Hildegaire, Vita Sancti Faronis episcopi Meldensis, dans: J. MABILLON, Acta Sanctorum ordinis sancti Benedicti, saec. II, Paris 1669, rééd. Mâcon 1936, p. 600–625.
Hincmarus, De divortio Lotharii
Hincmar, De divortio Lotharii regis et Theutbergae reginae, éd. L. BÖHRINGER, Hannover 1992 (M.G.H. Conc. 4, Supplementum 1).
Hincmarus, De ordine palatii
Hincmar, De ordine palatii, éd. Th. GROSS, R. SCHIEFFER, M.G.H. Fontes iuris 3, Hannover 1980.
Hincmarus, De villa Novilliaco
Hincmar, De villa Novilliaco, éd. O. HOLDER-EGGER, M.G.H. SS. 15/2, p. 1167–1169.
Hincmarus, Epistolae
Hincmar, Epistolae, éd. E. PERELS, R. SCHIEFFER, M.G.H. Epistolae 8 (édition en cours); P.L. 126, col. 9–280.
Hincmarus, Juramentum
Juramentum quod Hincmarus archiepiscopus edere jussus est apud Pontigonem, P.L. 125, col. 1125–1128.
Historia Fossatensis
Fragmenta historiae Fossatensis, éd. G. WAITZ, M.G.H. SS. 9, p. 370–374.
Hrabanus, Carmina
Raban Maur, Carmina, éd. E. DÜMMLER, M.G.H. Poetae 2, p. 154–258.
Hrabanus, De laudibus s. Crucis
Raban Maur, De laudibus sanctae Crucis libri duo, P.L. 107, col. 133–294.
Hrabanus, Epistolae
Raban Maur, Epistolae, éd. E. DÜMMLER, M.G.H. Epistolae 5, p. 379–516.
Hugo, Chronicon
Hugues de Flavigny, Chronicon, éd. G. H. PERTZ, M.G.H. SS. 8, p. 288–502.
Hugo, Historia
Hugues de Fleury, Historia ecclesiastica, éd. G. WAITZ, M.G.H. SS. 9, p. 349–364.
Indicularius Thiathildis
Indicularius Thiathildis, éd. K. ZEUMER, M.G.H. Formulae, p. 525–529.
Indiculus obsidum
Indiculus obsidum Saxonum Moguntiam deducendorum, éd. A. BORETIUS, M.G.H. Capit. 1, n° 115, p. 233.
Institutions privées et publiques
M. THÉVENIN, Textes relatifs aux institutions privées et publiques aux époques mérovingienne et carolingienne. Institutions privées, Paris 1887.
Jonas, De cultu imaginum
Jonas, De cultu imaginum libri tres, P.L. 106, col. 305–388.
Jonas, De institutione laicali
Jonas, De institutione laicali, P.L. 106, col. 121–278.
Jonas, De institutione regia
Jonas, Opusculum de institutione regia, P.L. 106, col. 279–306.
Jonas, Epistolae
Jonas, Epistolae, éd. E. DÜMMLER, M.G.H. Epistolae 5, p. 346–368.
Jonas, Vita sancti Huberti
Jonas, Vita secunda sancti Huberti, éd. C. DE SMEDT, Acta Sanctorum, Novembre, tome 1, Paris 1887, p. 806–818.
Kalendarium necrologicum Laureshamense
Kalendarium necrologicum Laureshamense, éd. J. Fr. BÖHMER, Fontes rerum Germanicarum, tome 3: Martyrium Arnoldi archiepiscopi Moguntini und andere Geschichtsquellen Deutschlands im zwölften Jahrhundert, Stuttgart 1853, p. 144–152.
Karol. Miscellen
E. DÜMMLER, Karolingische Miscellen, F.D.G. 6 (1866) p. 113–129.
Lamberti Annales
Lamberti Annales, éd. G. H. PERTZ, M.G.H. SS. 3, p. 22–29, p. 33–69 et p. 90–102.

Layettes
A. Teulet (éd.), Layettes du Trésor des Chartes, tome 1, Paris 1863.
Legationis capitulum
Legationis capitulum (début 826?), éd. A. Boretius, M.G.H. Capit. 1, n° 152, p. 309 sq.
Leo, Epistolae
Léon III, Epistolae, éd. K. Hampe, M.G.H. Epistolae 5, p. 85–104.
Letaldus, Liber miraculorum
Liber miraculorum sancti Maximini abbatis Miciacensis auctore Letaldo monacho Miciacensi, qui sub finem saeculi 10. florere coepit, éd.: J. Mabillon, Acta Sanctorum ordinis sancti Benedicti, saec. I, Venezia 1733, p. 579–594.
Lex Ribuaria
Lex Ribuaria, éd. F. Beyerle, R. Buchner, M.G.H. Leges nat. Germ. 3/2, Hannover 1951.
Liber pontificalis
L. Duchesne (éd.), Liber pontificalis, 3 tomes, rééd. Paris 1955/1957.
Liutolfus, Translatio s. Severi
Liutolf, Vita et translatio sancti Severi, éd. L. von Heinemann, M.G.H. SS. 15/1, p. 289–293.
Lupus, Correspondance
Loup de Ferrières, Correspondance, éd. L. Levillain, 2 tomes, Paris 1927/1935.
Manuscrits de la reine de Suède
Les manuscrits de la reine de Suède au Vatican. Réédition du catalogue de Montfaucon et cotes actuelles, Città del Vaticano 1964 (Studi e testi, 238).
Marculfus, Formulae
Marculf, Formulae, éd. K. Zeumer, M.G.H. Formulae, p. 32–106.
Marianus Scottus, Chronicon
Marianus Scottus, Chronicon, éd. G. Waitz, M.G.H. SS. 5, p. 481–568.
M.B.
Monumenta Boica, München 1763 et suiv. (tome 11: 1771; tome 28: 1829; tome 30: 1834; tome 31: 1837).
Memoria Olonnae comitibus data
Memoria Olonnae comitibus data (822–823), éd. A. Boretius, M.G.H. Capit. 1, n° 158, p. 317–320.
Memorienbuch St. Gereonis
Memorienbuch des Canonichenstifts St. Gereonis zu Cöln, Archiv für die Geschichte des Niederrheins 3 (1860) p. 114–117.
Mentions tironiennes
M. Jusselin, Mentions tironiennes des diplômes carolingiens utiles à la diplomatique, B.P.H. (1951/1952) p. 11–29.
Miracula s. Genesii
Miracula sancti Genesii, éd. G. Waitz, M.G.H. SS. 15/1, p. 169–172.
Miracula s. Martialis
Miracula sancti Martialis, éd. O. Holder-Egger, M.G.H. SS. 15/1, p. 280–283.
Miracula s. Quintini
Miracula sancti Quintini, éd. O. Holder-Egger, M.G.H. SS. 15/1, p. 265–273.
Miracula s. Waldeberti
De miraculis sancti Waldeberti abbatis Luxoviensis tertii Liber, scriptus ab Adsone seu Hermirico ejusdem loci abbate saeculo X, dans: J. Mabillon, Acta sanctorum Ordinis sancti Benedicti, tome 3/2, Venezia 1734, p. 409–417.
Monumenta Carolina
Ph. Jaffé, Bibliotheca rerum Germanicarum, tome 4: Monumenta Carolina, Berlin 1867.
Monumenta tachygraphica
G. Schmitz, Monumenta Tachygraphica Codicis Parisiensis Latini 2718, vol. 1, Hannover 1882.
Monuments historiques
J. Tardif, Monuments historiques, inventaires et documents publiés par ordre de l'Empereur ..., Paris 1866.
Monuments Saint-Philibert
René Poupardin (éd.), Monuments de l'histoire des abbayes de Saint-Philibert (Noirmoutier, Grandlieu, Tournus) publiés d'après les notes d'Arthur Giry, Paris 1905.

Mss. datés en Belgique
> F. MASAI, M. WITTEK, Manuscrits datés conservés en Belgique, tome 1, Bruxelles, Gand 1968.

Narratio clericorum Rhemensium
> Narratio clericorum Rhemensium, P.L. 116, col. 17–22.

Necrologium Augiae divitis
> Necrologium Augiae divitis, éd. F. L. BAUMANN, M.G.H. Necrol. 1, p. 271–282.

Necrologium s. Andreae
> Ex necrologio Sancti Andreae Taurinensis, éd. L. BETHMANN, M.G.H. SS. 7, p. 131 sq.

Necrologium sancti Galli
> Libri anniversariorum et necrologium monasterii sancti Galli, éd. F. L. BAUMANN, M.G.H. Necrol. 1, p. 462–487.

Nicolas, Epistolae
> Nicolas Ier, Epistolae, éd. E. PERELS, M.G.H. Epistolae 6, p. 257–690.

Nithardus, Historia
> Nithard, Histoire des fils de Louis le Pieux, éd. Ph. LAUER, Paris 1926.

Notitia de servitio monasteriorum
> Notitia de servitio monasteriorum, éd. P. BECKER, C.C.Monast. 1, p. 483–499.

Notkerus, Gesta Karoli
> Notker le Bègue, Gesta Karoli Magni imperatoris, éd. H. F. HAEFFELE, M.G.H. SS. rer. Germ. Nova Series 12, Berlin 1959, rééd. München 1980.

Obituaires de Lyon
> Obituaires de la province de Lyon, tome 1: Diocèse de Lyon (1ère partie), éd. H. OMONT, Paris 1923.

Obituaires de Sens
> Obituaires de la province de Sens, tome 1: Diocèses de Sens et Paris, éd. A. MOLINIER, Paris 1902; tome 2: Diocèse de Chartres, éd. A. MOLINIER, Paris 1906; tome 3: Diocèses d'Orléans, Auxerre et Nevers, éd. A. VIDIER, L. MIROT, Paris 1909; tome 4: Diocèses de Meaux et Troyes, éd. BOUTILLIER DU RETAIL, PIETRESSON DE SAINT-AUBIN, Paris 1923.

Odbertus, Passio Frederici
> Odbert, Passio Frederici episcopi Traiectensis, éd. O. HOLDER-EGGER, M.G.H. SS. 15/1, p. 342–358.

Odilo, Translatio s. Sebastiani
> Odilon, Translatio sancti Sebastiani, éd. O. HOLDER-EGGER, M.G.H. SS. 15/1, p. 377–391.

Odo, Miracula s. Mauri
> Eudes de Glanfeuil, Miracula sancti Mauri sive Restauratio monasterii Glannofoliensis, éd. O. HOLDER-EGGER, M.G.H. SS. 15/1, p. 461–472.

Odo, Vita Geraldi
> Odon de Cluny, Vita sancti Geraldi Auriliacensis comitis, P.L. 133, col. 639–710.

Ordinatio imperii
> Ordinatio imperii (juillet 817), éd. A. BORETIUS, M.G.H. Capit. 1, n° 136, p. 270–273.

Papstbriefe
> P. EWALD, Die Papstbriefe der Brittischen Sammlung, N. A. 5 (1880) p. 275–414.

Paschasius, Epitaphium
> E. DÜMMLER (éd.), Radbert's Epitaphium Arsenii, Berlin 1900.

Paschasius, Vita Adalhardi
> Paschase Radbert, Vita sancti Adalhardi abbatis Corbeiensis, éd. G. H. PERTZ, M.G.H. SS. 2, p. 524–532.

Paulus, Historia Langobardorum
> Paul Diacre, Historia Langobardorum, éd. L. BETHMANN, G. WAITZ, M.G.H. SS. rer. Lang., p. 12–187.

Poeta Saxo, Annales
> Poeta Saxo, Annalium de Gestis Caroli Magni imperatoris libri quinque, éd. G. H. PERTZ, M.G.H. SS. 1, p. 225–279.

Polyptique de Saint-Germain
> A. LONGNON (éd.), Polyptique de l'abbaye de Saint-Germain des Prés rédigé au temps de l'abbé Irminon, 2 tomes, Paris 1886/1895.

Praeceptum pro Hispanis
> Praeceptum pro Hispanis (2 avril 812), éd. A. BORETIUS, M.G.H. Capit. 1, n° 76, p. 169.

Praeceptum synodale
Concilia in monasterio sancti Dyonisii habita, Praeceptum synodale (fin 829-début 830), éd. A. WERMINGHOFF, M.G.H. Conc. 2/2, n° 52, p. 683–687.

Proemium generale
Hludowici prooemium generale ad capitularia tam ecclesiastica quam mundana (818/819), éd. A. BORETIUS, M.G.H. Capit. 1, n° 137, p. 273–275.

Ratpertus, Casus
Ratpert, Casus sancti Galli, M.G.H. SS. 2, éd. I. VON ARX, p. 59–74.

Recueil des hist. 6
M. BOUQUET, Recueil des Historiens des Gaules et de la France, tome 6 (1748), nouvelle éd. publiée sous la direction de L. DELISLE, Paris 1870.

Régestes Dietkirchen
W. H. STRUCK, Die Kollegiatstifte Dietkirchen, Diez, Gemünden, Idstein und Weilburg. Regesten (vor 841)-1500, Wiesbaden 1959.

Régestes Mayence
J. Fr. BÖHMER, C. WILL, Regesten zur Geschichte der Mainzer Erzbischöfe von Bonifatius bis Uriel von Gemmingen (712?-1514), tome 1, Innsbruck 1877.

Régestes Strasbourg
P. WENTZCKE, Regesten der Bischöfe von Straßburg bis zum Jahre 1202 (Regesten der Bischöfe von Straßburg, tome 1, 2ᵉ partie), Innsbruck 1908.

Regino, Chronicon
Reginonis abbatis Prumiensis Chronicon cum continuatione Treverensi, éd. F. KURZE, M.G.H. SS. rer. Germ. 50, Hannover 1890, rééd. Hannover 1989.

Regni divisio
Regni divisio (fév. 831?), éd. A. BORETIUS, V. KRAUSE, M.G.H. Capit. 2, n° 194, p. 20–24.

Relatio Compendiensis
Episcoporum de poenitentia, quam Hludowicus imperator professus est, relatio Conpendiensis (oct. 833), éd. A. BORETIUS, V. KRAUSE, M.G.H. Capit. 2, n° 197, p. 51–55.

Responsa
Responsa missis data (826), éd. A. BORETIUS, M.G.H. Capit. 1, n° 155, p. 314.

Rimbertus, Vita s. Anskarii
Rimbert, Vita sancti Anskarii, éd. C. F. DAHLMANN, M.G.H. SS. 2, p. 683–725.

Rodulfus, Miracula Fuld.
Rodolphe, Miracula sanctorum in Fuldensis ecclesias translatorum, éd. G. WAITZ, M.G.H. SS. 15/1, p. 328–341.

Sedulius, De rectoribus christ.
Sedulius Scottus, De rectoribus christianis, P.L. 103, col. 291–332.

Series abbatum Flaviniacensium
Series abbatum Flaviniacensium, éd. G. H. PERTZ, M.G.H. SS. 8, p. 502 sq.

Series abbatum s. Vedasti
Series abbatum Sancti Vedasti Atrebatensis, éd. O. HOLDER-EGGER, M.G.H. SS. 13, p. 382.

Series episc. Moguntinensium
Series episcoporum et archiepiscoporum Moguntinensium, éd. J. Fr. BÖHMER, Fontes rerum Germanicarum, tome 3: Martyrium Arnoldi archiepiscopi Moguntini und andere Geschichtsquellen Deutschlands im zwölften Jahrhundert, Stuttgart 1853, p. 139 sq.

Series episc. Paderbornensium
Series episcoporum Paderbornensium, éd. O. HOLDER-EGGER, M.G.H. SS. 13, p. 341 sq.

Smaragdus, De processione
Libellus Smaragdi abbatis s. Michaelis ad Mosam De processione sancti Spiritus, éd. A. WERMINGHOFF, M.G.H. Conc. 2/1, p. 236–239.

Smaragdus, Expositio
Smaragde, Expositio in regulam s. Benedicti, éd. A. SPANNAGEL, P. ENGELBERT, C.C.Monast. 8, Siegburg 1974.

Smaragdus, Via regia
Smaragde, Via regia, P.L. 102, col. 933–970.

Spicilegium
  L. D'ACHÉRY, Spicilegium, tomes 2 et 3, 2ᵉ éd. Paris 1723.
Supplex Libellus
  Supplex Libellus monachorum Fuldensium Carolo imperatori porrectus (812 et 817), éd. J. SEMM-
  LER, dans: C.C.Monast. 1, p. 319–327.
Synodus Franconofurtensis
  Synodus Franconofurtensis (794), éd. A. BORETIUS, M.G.H. Capit. 1, n° 28, p. 73–78. Cf. également
  Capitulare Franconofurtense.
Synodus Papiensis
  Synodus Papiensis (850), éd. A. BORETIUS, V. KRAUSE, M.G.H. Capit. 2, n° 228, p. 116–122.
Synodus prima Aquisgranensis
  Synodi primae Aquisgranensis decreta authentica (816), éd. J. SEMMLER, dans: C.C.Monast. 1,
  p. 451–468.
Synodus secunda Aquisgranensis
  Synodi secundae Aquisgranensis decreta authentica (817), éd. J. SEMMLER, dans: C.C.Monast. 1,
  p. 469–481.
Tabulae Karolorum
  Tabulae Karolorum, éd. G. H. PERTZ, M.G.H. SS. 3, p. 214 sq.
Teutscher Regierungsspiegel
  J. U. PREGITZER, Teutscher Regierungs- und Ehrenspiegel ..., Berlin 1703.
Theganus, Vita
  Thégan, Vita Hludowici imperatoris, éd. G. H. PERTZ, M.G.H. SS. 2, p. 585–603.
Theodulfus, Carmina
  Théodulf, Carmina, éd. E. DÜMMLER, M.G.H. Poetae 1, p. 437–581.
Todtenbuch Paderborn
  E. F. MOOYER, Das älteste Todtenbuch des Hochstifts Paderborn, Z.V.G.A. 10 (1847) p. 115–169.
Totenbuch Abdinghof
  K. LÖFFLER, Auszüge aus dem Totenbuch des Benediktinerklosters Abdinghof in Paderborn,
  Z.V.G.A. 63/2 (1905) p. 82–109.
Tractoria
  Tractoria de coniectu missis dando (829), éd. A. BORETIUS, V. KRAUSE, M.G.H. Capit. 2, n° 189, p. 10 sq.
Translatio s. Adelphi
  Translatio et miracula s. Adelphi episcopi Mettensis, éd. L. VON HEINEMANN, M.G.H. SS. 15/1,
  p. 293–296.
Translatio s. Baltechildis
  Translatio sanctae Baltechildis, éd. O. HOLDER-EGGER, M.G.H. SS. 15/1, p. 284 sq.
Translatio s. Faustae
  Translatio sanctae Faustae, dans: Acta Sanctorum, Janvier 1, Paris 1863, p. 726–728.
Translatio s. Liborii
  Translatio sancti Liborii, éd. G. H. PERTZ, M.G.H. SS. 4, p. 149–157.
Translatio s. Viti
  Translatio sancti Viti martyris – Übertragung des hl. Märtyrers Vitus, éd. I. SCHMALE-OTT, Münster
  1979 (Veröffentlichungen der Historischen Kommission für Westfalen, 41; Fontes minores, 1).
Translatio Sanguinis
  Translatio Sanguinis Domini, éd. G. WAITZ, M.G.H. SS. 4, p. 446–449.
Verbrüderungsbuch Reichenau
  J. AUTENRIETH, D. GEUENICH, K. SCHMID (éd.), Das Verbrüderungsbuch der Abtei Reichenau,
  M.G.H. Libri memoriales et Necrologia, Nova Series 1, Hannover 1979.
Versus ad Ebonem
  Versus ad Ebonem Remensem, éd. E. DÜMMLER, M.G.H. Poetae 1, p. 623 sq.
Vet. script. ampl. collectio
  E. MARTÈNE, U. DURAND, Veterum scriptorum et monumentorum historicorum, dogmaticorum,
  moralium amplissima collectio, tomes 1 et 2, Paris 1724 (rééd. New York 1968).
Visio cuiusdam pauperculae mulieris
  H. HOUBEN, Visio cuiusdam pauperculae mulieris. Überlieferung und Herkunft eines frühmittelal-
  terlichen Visionstextes (mit Neuedition), Z. G. O. 124 (1976), p. 31–42.

Vita Alcuini
    Vita Alcuini, éd. W. ARNDT, M.G.H. SS. 15/1, p. 182–197.
Vita Aldrici
    Vita Aldrici, dans: Acta Sanctorum, Juin 1, Paris, Roma 1867, p. 740–746.
Vita Conuuoionis
    Vita Conuuoionis, dans: C. BRETT (éd.), The Monks of Redon. Gesta sanctorum Rotonensium and
    Vita Conuuoionis, Woodbridge 1989, p. 221–245.
Vita Dagoberti III
    Vita Dagoberti III. regis Francorum, éd. B. KRUSCH, M.G.H. SS. rer. Merov. 2, p. 509–524.
Vita Hugonis
    J. VAN DER STRAETEN, Vie inédite de s. Hugues, évêque de Rouen, Analecta Bollandiana 87 (1969)
    p. 215–260.
Vita Meinwerci
    Vita Meinwerci episcopi Patherbrunnensis, éd. G. H. PERTZ, M.G.H. SS. 11, p. 104–161.
Vita Rigoberti
    Vita Rigoberti episcopi Remensis, éd. W. LEVISON, M.G.H. SS. rer. Merov. 7, p. 54–80.
Vita s. Willelmi
    Vita s. Willelmi ducis ac monachi Gellonensis in Gallia, éd. J. MABILLON, Acta Sanctorum O.S.B., sa-
    eculum IV/1, Venezia 1735, p. 67–83.
Walahfridus, Carmina
    Walafrid Strabon, Carmina, éd. E. DÜMMLER, M.G.H. Poetae 2, p. 259–473.
Walahfridus, Libellus de exordiis
    Walafrid Strabon, Libellus de exordiis et incrementis quarundam in observationibus ecclesiasticis
    rerum, éd. A. BORETIUS, V. KRAUSE, M.G.H. Capit. 2, p. 473–516.
Walahfridus, Visio Wettini
    Walafrid Strabon, Visio Wettini – Die Vision Wettis. Lateinisch – Deutsch, éd. H. KNITTEL, Sigma-
    ringen 1986.
Wandalbertus, Miracula s. Goaris
    Wandalbert, Miracula sancti Goaris, éd. O. HOLDER-EGGER, M.G.H. SS. 15/1, p. 361–373.
Weissenburger Aufzeichnungen
    A. HOFMEISTER, Weissenburger Aufzeichnungen vom Ende des 8. und Anfang des 9. Jahrhunderts,
    Z. G. O. 73 (1919) p. 401–421.
Widukind, Sachsengeschichte
    Die Sachsengeschichte des Widukind von Korvei/Widukindi monachi Corbeiensis Rerum gestarum
    Saxonicarum libri III, éd. P. HIRSCH, H.-E. LOHMANN, M.G.H. SS. rer. Germ. 60, 1935, rééd. Han-
    nover 1989.
Witgerus, Genealogia Arnulfi
    Witger, Genealogia Arnulfi comitis Flandriae, éd. L. BETHMANN, M.G.H. SS. 9, p. 302–304.

BIBLIOGRAPHIE

ABADAL, Dels Visigots
  Ramon D'ABADAL I DE VINYALS, Dels Visigots als Catalans, tome 1: La Hispània visigotica i la Catalunya carolingia, Barcelona 1969.
ABADAL, Diplôme inconnu
  Ramon D'ABADAL, Un diplôme inconnu de Louis le Pieux pour le comte Oliba de Carcassonne, A.M. 61 (1948/1949) p. 345–357.
ABADAL, Domination
  Ramon D'ABADAL, La domination carolingienne en Catalogne, R.H. 225 (1961) p. 319–340.
ABADAL, Els comtats
  Ramon D'ABADAL I DE VINYALS, Catalunya carolingia, tome 3: Els comtats de Pallars i Ribagorça, 2 vol., Barcelona 1955 (Institut d'estudis catalans; Memories de la seccio historico-arqueologica, 14).
ABEL, Jahrbücher
  Sigurd ABEL, Jahrbücher des fränkischen Reiches unter Karl dem Großen, continués par Bernhard SIMSON, 2 tomes, Leipzig 1883/1888.
AFFELDT, Mitwirkung
  Werner AFFELDT, Das Problem der Mitwirkung des Adels an politischen Entscheidungsprozessen im Frankenreich vornehmlich des 8. Jahrhunderts, dans: Aus Theorie und Praxis der Geschichtswissenschaft. Festschrift für Hans Herzfeld zum 80. Geburtstag, Berlin, New York 1972, p. 404–423.
AIRLIE, Bonds of power
  Stuart AIRLIE, Bonds of Power and Bonds of Association in the Court Circle of Louis the Pious, dans: Charlemagne's Heir, p. 191–204.
AIRLIE, Political behaviour
  Stuart AIRLIE, The political behaviour of the secular magnates in Francia, 829–879, thèse de doctorat, Université d'Oxford 1985 (dactyl.).
ALBERT, Raban
  Bat-Sheva ALBERT, Raban Maur, l'unité de l'empire et ses relations avec les Carolingiens, Revue d'Histoire Ecclésiastique 86 (1991) p. 5–44.
ALIBERT, Majesté
  Dominique ALIBERT, La majesté sacrée du roi: images du souverain carolingien, Histoire de l'art 5/6 (1989) p. 23–36.
ALTHOFF, Verwandte
  Gerd ALTHOFF, Verwandte, Freunde und Getreue. Zum politischen Stellenwert der Gruppenbindungen im früheren Mittelalter, Darmstadt 1990.
AMANN, Epoque carolingienne
  Emile AMANN, L'époque carolingienne (757–888), Paris 1941 (tome 6 de l'Histoire de l'Eglise d'A. FLICHE, V. MARTIN).
AMELOTTI, COSTAMAGNA, Origini
  Mario AMELOTTI, Giorgio COSTAMAGNA, Alle origini del notariato italiano, Roma 1975 (Studi storici sul notariato italiano, 2).
ANGENENDT, Familie der Könige
  Arnold ANGENENDT, Die Karolinger und die »Familie der Könige«, Z.A.G. 96 (1989) p. 5–33.
ANGENENDT, Frühmittelalter
  Arnold ANGENENDT, Das Frühmittelalter. Die abendländische Christenheit von 400 bis 900, Stuttgart, Berlin, Köln 1990.
ANGENENDT, Geistliches Bündnis
  Arnold ANGENENDT, Das geistliche Bündnis der Päpste mit den Karolingern (754–796), H.Jb. 100 (1980) p. 1–94.
ANGENENDT, Kaiserherrschaft und Königstaufe
  Arnold ANGENENDT, Kaiserherrschaft und Königstaufe. Kaiser, Könige und Päpste als geistliche Patrone in der abendländischen Missionsgeschichte, Berlin, New York 1984 (Arbeiten zur Frühmittelalterforschung, 15).
ANGENENDT, Taufe und Politik
  Arnold ANGENENDT, Taufe und Politik im frühen Mittelalter, F.M.St. 7 (1973) p. 143–168.

ANTON, Beobachtungen
Hans Hubert ANTON, Beobachtungen zum fränkisch-byzantinischen Verhältnis in karolingischer Zeit, dans: SCHIEFFER, Beiträge, p. 97–119.

ANTON, Fürstenspiegel
Hans Hubert ANTON, Fürstenspiegel und Herrscherethos in der Karolingerzeit, Bonn 1968 (Bonner historische Forschungen, 32).

ANTON, Politisches Konzept
Hans Hubert ANTON, Zum politischen Konzept karolingischer Synoden und zur karolingischen Brüdergemeinschaft, H.Jb. 99 (1979) p. 55–132.

ANTON, Pseudo-Cyprian
Hans Hubert ANTON, Pseudo-Cyprian. De duodecim abusivis saeculi und sein Einfluß auf den Kontinent, insbesondere auf die karolingischen Fürstenspiegel, dans: H. LÖWE (éd.), Die Iren und Europa im früheren Mittelalter, tome 2, Stuttgart 1982, p. 568–617.

Aratea
Aratea. Nachbildung der Handschrift Ms. Voss. Lat. Q. 79 der Rijksuniversiteit Leiden, tome 1: Faksimile, tome 2: Kommentar mit Beiträgen von B. BISCHOFF, B. EASTWOOD, Th. KLEIN, F. MÜTHERICH und P. OBBEMA, Luzern 1987/1988.

ARBOIS, Champagne
Henry D'ARBOIS DE JUBAINVILLE, Histoire des ducs et comtes de Champagne, tome 1: Depuis le VIe siècle jusqu'à la fin du XIe, Paris 1859.

ARNALDI, Regnum
Girolamo ARNALDI, Regnum Langobardorum – Regnum Italiae, dans: T. MANTEUFFEL, A. GIEYSZTOR (éd.), L'Europe aux IXe -XIe siècles. Aux origines des Etats nationaux, Varsovie 1968, p. 105–122.

ATSMA, Monastères urbains
Hartmut ATSMA, Les monastères urbains du Nord de la Gaule, R.H.E.F. 62 (1976) p. 163–187.

ATSMA, Neustrie
Hartmut ATSMA (éd.), La Neustrie. Les pays au nord de la Loire de 650 à 850, 2 tomes, Sigmaringen 1989 (Beihefte der Francia, 16).

AUTENRIETH, Heitos Prosaniederschrift
Johanne AUTENRIETH, Heitos Prosaniederschrift der Visio Wettini – von Walahfrid Strabo redigiert?, dans: Geschichtsschreibung und geistiges Leben im Mittelalter. Festschrift für H. Löwe zum 65. Geburtstag, Köln 1978, p. 172–178.

AUZIAS, Aquitaine
Léonce AUZIAS, L'Aquitaine carolingienne, 778–987, Paris, Toulouse 1937.

AUZIAS, Sièges
Léonce AUZIAS, Les sièges de Barcelone, de Tortose et d'Huesca (801–811), A.M. 48 (1936) p. 5–28.

BALDET, OBALDIA, Catalogue
F. BALDET, G. DE OBALDIA, Catalogue général des orbites, Paris 1952.

BALDWIN, King's Council
James F. BALDWIN, The King's Council in England during the Middle Ages, Oxford 1913.

BALLETTI, Reggio nell'Emilia
Andrea BALLETTI, Storia di Reggio nell'Emilia, Reggio nell'Emilia 1925.

BANDMANN, Vorbilder
Günter BANDMANN, Die Vorbilder der Aachener Pfalzkapelle, dans: Karl der Große, tome 3, p. 424–462.

BARBIER, Attigny
Josiane BARBIER, Palais et fisc à l'époque carolingienne: Attigny, B.E.Ch. 140 (1982) p. 133–162.

BARBIER, Système palatial
Josiane BARBIER, Le système palatial franc: genèse et fonctionnement dans le nord-ouest du regnum, B.E.Ch. 148 (1990) p. 245–299.

BARCHEWITZ, Königsgericht
Victor BARCHEWITZ, Das Königsgericht zur Zeit der Merowinger und Karolinger, Leipzig 1882.

BARION, Synodalrecht
Hans BARION, Das fränkisch-deutsche Synodalrecht des Frühmittelalters, Bonn, Köln 1931.

BAUER, Kontinuität
Thomas BAUER, Kontinuität und Wandel synodaler Praxis nach der Reichsteilung von Verdun: Versuch einer Typisierung und Einordnung der karolingischen Synoden und *concilia mixta* von 843 bis 870, A.H.C. 23 (1991) p. 11–115.

BAUERREISS, Altbayerische Hachilingen
Romuald BAUERREISS, Altbayerische Hachilingen als Bischöfe von Langres in Burgund. Ein Beitrag zur Frühgeschichte Schäftlarns, Studien und Mitteilungen zur Geschichte des Benediktiner-Ordens und seiner Zweige 75 (1964) p. 253–261.

BAUTIER, Authentification
Robert-Henri BAUTIER, L'authentification des actes privés dans la France médiévale. Notariat public et juridiction gracieuse, dans: Notariado publico, vol. 2, p. 701–772.

BAUTIER, Campagne en Espagne
Robert-Henri BAUTIER, La campagne de Charlemagne en Espagne (778). La réalité historique, dans: Roncevaux dans l'histoire, la légende et le mythe: Actes du colloque organisé à l'occasion du 12ᵉ centenaire de Roncevaux, Saint-Jean-Pied-de-Port 1978 (= Bulletin de la Société des Sciences, Lettres et Arts de Bayonne, N. S. 135), Bayonne 1979, p. 1–47; rééd. dans: Robert-Henri BAUTIER, Recherches sur l'histoire de la France médiévale. Des Mérovingiens aux premiers Capétiens, Variorum reprints 1991 (n° III).

BAUTIER, Chancellerie
Robert-Henri BAUTIER, La chancellerie et les actes royaux dans les royaumes carolingiens, B.E.Ch. 142 (1984) p. 5–80.

BAUTIER, Justice publique
Robert-Henri BAUTIER, L'exercice de la justice publique dans l'Empire carolingien, Ecole Nationale des Chartes. Positions des thèses soutenues par les élèves de la promotion de 1943, p. 9–18.

BAUTIER, Langres
Robert-Henri BAUTIER, Les diplômes royaux carolingiens pour l'église de Langres et l'origine des droits comtaux de l'évêque, Les Cahiers haut-marnais 167 (1986) p. 145–177; rééd. dans: Robert-Henri BAUTIER, Chartes, Sceaux et Chancelleries. Etudes de diplomatique et de sigillographie médiévales, tome 1, Paris 1990, p. 209–242.

BECHER, Eid
Matthias BECHER, Eid und Herrschaft. Untersuchungen zum Herrscherethos Karls des Großen, Sigmaringen 1993 (Vorträge und Forschungen; Sonderband 39).

BECHER, Neue Überlegungen
Matthias BECHER, Neue Überlegungen zum Geburtsdatum Karls des Großen, Francia 19/1 (1992) p. 37–60.

BECHT-JÖRDENS, Rechtsstatus des Klosters Fulda
Gereon BECHT-JÖRDENS, Neue Hinweise zum Rechtsstatus des Klosters Fulda aus der Vita Aegil des Bruns Candidus, H.Jb.L. 41 (1991) p. 11–29.

BECHT-JÖRDENS, Quelle zu Fragen
Gereon BECHT-JÖRDENS, Die Vita Aegil des Brun Candidus als Quelle zu Fragen aus der Geschichte Fuldas im Zeitalter der anianischen Reform, H.Jb.L. 42 (1992) p. 19–48.

BELTING, Palastaulen
Hans BELTING, Die beiden Palastaulen Leos III. im Lateran und die Entstehung einer päpstlichen Programmkunst, F.M.St. 12 (1978) p. 55–83.

BERGMANN, Dicuil
Werner BERGMANN, Dicuils »De mensura orbis terrae«, dans: Paul Leo BUTZER, Dietrich LOHRMANN (éd.), Science in Western and Eastern Civilization in Carolingian Times, Basel, Boston, Berlin 1993, p. 525–537.

BERGMANN, Gerichtsurkunden
Werner BERGMANN, Untersuchungen zu den Gerichtsurkunden der Merowingerzeit, A.f.D. 22 (1976) p. 1–186.

BERTOLINI, Carlomagno e Benevento
Ottorino BERTOLINI, Carlomagno e Benevento, dans: Karl der Große, tome 1, p. 609–671.

BERTOLINI, Osservazioni
Ottorino BERTOLINI, Osservazioni sulla 'Constitutio romana' e sul 'sacramentum cleri et populi romani' dell'824, dans: Studi medioevali in onore di Antonino De Stefano, Palermo 1956, p. 43–78, rééd. dans: O. BERTOLINI, Scritti scelti di storia medioevale, tome 2, Livorno 1968, p. 705–738.

BEUMANN, Unitas Ecclesiae
Helmut BEUMANN, Unitas Ecclesiae – Unitas Imperii – Unitas Regni. Von der imperialen Reichseinheitsidee zur Einheit der regna, dans: Nascita dell'Europa ed Europa carolingia: un'equazione da verificare, Spoleto 1981, p. 531–571 (Settimane di studio del Centro italiano di studi sull'alto medioevo, 27).

BEYERLE, Gründung
Konrad BEYERLE, Von der Gründung bis zum Ende des freiherrlichen Klosters (724–1427), dans: Die Kultur der Abtei Reichenau. Erinnerungsschrift zur zwölfhundertsten Wiederkehr des Gründungsjahres des Inselklosters (724–1924), tome 1, München 1925, p. 55–212/2.

BEYERLE, Wirtschaftsgeschichte
Konrad BEYERLE, Neuere Forschungen zur Wirtschaftsgeschichte der Ostschweiz und der oberrheinischen Lande, Z.G.O. 61 (1907) p. 93–144 et p. 193–216.

BEZOLD, Kaiserin
Friedrich VON BEZOLD, Kaiserin Judith und ihr Dichter Walahfrid Strabo, H.Z. 130 (1924) p. 377–439.

B.H.L.
Bibliotheca hagiographica latina antiquiae et mediae aetatis, Bruxelles 1898–1901 + Novum supplementum, Bruxelles 1986.

BISCHOFF, Hofbibliothek
Bernhard BISCHOFF, Die Hofbibliothek unter Ludwig dem Frommen, dans: Medieval Learning and Literature. Essays presented to Richard William Hunt, Oxford 1976, p. 3–22; rééd. dans: BISCHOFF, Mittelalterliche Studien, tome 3, p. 170–186.

BISCHOFF, Lorsch
Bernhard BISCHOFF, Lorsch im Spiegel seiner Handschriften, München 1974; éd. également dans: KNÖPP, Lorsch, tome 2, p. 7–128; 2e éd. revue et augmentée, Lorsch 1989 (cité d'après cette éd.).

BISCHOFF, Mittelalterliche Studien
Bernhard BISCHOFF, Mittelalterliche Studien, 3 tomes, Stuttgart 1966–1981.

BISCHOFF, Paléographie
Bernhard BISCHOFF, Paléographie de l'Antiquité romaine et du Moyen Age occidental, trad. H. ATSMA, J. VEZIN, Paris 1985.

BISCHOFF, Privatbibliothek
Bernhard BISCHOFF, Bücher am Hofe Ludwigs des Deutschen und die Privatbibliothek des Kanzlers Grimalt, dans: BISCHOFF, Mittelalterliche Studien, tome 3, p. 187–212.

BISCHOFF, Schreibschulen
Bernhard BISCHOFF, Die süddeutschen Schreibschulen und Bibliotheken in der Karolingerzeit, tome 1: Die bayerischen Diözesen, 3e éd. Wiesbaden 1974; tome 2: Die vorwiegend österreichischen Diözesen, Wiesbaden 1980.

BISCHOFF, Theodulf
Bernhard BISCHOFF, Theodulf und der Ire Cadac-Andreas, H.Jb. 74 (1955) p. 92–98; rééd. dans: BISCHOFF, Mittelalterliche Studien, tome 2, p. 19–25.

BISHOP, Schreiben
Edmund BISHOP, Ein Schreiben des Abts Helisachar, N.A. 11 (1886) p. 564–568.

BITTERMANN, Organ
Helen R. BITTERMANN, The Organ in the early middle ages, Speculum 4 (1929) p. 390–410.

BLAIR, Anglo-Saxon England
Peter Hunter BLAIR, An introduction to Anglo-Saxon England, Cambridge 1956.

BLAISE, Lexicon
Albert BLAISE, Lexicon Latinitatis Medii Aevi, Turnhout 1975 (Corpus Christianorum, Continuatio Medievalis).

BOEHM, Geschichte Burgunds
Laetitia BOEHM, Geschichte Burgunds: Politik, Staatsbildung, Kultur, rééd. Stuttgart, Berlin, Köln, Mainz 1979.

BONDOIS, Translation
Marguerite BONDOIS, La translation des saints Marcellin et Pierre. Etude sur Einhard et sa vie politique de 827 à 834, Paris 1907.

BONENFANT, Influence byzantine
Paul BONENFANT, L'influence byzantine sur les diplômes des Carolingiens, dans: Mélanges Henri Grégoire, tome 3, Bruxelles 1951, p. 61–77.

BORGOLTE, Chronologische Studien
Michael BORGOLTE, Chronologische Studien an den alemannischen Urkunden des Stiftsarchivs St. Gallen, A.f.D. 24 (1978) p. 54–202.

BORGOLTE, Gesandtenaustausch
Michael BORGOLTE, Der Gesandtenaustausch der Karolinger mit den Abbasiden und mit den Patriarchen von Jerusalem, München 1976 (Münchener Beiträge zur Mediävistik und Renaissance-Forschung, 25).

BORGOLTE, Grafen Alemanniens
Michael BORGOLTE, Die Grafen Alemanniens in merowingischer und karolingischer Zeit. Eine Prosopographie, Freiburg i. B. 1986 (Archäologie und Geschichte, 2).

BORGOLTE, Grafengewalt
Michael BORGOLTE, Die Geschichte der Grafengewalt im Elsaß von Dagobert I. bis Otto dem Großen, Z.G.O. 131 (1983) p. 3–54.

BORGOLTE, Grafschaften Alemanniens
Michael BORGOLTE, Geschichte der Grafschaften Alemanniens in fränkischer Zeit, Sigmaringen 1984 (Vorträge und Forschungen; Sonderband 31).

BOSHOF, Agobard
Egon BOSHOF, Erzbischof Agobard von Lyon. Leben und Werk, Köln, Wien 1969.

BOSHOF, Einheitsidee
Egon BOSHOF, Einheitsidee und Teilungsprinzip in der Regierungszeit Ludwigs des Frommen, dans: Charlemagne's Heir, p. 161–189.

BOSHOF, Königtum
Egon BOSHOF, Königtum und Königsherrschaft im 10. und 11. Jahrhundert, München 1993.

BOSL, Franken
Karl BOSL, Franken um 800. Strukturanalyse einer fränkischen Königsprovinz, München 1959.

BOUREAU, Conjoncture de 825
Alain BOUREAU, Les théologiens carolingiens devant les images religieuses. La conjoncture de 825, dans: François BOESPFLUG, Nicolas LOSSKY (éd.), Nicée II, 787–1987. Douze siècles d'images religieuses, Paris 1987, p. 247–262.

BOUSSARD, Origines
Jacques BOUSSARD, L'origine des familles seigneuriales dans la région de la Loire moyenne, C.C.M. 5 (1962) p. 303–322.

BOWLUS, Middle Danube
Charles R. BOWLUS, Franks, Moravians, and Magyars: the Struggle for the Middle Danube, 788–907, Philadelphia 1995.

BRANDI, Reichenauer Urkundenfälschungen
Karl BRANDI, Die Reichenauer Urkundenfälschungen, Heidelberg 1890.

BRANDT, HENGST, Bischöfe
Hans Jürgen BRANDT, Karl HENGST, Die Bischöfe und Erzbischöfe von Paderborn, Paderborn 1984.

BRESSLAU, Ambasciatorenvermerk
Harry BRESSLAU, Der Ambasciatorenvermerk in den Urkunden der Karolinger, A.f.U. 1 (1908) p. 167–184.

BRESSLAU, Salzburger Annalistik
Harry BRESSLAU, Die ältere Salzburger Annalistik, Berlin 1923 (Abhandlungen der Preussischen Akademie der Wissenschaften, 1923, Phil. – Hist. Klasse n° 2).

BRESSLAU, Urkundenlehre
Harry BRESSLAU, Handbuch der Urkundenlehre für Deutschland und Italien, 3 tomes, 3e éd. Berlin 1958.

BROMMER, Gesetzgebung
Peter BROMMER, Die bischöfliche Gesetzgebung Theodulfs von Orléans, Z.R.G., Kan. Abt. 60 (1974) p. 1–120.

BROMMER, Rezeption
Peter BROMMER, Die Rezeption der bischöflichen Kapitularien Theodulfs von Orléans, Z.R.G., Kan. Abt. 61 (1975) p. 113–160.

BROWN, Ravenna Perspective
T. S. BROWN, Louis the Pious and the Papacy. A Ravenna Perspective, dans: Charlemagne's Heir, p. 297–307.

BRÜHL, Aus Mittelalter
Carlrichard BRÜHL, Aus Mittelalter und Diplomatik, 2 tomes, Hildesheim, München, Zürich 1989.

BRÜHL, Fodrum
Carlrichard BRÜHL, Fodrum, Gistum, servitium regis. Studien zu den wirtschaftlichen Grundlagen des Königtums im Frankenreich und in den fränkischen Nachfolgestaaten Deutschland, Frankreich und Italien vom 6. bis zur Mitte des 14. Jahrhunderts, Köln 1968 (Kölner Historische Abhandlungen, 14).

BRÜHL, Hinkmariana
Carlrichard BRÜHL, Hinkmariana, D.A. 20 (1964) p. 48–77.

BRÜHL, Krönungsbrauch
Carlrichard BRÜHL, Fränkischer Krönungsbrauch und das Problem der Festkrönungen, H.Z. 194 (1962) p. 265–326; rééd. dans: BRÜHL, Aus Mittelalter, tome 1, p. 351–412.

BRÜHL, Palatium und Civitas
Carlrichard BRÜHL, Palatium und Civitas. Studien zur Profantopographie spätantiker Civitates vom 3. bis zum 13. Jahrhundert, tome 1: Gallien, Köln, Wien 1975; tome 2: Belgica I, beide Germanien und Raetia II, Köln, Wien 1990.

BRÜHL, Remarques
Carlrichard BRÜHL, Remarques sur les notions de »capitale« et de »résidence« pendant le haut Moyen-Age, dans: Journal des Savants, 1967, p. 193–215.

BRUNHÖLZL, Bildungsauftrag
Franz BRUNHÖLZL, Der Bildungsauftrag der Hofschule, dans: Karl der Große, tome 2, p. 28–41.

BRUNHÖLZL, Geschichte
Franz BRUNHÖLZL, Geschichte der lateinischen Literatur des Mittelalters, tome 1: Von Cassiodor bis zum Ausklang der karolingischen Erneuerung, München 1975.

BRUNNER, Zeugenbeweis
Heinrich BRUNNER, Zeugen- und Inquisitionsbeweis der karolingischen Zeit, article de 1865 rééd. dans: H. BRUNNER, Forschungen zur Geschichte des deutschen und französischen Rechtes, Stuttgart 1894, p. 88–247.

BRUNNER, Fränkischer Fürstentitel
Karl BRUNNER, Der fränkische Fürstentitel im neunten und zehnten Jahrhundert, dans: Herwig WOLFRAM (éd.), Intitulatio II, Wien/Köln/ Graz 1973, p. 179–340 (M.I.Ö.G. Ergänzungsband 24).

BRUNNER, Oppositionelle Gruppen
Karl BRUNNER, Oppositionelle Gruppen im Karolingerreich, Wien, Köln, Graz 1979 (Veröffentlichungen des Instituts für österreichische Geschichtsforschung, 25).

BRUNNER, Rechtsgeschichte 2
Heinrich BRUNNER, Deutsche Rechtsgeschichte, tome 2, Leipzig 1892.

BRUNNER, SCHWERIN, Rechtsgeschichte
Heinrich BRUNNER, Deutsche Rechtsgeschichte, tome 2, revu par Claudius VON SCHWERIN, 1928, rééd. Berlin 1958.

BRUNTERC'H, Duché du Maine
Jean-Pierre BRUNTERC'H, Le duché du Maine et la marche de Bretagne, dans: ATSMA, Neustrie, tome 1, p. 29–127.

BRUNTERC'H, Moines bénédictins
Jean-Pierre BRUNTERC'H, Moines bénédictins et chanoines réformés au secours de Louis le Pieux (830–834), B.S.N.A.F. 1986 p. 70–85.

BUCHNER, Entstehungszeit
Max BUCHNER, Entstehungszeit und Verfasser der Vita Hludowici imperatoris des »Astronomen«, H.Jb. 60 (1940) p. 14–45.

BUCHNER, Rechtsquellen
Rudolf BUCHNER, Die Rechtsquellen, dans: Wilhelm WATTENBACH, Wilhelm LEVISON, Deutschlands Geschichtsquellen im Mittelalter, Beiheft, Weimar 1953.

BÜHLER, Capitularia relecta
   Arnold BÜHLER, Capitularia relecta. Studien zur Entstehung und Überlieferung der Kapitularien Karls des Großen und Ludwigs des Frommen, A.f.D. 32 (1986) p. 305–501.

BÜHLER, Wort
   Arnold BÜHLER, Wort und Schrift im karolingischen Recht, A.K.G. 72 (1990) p. 275–296.

BÜHRER-THIERRY, Evêques
   Geneviève BÜHRER-THIERRY, Les évêques de Bavière et d'Alémanie dans l'entourage des derniers rois carolingiens en Germanie (876–911), Francia 16/1 (1989) p. 31–52.

BÜHRER-THIERRY, Reine adultère
   Geneviève BÜHRER-THIERRY, La reine adultère, C.C.M. 35 (1992) p. 299–312.

BULLOUGH, Aula renovata
   Donald BULLOUGH, Aula renovata. The Carolingian court before the Aachen palace, P.B.A. 71 (1985) p. 267–301.

BULLOUGH, Baiuli
   Donald BULLOUGH, ›Baiuli‹ in the Carolingian ›regnum Langobardorum‹ and the career of Abbot Waldo (+ 813), E.H.R. 77 (1962) p. 625–637.

BULLOUGH, Leo
   Donald A. BULLOUGH, Leo, qui apud Hlotharium magni loci habebatur, et le gouvernement du Regnum Italiae à l'époque carolingienne, M.A. 67 (1961) p. 221–245.

BULLOUGH, CORREA, Texts
   Donald A. BULLOUGH – Alice L. H. CORREA, Texts, Chant, and the Chapel of Louis the Pious, dans: Charlemagne's Heir, p. 489–508.

CABANISS, Christmas
   Allen CABANISS, The Christmas of 829, Church History 43 (1974) p. 304–307.

CALMETTE, Comtes Bernard
   Joseph CALMETTE, Les comtes Bernard sous Charles le Chauve. Etat actuel d'une énigme historique, dans: Mélanges L. Halphen, Paris 1951, p. 103–109.

CALMETTE, Comtes de Toulouse
   Joseph CALMETTE, Comtes de Toulouse inconnus, dans: Mélanges de philologie et d'histoire offerts à M. Antoine Thomas par ses élèves et amis, Paris 1927, p. 81–88.

CALMETTE, De Bernardo
   Joseph CALMETTE, De Bernardo sancti Guillelmi filio, Toulouse 1902.

CALMETTE, Effondrement
   Joseph CALMETTE, L'effondrement d'un Empire et la Naissance d'une Europe, IXᵉ-Xᵉ siècles, Paris 1941.

CALMETTE, Famille
   Joseph CALMETTE, La famille de saint Guilhem, A.M. 18 (1906) p. 145–165.

CALMETTE, Gaucelme
   Joseph CALMETTE, Gaucelme, marquis de Gothie sous Louis le Pieux, A.M. 18 (1906) p. 166–171.

CALMETTE, Rampon
   Joseph CALMETTE, Rampon, comte de Gerona et marquis de Gothie sous Louis le Pieux, M.A. 14 (1901) p. 401–406.

CARNOY, Origines
   Albert CARNOY, Origines des noms de communes de Belgique, 2 tomes, Louvain 1948/1949.

CASSARD, Lambert
   Jean Christophe CASSARD, La résistible ascension des Lambert de Nantes, Mémoires de la Société d'Histoire et d'Archéologie de Bretagne 63 (1986) p. 299–321.

Charlemagne's Heir
   Peter GODMAN, Roger COLLINS (éd.), Charlemagne's Heir. New Perspectives on the Reign of Louis the Pious (814–840), Oxford 1990.

CHAUME, Bourgogne
   Maurice CHAUME, Les origines du duché de Bourgogne, 1ère partie: Histoire politique, Dijon 1925.

CHAUME, Comtes d'Autun
   Maurice CHAUME, Les comtes d'Autun des VIIIᵉ et IXᵉ siècles, article de 1939 rééd. dans: Recherches d'Histoire chrétienne et médiévale. Mélanges publiés à la mémoire de l'historien avec une biographie, Dijon 1947, p. 174–194.

CHÉLINI, Alcuin
>Jean CHÉLINI, Alcuin, Charlemagne et Saint-Martin de Tours, R.H.E.F. 47 (1961) p. 19–50.

CHÉLINI, Aube du Moyen Age
>Jean CHÉLINI, L'aube du Moyen Age. Naissance de la chrétienté occidentale. La vie religieuse des laïcs dans l'Europe carolingienne (750–900), Paris 1991.

CLASSEN, Aufsätze
>Peter CLASSEN, Ausgewählte Aufsätze, éd. J. FLECKENSTEIN et alii, Sigmaringen 1983 (Vorträge und Forschungen, 28).

CLASSEN, Karl der Große
>Peter CLASSEN, Karl der Große, das Papsttum und Byzanz. Die Begründung des karolingischen Kaisertums, rééd. H. FUHRMANN, C. MÄRTL, Sigmaringen 1988 (Beiträge zur Geschichte und Quellenkunde des Mittelalters, 9).

CLASSEN, Thronfolge
>Peter CLASSEN, Karl der Große und die Thronfolge im Frankenreich, dans: Festschrift für Hermann Heimpel zum 70. Geburtstag, Göttingen 1972, p. 109–134, rééd. dans: CLASSEN, Aufsätze, p. 205–229.

CLASSEN, Verdun und Coulaines
>Peter CLASSEN, Die Verträge von Verdun und von Coulaines 843 als politische Grundlagen des westfränkischen Reiches, H.Z. 196 (1963) p. 1–35; rééd. dans: CLASSEN, Aufsätze, p. 249–277 (cité d'après cette éd.).

CLAUDE, Adel
>Dietrich CLAUDE, Adel, Kirche und Königtum im Westgotenreich, Sigmaringen 1971 (Vorträge und Forschungen; Sonderband 8).

CLAUDE, Comitat
>Dietrich CLAUDE, Untersuchungen zum frühfränkischen Comitat, Z.R.G., Germ. Abt. 81 (1964) p. 1–79.

CLAUDE, Untertaneneid
>Dietrich CLAUDE, Königs- und Untertaneneid im Westgotenreich, dans: Historische Forschungen für Walter Schlesinger, Köln, Wien 1974, p. 358–378.

CLAVADETSCHER, Einführung
>Otto P. CLAVADETSCHER, Die Einführung der Grafschaftsverfassung in Rätien und die Klageschriften Bischof Viktors III. von Chur, Z.R.G., Kan. Abt. 39 (1953) p. 46–111.

COLLINS, Pippin
>Roger COLLINS, Pippin I and the Kingdom of Aquitaine, dans: Charlemagne's Heir, p. 363–389.

COLLINS, Spain
>Roger COLLINS, Early Medieval Spain. Unity in Diversity, 400–1000, London 1983.

COTTINEAU, Répertoire
>Laurent Henri COTTINEAU, Répertoire topo-bibliographique des abbayes et prieurés, 2 tomes, Mâcon 1939.

COTTRELL, Auctoritas
>Alan COTTRELL, Auctoritas and potestas: a reevaluation of the correspondance of Gelasius I on papal-imperial relations, Medieval Studies 55 (1993) p. 95–109.

COUPLAND, Arms
>Simon COUPLAND, Carolingian arms and armor in the ninth century, Viator 21 (1990) p. 29–50.

COUPLAND, Money
>Simon COUPLAND, Money and Coinage under Louis the Pious, Francia 17/1 (1990) p. 23–54.

COUPLAND, Theologie
>Simon COUPLAND, The Rod of God's Wrath or the People of God's Wrath? The Carolingian Theology of the Viking Invasions, The Journal of Ecclesiastical History 42 (1991) p. 535–554.

COUTANSAIS, Monastères du Poitou
>Françoise COUTANSAIS, Les monastères du Poitou avant l'An Mil, R.M. 53 (1963) p. 1–21.

CROSS, Legimus
>J. E. CROSS, Legimus in ecclesiasticis historiis: A Sermon for All Saints, and its Use in Old English Prose, Traditio 33 (1977) p. 101–135.

D.A.C.L.
>Dictionnaire d'Archéologie Chrétienne et de Liturgie, éd. Fernand CABROL, Henri LECLERCQ, puis Henri Irénée MARROU, Paris 1907–1953.

DAHLHAUS-BERG, Nova antiquitas
  Elisabeth DAHLHAUS-BERG, Nova antiquitas et antiqua novitas. Typologische Exegese und isidorianisches Geschichtsbild bei Theodulf von Orléans, Köln 1975.

DAVIS, Composition
  Wendy DAVIS, The Composition of the Redon Cartulary, Francia 17/1 (1990) p. 69–90.

D.B.I.
  Dizionario Biografico degli Italiani, Roma 1960 – en cours de publication.

DE CLERCQ, Legislation 2
  Carlo DE CLERCQ, La législation religieuse franque. Etude sur les actes de conciles et les capitulaires, les statuts diocésains et les règles monastiques. Tome 2: De Louis le Pieux à la fin du IXe siècle (814–900), Anvers 1958.

DE JONG, Growing up
  Mayke DE JONG, Growing up in a Carolingian monastery: Magister Hildemar and his oblates, Journal of Medieval History 9 (1983) p. 99–128.

DE JONG, Power and humility
  Mayke DE JONG, Power and humility in Carolingian society: the public penance of Louis the Pious, E.M.E. 1 (1992) p. 29–52.

DELARUELLE, En relisant
  Etienne DELARUELLE, En relisant le 'De institutione regia' de Jonas d'Orléans. L'entrée en scène de l'épiscopat carolingien, dans: Mélanges L. Halphen, Paris 1951, p. 185–192.

DELOGU, Consors regni
  Paolo DELOGU, »Consors regni«: un problema carolingio, B.I.S.A.M. 76 (1964) p. 47–98.

DELOGU, Istituzione
  Paolo DELOGU, L'istituzione comitale nell'Italia carolingia (Ricerche sull'aristocrazia carolingia in Italia, 1), B.I.S.A.M. 79 (1968) p. 53–114.

DEPREUX, Büchersuche
  Philippe DEPREUX, Büchersuche und Büchertausch im Zeitalter der karolingischen Renaissance am Beispiel des Briefwechsels des Lupus von Ferrières, A.K.G. 76 (1994) p. 267–284.

DEPREUX, Dévotion
  Philippe DEPREUX, La dévotion à saint Remi de Reims aux IXe et Xe siècles, C.C.M. 35 (1992) p. 111–129.

DEPREUX, Empereur
  Philippe DEPREUX, Empereur, Empereur associé et Pape au temps de Louis le Pieux, R.B.P.H. 70 (1992) p. 893–906.

DEPREUX, Gouvernement
  Philippe DEPREUX, L'entourage et le gouvernement de l'empereur Louis le Pieux (roi des Aquitains de 781 à 814, puis empereur jusqu'en 840), thèse de doctorat, 2 tomes en 3 vol., Université de Paris IV – Sorbonne 1994 (dactyl.).

DEPREUX, Kanzlei
  Philippe DEPREUX, Die Kanzlei und das Urkundenwesen Kaiser Ludwigs des Frommen – nach wie vor ein Desiderat der Forschung, Francia 20/1 (1993) p. 147–162.

DEPREUX, Königtum
  Philippe DEPREUX, Das Königtum Bernhards von Italien und sein Verhältnis zum Kaisertum, Q.F.I.A.B. 72 (1992) p. 1–25.

DEPREUX, Louis le Pieux reconsidéré?
  Philippe DEPREUX, Louis le Pieux reconsidéré? A propos des travaux récents consacrés à »l'héritier de Charlemagne« et à son règne, Francia 21/1 (1994) 181–212.

DEPREUX, Matfrid
  Philippe DEPREUX, Le comte Matfrid d'Orléans (av. 815–836), B.E.Ch. 152 (1994) p. 331–374.

DEPREUX, Nithard
  Philippe DEPREUX, Nithard et la *res publica*: un regard critique sur le règne de Louis le Pieux, Médiévales 22–23 (1992) p. 149–161.

DEPREUX, Poètes
  Philippe DEPREUX, Poètes et historiens au temps de l'empereur Louis le Pieux, M.A. 99 (1993) p. 311–332.

DEPREUX, Saint Remi

Philippe DEPREUX, Saint Remi et la royauté carolingienne, R.H. 285 (1991) p. 235–260.

DEPREUX, Wann begann?

Philippe DEPREUX, Wann begann Kaiser Ludwig der Fromme zu regieren?, M.I.Ö.G. 102 (1994) p. 253–270.

DEPREUX, Zur Echtheit

Philippe DEPREUX, Zur Echtheit einer Urkunde Kaiser Ludwigs des Frommen für die Reimser Kirche (BM² 801), D.A. 48 (1992) p. 1–16.

DESHUSSES, Supplément

Jean DESHUSSES, Le »supplément« au sacramentaire grégorien: Alcuin ou saint Benoît d'Aniane?, Archiv für Liturgiewissenschaft 9/1 (1965) p. 48–71.

DEVISSE, Essai

Jean DEVISSE, Essai sur l'histoire d'une expression qui a fait fortune: *Consilium* et *auxilium* au IXᵉ siècle, M.A. 74 (1968) p. 179–205.

DEVISSE, Hincmar

Jean DEVISSE, Hincmar, archevêque de Reims, 845–882, 3 tomes, Genève 1975–1976.

DEVROEY, Courants et réseaux d'échange

Jean-Pierre DEVROEY, Courants et réseaux d'échange dans l'économie franque entre Loire et Rhin, dans: Mercati e mercanti nell'alto medioevo: l'area euroasiatica e l'area mediterranea, Spoleto 1993, p. 327–389 (Settimane di studio ..., 40).

DEVROEY, Mobiles et préoccupations de gestion

Jean-Pierre DEVROEY, »Ad utilitatem monasterii«. Mobiles et préoccupations de gestion dans l'économie monastique du monde franc, R.B. 103 (1993) p. 224–240.

DEVROEY, Polyptiques et fiscalité

Jean-Pierre DEVROEY, Polyptiques et fiscalité à l'époque carolingienne: une nouvelle approche?, R.B.P.H. 63 (1985) p. 783–794.

DHONDT, Naissance

Jan DHONDT, Etudes sur la naissance des principautés territoriales en France (IXᵉ-Xᵉ siècles), Brugge 1948.

DICKAU, Kanzlei

Otto DICKAU, Studien zur Kanzlei und zum Urkundenwesen Kaiser Ludwigs des Frommen. Ein Beitrag zur Geschichte der karolingischen Königsurkunde im 9. Jahrhundert, A.f.D. 34 (1988) p. 3–156 et 35 (1989) p. 1–170.

DIEPENBACH, Palatium

Wilhelm A. DIEPENBACH, »Palatium« in spätrömischer und fränkischer Zeit, Mainz 1921.

DIERKENS, Abbayes

Alain DIERKENS, Abbayes et chapitres entre Sambre et Meuse (VIIᵉ-XIᵉ siècles). Contribution à l'histoire religieuse des campagnes du Haut Moyen Age, Sigmaringen 1985 (Beihefte der Francia, 14).

DIERKENS, Christianisation

Alain DIERKENS, La Christianisation des campagnes de l'Empire de Louis le Pieux. L'Exemple du diocèse de Liège sous l'épiscopat de Walcaud (c. 809 – c. 831), dans: Charlemagne's Heir, p. 309–329.

DIERKENS, Torhout

Alain DIERKENS, Saint Anschaire, l'abbaye de Torhout et les missions carolingiennes en Scandinavie. Un dossier à réouvrir, dans: Haut Moyen-Age. Culture, Education et Société. Etudes offertes à Pierre Riché, éd. Michel SOT, La Garenne-Colombes 1990, p. 301–313.

DIERKENS, Typologie

Alain DIERKENS, Pour une typologie des missions carolingiennes, dans: Jacques MARX (éd.), Propagande et contre-propagande religieuses, Bruxelles 1987, p. 77–93.

DINZELBACHER, Vision

Peter DINZELBACHER, Vision und Visionsliteratur im Mittelalter, Stuttgart 1981.

DRÖGEREIT, Erzbistum Hamburg

Richard DRÖGEREIT, Erzbistum Hamburg, Hamburg-Bremen oder Erzbistum Bremen? Studien zur Hamburg-Bremen Frühgeschichte, A.f.D. 21 (1975) p. 136–230.

DUCHESNE, Fastes

Louis DUCHESNE, Fastes épiscopaux de l'ancienne Gaule, 3 tomes, Paris 1907–1915.

DUCKETT, Alcuin
  Eleanor S. DUCKETT, Alcuin, Friend of Charlemagne. His World and His Work, New York 1951.
DUCKETT, Portraits
  Eleanor S. DUCKETT, Carolingian portraits. A study in the ninth century, Ann Arbor 1962.
DÜMMLER, Claudius von Turin
  Ernst DÜMMLER, Über Leben und Lehre des Bischofs Claudius von Turin, Sitzungsberichte der königlich preussischen Akademie der Wissenschaften zu Berlin 23 (1895) p. 427–443.
DÜMMLER, De Bohemiae condicione
  Ernst DÜMMLER, De Bohemiae condicione Carolis imperantibus (788–928), Leipzig 1854.
DÜMMLER, Formelsammlungen
  Ernst DÜMMLER, Zu den carolingischen Formelsammlungen, N.A. 7 (1882) p. 401–403.
DÜMMLER, Geschichte
  Ernst DÜMMLER, Geschichte des ostfränkischen Reiches, 3 tomes, Leipzig 1887/1888.
DÜMMLER, Karolingische Miscellen
  Ernst DÜMMLER, Karolingische Miscellen, F.D.G. 6 (1866) p. 113–129.
DUFT, GÖSSI, VOGLER, Abtei St. Gallen
  Johannes DUFT, Anton GÖSSI, Werner VOGLER, Die Abtei St. Gallen. Abriß der Geschichte, Kurzbiographien der Äbte, das stift-sangallische Offizialat, St. Gallen 1986.
DUHAMEL-AMADO, Poids de l'aristocratie
  Claudie DUHAMEL-AMADO, Poids de l'aristocratie d'origine wisigothique et genèse de la noblesse septimanienne, dans: FONTAINE, PELLISTRANDI, Europe, p. 81–99.
DUMAS, Parole
  Auguste DUMAS, La parole et l'écriture dans les capitulaires carolingiens, dans: Mélanges L. Halphen, Paris 1951, p. 209–216.
DUPONT, Aprision
  André DUPONT, L'aprision et le régime aprisionnaire dans le Midi de la France (fin du VIIIe – début du Xe siècle), M.A. 71 (1965) p. 179–213 et p. 375–399.
DURLIAT, Attributions civiles
  Jean DURLIAT, Les attributions civiles des évêques mérovingiens: l'exemple de Didier, évêque de Cahors (630–655), A.M. 91 (1979) p. 237–254.
DURLIAT, Finances publiques
  Jean DURLIAT, Les finances publiques de Dioclétien aux Carolingiens, 284–889, Sigmaringen 1990 (Beihefte der Francia, 21).
DURLIAT, Impôt pour l'armée
  Jean DURLIAT, Le polyptique d'Irminon et l'impôt pour l'armée, B.E.Ch. 141 (1983) p. 183–208.
DURLIAT, Loi
  Jean DURLIAT, Bulletin d'études protomédiévales, III: La loi, Francia 20/1 (1993) p. 79–95.
DURLIAT, Manse
  Jean DURLIAT, Le manse dans le polyptique d'Irminon. Nouvel essai d'histoire quantitative, dans: ATSMA, Neustrie, tome 1, p. 467–504.
EASTWOOD, Leiden Planetary Configuration
  Bruce S. EASTWOOD, Origins and Contents of the Leiden Planetary Configuration (MS Voss. Q. 79. fol. 93v.): An Artistic Astronomical Schema of the Early Middle Ages, Viator 14 (1983) p. 1–40.
EBERHARDT, Via regia
  Otto EBERHARDT, Via regia. Der Fürstenspiegel Smaragds von St. Mihiel und seine literarische Gattung, München 1977.
EBLING, Prosopographie
  Horst EBLING, Prosopographie der Amtsträger des Merowingerreiches von Chlothar II. (613) bis Karl Martell (714), München 1974 (Beihefte der Francia, 2).
ECKHARDT, Capitularia missorum specialia
  Wilhelm A. ECKHARDT, Die Capitularia missorum specialia von 802, D.A. 12 (1956) p. 498–516.
EDELSTEIN, Eruditio
  Wolfgang EDELSTEIN, Eruditio et sapientia. Weltbild und Erziehung in der Karolingerzeit. Untersuchungen zu Alcuins Briefen, Freiburg i. B. 1965.
EITEN, Unterkönigtum
  Gustav EITEN, Das Unterkönigtum im Reiche der Merovinger und Karolinger, Heidelberg 1907.

454

ELZE, Herrscherlaudes
  Reinhard ELZE, Die Herrscherlaudes im Mittelalter, Z.R.G., Kan. Abt. 71 (1954) p. 201–223.
ENSSLIN, Auctoritas
  Wilhelm ENSSLIN, Auctoritas und potestas. Zur Zweigewaltenlehre des Papstes Gelasius I., H.Jb. 74 (1955) p. 661–668.
ERKENS, Sicut Esther
  Franz-Reiner ERKENS, ›Sicut Esther regina‹. Die westfränkische Königin als *consors regni*, Francia 20/1 (1993) p. 15–38.
ERKENS, Passau
  Franz-Reiner ERKENS, Ludwigs des Frommen Urkunde vom 28. Juni 823 für Passau (BM? 778), D.A. 42 (1986) p. 86–117.
ERNST, Nordostpolitik
  Raimund ERNST, Karolingische Nordostpolitik zur Zeit Ludwigs des Frommen, dans: Östliches Europa. Spiegel der Geschichte. Festschrift für Manfred Hellmann zum 65. Geburtstag, Wiesbaden 1977, p. 81–107.
ESTEY, Meaning
  Francis N. ESTEY, The meaning of *placitum* and *mallum* in the Capitularies, Speculum 22 (1947) p. 435–439.
EWIG, Descriptio Franciae
  Eugen EWIG, Descriptio Franciae, dans: Karl der Große, tome 1, p. 143–177; rééd. dans: EWIG, Gallien, tome 1, p. 274–322.
EWIG, Gallien
  Eugen EWIG, Spätantikes und fränkisches Gallien, éd. Hartmut ATSMA, 2 tomes, München 1976 (Beihefte der Francia, 3).
EWIG, Merowinger
  Eugen EWIG, Die Merowinger und das Frankenreich, Stuttgart, Berlin, Köln, Mainz 1988.
EWIG, Résidence
  Eugen EWIG, Résidence et capitale pendant le haut Moyen-Age, R.H. 230 (1963) p. 25–72; rééd. dans: EWIG, Gallien, tome 1, p. 362–408.
EWIG, Stipulation de la prière
  Eugen EWIG, Remarques sur la stipulation de la prière dans les chartes de Charles le Chauve, dans: Clio et son regard. Mélanges d'histoire, d'histoire de l'art et d'archéologie offerts à Jacques Stiennon, éd. Rita LEJEUNE, Joseph DECKERS, Liège 1982, p. 221–233.
EWIG, Teilungen
  Eugen EWIG, Überlegungen zu den merowingischen und karolingischen Teilungen, dans: Nascita dell'Europa ed Europa carolingia: un'equazione da verificare, Settimana di studio sull'alto medioevo, 27, tome 1, Spoleto 1981, p. 225–253.
FALKENSTEIN, Aachener Marienstift
  Ludwig FALKENSTEIN, Karl der Große und die Entstehung des Aachener Marienstiftes, Paderborn, München, Wien, Zürich 1981.
FALKENSTEIN, Aix-la-Chapelle
  Ludwig FALKENSTEIN, Charlemagne et Aix-la-Chapelle, Byzantion 61/1 (1991) p. 231–289.
FALKENSTEIN, Lateran
  Ludwig FALKENSTEIN, Der ›Lateran‹ der karolingischen Pfalz zu Aachen, Köln 1966.
FAVREAU, Claude de Turin
  Robert FAVREAU, Claude de Turin. Note sur la »renaissance« carolingienne en Poitou, Bulletin de la Société des Antiquaires de l'Ouest et des Musées de Poitiers, 4e série, tome 4 (1957/1958), p. 503–505.
FÉDOU, Etat
  René FÉDOU, L'Etat au Moyen Age, Paris 1971.
FELTEN, Äbte
  Franz J. FELTEN, Äbte und Laienäbte im Frankenreich. Studie zum Verhältnis von Staat und Kirche im früheren Mittelalter, Stuttgart 1980 (Monographien zur Geschichte des Mittelalters, 20).
FERRARI, Claudio di Torino
  Mirella FERRARI, Note su Claudio di Torino, »episcopus ab ecclesia damnatus«, I.M.U. 16 (1973) p. 291–308.

FERRARI, In Papia
  Mirella FERRARI, In Papia conveniant ad Dungalum, I.M.U. 15 (1972) p. 1–52.

FICHTENAU, Archive
  Heinrich FICHTENAU, Archive der Karolingerzeit, Mitteilungen des österreichischen Staatsarchivs 25 (1972) p. 15–24.

FICHTENAU, Arenga
  Heinrich FICHTENAU, Arenga. Spätantike und Mittelalter im Spiegel von Urkundenformeln, Graz, Köln 1957 (M.I.Ö.G., Ergänzungsband 18).

FICHTENAU, Imperium
  Heinrich FICHTENAU, Das karolingische Imperium. Soziale und geistige Probleme eines Großreiches, Zürich 1949.

FICKER, Forschungen
  Julius FICKER, Forschungen zur Reichs- und Rechtsgeschichte Italiens, 4 tomes, Innsbruck 1868–1874.

FISCHER, Königtum
  Joachim FISCHER, Königtum, Adel und Kirche im Königreich Italien (774–875), Bonn 1965.

FISCHER DREW, Immunity
  Katherine FISCHER DREW, The immunity in Carolingian Italy, Speculum 37 (1962) p. 182–197.

FISCHER DREW, Military frontier
  Katherine FISCHER DREW, The Carolingian military frontier in Italy, Traditio 20 (1964) p. 437–447.

FLECKENSTEIN, Aachener Marienstift
  Josef FLECKENSTEIN, Über das Aachener Marienstift als Pfalzkapelle Karls des Großen. Zugleich als Besprechung einer neuen Untersuchung über die Entstehung des Marienstifts, dans: Festschrift für Berent Schwineköper zu seinem 70. Geburtstag, Sigmaringen 1982.

FLECKENSTEIN, Einhard
  Josef FLECKENSTEIN, Einhard, seine Gründung und sein Vermächtnis in Seligenstadt, dans: Karl HAUCK (éd.), Das Einhardkreuz. Vorträge und Studien der Münsteraner Diskussion zum arcus Einhardi, Göttingen 1974, p. 96–121.

FLECKENSTEIN, Herkunft der Welfen
  Josef FLECKENSTEIN, Über die Herkunft der Welfen und ihre Anfänge in Süddeutschland, dans: TELLENBACH, Studien und Vorarbeiten, p. 71–136.

FLECKENSTEIN, Hof
  Josef FLECKENSTEIN, Karl der Große und sein Hof, dans: Karl der Große, tome 1, p. 24–50.

FLECKENSTEIN, Hofkapelle 1
  Josef FLECKENSTEIN, Die Hofkapelle der deutschen Könige, tome 1: Grundlegung. Die karolingische Hofkapelle, Stuttgart 1959 (M.G.H. Schriften, 16).

FLECKENSTEIN, Ordnungen
  Josef FLECKENSTEIN, Ordnungen und formende Kräfte des Mittelalters. Ausgewählte Beiträge, Göttingen 1989.

FLECKENSTEIN, Otto der Große
  Josef FLECKENSTEIN, Otto der Große in seinem Jahrhundert, F.M.St. 9 (1975) p. 253–267.

FLECKENSTEIN, Struktur
  Josef FLECKENSTEIN, Die Struktur des Hofes Karls des Grossen im Spiegel von Hinkmars De ordine palatii, Z.A.G. 83 (1976) p. 5–22; rééd. dans: FLECKENSTEIN, Ordnungen, p. 67–83 (cité d'après cette éd.).

FLORI, Idéologie
  Jean FLORI, L'idéologie du glaive. Préhistoire de la chevalerie, Genève 1983.

FLORI, Origines
  Jean FLORI, Les origines de l'adoubement chevaleresque: étude des remises d'armes et du vocabulaire qui les exprime dans les sources historiques latines jusqu'au début du XIIIᵉ siècle, Traditio 35 (1979), p. 209–272.

FÖRSTEMANN, Personennamen
  Ernst FÖRSTEMANN, Altdeutsches Namenbuch, tome 1: Personennamen, 2ᵉ éd. Bonn 1900.

Folia Caesaraugustana 1
  Folia Caesaraugustana 1. Diplomatica et sigillographica. Travaux préliminaires de la Commission internationale de diplomatique et de la Commission internationale de sigillographie pour une normali-

sation internationale des éditions de documents et un Vocabulaire international de la Diplomatique et de la Sigillographie, Zaragoza 1984.

FOLZ, Couronnement

Robert FOLZ, Le couronnement impérial de Charlemagne, Paris 1964.

FOLZ, Idée d'Empire

Robert FOLZ, L'idée d'Empire en Occident du Ve au XIVe siècle, Paris 1953.

FONTAINE, PELLISTRANDI, Europe

J. FONTAINE, C. PELLISTRANDI (éd.), L'Europe héritière de l'Espagne wisigothique, Madrid 1992 (Collection de la Casa de Velazquez, 35).

FREEMAN, Theodulf

Ann FREEMAN, Theodulf of Orleans: a Visigoth at Charlemagne's Court, dans: FONTAINE, PELLISTRANDI, Europe, p. 185–194.

FREISE, Geburtsjahr

Eckhard FREISE, Zum Geburtsjahr des Hrabanus Maurus, dans: KOTTJE, ZIMMERMANN, Hrabanus, p. 18–74.

FRIED, Boso

Johannes FRIED, Boso von Vienne oder Ludwig der Stammler? Der Kaiserkandidat Johannes VIII., D.A. 32 (1976) p. 193–208.

FRIED, Herrschaftsverband

Johannes FRIED, Der karolingische Herrschaftsverband im 9. Jahrhundert zwischen ›Kirche‹ und ›Königshaus‹, H.Z. 235 (1982) p. 1–43.

FRIED, Papsttum

Johannes FRIED, Ludwig der Fromme, das Papsttum und die fränkische Kirche, dans: Charlemagne's Heir, p. 231–273.

FRITZE, Papst

Wolfgang FRITZE, Papst und Frankenkönig. Studien zu den päpstlich-fränkischen Rechtsbeziehungen von 754 bis 824, Sigmaringen 1973 (Vorträge und Forschungen; Sonderband 10).

FRITZE, Schwurfreundschaft

Wolfgang FRITZE, Die fränkische Schwurfreundschaft der Merowingerzeit. Ihr Wesen und ihre politische Funktion, Z.R.G., Germ. Abt. 71 (1954) p. 74–125.

FUHRMANN, Pseudoisidorische Fälschungen

Horst FUHRMANN, Einfluß und Verbreitung der pseudo-isidorischen Fälschungen, 3 tomes, Stuttgart 1972–1974 (M.G.H. Schriften, 24).

FUSTEL DE COULANGES, Transformations

Numa Denis FUSTEL DE COULANGES, Histoire des institutions politiques de l'ancienne France, tome 6: Les transformations de la royauté pendant l'époque carolingienne, ouvrage revu et complété sur le manuscrit et d'après les notes de l'auteur par Camille JULLIAN, Paris 1891.

GAFFIOT, Dictionnaire

Félix GAFFIOT, Dictionnaire Latin-Français, Paris 1934.

GAILLARD, Diocèse de Metz

Michèle GAILLARD, Les abbayes du diocèse de Metz au IXe siècle. Décadence ou réforme?, R.H.E.F. 79 (1993) p. 261–274.

GAMS, Series

Pius Bonifacius GAMS, Series episcoporum ecclesiae catholicae quotquot innotuerunt a beato Petro apostolo, Regensburg 1873.

GANSHOF, Am Vorabend

François-Louis GANSHOF, Am Vorabend der ersten Krise der Regierung Ludwigs des Frommen. Die Jahre 828 und 829, F.M.St. 6 (1972) p. 39–54.

GANSHOF, Armée

François-Louis GANSHOF, L'armée sous les Carolingiens, dans: Ordinamenti militari in Occidente nell'alto medioevo, tome 1, Spoleto 1968, p. 109–130 (Settimane di studio ..., 15).

GANSHOF, Capitulaires

François-Louis GANSHOF, Recherches sur les capitulaires, Paris 1958.

GANSHOF, Concession d'alleux

François-Louis GANSHOF, Note sur la concession d'alleux à des vassaux sous le règne de Louis le Pieux, dans: Storiografia e storia. Studi in onore di Eugenio Dupre-Theseider, Roma 1974, p. 589–599.

GANSHOF, Crise dans le règne de Charlemagne
François-Louis GANSHOF, Une crise dans le règne de Charlemagne, les années 778 et 779, dans: Mélanges d'histoire et de littérature offerts à Charles Gilliard ... à l'occasion de son 65ᵉ anniversaire, Lausanne 1944, p. 133–145.

GANSHOF, Décomposition
François-Louis GANSHOF, La fin du règne de Charlemagne: une décomposition, Z.S.G. 28 (1948) p. 433–452.

GANSHOF, Documents administratifs
François-Louis GANSHOF, Note sur la date de deux documents administratifs émanant de Louis le Pieux. La circulaire aux évêques de 816 et le »capitulare missorum« de 818–819, dans: Recueil de travaux offerts à M. Clovis Brunel, tome 1, Paris 1955, p. 510–526.

GANSHOF, Echec
François-Louis GANSHOF, L'échec de Charlemagne, Académie des Inscriptions et Belles Lettres. Comptes rendus des séances, 1947, p. 248–254.

GANSHOF, Eginhard
François-Louis GANSHOF, Notes critiques sur Eginhard, biographe de Charlemagne, R.B.P.H. 3 (1924) p. 725–758.

GANSHOF, Eginhard à Gand
François-Louis GANSHOF, Eginhard à Gand, Bulletin de la Société d'Histoire et d'Archéologie de Gand 34 (1926) p. 13–33.

GANSHOF, External relations
François-Louis GANSHOF, The Frankish monarchy and its external relations, from Pippin III to Louis the Pious, dans: The Carolingians and the Frankish Monarchy. Studies in Carolingian History, London 1971, p. 162–204; traduction de J. SONDHEIMER de l'étude intitulée »Les relations extérieures de la monarchie franque sous les premiers souverains carolingiens« et publiée dans les Annali di storia del Diritto, Rassegna Internationale 5/6 (1961/1962) p. 1–53.

GANSHOF, Féodalité
François-Louis GANSHOF, Qu'est-ce que la féodalité?, Paris 1982 (5ᵉ éd.).

GANSHOF, Institutions
François-Louis GANSHOF, Charlemagne et les institutions de la monarchie franque, dans: Karl der Große, tome 1, p. 349–393.

GANSHOF, Justice
François-Louis GANSHOF, Charlemagne et l'administration de la justice dans la monarchie franque, dans: Karl der Große, tome 1, p. 394–419.

GANSHOF, Liens de vassalité
François-Louis GANSHOF, Les liens de vassalité dans la monarchie franque, dans: Les liens de vassalité et les immunités, Recueils de la Société Jean Bodin pour l'histoire comparative des institutions, Bruxelles 1958, p. 153–169.

GANSHOF, Louis the Pious reconsidered
François-Louis GANSHOF, Louis the Pious reconsidered, History 42 (1957) p. 171–180.

GANSHOF, Observations
François-Louis GANSHOF, Observations sur l'Ordinatio imperii de 817, dans: Festschrift Guido Kisch, Stuttgart 1955, p. 15–32.

GANSHOF, Origine
François-Louis GANSHOF, L'origine des rapports féodo-vassaliques. Les rapports féodo-vassaliques dans la monarchie franque au Nord des Alpes à l'époque carolingienne, dans: I problemi della civiltà carolingia (Settimane di studio ..., 1), Spoleto 1954, p. 27–69.

GANSHOF, Praeceptum negotiatorum
François-Louis GANSHOF, Note sur le »praeceptum negotiatorum« de Louis le Pieux, dans: Studi in onore di Armando Sapori, Milano 1957, p. 103–112.

GANSHOF, Politique
François-Louis GANSHOF, A propos de la politique de Louis le Pieux avant la crise de 830, Revue Belge d'Archéologie et d'Histoire de l'art 37 (1968) p. 37–48.

GANSHOF, Programme
François-Louis GANSHOF, Le programme de gouvernement impérial de Charlemagne, dans: Renovatio imperii, Faenza 1963, p. 63–96.

458

GANSHOF, Réformes judiciaires
François-Louis GANSHOF, Les réformes judiciaires de Louis le Pieux, Académie des Inscriptions et Belles Lettres. Comptes rendus des séances, 1965, p. 418–427.

GANSHOF, Serment
François-Louis GANSHOF, Charlemagne et le serment, dans: Mélanges L. Halphen, Paris 1951, p. 259–270.

GANSHOF, Tonlieu
François-Louis GANSHOF, A propos du tonlieu à l'époque carolingienne, dans: La città nell'alto medioevo (Settimane di studio ..., 6), Spoleto 1959, p. 485–508.

GANSHOF, Usage de l'écrit
François-Louis GANSHOF, Charlemagne et l'usage de l'écrit en matière administrative, M.A. 57 (1951) p. 1–25.

GANZ, Epitaphium
David GANZ, The Epitaphium Arsenii and Opposition to Louis the Pious, dans: Charlemagne's Heir, p. 537–550.

GANZ, Tironian Notes
David GANZ, On the History of Tironian Notes, dans: Peter GANZ (éd.), Tironische Noten, Wiesbaden 1990, p. 35–51.

GASNAULT, Actes privés
Pierre GASNAULT, Les actes privés de l'abbaye de Saint-Martin de Tours du VIIIᵉ au XIIᵉ siècle, B.E.Ch. 112 (1954) p. 24–66.

GEARY, Aristocracy
Patrick J. GEARY, Aristocracy in Provence: The Rhone Bassin ar the Dawn of the Carolingian Age, Stuttgart 1985.

GEARY, Monde mérovingien
Patrick J. GEARY, Le monde mérovingien. Naissance de la France, Paris 1989 (traduction de: Before France and Germany. The Creation and Transformation of the Merovingian World, Oxford 1988).

GEARY, Provence
Patrick J. GEARY, Die Provence zur Zeit Karl Martells, dans: JARNUT, NONN, RICHTER, Karl Martell, p. 381–392.

GÉNICOT, Lignes de faîte
Léopold GÉNICOT, Les lignes de faîte du moyen âge, 7ᵉ éd. Tournai 1975.

GENNARO, Fridugiso
Concettina GENNARO, Fridugiso di Tours e il »De substantia nihili et tenebrarum«. Edizione critica e studio introduttivo, Padova 1963.

GERLICH, Otgar von Mainz
Alois GERLICH, Die Reichspolitik des Erzbischofs Otgar von Mainz, R.Vbl. 19 (1954) p. 286–316.

GEUENICH, Gebetsgedenken
Dieter GEUENICH, Gebetsgedenken und anianische Reform – Beobachtungen zu den Verbrüderungsbeziehungen der Äbte im Reich Ludwigs des Frommen, dans: R. KOTTJE, H. MAURER (éd.), Monastische Reformen im 9. und 10. Jahrhundert, Sigmaringen 1989, p. 79–106 (Vorträge und Forschungen, 38).

GEUENICH, Grimald
Dieter GEUENICH, Beobachtungen zu Grimald von St. Gallen, Erzkapellan und Oberkanzler Ludwigs des Deutschen, dans: Litterae Medii Aevi. Festschrift für Johanne Autenrieth zu ihrem 65. Geburtstag, Sigmaringen 1988, p. 55–68.

GEUENICH, Stellung
Dieter GEUENICH, Zur Stellung und Wahl des Abtes in der Karolingerzeit, dans: Person und Gemeinschaft im Mittelalter. Karl Schmid zum 65. Geburtstag, Sigmaringen 1988, p. 171–186.

GEUENICH, Volkssprachige Überlieferung
Dieter GEUENICH, Die volkssprachige Überlieferung der Karolingerzeit aus der Sicht des Historikers, D.A. 39 (1983) p. 104–130.

GIBSON, NELSON, Charles the Bald
Margaret T. GIBSON, Janet L. NELSON (éd.), Charles the Bald. Court and Kingdom, 2ᵉ éd. Aldershot 1990.

GIRY, Etudes carolingiennes
    Arthur GIRY, Etudes carolingiennes, dans: Etudes d'Histoire du Moyen Age dédiées à Gabriel Monod, Paris 1896, p. 107–136.
GIRY, Manuel de diplomatique
    Arthur GIRY, Manuel de diplomatique, Paris 1894.
GLÖCKNER, Lorsch und Lothringen
    Karl GLÖCKNER, Lorsch und Lothringen, Robertiner und Capetinger, Z.G.O. 50 (1937) p. 301–354.
GOCKEL, Äbtissin Emhilt
    Michael GOCKEL, Zur Verwandschaft der Äbtissin Emhilt von Milz, dans: Festschrift für Walter Schlesinger, tome 2, Köln, Wien 1974, p. 1–70.
GOCKEL, Königshöfe
    Michael GOCKEL, Karolingische Königshöfe am Mittelrhein, Göttingen 1970 (Veröffentlichungen des Max-Planck-Institut für Geschichte, 31).
GODMAN, Alcuin
    Peter GODMAN, Alcuin, The Bishops, Kings and Saints of York, Oxford 1982.
GODMAN, Louis
    Peter GODMAN, Louis ›the Pious‹ and his Poets, F.M.St. 19 (1985) p. 239–289.
GODMAN, Poets
    Peter GODMAN, Poets and Emperors. Frankish Politics and Carolingian Poetry, Oxford 1987.
GOETTING, Bischöfe
    Hans GOETTING, Die Hildesheimer Bischöfe von 815 bis 1221 (1227), Berlin, New York 1984 (Germania Sacra, N. F. 20/3).
GOETZ, Regnum
    Hans-Werner GOETZ, Regnum: Zum politischen Denken der Karolingerzeit, Z.R.G., Germ. Abt. 104 (1987) p. 110–189.
GOEZ, Weltchronik
    Werner GOEZ, Zur Weltchronik des Bischofs Frechulf von Lisieux, dans: Festgabe für Paul Kirn, Berlin 1961, p. 93–11O.
GOFFART, Le Mans Forgeries
    Walter GOFFART, The Le Mans Forgeries. A Chapter from the history of the Church in the ninth century, Harvard 1966.
GRAT, Mention
    Félix GRAT, La mention ›N. impetravit‹ dans les diplômes carolingiens, M.A. 40 (1930) p. 8–27.
GRAUS, Verfassungsgeschichte
    Frantisek GRAUS, Verfassungsgeschichte des Mittelalters, H.Z. 243 (1986) p. 529–589.
GRÉGOIRE, Benedetto
    Réginald GRÉGOIRE, Benedetto di Aniane nella riforma monastica carolingia, S.M., 3ᵉ série, 26 (1985) p. 573–610.
GRIERSON, Fulco
    Philip GRIERSON, Abbot Fulco and the date of the »Gesta abbatum Fontanellensium«, E.H.R. 55 (1940) p. 275–284.
GRIERSON, Monnaies d'or
    Philip GRIERSON, La date des monnaies d'or de Louis le Pieux, M.A. 69 (1963) p. 67–74.
GRUNDMANN, Bildungsnorm
    Herbert GRUNDMANN, Litteratus-illitteratus. Der Wandel einer Bildungsnorm vom Altertum zum Mittelalter, A.K.G. 40 (1958) p. 1–65.
GUILLAND, Chartulaire
    Rodolphe Joseph GUILLAND, Contribution à l'histoire administrative de l'Empire byzantin. Le chartulaire et le grand chartulaire, Revue des études sud-est européennes 9 (1971) p. 405–426.
GUILLOT, Comte d'Anjou
    Olivier GUILLOT, Le comte d'Anjou et son entourage au XIᵉ siècle, 2 tomes, Paris 1972.
GUILLOT, Exhortation,
    Olivier GUILLOT, L'exhortation au partage des responsabilités entre l'empereur, l'épiscopat et les autres sujets vers le milieu du règne de Louis le Pieux, dans: Prédication et propagande au Moyen Age. Islam, Byzance, Occident, Paris 1983, p. 87–110.

GUILLOT, Lettre
Olivier GUILLOT, A propos d'une lettre de Fulbert de Chartres à Foulque Nerra. Un cas de recours au droit savant avant la lettre?, dans: J. KRYNEN, A. RIGAUDIÈRE (éd.), Droits savants et pratiques françaises du pouvoir (XIᵉ-XVᵉ siècles), Bordeaux 1992, p. 15–38.

GUILLOT, Lexicographie
Olivier GUILLOT, Le droit romain classique et la lexicographie de termes du latin médiéval impliquant délégation de pouvoir, dans: La lexicographie du latin médiéval et ses rapports avec les recherches actuelles sur la civilisation du Moyen Age, Paris 1981, p. 153–166 (Colloques internationaux du C.N.R.S., 589).

GUILLOT, Miracles
Olivier GUILLOT, Les miracles dans les annales de Flodoard, dans: Histoire des miracles, Angers 1983, p. 29–40 (Publications du Centre de Recherches d'Histoire Religieuse et d'Histoire des Idées, 6).

GUILLOT, Ordinatio
Olivier GUILLOT, Une *ordinatio* méconnue: Le capitulaire de 823–825, dans: Charlemagne's Heir, p. 455–486.

GUILLOT, Organisation politique
Olivier GUILLOT, Formes, fondements et limites de l'organisation politique en France au Xᵉ siècle, dans: Il secolo di ferro: mito e realtà del secolo X, Spoleto 1991, p. 57–116 (Settimane di studio..., 38).

GUILLOTEL, Evêques d'Alet
Hubert GUILLOTEL, Les évêques d'Alet du IXe au milieu du XIIe siècle, Annales de la Société d'histoire et d'archéologie de l'arrondissement de Saint-Malo, 1979, p. 251–266.

GUILLOTEL, Temps des rois
Hubert GUILLOTEL, Le temps des rois, VIIIᵉ-Xᵉ siècle, dans: André CHÉDEVILLE, Hubert GUILLOTEL, La Bretagne des saints et des rois, Vᵉ-Xᵉ siècle, Rennes 1984, p. 191–404.

GURRUCHAGA, Segunda batalla
Ildefonso GURRUCHAGA, La segunda batalla de Roncesvalles del ano 824 y los origines del reino de Pamplona, Boletin del Instituto Americano de Estudios Vascos 7 (1956) p. 91–100.

GUYOTJEANNIN, MORELLE, PARISSE, Cartulaires
Olivier GUYOTJEANNIN, Laurent MORELLE, Michel PARISSE (éd.), Les cartulaires, Paris 1993.

GUYOTJEANNIN, PYCKE, TOCK, Diplomatique
Olivier GUYOTJEANNIN, Jacques PYCKE, Michel TOCK, Diplomatique médiévale, Turnhout 1993.

HÄGERMANN, Kapitularien
Dieter HÄGERMANN, Zur Entstehung der Kapitularien, dans: Grundwissenschaften und Geschichte. Festschrift für Peter Acht, München 1976, p. 12–27.

HÄGERMANN, Reichseinheit
Dieter HÄGERMANN, Reichseinheit und Reichsteilung. Bemerkungen zur Divisio regnorum von 806 und zur Ordinatio imperii von 817, H.Jb. 95 (1975) p. 278–307.

HÄGERMANN, HEDWIG, Polyptichon
Dieter HÄGERMANN, Andreas HEDWIG, Das Polyptichon und die Notitia de areis von Saint-Maur-des-Fossés, Sigmaringen 1990 (Beihefte der Francia, 23).

HAGEMANN, Ursachen
Karl HAGEMANN, Ursachen und Verlauf der ersten Empörung gegen Ludwig den Frommen, Realschule I. Ordnung zu Sprottau. Jahresbericht über das Schuljahr 1873–1874 ..., Sprottau 1874, p. 1–24.

HAGENEDER, Crimen maiestatis
Othmar HAGENEDER, Das crimen maiestatis, der Prozeß gegen die Attentäter Papst Leos III. und die Kaiserkrönung Karls des Großen, dans: Aus Kirche und Reich. Studien zu Theologie, Politik und Recht im Mittelalter. Festschrift für Friedrich Kempf, Sigmaringen 1983, p. 55–79.

HAHN, Hludowicianum
Adelheid HAHN, Das Hludowicianum. Die Urkunde Ludwigs des Frommen für die römische Kirche von 817, A.f.D. 21 (1975) p. 15–135.

HALBEDEL, Fränkische Studien
Anton HALBEDEL, Fränkische Studien. Kleine Beiträge zur Geschichte und Sage des deutschen Altertums, Berlin 1915.

HALLINGER, Wahlgewohnheiten
Kassius HALLINGER, Regula Benedicti 64 und die Wahlgewohnheiten des 6.-12. Jahrhunderts, dans: Latinität und Alte Kirche. Festschrift für Rudolf Hanslik zum 70. Geburtstag, Wien, Köln, Graz 1977, p. 109–130.

HALPHEN, A travers
Louis HALPHEN, A travers l'histoire du Moyen Age, Paris 1950.

HALPHEN, Charlemagne
Louis HALPHEN, Charlemagne et l'empire carolingien, Paris 1947, 2ᵉ éd. Paris 1968.

HALPHEN, De ordine palatii
Louis HALPHEN, Le »De ordine palatii« d'Hincmar, R.H. 182 (1938) p. 1–9; rééd. dans: HALPHEN, A travers, p. 83–91.

HALPHEN, Idée d'Etat
Louis HALPHEN, L'idée d'Etat sous les Carolingiens, R.H. 185 (1939) p. 59–70, rééd. dans: HALPHEN, A travers, p. 92–104.

HALPHEN, Pénitence
Louis HALPHEN, La pénitence de Louis le Pieux à Saint-Médard de Soissons, dans: Troisièmes mélanges d'histoire du moyen-âge, éd. A. LUCHAIRE, Paris 1904, p. 177–185; rééd. dans: HALPHEN, A travers, p. 58–66.

HAMPE, Datierung
Karl HAMPE, Zur Datierung der Briefe des Bischofs Frothar von Toul, N.A. 21 (1896) p. 747–760.

HAMPE, Einhard
Karl HAMPE, Zur Lebensgeschichte Einhards, N.A. 21 (1896) p. 599–631.

HANNIG, Consensus fidelium
Jürgen HANNIG, Consensus fidelium. Frühfeudale Interpretationen des Verhältnisses von Königtum und Adel am Beispiel des Frankenreiches, Stuttgart 1982 (Monographien zur Geschichte des Mittelalters, 27).

HANNIG, Pauperiores vassi
Jürgen HANNIG, Pauperiores vassi de infra palatio? Zur Entstehung der karolingischen Königsbotenorganisation, M.I.Ö.G. 91 (1983) p. 309–374.

HANNIG, Zentrale Kontrolle
Jürgen HANNIG, Zentrale Kontrolle und regionale Machtbalance. Beobachtungen zum System der karolingischen Königsboten am Beispiel des Mittelrheingebietes, A.K.G. 66 (1984) p. 1–46.

HANNIG, Zur Funktion
Jürgen HANNIG, Zur Funktion der karolingischen »missi dominici« in Bayern und in den südöstlichen Grenzgebieten, Z.R.G., Germ. Abt. 101 (1984) p. 256–300.

HARTMANN, Geschichte Italiens
Ludo Moritz HARTMANN, Geschichte Italiens im Mittelalter, tome 3/1: Italien und die fränkische Herrschaft, Gotha 1908.

HARTMANN, Laien
Wilfried HARTMANN, Laien auf Synoden der Karolingerzeit, A.H.C. 10 (1978) p. 249–269.

HARTMANN, Neue Texte
Wilfried HARTMANN, Neue Texte zur bischöflichen Reformgesetzgebung aus den Jahren 829/831. Vier Diözesansynoden Halitgars von Cambrai, D.A. 35 (1979) p. 368–394.

HARTMANN, Probleme
Wilfried HARTMANN, Zu einigen Problemen der karolingischen Konzilsgeschichte, A.H.C. 9 (1977) p. 6–28.

HARTMANN, Rechtlicher Zustand
Wilfried HARTMANN, Der rechtliche Zustand der Kirchen auf dem Lande: die Eigenkirche in der fränkischen Gesetzgebung des 7. bis 9. Jahrhunderts, dans: Cristianizzazione ed organizzazione ecclesiastica delle campagne nell'alto medioevo: espansione e resistenze, vol. 1, Spoleto 1982, p. 397–441 (Settimane di studio ..., 28).

HARTMANN, Synoden
Wilfried HARTMANN, Die Synoden der Karolingerzeit im Frankenreich und in Italien, Paderborn, München, Wien, Zürich 1989.

HAUCK, Missionsauftrag Christi
Karl HAUCK, Der Missionsauftrag Christi und das Kaisertum Ludwigs des Frommen, dans: Charlemagne's Heir, p. 275–296.

462

HAVET, Chartes de Saint-Calais
Julien HAVET, Les chartes de Saint-Calais, B.E.Ch. 48 (1887) p. 5–58 et 209–247; rééd. dans: HAVET, Questions mérovingiennes, p. 103–190 (cité d'après cette éd.).
HAVET, Evêques du Mans
Julien HAVET, Les actes des évêques du Mans, dans: HAVET, Questions mérovingiennes, p. 271–445.
HAVET, Questions mérovingiennes
Julien HAVET, Oeuvres, tome 1: Questions mérovingiennes, Paris 1896.
HEINZELMANN, Studia sanctorum
Martin HEINZELMANN, Studia sanctorum. Education, milieux d'instruction et valeurs éducatives dans l'hagiographie en Gaule jusqu'à la fin de l'époque mérovingienne, dans: Haut Moyen-Age. Culture, Education et Société. Etudes offertes à Pierre Riché, éd. Michel SOT, La Garenne-Colombes 1990, p. 105–138.
HEINZELMANN, Prosopographie
Martin HEINZELMANN, Bischofsherrschaft in Gallien. Zur Kontinuität römischer Führungsschichten vom 4. bis zum 7. Jahrhundert. Soziale, prosopographische und bildungsgeschichtliche Aspekte, München 1976 (Beihefte der Francia, 5).
HEITZ, Architecture
Carol HEITZ, L'architecture religieuse carolingienne. Les formes et leurs fonctions, Paris 1980.
HELBIG, Fideles
Herbert HELBIG, Fideles Dei et regis. Zur Bedeutungsentwicklung von Glaube und Treue im hohen Mittelalter, A.K.G. 33 (1951) p. 275–306.
HELLMANN, Heiraten
Siegmund HELLMANN, Die Heiraten der Karolinger, dans: Festgabe K. Th. v. Heigel, München 1903, p. 1–99, rééd. dans: Helmut BEUMANN (éd.), Ausgewählte Abhandlungen zur Historiographie und Geistesgeschichte des Mittelalters, Darmstadt 1961, p. 293–391.
HENNEBICQUE, Structures familiales
Régine HENNEBICQUE, Structures familiales et politiques au IXe siècle. Un groupe familial de l'aristocratie franque, R.H. 265 (1981) p. 289–333.
HENNEBICQUE-LE JAN, Prosopographica Neustrica
Régine HENNEBICQUE-LE JAN, Prosopographica Neustrica: les agents du roi en Neustrie de 639 à 840, dans: ATSMA, Neustrie, tome 1, p. 231–269.
HERREN, De imagine Tetrici
Michael W. HERREN, The »De imagine Tetrici of Walafrid Strabo: Edition and Translation«, The Journal of Medieval Latin 1 (1991) p. 118–139.
HESSLER, Petitionis exemplar
Wolfgang HESSLER, Petitionis exemplar. Urfassung und Zusätze beim Fuldaer Supplex Libellus von 812/17, A.f.D. 8 (1962) p. 1–11.
HEUBERGER, Pfalzgrafenzeugnis
Richard HEUBERGER, Fränkisches Pfalzgrafenzeugnis und Gerichtschreibertum, M.I.Ö.G. 41 (1926) p. 46–69.
HEUWIESER, Geschichte
Max HEUWIESER, Geschichte des Bistums Passau, tome 1, Passau 1939.
HIGOUNET, Aznar
Charles HIGOUNET, Les Aznar, une tentative de groupement de comtés gascons et pyrénéens au IXe siècle, A.M. 61 (1948) p. 5–14.
HIGOUNET, Bordeaux
Charles HIGOUNET, Bordeaux pendant le haut moyen âge, Bordeaux 1963.
HIGOUNET, Style pisan
Charles HIGOUNET, Le style pisan. Son emploi. Sa diffusion géographique, M.A. 58 (1952) p. 31–42.
HILDEBRANDT, External School
M. M. HILDEBRANDT, The external school in carolingian society, Leiden, New York, Köln 1992.
HIRSCH, Erhebung
Paul HIRSCH, Die Erhebung Berengars I. von Friaul zum König in Italien, Strasbourg 1910.
Histoire médiévale
L'histoire médiévale en France. Bilan et perspectives, Paris 1991 (Société des historiens médiévistes de l'enseignement supérieur).

HLAWITSCHKA, Äbtissinnenreihe
Eduard HLAWITSCHKA, Studien zur Äbtissinnenreihe von Remiremont (7. – 13. Jh.), Saarbrücken 1963.

HLAWITSCHKA, Anfänge
Eduard HLAWITSCHKA, Die Anfänge des Hauses Habsburg-Lothringen, Saarbrücken 1969 (Veröffentlichungen der Kommission für saarländische Landesgeschichte und Volksforschung, 4).

HLAWITSCHKA, Formierung
Eduard HLAWITSCHKA, Vom Frankenreich zur Formierung der europäischen Staaten- und Völkergemeinschaft, 840–1046. Ein Studienbuch zur Zeit der späten Karolinger, der Ottonen und der frühen Salier in der Geschichte Mitteleuropas, Darmstadt 1986.

HLAWITSCHKA, Franken
Eduard HLAWITSCHKA, Franken, Alemannen, Bayern und Burgunder in Oberitalien (774–962). Zum Verständnis der fränkischen Königsherrschaft in Italien, Freiburg i. Br. 1960 (Forschungen zur oberrheinischen Landesgeschichte, 8).

HLAWITSCHKA, Kaiser Wido
Eduard HLAWITSCHKA, Waren die Kaiser Wido und Lambert Nachkommen Karls des Großen?, Q.F.I.A.B. 49 (1969) p. 366–386.

HLAWITSCHKA, Klosterverlegung
Eduard HLAWITSCHKA, Zur Klosterverlegung und zur Annahme der Benediktsregel in Remiremont, Z.G.O. 109 (1961) p. 249–269.

HLAWITSCHKA, Liudolfinger
Eduard HLAWITSCHKA, Zur Herkunft der Liudolfinger und zu einigen Corveyer Geschichtsquellen, R.Vbl. 38 (1974) p. 92–165.

HLAWITSCHKA, Vorfahren
Eduard HLAWITSCHKA, Die Vorfahren Karls des Großen, dans: Karl der Große, tome 1, p. 51–82.

HLAWITSCHKA, Widonen
Eduard HLAWITSCHKA, Die Widonen im Dukat von Spoleto, Q.F.I.A.B. 63 (1983) p. 20–92.

HOFMEISTER, Markgrafen
Adolf HOFMEISTER, Markgrafen und Markgrafschaft im italienischen Königreich in der Zeit von Karl dem Großen bis auf Otto den Großen (774–962), M.I.Ö.G., Ergänzungsband 7 (1907), p. 215–435.

HOLTZ, Ecole d'Auxerre
Louis HOLTZ, L'école d'Auxerre, dans: D. IOGNA-PRAT, C. JEUDY, G. LOBRICHON (éd.), L'école carolingienne d'Auxerre de Murethach à Remi, 830–908, Paris 1991, p. 131–146.

HONSELMANN, Bericht des Klerikers Ido
Klemens HONSELMANN, Der Bericht des Klerikers Ido von der Übertragung der Gebeine des hl. Liborius, W.Z. 119 (1969) p. 189–265.

HONSELMANN, Paderborner Bischöfe
Klemens HONSELMANN, Die ältesten Listen der Paderborner Bischöfe, dans: Paderbornensis ecclesia. Beiträge zur Geschichte des Erzbistums Paderborn. Festschrift für Lorenz Kardinal Jaeger zum 80. Geburtstag am 23. September 1972, éd. Paul Werner SCHEELE, München, Paderborn, Wien 1972, p. 15–35.

HONSELMANN, Zur Translatio s. Liborii
Klemens HONSELMANN, Zur Translatio s. Liborii. Gobelin Person und die Teilnehmerberichte, W.Z. 116 (1966) p. 171–189.

H.R.G.
Handwörterbuch zur deutschen Rechtsgeschichte, Berlin 1971 sqq.

HUGLO, Remaniements
Michel HUGLO, Les remaniements de l'antiphonaire grégorien au IXe siècle: Hélisachar, Agobard, Amalaire, dans: Culto cristiano. Politica imperiale carolingia, Todi 1979, p. 89–120 (Convegni del Centro di studi sulla spiritualità medievale, 18).

HUGLO, Trois livres
Michel HUGLO, Trois livres manuscrits présentés par Helisachar, R.B. 99 (1989) p. 272–285.

HUGOT, Pfalz
Leo HUGOT, Die Pfalz Karls des Großen in Aachen, dans: Karl der Große, tome 3, p. 534–572.

Hussong, Fulda
    Ulrich Hussong, Studien zur Geschichte der Reichsabtei Fulda bis zur Jahrtausendwende, A.f.D. 31 (1985) p. 1–225 et 32 (1986) p. 129–304.
Illmer, Formen der Erziehung
    Detlef Illmer, Formen der Erziehung und Wissensvermittlung im frühen Mittelalter. Quellenstudien zur Frage der Kontinuität des abendländischen Erziehungswesens, München 1971 (Münchener Beiträge zur Mediävistik und Renaissance-Forschung, 7).
Innes, McKitterick, Writing of history
    Matthew Innes, Rosamond McKitterick, The writing of history, dans: R. McKitterick (éd.), Carolingian Culture: emulation and innovation, Cambridge 1994, p. 193–220.
Iogna-Prat, Geste des origines
    Dominique Iogna-Prat, La geste des origines dans l'historiographie clunisienne des XIe-XIIe siècles, R.B. 102 (1992) p. 135–191.
Iogna-Prat, Culte
    Dominique Iogna-Prat, Le culte de la Vierge sous le règne de Charles le Chauve, Les cahiers de Saint-Michel-de-Cuxa 23 (1992) p. 97–116.
Jackman, Konradiner
    Donald C. Jackman, The Konradiner. A Study in Genealogical Methodology, Frankfurt a. M. 1990.
Jacobsen, Allgemeine Tendenzen
    Werner Jacobsen, Allgemeine Tendenzen im Kirchenbau unter Ludwig dem Frommen, dans: Charlemagne's Heir, p. 641–654.
Jacobsen, Benedikt von Aniane
    Werner Jacobsen, Benedikt von Aniane und die Architektur unter Ludwig dem Frommen zwischen 814 und 830, dans: Alfred A. Schmid (éd.), Riforma religiosa e arti nel'epoca carolingia, Bologna 1983, p. 15–22.
Jahn, Ducatus
    Joachim Jahn, Ducatus Baiuvariorum. Das bairische Herzogtum der Agilolfinger, Stuttgart 1991.
Jahn, Pfalzgrafen
    Joachim Jahn, Bayerische Pfalzgrafen im 8. Jahrhundert? Studien zu den Anfängen Herzog Tassilos (III.) und zur Praxis der fränkischen Regentschaft im agilolfingischen Bayern, dans: I. Eberl, W. Hartung, J. Jahn (éd.), Früh- und hochmittelalterlicher Adel in Schwaben und Bayern, Sigmaringendorf 1988, p. 80–114.
Jarnut, Chlodwig
    Jörg Jarnut, Chlodwig und Chlothar. Anmerkungen zu den Namen zweier Söhne Karls des Großen, Francia 12 (1984) p. 645–651.
Jarnut, Eroberung Bergamos
    Jörg Jarnut, Die Eroberung Bergamos (894). Eine Entscheidungsschlacht zwischen Kaiser Wido und König Arnulf, D.A. 30 (1974) p. 208–215.
Jarnut, Jagd
    Jörg Jarnut, Die frühmittelalterliche Jagd unter rechts- und sozialgeschichtlichen Aspekten, dans: L'uomo di fronte al mondo animale nell'alto medioevo, vol. 1, Spoleto 1985, p. 765–798 (Settimane di studio ..., 31).
Jarnut, Langobarden
    Jörg Jarnut, Geschichte der Langobarden, Stuttgart, Berlin, Köln, Mainz 1982.
Jarnut, Regnum Italiae
    Jörg Jarnut, Ludwig der Fromme, Lothar I. und das Regnum Italiae, dans: Charlemagne's Heir, p. 349–362.
Jarnut, Rehabilitierung
    Jörg Jarnut, Kaiser Ludwig der Fromme und König Bernhard von Italien. Der Versuch einer Rehabilitierung, S.M. 30/2 (1989) p. 637–648.
Jarnut, Nonn, Richter, Karl Martell
    Jörg Jarnut, Ulrich Nonn, Michael Richter (éd.), Karl Martell in seiner Zeit, Sigmaringen 1994 (Beihefte der Francia, 37).
Jarossay, Micy
    Eugène Richter, Histoire de l'abbaye de Micy-Saint-Mesmin-lez-Orléans (502–1790), Orléans 1902.

Jarousseau, Saint-Maur-sur-Loire
Guy Jarousseau, L'abbaye de Saint-Maur-sur-Loire au IXe siècle, Mémoire de maîtrise, U. C. O., Angers 1988 (dactyl.).

Johanek, Probleme
Peter Johanek, Probleme einer zukünftigen Edition der Urkunden Ludwigs des Frommen, dans: Charlemagne's Heir, p. 409–424.

Jolliffe, Angevin Kingship
J. E. A. Jolliffe, Angevin Kingship, 2nde éd. London 1963.

Jombart, Célibat
E. Jombart, Le célibat des clercs en droit occidental, dans: Dictionnaire de droit canonique, éd. R. Naz, tome 3, Paris 1942, col. 132–145.

Jones, Later Roman Empire
Arnold H. M. Jones, The Later Roman Empire, 284–602. A social, economical and administrative survey, 2 tomes, Oxford 1973.

Jones, Grierson, Crook, Authenticity
A. H. M. Jones, P. Grierson, J. A. Crook, The authenticity of the »Testamentum s. Remigii«, R.B.P.H. 35 (1957) p. 356–373.

Joris, Herstal
André Joris, Le palais carolingien d'Herstal, M.A. 79 (1973) p. 385–420.

Jusselin, Chancellerie
Maurice Jusselin, La chancellerie de Charles le Chauve d'après les notes tironiennes, M.A. 33 (1922) p. 1–90.

Jusselin, Garde du sceau
Maurice Jusselin, La garde et l'usage du sceau dans les chancelleries carolingiennes d'après les notes tironiennes, dans: Mélanges offerts à M. Emile Châtelain, Paris 1910, p. 35–41.

Jusselin, Notes tironiennes
Maurice Jusselin, Notes tironiennes dans les diplômes, M.A. 20 (1907) p. 121–134.

Kaiser, Bischofsherrschaft
Reinhold Kaiser, Bischofsherrschaft zwischen Königtum und Fürstenmacht. Studien zur bischöflichen Stadtherrschaft im westfränkisch-französischen Reich im frühen und hohen Mittelalter, Bonn 1981 (Pariser Historische Studien, 17).

Kaiser, Evêques de Langres
Reinhold Kaiser, Les évêques de Langres dans leur fonction de »missi dominici«, dans: Aux origines d'une seigneurie ecclésiastique. Langres et ses évêques. VIIIe-XIe siècles, Langres 1986, p. 91–113.

Kaiser, Römisches Erbe
Reinhold Kaiser, Das römische Erbe und das Merowingerreich, München 1993 (Enzyklopädie deutscher Geschichte, 26).

Karl der Große
Karl der Große. Lebenswerk und Nachleben, tome 1: Persönlichkeit und Geschichte; tome 2: Das geistige Leben; tome 3: Karolingische Kunst; tome 4: Das Nachleben; tome 5: Taffel, Düsseldorf 1965–1968.

Karl der Große – Katalog
Karl der Große. Werk und Wirkung (Zehnte Ausstellung unter den Auspizien des Europarates), Aachen 1965.

Kaspers, Comitatus memoris
Heinrich Kaspers, Comitatus nemoris. Die Waldgrafschaft zwischen Maas und Rhein. Untersuchungen zur Rechtsgeschichte der Forstgebiete des Aachen-Dürener Landes einschließlich der Bürge und Ville, Düren, Aachen 1957.

Kasten, Adalhard
Brigitte Kasten, Adalhard von Corbie. Die Biographie eines karolingischen Politikers und Klostervorstehers, Düsseldorf 1986 (Studia humaniora, 3).

Katzenstein, Savage, Leiden Aratea
R. Katzenstein, E. Savage-Smith, The Leiden Aratea. Ancient Constellations in a Medieval Manuscript, Malibu (California) 1988.

KAUFMANN, Aequitatis iudicium
Ekkehard KAUFMANN, Aequitatis iudicium. Königsgericht und Billigkeit in der Rechtsordnung des frühen Mittelalters, Frankfurt a. M. 1959.

KAUFMANN, Personennamen
Ernst FÖRSTEMANN, Altdeutsche Personennamen. Ergänzungsband, verfaßt von Henning KAUFMANN, München, Hildesheim 1968.

KEHR, Kanzlei
Paul Fridolin KEHR, Die Kanzlei Ludwigs des Deutschen, Berlin 1932 (Abhandlungen der Preussischen Akademie der Wissenschaften, 1).

KELLER, Königsherrschaft
Hagen KELLER, Zur Struktur der Königsherrschaft im karolingischen und nachkarolingischen Italien. Der »consiliarius regis« in den italienischen Königsdiplomen des 9. und 10. Jahrhunderts, Q.F.I.A.B. 47 (1967) p. 123–223.

KELLER, Staatlichkeit
Hagen KELLER, Zum Charakter der ›Staatlichkeit‹ zwischen karolingischer Reichsreform und hochmittelalterlichem Herrschaftsausbau, F.M.St. 23 (1989) p. 248–264.

KELLY, Trading privileges
Susan KELLY, Trading privileges from eighth-century England, E.M.E. 1 (1992) p. 3–28.

KERN, Recht
Fritz KERN, Recht und Verfassung im Mittelalter, H.Z. 120 (1919) p. 1–79; rééd. Tübingen 1952; Darmstadt 1992.

KIENAST, Vasallität
Walter KIENAST, Die fränkische Vasallität. Von den Hausmeiern bis zu Ludwig dem Kind und Karl dem Einfältigen, éd. par P. HERDE, Frankfurt a. M. 1990.

KIMPEN, Anfänge
Emil KIMPEN, Rheinische Anfänge des Hauses Habsburg-Lothringen, Annalen des historischen Vereins für den Niederrhein 123 (1933) p. 1–49.

KING, Law
P. D. KING, Law & Society in the Visigothic Kingdom, Cambridge 1972 (Cambridge studies in medieval life & thought, 3e série, 5).

KIRN, Billigkeitsjustiz
Paul KIRN, Über die angebliche Billigkeitsjustiz des fränkischen Königs, Z.R.G., Germ. Abt. 47 (1927) p. 115–129.

KIRN, Staatsverwaltung
Paul KIRN, Die mittelalterliche Staatsverwaltung als geistesgeschichtliches Problem, Historische Vierteljahrschrift 27 (1932) p. 523–548.

KLAUSER, Austauschbeziehungen
Theodor KLAUSER, Die liturgischen Austauschbeziehungen zwischen der römischen und der fränkisch-deutschen Kirche vom achten bis zum elften Jahrhundert, H.Jb. 53 (1933) p. 169–189.

KLEBEL, Theodo
Ernst KLEBEL, Zur Geschichte des Herzogs Theodo, article de 1958 réédité dans: Karl BOSL (éd.), Zur Geschichte der Bayern, Darmstadt 1965, p. 172–224.

KLEWITZ, Cancellaria
Hans Walter KLEWITZ, Cancellaria. Ein Beitrag zur Geschichte des geistlichen Hofdienstes, D.A. 1 (1937) p. 44–79.

KLEWITZ, Kanzleischule
Hans Walter KLEWITZ, Kanzleischule und Hofkapelle, D.A. 4 (1941) p. 224–228.

Klostergemeinschaft von Fulda
Karl SCHMID (éd.), Die Klostergemeinschaft von Fulda im früheren Mittelalter, 3 tomes en 5 volumes (tome 1: Grundlegung und Edition der Fuldischen Gedenküberlieferung; tome 2/1: Kommentiertes Parallelregister; tomes 2/2 et 2/3: Untersuchungen; tome 3: Vergleichendes Gesamtverzeichnis der Fuldischen Personennamen), München 1978 (Münstersche Mittelalter-Schriften, 8).

KNÖPP, Lorsch
Friedrich KNÖPP (éd.), Die Reichsabtei Lorsch. Festschrift zum Gedenken an ihre Stiftung 764, 2 tomes, Darmstadt 1973/1977.

KOEHLER, Karolingische Miniaturen
Wilhelm KOEHLER, Die karolingischen Miniaturen, 5 tomes, à partir du tome 4: éd. Florentine MÜTHERICH (tome 1: Die Schule von Tours; tome 2: Die Hofschule Karls des Großen; tome 3: Die Gruppe des Wiener Krönungs-Evangeliars – Metzer Handschriften; tome 4: Die Hofschule Kaiser Lothars – Einzelhandschriften aus Lotharingien; tome 5: Die Hofschule Karls des Kahlen), Berlin 1930–1982.

KOLLER, Rechtsstellung
Heinrich KOLLER, Rechtsstellung Karantaniens im karolingischen Reich, dans: Festschrift für Helmut Beumann zum 65. Geburtstag, Sigmaringen 1977, p. 149–162.

KONECNY, Eherecht
Silvia KONECNY, Eherecht und Ehepolitik unter Ludwig dem Frommen, M.I.Ö.G. 85 (1977) p. 1–21.

KONECNY, Frauen
Silvia KONECNY, Die Frauen des karolingischen Königshauses. Die politische Bedeutung der Ehe und die Stellung der Frau in der fränkischen Herrscherfamilie vom 7. bis zum 10. Jahrhundert, Wien 1976 (Dissertationen der Universität Wien, 132).

KOTTJE, Bußbücher
Raymund KOTTJE, Die Bußbücher Halitgars von Cambrai und des Hrabanus Maurus. Ihre Überlieferung und ihre Quellen, Berlin, New York 1980 (Beiträge zur Geschichte und Quellenkunde des Mittelalters, 8).

KOTTJE, Bußpraxis
Raymund KOTTJE, Bußpraxis und Bußritus, dans: Segni e riti nella chiesa altomedievale occidentale, vol. 1, Spoleto 1987, p. 369–395 (Settimane di studio ..., 33).

KOTTJE, ZIMMERMANN, Hrabanus
R. KOTTJE, H. ZIMMERMANN (éd.), Hrabanus Maurus. Lehrer, Abt und Bischof, Wiesbaden 1982 (Akademie der Wissenschaften und der Literatur. Abhandlungen der Geistes- und sozialwissenschaftlichen Klasse – Einzelveröffentlichung, 4).

KRAHWINKLER, Friaul
Harald KRAHWINKLER, Friaul im Frühmittelalter. Geschichte einer Region vom Ende des fünften bis zum Ende des zehnten Jahrhunderts, Wien, Köln, Weimar 1992 (Veröffentlichungen des Instituts für österreichische Geschichtsforschung, 30).

KRAUSE, Geschichte
Victor KRAUSE, Geschichte des Institutes der missi dominici, M.I.Ö.G. 11 (1890) p. 193–300.

KREUSCH, Kirche
Felix KREUSCH, Kirche, Atrium und Portikus der Aachener Pfalz, dans: Karl der Große, tome 3, p. 463–533.

KRÜGER, Nachfolgeregelung
Karl Heinrich KRÜGER, Zur Nachfolgeregelung von 826 in den Klöstern Corbie und Corvey, dans: Tradition als historische Kraft, éd. Norbert KAMP, Joachim WOLLASCH, Berlin, New York 1982, p. 181–196.

KRÜGER, Ursprung
Emil KRÜGER, Der Ursprung des Hauses Lothringen-Habsburg. Das Haus Metz oder das Geschlecht der Matfridinger, Wien 1890.

KURZE, Einhard
Friedrich KURZE, Einhard, Berlin 1899.

KURZE, Verlorene Chronik
Friedrich KURZE, Die verlorene Chronik von St. Denis (- 805), ihre Bearbeitung und die daraus abgeleiteten Quellen, N.A. 28 (1903) p. 9–35.

LABANDE-MAILFERT, Débuts de Sainte-Croix
Yvonne LABANDE-MAILFERT, Les débuts de Sainte-Croix, dans: Histoire de l'abbaye Sainte-Croix de Poitiers. Quatorze siècles de vie monastique, Poitiers 1986, p. 21–116.

LAPORTE, Jumièges
Jean LAPORTE, Jumièges et Saint-Wandrille, dans: Jumièges. Congrès scientifique du XIIIe centenaire, tome 1, Rouen 1955, p. 191–207.

LAPORTE, Listes abbatiales
Jean LAPORTE, Les listes abbatiales de Jumièges, dans: Jumièges. Congrès scientifique du XIIIe centenaire, tome 1, Rouen 1955, p. 434–466.

LAPORTE, Trésor
> Jean-Pierre LAPORTE, Le trésor des saints de Chelles, Chelles 1988.

LAUER, Formule
> Philippe LAUER, La formule ›N. ambasciavit‹ dans les diplômes carolingiens, B.P.H. (1922/1923) p. 187–196.

LAURENT, Marchands
> Henri LAURENT, Aspects de la vie économique dans la Gaule Franque. Marchands du palais et marchands d'abbayes, R.H. 183 (1938) p. 281–297.

LAVIN, House
> Irving LAVIN, The House of the Lord. Aspects of the Role of Palace Triclinia in the Architecture of Late Antiquity and the Early Middle Ages, The Art Bulletin 44 (1962) p. 1–27.

LEBECQ, Marchands
> Stéphane LEBECQ, Marchands et navigateurs Frisons du haut Moyen Age, 2 vol., Lille 1983.

LE BRAS, Institutions
> Gabriel LE BRAS, Institutions ecclésiastiques de la Chrétienté médiévale (= tome 12 de l'Histoire de l'Eglise fondée par A. FLICHE et V. MARTIN), 2 vol., Paris 1959/1964.

LECLERCQ, Chape
> Henri LECLERCQ, Chape de saint Martin, dans: D.A.C.L. 3 (1914) col. 381–390.

LEHMANN, Erforschung
> Paul LEHMANN, Erforschung des Mittelalters. Ausgewählte Abhandlungen und Aufsätze, tome 1, Leipzig 1941.

LEHMANN, Fuldaer Studien
> Paul LEHMANN, Fuldaer Studien, München 1925.

LE MAÎTRE, Aldric
> Philippe LE MAÎTRE, L'œuvre d'Aldric du Mans et sa signification (832–857), Francia 8 (1980) p. 43–64.

LE MAÎTRE, Corpus du Mans
> Philippe LE MAÎTRE, Le Corpus carolingien du Mans: étude critique, thèse de doctorat, 2 tomes, Université de Paris X – Nanterre 1980 (dactyl.).

LE MAÎTRE, Image
> Philippe LE MAÎTRE, Image du Christ, image de l'empereur. L'exemple du culte du saint Sauveur sous Louis le Pieux, R.H.E.F. 68 (1982) p. 201–212.

LEMARIGNIER, Droit privé
> Jean-François LEMARIGNIER, Les actes de droit privé de Saint-Bertin au haut moyen âge. Survivances et déclin du droit romain dans la pratique franque, dans: Mélanges Fernand De Vischer, tome 4, Bruxelles 1950, p. 35–72.

LEMARIGNIER, Fidèles
> Jean-François LEMARIGNIER, Les fidèles du roi de France (936–987), dans: Recueil de travaux offerts à M. Clovis Brunel..., tome 2, Paris 1955, p. 138–162.

LEMARIGNIER, France médiévale
> Jean-François LEMARIGNIER, La France médiévale. Institutions et société, Paris 1970.

LESNE, Ecoles
> Emile LESNE, Les écoles de la fin du VIIIᵉ siècle à la fin du XIIᵉ (tome 5 de l'Histoire de la propriété ecclésiastique en France), Lille 1940.

LESNE, Ordonnances monastiques
> Emile LESNE, Les ordonnances monastiques de Louis le Pieux et la Notitia de servitio monasteriorum, R.H.E.F. 6 (1920) p. 161–175; p. 321–338; p. 449–493.

LEVILLAIN, Comte Eudes
> Léon LEVILLAIN, Essai sur le comte Eudes, fils de Harduin et de Guerinbourg (845–871), M.A. 47 (1937) p. 153–182 et p. 233–271.

LEVILLAIN, Comtes de Paris
> Léon LEVILLAIN, Les comtes de Paris à l'époque franque, M.A. 41 (1941) p. 137–205.

LEVILLAIN, Ebroin
> Léon LEVILLAIN, L'archichapelain Ebroin, évêque de Poitiers, M.A. 25 (1923) p. 177–215.

LEVILLAIN, Etat de redevances
> Léon LEVILLAIN, Un état de redevances dues à la mense conventuelle de Saint-Denis (832), Bulletin de la Société de l'Histoire de Paris et de l'Ile de France 36 (1909) p. 79–90.

LEVILLAIN, Lettres
  Léon LEVILLAIN, Etude sur les lettres de Loup de Ferrières, B.E.Ch. 62 (1901) p. 445–509 et 63 (1902) p. 69–118.
LEVILLAIN, Marche de Bretagne
  Léon LEVILLAIN, La Marche de Bretagne, ses marquis et ses comtes, Annales de Bretagne 58 (1951) p. 89–117.
LEVILLAIN, Nouaillé
  Léon LEVILLAIN, Les origines du monastère de Nouaillé, B.E.Ch. 71 (1910) p. 241–298.
LEVILLAIN, Nibelungen
  Léon LEVILLAIN, Les Nibelungen historiques, A.M. 49 (1937) p. 337–408 et 50 (1938) p. 5–66.
LEVILLAIN, Translation
  Léon LEVILLAIN, La translation des reliques de saint Austremoine à Mozac et le diplôme de Pépin II d'Aquitaine (863), M.A. 17 (1904) p. 281–337.
LEVILLAIN, Wandalbert
  Léon LEVILLAIN, Wandalbert de Prüm et la date de la mort d'Hilduin de Saint-Denis, B.E.Ch. 108 (1949/1950) p. 5–35.
LEVISON, England
  Wilhelm LEVISON, England and the continent in the eighth century, Oxford 1946.
LEVISON, Hilduin
  Wilhelm LEVISON, Zu Hilduin von St. Denis, article de 1929 rééd. dans: Aus rheinischer und fränkischer Frühzeit, Düsseldorf 1948, p. 517–529.
LEVISON, Jenseitsvisionen
  Wilhelm LEVISON, Die Politik in den Jenseitsvisionen des frühen Mittelalters, dans: Festgabe Friedrich von Bezold, Bonn 1921, p. 81–100; rééd. dans: Aus rheinischer und fränkischer Frühzeit, Düsseldorf 1948, p. 229–246.
LIEBESCHÜTZ, Rationalismus
  Hans LIEBESCHÜTZ, Wesen und Grenzen des karolingischen Rationalismus, A.K.G. 33 (1950) p. 17–44.
LINDNER, Jagd
  Kurt LINDNER, Geschichte des deutschen Weidwerks, tome 2: Die Jagd im frühen Mittelalter, Berlin 1940.
LINTZEL, Ursprung
  Martin LINTZEL, Der Ursprung der deutschen Pfalzgrafschaften, Z.R.G., Germ. Abt. 49 (1929) p. 233–263.
LINTZEL, Zeit der Entstehung
  Martin LINTZEL, Die Zeit der Entstehung von Einhards Vita Karoli, dans: Kritische Beiträge zur Geschichte des Mittelalters. Festschrift für R. Holtzmann zum 60. Geburtstag, Berlin 1933, p. 22–42.
L.M.A.
  Lexikon des Mittelalters, München, Zürich 1977 – en cours de publication.
LÖWE, Annales Xantenses
  Heinz LÖWE, Studien zu den Annales Xantenses, D.A. 8 (1951) p. 59–99.
LÖWE, Apostasie
  Heinz LÖWE, Die Apostasie des Pfalzdiakons Bodo (838) und das Judentum der Chasaren, dans: Person und Gemeinschaft im Mittelalter. Karl Schmid zum 65. Geburtstag, Sigmaringen 1988, p. 157–169.
LÖWE, Entstehungszeit
  Heinz LÖWE, Die Entstehungszeit der Vita Karoli Einhards, D.A. 39 (1983) p. 85–103.
LÖWE, Geschichtsbild
  Heinz LÖWE, Von Theoderich dem Großen zu Karl dem Großen. Das Werden des Abendlandes im Geschichtsbild des frühen Mittelalters, D.A. 9 (1951/1952) p. 353–401.
LÖWE, Hinkmar
  Heinz LÖWE, Hinkmar von Reims und der Apocrisiar. Beiträge zur Interpretation von De ordine palatii, dans: Festschrift für H. Heimpel zum 70. Geburtstag, tome 3, Göttingen 1972, p. 197–225.
LÖWE, Karolinger
  Heinz LÖWE, Die Karolinger vom Tode Karls des Großen bis zum Vertrag von Verdun, dans: Wilhelm WATTENBACH, Wilhelm LEVISON, Deutschlands Geschichtsquellen im Mittelalter. Vorzeit und Karolinger, vol. 3, Weimar 1957.

Löwe, Methodius
> Heinz Löwe, Methodius im Reichenauer Verbrüderungsbuch, D.A. 38 (1982) p. 341–362; rééd. dans: Heinz Löwe, Religiosität und Bildung im frühen Mittelalter. Ausgewählte Aufsätze, éd. T. Struve, Weimar 1994, p. 348–369.

Löwe, Religio
> Heinz Löwe, »Religio christiana«. Rom und das Kaisertum in Einhards Vita Karoli Magni, dans: Storiografia e storia. Studi in onore di Eugenio Duprè-Theseider, Roma 1974, p. 1–20.

Longnon, Géographie
> Auguste Longnon, Géographie de la Gaule au VIe siècle, Paris 1878.

Lot, Alard
> Ferdinand Lot, Note sur le sénéchal Alard, M.A. 21 (1908) p. 185–201; rééd. dans: Lot, Travaux, tome 2, p. 591–607.

Lot, Aleran
> Ferdinand Lot, Aleran, comte de Troyes, M.A. 19 (1906) p. 199–204; rééd. dans: Lot, Travaux, tome 2, p. 582–587.

Lot, Aye d'Avignon
> Ferdinand Lot, Notes historiques sur Aye d'Avignon, Romania 33 (1904) p. 145–162.

Lot, Bègues
> Ferdinand Lot, Bègues, Romania 26 (1897) p. 569–572.

Lot, Hilduin
> Ferdinand Lot, De quelques personnages du IXe siècle qui ont porté le nom de Hilduin, M.A. 16 (1903) p. 249–282; rééd. dans: Lot, Travaux, tome 2, p. 461–494.

Lot, Hilduins
> Ferdinand Lot, Sur les Hilduins. Note rectificative, M.A. 17 (1904) p. 338–342, rééd. dans: Lot, Travaux, tome 2, p. 495–499.

Lot, Jugements
> Ferdinand Lot, Les jugements d'Aix et de Quierzy (28 avril et 6 septembre 838), B.E.Ch. 82 (1921) p. 281–315; rééd. dans: Lot, Travaux, tome 2, p. 281–315 (cité d'après cette éd.).

Lot, Textes manceaux
> Ferdinand Lot, Textes manceaux et fausses décrétales, B.E.Ch. 101 (1940) p. 5–48 et 102 (1941) p. 5–34; rééd. dans: Lot, Travaux, tome 1, p. 534–607 (cité d'après cette éd.).

Lot, Travaux
> Ferdinand Lot, Recueil des travaux historiques, 3 tomes, Genève/Paris 1968–1973.

Lot, Fawtier, Institutions royales
> Ferdinand Lot, Robert Fawtier, Institutions royales (les droits du Roi exercés par le Roi), Paris 1958 (= F. Lot, R. Fawtier [dir.], Histoire des institutions françaises au moyen âge, tome 2).

Lot, Halphen, Charles le Chauve
> Ferdinand Lot, Louis Halphen, Le règne de Charles le Chauve, 1ère partie: 840–851, Paris 1909.

Louis, Girard
> René Louis, De l'histoire à la légende: Girard, comte de Vienne (… 819 – 877) et ses fondations monastiques, Auxerre 1946.

Lounghis, Ambassades
> Telemadros C. Lounghis, Les ambassades byzantines en Occident depuis la fondation des Etats barbares jusqu'aux croisades (407–1096), Athènes 1980.

Luchaire, Institutions
> Achille Luchaire, Manuel des institutions françaises. Période des Capétiens directs, Paris 1892.

Lüders, Capella
> Wilhelm Lüders, Capella. Die Hofkapelle der Karolinger bis zur Mitte des 9. Jahrhunderts. Capellae auf Königs- und Privatgut, A.f.U. 2 (1909) p. 1–100.

L.Th.K.
> Lexikon für Theologie und Kirche, 10 tomes, Freiburg i. B. 1957–1965.

McCormick, Byzantium's Role
> Michael McCormick, Byzantium's Role in the Formation of Early Medieval Civilization: Approaches and Problems, Illinois Classical Studies 12/2 (1987) p. 207–220.

McCormick, Eternal victory
    Michael McCormick, Eternal victory. Triumphal rulership in late Antiquity, Byzantium and the early medieval West, Cambridge, Paris 1986.
McCormick, Textes
    Michael McCormick, Textes, images et iconoclasme dans le cadre des relations entre Byzance et l'Occident carolingien, dans: Testo e immagine nell'alto medioevo, tome 1, Spoleto 1994, p. 95–158 (Settimane di studio ..., 41).
McKeon, Année désastreuse
    Peter R. McKeon, 817: Une année désastreuse et presque fatale pour les Carolingiens, M.A. 84 (1978) p. 5–12.
McKeon, Ebbo
    Peter McKeon, Archbishop Ebbo of Reims (816–835): A Study in the Carolingian Empire and Church, Church History 43 (1974) p. 437–447.
McKeon, Empire
    Peter McKeon, The Empire of Louis the Pious. Faith, Politics and Personality, R.B. 90 (1980) p. 50–62.
McKitterick, Frankish kingdoms
    Rosamond McKitterick, The Frankish kingdoms under the Carolingians, 751–987, London, New York 1983.
McKitterick, Herstellung
    Rosamond McKitterick, Zur Herstellung der Kapitularien: Die Arbeit des Leges-Skriptoriums, M.I.Ö.G. 101 (1993) p. 3–16.
McKitterick, Law-books
    Rosamond McKitterick, Some Carolingian Law-books and their function, dans: Authority and Power. Studies on medieval law and government presented to Walter Ullmann on his 70. birthday, Cambridge 1980, p. 13–27.
McKitterick, Royal patronage
    Rosamond McKitterick, Royal patronage of culture in the frankish kingdoms under the Carolingians: Motives and consequences, dans: Committenti e produzione artistico-litteraria nell'alto medievo occidentale, vol. 1, Spoleto 1992, p. 93–129 (Settimane di studio..., 39).
McKitterick, Written word
    Rosamond McKitterick, The Carolingians and the Written Word, Cambridge 1989.
Magnou-Nortier, Brioude
    Elisabeth Magnou-Nortier, Contribution à l'étude des documents falsifiés. Le diplôme de Louis le Pieux pour Saint-Julien de Brioude (825) et l'acte de fondation du monastère de Sauxillanges par le duc Acfred (927), C.C.M. 21 (1978) p. 313–338.
Magnou-Nortier, Immunité
    Elisabeth Magnou-Nortier, Etude sur le privilège d'immunité du IVe au IXe siècle, R.M. 60 (1984) p. 465–512.
Magnou-Nortier, Iustitiam facere
    Elisabeth Magnou-Nortier, Note sur l'expression Iustitiam facere dans les capitulaires carolingiens, dans: Haut Moyen Age. Culture, éducation et société. Etudes offertes à Pierre Riché, La Garenne-Colombes 1990, p. 249–264.
Magnou-Nortier, Mission financière
    Elisabeth Magnou-Nortier, La mission financière de Theodulf en Gaule méridionale d'après le contra iudices, dans: Papauté, Monachisme et Théories politiques. Etudes d'histoire médiévale offertes à Marcel Pacaut, tome 1, Lyon 1994, p. 89–110.
Magnou-Nortier, Société laïque
    Elisabeth Magnou-Nortier, La société laïque et l'Eglise dans la province de Narbonne (zone cispyrénéenne) de la fin du VIIIe à la fin du XIe siècle, Toulouse 1974.
Malbos, Annaliste
    Lina Malbos, L'annaliste royal sous Louis le Pieux, M.A. 72 (1966) p. 225–233.
Malfatti, Bernardo
    Bartolomeo Malfatti, Bernardo, re d'Italia, Firenze 1876.
Manitius, Geschichte
    Max Manitius, Geschichte der lateinischen Literatur des Mittelalters, tome 1: Von Justinian bis zur Mitte des zehnten Jahrhunderts, München 1911.

472

MARILIER, Origine

Jean MARILIER, L'origine de quelques évêques de Langres aux VIIIe et IXe siècles. L'emprise de la noblesse bavaroise sur le siège épiscopal, dans: Langres et ses évêques, VIIIe-XIe s., Langres 1986, p. 81–88.

MARTENS VAN SEVENHOVEN, Gelderland

A. H. MARTENS VAN SEVENHOVEN, Marken in Gelderland, 's-Gravenhage 1925.

MARTINDALE, Carolingian Fisc

Jane MARTINDALE, The Kingdom of Aquitaine and the »Dissolution of the Carolingian Fisc«, Francia 11 (1983) p. 131–191.

MAURER, St. Gallens Präsenz

Helmut MAURER, St. Gallens Präsenz am Bischofssitz. Zur Rezeption st. gallischer Traditionen im Konstanz der Karolingerzeit, dans: Florilegium Sangallense. Festschrift für Johannes Duft zum 65. Geburtstag, St. Gallen, Sigmaringen 1980, p. 199–211.

MAYER, Konstanz

Theodor MAYER, Konstanz und St. Gallen in der Frühzeit, Schweizerische Zeitschrift für Geschichte 2 (1952) p. 473–524; rééd. dans: Th. MAYER, Mittelalterliche Studien, Lindau, Konstanz 1959, p. 289–324.

MAYER, Staatsauffassung

Theodor MAYER, Staatsauffassung in der Karolingerzeit, dans: Das Königtum. Seine geistigen und rechtlichen Grundlagen, Lindau, Konstanz 1956, p. 169–183 (Vorträge und Forschungen, 3).

MENKE, Namengut

Hubertus MENKE, Das Namengut der frühen karolingischen Königsurkunden. Ein Beitrag zur Erforschung des Althochdeutschen, Heidelberg 1980.

METZ, Austrasische Adelsherrschaft

Wolfgang METZ, Austrasische Adelsherrschaft des 8. Jahrhunderts. Mittelrheinische Grundherren in Ostfranken, Thüringen und Hessen, H.Jb. 87 (1967) p. 257–304.

METZ, Drei Abschnitte

Wolfgang METZ, Drei Abschnitte zur Entstehungsgeschichte des Capitulare de Villis, D.A. 22 (1966) p. 263–276.

METZ, Geschichte der Widonen

Wolfgang METZ, Miszellen zur Geschichte der Widonen und Salier, vornehmlich in Deutschland, H.Jb. 85 (1965) p. 1–27.

METZ, Karolingisches Reichsgut

Wolfgang METZ, Das karolingische Reichsgut. Eine verfassungs- und verwaltungsgeschichtliche Untersuchung, Berlin 1960.

MEYER, Pfalzgrafen

Hans Eugen MEYER, Die Pfalzgrafen der Merowinger und Karolinger, Z.R.G., Germ. Abt. 42 (1921) p. 380–463.

MEYER VON KNONAU, Bruderkrieg

G. MEYER VON KNONAU, Über Nithards vier Bücher Geschichten. Der Bruderkrieg der Söhne Ludwigs des Frommen und sein Geschichtsschreiber, Leipzig 1866.

MINOIS, Confesseur du roi

Georges MINOIS, Le confesseur du roi. Les directeurs de conscience sous la monarchie française, Paris 1988.

MITTEIS, Staat

Heinrich MITTEIS, Der Staat des hohen Mittelalters. Grundlinien einer vergleichenden Verfassungsgeschichte des Lehnszeitalters, 9e éd. Köln, Wien 1974 (1ère éd. Weimar 1940).

MITTERAUER, Markgrafen

Michael MITTERAUER, Karolingische Markgrafen im Südosten. Fränkische Aristokratie und bayerischer Stammesadel im österreichischen Raum, Wien 1963.

MOHR, Einheitspartei

Walter MOHR, Die kirchliche Einheitspartei und die Durchführung der Reichsordnung von 817, Z.K.G. 72 (1961) p. 1–45.

MOHR, Reichspolitik

Walter MOHR, Reichspolitik und Kaiserkrönung in den Jahren 813 und 816, W.G. 20 (1960) p. 168–186.

MOLINIER, Obituaires
Auguste MOLINIER, Les obituaires français au moyen-âge, Paris 1890.

MONOD, Moeurs judiciaires
Gabriel MONOD, Les moeurs judiciaires au VIIIe siècle d'après la paraenesis ad judices de Théodulf, R.H. 35 (1887) p. 1–20.

MORDEK, Bibliotheca
Hubert MORDEK, Bibliotheca capitularium regum Francorum manuscripta. Überlieferung und Traditionszusammenhang der fränkischen Herrschererlasse, München 1995 (M.G.H., Hilfsmittel, 15).

MORDEK, Kapitularien
Hubert MORDEK, Karolingische Kapitularien, dans: H. MORDEK (éd.), Überlieferung und Geltung normativer Texte des frühen und hohen Mittelalters, Sigmaringen 1986, p. 25–50 (Quellen und Forschungen zum Recht im Mittelalter, 4).

MOREAU, Anschaire
Edouard DE MOREAU, Saint Anschaire. Un missionnaire en Scandinavie au IXe siècle, Louvain 1930.

MOREAU, Dictionnaire
Jean MOREAU, Dictionnaire de géographie historique de la Gaule et de la France, Paris 1972.

MOREAU, Supplément
Jean MOREAU, Supplément au dictionnaire de géographie historique de la Gaule et de la France, Paris 1983.

MORELLE, Corbie
Laurent MORELLE, Le diplôme de Louis le Pieux et Lothaire (825) pour l'abbaye de Corbie. A propos d'un document récemment mis en vente, B.E.Ch. 149 (1991) p. 405–420.

MORIMOTO, Polyptiques
Yosiki MORIMOTO, Etat et perspectives des recherches sur les polyptiques carolingiens, A.E. 40 (1988) p. 99–149.

MORLET, Noms de personne
Marie-Thérèse MORLET, Les noms de personne sur le territoire de l'ancienne Gaule du VIe au XIIe siècle, 3 tomes, Paris 1968–1985.

MÜHLBACHER, Bernhard
Engelbert MÜHLBACHER, Zur Geschichte König Bernhards von Italien, M.I.Ö.G. 2 (1881) p. 296–302.

MÜLLER, Beitrag zur Überlieferungsgeschichte
Clemens MÜLLER, Wettinus – Guettinus – Uguetinus. Ein Beitrag zur Überlieferungsgeschichte von Heitos »Visio Wettini«, dans: Variorum munera florum. Latinität als prägende Kraft mittelalterlicher Kultur. Festschrift für Hans F. Haefele zu seinem 60. Geburtstag, Sigmaringen 1985, p. 23–36.

MÜLLER, Kirche von Lyon
Heribert MÜLLER, Die Kirche von Lyon im Karolingerreich. Studien zur Bischofsliste des 8. und 9. Jahrhunderts, H.Jb. 107 (1987) p. 225–253.

MÜTHERICH, Book illumination
Florentine MÜTHERICH, Book illumination at the Court of Louis the Pious, dans: Charlemagne's Heir, p. 593–604.

MUSSOT-GOULARD, Princes de Gascogne
Renée MUSSOT-GOULARD, Les princes de Gascogne, Marsolan 1982.

NARBERHAUS, Benedikt
Josef NARBERHAUS, Benedikt von Aniane. Werk und Persönlichkeit, Münster i. W. 1930.

NELSON, Charles the Bald
Janet L. NELSON, Charles the Bald, London 1992.

NELSON, Dispute settlement
Janet L. NELSON, Dispute settlement in Carolingian West Francia, dans: Wendy DAVIES, Paul FOURACRE, The Settlement of Disputes in Early Medieval Europe, Cambridge 1986, p. 45–64.

NELSON, Famille de Charlemagne
Janet L. NELSON, La famille de Charlemagne, Byzantion 61 (1991) p. 194–212.

NELSON, Intellectual in Politics
Janet L. NELSON, The Intellectual in Politics: Context, Content and Authorship in the Capitulary of Coulaines, November 843, dans: Intellectual Life in the Middle Ages. Essays presented to Margaret Gibson, éd. Lesley SMITH, Benedicta WARD, London 1992, p. 1–14.

NELSON, Kingship
Janet L. NELSON, Kingship and empire, dans: J. H. BURNS (éd.), The Cambridge History of Medieval Political Thought, c. 350–1450, Cambridge 1988, p. 211–251.

NICOLAJ, Origini
Giovanna NICOLAJ, Documento privato e notariato: le origini, dans: Notariado publico, vol. 2, p. 973–990.

NIERMEYER, Lexicon Minus
Jan Frederik NIERMEYER, Mediae Latinitatis Lexicon Minus, Leiden 1954–1976.

NIERMEYER, Semantiek
Jan Frederik NIERMEYER, De semantiek van honor en de oorsprong van het heerlijk gezag, dans: Dancwerc opstellen aangeboden ann Prof. Dr. Diederik Theodorus Enklaar ter fgelegenheid van zijn vijfenzestigste verjaardag, Groningen 1959, p. 56–63.

NOBLE, Louis the Pious
Thomas F. X. NOBLE, Louis the Pious and his piety re-reconsidered, R.B.P.H. 58 (1980) p. 297–316.

NOBLE, Monastic ideal
Thomas F. X. NOBLE, The monastic ideal as a model for Empire: The case of Louis the Pious, R.B. 86 (1976) p. 235–250.

NOBLE, Papacy
Thomas F. X. NOBLE, Louis the Pious and the Papacy: Law, Politics and the Theory of Empire in the Early Ninth century, thèse de doctorat, Michigan State University 1974 (dactyl.).

NOBLE, Republic
Thomas F. X. NOBLE, The Republic of St. Peter. The Birth of the Papal State, 680–825, Philadelphia 1984.

NOBLE, Revolt
Thomas F. X. NOBLE, The Revolt of King Bernard of Italy in 817: Its Causes and Consequences, S.M. 15 (1974) p. 315–326.

NOLDEN, Besitzungen
Reiner NOLDEN, Besitzungen und Einkünfte des Aachener Marienstifts von seinen Anfängen bis zum Ende des Ancien Regime, Aachen 1981.

NONN, Testamente
Ulrich NONN, Merowingische Testamente. Studien zum Fortleben einer römischen Urkundenform im Frankenreich, A.f.D. 18 (1972) p. 1–129.

Notariado publico
Notariado publico y documento privado: de los origenes al siglo XIV. Actas del VII Congresso Internacional de Diplomatica (Valencia 1986), 2 vol., Valencia 1989 (Papers i Documents, 7).

NUSBAUM, Lupus
D. Ch. NUSBAUM, Lupus of Ferrières: Scholar, Humanist, Monk, thèse de doctorat, New York (Fordham University) 1977 (dactyl.).

OBERNDORF, Openbare boetedoening
Theo OBERNDORF, Lodewijk de Vrome's openbare boetedoening in 833: een kwestie van ministeria, Nederlands Archief voor Kerkgeschiedenis 71 (1991) p. 1–36.

OEDIGER, Erzbistum Köln
Friedrich Wilhelm OEDIGER, Das Bistum Köln von den Anfängen bis zum Ende des 12. Jahrhunderts, tome 1 de la Geschichte des Erzbistums Köln, 2e éd. Köln 1972.

OEXLE, Bischof Ebroin
Otto Gerhard OEXLE, Bischof Ebroin von Poitiers und seine Verwandten, F.M.St. 3 (1969) p. 138–210.

OEXLE, Charroux
Otto Gerhard OEXLE, Le monastère de Charroux au IXe siècle, M.A. 76 (1970) p. 193–204.

OEXLE, Forschungen
Otto Gerhard OEXLE, Forschungen zu monastischen und geistlichen Gemeinschaften im westfränkischen Bereich, München 1978 (Münstersche Mittelalter-Schriften, 31).

OEXLE, Haus
Otto Gerhard OEXLE, Haus und Ökonomie im früheren Mittelalter, dans: Person und Gemeinschaft im Mittelalter. Karl Schmid zum 65. Geburtstag, Sigmaringen 1988, p. 101–122.

OEXLE, Moines d'Occident
> Otto Gerhard OEXLE, Les moines d'Occident et la vie politique et sociale dans le haut moyen âge, R.B. 103(1993) p. 255–272.

OEXLE, Stadt des heiligen Arnulfs
> Otto Gerhard OEXLE, Die Karolinger und die Stadt des heiligen Arnulfs, F.M.St. 1 (1967) p. 250–364.

OHNSORGE, Abendland
> Werner OHNSORGE, Abendland und Byzanz, Darmstadt 1958.

OHNSORGE, Legimus
> Werner OHNSORGE, Legimus. Die von Byzanz übernommene Vollzugsform der Metallsiegeldiplome Karls des Großen, dans: Festschrift Edmund E. Stengel, Münster, Köln 1952, p. 21 sqq.; rééd. dans: OHNSORGE, Abendland, p. 50–63.

OHNSORGE, Mitkaisertum
> Werner OHNSORGE, Das Mitkaisertum in der abendländischen Geschichte des frühen Mittelalters, Z.R.G., Germ. Abt. 67 (1950) p. 309–335, rééd. dans: OHNSORGE, Abendland, p. 261–287.

OHNSORGE, Renovatio
> Werner OHNSORGE, Renovatio regni Francorum, dans: Festschrift zur 200-Jahr-Feier des Haus-, Hof- und Staatsarchivs, tome 2, Wien 1952, p. 303 sqq.; rééd. dans: OHNSORGE, Abendland, p. 111–130.

OLBERG, Bezeichnungen
> Gabriele von OLBERG, Die Bezeichnung für soziale Stände, Schichten und Gruppen in den Leges Barbarorum, Berlin, New York 1991.

OLIVIER-MARTIN, Droit français
> Fr. OLIVIER-MARTIN, Histoire du Droit français des origines à la Révolution, Paris 1948.

OPPENHEIM, Ansgar
> Philippus OPPENHEIM, Der heilige Ansgar und die Anfänge des Christentums in den nordischen Ländern, München 1931.

OSTROGORSKY, Geschichte
> Georg OSTROGORSKY, Geschichte des byzantinischen Staates, München 1963.

OURLIAC, Convenientia
> Paul OURLIAC, La »convenientia«, dans: Etudes d'Histoire du droit privé offertes à Pierre Petot, Paris 1959, p. 413–422.

PALAZZO, Moyen Age
> Eric PALAZZO, Histoire des livres liturgiques. Le Moyen Age. Des origines au XIIIe siècle, Paris 1993.

PARISSE, In media Francia
> Michel PARISSE, In media Francia: Saint-Mihiel, Salonnes et Saint-Denis (VIIᵉ-XIIᵉ siècles), dans: Media in Francia ... Recueil de Mélanges offerts à Karl Ferdinand Werner ..., Maulévrier 1989, p. 319–343.

PARISSE, Traitement automatique
> Michel PARISSE, A propos du traitement automatique des chartes: Chronologie du vocabulaire et repérage des actes suspects, dans: La lexicographie du latin médiéval et ses rapports avec les recherches actuelles sur la civilisation du Moyen Age, Paris 1981, p. 241–249 (Colloques internationaux du C.N.R.S., 589).

PARKES, Jew
> James PARKES, The Jew in the medieval community. A study of his political and economic situation, 2ᵉ éd. New York 1976.

PELSTER, Stand und Herkunft
> Wilhelm PELSTER, Stand und Herkunft der Bischöfe der Kölner Kirchenprovinz im Mittelalter, Weimar 1909.

PERELS, Hinkmar-Handschrift
> Ernst PERELS, Die Baseler Hinkmar-Handschrift, Z.S.G. 19 (1939) p. 38–53.

PERRICHET, Grande Chancellerie
> Lucien PERRICHET, La Grande Chancellerie de France des origines à 1328, Paris 1912.

PERRIN, De laudibus
> Michel PERRIN, Le De laudibus sanctae Crucis de Raban Maur et sa tradition manuscrite au IXᵉ siècle, Revue d'histoire des textes 19 (1989) p. 191–251.

Perroy, Monde carolingien
  Edouard Perroy, Le monde carolingien, 2ᵉ éd. Paris 1974.
Pfister, Drogon
  Christian Pfister, L'archevêque de Metz Drogon (823–856), dans: Mélanges Paul Fabre. Etudes d'histoire du Moyen Age, Paris 1902, p. 101–145.
Pfister, Frothaire
  Christian Pfister, L'évêque Frothaire de Toul, A.E. 4 (1890) p. 261–313.
Pietsche, Bernolt
  P. Pietsche, Bischof Bernolt von Straßburg, Beiträge zur Geschichte der deutschen Sprache und Literatur 49 (1924) p. 132–141.
Pivano, Comitato di Parma
  Silvio Pivano, Il ›comitato‹ di Parma e la ›marca‹ lombardo-emiliana (1ère partie), Archivio storico per le province parmensi 22 (1922) p. 1–80.
Pochettino, Pipinidi
  Giuseppe Pochettino, I Pipinidi in Italia (sec. VIII-XII), Archivio storico lombardo 54 (1927) p. 1–43.
Poulin, Dossier hagiographique
  Joseph-Claude Poulin, Le dossier hagiographique de saint Conwoion de Redon. A propos d'une édition récente, Francia 18/1 (1991) p. 139–159.
Poupardin, Familles
  René Poupardin, Les grandes familles comtales à l'époque carolingienne, R.H. 72 (1900) p. 72–95.
Poupardin, Provence
  René Poupardin, Le royaume de Provence sous les Carolingiens (855–933), Paris 1901.
Pratesi, Appunti
  Alessandro Pratesi, Appunti per una storia dell'evoluzione del notariato, dans: Studi in onore di Leopoldo Sandri, tome 3, Roma 1983, p. 759–772 (Ministerio per i beni culturali e ambientali; publicazioni degli archivi di stato, XCVIII).
Prou, De ordine palatii
  Hincmar, De ordine palatii, texte latin traduit et annoté par Maurice Prou, Bibliothèque de l'Ecole des Hautes Etudes, Sciences Philologiques et Historiques, fasc. 58, Paris 1885.
Prou, Paléographie
  Maurice Prou, Manuel de Paléographie latine et française, 3ᵉ édition, Paris 1910.
Pückert, Aniane
  Wilhelm Pückert, Aniane und Gellone. Diplomatisch-kritische Untersuchungen zur Geschichte der Reformen des Benedictinerordens im IX. und X. Jahrhundert, Leipzig 1899.
Rabe, Faith
  Susan A. Rabe, Faith, Art, and Politics at Saint-Riquier. The Symbolic Vision of Angilbert, Philadelphia 1995.
Rabory, Marmoutier
  J. Rabory, Histoire de Marmoutier et de ses prieurés, tome 1, Paris 1910.
Rädle, Smaragd
  Fidel Rädle, Studien zu Smaragd von Saint-Mihiel, München 1974.
Ranzi, Königsgut
  Friedrich Ranzi, Königsgut und Königsforst im Zeitalter der Karolinger und Liudolfinger und ihre Bedeutung für den Landesausbau, Halle 1939.
Reinke, Reisegeschwindigkeit
  Martina Reinke, Die Reisegeschwindigkeit des deutschen Königshofes im 11. und 12. Jahrhundert nördlich der Alpen, Blätter für deutsche Landesgeschichte 123 (1987) p. 225–251.
Reuter, Plunder
  Timothy Reuter, Plunder and tribute in the Carolingian Empire, T.R.H.S., 5ᵉ série, 35 (1985) p. 75–94.
Reviron, Jonas
  Jean Reviron, Les idées politico-religieuses d'un évêque du IXᵉ siècle. Jonas d'Orléans et son »De institutione regia«. Etude et texte critique, Paris 1930.
Richard, Histoire
  Alfred Richard, Histoire des comtes de Poitou, 778–1204, tome 1, Paris 1903.

RICHÉ, Bibliothèques
   Pierre RICHÉ, Les bibliothèques de trois aristocrates laïcs carolingiens, M.A. 69 (1963) p. 87–104, rééd. dans: RICHÉ, Instruction, n° VIII.
RICHÉ, Carolingiens
   Pierre RICHÉ, Les Carolingiens. Une famille qui fit l'Europe, Paris 1983.
RICHÉ, Ecoles
   Pierre RICHÉ, Ecoles et enseignement dans le haut Moyen Age, Paris 1979.
RICHÉ, Education
   Pierre RICHÉ, Education et culture dans l'Occident barbare, VIe-VIIIe siècles, Paris 1962.
RICHÉ, Instruction
   Pierre RICHÉ, Instruction et vie religieuse dans le Haut Moyen Age, London 1981.
RICHÉ, Réfugiés
   Pierre RICHÉ, Les réfugiés wisigoths dans le monde carolingien, dans: FONTAINE, PELLISTRANDI, Europe, p. 177–183.
RICHÉ, Représentations
   Pierre RICHÉ, Les représentations du palais dans les textes littéraires du Haut Moyen Age, Francia 4 (1976) p. 161–171; rééd. dans: RICHÉ, Instruction, n° XIII.
RICHÉ, Vie quotidienne
   Pierre RICHÉ, La vie quotidienne dans l'empire carolingien, Paris 1973.
RICHTER, Laienschriftlichkeit
   Michael RICHTER, ... Quisquis scit scribere, nullum potat abere labore. Zur Laienschriftlichkeit im 8. Jahrhundert, dans: JARNUT, NONN, RICHTER, Karl Martell, p. 393–404.
ROBERT, DESNIER, BELAUBRE, Fontaine de vie
   E. ROBERT, J.-L. DESNIER, J. BELAUBRE, La fontaine de vie et la propagation de la véritable religion chrétienne, Revue Belge de Numismatique et de Sigillographie 134 (1988) p. 89–106.
ROSENTHAL, Public assembly
   Joel T. ROSENTHAL, The Public Assembly in the Time of Louis the Pious, Traditio 20 (1964) p. 25–40.
ROUCHE, Aquitaine
   Michel ROUCHE, L'Aquitaine des Wisigoths aux Arabes, 418–781. Naissance d'une région, Paris 1979.
ROUCHE, Destinée
   Michel ROUCHE, La destinée des biens de saint Remi durant le haut moyen âge, dans: Walter JANSSEN, Dietrich LOHRMANN (éd.), Villa – curtis – grangia. Landwirtschaft zwischen Loire und Rhein von der Römerzeit zum Hochmittelalter, München 1982, p. 46–61 (Beihefte der Francia, 11).
ROUCHE, Matricule
   Michel ROUCHE, La matricule des pauvres. Evolution d'une institution de charité du Bas Empire jusqu'à la fin du Haut Moyen Age, dans: Michel MOLLAT (éd.), Etudes sur l'histoire de la pauvreté, tome 1, Paris 1974, p. 83–110.
ROUCHE, Miroirs des princes
   Michel ROUCHE, Miroirs des princes ou miroir du clergé?, dans: Committenti e produzione artistico-litteraria nell'alto medioevo occidentale, tome 1, Spoleto 1992, p. 341–364 (Settimane di studio..., 39).
RUCQUOI, Péninsule
   Adeline RUCQUOI, Histoire médiévale de la Péninsule ibérique, Paris 1993.
RUGGIERO, Spoleto
   Bruno RUGGIERO, Il ducato di Spoleto e i tentativi di penetrazione dei Franchi nell'Italia meridionale, Archivo storico per les province napoletane 84–85 (1966/1967) p. 77–116.
SALRACH, Défrichement
   Josep M. SALRACH, Défrichement et croissance agricole dans la Septimanie et le Nord-Est de la péninsule ibérique, dans: La croissance agricole du haut moyen âge. Chronologie, modalités, géographie (Centre culturel de Flaran, Dixièmes journées internationales d'histoire), Auch 1990, p. 133–151.
SAMARAN, MARICHAL, Catalogue
   Charles SAMARAN, Robert MARICHAL, Catalogue des manuscrits en écriture latine portant des indications de date, de lieu ou de copiste, tome 3, Paris 1974.
SASSIER, Concept romain
   Yves SASSIER, L'utilisation d'un concept romain aux temps carolingiens: La res publica aux IXe et Xe siècles, Médiévales 15 (1988) p. 17–29.

SASSIER, Diplômes d'immunité
Yves SASSIER, Quelques remarques sur les diplômes d'immunité octroyés par les Carolingiens à l'abbaye de Saint-Germain d'Auxerre, B.E.Ch. 139 (1981) p. 37–54.

SASSIER, Res publica en France du Nord
Yves SASSIER, L'utilisation du concept de ›res publica‹ en France du Nord aux Xe, XIe et XIIe siècles, dans: J. KRYNEN, A. RIGAUDIÈRE (éd.), Droits savants et pratiques françaises du pouvoir (XIe-XVe siècles), Bordeaux 1992, p. 79–97.

SAWYER, Vikings
Peter H. SAWYER, Kings and Vikings. Scandinavia and Europe, AD 700–1100, London, New York 1982.

SCHALLER, Rabe
Dieter SCHALLER, Der junge »Rabe« am Hof Karls des Großen (Theodulf. carm. 27), dans: Festschrift Bernhard Bischoff zu seinem 65. Geburtstag, Stuttgart 1971, p. 121–141.

SCHALLER, Heiliger Tag
Hans Martin SCHALLER, Der heilige Tag als Termin mittelalterlicher Staatsakte, D.A. 30 (1974) p. 1–24.

SCHARF, Studien
Joachim SCHARF, Studien zu Smaragdus und Jonas, D.A. 17 (1961) p. 333–384.

SCHEFERS, Einhard
Hermann SCHEFERS, Einhard. Ein Lebensbild aus karolingischer Zeit, Michelstadt-Steinbach s.d., extrait des Geschichtsblätter Kreis Bergstraße 26 (1993).

SCHIEFFER, Beiträge
Rudolf SCHIEFFER (éd.), Beiträge zur Geschichte des Regnum Francorum. Referate beim Wissenschaftlichen Colloquium zum 75. Geburtstag von Eugen Ewig, Sigmaringen 1990 (Beihefte der Francia, 22).

SCHIEFFER, Herrscherbeiname
Rudolf SCHIEFFER, Ludwig ›der Fromme‹. Zur Entstehung eines karolingischen Herrscherbeinamens, F.M.St. 16 (1982) p. 58–73.

SCHIEFFER, Herrscherbuße
Rudolf SCHIEFFER, Von Mailand nach Canossa. Ein Beitrag zur Geschichte der christlichen Herrscherbuße von Theodosius d. Gr. bis zu Heinrich IV., D.A. 28 (1972) p. 333–370.

SCHIEFFER, Hofkapelle
Rudolf SCHIEFFER, Hofkapelle und Aachener Marienstift bis in staufische Zeit, R.Vbl. 51 (1987) p. 1–21.

SCHIEFFER, Karolinger
Rudolf SCHIEFFER, Die Karolinger, Stuttgart, Berlin, Köln 1992.

SCHIEFFER, Väter und Söhne
Rudolf SCHIEFFER, Väter und Söhne im Karolingerhause, dans: SCHIEFFER, Beiträge, p. 149–164.

SCHIEFFER, Zwischen Civitas und Königshof
Rudolf SCHIEFFER, Der Bischof zwischen Civitas und Königshof (4. bis 9. Jh.), dans: Der Bischof in seiner Zeit. Festgabe für Joseph Kardinal Höffner, Köln 1986, p. 17–39.

SCHIEFFER, Adnotationes
Theodor SCHIEFFER, Adnotationes zur Germania Pontificia und zur Echtheitskritik überhaupt. Erster Teil, A.f.D. 32 (1986) p. 503–545.

SCHIEFFER, Doppelurkunde
Theodor SCHIEFFER, Die Doppelurkunde Lothars I. aus Mainz (BM. 1071 für Metz), Archiv für mittelrheinische Kirchengeschichte 14 (1962) p. 417–426.

SCHIEFFER, Krise
Theodor SCHIEFFER, Die Krise des karolingischen Imperiums, dans: Aus Mittelalter und Neuzeit. Festschrift zum 70. Geburtstag von Gerhard Kallen, Bonn 1957, p. 1–15.

SCHLESINGER, Aachener Pfalz
Walter SCHLESINGER, Beobachtungen zur Geschichte und Gestalt der Aachener Pfalz in der Zeit Karls des Großen, dans: Martin CLAUS, Werner HAARNAGEL, Klaus RADDATZ (éd.), Studien zur europäischen Vor- und Frühgeschichte, Neumünster 1968, p. 258–281.

SCHLESINGER, Auflösung
Walter SCHLESINGER, Die Auflösung des Karlsreichs, dans: Karl der Große, tome 1, p. 792–857.

SCHLESINGER, Herrschaft
Walter SCHLESINGER, Herrschaft und Gefolgschaft in der germanisch-deutschen Verfassungsge-schichte, H.Z. 176 (1953) p. 225–275.

SCHLESINGER, Kaisertum
Walter SCHLESINGER, Kaisertum und Reichsteilung. Zur Divisio regnorum von 806, dans: Forschun-gen zu Staat und Verfassung. Festgabe für Fritz Hartung, Berlin 1958, p. 9–51.

SCHLÖGL, Unterfertigung
Waldemar SCHLÖGL, Die Unterfertigung deutscher Könige von der Karolingerzeit bis zum Interreg-num durch Kreuz und Unterschrift, Kallmünz 1978.

SCHMALE-OTT, Gedicht
Irene SCHMALE-OTT, Ein unbekanntes Gedicht des Smaragdus, D.A. 10 (1953/1954) p. 504–506.

SCHMEIDLER, Hamburg-Bremen
Bernhard SCHMEIDLER, Hamburg-Bremen und Nordost-Europa vom 9. bis 11. Jahrhundert. Kriti-sche Untersuchungen zur Hamburgischen Kirchengeschichte des Adam von Bremen, zu Hambur-ger Urkunden und zur nordischen und wendischen Geschichte, Leipzig 1918.

SCHMID, Bischof Wikterp
Karl SCHMID, Bischof Wikterp in Epfach. Eine Studie über Bischof und Bischofssitz im 8. Jahrhun-dert, dans: Joachim WERNER (éd.), Studien zu Abodiacum – Epfach, München 1964, p. 99–139.

SCHMID, Gemeinschaftsbewußtsein
Karl SCHMID, Religiöses und sippengebundenes Gemeinschaftsbewußtsein in frühmittelalterlichen Gedenkbucheinträgen, D.A. 21 (1965) p. 18–81.

SCHMID, Historische Bestimmung
Karl SCHMID, Zur historischen Bestimmung des ältesten Eintrags im St. Galler Verbrüderungsbuch, Alemannisches Jahrbuch 1973/1975 (= Alemannica. Landeskundliche Beiträge. Festschrift für Bruno Boesch) p. 500–532.

SCHMIDT, Hinkmars De ordine palatii
Jakob SCHMIDT, Hinkmars »De ordine palatii« und seine Quellen, Frankfurt a. M. 1962.

SCHMITZ, Capitulary legislation
Gerhard SCHMITZ, The Capitulary Legislation of Louis the Pious, dans: Charlemagne's Heir, p. 425–436.

SCHMITZ, Hinkmar
Gerhard SCHMITZ, Hinkmar von Reims, die Synode von Fisme 881 und der Streit um das Bistum Beauvais, D.A. 35 (1979) p. 463–486.

SCHMITZ, Intelligente Schreiber
Gerhard SCHMITZ, Intelligente Schreiber. Beobachtungen aus Ansegis- und Kapitularienhandschrif-ten, dans: Papsttum, Kirche und Recht im Mittelalter. Festschrift für Horst Fuhrmann zum 65. Ge-burtstag, Tübingen 1991, p. 79–93.

SCHMITZ, Kapitulariengesetzgebung
Gerhard SCHMITZ, Zur Kapitulariengesetzgebung Ludwigs des Frommen, D.A. 42 (1986) p. 471–516.

SCHMITZ, Waffe der Fälschung
Gerhard SCHMITZ, Die Waffe der Fälschung zum Schutz der Bedrängten? Bemerkungen zu gefälsch-ten Konzils- und Kapitularientexten, dans: Fälschungen im Mittelalter, tome 2: Gefälschte Rechts-texte. Der bestrafte Fälscher, Hannover 1988, p. 79–110 (MGH Schriften, 33).

SCHMOLL, Grabmal
J. A. SCHMOLL gen. EISENWERTH, Das Grabmal Kaiser Ludwigs des Frommen in Metz, Aachener Kunstblätter 45 (1974) p. 75–96.

SCHNEIDER, Fulco
Gerhard SCHNEIDER, Erzbischof Fulco von Reims (883–900) und das Frankenreich, München1973.

SCHNEIDER, Aspects de la société
Jean SCHNEIDER, Aspects de la société dans l'Aquitaine carolingienne d'après la Vita Geraldi Aurilia-censis, Académie des Inscriptions et Belles Lettres. Comptes rendus des séances, 1973, p. 8–19.

SCHNEIDER, Rechtliche Bedeutung
Reinhard SCHNEIDER, Zur rechtlichen Bedeutung der Kapitularientexte, D.A. 23 (1967) p. 273–294.

SCHNEIDER, Schriftlichkeit
Reinhard SCHNEIDER, Schriftlichkeit und Mündlichkeit im Bereich der Kapitularien, dans: P. CLAS-SEN (éd.), Recht und Schrift im Mittelalter, Sigmaringen 1977, p. 257–279.

SCHOTT, Leges-Forschung
Clausdieter SCHOTT, Der Stand der Leges-Forschung, F.M.St. 13 (1979) p. 29–55.

SCHRAMM, Goldsolidi
Percy Ernst SCHRAMM, Die Goldsolidi und »Medaillen« Ludwigs des Frommen und deren Nachprägungen im Norden, dans: SCHRAMM, Herrschaftszeichen 1, p. 303–308.

SCHRAMM, Herrschaftszeichen 1
Percy Ernst SCHRAMM, Herrschaftszeichen und Staatssymbolik. Beiträge zu ihrer Geschichte vom dritten bis zum sechzehnten Jahrhundert, tome 1, Stuttgart 1954.

SCHRAMM, König von Frankreich
Percy Ernst SCHRAMM, Der König von Frankreich. Das Wesen der Monarchie vom 9. zum 16. Jahrhundert. Ein Kapitel aus der Geschichte des abendländischen Staates, 2ᵉ éd. Darmstadt 1960.

SCHRAMM, Legimus
Percy Ernst SCHRAMM, Legimus auf karolingischen Urkunden und die Kaiserbullen Karls des Großen und Ludwigs des Frommen, dans: SCHRAMM, Herrschaftszeichen 1, p. 297–302.

SCHRAMM, MÜTHERICH, Deutsche Kaiser
Percy Ernst SCHRAMM, Die deutschen Kaiser und Könige in Bildern ihrer Zeit, 751–1190, éd. Florentine MÜTHERICH, rééd. München 1983.

SCHRÖRS, Hinkmar
Heinrich SCHRÖRS, Hinkmar, Erzbischof von Reims. Sein Leben und seine Schriften, Freiburg i. Br. 1884.

SCHUBERT, Reichshofämter
Paul SCHUBERT, Die Reichshofämter und ihre Inhaber bis um die Wende des 12. Jahrhunderts, M.I.Ö.G. 34 (1913) p. 427–501.

SCHULZE, Grundprobleme
Hans K. SCHULZE, Grundprobleme der Grafschaftsverfassung, Zeitschrift für württembergische Landesgeschichte 44 (1985) p. 265–282.

SCHUSTER, Farfa
Ildefonso SCHUSTER, L'imperiale abbazia di Farfa. Contributo alla storia del ducato romano nel medio evo, Roma 1921.

SCHWINEKÖPER, Pertinenzformeln
Berent SCHWINEKÖPER, »Cum aquis aquarumve decursibus«. Zu den Pertinenzformeln der Herrscherurkunden bis zur Zeit Ottos I., Festschrift für Helmut Beumann zum 65. Geburtstag, Sigmaringen 1977, p. 22–56.

SCHWÖBEL, Synode
Heide SCHWÖBEL, Synode und König im Westgotenreich. Grundlagen und Formen ihrer Beziehung, Köln, Wien 1982.

SECKEL, Synode
Emil SECKEL, Die Aachener Synode vom Jahr 819, N.A. 44 (1922) p. 11–42.

SEEGRÜN, Erzbistum Hamburg
Wolfgang SEEGRÜN, Das Erzbistum Hamburg in seinen älteren Papsturkunden, Köln, Wien 1976 (Studien und Vorarbeiten zur Germania Pontificia, 5).

SEMMLER, Anfänge Fuldas
Josef SEMMLER, Die Anfänge Fuldas als Benediktiner- und Königskloster, Fuldaer Geschichtsblätter 56 (1980) p. 181–200.

SEMMLER, Benedictus II
Josef SEMMLER, Benedictus II: una regula – una consuetudo, dans: Willem LOURDAUX, Daniel VERHELST (éd.), Benedictine Culture, 750–1050, Leuven 1983, p. 1–49.

SEMMLER, Beschlüsse
Josef SEMMLER, Die Beschlüsse des Aachener Konzils im Jahre 816, Z.K.G. 74 (1963) p. 15–82.

SEMMLER, Beziehungen
Josef SEMMLER, Zu den bayrisch-westfränkischen Beziehungen in karolingischer Zeit, Z.B.L. 29 (1966) p. 344–424.

SEMMLER, Corvey und Herford
Josef SEMMLER, Corvey und Herford in der benediktischen Reformbewegung des 9. Jahrhunderts, F.M.St. 4 (1970) p. 289–319.

SEMMLER, Fränkisches Mönchtum
Josef SEMMLER, Karl der Große und das fränkische Mönchtum, dans: Karl der Große, tome 2, p. 255–289.

SEMMLER, Institutioneller Zusammenschluß
Josef SEMMLER, Benediktische Reform und kaiserliches Privileg. Zur Frage des institutionellen Zusammenschlusses der Klöster um Benedikt von Aniane, dans: Gerd MELVILLE (éd.), Institutionen und Geschichte. Theoretische Aspekte und mittelalterliche Befunde, Köln, Weimar, Wien 1992, p. 259–293.

SEMMLER, Iussit Princeps
Josef SEMMLER, Iussit ... Princeps renovare ... praecepta. Zur Verfassungsrechtlichen Einordnung der Hochstifte und Abteien in die karolingische Reichskirche, dans: Consuetudines Monasticae. Eine Festgabe für K. Hallinger aus Anlass seines 70. Geburtstages, Roma 1982, p. 97–124 (Studia Anselmiana, 85).

SEMMLER, Lorsch
Josef SEMMLER, Die Geschichte der Abtei Lorsch von der Gründung bis zum Ende der Salierzeit (764–1125), dans: KNÖPP, Lorsch, tome 1, p. 75–173.

SEMMLER, Ludwig der Fromme
Josef SEMMLER, Ludwig der Fromme, dans: H. BEUMANN (éd.), Kaisergestalten des Mittelalters, München 1984, p. 28–49.

SEMMLER, Mönchtum in Bayern
Josef SEMMLER, Benediktisches Mönchtum in Bayern im späten 8. und frühen 9. Jahrhundert, dans: Eberhard ZWINK (éd.), Frühes Mönchtum in Salzburg, Salzburg 1983, p. 199–218.

SEMMLER, Monachisme occidental
Josef SEMMLER, Le monachisme occidental du VIIIe au Xe siècle: formation et réformation, R.B. 103 (1993) p. 68–89.

SEMMLER, Reichsidee
Josef SEMMLER, Reichsidee und kirchliche Gesetzgebung, Z.K.G. 71 (1960) p. 37–65.

SEMMLER, Réforme
Josef SEMMLER, Réforme bénédictine et privilège impérial. Les monastères autour de saint Benoît d'Aniane, dans: Naissance et fonctionnement des réseaux monastiques et canoniaux, Saint-Etienne 1991, p. 21–32.

SEMMLER, Renovatio regni Francorum
Josef SEMMLER, *Renovatio regni Francorum*: Die Herrschaft Ludwigs des Frommen im Frankenreich, 814–829/830, dans: Charlemagne's Heir, p. 125–146.

SEMMLER, Saint-Denis
Josef SEMMLER, Saint-Denis: Von der bischöflichen Coemetarialbasilika zur königlichen Benediktinerabtei, dans: ATSMA, Neustrie, tome 2, p. 75–123.

SEMMLER, Studien zum Supplex Libellus
Josef SEMMLER, Studien zum Supplex Libellus und zur anianischen Reform in Fulda, Z.K.G. 69 (1958) p. 268–298.

SEMMLER, Traditio
Josef SEMMLER, Traditio und Königsschutz. Studien zur Geschichte der königlichen monasteria, Z.R.G., Kan. Abt. 76 (1959) p. 1–33.

SEMMLER, Überlieferung
Josef SEMMLER, Zur Überlieferung der monastischen Gesetzgebung Ludwigs des Frommen, D.A. 16 (1960) p. 309–388.

SEMMLER, Zehntgebot
Josef SEMMLER, Zehntgebot und Pfarrtermination in karolingischer Zeit, dans: Aus Kirche und Reich. Studien zu Theologie, Politik und Recht im Mittelalter. Festschrift für Friedrich Kempf, Sigmaringen 1983, p. 33–44.

SEVERUS, Lupus
Emmanuel VON SEVERUS, Lupus von Ferrières. Gestalt und Werk eines Vermittlers antiken Geistesgutes an das Mittelalter im 9. Jahrhundert, Münster i. W. 1940.

SEYFARTH, Reichsversammlungen
Erich SEYFARTH, Fränkische Reichsversammlungen unter Karl dem Großen und Ludwig dem Frommen, Leipzig 1910.

SHEPARD, Rhos guests

Jonathan SHEPARD, The Rhos guests of Louis the Pious: whence and wherefore?, E.M.E. 4 (1995) p. 41–60.

SICKEL, Acta regum

Theodor VON SICKEL, Acta regum et imperatorum digesta et enarrata. Lehre und Regesten der Urkunden der ersten Karolinger (751–840), 2 tomes, Wien 1867.

SICKEL, Beiträge

Theodor VON SICKEL, Beiträge zur Diplomatik, dans: Sitzungsberichte der Philosophisch-Historischen Classe der kaiserlichen Akademie der Wissenschaften, tomes 39, 47, 49, 85, 93 et 101, Wien 1861/1882, rééd. Hildesheim 1975.

SICKEL, Kaiserurkunden in der Schweiz

Theodor VON SICKEL, Über Kaiserurkunden in der Schweiz, Zürich 1877.

SICKEL, Vicecomitat

Wilhelm SICKEL, Der fränkische Vicecomitat, s. l. 1907.

SIEGWART, Alemannisches Herzogsgut

Josef SIEGWART, Zur Frage des alemannischen Herzogsgutes um Zürich. Beitrag zur Genealogie des alemannisch-bayrischen Herzogshauses, Schweizerische Zeitschrift für Geschichte 8 (1958) p. 145–192; rééd. dans: Wolfgang MÜLLER (éd.), Zur Geschichte der Alemannen, Darmstadt 1975, p. 222–272 (Wege der Forschung, 100).

SIMSON, Entstehung

Bernhard SIMSON, Die Entstehung der pseudo-isidorischen Fälschungen in Le Mans, Leipzig 1886.

SIMSON, Jahrbücher

Bernhard SIMSON, Jahrbücher des fränkischen Reiches unter Ludwig dem Frommen, 2 tomes, Leipzig 1874–1876.

SIMSON, Vita Dagoberti III.

Bernhard VON SIMSON, Zu der Vita Dagoberti III. und den Annales Mettenses, N.A. 15 (1890) p. 557–564.

SMITH, Culte impérial

Julia M. H. SMITH, Culte impérial et politique frontalière dans la vallée de la Vilaine: le témoignage des diplômes carolingiens dans le cartulaire de Redon, dans: Landévennec et le monachisme breton dans le haut Moyen-Age, Landévennec 1986, p. 129–139.

SMITH, Province and Empire

Julia M. H. SMITH, Province and Empire. Brittany and the Carolingians, Cambridge 1992 (Cambridge studies in medieval life & thought, 4e série, 18).

SOT, Dossiers

Michel SOT, Les dossiers d'un historien au Xe siècle: Flodoard de Reims, B.S.N.A.F., 1990, p. 31–41.

SOT, Flodoard

Michel SOT, Un historien et son église au Xe siècle: Flodoard de Reims, Paris 1993.

SOUSA COSTA, Studien

Annette DE SOUSA COSTA, Studien zu volkssprachigen Wörtern in karolingischen Kapitularien, Göttingen 1993 (Akademie der Wissenschaften in Göttingen; Studien zum Althochdeutschen, 21).

SPELSBERG, Hrabanus

Helmut SPELSBERG, Hrabanus Maurus. Bibliographie, Fulda 1984.

SPINDLER, Handbuch

Max SPINDLER, Handbuch der bayerischen Geschichte, tome 1: Das alte Bayern. Das Stammesherzogtum bis zum Ausgang des 12. Jahrhunderts, 2e éd. München 1981.

STAAB, Mittelrhein

Franz STAAB, Untersuchungen zur Gesellschaft am Mittelrhein in der Karolingerzeit, Wiesbaden 1975.

STAAB, Wann wurde?

Franz STAAB, Wann wurde Hrabanus Maurus Mönch in Fulda? Beobachtungen zur Anteilnahme seiner Familie an den Anfängen seiner Laufbahn, dans: KOTTJE, ZIMMERMANN, Hrabanus, p. 75–101.

STAUBACH, Herrscherbild

Nikolaus STAUBACH, Das Herrscherbild Karls des Kahlen. Formen und Funktionen monarchischer Repräsentation im früheren Mittelalter, 1ère partie, Thèse dactyl., Münster 1981.

STAUBACH, Kleiner Sohn
   Nikolaus STAUBACH, »Des großen Kaisers kleiner Sohn«. Zum Bild Ludwigs des Frommen in der älteren deutschen Geschichtsforschung, dans: Charlemagne's Heir, p. 701–721.
STOCLET, Clausula
   Alain J. STOCLET, La ›clausula de unctione Pippini regis‹: mises au point et nouvelles hypothèses, Francia 8 (1980) p. 1–42.
STOCLET, Fulrad
   Alain STOCLET, Autour de Fulrad de Saint-Denis (v. 710–784), Genève, Paris 1993.
STÖRMER, Früher Adel
   Wilhelm STÖRMER, Früher Adel. Studien zur politischen Führungsschicht im fränkisch-deutschen Reich vom 8.-11. Jahrhundert, Stuttgart 1973 (Monographien zur Geschichte des Mittelalters, 6).
STÖRMER, Gründung
   Wilhelm STÖRMER, Die Gründung des fränkischen Benediktinerklosters Megingaudeshausen im Zeichen der Anianischen Reform, Z.B.L. 55 (1992) p. 239–254.
STÖRMER, Langres
   Wilhelm STÖRMER, Bischöfe von Langres aus Alemannien und Bayern. Beobachtungen zur monastischen und politischen Geschichte im ostrheinischen Raum des 8. und frühen 9. Jahrhunderts, dans: Langres et ses évêques, VIIIᵉ-XIᵉ s., Langres 1986, p. 45–77.
STOFFEL, Dictionnaire
   Georges STOFFEL, Dictionnaire topographique du département du Haut-Rhin, Paris 1868.
STRATMANN, Hinkmar
   Martina STRATMANN, Hinkmar von Reims als Verwalter von Bistum und Kirchenprovinz, Sigmaringen 1991 (Quellen und Forschungen zum Recht im Mittelalter, 6).
STREICH, Burg
   Gerhard STREICH, Burg und Kirche während des deutschen Mittelalters. Untersuchungen zur Sakraltopographie von Pfalzen, Burgen und Herrensitzen, tome 1: Pfalz- und Burgkapellen bis zur staufischen Zeit, Sigmaringen 1984.
STROHEKER, Adel
   Karl Friedrich STROHEKER, Der senatorische Adel im spätantiken Gallien, Tübingen 1948.
STURM, Preysing
   Josef STURM, Die Anfänge des Hauses Preysing, München 1931.
SULLIVAN, Carolingian Age
   Richard E. SULLIVAN, Carolingian Age: Reflexions on its place in the History of the Middle Ages, Speculum 64 (1989) p. 267–306.
TANGL, Tironische Noten
   Michael TANGL, Die tironischen Noten in den Urkunden der Karolinger, A.f.U. 1 (1908) p. 87–166.
TANGL, Urkunde für Fulda
   Michael TANGL, Die Urkunde Ludwig (sic) d. Fr. für Fulda vom 4. August 817, N.A. 27 (1902) p. 9–34.
TELLENBACH, Älteste Welfen
   Gerd TELLENBACH, Über die ältesten Welfen im West- und Ostfrankenreich, dans: TELLENBACH, Studien und Vorarbeiten, p. 335–340.
TELLENBACH, Großfränkischer Adel
   Gerd TELLENBACH, Der großfränkische Adel und die Regierung Italiens in der Blütezeit des Karolingerreiches, dans: TELLENBACH, Studien und Vorarbeiten, p. 40–70.
TELLENBACH, Königtum
   Gerd TELLENBACH, Königtum und Stämme in der Werdezeit des deutschen Reiches, Weimar 1939.
TELLENBACH, Studien und Vorarbeiten
   Gerd TELLENBACH (éd.), Studien und Vorarbeiten zur Geschichte des großfränkischen und frühdeutschen Adels, Freiburg i. Br. 1957 (Forschungen zur oberrheinischen Landesgeschichte, 4).
TENBERKEN, Vita
   Wolfgang TENBERKEN, Die Vita Hludowici Pii auctore Astronomo. Einleitung und Edition, Rottweil 1982.
TENCKHOFF, Beziehungen
   Franz TENCKHOFF, Die Beziehungen des Bischofs Badurad von Paderborn zu Kaiser Ludwig dem Frommen und seinen Söhnen, Zeitschrift für vaterländische Geschichte und Alterthumskunde 56/2 (1898) p. 89–97.

484

TENTRUP, Handschrift
  Franz Josef TENTRUP, Die älteste Handschrift des Abdinghofer Nekrologs, W.Z. 110 (1960) p. 223–230.
TESSIER, Chartrier de Saint-Martin
  Georges TESSIER, Les diplômes carolingiens du chartrier de Saint-Martin de Tours, dans: Mélanges d'histoire du moyen âge dédiés à la mémoire de Louis Halphen, Paris 1951, p. 683–691.
TESSIER, Diplomatique
  Georges TESSIER, Diplomatique royale française, Paris 1962.
THÉIS, Dagobert
  Laurent THÉIS, Dagobert. Un roi pour un peuple, Paris 1982.
THOMAS, Dictionnaire
  Eugène THOMAS, Dictionnaire topographique du département de l'Hérault, Paris 1865.
TISSET, Gellone
  Pierre TISSET, L'abbaye de Gellone au diocèse de Lodève des origines au XIIIᵉ siècle, Paris 1933.
TOUBERT, Latium
  Pierre TOUBERT, Les structures du Latium médiéval. Le Latium méridional et la Sabine du IXᵉ siècle à la fin du XIIᵉ siècle, 2 tomes, Ecole française de Rome 1973 (B.E.F.A.R., 221).
TOUBERT, Théorie
  Pierre TOUBERT, La théorie du mariage chez les moralistes carolingiens, dans: Il matrimonio nella società altomedievale, Spoleto 1977, p. 233–282 (Settimane di studio ..., 24).
TREMP, Letzte Worte
  Ernst TREMP, Die letzten Worte des frommen Kaisers Ludwig. Von Sinn und Unsinn heutiger Textedition, D.A. 48 (1992) p. 17–36.
TREMP, Studien
  Ernst TREMP, Studien zu den Gesta Hludowici imperatoris des Trierer Chorbischofs Thegan, Hannover 1988 (M.G.H. Schriften, 32).
TREMP, Überlieferung
  Ernst TREMP, Die Überlieferung der Vita Hludowici imperatoris des Astronomus, Hannover 1991 (M.G.H. Studien und Texte, 1).
ULLMANN, Carolingian Renaissance
  Walter ULLMANN, The Carolingian Renaissance and the Idea of Kingship, London 1969.
ULLMANN, Principles of government
  Walter ULLMANN, Principles of Government and Politics in the Middle Ages, 2ᵉ éd. London 1966.
URL, Geschichtswerk
  Eberhard URL, Das mittelalterliche Geschichtswerk »Casus sancti Galli«, 109. Neujahrsblatt herausgegeben vom Historischen Verein des Kanton St. Gallen, St. Gallen 1969.
VALOIS, Points d'histoire
  Jean DE VALOIS, Sur quelques points d'histoire relatifs à la fondation de Cluny, dans: Millénaire de Cluny. Congrès d'histoire et d'archéologie tenu à Cluny les 10, 11, 12 septembre 1910, Mâcon 1910, p. 177–219.
VALOUS, Domaine de Cluny
  Guy DE VALOUS, Le domaine de l'abbaye de Cluny aux Xᵉ et XIᵉ siècles. Formation – organisation – administration, Paris 1923.
VAN DE VYVER, Dicuil
  A. VAN DE VYVER, Dicuil et Micon de Saint-Riquier, R.B.P.H. 14 (1935) p. 25–47.
VAN DEN BOSCH, Capa
  Johannes VAN DEN BOSCH, Capa, Basilica, Monasterium et le culte de saint Martin de Tours. Etude lexicologique et sémasiologique, Nijmegen 1959 (Latinitas Christianorum Primaeva, 13).
VAN DER ESSEN, Etude critique
  Léon VAN DER ESSEN, Etude critique et littéraire sur les vitae des saints mérovingiens de l'ancienne Belgique, Louvain, Paris 1907.
VAN LOKEREN, Histoire
  August VAN LOKEREN, Histoire de l'abbaye de Saint-Bavon et de la crypte de Saint-Jean à Gand, Gand 1855.
VAUCELLE, Saint-Martin
  Edgar R. VAUCELLE, La collégiale de Saint-Martin de Tours des origines à l'avènement des Valois (397–1328), Paris 1908.

VEHSE, Päpstliche Herrschaft
  Otto VEHSE, Die päpstliche Herrschaft in der Sabina bis zur Mitte des 12. Jahrhunderts, Q.F.I.A.B. 21 (1929/1930) p. 120–175.

VERHEIN, Studien
  Klaus VERHEIN, Studien zu den Quellen zum Reichsgut der Karolingerzeit, 1ère partie, D.A. 10 (1953/54) p. 313–394; 2ᵉ partie, D.A. 11 (1954/55) p. 333–392.

VERHULST, Marchés
  Adriaan VERHULST, Marchés, marchands et commerce au haut moyen âge dans l'historiographie récente, dans: Mercati e mercanti nell'alto medioevo: l'area euroasiatica e l'area mediterranea, Spoleto 1993, p. 23–43 (Settimane di studio ..., 40).

VERHULST, Sint-Baafsabdij
  Adriaan VERHULST, De Sint-Baafsabdij te Gent en haar grondbezit (VIIᵉ-XIVᵉ eeuw). Bijdrage tot de kennis van de structur en de uitbating van het grootgrondbezit in Vlaanderen tijdens de middeleeuwen, Bruxelles 1958.

VERHULST, SEMMLER, Statuts
  Adriaan VERHULST, Josef SEMMLER, Les statuts d'Adalhard de Corbie de l'an 822, M.A. 68 (1962) p. 91–123 et 231–269.

VERLINDEN, Place des Juifs
  Charles VERLINDEN, A propos de la place des Juifs dans l'économie de l'Europe occidentale aux IXᵉ et Xᵉ siècles. Agobard de Lyon et l'historiographie arabe, dans: Storiografia e storia. Studi in onore di Eugenio Duprè-Theseider, tome 1, Roma 1974, p. 21–37.

VEZIN, Manuscrits présentant des traces
  Jean VEZIN, Manuscrits présentant des traces de l'activité en Gaule de Theodulfe d'Orléans, Claude de Turin, Agobard de Lyon et Prudence de Troyes, dans: Circulacion de codices y escritos entre Europa y la Peninsula en los siglos VIII-XII, coloquio 16–19 septiembre 1982, Santiago de Compostela 1988, p. 157–171.

VIANELLO, Unruochingi
  Francesco VIANELLO, Gli Unruochingi e la famiglia di Beggo conte di Parigi (Ricerche sull'alta aristocrazia carolingia), Bulletino dell'istituto storico italiano per il medio evo e archivio Muratoriano 91 (1984) p. 337–369.

VIDIER, Actes d'affranchissement
  Alexandre VIDIER, Notices sur des actes d'affranchissement et de précaire concernant Saint-Aignan d'Orléans (IXᵉ – Xᵉ siècles), M.A. 20 (1907) p. 289–317.

VIDIER, Historiographie
  Alexandre VIDIER, L'historiographie à Saint-Benoît-sur-Loire et les miracles de saint Benoît, Paris 1965.

Village
  Un village au temps de Charlemagne. Moines et paysans de l'abbaye de Saint-Denis du VIIe siècle à l'An Mil (= catalogue de l'exposition tenue au Musée national des arts et traditions populaires du 29 novembre 1988 au 30 avril 1989), Paris 1988.

VOGEL, Discipline pénitentielle
  Cyrille VOGEL, La discipline pénitentielle en Gaule des origines au IXᵉ siècle: le dossier hagiographique, Revue des Sciences Religieuses 30 (1956) p. 1–26 et p. 157–186; rééd. dans: VOGEL, En rémission, n° VI.

VOGEL, En rémission
  Cyrille VOGEL, En rémission des péchés. Recherches sur les systèmes pénitentiels dans l'Eglise latine, éd. Alexandre FAIVRE, Aldershot 1994.

VOGEL, Pénitence
  Cyrille VOGEL, Pénitence et excommunication dans l'Eglise ancienne et durant le haut Moyen Age, Concilium 107 (1975) p. 11–22; rééd. dans: VOGEL, En rémission, n° IV.

VOGEL, Normannen
  Walter VOGEL, Die Normannen und das fränkische Reich bis zur Gründung der Normandie (799–911), Heidelberg 1906.

VOIGT, Klosterpolitik
  Karl VOIGT, Die karolingische Klosterpolitik und der Niedergang des westfränkischen Königtums. Laienäbte und Klosterinhaber, Stuttgart 1917.

VOLLMER, Etichonen
   Franz VOLLMER, Die Etichonen. Ein Beitrag zur Frage der Kontinuität früher Adelsfamilien, dans: TELLENBACH, Studien und Vorarbeiten, p. 137–184.
WAITZ, Verfassungsgeschichte
   Georg WAITZ, Deutsche Verfassungsgeschichte. Die Verfassung des fränkischen Reichs, tome 2 (2 vol.), Graz 1953 (reproduction de la 2ᵉ éd. Berlin 1882); tome 3, Graz 1954 (reproduction de la 2ᵉ éd. Berlin 1883).
WALLACE-HADRILL, Charles the Bald
   John Michael WALLACE-HADRILL, A Carolingian Renaissance Prince: The Emperor Charles the Bald, P.B.A. 64 (1978) p. 155–184.
WALLACE-HADRILL, Frankish Church
   John Michael WALLACE-HADRILL, The Frankish Church, Oxford 1983.
WALLACE-HADRILL, Via regia
   John Michael WALLACE-HADRILL, The via regia of the Carolingian age, dans: Beryl SMALLEY, Trends in medieval political thought, Oxford 1965, p. 22–41.
WALLACH, Alcuin
   Luitpold WALLACH, Alcuin and Charlemagne: Studies in Carolingian History and Literature, New York 1959.
WARD, Agobard and Paschasius
   Elizabeth WARD, Agobard of Lyons and Paschasius Radbertus as critics of the Empress Judith, dans: Women in the Church, éd. W. J. SHEILS, Diana WOOD, Oxford 1990, p. 15–25 (Studies in Church History, 27).
WARD, Caesar's Wife
   Elizabeth WARD, Caesar's Wife. The Career of the Empress Judith, 819–829, dans: Charlemagne's Heir, p. 205–227.
WARICHEZ, Lobbes
   Joseph WARICHEZ, L'abbaye de Lobbes depuis les origines jusqu'en 1200, Louvain, Paris 1909.
WATTENBACH, Geschichtsquellen
   Wilhelm WATTENBACH, Deutschlands Geschichtsquellen im Mittelalter, tome 1, Stuttgart, Berlin 1904.
WEBER, Reichsversammlungen
   Heinrich WEBER, Die Reichsversammlungen im ostfränkischen Reich, 840–918. Eine entwicklungsgeschichtliche Untersuchung vom karolingischen Großreich zum deutschen Reich, Würzburg 1962.
WEHLEN, Geschichtsschreibung
   Wolfgang WEHLEN, Geschichtsschreibung und Staatsauffassung im Zeitalter Ludwigs des Frommen, Lübeck, Hamburg 1970.
WEHLT, Reichsabtei
   Hans-Peter WEHLT, Reichsabtei und König dargestellt am Beispiel der Abtei Lorsch mit Ausblicken auf Hersfeld, Stablo und Fulda, Göttingen 1970.
WEINRICH, Wala
   Lorenz WEINRICH, Wala, Graf, Mönch und Rebell. Die Biographie eines Karolingers, Lübeck, Hamburg 1963 (Historische Studien, 386).
WENDLING, Erhebung
   Wolfgang WENDLING, Die Erhebung Ludwigs d. Fr. zum Mitkaiser im Jahre 813 und ihre Bedeutung für die Verfassungsgeschichte des Frankenreichs, F.M.St. 19 (1985) p. 201–238.
WENSKUS, Stammesadel
   Reinhard WENSKUS, Sächsischer Stammesadel und fränkischer Reichsadel, Göttingen 1976.
WERNER, Bedeutende Adelsfamilien
   Karl Ferdinand WERNER, Bedeutende Adelsfamilien im Reich Karls des Großen, dans: Karl der Große, tome 1, p. 83–142.
WERNER, Formation
   Karl Ferdinand WERNER, Formation et carrière des jeunes aristocrates jusqu'au Xe siècle, dans: Georges Duby. L'écriture de l'Histoire, éd. Claudie DUHAMEL-AMADO, Guy LOBRICHON, préface de Jean LACOUTURE, Bruxelles 1996, p. 295–306 (Bibliothèque du Moyen-Age, 6).
WERNER, Geburtsdatum
   Karl Ferdinand WERNER, Das Geburtsdatum Karls des Großen, Francia 1 (1973) p. 115–157.

WERNER, Genèse
    Karl Ferdinand WERNER, La genèse des duchés en France et en Allemagne, dans: Nascita dell'Europa ed Europa carolingia: Un'equazione da verificare, tome 1, Spoleto 1981, p. 175–207 (Settimane di studio ..., 27).
WERNER, Hludovicus Augustus
    Karl Ferdinand WERNER, *Hludovicus Augustus*. Gouverner l'empire chrétien – Idées et réalités, dans: Charlemagne's Heir, p. 3–123.
WERNER, Missus
    Karl Ferdinand WERNER, Missus – Marchio – Comes. Entre l'administration centrale et l'administration locale de l'Empire carolingien, dans: Werner PARAVICINI, Karl Ferdinand WERNER (éd.), Histoire comparée de l'administration, IVe-XVIIIe siècles, Sigmaringen 1980, p. 191–239 (Beihefte der Francia, 9).
WERNER, Nachkommen
    Karl Ferdinand WERNER, Die Nachkommen Karls des Großen bis um das Jahr 1000 (1.-8. Generation), dans: Karl der Große, tome 4, p. 403–482.
WERNER, Origines
    Karl Ferdinand WERNER, Les origines, tome 1 de l'Histoire de France, s. l. dir. de Jean FAVIER, Paris 1984.
WERNER, Principautés
    Karl Ferdinand WERNER, Les principautés périphériques dans le monde franc du VIIIe siècle, dans: I problemi dell'Occidente nel secolo VIII, tome 2, Spoleto 1973, p. 484–514 (Settimane di studio ..., 20).
WERNER, Untersuchungen
    Karl Ferdinand WERNER, Untersuchungen zur Frühzeit des französischen Fürstentums, 9. bis 10. Jahrhundert, W.G. 18 (1958) p. 256–289; 19 (1959) p. 146–193; 20 (1960) p. 87–119.
WERNER, Vieux thème
    Karl Ferdinand WERNER, Du nouveau sur un vieux thème. Les origines de la »noblesse« et de la »chevalerie«, Académie des Inscriptions et Belles Lettres. Comptes rendus des séances de l'année 1985, p. 186–200.
WEST, Justiciarship
    Francis WEST, The Justiciarship in England, 1066–1232, Cambridge 1966.
WIESEMEYER, Gründung
    Helmut WIESEMEYER, Die Gründung der Abtei Corvey im Lichte der Translatio Sancti Viti. Interpretation einer mittellateinischen Quelle aus dem 9. Jahrhundert, W.Z. 112 (1962) p. 245–274.
WILLEMS, Coronement Looïs
    Léonard WILLEMS, L'élément historique dans le Coronement Looïs. Contribution à l'histoire poétique de Louis le Débonnaire, Gand 1896.
WILMART, Admonition
    André WILMART, L'admonition de Jonas au roi Pépin et le florilège canonique d'Orléans, R.B. 45 (1933) p. 214–233.
WILSDORF, Etichonides
    Christian WILSDORF, Les Etichonides aux temps carolingiens et ottoniens, B.P.H. (1964) p. 1–33.
WILSDORF, Godefroy
    Christian WILSDORF, Un prélat politique au temps de Louis le Pieux, Godefroy, abbé de Munster, Revue d'Alsace 97 (1958) p. 7–20.
WILSDORF, Haito reconstructeur
    Christian WILSDORF, L'évêque Haito reconstructeur de la cathédrale de Bâle. Deux textes retrouvés, Bulletin Monumental 133 (1975) p. 175–181.
WILSDORF, Roderic
    Christian WILSDORF, Le comte Roderic a-t-il gouverné la Rhétie sous Charlemagne ou sous Louis le Pieux?, Schweizerische Zeitschrift für Geschichte 8 (1958) p. 470–473.
WOLF, Bemerkungen
    Gunther WOLF, Bemerkungen zur Geschichte Herzog Tassilos III. von Bayern, Z.R.G., Germ. Abt. 109 (1992) p. 352–373.
WOLF, Königinnen-Krönungen
    Gunther WOLF, Königinnen-Krönungen des frühen Mittelalters bis zum Beginn des Investiturstreits, Z.R.G., Kan. Abt. 76 (1990) p. 62–88.

488

WOLFF, Aquitaine

Philippe WOLFF, L'Aquitaine et ses marges, dans: Karl der Große, tome 1, p. 269–306.

WOLFF, Evénements de Catalogne

Philippe WOLFF, Les événements de Catalogne de 798–812 et la chronologie de l'Astronome, Anuario de estudios medievales 2 (1965) p. 451–458.

WOLFF, Figeac

Philippe WOLFF, Note sur le faux diplôme de 755 pour le monastère de Figeac, dans: Actes du XXIIIᵉ congrès de la Fédération des sociétés académiques et savantes Languedoc-Pyrénées-Gascogne (1967), p. 83–123; rééd. dans: Ph. WOLFF, Regards sur le Midi médiéval, Toulouse 1978, p. 293–331.

WOLFRAM, Geburt

Herwig WOLFRAM, Die Geburt Mitteleuropas. Geschichte Österreichs vor seiner Entstehung (378–907), Wien 1987.

WOLFRAM, Intitulatio

Herwig WOLFRAM, Intitulatio I – Lateinische Königs- und Fürstentitel bis zum Ende des 8. Jahrhunderts, Graz, Wien, Köln 1967 (M.I.Ö.G., Ergänzungsband 21).

WOLFRAM, Lateinische Herrschertitel

Herwig WOLFRAM, Lateinische Herrschertitel im neunten und zehnten Jahrhundert, dans: H. WOLFRAM (éd.), Intitulatio II, Wien, Köln, Graz 1973, p. 19–178, (M.I.Ö.G., Ergänzungsband 24).

WOLLASCH, Adlige Familie

Joachim WOLLASCH, Eine adlige Familie des frühen Mittelalters. Ihr Selbstverständnis und ihre Wirklichkeit, A.K.G. 39 (1957) p. 150–188.

WOLTER, Intention

Heinz WOLTER, Intention und Herrscherbild in Einhards Vita Karoli Magni, A.K.G. 68 (1986) p. 295–317.

WOOD, Christians

Ian WOOD, Christians and pagans in ninth-century Scandinavia, dans: B. SAWYER, P. SAWYER, I. WOOD (éd.), The Christianization of Scandinavia, Alingsås 1987, p. 36–67.

WORMALD, Uses of literacy

C. Patrick WORMALD, The uses of literacy in Anglo-Saxon England and its neighbours, T.R.H.S., 5ᵉ série, 27 (1977) p. 95–114.

ZATSCHEK, Reichsteilungen

Heinz ZATSCHEK, Die Reichsteilungen unter Kaiser Ludwig dem Frommen. Studien zur Entstehung des ostfränkischen Reichs, M.I.Ö.G. 49 (1935) p. 185–224.

ZETTLER, St. Galler Klosterplan

Alfons ZETTLER, Der St. Galler Klosterplan: Überlegungen zu seiner Herkunft und Entstehung, dans: Charlemagne's Heir, p. 655–687.

ZEUMER, Formelsammlungen

Karl ZEUMER, Über die alamannischen Formelsammlungen, N.A. 8 (1883) p. 473–553.

ZIMMERMANN, Flodoards Historiographie

Harald ZIMMERMANN, Zu Flodoards Historiographie und Regestentechnik, dans: Festschrift für Helmut Beumann zum 65. Geburtstag, éd. Kurt Ulrich JÄSCHKE, Reinhard WENSKUS, Sigmaringen 1977, p. 200–214; rééd. dans: H. ZIMMERMANN, Im Bann des Mittelalters. Ausgewählte Beiträge zur Kirchen- und Rechtsgeschichte. Festgabe zu seinem 60. Geburtstag, éd. Immo EBERL, Hans Henning KORTÜM, Sigmaringen 1986, p. 81–95.

ZÖLLNER, Geschichte der Franken

Erich ZÖLLNER, Geschichte der Franken bis zur Mitte des sechsten Jahrhunderts, München 1970.

INDEX DES NOMS DE PERSONNES

Les occurrences du nom de Louis le Pieux ne sont pas prises en compte. Lorsque la mention de la personne se trouve dans le texte (ou dans le texte et les notes), le numéro de page est imprimé en caractères droits, lorqu'elle se trouve uniquement dans les notes infrapaginales, le numéro de page est imprimé en italique. Il est imprimé en caractères gras lorsqu'il se réfère à la notice prosopographique du nom concerné.

Abréviations: a. = abbé ou abbesse; archev. = archevêque; archichanc. = archichancelier; archichap. = archichapelain; c. = comte; chanc. = responsable de la »chancellerie«; chap. = chapelain; ép. = épouse; év. = évêque; f. = fils ou fille; fr. = frère; not. = notaire.

Aaron, moine **67-68**, 72
Abbon, c. Poitiers 43-44, 46, **68**
Abd al-Rahman II, émir *143*
Abraham, marchand *22*
Adalbaud 94
Adalbert (I), connétable 28, 43, 47, **69**
Adalbert (II), sénéchal 27, 55, 57, **69-72**, *321*
Adalbert, c. Rhétie *373*
Adalbert, év. Troyes *349*
Adalfrid, moine 67, **72**
Adalgaire, c. **73-74**, *144*
Adalgise, c. Palais 27, 64, **74-76**
Adalhard (I), a. Corbie 11, 38, 48, 61, **76-79**, *102*, 112, 133, 145, 237, 257, 294, *341*, 389-392, 395, *408*
Adalhard (II), c. Palais 27, 61, *72*, 76, **79-80**, 81, *209*, 294, 304, 331
Adalhard (III), sénéchal *12*, 27, 52, 55-56, 58-59, **80-82**, 267, 285, 414-415
Adalhard »le Jeune«, a. Corbie 78
Adalhelme *2*
Adalleod, not. 27, **82**
Adallinde, concubine de Charlemagne *382*
Adaloch, év. Strasbourg 61, **82-83**, *232*
Adalulf, not. 27, 83
Adalung, a. Lorsch 62, **84-86**, *215*
Adam de Brême 164-165
Adélaïde, f. Pépin d'Italie *93*
Adélaïde, f. Hugues (I) de Tours *59*, 156
Adelric, peintre **86**
Adémar de Chabannes *421*
Adhallvit 29, **86**
Adhelric 95
Adhémar, c. *3*, 43-46, **87-88**, 188, 217, 338, 394, 401-403
Adon, archev. Vienne 288
Adremar, prêtre 100
Adrevald, a. Flavigny 63, **88-90**, 396
Adrevald, moine *379*, 417
Aega, maire du Palais 39
Agbert, huissier 28, **90**, *364*
Agobard, archev. Lyon 4, 5, 32, 48, 50-51, *52*, 62, 78, 91, 98, 139, 166, *171*, *173*, 203, 237, 242, 252, 254, 284-285, 329, 351, 391-392, 406-408

Aio, c. 149, *272*
Aizo 38, *106*, *130*, 137
Alahfrid *209*
Alahfrid 80, 367
Alaric, c. *130*
Albane, ép. Warin (II) 397
Albaud, a. St-Florent *112*
Albéric, év. Langres 62-63, **90-92**, *352*, 362
Albgaire, c. 47, **92-93**, 149
Albon, not. 25, **93**
Albric, *actor* du fisc de Theux 274, 398
Alcuin, a. St-Martin 4, 46, **93-94**, 124-125, *169*, 199, 287, 350, 381, *383*
Aldebaud 45, 68, **94**, 243
Aldric (I), archev. Sens 28, 47, 55, 61, *63*, **94-96**, *173*, 175, *241*, 254, 322, *333*
Aldric (II), év. du Mans *3*, 19, 26, 35, 64, **97-99**, 101, 109, 175-176, 186, 194, 196, 223-224, 227-228, 239, *277*, 292, *339*, *352*, 354, 368
Aldric, a. St-Riquier 99
Alédramne, c. Troyes **100-101**
Alpaid, f. Louis le Pieux 122
Alpule, prêtre *143*
Altfrid 247
Altmar, sénéchal de Judith 64, **101**
Amalaire, chorévêque de Trèves 91, 99, *166*, 181, 230, 246, 275-276, *352*, 357, 421
Amalric, archev. Tours *278*
Amblulfe, a. Novalèse 265
Ambroise 418
Amizon, prêtre *419*
Anastase, a. Conques 378
Anastase, père d'Anségise 104
André de Bergame 189
André, év. Vicence *23*
Angelelme, év. Auxerre 275
Angenaud, *iudex* 402
Angilbert, a. St-Riquier *4*, 362
Angilramne, év. Metz 247
Annaliste Saxon *116*
Ansbert 418
Anschaire, archev. Hambourg 49, **101-104**, 141, 164, 171, 211, 245, 340, 359
Anségise, a. Fontenelle *3*, *13*, 29, 47, 61, **104-106**

Ansfrid, a. Nonantola **106-107**
Archambaud, not. 26, 46, 47, **108-109**, *394*, 402
Ardon, moine *123*, 128, 137, 189, 380
Ardouin, c. **109-110**
Arn, archev. Salzbourg 55, 95, 199, *260*, *370*
Arnaud (I), c. 25, 44, 46, **110-111**
Arnaud (II), not. 27, **111**
Arnaud, f. Frodin *353*
Arnaud, f. Immon 269
Arnoul, a. St-Philibert 61, *110*, **111-113**, 116, 128
Arnoul, f. Louis le Pieux 416-417
Astronome *3*, 32-33, 35-38, 45, 67, 73, 88-89, 96, *107*, *109*, 111, **113-114**, 126, *130*, 138, 148, *150*, 153, 155, 157, 159-160, 191, 216, *224*, 247, 255, 266, *288*, 301, 303, 305, *315*, 321, 325, 344-*345*, 362, 364-365, 379-380, 390, *393*, 396, 398, 420
Aton, év. Saintes *3*, 46, **114-116**
Audulf, c. 233
Audulf, sénéchal *227*
Austrebert, a. St-Zénon 54
Ava, ép. Hugues (I) *262*
Aznar, c. 416
Badurad, év. Paderborn 63, **116-118**
Banzlegb, c. 55
Bartholomé, archev. Narbonne *173*
Bartholomé, not. 27, **118**
Baturic, év. Ratisbonne, *232-233*
Baudry, marquis Frioul **119**, 142, 149, 211, 317, 380, 413
Bébon, fils Gérold (I) 211
Bégon, c. Paris 31, 43-44, 46-48, 54, **120-122**, 161
Bellon, c. *216*
Benjamin, c. Palais 404
Benoît, a. Aniane *3*, 19, 46-48, 54, 57-59, 61, 94, 111, **123-129**, 189, 237, 288, 380
Benoît, a. St-Maur-des-Fossés 121
Béra, c. Barcelone 46, **129-130**, 226, 402
Bérenger (I), c. Toulouse 54, 63, **131-132**, 396
Bérenger (II), c. **132**, *173*
Berhard, fr. Boniface *144*
Bermond, c. Lyon 62, 192, 417
Bern, chap. *3*, **133**
Bernaire, év. Worms 62, **133-134**, *141*, 180, 262
Bernard (I), roi d'Italie *42*, 74, 77, **134-137**, 145, 163, 189, 192, 210, 246, 264, 299-301, 303, *305*, 313, 326, 330, 359, *373*, 382, 384, 408, 413, 417, 420
Bernard (II), chambrier 27, 49, 51, 54-56, 59, 62-63, 88-89, *101*, 132, *135*, **137-139**, 144, 162, 207, 219, 263, 281, 309, 330, 347, 380, 396
Bernard, archev. Vienne *68*, 236
Bernold, év. Strasbourg *3*, *63*, *104*, **140-141**, 183
Bernouin, archev. Besançon 62
Bertcaud, scribe **142**
Berthe (= Bertrade), ép. Pépin le Bref *51*, *105*, 123
Berthe, f. Charlemagne *38*

Berthe, f. Hugues (I) de Tours *59*
Bertrand 378
Bertry, c. Palais 27, **142**
Betton 411, 414
Bivin, fr. Richard (III) 364
Blitgaire, vicomte 417-418
Bodon, diacre du Palais *19*, 26, **143**
Boniface, c. Lucques 63, **143-144**, 162
Bonifrid, not. **144-145**, *159*, *389*, 419
Bonipert *144*
Boppon, c. 266
Borel, c. **146**, 411
Borna, duc Dalmatie **146-147**
Boson (I), c. **147**, 273
Boson (II), a. Fleury *23*, *63*, **148**, 174
Boson, duc 32, 37
Bovon, a. 201
Burchard, connétable 148
Burgarit, veneur 28, **148**
Cadac *155*
Cadola, duc Frioul 92, 119, **149-150**
Calapodius *403*
Candide, moine 67
Charlemagne, empereur 1, *2*, 4, 6, 13, 18, *19*, 21, 25, 26, *29*, 31-32, *33-34*, 38, 41, 44-47, *50*, 56, 60-62, 76, 84, 87, 92-93, 95, 100, 104-105, 108-109, *112-113*, 120-121, 123-124, 129, 133, 135, 140, 145, 149, *152*, 155, 160, 163, *170*, 177-179, 192, 199, 210, *221*, 224, *231*-232, 234, *238*, 242-243, 246-248, 251, 264-*265*, 268-269, 272, 274-275, *287*-288, 294, 299, 301, 313, 315, 323, 325-326, 335, 338, 341, 350, 355-356, 362, 365-366, 369-370, *373*-374, 377-*378*, 382-383, *388*-391, *394*, 398, 401, 403, 408-*412*, 417-418, 420
Charles le Chauve, roi *3*, 18-19, 27, 32, 35-38, 49-51, 55, 57, 59, 71, 74, 82, 100-*101*, 109, 118, *121*, 133, 137-138, 140, **150-153**, 161-*162*, *166*, 170, 174, 176, 183, 195, 198, 202, *207*, 220, 256, 257-258, 262, 265, *276*, 279-280, 282, 308-309, *312*, 314, 317-319, 321-322, 328, 330-331, 333, 346-348, 355-356, 358, 364, 372, 379, 394, 397-*398*, 411
Charles le Gros, empereur *100*
Charles III le Simple, roi *385*
Charles Martel 60
Charles, f. Charlemagne 93
Chorson, duc 45, 224
Chosle, palefrenier 29, **153-154**
Chrodegand, év. Metz 189
Claude, év. Turin *2*, *23*, 25, 47, **154-155**, 193, 273, *276*
Clément, chap. 19, 26, 28, 47, **155-156**
Conrad, fr. Judith, c. 51, *59*, **156-157**, 279, 358
Conwoion, a. Redon 4-5, 9, 244, 336, 354, 366
Crisogomius, prêtre 120

Cunégonde, ép. Bernard d'Italie 74, 134, 337, 413
Cunzo *228*
Dadila *274*
Dadon, ermite *4*, 46, **157**
Dagobert Ier, roi *34*, 39, *381*
Dagobert III, roi 35
Dagolf, veneur 28, **158**
Daniel, not. 27, **158**
David 209
Déodat, chanc. 25, **158**, 250
Deusdedit, not. **159**
Deusdona, diacre 180
Deusdona, diacre *23*
Dhuoda, ép. Bernard (II) *101*
Dicuil *3*, 28, 47, 114, **159-160**
Dogvulf, *scriniarius* 381
Donat, c. Melun 62-63, 121, **160-162**, 248, 275
Donnule, a. 355
Drogon, év. Metz, archichap. *3*, 14-15, 26, 32, 48, 52, 55-59, 71, *81*, 97, 103-*104*, **163-167**, 196, 264, 267, *292*, *340*, *352*, 360, *388*, 409
Drogus, *cubicularius* 29, **168**
Dructéramne, a. 154
Durand, not. 27, 51, 82, **168-169**, *193*, *201*, 236, *259*
Ebbon, archev. Reims *3*, 26, *42*, 46-47, 55-56, 59, 62-*63*, 70, 91, 96, 98, *103*-*104*, 117, 148, 165, *167*, **169-174**, 185-186, 195, 197, 204, 220, 230, 245, 249, 258, 261-262, 277, 279, 283,292, 328, 333, 340, 357, 359, 371, *407*
Ebrard, chambrier 192
Ebroin, év. Poitiers 64, **174-176**, *368*
Eckard, c. 5, 81, 217, 414-415
Eckard, c. Chalon *415*
Eémund, c. **176**
Egilolf **176**, *315*
Eginhard, a. *3*, 29, 31, 33-*34*, 47, 55, 57-59, 80, 86, 105, 134, 142, 158, 168, **177-182**, 196, 209, 214-215, 222, 240, 245, *252*-254, 259, 283, *286*, 310, 322, 367, 421
Eigil, a. Fulda 67, *350*
Eldrade, a. Novalèse 265
Elipand, év. Tolède 124
Elpodorius, c. 54
Enée, év. Paris *185*
Engilbert, prêtre 54, 235, *278*
Engilpoto **182**
Erchangaire, c. 62, 140, **182-185**, 286
Erchanrad, év. Paris 64, 174, **185-186**
Eric, duc de Frioul *149*
Erlaud, sénéchal 26, 43, **186-187**, 190, 344-345
Erlégaud, c. 62, **187**
Ermbaud *288*
Ermenaud, a. Aniane *244*
Ermenfrid, c. 62, **187-188**
Ermengaire, c. Ampurias **188**, 402

Ermengarde, ép. Louis le Pieux 42, 47-48, 50-*51*, 60-61, 125, **188-189**, *271*, 285
Ermengarde, ép. Lothaire Ier 49, *59*, 262, 302
Ermentrude, a. Jouarre 217
Ermentrude, ép. Charles le Chauve 82
Ermold le Noir 45, 121-*122*, *130*, 140, 157, *170*, 178, *189*-190, 202, 225-227, 237-238, 244, *248*, 251, 263, 290, 296, *323*, 330, 349, *398*-399, 420
Ernaud 23, 29, **190**
Ernust, c. 233
Etienne IV, pape 137, 170, 189, 247, 274, 304, *313*, 383
Etienne, c. Paris *235*
Eudes (I), échanson 27, **190-191**
Eudes (II), c. d'Orléans **191**, 225, 277, 331
Eudes, c., f. Ardouin 110
Eugène II, pape 304-305
Evrard, *magister Iudeorum* 29, 62, **192**, *417*
Faramond, not. 27, **193**
Fastrade, ép. Charlemagne 365
Faustin, scribe *2*, **193**
Fédantius, a. St-Antonin 405
Félix, év. Quimper 4-5
Félix, év. Urgel *154*
Ferriole, a. St-Julien de Brioude 131
Flodegaire, év. Angers 56
Flodoard, historien 77-78, 170, 172, 174, **257-258**
Florus, diacre de Lyon 91, 99, *166*, 246, *333*, 351
Folcouin, diacre 200
Folcouin, év. Thérouanne 200
Folcrad **193-194**
Folhroh *337*, 418
Folrad, a. Mont-Blandin *178*
Fortunat, archev. Grado *147*, 247
Foulques (I), archichap. 15, 26, 48, 53, 55, 59, *166*, **194-196**, 286
Foulques (II), c. Palais 27, **196**
Foulques, archev. Reims *356*
Francon, év. Le Mans 197
Francon, év. Le Mans *3*, **197**, *292*
Fréculf, év. Lisieux 174, **197-198**, 239
Frédélon *206*
Frédéric 62, **198**
Frédéric 81
Fréhholf **198**, *232*
Fridebert, a. St-Hilaire de Poitiers 345
Fridugise, archichanc. *3*, 13, 26, *52*, 81, **199-203**, 260, 266, 344, 375, *387*
Friunto 418
Frodin *353*
Frodonius, a. Novalèse 265
Frotaire, archev. Bourges *57*
Frotbert, a. St-Florent *112*, **203**
Frothaire, év. Toul *23*, **204-205**, 214, *234*, 245-246, 253-255, *264*, 284, *374*-375, 377, *382*
Frumold, c. *24*

Fulbert 81, 158, 267
Fulcoald, c. 206, 353
Fulquin 229, 386
Fulrad, a. St-Denis 115, 251
Garnier *123*
Garnier, c. 60, 206, *288*-289
Gauselme, c. 45, 47, 54, 207, 397, 402
Gauzbald, chanc. *222*
Gauzlin, f. Rorgon *369*
Gébaard, c. 63, 208
Gébouin, c. Palais 27, 52, 80, 209-210
Georges, *rector* de St-Saulve 380, 413
Gérard 418
Gérard, c. Paris *296*
Gérard, c. Vienne 286, *296*
Géraud, c. Aurillac 19
Gerberge, soeur de Bernard (II) *139*
Géroald, a. Fontenelle 104-*105*
Gérold (I), c. 55, 61, *104*, 111, 136, 142, 210-211,
    317
Gérold (II), c. *210*, 212
Gérold (III), chap. 18, *19*, 26, 212, *351*
Gérold, c. 210
Gérulf 81
Gérung, huissier 28, 55, 58, 61, 79, *86*, 205, 213-
    214, *254*, 302-303, 363, 370
Gerward, bibliothécaire 26, 28, 180, 214-215
Géry (I), fauconnier 26, *38*, 43, 45, 47, 62, 215-216
Géry (II) 43, 216
Girard, c. Vienne *59*
Gisclafred, c. 216-217, 402
Gisèle, f. Charlemagne 199
Gisèle, f. Louis le Pieux *188*, 279, *398*
Giselprand, a. Nonantola *107*
Gislemar 170
Gislemar 43, 217
Glorius, not. 27, 217-218
Godolelme, not. 25, 218
Gomatrude, ép. Dagobert Ier *34*
Gombaud, a. Charroux 49, 55-57, 59, 152-153,
    218-220, 311, 319
Gotabert 5
Gotafrid, a. Gregorienmünster *63*, 220-221, 238
Gotefrid *221*
Gotfrid, prince danois 385
Gozbert, a. St-Gall 418
Gozelin, f. Donat 161
Grégoire de Tours *34*
Grégoire IV, pape 85, 88, 92, 104, *107*, 141, *165*,
    174, 220, 295-296, 407
Grimald, chap. *3*, *19*, 26, 221-222, *340*
Grimald, moine *221*
Guénelon, archev. Sens 18
Gui, c. Nantes 223, *288*
Gui, c. Vannes 223-224, *335*
Gui, duc de Spolète *245*

Guigon 353
Guigon, chanc. 25, 224
Guillaume (I), c. Toulouse 45-46, 120, 137, 207,
    224-225, *324*
Guillaume (II), connétable 28, 225-226, 414
Guillaume, c. Blois 225-226
Guillaume, père de Béra 130
Gundold 29, 226
Gundulf, év. Metz 97
Gundulf, not. 27, 226
Gunfrid, c. 227
Gunzo, sénéchal *12*, 23, 27, 227-228, 349
Hadabold, archev. Cologne 228
Hadrien Ier, pape *88*
Hagan 229
Haistulf, archev. Mayence 229-230
Halitgaire, év. Cambrai 106, *171*, 230-231, *276*
Hanto, év. Augsbourg 418
Hardrad, c. *326*, 420
Harald 43, 231
Harold, prince danois 49, 86, *95*, 102, 119, 150,
    155, *171*, 190, 202, 213, 237, 263, 280, 308,
    330, 349, 367, 385, 388, 392
Hartmann, c. 61, 83, 231
Hartun 418
Hathumar, év. Paderborn 117-118
Hatton, c. 232-233
Hatton, év. Passau *232*
Haymon 2
Hébroard, c. Palais 294
Hegilwich, a. Chelles 185
Heimin, év. 233, *325*
Heimon, a. Manlieu 2
Heiric d'Auxerre 156
Heito, év. Bâle 54, 61, 234-235
Hélisachar, archicanc. 13, 25-26, *34*, 47-48, 62-63,
    78, 99, 129, *193*, 197-198, *200*, 204, 223, 235-
    240, 248, *251*, *325*, *343*, 391, *411*
Hemma, ép. Louis le Germanique 316
Henry, a. 241
Herbert, fr. Bernard (II) *135*, 139, 242
Hercambald, prêtre *108*
Héribaud, év. Auxerre *3*, 96, *173*, 241-242
Héribert 46, 242-243
Hermenbert, *rector* de Nouaillé 115
Hermenfrid, canc. *188*
Hermingaud 45-46, 68, 94, 243
Hermold, a. 243-244, 420
Hermold, canc. 244
Hermor, év. Alet 4-5, 244
Hernust 359
Hetti, archev. Trèves 31, 70, 181, 204, 244-246,
    340, *352*
Hildebaud, archev. Cologne, archichap. 14, 26, 47,
    56, 246-248, 251
Hildebaud, év. Mâcon 253, 288, 396

Hildebert **248**
Hildebold, a. *113*
Hildebrand, c. 62-63, **248-249**
Hildebrand, *cancellarius* 419
Hildegarde, ép. Charlemagne *210*, **250**
Hildelaic *291*
Hildemann **249**
Hildemann, év. Beauvais *174*
Hildi, év. Verdun 64, **249-250**
Hildigaire, not. 25, **250**
Hildtibrun, ép. Bégon 122
Hilduin, a. St-Denis, archichap. 14, 26, 47-48, 55, 57-59, *117*, 173, 180, 185, 194, 201, 205, 214, 217, 237-238, **250-256**, 257-258, 271-273, *286*, 293, 330, 377, 392, *394-396*, *406*
Hilduin »le Jeune« *113*-114, 159
Hiliand 55, 57-59, **256**
Hilterat 418
Himilrade, mère d'Anségise 104
Himiltrude, mère d'Ebbon *170*
Hincmar, chap. (puis archev. Reims) *3*, 11-12, 17, 21, 24, *28*, 31, 35, *50*, 58, 161-162, 189, 194, *242*, 246, 251, 254, **257-258**, 262, 283, *371*, *421*
Hirminmaris, not. 27, 51-52, **258-260**, 268, *332*
Hitto, év. Freising 198, *234*, **260-261**, 334
Hodouin 206, 289
Honifrid **261**
Hostlaic 365
Hrodold *288*
Hucbert, év. Meaux *19*, 26, 56, 59, 172, **261-262**
Huggi, a. Fulda 267
Hugues (I), c. Tours 49, *59*, 62, *131*, 134, 137, 156, 238, **262-264**, 280, 302, 330-331, *343-344*, *347*, 366
Hugues (II), archicanc. *3*, 26, 52, 55-56, 58-59, 73, 117, *144*, 200, 220, *259*, **264-268**, *382*, *388*
Hugues, év. Rouen 264
Humbert, c. Bourges 379
Hunfrid (l'Ancien), c. Rhétie *373*
Hunfrid, c. Coire 62, 85, *261*, **268**
Ibbon, not. 27, **269**
Imma, ép. Eginhard *178*
Immon, c. 43, **269**
Immon, not. *250*
Ingeltrude/Hringart, ép. Pépin Ier d'Aquitaine *344*
Ingilfrid, a. St-Jean-Bapt. Angers **270**
Ingoald, a. Farfa 161, **270-271**, 294, 337, 359
Ingobert, c. 60-61, 87, **271-272**
Ingoramme, c. 188
Irminon, a. St-Germain-des-Prés 61, **272-273**
Isembard **273**
Isembert, chap. *19*, 26, **273-274**
Itier, a. St-Martin 186
Izzo, prêtre 149
Jaston, c. Palais 27, **274**

Jean, aprisionnaire 4, 87, 130, 188, 217, 293, 338, 378, 394, 401-403
Jean, archev. Arles 47, **274-275**
Jean, c. Palais 404
Jean, c. Palais de Pépin Ier 404
Jean, f. Léon 296
Jean, prêtre *353*
Jérémie, archev. Sens 95, 161, 180, 254, **275-276**, *277*
Jérémie, chanc. *108*
Jessé, év. Amiens 4, 5, 172-*173*, 408-409
Jonas, év. Orléans *3*, *33*, *154*, 160, *228*, 241, 263, 275-276, **276-277**, 341
Jonathan, *iudex* 402
Joseph (I), év. **278**, *295*, 341
Joseph (II), not. 27, **278**
Joseph l'Ecossais *278*
Joseph, apocrisiaire *278*
Joseph, canc. *278*
Judith, ép. Louis le Pieux 22, 32, *38-39*, 42, 50-51, 55-59, 73, 80, *84*, 101, 139, 144, 150-151, 156, 165-*166*, 180, 184, 195, 198, 254, *262-263*, **279-287**, 291, 310-*312*, 314, 316, 318, 320, *322*-323, 346, 350-*351*, 358-359, 372, 387, 393, 396, 398, 407-407, 413, 415
Juste, a. Charroux *23-24*
Kysalhard **287**
Ladasclave *146-147*
Laidrade, archev. Lyon 54, 124-125, 154, **287-288**
Lambert 269
Lambert, a. St-Aubin *175*
Lambert, c. Nantes 60, 191, 206, 223, 277, **288-291**, 302, 366
Lambert, c. Nantes, f. Lambert *291*
Lambert, père de Gui et Garnier *288*
Landrade, ép. Donat *161*
Landramne, archev. Tours 197, *292*
Landry, a. Jumièges 362
Lantfrid 256
Launus, clerc 43, *292*
Leibulf, c. 45, 253, **292-293**
Léon III, pape 130, 133, 136, 178, 210, 243, 247, 268, 275, 408
Léon IV, pape *304*
Léon V, empereur byzantin 92, 149
Léon, c. 229, 278, **293-296**, 341
Léon, nomenclateur 84
Liudemuhsle *146*
Liudéric 418
Liudévit 119, 146, 149, 260
Liudger, év. Münster 247
Liutard, c. Fezensac 46, **296-297**
Liutgarde, ép. Charlemagne 264
Liuthaire, c. 184, **297-298**
Lothaire Ier, empereur 27, 35-36, *38-39*, 49-50, 55-59, 61, 63-64, 70-71, 73-76, 79, 84, 88, 92-93, 107, 117, 131, 137-139, 144-145, *147*-148,

150-152, 156, 158, 161-162, 164, 167, 173-174, 179-180, 182, *189*, 191-*192*, 196, 207-209, 213, 217-219, 222, 224, 242, 245, 250, 255, 262-*264*, 267, 270-*271*, 278, 282-283, 289, 291, 294-296, **298-314**, 315, 318, 321, 324, 327-329, 331-*333*, 340-*343*, 347-348, 351, 359-*360*, 363-364, 368, 372, *374*-375, *378*, 387, 391, 393-394, 397, 400, 407-408, 413-414, *416*, 419

Lothaire, roi *151*

Louis II, empereur *147*

Louis le Germanique, roi *3*, 27, 55-56, 58-59, *63*, 71, *81*-82, 99, *140*, *151*, 165, 167, 174, 176-*177*, *179*, *182*, 208, 211, 219, 221-222, 253, *261*, 267, 282, 298, 312, **315-322**, 330, 332, 334, 340-*341*, 346-*348*, *351*-352, 363, *373*, 414, 418-419

Louis le Bègue, roi 37, *110*

Loup a. Ferrières 142, *213*, 218, 242, *276*, 286, **322-323**, *328*-329

Loup Centulle 396

Loup Sanche *3*, 45, **323-324**

Lull, archev. Mayence 229

Macédon, not. 27, **324**

Madalelme 413

Magnaire, c. 25, 43-44, **325-326**

Magnaire, c. et *actor* 325

Magnaire, c. Sens *325*-326

Magne, archev. Sens 2, 188, *275*

Magne, chap. *19*, 26, **326-327**

Marcward, a. Prüm *213*, **327-329**

Marédo, not.: cf. Macédon

Martin, archev. Ravenne 275

Matfrid, c. Orléans 32, 35, 49, 54-59, 62, 137, *140*, 183, 190-191, 225, 253, 262-263, 276-277, 280, 291, 302, *316*, 320, **329-331**, *343*-344, *347*, 365-366, 384, *406*

Maurin, c. Palais de Lothaire 324, *331*, 341

Mauring, c. Brescia 304, **331**

Maxence, archev. Aquilée 150

Maxence, archev. Aquilée 54

Méginaire, not. 27, 52, **332-333**

Méginhard 325

Méginhart *325*

Mercoral, a. Banyoles 355

Michel II, empereur byzantin 107

Modouin, év. Autun 63, 329, **333-334**, *384*

Mohard, c. Palais 419

Monogold, c. **334**

Morman 153, 270, 290, 399

Nanthilde, ép. Dagobert Ier *34*

Narsès *386*

Nibride, archev. Narbonne *34*, *123*-125, *204*, 239, 274, 401

Nicolas Ier, pape *165*, 170, *371*

Nidhart *232*, **334-335**, 418

Nithard, historien 6, 30, 36, 51, 56, 71, 81, 138-139, 156, 218-219, 291, *313*, 317, *320*, 362, 417

Nominoé, c. Vannes 4, 54, 244, **335-337**, *354*

Norbert, év. Reggio 294, **337**, 365, 418

Notker le Bègue 34

Noton, archev. Arles 253, 293

Odda, ép. Leibulf 293

Odilbert 411

Odilon, c. **338**, 402

Odon, a. Ferrières *322*

Offilo *403*

Oliba, c. Carcassonne 132, *216*, 238, 411

Ostoric, c. **338-339**

Otgaire, archev. Mayence *19*, 26, 64, 116, 140, *321*, **339-340**, 363

Othon Ier *12*

Pascal Ier, pape 84-85, *136*, 171, 230, 303-304, *316*

Paschase Radbert 17, 37, *280*, 309, *311*, 390-391, 395, 421

Paul Diacre *386*

Paul, not. 145, **341**

Pépin le Bref, roi 20, 41, 44, 123, *151*, 251, 269, 297, 405

Pépin, roi d'Italie *17*, *77*, 93, 134, 232, 298-299, 313, 358

Pépin Ier, roi d'Aquitaine 95, *131*, 139, 156, 175, 186, 203, 206-207, *216*, 219, 238, 243, *248*, 255, 263, 267, 276-277, 291, 298-299, 309-*312*, 315, 317-318, **341-348**, 358, 396, 398, 404-405, *415*-*416*, 420

Pépin II, roi d'Aquitaire *152*, 265, *344*, 348

Pépin, f. Bernard d'Italie 5, 413-414

Pépon **348-349**

Pérétolt *233*

Pierre, a. Nonantola 107

Pierre, panetier 23, 29, 227, **349**

Podon, év. Plaisance 83

Possedonius, év. Urgel 54

Prudence, chap. (év. Troyes) *19*, 26, *34*, 73, *166*, **349-350**

Raban Maur, a. Fulda *3*, 116, 182, 212, 221, *229*-*230*, *252*, 266-267, *281*, 348, **350-352**

Radbert 418

Radbert, a. St-Germain-des-Prés *272*

Radon, chanc. *108*

Radouin, moine 172, *203*

Ragambaud **353**

Ragambaud, a. Farfa *353*

Raganaire, moine *353*

Raganfred 43, **353**

Ragenard *382*

Ragenold, prêtre 83

Ragimond, c. 75

Raimond, c. Toulouse *206*

Rainier (I), év. Vannes **354**

Rainier (II), c. Palais 27, **354-355**

Rainier, c. Palais 326, 420

Rampon, c. *3*, 54, **355-356**, 383

Rannoux, c. Palais 27, **357**
Rannoux, c. Poitiers 357
Rantgaire, év. Noyon 132, *173*, **357**
Raoul, fr. Judith 51, *156*, 279, **358**
Rataud, év. Vérone 54, 56-57, *104*, 145, 159, 294, **358-360**, 409
Ratbert, *actor* 22-23, 29, **360**
Ratgaire, a. Fulda 67, 155, 177
Ratleic, not./canc. 179, *222*
Ratold, év. Strasbourg *141*
Ratpert, a. Nonantola *107*
Ratpert, c. 273
Ratulf, chap. *19*, 26, 167, **360-361**
Régimpert, év. Limoges 25, 43-44, **361**
Réginaire, év. Passau 211
Régine, concubine de Charlemagne 163, 264
Réthaire, c. *63*, **362**
Richard (I), c. 46, **362**
Richard (II), c. **362-363**
Richard (III), huissier 28, 55-56, 59, 278, *332*, 362, **363-365**, *380*
Richard, vassal 330, 365
Richilde, a. 143
Richilde, ép. Charles le Chauve *365*
Ricouin (I), c. **365**
Ricouin (II), c. Nantes **366**
Riculf, prêtre 208
Rimbert, moine *102*-103, 164-165
Riphuin *260*
Robert (I), c. 80, *209*, **366-367**
Robert (II), c. **367**
Robert le Fort, c. *109*, 367
Robert, vassal 367
Rodague 131
Rodmond 365
Rodmond, c. **367-368**
Roimundus, not.: cf. Faramond
Romelle, ép. Béra 130
Rorgon, c. Maine 64, *174*-175, 223, **368-369**
Rostaing, c. Gérone 46, **369**
Rotfrid (I), c. 173, **369**
Rotfrid (II) 213, **370**
Rotfrid, a. St-Amand 370
Rotgaire, scribe 370
Rothade (I), év. Soissons 173, **371**
Rothade (II), év. Soissons 174, *359*, **371**
Rotichild, a. Nonantola *107*
Rotrude, ép. Alaric *130*
Rotrude, ép. Erchangaire 184
Rotrude, f. Charlemagne 369
Rotrude, f. Lothaire Ier *291*
Ruadbern *3*, **371-372**
Ruadhart, c. Palais 27, **372**
Ruadpert **373**, *418*
Sanila 130, 226
Saxon, père d'Aldric (II) 97

Scahafès 55, 58-59, **373-374**
Sénégilde, a. Aniane 126
Sénégonde, ép. Fulcoald *206*
Serge, bibliothécaire *295*
Sicard (I), c. **374**, 382
Sicard (II), chap. *19*, 26, **374-375**, 388
Sichaire, archev. Bordeaux 2
Sichard, a. Farfa *271*, 374
Sigibert 418
Sigimond, a. St-Calais 368
Sigisbert, not. 27, **375**
Sigismar, a. Murbach 111
Sigulf, a. Ferrières *94*
Siméon (I), not. 27, **376**
Siméon (II), a. **376**
Smaragde, a. St-Mihiel 253, **376-378**, 382
Stable, év. Clermont **378**
Sturbe, c. Bourges: cf. Sturmion, c.
Sturmion, c. 45, **378-379**, 402
Sturmion, c. Narbonne: cf. Sturmion, c.
Suizgaire 55, 57-59, **379**
Sunifred, c. 54, 138, 411
Suppo, c. *4*, *331*, 408
Syon, mère d'Aldric (II) 97
Tancrade, a. Prüm 327
Tanculf, chambrier 27-28, 51, 129, 363, **380-381**, *386*, 413
Tassilon, duc de Bavière 192, *264*, 298, 388
Tatton, a. Kempten 360
Teutard, c. **382**
Teutbert, chap. *19*, 26, **382**
Teutgaire, a. Hasenried 380
Teuthilde, a. Remiremont 51, 81, 283-284, 415-416
Thégan, chorévêque de Trèves 42, 64, 85, 131-132, 144, *163*, 170, 172-173, 189, 208, 255, 301, *315*, 317, 339, 346, 359, 363, 383, 392, *409*, *420*
Théodald, not. 419
Théodéric, a. Moyenmoutier *382*
Théodéric, c. Autun 417
Théodéric, f. Charlemagne *3*, *264*, **382-383**
Théodore, év. 74
Théodore, primicier 84
Théodrade, a. Argenteuil 55
Théodulf, év. Orléans *108*, 125, *155*, 330, 333, **383-385**
Théodulphe, év. Paris *385*
Théotbert, c. 344
Théothaire, c. **385**
Théothard, archiviste 28, 229, **386-387**
Théoton, archichanc. *19*, 26, *59*, 81-82, *259*, 267, **387-388**
Thierry, c. Autun *248*
Thietmar de Mersebourg 33
Thomas, précepteur 28, **389**
Tructesinde, a. Aniane *52*

Uriz *296*
Ursinian, not. **389**, 419
Uto, év. Strasbourg *141*
Vérendaire, év. Coire 5, 57, 166, 360, 409-410
Victor, év. Coire *56*, 308, *409*
Vincent, *iudex* 402
Vitgaire, canc. *399*
Vivien, a. St-Martin *82*
Volusiane, ép. Frodin *353*
Vulfaire, archev. Reims 77, 170, 371
Vulfgaire, év. Wurzbourg 187
Wadon 43, **389**
Wala, a. Corbie 17, 33, 48-49, 60-61, 63, 78-79,
    102, 237, 254, 294, 302-303, 326-*327*, 337, 389,
    390-393, *395*, *406*
Walafrid Strabon 15, 143, 150, 156, 166, 169, *177*,
    180, 221, 251, *279*-280, 309, 318, 350, 371-372,
    389, **393-394**
Walcaud, év. Liège *3*, 5, *33*, 228, *247*, *276*, 363, 410
Waldo, a. Schwarzach 184, *286*
Walefred, a. Charroux 153
Waltrat, ép. Waluramne 350
Waluramne, c. 350
Wandalbert, diacre 327
Waning, c. 418
Warengaud, c. Palais 27, 130, 338, **394**, 402
Warimburge, ép. Ardouin 109

Warin (I), a. Corvey *3*, 56, 90, 256, **394-396**
Warin (II), c. 64, 88, *109*, 253, **396-397**
Waringaire, a. *396*
Warnulf, év. *100*
Welf, c. 279
Wendilmar, év. Noyon 371
Wettin, moine 221
Wicterp, a. Ellwangen 92
Wigfred, c. Bourges 43, **397-398**
Wigon 131
Wihomarc 290
Willemond, f. Béra *130*
Willeric, év. Brême 165
Willibert, archev. Rouen 46, **398**
Wimar 402
Wirnit, *magister parvulorum* 28, **398**
Witchaire, a. *270*, **399**
Witgaire, év. Turin 74
Withaire (I), not. 27, **399**, *400*
Withaire (II) **399**
Witmar, moine *103*
Wolmod **400**
Worworet 336
Wyrund, a. Hornbach 161, 291
Xixila, *iudex* 402
Zacharie, prêtre *33*